W9-BAD-759

El Gran libro de
AVANCES
MÉDICOS
Tradicionales y Alternativos

1.739
Asombrosos
Secretos Curativos de
Renombrados Expertos
en la Salud

**Bottom Line
Books**

El Gran libro de avances médicos tradicionales y alternativos
1.739 Asombrosos secretos curativos de renombrados expertos en la salud

Copyright © 2011 Boardroom® Inc.

Todos los derechos reservados. Se prohíbe la reproducción de
cualquier parte de este libro en cualquier forma y por cualquier medio
sin el permiso escrito del editor.

Título del original en inglés: *Bottom Line's Super Healing Unlimited*
Traducción y diagramación de interiores: Daniel A. González y asociados

Primera edición

10 9 8 7 6 5 4 3 2 1

ISBN 0-88723-610-3

Bottom Line Books® publica la opinión de autoridades expertas en muchos campos.
El uso de un libro no sustituye los servicios profesionales de salud, legales, contables u otros.
Consulte a profesionales competentes para obtener respuestas a sus preguntas específicas.

Los precios, ofertas, tasas, direcciones, números de teléfono y sitios en Internet
que aparezcan en este libro son correctos en el momento de la publicación,
pero con frecuencia pueden cambiar.

Bottom Line Books® es una marca registrada de
Boardroom® Inc.
281 Tresser Boulevard, Stamford, CT 06901

Bottom Line Books® es un sello editorial de Boardroom® Inc., casa editora de libros
y boletines impresos y electrónicos. Nos comprometemos a brindarle a usted,
nuestro estimado lector, la mejor información de las fuentes más confiables del mundo.
Nuestra meta es lograr que usted y sus seres queridos disfruten de buena salud,
felicidad, mayor riqueza, más sabiduría y tiempo adicional para disfrutarlas.

Impreso en Estados Unidos de América

Contenido

2 • PIEL, OJOS, OÍDOS, NARIZ Y DIENTES

3 • SÍNTOMAS Y SOLUCIONES

4 • HÁGASE CARGO DE SU SALUD

5 • REMEDIOS, MEDICAMENTOS, VITAMINAS Y SUPLEMENTOS

6 • SOLUCIONES CON ALIMENTOS

7 • DOLOR DE CABEZA, ARTRITIS Y DOLOR CRÓNICO

10 • LAS CIRUGÍAS Y LOS HOSPITALES

11 • SOLUCIONES ALTERNATIVAS Y NATURALES

12 • ENVEJECIMIENTO Y LONGEVIDAD

13 • MUY, PERO MUY PERSONAL

1

Novedades de la buena salud

Cómo protegerse de los resfriados y de la gripe y fortalecer el sistema inmune… ¡fácilmente!

Algunas personas se debilitan cada vez que una nueva enfermedad aparece, mientras otras pasan por el invierno sin ningún moquillo. La salud del sistema inmune es el factor fundamental. Este ejército biológico de células y sustancias químicas protege el tracto intestinal y las membranas mucosas, y vigila el torrente sanguíneo.

El trabajo excesivo, el estrés y la insuficiencia de sueño pueden minar la vitalidad de estos elementos que combaten las enfermedades. Se sabe que el ejercicio habitual fortalece el sistema inmune. Pero, sobre todo, los defensores del cuerpo deben estar bien alimentados para mantenerse fuertes.

LA NUTRICIÓN DEL SISTEMA INMUNE

La causa principal de la debilidad del sistema inmune es la *carencia de micronutrientes* –la deficiencia de vitaminas, minerales y sustancias *fitoquímicas* (vegetales) protectoras.

Estos micronutrientes abundan en las frutas y verduras, pero sólo alrededor del 25% de los estadounidenses consume el total de raciones diarias recomendadas por los Institutos de Salud de Estados Unidos (NIH, por sus siglas en inglés). Para mayor información, visite el sitio Web en inglés *www.5aday.gov*.

Para optimizar su consumo de los micronutrientes clave, preste atención a los colores de los alimentos. Elija frutas y verduras de color intenso, las cuales están colmadas de las sustancias fitoquímicas que combaten las enfermedades, como los carotenoides y los flavonoides.

Robert Rountree, MD, director médico de la práctica médica familiar Boulder WellCare, en Boulder, Colorado. También es miembro de la facultad adjunta del Institute for Functional Medicine, en Gig Harbor, Washington. Ha investigado el sistema inmune durante más de 20 años y es coautor de *Immunotics: A Revolutionary Way to Fight Infection, Beat Chronic Illness, and Stay Well* (Putnam).

Las mejores frutas, puestas en orden de beneficio al sistema inmune: arándanos azules ("blueberries"), moras ("blackberries"), fresas (frutillas, "strawberries"), frambuesas ("raspberries"), ciruelas ("plums"), naranjas, uvas negras, cerezas ("cherries"), kiwis, toronja (pomelo, "grapefruit") rosada.

Las mejores verduras, puestas en orden: col rizada ("kale"), espinaca, coles de bruselas ("brussels sprouts"), brotes de alfalfa, florecillas de brócoli, remolachas (betabel, "beets"), pimientos (ajíes, "peppers") rojos, cebollas, maíz (elote, "corn"), berenjena ("eggplant").

Elija frutas y verduras cultivadas de manera orgánica. Las investigaciones preliminares sugieren que los productos orgánicos pueden contener más sustancias fitoquímicas que los alimentos cultivados de manera convencional.

Si elige frutas y verduras no orgánicas, lávelas bien con un producto de limpieza, como Fit Fruit & Vegetable Wash, para ayudar a eliminar los residuos de pesticidas que puedan dañar el sistema inmune.

Además de frutas y verduras, consuma pescado por lo menos dos veces por semana. El pescado contiene ácidos grasos omega-3, un tipo de grasa poliinsaturada que mejora la salud y protege contra algunos cánceres.

Recomiendo el salmón salvaje ("wild salmon") porque contiene muy poco mercurio. Evite los pescados grandes que contienen mucho mercurio, como el pez espada ("swordfish"), el tiburón, la caballa grande ("king mackerel") y el blanquillo ("tilefish"). El atún enlatado es mejor que el fresco porque proviene de un pescado más pequeño.

Si no le agrada el pescado, puede tomar suplementos de aceite de pescado ("fish oil"), o de aceite de linaza ("flaxseed oil"). Asegúrese de seguir las instrucciones de la etiqueta.

Alimentos que se deben evitar: las golosinas dulces, tortas, pasteles, galletitas y mermeladas llenas de azúcar, y los carbohidratos refinados, como el pan blanco y la pasta. Estos elevan el azúcar en la sangre e interfieren con las enzimas y células del sistema inmune.

Los alimentos que contienen muchas grasas saturadas (carnes rojas y productos lácteos enteros) y grasas transaturadas o "trans" (margarina y muchos postres preparados para la venta al público) debilitan las membranas celulares y perjudican la función del sistema inmune.

SUPERVITALIZADORES

Todos deberíamos tomar un suplemento diario de multivitaminas y minerales que incluya –vitamina C, 2.000 mg… vitamina E en la forma del complejo tocoferol, entre 200 y 400* unidades internacionales (IU, por sus siglas en inglés)… magnesio, entre 200 y 300 mg… y selenio, entre 100 y 200 microgramos. Si aun se enferma, quizá necesite fortalecer el sistema inmune con suplementos adicionales. Esto es particularmente importante si está estresado, trabaja en una escuela o en un hospital, o viaja mucho, todo lo cual lo pone en alto riesgo de contraer una infección. *Puede tomar todo lo siguiente a diario si lo desea…*

•**NAC** (*N-acetil-cisteína*), un tipo de aminoácido. Aumenta los niveles de *glutatión*, una pieza fundamental de la armadura que protege al cuerpo de los radicales libres tóxicos. Reduce la mucosidad, logrando que el sistema respiratorio sea menos propenso a las infecciones. NAC protege particularmente contra los resfriados, la gripe y el dolor de garganta.

Dosis: entre 500 y 600 mg por día.

•**Extracto de semilla de uva** ("grape seed extract"), que contiene muchas *proantocianidinas*, formas muy potentes de los bioflavonoides que benefician la salud y que se encuentran en bayas ("berries"), frutas cítricas y cebollas. Estas fortifican el organismo contra las infecciones, ayudan a reducir la inflamación, estimulan las células corporales naturales que combaten los gérmenes y aumentan la producción de *interleuquina-2*, un mensajero químico que activa otras células del sistema inmune.

Dosis: entre 150 y 300 mg por día.

•**Astrágalo** (tragacanto, "astragalus"). Durante miles de años, la medicina tradicional de China ha usado esta hierba para fortalecer la energía defensiva (*"we'i ch'i"*) del cuerpo. Es un tónico general para el sistema inmune que también puede ayudar a combatir el resfriado y la gripe si ya está enfermo. Estimula la actividad de los *macrófagos,* que ingieren bacterias

---

*Consulte a su médico sobre la cantidad adecuada de vitamina E –grandes cantidades pueden ser peligrosas para algunas personas.

y virus enteros, y de otras células que combaten las enfermedades.

Dosis: entre 1.000 y 2.000 mg por día.

•**Probióticos.** El tracto intestinal inferior alberga colonias de bacterias, la mayoría de las cuales son especies inocuas que mantienen bajo control a los gérmenes destructivos –desplazándolos, estimulando la producción y la actividad de los glóbulos blancos y produciendo sustancias químicas naturales. Una dieta no adecuada y la exposición a antibióticos (incluyendo los que han ingresado en la cadena alimentaria al ser administrados a los pollos y al ganado vacuno) pueden agotar los probióticos que ayudan al organismo.

Dosis: entre 10 y 20 mil millones de organismos por día de *L. acidófilos* en cápsulas o en polvo. Siga las indicaciones de la etiqueta.

•**Té verde.** Es particularmente útil en el tracto digestivo, donde elimina bacterias dañinas. Los antioxidantes del té verde son estimulantes del sistema inmune más potentes que la vitamina C o E.

Dosis: dos tazas por día, ó 1.000 mg de extracto de té verde.

EL ESTILO DE VIDA QUE FAVORECE EL SISTEMA INMUNE

Otras maneras de fortalecer el sistema inmune…

•**Descanso suficiente.** La falta de sueño priva al cuerpo del tiempo de inactividad que necesita para recuperarse. Una sola noche sin poder dormir disminuye notablemente la eficacia del sistema inmune. Si tiene problemas para conciliar el sueño, trate de tomar a la hora de acostarse: L-teanina –"L-theanine"– (entre 100 y 400 mg)… o valeriana (entre 200 y 800 mg)… o melatonina (entre 1 y 5 mg). Si está embarazada o toma medicamentos, consulte a su médico.

•**Ejercicio moderado.** La actividad física vigoriza el sistema inmune, pero hacer ejercicios hasta agotarse crea un estrés perjudicial. No trate de recuperar la inactividad de toda la semana durante el fin de semana.

•**Higiene casera.** Beba solamente agua filtrada y use productos de papel sin blanquear y artículos de limpieza que no sean tóxicos.

•**Protección del lugar de trabajo.** Mantenga su teclado, teléfono y escritorio limpios. No use los bolígrafos, teclados o teléfonos de compañeros de trabajo que frecuentemente están enfermos. Tenga cuidado con las manijas de las puertas –empuje la puerta con su brazo o agarre la manija con una toalla de papel.

Alimente el resfriado y mate de hambre a la fiebre

Sí, de veras tiene sentido alimentarse cuando está resfriado y quedarse con hambre cuando tiene fiebre.

En un estudio único que analizó la eficacia del dicho de las abuelas, los investigadores descubrieron que comer estimula la capacidad del sistema inmune de combatir los rinovirus, los cuales causan el resfriado. Y el ayuno cuadruplicó los niveles de *interleuquina-4,* un mensajero químico que participa en la respuesta del sistema inmune que ayuda a prevenir la fiebre.

Pídale a su médico recomendaciones sobre la afección que usted padece.

Gijs R. van den Brink, MD, investigador del laboratorio de medicina interna experimental del centro médico Academic, en Amsterdam.

El vino puede prevenir el resfriado

En un estudio, las personas que bebieron entre ocho y 14 copas de vino por semana tuvieron la mitad de probabilidad de contraer un resfriado que las que no bebieron. El vino tinto protegió más que el blanco. La cerveza y las bebidas fuertes no tuvieron ningún efecto.

Advertencia: El consumo de más de una bebida alcohólica por día ha demostrado aumentar el riesgo de contraer cáncer de mama y puede causar otros problemas de salud.

Dr. Miguel A. Hernan, MD, DrPH, profesor adjunto de epidemiología de la facultad pública de la Universidad Harvard, en Boston. Su estudio de 4.287 hombres y mujeres duró un año y fue publicado en el *American Journal of Epidemiology.*

El resfriado común no tiene que ser tan común

Bennett Lorber, MD, DSc, profesor de medicina y microbiología, y jefe de la sección de enfermedades infecciosas de la facultad de medicina de la Universidad Temple, en Filadelfia.

La persona promedio tiene dos resfriados por año, y el resfriado promedio dura siete días. El Dr. Bennett Lorber, un destacado experto en el resfriado, ofreció unos consejos prácticos sobre cómo reducir este promedio…

¿QUÉ CAUSA LOS RESFRIADOS?

El resfriado no es una sola enfermedad. Es un conjunto de síntomas relacionados que son causados por una infección viral del tracto respiratorio superior. Pueden ser causados por más de 150 virus distintos.

El resfriado comienza cuando una partícula de virus enlaza a receptores químicos que se encuentran en las células en la parte superior de la nariz.

Cada vez que usted toca a alguien que tiene partículas de virus en la piel y después transfiere el virus a su nariz u ojos, es probable que contraiga el resfriado.

Trampa: Los virus del resfriado pueden sobrevivir tres o cuatro horas en la superficie de la piel. Por lo tanto, se puede estrechar la mano de alguien a la mañana, después restregarse los ojos durante el almuerzo… y así llegar a contagiarse.

Los virus también pueden ser transferidos a través de vasos, copas, manijas de puertas, bolígrafos y otros objetos inanimados durante alrededor de tres horas después de que una persona infectada los haya tocado.

De vez en cuando, se puede contraer un resfriado al inhalar partículas de virus que quedan en el aire después de que una persona resfriada haya estornudado o tosido.

Los estudios demuestran que el resfriado casi nunca se transmite al besar. Al parecer, las altas temperaturas dentro de la boca inhiben la reproducción de los virus que causan resfriados y mantienen baja la población de los virus.

¿QUIÉN SE RESFRÍA?

Cualquier persona puede contraer un resfriado, en especial la que pasa mucho tiempo con niños.

Debido a que todavía no han desarrollado una inmunidad contra muchos virus del resfriado, los niños menores de 12 años por lo general contraen cinco o siete resfriados por año –la cifra se duplica si están en una guardería infantil. Cuando estos niños se enferman, tienden a contagiar a sus familias.

Otro factor que puede elevar el riesgo de contraer un resfriado es el estrés psicológico o físico, como el que ocurre al perder un ser querido… correr un maratón o hacer otro ejercicio extremadamente vigoroso.

CÓMO REDUCIR SU RIESGO AL MÍNIMO

No existe una manera infalible de evitar los resfriados. Pero adoptar estas estrategias –en especial durante la temporada de resfriados– podría ayudar…

•**Evite estrechar la mano de alguien que obviamente está resfriado.** Si una persona está estornudando o sorbiéndose la nariz, sonríale –pero no le dé la mano.

Una persona resfriada es más contagiosa dos o tres días después del comienzo de los síntomas. Más o menos cinco días después de la aparición de los síntomas, la persona ya no contagia.

•**Lávese las manos con frecuencia.** Cualquier jabón puede eliminar los virus del resfriado. No es necesario usar un jabón antibacteriano.

Hasta que se lave las manos, no se toque la nariz ni los ojos.

•**Mantenga limpio su hogar.** Mientras más limpio esté, es menos probable que las encimeras, tableros, utensilios de cocina, teléfonos, etc., propaguen los virus del resfriado.

Use desinfectante para el hogar en abundancia. Para elaborar su propio desinfectante, mezcle una parte de decolorante (lavandina, lejía, "bleach") con nueve partes de agua.

ALIVIO DE LOS SÍNTOMAS

A pesar de su reputación como luchadora contra el resfriado, la vitamina C no da resultados en la prevención o el tratamiento de los resfriados. Esto ha sido demostrado por varios estudios confiables.

Tampoco existe ninguna prueba sólida de que la equinácea ("echinacea"), el botón de oro (hidraste, "goldenseal") o cualquier otro remedio herbario sirva para combatir los resfriados. Lo mismo se aplica a los remedios homeopáticos.

Los antibióticos son eficaces sólo contra las infecciones bacterianas y no contra las infecciones virales como el resfriado.

¿Y el zinc? En los últimos años, este supuesto remedio para los resfriados ha llegado a ser tan popular que las farmacias han tenido problemas para surtir sus estanterías.

Varios estudios han demostrado que chupar las pastillas de gluconato de zinc ("zinc gluconate") no reduce la gravedad ni la duración de los síntomas del resfriado. Pero en otros estudios se ha descubierto justamente lo opuesto.

Debido a que no se ha demostrado la eficacia de las pastillas de zinc –y ya que el gluconato de zinc puede causar náuseas– es mejor continuar con los remedios para el resfriado de eficacia ya comprobada. *Estos incluyen…*

• **Antihistamínicos de venta libre.** *Fumarato de clemastina* (Tavist) y *maleato de bromfeniramina* (Dimetapp) pueden reducir la descarga nasal hasta el 25%, los estornudos hasta el 50% y la tos hasta el 40%.

• **Seudoefedrina.** Este agente secante, que se encuentra en Sudafed y en otros remedios de venta libre para el resfriado, es eficaz contra una variedad de síntomas, incluyendo la congestión y la nariz que gotea.

En un estudio, 60 mg administrados cuatro veces al día durante cuatro días mejoraron los síntomas generales en casi el 50%.

• **Naproxeno.** Este medicamento antiinflamatorio sin esteroides –el principal ingrediente de Aleve y otros analgésicos (calmantes) de venta libre– es eficaz para combatir el dolor de cabeza, los dolores del cuerpo, el malestar general y la tos.

Advertencia: Se ha demostrado que la aspirina y el acetaminofeno prolongan la eliminación de los virus del resfriado, permitiendo así que los resfriados duren más.

• **Espray nasal.** Las gotas o espráis medicinados ("medicated sprays") como *oximetazolina* (Afrin) proporcionan alivio temporal de la congestión. No obstante, Afrin no es recomendado para personas con presión arterial elevada.

Advertencia: Esos espráis deben usarse por no más de tres días. Si se usan por más tiempo pueden causar un efecto de "rebote" –la reaparición de una congestión peor de lo que era antes del tratamiento.

Algunos estudios sugieren que el medicamento para el asma bromato de ipratropio (Atrovent) puede ser eficaz contra los resfriados. En un estudio, el uso de un inhalador ipratrópico disminuyó la descarga nasal en el 25%.

Si ninguna otra cosa cura su resfriado, pregúntele a su médico si puede probar ipratropio.

CALOR PARA EL RESFRIADO

Un estudio publicado en el *British Medical Journal* reveló que respirar aire húmedo (calentado a 109,4° Fahrenheit ó 43°C) durante 20 minutos al primer indicio de un resfriado disminuyó los síntomas en el 40%. Pero en otros estudios no se descubrió ese beneficio.

Dadas las conclusiones contradictorias, ¿qué debe hacer una persona resfriada? Considere aspirar vapor de una tetera de agua hirviendo varias veces al día. No perjudica –y podría ayudar.

El ejercicio ayuda a combatir los resfriados

Manténgase físicamente activo para evitar los resfriados. Un estudio realizado con adultos de mediana edad reveló que aquellos que estuvieron más activos durante el día tuvieron menos resfriados.

Los hombres con los mayores niveles de actividad física –acumulada en el trabajo, en el hogar y al hacer ejercicios habituales– tuvieron una reducción del 35% en el riesgo de contraer resfriados, en comparación con los hombres menos activos. Las mujeres muy activas tuvieron una reducción del riesgo del 20%.

Cualquier tipo de actividad, siempre que fuera al menos moderadamente intensa y se desarrollara por un total de dos o tres horas al día, proporcionó el beneficio de disminuir los resfriados –ya sea el ejercicio estructurado, la jardinería o la caminata a un buen ritmo.

Chuck Matthews, PhD, profesor adjunto de investigación del departamento de epidemiología y bioestadísticas de la Universidad de Carolina del Sur, en Columbia.

Remedio para el herpes labial

Los herpes labiales (llagas en la boca, úlceras en los labios) se curan más rápido y causan menos dolor cuando se los trata externamente con Pepto-Bismol u otro antiácido que contenga bismuto ("bismuth").

Qué hacer: Una vez cada cuatro horas, use una bolita de algodón para aplicar el líquido a la llaga. Entre otros remedios que podrían ser eficaces para los herpes se incluyen el aminoácido de venta libre *lisina* ("lysine") y *aciclovir* (Zovirax), un ungüento que requiere receta médica.

Matthew Lozano, MD, médico de cabecera con práctica privada en Fresno, California.

Cómo detener y prevenir la sinusitis

M. Lee Williams, MD, profesor adjunto emérito de otolaringología y cirugía de la cabeza y el cuello, en la facultad de medicina de la Universidad Johns Hopkins en Baltimore. Es autor de *The Sinusitis Help Book: A Comprehensive Guide to a Common Problem* (Chronimed).

Cada año más de 50 millones de estadounidenses padecen trastornos causados por la sinusitis. A pesar de ser común, la sinusitis no se comprende bien –incluso muchos médicos no están bien informados acerca de las causas y los tratamientos eficaces.

POR QUÉ DUELEN LOS SENOS NASALES

Existen más de 40 senos (espacios vacíos) ubicados en la cabeza. Los ocho senos localizados al costado y arriba de la nariz suelen causar los mayores problemas.

Cuando estos *senos nasales* están sanos, la mucosidad drena continuamente de los senos a la nariz. La mucosidad ayuda a proteger las delicadas membranas nasales de la irritación y la infección.

Los problemas de la sinusitis surgen cuando los diminutos huecos de drenaje por los cuales esta mucosidad fluye están bloqueados. La mucosidad regresa a los senos y las bacterias prosperan en esta mucosidad acumulada. Las membranas de los senos se inflaman o se infectan, causando dolor y una sensación de presión.

La *sinusitis* (inflamación de los senos nasales) ocurre generalmente después de un resfriado o de una gripe. Estas enfermedades respiratorias causan hinchazón de las membranas nasales y bloqueo de las aberturas de los senos.

La congestión nasal causada por alergias al polen, al polvo, a la caspa animal, etc., puede también establecer el ambiente propicio para una infección de senos. Lo mismo ocurre con la exposición a irritantes trasportados por el aire como el hollín, los gases despedidos por pinturas y por los caños de escape de los automóviles.

La mayoría de los casos de sinusitis dura sólo una semana o dos. Pero las infecciones graves, prolongadas o recurrentes pueden formar un tejido de cicatrización dentro de los senos o de sus aberturas de drenaje.

El tejido de cicatrización puede bloquear los senos nasales permanentemente. El bloqueo permanente también puede ser causado por un quiste o pólipo en los senos nasales… o por una malformación del cartílago o hueso dentro de la nariz.

Cualquiera sea la causa, la obstrucción que persiste inevitablemente provoca la sinusitis.

LOS SÍNTOMAS DE LA SINUSITIS

Frecuentemente, la sinusitis va acompañada de una descarga nasal lechosa o de color amarillo-verde, y un goteo posnasal, mal aliento, dolor de garganta y dolor de cabeza tenue.

El dolor habitualmente ocurre en los ojos o entre ellos… en la frente… en la base de la nariz… o en las mejillas. Algunas veces se siente en la parte superior, los costados y la parte de atrás de la cabeza. Por lo general, el dolor causado por la sinusitis desaparece por la noche, y regresa al día siguiente.

LA PREVENCIÓN ES EL MEJOR REMEDIO

Si es propenso a padecer sinusitis, adopte medidas para prevenir la obstrucción de los senos nasales que provoca la infección y la cicatrización del tejido…

•Disminuya su probabilidad de contraer resfriados y gripe. Evite el contacto cercano con alguien que obviamente está infectado. Lávese las manos frecuentemente durante la temporada de resfriados y gripe.

Todos los otoños, pregúntele a su médico si debe vacunarse contra la gripe.

•Disminuya al mínimo su exposición al aire que sea demasiado seco o húmedo. El respirar aire seco espesa la mucosidad e impide que fluya.

Por otro lado, la humedad excesiva puede hinchar las membranas y los senos nasales y provocar la obstrucción de los senos.

No se puede evitar la humedad extrema mientras se está al aire libre. Pero trate de mantener la humedad dentro de su hogar entre el 45% y el 65%. De ser necesario, use un humidificador ("humidifier") o un deshumidificador ("dehumidifier").

No se siente o duerma cerca de un radiador o calefactor, una ventana con corriente de aire o una rejilla de ventilación del aire acondicionado.

Evite las saunas y los baños de vapor si es propenso a padecer sinusitis.

•Evite la exposición a alérgenos e irritantes. Tome medidas para evitar el contacto con el polen, el polvo, los ácaros del polvo, la caspa animal y cualquier otro alérgeno que lo haya afectado anteriormente.

No fume. También limite su contacto con el humo de los cigarrillos de los demás.

Evite las piscinas en invierno. El cloro puede irritar las membranas de los senos que ya están secas y hacerlas vulnerables a la infección.

Limite su consumo de alcohol a una bebida por día. El beber puede hinchar las membranas nasales y de los senos.

EL AUTOTRATAMIENTO PARA LA SINUSITIS

Si tiene síntomas de sinusitis, por lo general puede aliviar las molestias por cuenta propia.

•Tome un descongestionante de venta libre que contenga *seudoefedrina*, como Sudafed. Le despejará los pasajes de los senos nasales y permitirá que fluya la mucosidad.

Las píldoras descongestionantes funcionan un poco mejor que los espráis, los cuales frecuentemente no penetran lo suficiente. Y a diferencia de los espráis, las píldoras no producen una reacción de "rebote", en la cual la hinchazón nasal desaparece brevemente y regresa peor que antes.

Advertencia: Evite las píldoras descongestionantes si tiene presión arterial alta o problemas urinarios. Si toma un medicamento recetado, pregúntele a su médico o farmacéutico si éste podría interactuar con la seudoefedrina.

•Aplique compresas calientes sobre la zona dolorida por cinco minutos cada pocas horas, en especial después de haber estado afuera en un clima frío.

Además de aliviar el dolor, las compresas mejorarán la circulación en la región y ayudarán a su cuerpo a combatir la infección.

•Duerma con la cabeza y los hombros elevados. Esto estimula el drenaje de la mucosidad de los senos nasales. Trate de dormir sobre tres almohadas o –mejor aun– sobre una "cuña" de goma espuma ("foam sleeping wedge") con una almohada arriba de ella.

Si duerme de costado: Mantenga la cabeza de modo que el costado más dolorido quede cara arriba.

•Evite los viajes en avión. Los cambios de presión que ocurren durante el descenso pueden hacer que la materia infectada penetre más profundamente en los senos nasales. Eso hace que la infección sea más difícil de tratar.

Si *tiene* que viajar con un resfriado o una sinusitis, tome un descongestionante justo antes de partir. Pregúntele a su médico si también debería tomar un antibiótico en forma oral.

CUÁNDO DEBE IR AL MÉDICO

Si la sinusitis persiste durante 10 días o más –o si sus síntomas son graves o están empeorando– quizá necesite tomar antibióticos.

Tratada de inmediato, la sinusitis –incluso la grave– generalmente mejora con un par de semanas de tratamiento con antibióticos. Sin embargo, si ignora los síntomas durante semanas o meses antes de buscar tratamiento, tal vez sean necesarios varios *meses* de terapia con antibióticos.

¿NECESITA CIRUGÍA?

La cirugía de los senos nasales quizá sea necesaria si el dolor y la congestión persisten a pesar de un tratamiento prolongado con descongestionantes o antibióticos. *También puede ser indicada la cirugía si…*

…los senos nasales están llenos de mucosidad, pus y no pueden drenarse.

…la infección se ha extendido a los ojos o a los huesos circundantes.

…los senos nasales están obstruidos por un pólipo, quiste, tejido de cicatrización o algún defecto anatómico.

El tipo más simple de cirugía es *la punción y la irrigación* ("puncture and irrigation"). En este procedimiento, el cirujano limpia el seno nasal infectado inyectando por la nariz una solución que contiene sal.

Este procedimiento ambulatorio se realiza con anestesia local. Las complicaciones son poco frecuentes. La recuperación es por lo general inmediata.

Otra técnica quirúrgica que se usa comúnmente es la *cirugía de senos nasales con endoscopio funcional* ("functional endoscopic surgery"). En este procedimiento, el cirujano usa un pequeño "telescopio" iluminado que se inserta por la nariz para extraer el tejido enfermo, despejar las aberturas de drenaje obstruidas y restablecer la función de los senos nasales.

La cirugía con endoscopio generalmente requiere varias semanas de curación. Las complicaciones más comunes después del procedimiento son hinchazón e infección.

Cómo aliviar la sinusitis

Harvey M. Plasse, MD, profesor adjunto clínico de otolaringología en la facultad de medicina de la Universidad de Nueva York (NYU), y director de otolaringología del hospital NYU Downtown, ambos en Nueva York. Es coautor de *Sinusitis Relief* (Henry Holt).

No suponga que la inflamación de los senos es inocua. Si no se trata, esta afección fastidiosa causa, a la larga, la cicatrización permanente de los senos nasales y –en raros casos– la ceguera o los abscesos cerebrales.

SE NECESITA UN DIAGNÓSTICO PRECISO

Debido a que la sinusitis con frecuencia comienza como un resfriado, la enfermedad frecuentemente no se diagnostica ni se trata.

Si está resfriado por más de 10 días debe ser examinado para detectar la presencia de una infección de los senos nasales.

Otros síntomas…

•**Descarga nasal espesa o descolorida (amarilla o verde).**

•**Fiebre.**

•**Mal aliento.**

•**Dolor facial o presión en la frente y sobre los ojos,** entre la mejilla y la nariz, en los dientes superiores o entre los ojos.

•**Ausencia o disminución del sentido del olfato.**

•**Dolor de oído.**

Los síntomas que disminuyen dentro de las cuatro semanas se diagnostican como *sinusitis aguda… la sinusitis subaguda* dura entre cuatro y 12 semanas. Si no se trata eficazmente, esta afección puede convertirse en una *sinusitis crónica,* cuyos síntomas persisten durante más de 12 semanas.

SINUSITIS AGUDA

Los antibióticos son el tratamiento primario para la sinusitis aguda. El objetivo principal es erradicar la infección y prevenir el desarrollo de la sinusitis crónica.

Entre los antibióticos eficaces se incluyen *amoxicilina* (Amoxil)… *amoxicilina* y *clavulanate* (Augmentin)… *cefpodoxime* (Vantin)… y *cefuroxime* (Ceftin).

Importante: Muchas personas cometen el error de no continuar con el antibiótico una vez que los síntomas comienzan a disminuir. Pero siempre se debe tomar el medicamento durante todo el periodo prescrito –generalmente 10 días– para asegurarse de que las bacterias sean eliminadas. Si los síntomas no cambian después de tres días, su médico debe reconsiderar su estado y posiblemente cambiar de antibióticos.

Además de tomar antibióticos, los que padecen sinusitis deben beber por lo menos ocho vasos de ocho onzas (235 ml) de agua diariamente. También es importante evitar las bebidas con alcohol, azúcar o cafeína. *Otras estrategias a considerar...*

•**Llene un tercio de un bol con agua caliente,** cubra su cabeza y el bol con una toalla e inhale el vapor durante varios minutos. La humedad cálida ayuda a liberar las secreciones en la nariz, la garganta y los pulmones, y a despejarlas más fácilmente.

•**Use un diluyente de mucosidad** ("mucus thinner") de venta libre, como *guaifenesina* (Robitussin o Mucinex), para aflojar la flema.

•**Tome un descongestionante oral** de venta libre, como *seudoefedrina* (Sudafed).

•**Pruebe un espray nasal descongestionante** ("nasal spray") de venta libre, como *nafazolina* (Privine) o *oximetazolina* (Afrin).

Advertencia: Nunca use un espray descongestionante durante tres días consecutivos –hacerlo frecuentemente provoca una nueva inflamación de los senos nasales.

Los espráis nasales salinos ("saline nasal sprays") también son muy útiles. Despejan la nariz de secreciones e irritantes. Los espráis salinos pueden usarse cada dos horas.

SINUSITIS CRÓNICA

Si se desarrolla sinusitis crónica, se deben tomar antibióticos por un periodo más largo –en general, se recetan por tres a seis semanas.

La razón: La sinusitis crónica ha sido vinculada a las bacterias anaerobias, microorganismos especialmente resistentes que pueden sobrevivir sin oxígeno.

También es más probable que se encuentren múltiples tipos de bacterias. Un periodo prolongado de antibióticos es el tratamiento más eficaz contra estas bacterias.

La inflamación y la hinchazón pueden reducirse al usar un espray nasal con esteroides, como *beclometasona* (Beconase)... o un esteroide oral, como *prednisona* (Deltasone) o *dexametasona* (Decadron).

Los descongestionantes orales o en espray eliminan la congestión. Los disolventes de mucosidad promueven el drenaje. Los espráis nasales anticolinérgicos, como *bromuro de ipratropio* (Atrovent), pueden ayudar con secreciones secas.

Para determinar si tiene alergias, su médico debe efectuar una prueba en la piel o un análisis de la sangre que mida su reacción a una variedad de alérgenos distintos.

También se han identificado hongos nasales en un número cada vez mayor de casos de sinusitis crónica. Los medicamentos fungicidas nuevos y menos tóxicos –itraconazola y anfotericina B– han dado buenos resultados en el tratamiento de la sinusitis causada por hongos.

CUÁNDO DEBE CONSULTAR A UN ESPECIALISTA

Si los síntomas de sinusitis persisten por más de cuatro semanas o si sufre de ataques recurrentes de sinusitis aguda, consulte a un *otolaringólogo* (especialista de nariz, garganta y oído) para que le haga un examen completo.

El examen debe incluir una endoscopia nasal, en la que se introduce un endoscopio en los senos nasales por la nariz para detectar bloqueos y recoger una muestra de mucosidad.

También debería realizarse una *tomografía computadorizada* ("CT scan", en inglés) de los senos para detectar pólipos nasales, engrosamiento de la membrana mucosa, cambios en la estructura ósea o un aumento en el espesor óseo.

CIRUGÍA DE LOS SENOS NASALES

Si el tratamiento con medicamentos no ayuda, la cirugía de los senos nasales puede ser su mejor opción. Las técnicas nuevas menos invasivas han facilitado y garantizado más que antes la cirugía de los senos nasales.

El método quirúrgico preferido es la *cirugía de senos con endoscopio funcional* ("functional endoscopic sinus surgery") –se inserta un endoscopio en los senos nasales por la nariz, el cual se usa para limpiar y drenar los senos... extraer un crecimiento obstructor, como un pólipo, tumor o quiste… o para reabrir o agrandar las aberturas naturales de los senos nasales a fin de permitir el drenaje y la ventilación.

No obstante, la cirugía siempre debe ser el último recurso, así que si su médico considera que usted debe pasar por el quirófano, obtenga una segunda –o incluso una tercera– opinión antes de someterse a la cirugía.

Tratamiento más rápido para la sinusitis

Cuando se toma con antibióticos, el suplemento *bromelaína* ("bromelain"), elaborado con enzimas de piña (ananá, "pineapple"), elimina la mucosidad y ayuda a despejar la sinusitis con mayor rapidez que usando antibióticos solamente. Tome 500 mg tres veces por día, además de un antibiótico recetado por su médico. Se puede adquirir en las tiendas de alimentos naturales ("health food stores").

Benjamin F. Asher, MD, otolaringólogo en la ciudad de Nueva York y fundador y ex presidente del comité de medicina alternativa de la American Academy of Otolaryngology, en Alexandria, Virginia.

Autoayuda contra un ataque de alergia

Durante un ataque de alergia, aplique presión en el centro de la membrana entre el pulgar y el dedo índice de una mano. Dirija la presión hacia el hueso que se conecta con el dedo índice. Mantenga la presión durante dos minutos. Aspire lenta y profundamente. Repita con la otra mano. Esto estimula los puntos de acupresión que alivian las reacciones alérgicas.

Michael Reed Gach, PhD, fundador y director del Acupressure Institute, en Berkeley, California. *www.acupressure.com.*

Tararee para aliviar la sinusitis

El tararear con la boca cerrada ayuda a aliviar las sinusitis. En un estudio, el *óxido nítrico,* un gas que es letal para las bacterias, aumentó 15 veces en la nariz durante el tarareo. Un aumento en el óxido nítrico indica una mejora en el intercambio de aire en los senos, con lo cual el aire fresco entra en los senos y reemplaza el "aire viejo". La ventilación inadecuada de los senos es un factor de riesgo de las infecciones en los senos.

La autodefensa: Para ventilar los senos nasales, tararee con la boca cerrada por un minuto cada una o dos horas.

Jon O. Lundberg, MD, PhD, profesor de fisiología y farmacología del Instituto Karolinska, en Estocolmo, Suecia.

La autodefensa contra la fiebre del heno

Stuart H. Young, MD, profesor adjunto clínico de pediatría y medicina interna de la facultad de medicina Mount Sinai, y alergista con consultorio privado, ambos en Nueva York. Es coautor de *Allergies: The Complete Guide to Diagnosis, Treatment and Daily Management* (Plume).

Si es uno de los 20 millones de estadounidenses que sufren de estornudos, congestión, nariz que gotea y picazón en los ojos –y tal vez de dolor de cabeza, dolor de oído, fatiga e irritabilidad– lo que necesita es un diagnóstico.

Su médico primero debe descartar otras causas de sus síntomas, como los pólipos nasales o la sinusitis. Luego puede generalmente diagnosticar la fiebre del heno tomando en cuenta su historial médico –o sea, cuándo acostumbran a aparecer y desaparecer sus síntomas.

Nota: La fiebre del heno generalmente no causa fiebre. Los síntomas de la fiebre del heno acompañados de fiebre podrían ser indicio de una sinusitis u otra infección.

Si usted padece fiebre del heno, estas estrategias comprobadas ayudarán a eliminar los síntomas…

REDUZCA LA EXPOSICIÓN AL POLEN

La causa más común de la fiebre del heno es una alergia al polen de la ambrosía ("ragweed"). Pero otras malezas que florecen en verano y otoño pueden causar síntomas comparables, entre ellas, el polen del "cocklebur" (bardana, cadillo), cenizo ("lamb's quarters") y amaranto ("pigweed"). Al oeste de las montañas Rocosas, los síntomas de la fiebre del heno son causados principalmente por el polen de "sagebrush", "saltbush" y acedera (lengua de vaca, ramosa, "sheep sorrel").

Las mejores defensas…

•**Mantenga las ventanas cerradas en la casa** y también en su automóvil.

•**Use un acondicionador de aire para filtrar el polen.** Cambie el filtro con la frecuencia que el fabricante sugiere… o cuando tenga aspecto sucio.

•**Ya que los niveles de polen son mayores por la mañana temprano,** reserve sus actividades al aire libre para después de las 10 de la mañana. Escuche la información sobre el polen en los programas de noticias.

•**Pídale a alguien que le haga las tareas al aire libre.** Aunque las plantas que le afectan no crezcan en sus inmediaciones, el polen puede trasladarse hasta 500 millas (800 km).

•**Elimine de su patio las plantas portadoras de polen.**

•**Si es extremadamente alérgico y está al aire libre durante periodos largos,** dúchese y lávese el cabello cuando entre al interior. Ponga las prendas directamente en la lavadora o en el cesto de la ropa sucia. El lavado ayuda a mantener al polen fuera de su casa.

•**Si padece un caso grave de fiebre del heno,** considere usar una mascarilla filtradora ("filter mask") cuando esté al aire libre. Las mascarillas se venden en ferreterías y en tiendas de artículos para el mejoramiento del hogar. Deben quedar bien ajustadas sobre la nariz y la boca.

EVITE OTROS IRRITANTES

También puede ayudar a aliviar la fiebre del heno evitando tres irritantes respiratorios…

•**Alcohol.** Las bebidas alcohólicas aumentan la congestión nasal en los que padecen fiebre del heno. Durante la temporada de la fiebre del heno, mantenga el consumo de alcohol al mínimo –mejor aun, no beba nada de alcohol.

•**Gases de diésel (gasóleo).** Contienen compuestos que empeoran la fiebre del heno. Los gases de diésel combinados con el polen pueden producir una reacción alérgica que es significativamente mayor que la reacción a la ambrosía por si sola.

Además, quédese a una buena distancia de los camiones y autobuses cuando camine por la calle, ya que muchos tienen motores diésel.

•**Ozono.** Si el índice de la calidad del aire ("air quality index") –que pronostica la contaminación de ozono– es malo, quédese en interiores lo más posible. El ozono empeora la fiebre del heno.

TOME MEDICAMENTOS

Si los síntomas persisten a pesar de sus precauciones, la medicación puede ser útil…

•**Los antihistamínicos generalmente son la primera opción.** Pero los medicamentos de venta libre para las alergias les causan somnolencia a algunas personas.

Los mejores: Loratadina (Claritin) y *fexofenadina* (Allegra). Alivian todos los síntomas de las alergias, excepto la congestión –sin causar somnolencia.

Advertencia: Las mujeres que están en edad fértil deben tomar loratadina. Estudios recientes han demostrado que puede ser más segura que la fexofenadina durante el embarazo.

Para síntomas leves intermitentes, tome estos medicamentos cuando sea necesario. Para los síntomas cotidianos, tome el medicamento con regularidad durante toda la temporada de la fiebre del heno. Pídale a su médico instrucciones sobre la dosis.

Si también sufre de congestión y la nariz le gotea, Claritin-D y Allegra-D pueden ser las mejores opciones. Ambos contienen el descongestionante *seudoefedrina*.

●**Los espráis nasales con esteroides** como *fluticasona* (Flonase) o *budesonida* (Rhinocort) son los mejores si su único síntoma es la congestión nasal.

Algunas veces se usan conjuntamente con descongestionantes.

Ventaja: Los espráis nasales con esteroides son más seguros que las píldoras de cortisona porque actúan directamente en las membranas nasales afectadas. Los esteroides orales causan muchos efectos secundarios, incluyendo presión arterial alta, cataratas, úlceras y osteoporosis. Por lo tanto, se usan sólo en casos graves cuando otros tratamientos no han dado resultados.

Desventaja: Irritación de las membranas nasales. Ponga el pico algo alejado del delicado tabique de la nariz.

●**Los espráis nasales salinos** ("nasal saline sprays") enjuagan la nariz y ayudan a reducir la inflamación de los senos nasales. Todas las marcas son más o menos iguales.

VACUNAS CONTRA LAS ALERGIAS

La mayoría de las personas que padecen fiebre del heno no necesitan vacunarse contra las alergias. Pero las vacunas pueden ser de ayuda si sus síntomas son tan agudos que necesite medicamentos con cortisona habitualmente durante la temporada de fiebre del heno… si sus alergias duran más que la temporada de ambrosía… o si también padece asma u otras alergias, además de la fiebre del heno, que le produzcan síntomas durante todo el año.

Las pruebas de sensibilidad generalmente revelan cuáles alérgenos causan problemas. El médico aplica una pequeña gota de varios alérgenos distintos en la piel, raspa la piel debajo de cada gota con una aguja diminuta, luego espera 20 minutos para que produzca una reacción como la de la picadura de un mosquito.

Las pruebas de sensibilidad también ayudan a determinar el tratamiento adecuado. Usted podría recibir pequeñas inyecciones de un *alérgeno* (sustancia que desencadena la alergia) en dosis que aumentan gradualmente todas las semanas hasta dos años. A lo largo del tiempo, este tratamiento le elimina la sensibilidad a ese alérgeno.

Gran adelanto para los asmáticos

Un nuevo medicamento puede ayudar a disminuir la cantidad de los ataques de asma en más del 50%.

Omalizumab (Xolair) también les permite a los asmáticos reducir el uso de los corticoesteroides inhalados que causan efectos secundarios. Se inyecta una o dos veces por mes, y se receta a los pacientes con un asma alérgica –moderada o grave– que no se puede controlar adecuadamente con otros medicamentos.

Advertencia: Los asmáticos a los que se les administró omalizumab en ensayos clínicos tuvieron índices de cáncer levemente mayores que los que fueron tratados con placebos, pero la diferencia no fue estadísticamente significativa. Los asmáticos con antecedentes personales o familiares de cáncer deben examinar los riesgos posibles de este medicamento con sus médicos.

Thomas Casale, MD, jefe de alergia e inmunología y director de investigación clínica de la Universidad Creighton, en Omaha, Nebraska.

Cante y no ronque

Incluso las personas que no pueden entonar una melodía roncaron menos después de haber efectuado ejercicios vocales durante 20 minutos al día por tres meses.

Teoría: Cantar tonifica los músculos flácidos de la garganta que causan el ronquido.

Si usted ronca: Antes de cantar, pregúntele a su médico sobre la *apnea del sueño,* un peligroso problema de las vías respiratorias en el que los afectados dejan de respirar repetidas veces durante la noche. Esta es una afección grave que puede requerir cirugía u otro tratamiento.

Edzard Ernst, MD, PhD, director y profesor en el departamento de medicina complementaria de la facultad de medicina Peninsula, administrada de manera conjunta por las universidades Exeter y Plymouth, en Exeter, Inglaterra.

Los problemas respiratorios no siempre son causados por el asma

Los problemas respiratorios supuestamente causados por el asma algunas veces son provocados por una *disfunción de las cuerdas vocales* (VCD, por sus siglas en inglés) inducida por ejercicios. Muchos de los síntomas de las dos afecciones son similares: dificultad para hablar y respirar, tensión en el pecho y pánico.

La autodefensa: Si sufre ataques de asma sólo cuando hace ejercicios, pregúntele a su médico si se puede someter a una *espirometría* (se respira en un dispositivo que mide la respiración) y a otras pruebas para distinguir la VCD del asma.

Los pacientes diagnosticados con la VCD con frecuencia se benefician de unas semanas de terapia del habla.

Susan M. Brugman, MD, neumonóloga pediátrica del National Jewish Medical and Research Center, en Denver.

Dígale adiós al cansancio: Las causas ocultas de la fatiga crónica

Benjamin Natelson, MD, profesor de neurociencias de la University of Medicine and Dentistry-New Jersey Medical School, y director del New Jersey Chronic Fatigue Syndrome Center, ambos en Newark. Es autor de *Facing and Fighting Fatigue–A Practical Approach* (Yale University Press).

La fatiga es una de las razones principales por las cuales los estadounidenses visitan a sus médicos. Lamentablemente, también es una de las enfermedades menos tratadas en el país.

El problema: Si los médicos no pueden diagnosticar una enfermedad específica como la causa de la fatiga –un virus, por ejemplo– a menudo descartan las dolencias de los pacientes.

Las buenas noticias: La fatiga es causada comúnmente por una afección tratable, como la falta de sueño, el estrés psicológico o la depresión. En muy pocos casos, puede ser causada por el *síndrome de fatiga crónica* (CFS, por sus siglas en inglés).

Si consume una dieta nutritiva y equilibrada y disfruta de buena salud en general –pero aún se siente sin energía durante más de seis meses– esto es lo que debe hacer…

¿PODRÍA LA CAUSA SER UNA ENFERMEDAD?

El primer paso es descartar cualquier enfermedad subyacente. Para hacer esto, su médico debe encargar análisis de sangre para detectar anemia… diabetes… hepatitis y otros problemas del hígado… mononucleosis infecciosa… lupus… enfermedad de Lyme… artritis reumatoide… y deficiencia de la tiroides.

Usted también debe someterse a una prueba de *creatina fosfocinasa* (CPK, por sus siglas en inglés) para determinar el cuadro químico de los músculos… una prueba para detectar si el magnesio está bajo… y un análisis del índice de sedimentación ("sed rate", en inglés) para determinar la inflamación general de los tejidos del cuerpo.

Si los resultados son normales, su médico deberá efectuar una prueba de *dehidroepiandrosterona* (DHEA) –una hormona que se produce en las glándulas adrenales.

La sinusitis crónica –una infección constante de los senos nasales que causa dolor en la cara, descarga nasal y dolor de senos recurrente– es otra causa de la fatiga. Si tiene estos síntomas, pídale a su médico que encargue una tomografía CT de los senos nasales.

LAS CAUSAS COMUNES

Si no se detecta una enfermedad concreta, usted y su médico deben enfocarse en tres factores clave…

•**Hábitos del sueño.** Si ronca –o duerme superficialmente durante la mayor parte de la noche– puede tener una afección respiratoria conocida como *apnea del sueño*. Esta afección hace que se despierte repetidas veces e impide el sueño profundo y reparador.

Si sospecha que el problema es el ronquido, pregúntele a su médico sobre artículos que faciliten la respiración, incluyendo las tiras adhesivas (como BreatheRight), medicamentos y espráis nasales. Pero si es posible el diagnóstico más grave de apnea del sueño, considere consultar a una clínica del sueño.

Si tiene problemas para conciliar el sueño –o para mantenerse dormido– intente cambiar sus hábitos. Evite la cafeína después del almuerzo y trate de despertarse a la misma hora todas las mañanas.

•**Estrés.** Incluso una situación estresante de poca importancia, como quedarse estancado ante una luz roja cuando ya está atrasado, puede agotar su energía. Si sus actividades diarias incluyen este tipo de estrés, probablemente quede exhausto al final del día.

Su médico también debe analizar su estilo de vida para detectar un patrón de estrés. Un programa de control del estrés ("stress management") puede ayudarlo a sobrellevarlo.

•**Depresión.** Esta es la causa de la fatiga persistente que menos se tiene en cuenta. A menos que los síntomas sean graves, muchas personas que están deprimidas nunca se dan cuenta qué les pasa.

Las buenas noticias: La depresión generalmente disminuye cuando se trata con psicoterapia y antidepresivos, como los *inhibidores selectivos de la recaptación de serotonina* (SSRI, por sus siglas en inglés), incluyendo la *fluoxetina* (Prozac) y la *sertralina* (Zoloft).

Si la depresión y el insomnio están presentes, quizá sería preferible un antidepresivo sedante, como la *amitriptilina* (Elavil).

EL DIAGNÓSTICO DE LA FATIGA CRÓNICA

Si estas medidas no ayudan, tal vez padezca el síndrome de fatiga crónica (CFS). Se sospecha este síndrome, que afecta a más de cuatro millones de estadounidenses, cuando una falta de energía interfiere con las actividades personales, profesionales o sociales.

El síndrome CFS por lo general se diagnostica si se tienen cuatro o más de los siguientes síntomas durante al menos seis meses…

La fatiga que dura más de 24 horas después de la actividad física… problemas con la memoria a corto plazo… dolores musculares o articulares… dolores de cabeza recurrentes… dolor de garganta… glándulas linfáticas sensibles… despertarse cansado por la mañana, incluso después de haber dormido toda la noche.

Aun cuando los médicos especialistas no han determinado las causas del síndrome CFS, entre los probables causantes se encuentran…

•**Fibromialgia.** Esta enfermedad se caracteriza por el dolor muscular y articular crónico, pero algunos pacientes también experimentan una fatiga crónica grave.

Tratamiento: control del dolor con *gabapentina* (Neurontin), *hidromorfona* (Dilaudid) u otro medicamento.

•**Infección.** Muchos casos del síndrome CFS comienzan con fiebre, dolor de garganta o glándulas linfáticas inflamadas o sensibles, todo lo cual sugiere una infección.

Tratamiento: antibióticos si la infección es bacteriana.

•**Síndrome premenstrual**. El 85% de los afectados por el síndrome CFS son mujeres. Debido a que el síndrome premenstrual (PMS) intensifica la fatiga, algunos expertos consideran que puede contribuir al síndrome CFS.

Tratamiento: antidepresivos SSRI, como *paroxetina* (Paxil) y *sertralina* (Zoloft).

TRATAMIENTO DE LA FATIGA CRÓNICA

Independientemente de la causa de su síndrome CFS, es probable que un especialista* se enfoque en dos aspectos del tratamiento que pueden sorprenderlo…

•**El ejercicio aeróbico.** Puede mejorar el sueño, aumentar la actividad metabólica, reducir el estrés y aliviar la depresión. Comience con una caminata liviana –no más rápida que un paseo lento– de cinco minutos de duración, tres veces a la semana. Aumente poco a poco hasta llegar a por lo menos 20 minutos de caminata todos los días.

•**La terapia cognitivo-conductual.** Pensar en lo cansado que está aumenta el estrés y la fatiga.

Un terapeuta capacitado en la terapia cognitiva y del comportamiento ("cognitive-behavioral therapist") puede ayudarlo a reducir

*Para localizar a un especialista en fatiga crónica, comuníquese con un centro médico de su zona afiliado a una universidad, a fin de encontrar a un médico internista o a un especialista en enfermedades infecciosas que examine a pacientes afectados por el síndrome CFS. O comuníquese con la Chronic Fatigue Immune Dysfunction Syndrome Association of America, 704-365-2343, *www.cfids.org.*

los síntomas del síndrome CFS. Con frecuencia una o dos visitas son suficientes para identificar los pensamientos "catastróficos", como –*Mi vida es un desastre. No puedo hacer nada.*

Esta terapia lo ayuda a concentrarse en una autovaloración más positiva –*Puedo controlar esta situación. Mi fatiga disminuye de tanto en tanto.*

Otros tratamientos incluyen…

•**Medicamentos.** No hay un tratamiento con medicamentos para el síndrome CFS. Pero se están realizando ensayos clínicos con *ondansetrón* (Zofran), un medicamento para las náuseas que aumenta los niveles del neurotransmisor serotonina. Algunos informes sugieren que puede ayudar a mitigar el síndrome CFS.

•**Suplementos.** Los suplementos de magnesio y de DHEA también pueden ayudar si los pacientes carecen de esas sustancias.

Alimentos que ayudan con la fatiga crónica

El síndrome de fatiga crónica (CFS, por sus siglas en inglés), una afección caracterizada por fatiga y dolor músculo-esquelético, está vinculada a un desequilibrio de *fosfolípidos*, un tipo de grasa, en el cerebro. El *ácido eicosapentaenoico* (EPA, por sus siglas en inglés), una grasa que se encuentra en el pescado, restablece el equilibrio inhibiendo la descomposición de los fosfolípidos y ayudando a formar nuevos.

Es posible que comer más salmón, atún de carne blanca ("white albacore tuna") y otros pescados grasos ricos en EPA alivie la fatiga y la depresión relacionadas frecuentemente con esta afección. Consulte a su médico sobre la mejor forma de incorporar esta estrategia dietética en su plan de tratamiento.

Basant K. Puri, MD, PhD, asesor y profesor sénior del Imperial College de la Universidad de Londres. Su investigación fue publicada en *Acta Psychiatrica Scandinavica*.

No tiene que soportar más la fatiga

Erika T. Schwartz, MD, internista con consultorio privado en Armonk, estado de Nueva York. Es autora de *Natural Energy: From Tired to Terrific in 10 Days* (Berkley).

Seguramente usted ya ha intentado dormir más. También ha intentado hacer ejercicios y ha tomado otras medidas para controlar el estrés psicológico. Aun así se siente cansado y agotado.

Además, sabe que no es conveniente mantenerse a flote con cafeína. Pero, ¿qué otra cosa puede hacer para impulsar su nivel de energía?

Una vez que se hayan descartado la anemia, la enfermedad del corazón, la enfermedad de la tiroides, la hepatitis, la mononucleosis y otras causas médicas de la fatiga, el típico médico no sabe qué hacer a continuación.

Quizá le diga: "Tiene que acostumbrarse a vivir con la fatiga". O: "Pues, está envejeciendo".

Pero esta no es necesariamente la única explicación. *Estas estrategias alimentarias pueden ser muy eficaces para darle más energía…*

BEBA MÁS AGUA

Muchos casos de fatiga se pueden vincular a las *mitocondrias*, las "centrales eléctricas" microscópicas en las células del cuerpo.

Las mitocondrias sintetizan el *trifosfato de adenosina* (ATP, por sus siglas en inglés), una molécula de gran energía que es usada en todo el cuerpo como una fuente de energía. Pero las reacciones químicas que producen el ATP también crean radicales libres y otras toxinas como subproductos.

Para eliminar estas toxinas, el organismo necesita al menos 64 onzas (casi 2 litros) de agua por día. Al tomar menos que eso, las mitocondrias pueden "taponarse con toxinas" y ser ineficientes al sintetizar el ATP.

REVALÚE LA SAL

Para muchas personas con presión arterial alta, la sal merece ser un elemento prohibido en la dieta. Pero para las personas sanas, el consumo moderado de sal impulsa los niveles de energía.

La sal ayuda al cuerpo a retener el agua que ingiere. Al impulsar la retención de agua, la sal ayuda a que las mitocondrias se mantengan libres de toxinas y funcionen adecuadamente.

Con tal que su presión arterial sea normal, no hay riesgo al aumentar su consumo de caldo de pollo, sopa "miso", nueces saladas y otras fuentes no procesadas de sal cuando se sienta fatigado.

COMA POCO, PERO COMA CON FRECUENCIA

Comer tres comidas grandes por día puede causar que sus niveles de azúcar (glucosa) en la sangre suban y bajen abruptamente. La glucosa baja puede causar fatiga.

Comer algo cada tres horas ayuda a mantener la energía al estabilizar los niveles de glucosa.

Debe tratar de consumir una mezcla saludable y equilibrada de proteína y fibra en cada comida. Debido a que los alimentos ricos en fibra y proteínas se digieren lentamente, ellos proporcionan una fuente de energía estable y confiable.

Consuma muchas verduras, arroz moreno ("brown rice"), pan con varios cereales integrales, pollo o pescado asado, nueces ("nuts") y frutas secas.

SUPLEMENTOS QUE ESTIMULAN LA ENERGÍA

Tres nutrientes son de eficacia comprobada en el tratamiento de la fatiga crónica…

•**L-carnitina.** Este aminoácido ayuda a transportar los ácidos grasos en las mitocondrias, donde se usan para producir el ATP.

La L-carnitina se encuentra en el cordero, la carne vacuna y otras carnes, pero se tendrían que consumir cantidades increíblemente grandes de estas fuentes alimentarias naturales para obtener 1.000 mg de la L-carnitina necesaria para estimular diariamente su energía.

Pregúntele a su médico si puede tomar el suplemento recetado *Carnitor* de L-carnitina. La dosis habitual es de tres o cuatro tabletas de 330 mg por día.

•**Coenzima Q-10.** Esta enzima antioxidante actúa como un catalizador para "desencadenar" la síntesis del ATP.

Las carnes de órganos son la mejor fuente de la coenzima Q-10, pero tendría que comer una cantidad enorme para obtener los 100 mg recomendados de coenzima Q-10 por día.

La coenzima Q-10 se vende sin receta en polvo o en gel. El gel se absorbe más fácilmente. La dosis habitual es de dos cápsulas de 50 mg por día.

•**Magnesio.** Este mineral es necesario para la síntesis del ATP. Lamentablemente, el chocolate, la cafeína, las bebidas gaseosas y los alimentos muy procesados tienden a agotar el magnesio del cuerpo. Como consecuencia, la deficiencia de magnesio es muy común en Estados Unidos y la fatiga es un síntoma de la deficiencia de magnesio.

Están especialmente en riesgo: los diabéticos, las personas que consumen mucha cafeína y las que toman diuréticos.

Las buenas fuentes de magnesio incluyen el salvado de trigo ("wheat bran")… arroz moreno ("brown rice")… espinaca… col rizada ("kale")… pollo… pavo (guajolote, "turkey")… cerdo… albaricoques (damascos, "apricots")… y curry en polvo.

Pregúntele a su médico si también puede tomar un suplemento de magnesio.

¡Incremente su energía! ¡Es así de fácil!

Richard N. Podell, MD, MPH, director médico de la Podell and King Medical Practice, que tiene consultorios en Somerset y Springfield, Nueva Jersey (*www.drpodell.org*). Es autor de varios libros, entre ellos, *Doctor, Why Am I So Tired?* (Fawcett).

Entre las personas de mayor edad, la fatiga crónica con frecuencia es sintomática de la diabetes, la enfermedad de la tiroides, la anemia, la hepatitis u otra enfermedad subyacente.

En las personas jóvenes, es más probable que sea consecuencia del estrés psicológico, la ansiedad o la depresión… o la falta de sueño, la mala nutrición o la falta de ejercicio.

Hasta el 1% de los estadounidenses adultos padece el *síndrome de fatiga crónica* (CFS, por sus siglas en inglés), una afección debilitante y todavía incurable, que se piensa es causada por uno o más virus.

Cuando la fatiga dure tres semanas o más –o interfiera con su trabajo o con el goce de la vida– vaya al médico. Un simple análisis de sangre puede detectar muchas de las causas físicas comunes de la fatiga.

Las buenas noticias: Para la mayoría de los afectados por la fatiga, los siguientes cambios en la dieta y en el estilo de vida le proporcionan un impulso sustancial de energía…

•**Elimine el azúcar y reduzca los carbohidratos.** En algunas personas, el cuerpo reacciona al azúcar y a los carbohidratos liberando demasiada insulina. Esto causa un brusco descenso en los niveles de glucosa, lo cual produce fatiga.

Frecuentemente les pido a mis pacientes que sufren de fatiga que dejen de consumir azúcar y que reduzcan el consumo diario de carbohidratos a dos tajadas de pan o a una porción de pasta. Estos cambios con frecuencia producen un aumento significativo de la energía. Usted sabrá dentro de tres semanas si los cambios lo beneficiarán.

•**Haga ejercicios cuatro veces por semana.** El ejercicio habitual hace que el cuerpo libere compuestos energizantes llamados *endorfinas*. También impulsa el flujo de oxígeno hacia el cerebro… y disminuye el estrés y la ansiedad.

Comience con un nivel bajo de ejercicios. Después aumente la distancia o el ritmo en alrededor de un 10% cada semana, con tal que no se sienta peor.

Aunque muchas personas se sienten energizadas después de cada sesión de ejercicios, otras necesitan varios meses de reacondicionamiento antes de que la fatiga se disipe.

•**Minimice la cafeína.** A pesar de su reputación como estimulante, la cafeína de las bebidas cola, el café y el té negro tiende a intensificar la fatiga, *por dos razones*…

•La cafeína es adictiva. Usted necesita mayores cantidades para sentirse "normal". Cuando no tiene su "dosis" habitual de cafeína, se siente cansado.

•Demasiada cafeína causa ansiedad, la cual puede interferir con el sueño reparador.

Si toma bebidas con cafeína, déjelas por una semana. Vea si se siente más energizado.

Reduzca su consumo bebiendo una taza menos por día. Esto lo ayudará a evitar los dolores de cabeza causados por la abstinencia de cafeína.

•**Beba alcohol con moderación** y *nunca* muy tarde en la noche. El alcohol perturba el sueño, en especial cuando se consume después de las 7 pm. También empeora la *hipoglucemia*, el bajo nivel de azúcar en la sangre.

Si está tratando de aumentar su energía, una bebida por día es el límite. La abstinencia total es mejor.

•**Consuma frutas y verduras diariamente.** Las judías verdes (chauchas, ejotes, "green beans"), el bróculi, la espinaca, las zanahorias, los calabacines de verano ("summer squash") y algunas otras verduras –y la mayoría de las frutas– son buenas fuentes de potasio, magnesio y otros nutrientes clave.

El consumo de cinco porciones de verduras y de frutas todos los días contribuye a asegurar que obtenga todo lo necesario para un metabolismo óptimo.

•**Tome a diario un "cóctel energético".** La mayoría de los estadounidenses carecen de al menos un nutriente esencial. Esas deficiencias interfieren con la producción de energía y causan fatiga.

Muchos nos beneficiaríamos al tomar un suplemento de multivitaminas y multiminerales, junto con suplementos diarios que contengan…

•Aceite de pescado o de prímula nocturna ("evening primrose"), 1 gramo. Estos aceites contienen ácidos grasos esenciales que ayudan al cuerpo a producir prostaglandinas beneficiosas.

•N-acetil-cisteína, 600 mg. Este suplemento le proporciona al cuerpo un antioxidante clave llamado *glutatión*.

•Extracto de ráspano ("billberry") o de semilla de uva ("grape-seed extract"), 60 mg. Estos aumentan la energía, aceleran el metabolismo y mejoran la circulación.

•Vitaminas del complejo B, entre 25 mg y 50 mg de cada vitamina B. Las vitaminas B son solubles en agua, así que se agotan más rápidamente que otros nutrientes.

Las mujeres que están en edad fértil también deben tomar un suplemento de hierro para reemplazar el hierro perdido durante la menstruación.

•**Tome ginseng.** Esta hierba estimulante, que en general se toma en cápsulas, no es adictiva como lo es la cafeína. Para obtener mejores resultados, pregúntele a su médico si puede usar el ginseng de manera intermitente hasta dos semanas por vez. Siga las instrucciones de la etiqueta detenidamente.

•**Duerma siestas.** Actualmente, los estadounidenses duermen una hora menos que hace 90 años. Dormir 45 minutos más todas las noches puede producir grandes mejoras en los niveles de energía.

Si no puede dormir esos 45 minutos adicionales, duerma una siesta de 10 ó 20 minutos cuando se sienta cansado.

Trampa: Demasiadas siestas interfieren con el sueño nocturno.

•**Hable con su médico sobre los medicamentos que usted toma.** La fatiga es un efecto secundario común de *cientos* de medicamentos recetados y de venta libre.

Muéstrele a su médico o farmacéutico una lista con todos los medicamentos que usted toma. En muchos casos, cambiando a un medicamento levemente distinto eliminará la fatiga.

Advertencia: Nunca cambie medicamentos sin primero consultar a su médico.

•**Tome frecuentes descansos mentales.** Reserve entre cinco y 20 minutos al menos una vez por día para tener tranquilidad. Use el tiempo para practicar una respiración profunda.

Qué hacer: Siéntese cómodamente. Aspire lentamente por la nariz hasta que sus pulmones se llenen. Contraiga los músculos del estómago suavemente y contenga el aire durante unos segundos. Exhale lentamente. Repita el ciclo hasta que su periodo de tranquilidad finalice.

Una sola sesión de ejercicios respiratorios puede proporcionar un aumento de energía que dure una hora o más.

Ocho maneras de sentirse más energizado

Jamison Starbuck, ND, médica naturopática (naturista) con práctica familiar que dicta clases en la Universidad de Montana, ambas en Missoula. Fue presidenta de la American Association of Naturopathic Physicians y editora colaboradora de *The Alternative Advisor: The Complete Guide to Natural Therapies and Alternative Treatments.* (Time-Life).

Si tiene más de 40 años, es probable que a menudo se queje de estar fatigado. Tal vez su médico lo ha examinado y le ha dicho que todo está bien. "Lo que pasa es que está envejeciendo" es lo que se les dice a muchas personas.

La solución obvia es dormir más. Para ser más productivo, la mayoría de los adultos de mediana edad necesita por lo menos siete horas cada noche. Pero algunas personas duermen el tiempo adecuado y aun se sienten cansadas. Si ese es el caso, no se desanime. *Pruebe estas estrategias para tener mayor vitalidad…*

•**Beba más agua.** Este viejo dicho sigue siendo cierto. La mayoría de la gente no bebe suficiente agua. Es una pena porque la deshidratación nos aletarga. Para determinar cuántas onzas de agua debe tomar por día, divida por dos su peso en libras. (O multiplique por 30 su peso en kilos para calcular la cantidad de agua en mililitros). Agregue ocho onzas (235 ml) más por cada 30 minutos de ejercicios aeróbicos que haga, y otras ocho onzas por cada taza de café con cafeína, té negro o gaseosa que beba.

•**Tome un suplemento diario de vitaminas del complejo B.** Las vitaminas B proporcionan energía y ayudan a mantener sanas las células de los nervios y músculos. El envejecimiento y el estrés aumentan la cantidad que necesitamos de estas vitaminas, mientras que el alcohol y la cafeína las agotan del cuerpo. Tome un suplemento diario de vitaminas B con el desayuno. Asegúrese de que contenga por lo menos 50 mg de la B-1, B-3, B-5 y B-6… y 400 microgramos (mcg) de la B-12 y de ácido fólico.

•**Pruebe el regaliz ("licorice").** Esta hierba mejora la salud del sistema inmune, así que es un gran tónico para las personas con fatiga.

Asegúrese de tomar la hierba y no el caramelo. Tome media cucharadita de tintura ("tincture") diariamente por hasta dos meses.

Advertencia: Consulte a su médico antes de probar este –o cualquier otro– remedio herbario. El regaliz no es seguro para las personas que tienen presión arterial alta o padecen una enfermedad del hígado o el riñón.

Si no le gusta el sabor del regaliz, pruebe la schisandra. Al igual que el regaliz, esta hierba ayuda al cuerpo a superar el agotamiento al mejorar la función del sistema inmune. Tome media cucharadita de tintura diariamente por hasta dos meses.

•**Ejercicios.** Comenzar un programa de ejercicios puede ser abrumador si sufre de fatiga. Por eso recomiendo algunos ejercicios suaves de estiramiento combinados con caminatas. Para ejercicios específicos, obtenga una copia del libro *Stretching*, escrito por Bob Anderson y publicado por Shelter.

•**Pierda peso.** Incluso un pequeño aumento de peso es suficiente para que algunas personas se sientan cansadas. ¿Difícil de creer? Imagine que tiene una bolsa de azúcar de 10 libras (unos cinco kilos) atada en la espalda y la debe llevar dondequiera que vaya. Tendrá más energía si pierde el peso corporal innecesario.

•**Ordene sus cosas.** Vivir en un caos, y sentirse culpable por ello, es fatigante. El desorden también distrae la mente y dificulta más la concentración. Ordene una habitación –o incluso una zona. Se sentirá incentivado.

•**Reduzca su calendario de actividades.** Hacer menos no es fácil. Pero la planificación excesiva es una causa principal de la fatiga. Si está cansado con frecuencia, lleve un diario de sus actividades durante una semana. Probablemente comprobará que está haciendo más de lo que cree. ¿Es necesario todo esto? ¿Es placentero? Si no lo es, elimine algunas actividades y haga tiempo para descansar y disfrutar.

•**Diviértase.** Todos sabemos que la risa es esencial para el bienestar físico. Pero, lamentablemente, la alegría es un concepto extraño para algunas personas. Encontrar placer en la vida es energizante. Ya sea escalar una montaña o leer en una hamaca, busque las cosas que levantan su ánimo y dése el gusto de hacerlas.

Más de Jamison Starbuck…

¿Lo estará enfermando la fatiga adrenal?

Mi oficina con frecuencia está llena de personas que se quejan de la fatiga. A muchos de estos pacientes su médico ya les ha dicho que no padecen nada malo –o que su fatiga es sintomática de la depresión. Insatisfechos con este asesoramiento, se vuelcan hacia la medicina naturopática (naturista), esperando que yo tenga una respuesta. Efectivamente, en muchos casos tengo la solución.

Frecuentemente la respuesta se encuentra en las glándulas adrenales (también llamadas suprarrenales), dos glándulas del tamaño de una fresa situadas justo arriba de los riñones. Mediante la secreción de numerosas hormonas, entre ellas el cortisol, la DHEA (dehidroepiandrosterona) y la aldosterona, las adrenales controlan el metabolismo de las grasas, los carbohidratos y las proteínas… regulan la inflamación… e influyen en el ánimo, el sueño, la presión arterial y la digestión.

La insuficiencia total de las adrenales es muy poco común. No obstante, muchas personas están afectadas por lo que los médicos naturopáticos denominan "fatiga adrenal". Por lo general, esta afección es el resultado del estrés físico y psicológico prolongado. Al igual que las baterías de un automóvil cuyos faros se dejan encendidos toda la noche, las adrenales simplemente se agotan.

Además del agotamiento, los síntomas de la fatiga adrenal incluyen sueño escaso, insomnio entre las 2 y las 4 horas de la madrugada y un aumento de la susceptibilidad a la infección y a las reacciones alérgicas. El colesterol es el elemento básico principal para las hormonas adrenales, así que un nivel total de colesterol en la sangre inferior a 160 es, con frecuencia, una señal de advertencia de la fatiga adrenal.

Afortunadamente, las adrenales son muy indulgentes. Muchos de mis pacientes comprueban que se sienten mucho mejor después de dedicarse un mes a disminuir el estrés y mejorar la nutrición. *Esto es lo que generalmente recomiendo…*

•**No saltee comidas...** y no sustituya alimentos "verdaderos" por dulces. Cada comida debe incluir proteínas –una taza de yogur bajo en grasa ("lowfat") o desgrasado ("fat-free"), requesón ("cottage cheese"), un vaso de leche de soja ("soy milk") o varias onzas de frijoles (alubias, habas, habichuelas, judías, "beans"), atún o carne magra. Las proteínas reducen el estrés adrenal estabilizando los niveles de azúcar en la sangre.

•**Tome vitamina B-5.** También conocida como *ácido pantoténico,* la vitamina B-5 es fundamental para la función adrenal adecuada. Se puede obtener del pescado, la leche, los frijoles, los cereales integrales, el bróculi, la coliflor y la col rizada ("kale"). Pero las personas que padecen fatiga adrenal habitualmente se benefician al tomar un suplemento de vitamina B-5. Por lo general, recomiendo 50 mg por día.

•**Pase más tiempo relajándose.** Frecuentemente recomiendo yoga, qi gong, ejercicios respiratorios profundos o simplemente caminar con tranquilidad en un entorno natural. En lo posible, evite situaciones o actividades que lo enerven –restaurantes, bares o gimnasios concurridos y ruidosos, películas de terror, entornos familiares o laborales tensos.

•**Pruebe la digitopuntura.** Una o dos veces por día, presione firmemente la zona fibrosa entre el pulgar y el dedo índice, a eso de una pulgada (dos cm) más adentro del borde de la membrana. Conocido en la medicina tradicional de China como IL4 (intestino largo 4), este punto de acupuntura se usa en una variedad de tratamientos. Se dice que presionar este lugar "tonifica" las adrenales al "tranquilizar el espíritu".

•**Considere la medicina herbaria.** La ashwaganda (hierba ayurveda) tradicionalmente se usa en la India para tratar el agotamiento nervioso y las afecciones inducidas por el estrés. La dosis típica es de 500 mg tres veces por día. La raíz de regaliz ("licorice root") ayuda a revertir la fatiga adrenal enlenteciendo la excreción de cortisol. La dosis diaria típica es de 500 mg. Tome una o ambas hierbas por hasta tres meses.

Advertencia: Las personas con presión arterial alta no deben consumir regaliz. Y las mujeres que están embarazadas o amamantando deben tomar hierbas sólo bajo la supervisión de un médico.

También de Jamison Starbuck...

Remedios naturales para conciliar el sueño

Una buena noche de sueño es una de las bendiciones de la vida. Pero, lamentablemente, uno de cada tres adultos sufre de insomnio, lo cual repercute en su bienestar emocional, salud inmune y vulnerabilidad a las enfermedades infecciosas.

Los médicos usan sedantes recetados, como *zolpidem* (Ambien), o antidepresivos, como *trazodona* (Desyrel), para tratar el insomnio. Estos medicamentos generalmente funcionan para un tratamiento a corto plazo, pero su seguridad puede disminuir si se usan por más de 30 días consecutivos. Ambos tipos de medicamentos causan efectos secundarios, como estreñimiento y somnolencia.

Los principales desencadenantes del insomnio son el estrés emocional, el dolor y la irregularidad hormonal. Determine cuál de estos se aplica a su situación, y seleccione uno o más de los remedios naturales indicados*. A diferencia de los remedios recetados, que simplemente lo noquean, los remedios naturales tratan la causa de su insomnio. *Este es mi enfoque...*

ESTRÉS EMOCIONAL

Si su insomnio es causado por ansiedad emocional, mi tratamiento homeopático favorito es Calms Forté (Hylands). Esta fórmula tiene todos los ingredientes clave, como pasionaria ("passion flower"), avena ("oats") y manzanilla ("chamomile"), y se encuentra en las tiendas de alimentos naturales. Dos bolitas ("pellets"), disueltas debajo de la lengua al irse a la cama, disipan tanto la ansiedad como la tendencia a pensar excesivamente. Si se despierta frecuentemente, puede repetir esta dosis hasta tres veces durante la noche. También recomiendo las hierbas valeriana y lúpulo ("hops") para el insomnio relacionado

*Algunos de estos remedios pueden ser inapropiados para mujeres que están embarazadas o amamantando, o para algunas personas que padecen afecciones de salud crónicas. Consulte a su médico.

con el estrés. Tome 60 gotas de cada hierba juntas, en forma de tintura, en cuatro onzas (120 ml) de agua caliente al irse a dormir. Ambas hierbas son levemente sedantes, generalmente seguras y pueden combinarse con Calms Forté.

DOLORES RELACIONADOS CON EL INSOMNIO

Los insomnes que sufren de dolores de espalda y de las articulaciones pueden mejorar su sueño relajando sus músculos a la hora de dormir. Comience con un baño templado con sal de Higuera ("Epsom salt") justo antes de irse a dormir (use por lo menos dos tazas de sal de Higuera).

Para lograr una relajación mayor también tome 300 mg de magnesio, junto con una preparación homeopática de magnesio conocida como Mag. Phos 6X (cuatro bolitas debajo de la lengua). Tome ambos a la hora de ir a dormir inmediatamente después del baño con sal de Higuera.

IRREGULARIDAD HORMONAL

La menopausia, el síndrome premenstrual, la hiperactividad tiroidea o un repentino aumento de las hormonas que causan estrés debido a cambios en la vida o al ejercicio excesivo, pueden causar insomnio. El insomnio relacionado con las hormonas debe ser evaluado y tratado por su médico o por un médico naturopático (naturista).

Existe un insomnio relacionado con las hormonas que la mayoría de las personas pueden tratar por si solas. Está vinculado al *trastorno afectivo estacional* (SAD, por sus siglas en inglés), una afección que causa una depresión entre leve y moderada del otoño a la primavera. Una dosis de 0,5 a 2 mg de la hormona *melatonina*, tomada a la hora de ir a dormir, puede corregir el insomnio vinculado al SAD.

La melatonina se puede adquirir en las tiendas de alimentos naturales y en las farmacias. Comience con una dosis de 0,5 mg y aumente después de cinco días, de ser necesario. Recomiendo discontinuar la melatonina para el insomnio relacionado con el SAD a fines de marzo en el hemisferio norte (a fines de septiembre en el hemisferio sur).

Cómo conciliar el sueño ...y mantenerse dormido

Karl Doghramji, MD, director del Sleep Disorders Center del hospital universitario Thomas Jefferson, y profesor de psiquiatría de la facultad de medicina Jefferson, ambos en Filadelfia. *www.jeffersonhospital.org/sleep.*

Una noche esporádica sin dormir bien es una molestia, pero el insomnio persistente –y la fatiga aplastante que resulta habitualmente– puede poner en peligro su salud y la salud de otros.

La agencia federal National Highway Traffic Safety Administration (NHTSA) informa que la insuficiencia de sueño contribuye a más de 100.000 accidentes de tráfico en Estados Unidos todos los años. Las personas con insomnio crónico frecuentemente no rinden al óptimo en el trabajo... tienen problemas familiares... y son cuatro veces más propensas a sufrir de depresión que las que duermen profundamente.

¿QUÉ CAUSA EL INSOMNIO?

Algunas personas nacen con una disposición neurológica que causa *hiperexcitación,* lo cual significa que el cerebro se mantiene alerta cuando es hora de dormir. *Otras causas...*

• **Experiencias de vida negativas**, como una vida familiar estresante o abuso en la infancia. El estrés y la ansiedad impiden el sueño haciendo que el cerebro se mantenga "en guardia".

• **Problemas médicos,** como el *síndrome de las piernas inquietas* ("restless legs syndrome", en inglés), que causa dolores de piernas o molestias por la noche... y la *apnea del sueño,* una afección en la que la respiración se detiene periódicamente, a veces cientos de veces por noche.

El síndrome de las piernas inquietas generalmente se trata con medicamentos, vitaminas y otras medidas preventivas. La apnea del sueño puede requerir cirugía, artefactos respiratorios o ejercicios.

• **Menopausia.** Alrededor de una de cada cuatro mujeres padece insomnio durante la menopausia. Los cambios hormonales y los bochornos (calores repentinos) resultantes y la sudoración nocturna pueden perturbar el sueño.

•**Perturbaciones del ritmo interno del cuerpo.** Las personas que tienen el *síndrome del periodo de sueño adelantado* se van a dormir muy temprano al anochecer y despiertan muy temprano por la mañana. Las personas que tienen el *síndrome del periodo de sueño retardado* se van a dormir muy tarde y despiertan tarde al día siguiente.

LOS MEJORES TRATAMIENTOS

El insomnio causado por problemas médicos o cambios hormonales generalmente desaparece cuando se trata la afección subyacente. Las otras causas por lo general requieren una combinación de medicamentos y modificación del comportamiento. Los medicamentos proporcionan un alivio inmediato. La terapia de la conducta tiene beneficios a largo plazo que pueden permitir el abandono de los medicamentos. La psicoterapia también puede ser necesaria para aliviar la ansiedad.

Casi todas las personas con insomnio duermen mejor cuando tienen mejores hábitos de vida. *Algunos métodos de comportamiento...*

•**Relájese durante la hora antes de ir a dormir.** Lea, escuche música, tome un baño caliente. O pruebe el yoga, la meditación o la respiración profunda. Evite las actividades que produzcan ansiedad, como pagar cuentas o mirar el noticiero de TV.

•**Después del mediodía, evite la cafeína** –el café, las bebidas cola, el té negro o verde, el chocolate y algunos analgésicos (calmantes del dolor), como Excedrin. Incluso en pequeñas cantidades, la cafeína puede perturbar el sueño de las personas vulnerables. Los alimentos que contienen *L-triptofano*, como la leche y el pavo, quizá promuevan el sueño, pero los estudios realizados en este campo son poco claros.

•**No beba alcohol por la noche.** Hace que el sueño sea menos reparador.

•**Vaya a la cama y levántese a la misma hora todos los días,** incluso los fines de semana. Evite las siestas, aun las breves. Dificultan aun más conciliar el sueño por la noche.

•**Haga ejercicios por al menos 30 minutos cada día.** El levantamiento de pesas, los ejercicios aeróbicos y otros ejercicios pueden promover el sueño. Pero no haga ejercicios durante las tres horas antes de ir a dormir porque aumenta el estado de alerta. Recomiendo el ejercicio matutino *al aire libre* –la exposición a la luz ayuda a regular el ritmo del cuerpo.

•**Escuche CD o cintas que induzcan la relajación.** Algunas personas duermen mejor cuando escuchan grabaciones de cantos de ballenas o sonidos de bosques u océanos antes de ir a dormir. Cuando el sueño es perturbado por el tráfico u otros ruidos, los generadores de sonido que producen "ruido blanco" ("white noise") pueden ayudar, como también los tapones para los oídos ("earplugs").

OTRAS TÉCNICAS PODEROSAS

Para los pacientes que tienen trastornos del sueño más graves, algunas veces sugiero que registren atentamente su sueño durante unas dos semanas. Ellos anotan cuándo se van a dormir, a qué hora se despiertan por la noche, se levantan por la mañana, etc., para que puedan estimar cuánto tiempo realmente pasan durmiendo. Luego les pido que se limiten a pasar esa cantidad de tiempo en la cama cada noche. Esto elimina la frustración de dar vueltas en la cama.

Ejemplo: Suponga que un paciente normalmente pasa ocho horas en cama pero solamente duerme alrededor de cinco. Yo le sugeriría a él/ella que vaya a la cama a la medianoche y ponga el reloj despertador para las 5 de la mañana. Si duerme bien, puede aumentar el tiempo que pase en la cama por unos 15 minutos cada pocos días, siempre que siga durmiendo bien.

A veces también recomiendo la terapia de luz. Los pacientes se sientan frente a una caja de luz ("light box") durante 30 minutos diariamente para volver a establecer el ritmo del cuerpo. Lo hacen a primera hora de la mañana si tienen problemas para conciliar el sueño, y por la tarde o la noche si se despiertan temprano. En general esta terapia de luz no les dará resultados a los pacientes que se despiertan durante la noche, ya que no se despiertan debido a las perturbaciones del ritmo corporal.

Las cajas de luz y las lámparas de luz ("light lamps") que producen 10.000 lux –la cantidad recomendada de luz– se pueden comprar de

Light Therapy Products (800-486-6723 o *www. lighttherapyproducts.com).*

MEDICAMENTOS

Los medicamentos más recetados para el insomnio, *zolpidem* (Ambien) y *zaleplon* (Sonata), son relativamente seguros y eficaces cuando se toman bajo la supervisión de un médico. Les proporcionan alivio rápido a muchos insomnes. Esto puede disminuir el temor de padecer más insomnio, lo cual puede ser una razón de la prolongación y la intensificación del insomnio.

Los médicos generalmente aconsejan que estos medicamentos se usen por periodos cortos de tiempo, en general dos semanas. Sin embargo, algunos insomnes crónicos los necesitan por periodos más largos. Ambien, que se toma al ir a dormir, actúa durante siete u ocho horas. Ayuda a las personas a conciliar el sueño y evita que se despierten en la mitad de la noche. Sonata pierde eficacia en cuatro horas. Puede tomarlo al irse a dormir si tiene problemas para conciliar el sueño o también si se despierta en la mitad de la noche.

Las *benzodiazepinas* de acción prolongada (Dalmane, Doral y Valium) son eficaces pero pueden causar un "efecto de resaca" durante el día. La benzodiazepina de acción menos prolongada, Halcion, causa un efecto de resaca más leve, pero la disminución en la eficacia del medicamento a lo largo del tiempo puede requerir un aumento de la dosis. Además ha sido vinculada al "insomnio de rebote", el cual puede ser aun peor que el insomnio original.

Los productos de venta libre que contienen el antihistamínico *difenhidramina* –Benadryl, Tylenol PM, etc.– les pueden dar buenos resultados a algunas personas. Pero los efectos de la difenhidramina son impredecibles. Algunas personas no logran la sedación necesaria para ayudarlos a conciliar el sueño. Otras experimentan somnolencia al día siguiente.

HIERBAS Y SUPLEMENTOS

La hierba valeriana, en forma de suplemento o té, puede ayudar. Se necesitan realizar estudios antes de que se pueda promover su uso. Existen pocas pruebas de que los suplementos de kava o melatonina dan buenos resultados –y tal vez pueden ser perjudiciales. Los suplementos de melatonina han sido vinculados a la infertilidad y a los daños al corazón. La kava puede causar daños al hígado.

Para encontrar un médico que se especialice en trastornos del sueño, comuníquese con la American Academy of Sleep Medicine llamando al 708-492-0930 o visitando el sitio Web en inglés *www.aasm.net.org.*

Controle el insomnio con una merienda

Para conciliar el sueño con más rapidez, pruebe comer una merienda (refrigerio) de queso y galletas antes de ir a dormir.

Al igual que la leche –una inductora del sueño bien conocida– el queso está colmado de *triptófano.* Este aminoácido induce al cuerpo a producir el neurotransmisor *serotonina,* que tiene propiedades sedantes.

Para mantener al mínimo las calorías: Elija un queso de bajo contenido graso.

Si el insomnio persiste: Consulte a su médico.

Peter Hauri, PhD, profesor emérito de psicología de la facultad de medicina de la Clínica Mayo, y ex director del programa de insomnio de la Clínica Mayo, ambas en Rochester, Minnesota.

Una ayuda dulce para el sueño

Consuma un puñado de cerezas ("cherries") una hora antes de ir a dormir. Las cerezas contienen grandes cantidades de *melatonina,* el agente natural que promueve el sueño.

Mejor: El jugo concentrado de cerezas contiene 10 veces más melatonina que la fruta entera.

University of Texas Health Science Center, en San Antonio. *www.uthscsa.edu.*

Cómo dormir bien por toda la noche

James B. Maas, PhD, profesor de psicología de la Universidad Cornell, en Ithaca, estado de Nueva York. Es autor de *Power Sleep* (Collins).

Si tiene problemas del sueño, probablemente esté enterado sobre las recomendaciones básicas para poder dormir bien…

- **Evite la cafeína y el alcohol** cerca de la hora de irse a dormir.

- **Evite la nicotina.** Si fuma, deje de fumar.

- **Tómese una ducha o un baño tibio** justo antes de acostarse.

- **Haga ejercicios con regularidad** (como caminar a un buen ritmo o andar en bicicleta) y consuma una dieta saludable.

- **Evite las fuentes de estrés** y ansiedad tarde en la noche.

Pero si su insomnio persiste a pesar de sus mejores esfuerzos por seguir estas estrategias, el culpable puede ser su dormitorio. *Esto es lo que recomiendo para establecer un ambiente hogareño que facilite el buen dormir…*

- **Asegúrese de que su hogar tenga protección y seguridad.** Dormirá mejor sabiendo que su familia está protegida contra incendios, robos y otros peligros.

Además de detectores de incendios y buenas cerraduras en las puertas y ventanas, considere instalar una alarma antirrobo.

- **Elija la decoración del dormitorio con cuidado.** El azul celeste, el verde bosque y otros "colores de la naturaleza" favorecen especialmente el sueño. También lo hacen las pinturas de paisajes… o las fotos familiares tomadas en su viaje favorito.

Trampa de la oficina en el dormitorio. Ver montones de cuentas y el papeleo del hogar o el trabajo dificulta aun más conciliar el sueño. Si no tiene un cuarto de estudio en su casa, encuentre un pasillo, corredor u otro lugar en su hogar para establecer su oficina.

- **Elimine la "contaminación" de luz.** La forma fácil de lograr que la luz no perturbe su sueño es usar un protector de ojos que no deje pasar la luz. Puede comprarlo en la farmacia.

Si los encuentra incómodos, saque de su dormitorio los relojes iluminados, las lamparillas nocturnas ("night-lights") y otras fuentes de luz.

Si las luces de la calle u otras fuentes de luz penetran por las ventanas de su dormitorio, cuelgue cortinas que no dejen pasar la luz.

- **Elimine el ruido ambiental.** Todo sonido más fuerte que 70 decibelios (el equivalente a un grifo que gotea) perturba el sueño. *Si no puede eliminar un sonido particular, bloquéelo usando estas estrategias…*

- Coloque en su dormitorio cortinas pesadas y alfombras gruesas. Si está edificando una casa nueva, asegúrese de que las paredes y los techos tengan un buen aislamiento acústico.

- Use tapones para los oídos ("earplugs") que no dejen pasar los sonidos. En las farmacias puede encontrar distintas clases de tapones. Cuestan sólo uno o dos dólares el par.

- Use un generador de "ruido blanco" ("white noise"). El ruido blanco es un sonido de alta frecuencia similar al que produce la precipitación de la lluvia, el oleaje, el susurrar de hojas, etc. Oculta otros sonidos más molestos… y lo ayuda a conciliar el sueño.

Un generador de ruido blanco económico: una radio FM al lado de su cama que esté sintonizada entre estaciones para que produzca interferencia. Como alternativa, puede poner discos compactos que contengan grabaciones de sonidos de la naturaleza… o usar un dispositivo electrónico que oculte los sonidos como los que venden Sound Machines Direct y otros comerciantes.

- **Mantenga fresco su dormitorio.** Un dormitorio caliente puede hacerlo despertar durante la noche. También puede provocar pesadillas.

La mejor temperatura para tener un sueño reparador: 65°F (15°C).

- **Mantenga la humedad ideal.** La mayoría de las personas duerme mejor cuando la humedad relativa se mantiene entre el 60% y el 70%. Verifíquela de tanto en tanto usando un indicador de humedad. Puede adquirir un medidor sencillo en las ferreterías por unos $5.

Si la humedad no se mantiene generalmente en esos porcentajes, un humidificador ("humidifier") o un deshumidificador ("dehumidifier") pueden ayudar. Estos artefactos se venden en tiendas por departamentos o en ferreterías. Su costo varía entre $50 y $200.

•**Compre el mejor colchón que pueda.** Si le gustan los colchones con resortes internos, la cantidad de resortes es fundamental. Un colchón para una cama de tamaño "full" debería tener más de 300 resortes… uno de tamaño "queen", más de 375… uno de medida "king", más de 450.

Si prefiere un colchón de goma espuma ("foam"), asegúrese de que la densidad de la espuma sea por lo menos de dos libras por pie cúbico.

Cualquiera sea la clase de colchón que elija, asegúrese de ponerlo a prueba en la tienda. Usted y su pareja deberían tener por lo menos seis pulgadas (15 cm) adicionales de espacio para estirar las piernas.

Mantenimiento del colchón: Una vez por mes, rote el colchón de manera que la cabeza quede en los pies. Délo vuelta también.

Para obtener más información sobre colchones, comuníquese con Better Sleep Council, 501 Wythe St., Alexandria, Virginia 22314, *www.bettersleep.org.*

•**Elija sábanas y ropa de cama de buena calidad.** Si usa pijamas o un camisón para dormir, asegúrese de que la prenda sea suave al tacto –y holgada. El algodón y la seda son más cómodos que las fibras sintéticas.

Cuando compre sábanas, opte por las de algodón, seda o –las mejores de todas– las de lino ("linen"). Son suaves al contacto con la piel y absorben la humedad mejor que otras telas. Asimismo, las sábanas con una mayor cantidad de hebras ("thread count") –700 es la mayor– tienden a ser las más suaves.

•**Evite las almohadas muy blandas.** Con frecuencia las personas eligen almohadas que son demasiado blandas para que la cabeza y el cuello tengan el apoyo adecuado.

El plumón ("down") es el mejor relleno para las almohadas. Si usted es alérgico al plumón, la microfibra de poliéster ("polyester microfiber") es una segunda opción buena.

Algunas personas aquejadas por el insomnio consideran que una almohada rellena de cascarillas de alforfón ("buckwheat hulls")

es particularmente cómoda. Se venden en la mayoría de las tiendas por departamentos.

•**Deje de mirar al reloj.** La última cosa que le conviene a altas horas de la noche es un recordatorio visible de cuántas horas de sueño está perdiendo.

Si se despierta durante la noche, no mire el reloj. De ser necesario, deshágase del reloj… o, antes de acostarse, colóquelo lejos de usted o a cara opuesta para que no lo pueda ver.

•**Tenga un bloc para escribir notas en su mesa de noche.** Para evitar pensar en temores o en listas de lo que debe hacer mientras trata de conciliar el sueño, anótelos en cuanto aparezcan. Prométase encarar cualquier problema u obligación al día siguiente.

Si las preocupaciones todavía lo mantienen despierto, lea o mire televisión hasta que se sienta somnoliento. Si duerme con su pareja, compre una lámpara para leer en la cama –lo ideal sería una con el pie en forma de cuello de ganso y con regulador de voltaje ("dimmer").

La mejor hora para el mejor sueño

El sueño de la mañana temprano es verdaderamente el más reparador.

Estudio reciente: Los hombres que fueron a dormir a las 2:15 am, y que fueron despertados a las 6:15 am, durmieron mejor que los que fueron a dormir a las 10:30 pm y fueron despertados a las 2:30 am.

Por lo tanto, si puede dormir sólo cuatro horas, quédese despierto lo más tarde posible para obtener el mayor beneficio de su periodo limitado de sueño.

Advertencia: Esto no reemplaza una noche completa de sueño. Reanude un patrón normal de sueño lo más pronto posible.

Christian Guilleminault, MD, profesor de psiquiatría y ciencia del comportamiento de la facultad de medicina de la Universidad Stanford, y director adjunto del Sleep Disorders Center, ambos en Palo Alto, California.

Qué tomar cuando no puede dormir

Robert E. Hales, MD, profesor y jefe del departamento de psiquiatría de la facultad de medicina de la Universidad de California en Davis. Fue presidente de la Association for Academic Psychiatry, y ha escrito o editado de manera conjunta muchos libros sobre la salud mental, entre ellos, *The Mind/Mood Pill Book* (Bantam).

Si es uno de los 40 millones de estadounidenses que padecen insomnio, probablemente ya conoce la importancia de mantener una hora habitual para ir a dormir y para despertarse… de evitar la cafeína y el alcohol a la tarde o la noche… y de renunciar a la lectura o la televisión mientras está en la cama.

Quizá ha llegado a probar los sedantes de venta libre. Lamentablemente, estos medicamentos no recetados rara vez brindan muchos beneficios. Y pueden causar efectos secundarios desagradables, incluyendo la boca seca, la visión borrosa y el estreñimiento.

En la mayoría de los casos, los medicamentos herbarios o recetados lo ayudan a conciliar el sueño con mayor rapidez y a seguir durmiendo durante más tiempo. Y cuando se usan de manera adecuada son bastante seguros.

Importante: Antes de probar un remedio de este tipo, se debe detectar la causa subyacente de su insomnio, como un medicamento recetado, la depresión, la ansiedad o un trastorno primario del sueño, como la *apnea del sueño obstructora* –una afección potencialmente grave que hace que se despierte repetidas veces.

Si padece apnea del sueño, las *benzodiazepinas* u otros medicamentos que inducen el sueño pueden interferir aun más con su respiración y eso puede resultar riesgoso para su vida.

INSOMNIO LEVE DE VEZ EN CUANDO

Los remedios herbarios valeriana y kava kava frecuentemente son muy eficaces para eliminar el insomnio leve, definido como periodos pasajeros de perturbación del sueño debido a un acontecimiento importante de la vida, como una boda, una mudanza o un trabajo nuevo.

A diferencia de los sedantes hipnóticos, como la benzodiazepina *temazepam* (Restoril), la valeriana no causa somnolencia a la mañana siguiente ni malestar estomacal. No obstante, puede causar dolor de cabeza e inquietud.

Kava kava* puede causar atontamiento a la mañana siguiente, pero frecuentemente es la mejor opción si prefiere una preparación suave de venta libre que propicie el sueño. Ninguno de estos dos remedios crea hábito.

Las cápsulas y los saquitos de té de valeriana y kava kava se venden en las tiendas de alimentos naturales.

Advertencia: La agencia federal Food and Drug Administration (FDA) no reglamenta los remedios herbarios. Por consiguiente, es mejor seguir con las marcas que les han resultado eficaces a amigos o las que han sido recomendadas por su farmacéutico o su médico.

PROBLEMAS PARA CONCILIAR EL SUEÑO

Si frecuentemente tiene problemas *para conciliar* el sueño, su mejor opción probablemente sea la no benzodiazepina *zolpidem* (Ambien). Generalmente actúa dentro de los 15 minutos. Zolpidem no causa atontamiento al día siguiente, aunque puede causar diarrea, náuseas y mareos.

Zolpidem no crea hábito, pero puede llegar a ser menos eficaz después de varias semanas de uso y requerir una dosis mayor.

PROBLEMAS PARA SEGUIR DURMIENDO

Las benzodiazepinas *temazepam* (Restoril), *lorazepam* (Ativan) y *clonazepam* (Klonopin) son altamente eficaces para no despertarse a la mañana temprano. Comparadas con zolpidem, se mantienen en el cuerpo más tiempo, aproximadamente entre ocho y 12 horas.

Como todas las benzodiazepinas, estos tres medicamentos son adictivos. Deben usarse por no más de dos a tres semanas consecutivas y luego esporádicamente –solamente cuando necesite ayuda para dormir. Están prohibidas para los drogadictos y los ex drogadictos.

Las benzodiazepinas también pueden causar un efecto de "rebote" –la reaparición del insomnio. Si deja de tomar uno de los medicamentos abruptamente después de haberlo tomado durante varias semanas, puede pasar una o dos noches en las que tenga problemas para conciliar el sueño, se despierte con frecuencia y tenga pesadillas.

*El uso a largo plazo puede causar daño al hígado.

Para evitar esto, reduzca gradualmente su dosis en el transcurso de una semana o dos. Esto debe hacerse en consulta con su médico.

Los efectos secundarios de las benzodiazepinas incluyen atontamiento al día siguiente, náuseas y mareos.

TRASTORNOS CRÓNICOS DEL SUEÑO

Frecuentemente, los trastornos crónicos del sueño están acompañados por depresión. Los médicos han descubierto que el antidepresivo recetado *trazodona* (Desyrel) –en una dosis pequeña– con frecuencia ayuda con ambas afecciones.

Generalmente, la trazodona no crea hábito, aunque puede causar dolor de cabeza, náuseas y malestar de estómago.

La trazodona puede aumentar los niveles en la sangre del medicamento para el corazón *digoxina* (Lanoxin) y del medicamento *fenitoína* (Dilantin) para prevenir ataques epilépticos. También puede reducir la eficacia del anticoagulante *warfarina* (Coumadin).

Si toma uno de estos medicamentos: Avísele a su médico antes de tomar trazodona.

Dos medicamentos similares –*nefazodona* (Serzone) y *mirtazapina* (Remeron)– pueden ser mejores opciones para personas mayores o para las que toman medicamentos para la presión arterial.

EL USO SEGURO DE REMEDIOS PARA DORMIR

Evite el alcohol por lo menos varias horas antes de tomar un remedio o fármaco que induzca el sueño. De lo contrario, usted puede padecer confusión o tener problemas con la respiración y la coordinación.

Es especialmente peligroso: mezclar una benzodiazepina con alcohol. La combinación puede ser mortal.

Las personas mayores tienden a metabolizar los medicamentos más lentamente que los jóvenes. Por ello, una dosis de píldoras para dormir que sería segura y eficaz para una persona joven podría causar mareos y otros efectos secundarios en una persona de mayor edad.

Si es mayor de 60 años, pregúntele a su médico si puede tomar la mitad de la dosis habitual recomendada de un medicamento para dormir.

Reduzca al mínimo lo que interfiere con el sueño

El encender la luz del dormitorio o del baño por la noche puede interferir con su capacidad para conciliar el sueño nuevamente.

Problema: Incluso una breve exposición a la luz le impide al cuerpo producir la hormona del sueño *melatonina*.

Para reducir al mínimo las interrupciones del sueño cuando se levanta de la cama durante la noche, mantenga una linterna de poca luz al lado de su cama… o instale una lamparilla nocturna ("night-light") en el baño.

David C. Klein, PhD, del laboratorio de neurobiología del desarrollo del National Institute of Child Health and Human Development, en Bethesda, Maryland.

Cómo evitar las visitas nocturnas al baño

Ponga fin a las visitas nocturnas al baño evitando, por varias horas antes de ir a dormir, los irritantes de la vejiga, como las frutas cítricas, los alimentos condimentados y la nicotina… y las bebidas diuréticas, incluyendo cualquier cosa que contenga cafeína o alcohol.

Además, no beba los últimos líquidos del día durante las tres horas antes de ir a dormir. La mayor parte de los líquidos estará en su vejiga en el momento en que esté dispuesto a irse a dormir, así que debería poder ir al baño y luego dormir toda la noche.

Gary Lemack, MD, profesor adjunto de urología del centro médico Southwestern de la Universidad de Texas, en Dallas.

Alivio para las piernas inquietas

Una desagradable sensación de hormigueo en las piernas, el *síndrome de las piernas inquietas* (RLS, por las siglas en inglés de "restless legs syndrome"), puede causar dificultad para conciliar el sueño y para seguir durmiendo. *Para aliviar los síntomas...*

• **Masajee las piernas antes de ir a la cama.**

• **Tome un baño tibio.**

• **Aplique una almohadilla de calor ("heating pad").**

• **Evite la cafeína, la nicotina y las bebidas alcohólicas.**

• **Haga ejercicios con regularidad.**

• **Pruebe una técnica de relajación,** como la meditación o el yoga.

Si estos métodos no le dan resultados, consulte a su médico sobre medicamentos.

Barbara Phillips, MD, directora del centro para la apnea del sueño en el hospital Samaritan, en Lexington, Kentucky. Para más información sobre el RLS, envíe un sobre con su dirección y con estampilla postal a la RLS Foundation, 1610 14th St. NW, Suite 300, Rochester, Minnesota 55901. *www.rls.org.*

El agua tónica evita los calambres en las piernas

Si tiene calambres en las piernas durante el día, trate de beber agua tónica ("tonic water") antes de ir a dormir. Contiene *quinina* –un relajante muscular que puede ser eficaz para evitar los calambres en las piernas.

Un vaso de agua tónica de ocho onzas (235 ml) contiene 27 mg de quinina –lo suficiente para aliviar los calambres en muchas personas. Agregue jugo de naranja o de limón al agua tónica para que sepa menos amarga.

Paul Davidson, MD, profesor adjunto clínico de medicina de la Universidad de California en San Francisco.

Alivio para los calambres nocturnos en las piernas

Para aliviar un calambre nocturno en la pierna, flexione el pie hacia arriba. Apunte con los dedos hacia el techo y mantenga la posición hasta que el calambre cese. O póngase de pie, doble la rodilla y coloque todo el peso del cuerpo sobre la pierna afectada por unos minutos, lo que estira el músculo de la pantorrilla. Una almohadilla de calor o una bolsa de hielo también pueden proporcionar alivio.

Para prevenir los calambres: Beba entre seis y ocho vasos de agua diariamente para no deshidratarse. Afloje la cobertura de la cama para que los dedos de los pies no apunten hacia abajo mientras duerme. Estire los músculos de las pantorrillas de vez en cuando durante el día. Andar en una bicicleta fija antes de ir a la cama y hacer ejercicios acuáticos con regularidad también pueden ayudar.

Mary McGrae McDermott, MD, profesora adjunta de medicina de la facultad de medicina Feinberg de la Universidad Northwestern, en Chicago.

Tratamiento rápido para las venas varicosas

Las venas varicosas (várices) grandes de las piernas pueden eliminarse sin cirugía. Un tratamiento ambulatorio breve –llamado *oclusión de venas por radiofrecuencia endovenosa*– dura unos 20 minutos y se efectúa con una incisión de sólo un cuarto de pulgada (60 mm) en el muslo. A través de esta incisión se introduce un catéter que tiene en la punta un radiotransmisor y se lo dirige a la vena problemática. Las ondas de radio de gran intensidad emitidas por el catéter cierran la vena.

Los pacientes pueden reanudar la actividad normal al día siguiente. Con la cirugía convencional, la recuperación lleva hasta siete días.

Mitchel P. Goldman, MD, profesor adjunto clínico de dermatología en la facultad de medicina de la Universidad de California en San Diego.

Soluciones rápidas para los problemas de los pies

Suzanne M. Levine, DPM, podóloga con consultorio privado en 885 Park Avenue, Nueva York. Es autora de *Your Feet Don't Have to Hurt* (St. Martin's Press) y coautora de *The Botox Book* (M. Evans and Company). Para más información sobre los problemas de los pies, vaya al sitio Web en inglés *www.institutebeaute.com*.

Cualquiera que haya padecido pie de atleta sabe que las cremas fungicidas en general eliminan la afección en unas dos semanas. Lo que la mayoría de las personas no sabe es que los medicamentos se deben usar un mes entero para erradicar los hongos.

Al igual que el pie de atleta, la mayoría de los problemas de los pies son causados –o empeorados– por el paciente. *Aquí figuran cinco afecciones dolorosas de los pies y los errores que las causan...*

JUANETES ("BUNIONS")

Millones de estadounidenses se someten a la cirugía todos los años para eliminar los juanetes –las protuberancias óseas que comúnmente aparecen en la parte de afuera del dedo gordo del pie. Muchas de estas operaciones podrían prevenirse con el autocuidado adecuado.

Error común: Usar tacones altos o calzado ajustado en la zona de los dedos. Esto puede causar inflamación e hinchazón, los cuales irritan y empeoran los juanetes.

Para evitar este problema, es importante comprar zapatos que no sean muy ajustados en la parte que cubre los dedos. Si no está seguro de la medida, haga que le midan los pies. Muchas personas usan zapatos que son hasta una medida más pequeña de lo adecuado.

Si ya sufre de juanetes, puede reducir la presión con plantillas ortopédicas de venta libre que proporcionan soporte al arco.

Si las plantillas ortopédicas de venta libre no ayudan, es probable que necesite ortóticos ("orthotics") recetados por un podólogo, los cuales corrigen la forma anormal de caminar.

Costo típico: entre $250 y $500.

El uso de medias (calcetines) ajustadas también ayuda a reducir la fricción sobre los juanetes.

Para aliviar el dolor causado por los juanetes: Mezcle una taza de vinagre en un galón (cuatro litros) de agua tibia y sumerja el pie durante 15 minutos diariamente.

Además, envuelva hielo o un paquete de guisantes ("peas") congelados en una toalla fina y aplique sobre el juanete dos veces al día durante 15 minutos. Estos tratamientos reducen la hinchazón y alivian el dolor.

CALLOSIDADES ("CALLUSES")

Las callosidades son capas gruesas de células de piel muertas que se acumulan en las zonas del pie expuestas a una presión frecuente. Los tacones altos o los zapatos sin tacón pueden empeorar las callosidades al trasladar el peso del cuerpo al antepié. Los zapatos con tacones de una pulgada (dos cm) son preferibles porque ejercen menos presión sobre esta parte del pie.

Error común: Usar los productos de venta libre para eliminar las callosidades. No siempre dan buenos resultados –y el ingrediente activo (*ácido salicílico*) puede dañar la piel sana.

Por lo general es más fácil quitar las callosidades después de haber tomado un baño o una ducha tibios.

Qué hacer: Raspe la callosidad muy suavemente con una piedra pómez ("pumice stone"). Antes de ir a dormir, aplique un hidratante que contenga cobre ("copper"), un agente suavizante que facilitará aun más la eliminación del callo.

Una buena opción: Copper Complex

Si este proceso no da resultado, pregúntele a su médico acerca de la *microdermoabrasión*. Este procedimiento ambulatorio indoloro que dura entre 15 y 30 minutos evita la necesidad de la cirugía.

Durante la microdermoabrasión, un podólogo usa cristales de óxido de aluminio para exfoliar los callos.

Costo típico: entre $125 y $200.

CALLOS ("CORN")

Estas zonas de tejido grueso en forma de grano son similares a las callosidades pero generalmente se forman en las puntas de los dedos o entre ellos.

Error común: Cortar o exfoliar los callos de manera brusca. Esto causa más dolor y con frecuencia provoca infecciones.

Resulta más eficaz sumergir el callo en una solución de sal de Higuera ("Epsom salt") durante 10 minutos. Luego raspe suavemente el callo con una piedra pómez. Repita el tratamiento diariamente hasta que el callo haya desaparecido.

PIES PLANOS ("FALLEN ARCHES")

Las personas desarrollan arcos bajos cuando los pies se aplanan con el transcurso del tiempo. Esto sucede cuando el envejecimiento, el aumento de peso, el impacto excesivo al correr o caminar, o los cambios hormonales causan el aflojamiento de los ligamentos de la fascia plantar en la planta de los pies.

Otras personas pueden haber heredado el pie plano. La afección causa dolor en el arco –y frecuentemente dolor en los talones o en los tobillos.

Error común: Renunciar a la actividad física. La inactividad generalmente empeora la afección.

El dolor en el arco comúnmente puede ser reducido o eliminado con ejercicios que estiren los tendones de Aquiles y los ligamentos de la fascia plantar.

Haga cada uno de los siguientes estiramientos seis veces, dos veces por día. Mantenga cada estiramiento durante 30 segundos.

•**Coloque el pie derecho sobre una silla o un escalón.** Mantenga planos ambos talones. Inclínese hacia la silla o el escalón hasta que sienta un estiramiento en la pantorrilla derecha. Repita con el pie izquierdo.

•**Párese sobre un escalón de frente a las escaleras con los pies juntos.** Mueva el pie derecho hacia atrás hasta que el talón cuelgue del borde. Baje el talón hasta que sienta un estiramiento en la pantorrilla derecha. Repita con el pie izquierdo.

•**Siéntese en una silla.** Descanse el tobillo derecho sobre la rodilla izquierda. Suavemente lleve los dedos del pie derecho hacia su pecho hasta que sienta un estiramiento en el arco del pie. Repita con el pie izquierdo.

Las personas que tienen pies planos deben usar zapatos de vestir con tacones de una pulgada (dos cm) o calzado atlético con arcos incorporados. Las plantillas ortopédicas (ya sean recetadas o de venta libre) son útiles para restablecer el arco y el soporte adecuados.

Para determinar si tiene pies planos: Camine en la arena mojada y mire las huellas de sus pies. La huella de un pie normal tiene una brecha (hueco) entre el talón y el antepié. Sin embargo, el pie plano tendrá poca brecha o ninguna.

UÑAS ENCARNADAS

Las uñas encarnadas de los dedos de los pies se curvan y tratan de penetrar la carne en lugar de crecer derechas sobre el dedo. La afección causa dolor, enrojecimiento o hinchazón en las puntas o en los costados de los dedos.

Error común: Cortar las uñas en forma curva. Eso aumenta el riesgo de tener uñas encarnadas.

Para disminuir ese riesgo, sumerja los pies en agua tibia, lave muy bien con jabón y corte las uñas en forma recta.

Si hay enrojecimiento u otras manifestaciones de infección, aplique un ungüento antibiótico de venta libre, como bacitracina ("bacitracin") o Neosporin.

Si el dolor y el enrojecimiento no desaparecen después de dos días: Quizá su médico tenga que extraer la porción de la uña que está debajo de la piel. Esto puede efectuarse mediante un procedimiento ambulatorio que dura 15 minutos.

Increíble remedio para las uñas

Howard Garrett es conocido como "The Dirt Doctor" (*www.dirtdoctor.com*). Ha dedicado su carrera a educar al público acerca de la jardinería orgánica. El Sr. Garrett es el presentador del programa texano de radio *The Natural Way* en K-SKY. También es autor de *The Dirt Doctor's Guide on Organic Gardening* (University of Texas).

Ed Dillard había sintonizado mi programa en vivo sobre jardinería en la radio regional y escuchó que una persona que llamó preguntaba cómo eliminar los hongos de las rosas. Yo contesté: "Use harina de maíz ('cornmeal')".

Durante 27 años, Dillard había estado afectado por hongos en las uñas de los dedos del pie. Tenía uñas amarillas, gruesas y feas, y se preguntó si la harina de maíz pudiera dar resultados.

Dillard sumergió los pies durante una hora en harina de maíz y agua tibia. No hubo cambios en las uñas. Pero a eso de un mes después, notó el tejido rosado y sano en la base de la uña del dedo gordo del pie, a pesar de que sólo la había sumergido una vez. Repitió el baño de harina de maíz semanalmente y después de un año no tuvo más hongos.

Me llamó a la radio y me contó su éxito. Desde entonces, he oído a miles de personas hablar sobre el uso exitoso de la harina de maíz para tratar los hongos de las uñas, el pie de atleta, la tiña ("ringworm") y otros problemas micóticos. Algunos médicos piensan que los microorganismos en la harina de maíz activados por el agua tibia, literalmente se comen a los hongos microscópicos.

Remedio de harina de maíz: Ponga una pulgada (2 cm) de harina de maíz, amarilla o blanca, en una cacerola, y agregue agua tibia, no caliente, en cantidad apenas suficiente para cubrir la harina. Deje reposar esta mezcla por 30 minutos. Luego añada suficiente agua tibia como para cubrir los pies. Remoje por lo menos una hora, una vez por semana, hasta que los hongos desaparezcan. Para otros problemas micóticos que requieran el remojo en un baño, agregue al agua dos tazas de harina de maíz.

Tratamiento fácil para las verrugas

Coloque cinta aislante ("duct tape") sobre una verruga ("wart") y déjela siete días. Luego descubra la zona durante 12 horas. Repita el ciclo hasta que la verruga se caiga.

La cinta adhesiva mantiene la humedad y ayuda a descomponer el tejido de la verruga.

Daniel M. Siegel, MD, profesor clínico de dermatología del Mohs College de la Universidad del Estado de Nueva York (SUNY) en Stony Brook.

Mejor cuidado de las cortaduras

Los desinfectantes de heridas comunes pueden hacer más mal que bien. Por ejemplo, *mercurocromo* y *mertiolate* contienen mercurio, el cual es tóxico. El alcohol para frotar ("rubbing alcohol") daña y seca la piel. El agua oxigenada ("hydrogen peroxide") y el yodo ("iodine") perjudican la piel y demoran la curación.

La betadina en una concentración del 1% o menor es segura para limpiar las heridas, pero podría causar intoxicación por el yodo si se usa en grandes heridas abiertas. Los ungüentos antibióticos pueden ayudar a prevenir las infecciones en heridas menores, pero pueden causar irritación de la piel y reacciones alérgicas.

Qué hacer: Limpie la herida con agua corriente fría, o con un paño limpio húmedo. Use jabón sobre la piel que la rodea –pero no sobre la herida misma.

Aplique una venda adhesiva para mantener la herida limpia y húmeda a fin de reducir la cicatriz. No saque las costras –estas son los vendajes naturales del cuerpo.

University of California, Berkeley Wellness Letter. *www.wellnessletter.com.*

Cómo evitar los cálculos biliares

Los ejercicios previenen los cálculos biliares ("gallstones"). Los hombres que hicieron ejercicios durante 30 minutos cinco veces por semana fueron un 34% menos propensos a padecer cálculos que los hombres sedentarios.

Se está estudiando si el ejercicio previene los cálculos biliares en las mujeres.

Otro factor que reduce el riesgo: la pérdida de peso.

Michael F. Leitzmann, MD, MPH, investigador epidemiólogo del National Cancer Institute, en Bethesda, Maryland. Su estudio de ocho años de duración de 45.813 hombres de 40 a 75 años de edad fue publicado en el boletín médico *Annals of Internal Medicine.*

Cómo prevenir las úlceras

Para prevenir las úlceras de estómago, consuma más *grasas poliinsaturadas* –aceites de maíz ("corn"), de girasol ("sunflower"), de alazor ("safflower") y de pescado– las cuales detienen el crecimiento de las bacterias que causan la mayoría de las úlceras. Pero las *grasas saturadas* (aceite de coco y mantequilla) y las *grasas monoinsaturadas* (aceite de oliva) no detienen el crecimiento de dichas bacterias.

Este resultado concuerda con el hecho de que las personas que consumen una gran cantidad de grasas poliinsaturadas tienen un riesgo menor de contraer úlceras de estómago. Las investigaciones sugieren que la sustitución de grasas saturadas por grasas poliinsaturadas puede reducir la probabilidad de desarrollar úlceras, y posiblemente también reducir el riesgo de cáncer de estómago.

Duane Smoot, MD, profesor adjunto de medicina y jefe del departamento de medicina de la facultad de medicina de la Universidad Howard, en Washington, DC.

Qué debe hacer si se siente mareado

Cuando se sienta mareado o vea manchas negras, puede prevenir temporalmente el desmayo cruzando las piernas a la altura de los tobillos y contrayendo los músculos de las piernas, del abdomen y de las nalgas.

Las personas propensas a desmayarse que pusieron en práctica esta técnica evitaron desmayarse o demoraron el desmayo en un promedio de dos minutos y medio, que es el tiempo suficiente como para encontrar un lugar seguro para sentarse o recostarse. Si aún siente que va a desmayarse, acérquese al piso para reducir las posibilidades de herirse cuando caiga.

Los desmayos pueden ocurrir porque la sangre se concentra en las piernas y el abdomen, lo que causa una reducción de la presión arterial.

C.T. Paul Krediet, investigador de medicina interna en el centro médico Academic, en Amsterdam.

Causas poco conocidas del malestar de estómago

Charlene Prather, MD, profesora adjunta de medicina interna y gastroenterología de la facultad de medicina de la Universidad de Saint Louis, Missouri.

Si sufre de malestar estomacal –como gases, hinchazón, retortijones, náuseas e incluso diarrea o estreñimiento– existen varios responsables posibles...

•**Antiácidos.** Algunas marcas contienen magnesio, que causa diarrea al desviar el agua a los intestinos. Otras marcas contienen aluminio, el cual causa estreñimiento.

La autodefensa: Tome apenas la suficiente cantidad del antiácido como para mejorar el malestar de estómago. Alterne entre marcas que contienen magnesio y marcas que contienen aluminio.

•**Alimentos grasosos.** Las grasas demoran el pasaje de los alimentos por el estómago y los intestinos. Esto puede causar náuseas y retortijones.

La autodefensa: Evite los alimentos grasosos... mastique semillas de cardamomo ("cardamom"), un remedio tradicional popular para aliviar el malestar de estómago.

•**Frutas.** Las manzanas, los mangos, las naranjas, los melocotones (duraznos, "peaches"), las peras, etc., contienen fructosa, un azúcar que puede producir hinchazón.

La autodefensa: Distribuya sus cinco porciones de fruta a lo largo del día –así no consumirá toda la fructosa de una vez.

•**Cortesía.** El reprimir un eructo puede causar una acumulación dolorosa de gases.

La autodefensa: Eructe cuando deba hacerlo –suavemente y lejos de otras personas. Limite los gases evitando las bebidas gaseosas y el uso de pajillas (popotes, "straws") con las cuales se puede tragar aire.

•**Goma de mascar sin azúcar** (chicle, "sugarless gum"). Muchas marcas contienen los edulcorantes artificiales *sorbitol, xilitol o manitol*, los cuales pueden promover el crecimiento de bacterias que producen gases en el estómago.

La autodefensa: No mastique más de tres barritas de goma de mascar por día.

•**Cereales integrales.** Demasiada fibra puede causar estreñimiento, gas intestinal e hinchazón.

La autodefensa: Cuando aumente el consumo de fibra, hágalo lentamente con el fin de darle tiempo al cuerpo para que se adapte. Beba entre ocho y 10 vasos de agua por día.

Cura del hipo con los dedos

Para poner fin al hipo persistente, coloque los dedos índice y medio detrás de la mandíbula en la zona suave debajo del lóbulo de la oreja. Presione hacia adentro con los dedos hasta que duela en ese lugar, luego mantenga la presión dos minutos mientras respira profundamente. Esto debería poner fin a las contracciones involuntarias del diafragma que causan el hipo.

Michael Reed Gach, PhD, director del Acupressure Institute of America, en Berkeley, California, y autor de *Acupressure's Potent Points* (Bantam Doubleday Dell).

Solución mágica para la caspa

Muchas veces se puede controlar la caspa simplemente lavándose el cabello con agua fría.

La razón: El lavado del cabello con agua caliente quita los aceites naturales de la piel que ayudan a controlar la descamación. Tienen el mismo efecto los productos de peluquería como el "mousse" o el gel.

Las personas que tienen mucha caspa con frecuencia se benefician al rotar champús que tengan distintos ingredientes activos –alquitrán ("tar"), selenio, zinc y ácido salicílico.

Dee Anna Glaser, MD, profesora y vicepresidente del departamento de dermatología de la facultad de medicina de la Universidad de Saint Louis, Missouri.

Cómo disminuir las molestias causadas por los mosquitos y las garrapatas

Richard Pollack, PhD, entomólogo especializado en la sanidad pública, en la facultad de sanidad pública de la Universidad Harvard, en Boston.

Estar al aire libre en un cálido día de verano puede ser muy agradable, pero la lucha contra los insectos puede arruinar ese momento placentero.

Para mantener alejados a los mosquitos y a las garrapatas...

•**Elija una loción/crema repelente de insectos ("bug repellent") que contenga no más de un 35% de DEET.** Aplique con moderación. El DEET puede causar reacciones negativas –particularmente erupciones en la piel– cuando está en concentraciones más altas. Sin embargo, es el repelente más eficaz disponible –y puede usarse sin riesgos.

Se recomienda: Use la concentración menor y más eficaz posible –generalmente no más del 35% para los adultos... y no más del 15% para los niños. Aplique el repelente con moderación. Lave con agua y jabón cuando ya no se necesita la protección. Aplique en las ropas en lugar de la piel, cuando sea posible.

Importante: El repelente que elija debe estar autorizado por la agencia federal Environmental Protection Agency (EPA). Busque uno en cuya etiqueta figure el número de registro en la EPA. Estos repelentes están estrictamente reglamentados.

•**Aplique un rociador con permetrin ("permethrin spray") en la parte externa de la ropa.** Especialmente eficaces para eliminar garrapatas, estos rociadores también pueden dar buenos resultados con mosquitos y moscas que pican.

Rocíe sólo lo suficiente como para humedecer el material. Permita que las ropas se sequen antes de usarlas. Las ferreterías y las tiendas que venden artículos para jardinería ("garden-supply stores") algunas veces tienen marcas como *Duranone* y *Permanone*. Estos rociadores también pueden obtenerse a través de SCS Ltd., llamando al 800-749-8425.

•**No suponga que las fórmulas "naturales" de los repelentes de insectos son mejores.** Muchas de las fórmulas denominadas "naturales" y sin DEET que están a la venta no afirman específicamente que repelan insectos, y muchas no están registradas en la EPA.

Los consumidores no tienen ninguna idea de lo que contienen ni de lo seguras y eficaces que pueden ser.

Otras maneras de reducir la exposición a las picaduras de insectos y garrapatas y a los agentes patógenos que éstos pueden transmitir: Use camisas y camisetas de mangas largas y pantalones cuando sea posible… hágase un chequeo para detectar garrapatas al final de cada día… obtenga atención médica adecuada si ha sido picado por una garrapata.

Otra razón para evitar las garrapatas

La enfermedad *ehrliquiosis* causada por la picadura de garrapata está en aumento. La mayoría de los casos en Estados Unidos ocurre en la zona este, en la parte norte de la región central y a lo largo de la costa del Pacífico.

Los síntomas: aparición abrupta de fiebre, escalofríos, dolor de cabeza y malestar general –algunas veces acompañados por malestar gastrointestinal– una semana o dos después de haber sido picado por una garrapata infectada.

Al igual que la enfermedad de Lyme, la ehrliquiosis generalmente es tratada con antibióticos.

Problema doble: Se pueden contraer ambas enfermedades con una sola picadura.

Peter J. Krause, MD, profesor de pediatría del centro de salud de la Universidad de Connecticut, en Farmington, y director de enfermedades infecciosas del Connecticut Children's Medical Center, en Hartford.

2

Piel, ojos, oídos, nariz y dientes

Soluciones ingeniosas y sencillas para el cuidado de la piel

El secreto de parecer más joven de lo que se es comienza con el cuidado de la piel, pero los innumerables procedimientos y productos nuevos que se ven en los anuncios publicitarios y las revistas han dejado a muchas personas inseguras sobre cómo tratar los problemas comunes de la piel.

El renombrado dermatólogo Dr. Barney Kenet aclaró la confusión acerca del cuidado de la piel:

•**¿Hay algún modo de revertir el envejecimiento de la piel una vez que comienzan a aparecer arrugas y manchas debido a la edad?** La piel que se ha expuesto demasiado a los rayos ultravioleta del sol puede mejorar.

El primer paso consiste en impedir más daños usando protector solar todos los días –ya sea en verano o en invierno, con lluvia o con sol–, incluso si se está afuera sólo de forma esporádica durante el día.

La razón: La exposición a los rayos ultravioleta es acumulativa. Quizá esté expuesto a los rayos del sol sólo por cinco minutos al día, pero ese corto tiempo suma 35 minutos al final de la semana.

•Use un filtro con un *factor de protección solar* (FPS o SPF, por sus siglas en inglés) de 15 en la cara y en todas las partes expuestas de su cuerpo todas las mañanas. Los protectores solares no sólo protegen la piel de la dañina radiación ultravioleta, sino que además permiten que la piel dañada por el sol se cure a sí misma.

Aplique crema hidratante con protector solar después de lavarse la cara, mientras la piel aún está húmeda.

Barney J. Kenet, MD, cirujano dermatológico del hospital New York-Presbyterian y del centro médico de la Universidad Cornell, ambos en Nueva York. Fue cofundador de la American Melanoma Foundation (*www.melanomafoundation.org*) y coautor de *How to Wash Your Face: America's Leading Dermatologist Reveals the Essential Secrets to Youthful, Radiant Skin* (Simon & Schuster).

Si tiene que exponerse al sol por un periodo largo, use un sombrero de ala ancha, mangas largas, pantalones y anteojos (gafas) de sol. Trate de evitar las horas pico del sol entre las 11 am y las 4 pm.

• Aplique todas las noches una crema que contenga *alfahidroxiácido* (AHA; "*alpha hydroxy acid*") . El AHA se encuentra en muchas cremas de venta libre. Este compuesto puede tener un efecto positivo en la piel que se ha expuesto demasiado al sol.

Los investigadores no han comprobado cómo o por qué funciona el AHA, pero las investigaciones demuestran que si los productos con AHA se usan con regularidad, las capas externas de la piel adquieren una textura más abundante y juvenil.

• Use Retin-A o Renova diariamente para mejorar las arrugas, la textura de la piel y la pigmentación no uniforme. Aplíquelos por la noche. Ambos requieren una receta médica. Los resultados se ven después de cuatro a 12 meses.

Entre los efectos secundarios pueden incluirse enrojecimiento e irritación… pero ambos pueden reducirse modificando la frecuencia y la cantidad aplicada. Consulte la aplicación de estas cremas con su dermatólogo.

• ¿Qué puede hacerse acerca de la celulitis, esa piel con hoyuelos en los muslos y las nalgas? Por el momento, no hay cura para la celulitis. Muchos productos prometen reducir o eliminar esas marcas –pero en realidad no cumplen con tal promesa.

Las cremas y lociones anticelulíticas estuvieron de moda hace unos años, pero nunca estuvieron a la altura de sus promesas.

La endermología –el masaje y frotación de la piel con una máquina de masajear– no tiene datos científicos que comprueben su eficacia. Sin embargo, se ha informado que algunas personas la encuentran beneficiosa.

Si su piel es seca, masajearla con una loción puede hacer que luzca más suave por un tiempo, pero el efecto no es duradero. Ni siquiera la liposucción tiene mucho impacto sobre la celulitis.

El ejercicio y la pérdida de peso pueden proporcionar algunos beneficios, especialmente si se pierde peso en las zonas donde suele aparecer la celulitis, pero la pérdida de peso y el ejercicio no son la solución completa para la eliminación de la celulitis.

• ¿Qué pueden hacer los adultos que tienen granitos ("pimples")? Primero, determine su tipo de piel observando cuáles factores contribuyen a sus brotes. *Su piel podría ser:*

• Sensible al medio ambiente.

• Reactiva a las hormonas.

• Reactiva al estrés.

Los hombres y mujeres con brotes de granitos ocasionales podrían estar reaccionando a demasiado estrés. Tocar el rostro de manera constante empeora la situación.

Cuando aparecen manchas en la piel, use productos de venta libre que contengan ácido salicílico o peróxido de benzoílo. Para evitar que aparezcan granitos durante la menstruación, aplique productos con el AHA o ácido salicílico una semana antes de la menstruación.

Evite la cafeína, el alcohol y las comidas picantes –pueden enrojecer los granitos.

• ¿Cómo afecta la dieta a la piel? Consumir una dieta saludable es imprescindible para tener una piel que luzca saludable. La dieta rica en vitaminas y fibra puede renovar el cuerpo, y también ayudar a corregir los estragos provocados por el sol, la deshidratación y el tiempo. Los nutrientes más importantes para tener la piel saludable son las vitaminas A, C y E.

La mejor manera de obtener estos nutrientes es mediante los alimentos, especialmente las verduras de hojas o las de color oscuro, como los tomates y los pimientos (ajíes, "peppers"). También puede obtener estas vitaminas a través de lo suplementos, pero, para que sean eficaces, deben tomarse durante el día, en vez de todos a la vez.

Las cremas de uso externo que contienen esas vitaminas son poco beneficiosas. De hecho, se ha demostrado que la aplicación de vitamina E a una herida o cicatriz *enlentece* el proceso de curación.

Beber mucha agua ayuda a la piel. Sin embargo, demasiada agua *sobre* la piel puede efectivamente producir sequedad.

Reduzca el tiempo de su ducha a cinco minutos. Use agua más o menos tibia pero no caliente. Podría incluso saltearse su ducha diaria una o dos veces a la semana.

• ¿Cuál es la mejor manera de lavarse la cara? El consejo más importante para el cuidado de la piel es *no lavarse demasiado*. La mayoría de los adultos mayores de 30 años se lavan con mucha frecuencia y por demasiado tiempo –el resultado es piel irritada que pica.

Evite los jabones desodorantes, pues irritan la piel. Yo prefiero productos limpiadores líquidos sin jabón. Masajee suavemente con las puntas de los dedos y no restriegue con un paño. Enjuague la cara con agua tibia –y séquela suavemente dándose palmaditas.

•**¿Qué se puede hacer para eliminar la caspa?** Esas escamas que pican son señales de una inflamación llamada *dermatitis seborreica*. La caspa proviene de la producción excesiva de células en la capa externa del cuero cabelludo. La causa es desconocida, pero puede tratarse con champús que contengan piritiona de zinc ("zinc pyrithione").

Si tiene cabello y cuero cabelludo más grasosos, use champús a base de alquitrán ("tar").

Como toda la piel, el cuero cabelludo puede resecarse, especialmente durante el invierno. Lavarse el cabello o ducharse demasiado, usar sombreros o la baja humedad pueden contribuir a los problemas del cuero cabelludo. Los tratamientos con aceite tibio una vez a la semana pueden ser de ayuda –ya sean productos de farmacia o caseros que usan dos cucharadas de aceite de oliva.

Usar champú que contenga el AHA una o dos veces a la semana también ayuda a eliminar la suciedad y retener la humedad.

Estrategias para lucir más joven

Nicholas Lowe, MD, profesor clínico de dermatología de la facultad de medicina de la Universidad de California en Los Ángeles (UCLA), y profesor sénior de dermatología del University College, en Londres. Es coautor de *Skin Secrets–The Medical Facts Versus the Beauty Fiction* (Sterling).

Las cremas que combaten el envejecimiento de la piel están prácticamente convirtiéndose en realidad, a medida que se disminuyen las diferencias entre los medicamentos para la piel y los productos cosméticos. Existen varias maneras de mantener la piel joven y suave, ya sea usted hombre o mujer, y sin importar la edad. *Por ejemplo...*

•**Aplique protector solar de espectro completo ("full-spectrum sunscreen") todas las mañanas.** Aunque algunos tipos de piel son más propensos a las arrugas que otros, la manera en la que la piel envejece tiene menos que ver con sus genes que con la cantidad de sol a la que la piel ha sido expuesta.

Hasta el 80% del daño de la piel se atribuye a los rayos ultravioleta del sol –los rayos *ultravioleta B* (UVB), que son la causa principal de las quemaduras del sol y el cáncer de piel, y los rayos *ultravioleta A* (UVA), que son la causa principal del daño relacionado con el envejecimiento.

A diferencia de los rayos UVB, los rayos UVA pueden penetrar la piel incluso en días nublados. Por eso la manera más importante de mantener la piel joven es aplicar, todas las mañanas, protector solar de espectro completo (que absorbe tanto los rayos UVA como los UVB) con un factor de protección solar (FPS o SPF, por sus siglas en inglés) de 15 ó mayor.

Las mujeres deberían aplicar el protector solar inmediatamente después de bañarse, y dejar que se seque antes de maquillarse. Los hombres deberían aplicar el protector solar inmediatamente después de bañarse y afeitarse.

Usted debe seguir esta regla del protector solar incluso si no piensa estar afuera durante mucho tiempo.

La razón: El daño del sol puede ocurrir cuando está conduciendo su vehículo, ya que los rayos ultravioleta pasan por las ventanillas del carro.

Gran avance: Nunca es demasiado tarde para comenzar este régimen. Investigadores han descubierto que proteger la piel de esta manera diariamente puede, en efecto, comenzar a *revertir* el daño que el sol ya ha provocado.

•**Aplique crema antioxidante de uso externo ("topical").** La mayor parte del daño de la piel es provocado por el efecto tóxico de los *radicales libres*, las moléculas agresivas creadas durante el proceso natural de oxidación de las células. A estas moléculas les falta un electrón crucial y, por lo tanto, se apropian de un electrón donde pueden, con frecuencia despedazando células saludables durante el proceso. La producción de radicales libres se acelera cuando usted se expone al sol o a otras toxinas, como el humo de tabaco de otras personas

Para combatir estos despiadados radicales libres, el cuerpo está equipado con sus propios antioxidantes, totalmente naturales, los cuales tienen electrones de más que pueden entregarse para neutralizar las moléculas agresivas. Se puede obtener protección adicional tomando suplementos de las vitaminas antioxidantes A, C y E (asegúrese de consultar a su médico acerca de las dosis que son convenientes para usted). Sin embargo, aunque una píldora multivitamínica diaria proporciona protección antioxidante a la mayor parte del cuerpo, por desgracia sólo alrededor del 1% de las vitaminas de la dieta llegan a la piel.

Una solución mejor: Aplique una crema antioxidante de uso externo a la piel unos 10 minutos antes de aplicar el protector solar.

Ejemplos: SkinCeuticals Topical Vitamin-C Skin Firming Cream.

•**Pruebe una crema retinoide.** Yo les recomiendo a mis pacientes que no desperdicien su dinero en las cremas para la piel costosas que se venden en las mejores tiendas por departamentos. No le proporcionan ningún beneficio especial a la piel.

Por otro lado, el retinoide de uso externo llamado *tretinoína* (un derivado de la vitamina A), disponible con receta bajo las marcas Retin-A, Renova y Avita, puede revertir muchas señas del daño causado por el sol, incluyendo las delgadas líneas entrecruzadas, áreas de gránulos blanquecinos, arañas vasculares en las mejillas y color de la piel amarillento, pálido, rugoso o poco uniforme. También puede generar nuevo *colágeno*, una proteína del tejido fibroso, logrando que la *dermis* (la capa bajo la epidermis, o parte externa de la piel) sea más firme y rellena.

Recomiendo usar una fórmula de tretinoína al 0,05% o incluso una crema más suave que contenga 0,025%. Aplique la crema cada dos o tres noches. Debe aplicarse sobre la cara y cualquier otra parte del cuerpo que le preocupe,

preferentemente unos 30 minutos después de lavarse.

En unos cuatro a seis meses, comenzará a apreciar mejoras significativas en sus arrugas finas, a la vez que observará una mejorada y más suave superficie de la piel y una complexión en general más brillante y sonrosada.

La tretinoína es mejor si se usa por la noche, pues se degrada con la luz del sol y hace que la piel sea más sensible a los rayos ultravioleta.

Advertencia: La tretinoína puede irritar la piel, aunque después de dos a seis semanas su piel debería desarrollar resistencia a los peores síntomas de la irritación, como el enrojecimiento, la comezón o la escamosidad.

•**Para hidratar la cara, use una crema de ácido glicólico ("glycolic acid").** Una crema que contenga ácido glicólico en una proporción de alrededor de 5%, como la Neo-Strata Ultra Moisturizing Face Cream, hidratará y protegerá la cara, y además revertirá los efectos secadores de las cremas retinoides. El ácido glicólico estimula la síntesis del nuevo tejido de la piel e inhibe el efecto de los radicales libres.

Recomiendo aplicar una de esas cremas hidratantes de la piel todas las mañanas y –si también está aplicando una crema de tretinoína– nuevamente por las noches, cuando no use la tretinoína. Siga la misma regla de aplicarla sobre la cara limpia unos 30 minutos después de lavarse.

Nota: Si su médico le receta una crema más fuerte de ácido glicólico, probablemente le recomendará usarla sólo por la noche.

•**Use la menor cantidad posible de productos de maquillaje** –a fin de minimizar la posibilidad de desarrollar *dermatitis de contacto,* una afección de la piel caracterizada por inflamación, enrojecimiento, comezón o piel agrietada. Esta afección, a veces llamada *dermatitis alérgica,* es en realidad provocada por una irritación química, no por una reacción alérgica. Cuanto a más sustancias químicas se exponga la piel, mayor es la posibilidad de que la piel se irrite.

•**Beba alcohol con moderación.** El consumo excesivo de alcohol (más de un trago por día para las mujeres y dos tragos por día para los hombres) dilata los vasos sanguíneos, lo que causa la aparición de arañas vasculares en las mejillas. También puede exacerbar la rosácea, una afección de la piel caracterizada por enrojecimiento, nudosidades, líneas rojas y una nariz roja e inflamada.

• **Evite el humo del tabaco.** Fumar cigarrillos provoca extensos daños a la piel debido a los radicales libres, causando el envejecimiento prematuro de la piel. El fumar también provoca el desarrollo de líneas finas alrededor de los labios. Además, la exposición al humo del tabaco de otras personas acelera la actividad de los radicales libres tóxicos en la piel, lo que provoca daños de la piel.

Tratamiento eficaz para la rosácea

Un medicamento de uso externo, el *ácido azelaico* (Finacea), es eficaz en el tratamiento de la *rosácea*, una afección crónica de la piel que provoca enrojecimiento, granitos diminutos y vasos sanguíneos dañados en la cara.

Si se aplica dos veces al día directamente sobre la piel, este gel limpia las *espinillas* ("papules", lesiones pequeñas y enrojecidas similares al acné) y las *pústulas* ("pustules", espinillas infectadas con bacterias) que caracterizan la rosácea leve o moderada.

Debido a que la rosácea es una afección crónica, el ácido azelaico debe usarse indefinidamente para evitar nuevas erupciones, pero la frecuencia de la aplicación puede reducirse. Los efectos secundarios no son importantes, pero incluyen sensaciones de hormigueo, ardor y comezón pasajeros.

Alan B. Fleischer, Jr., MD, profesor y jefe del departamento de dermatología de la facultad de medicina de la Universidad Wake Forest, en Winston-Salem, Carolina del Norte.

Protección natural contra el sol

Obtenga protección adicional contra el sol consumiendo los alimentos adecuados. Cinco porciones diarias de zanahorias, batatas (boniatos, camotes, papas dulces, "sweet potatoes"), mangos, tomates y otros alimentos ricos en carotenoides pueden duplicar la resistencia de la piel a los rayos del sol.

El betacaroteno y el licopeno, los carotenoides que dan a esos alimentos el color profundo y vibrante, se acumulan con el tiempo en la piel y ayudan a protegerlo de las quemaduras del sol y las arrugas. La protección contra el cáncer de piel aún no se ha comprobado.

Importante: Siempre debería usar protector solar mientras esté afuera.

Wilhelm Stahl, PhD, profesor de química de la Universidad Heinrich Heine, en Düsseldorf, Alemania.

La autodefensa para el cuidado de la piel

En la actualidad algunos técnicos que no son médicos efectúan procedimientos que hasta hace poco sólo eran efectuados por médicos.

Muchos salones para el cuidado de la piel y los denominados centros de salud ("wellness centers") ofrecen tratamientos láser, exfoliación química de la piel ("chemical peels"), microdermoabrasión y tratamientos cosméticos para la remoción de pelos y vasos sanguíneos.

Pero es posible que las personas que manejan los equipos sólo hayan tomado una clase de capacitación de un día. Cuando se usa de manera incorrecta, los láseres pueden causar quemaduras, dejar cicatrices y provocar otras heridas.

La autodefensa: Asegúrese de que haya un médico en el lugar. Pida una prueba pequeña ("test patch"), y solicite atención médica si ocurre un problema.

Harold J. Brody, MD, profesor clínico de dermatología en la facultad de medicina de la Universidad Emory, en Atlanta.

Eche a la basura su protector solar viejo

El protector solar que ya tenga más de tres años –o cuya fecha de vencimiento haya pasado– debe desecharse. Los ingredientes activos pierden eficacia con el tiempo, y la pierden más rápido si se almacenan en un lugar cálido. Por lo tanto, el protector solar que queda de años previos podría no proporcionar el grado de protección descrito en su etiqueta.

David J. Leffell, MD, profesor de dermatología y cirugía en la facultad de medicina de la Universidad Yale, en New Haven, Connecticut.

Mayor protección contra los daños del sol

Vista ropa que lo resguarde, además de usar protector solar, para protegerse del cáncer de piel y de los daños a la piel.

Los peligrosos rayos ultravioleta del sol de verano o de la zona sureña de Estados Unidos pueden penetrar la ropa y alcanzar áreas del cuerpo donde quizá no haya aplicado protector solar.

Mayor seguridad: Vista prendas de trama cerrada ("tightly woven") para minimizar las aberturas por donde el sol pueda penetrar.

Las telas más gruesas bloquean más el sol. La ropa de poliéster, lana, seda y algodón sin blanquear ("unbleached") protege más que la de algodón blanqueado, poliamida (nailon) o poliacrílico (materiales sintéticos). Los tintes ayudan a bloquear los rayos ultravioleta. Son preferibles las prendas holgadas que cubren la mayor cantidad posible de piel. La ropa nueva en general protege más que la vieja, pues el desgaste, la humedad, el encogimiento, el lavado y la pérdida del color disminuyen la protección.

Robert Sheeler, MD, editor médico del boletín *Mayo Clinic Health Letter*, 200 First St. SW, Rochester, Minnesota 55905.

La acción rápida ayuda a detener la erupción por la hiedra venenosa

Para evitar una erupción luego de exponerse a la tóxica planta hiedra venenosa ("poison ivy")…

•**Limpie de inmediato la piel expuesta** con alcohol para frotar ("rubbing alcohol") y enjuague con agua.

•**Tan pronto como sea posible,** dúchese con jabón y agua.

La hiedra venenosa contiene una resina llamada *urusiol*, la cual provoca reacciones alérgicas. Esta resina se debe quitar de la ropa, zapatos, herramientas, etc., limpiándolas con una mezcla de alcohol y agua. Asegúrese de usar guantes de goma ("rubber gloves").

La hiedra venenosa, una planta trepadora, crece en grupos de tres hojas. Éstas son verdes durante el verano y rojas en el otoño.

El difunto William L. Epstein, MD, profesor de dermatología de la Universidad de California en San Francisco.

Buenas noticias para quienes sufren de psoriasis

Michael Zanolli, MD, profesor clínico adjunto de medicina de la Universidad Vanderbilt, y dermatólogo con práctica privada, ambas en Nashville, Tennessee.

Si padece psoriasis, es probable que su médico le haya recomendado una loción de venta libre o un medicamento poderoso disponible con receta. Desafortunadamente, estas estrategias *no* siempre son eficaces, como lo sabe la mayoría de los que sufren de psoriasis.

Hoy en día: Un arsenal de tratamientos brinda alivio más rápidamente y de manera más completa a los seis millones de estadounidenses afectados.

¿QUÉ ES LA PSORIASIS?

La psoriasis es el resultado de una anomalía del sistema inmune. Cuando se descompone la red de señales en las células que protegen el cuerpo contra las infecciones, el crecimiento de las células de la piel se acelera y produce lesiones en la piel.

Esta afección produce manchas rojas elevadas y cubiertas por escamas plateadas. Ocurre con más frecuencia en los codos, rodillas, cuero cabelludo, pies y hasta en los genitales. La psoriasis grave puede cubrir el cuerpo entero de una persona.

La psoriasis suele ocurrir en las familias. Los ataques pueden ser provocados por el estrés, una herida en la piel, una infección o la reacción a un medicamento.

OPCIONES DE TRATAMIENTO

Debido a que no existe la cura para la psoriasis, el tratamiento se ha enfocado tradicionalmente en reducir los síntomas. *Los médicos recomiendan intentar uno o más de los siguientes métodos:*

•**Tratamientos externos.** La primera línea de defensa son los medicamentos de venta libre o recetados. Al aplicarse directamente sobre la piel, reducen o eliminan el enrojecimiento, la escamosidad y la comezón. Podrían ser suficientes para la psoriasis leve que afecta zonas limitadas del cuerpo. Las cremas, ungüentos y lociones con esteroides son los medicamentos usados más comúnmente.

Desventaja: Los tratamientos de uso externo pueden resultar incómodos y deben aplicarse diariamente.

Últimos avances: Los agentes de uso externo, como *calcipotriene* (Dovonex), una forma sintética de la vitamina D, y *tazarotene* (Tazorac), un derivado de la vitamina A, ayudan a normalizar el crecimiento de las células. Especialmente cuando se usan en conjunto con cremas esteroideas, estos tratamientos dan resultado en menos de cuatro semanas con pocos efectos secundarios.

•**Fototerapia.** Este tratamiento, que implica la exposición a rayos ultravioleta, se usa generalmente cuando el tratamiento de uso externo no es suficiente o cuando la erupción cutánea de la psoriasis cubre más del 10% del cuerpo.

Su médico también podría recetarle el medicamento *metoxsaleno* (Oxsoralen), que sensibiliza la piel a los efectos de la luz. Esta combinación de tratamientos se llama *fotoquimioterapia.*

Desventaja: Cuando se han proporcionado más de 200 tratamientos, la fototerapia podría aumentar el riesgo de cáncer de piel.

Últimos avances: La fototerapia con *luz ultravioleta B de banda angosta* ("narrow-band ultraviolet B phototherapy") se limita a las longitudes de onda de la luz que son más beneficiosas para la psoriasis. Funciona tan bien como la fototerapia combinada con medicamentos, pero abarca tan sólo 20 tratamientos y menos riesgo de causar cáncer de piel.

•**Medicación sistémica.** Estos medicamentos, administrados en forma de píldoras o con inyecciones, se reservan generalmente para la psoriasis que sigue siendo grave a pesar de haberse aplicado otros tratamientos. Son las armas más potentes contra la psoriasis.

Desventaja: Los medicamentos sistémicos más potentes, *metotrexato* (Rheumatrex) y *ciclosporina* (Neoral), pueden producir daño al hígado. Estos medicamentos pueden además dejarlo vulnerable a infecciones, ya que inhiben la función del sistema inmune.

Últimos avances: Hay nuevos medicamentos que se concentran en este problema de manera más precisa que los viejos medicamentos sistémicos y podrían ser más seguros.

En vez de primero intentar medicamentos de uso externo y fototerapia, un paciente con psoriasis problemática puede empezar un tratamiento con estos medicamentos. La única desventaja real es el costo: hasta $15.000 por un tratamiento.

Estos medicamentos se conocen como *biológicos* (debido a que consisten en proteínas derivadas de células vivas) e *inmunomoduladores* (pues alteran la función del sistema inmune). *Ejemplos…*

•**Alefacept (Amevive).** Este fue el primer medicamento biológico aprobado por la agencia federal Food and Drug Administration (FDA) específicamente para la psoriasis. Bloquea la activación de las células T que luchan contra las enfermedades, los linfocitos que indican a las células de la piel que se multipliquen. Se administra por medio de una inyección semanal durante 12 semanas consecutivas.

En más de un tercio de los pacientes tratados con alefacept, la psoriasis desaparece casi por completo. Necesitan muy poco tratamiento adicional, aparte de hidratantes durante un periodo de hasta seis meses. Además, entre un tercio y la mitad de los pacientes tratados con alefacept mejora de manera significativa.

●**Etanercept (Enbrel).** Este inmunomodulador fue el primero en ser aprobado por la FDA específicamente para la artritis psoriásica, una enfermedad inflamatoria crónica que provoca dolor en las articulaciones e inflamación en las manos, los pies, la espalda y la cadera. Parece dar buenos resultados también en las lesiones de la piel.

Etanercept bloquea una sustancia química mensajera del sistema inmune llamada *factor de necrosis tumoral* (TNF, por sus siglas en inglés) que provoca inflamación en las articulaciones y promueve el desarrollo de la erupción cutánea causada por la psoriasis. Etanercept se inyecta en forma subcutánea (apenas debajo de la piel) dos veces a la semana, por lo que los pacientes pueden administrársela ellos mismos, como la insulina para las personas que tienen diabetes.

●**Infliximab (Remicade).** Al igual que etanercept, este inmunomodulador se concentra en el TNF. Aunque se desarrolló para el tratamiento de la enfermedad de Crohn y la artritis reumatoide, parece ser eficaz además contra la psoriasis. En un ensayo clínico, casi el 90% de los pacientes con psoriasis mostraron mejoras significativas después de tan sólo cinco inyecciones intravenosas.

Las camas de bronceado pueden aliviar la psoriasis

La fototerapia para la psoriasis implica el tratamiento con luz ultravioleta B (UVB). Si el tratamiento con UVB no se encuentra disponible en el consultorio de su dermatólogo, una cama de bronceado ("tanning bed"), que emite un poco de luz UVB, puede proporcionar algo de alivio.

Advertencia: El personal del salón de bronceado no está capacitado para realizar la fototerapia, y la potencia de la luz UVB puede variar. Se debe intentar esto únicamente si su médico se lo recomienda, y concurrir sólo a un salón que el médico escoja. La mayoría de las compañías de seguros tienen cobertura para este tipo de fototerapia, pero es posible que usted necesite aprobación previa por parte de su aseguradora.

Christopher S. Carlin, MD, ex miembro del equipo de investigación del departamento de dermatología del centro de ciencias de la salud de la Universidad de Utah, en Salt Lake City; es dermatólogo con práctica privada en West Dermatology en California, y líder de un estudio de 26 pacientes con psoriasis presentado en una conferencia anual de la American Academy of Dermatology.

Mejore la visión cuando use lentes bifocales, trifocales o progresivos

Si los lentes bifocales, trifocales o progresivos están mal diseñados, podrían afectar la visión a distancia del usuario. Si no se le proporcionaron las instrucciones adecuadas sobre cómo usarlos, también podría tener dificultades.

Cuando baje escaleras, o camine sobre el bordillo de la acera, baje la cabeza para mirar por la porción superior (de distancia) de los lentes. Si no lo hace, estará mirando por la parte de abajo de los lentes, que corrigen la visión para mirar de cerca y hacen que las cosas parezcan estar más próximas. Esto afectará su percepción de profundidad y podría provocarle una caída. Si la parte de abajo, para mirar de cerca, es muy baja, tendrá que elevar el cuello incómodamente para leer o ver cosas cercanas.

Además: Los lentes progresivos, que no poseen líneas, deben diseñarse exactamente para sus ojos y montura. Si los centros de los lentes no están donde están sus pupilas, la visión será distorsionada.

Melvin Schrier, OD, asesor de la visión y optometrista en Nueva York.

¿Es apropiada para usted la cirugía láser correctiva de la visión?

Douglas D. Koch, MD, profesor de oftalmología en la facultad de medicina de la Universidad Baylor, en Houston. Es editor de *The Journal of Cataract & Refractive Surgery,* 4000 Legato Rd., Suite 850, Fairfax, Virginia 22033.

S i su visión no es perfecta, quizá ha considerado someterse a una cirugía ocular correctiva de la visión.

Cientos de miles de estadounidenses se han sometido al tipo de cirugía más popular, llamada *keratomileusis láser in situ* (LASIK). Ese número sin duda continuará aumentando en los años venideros.

Se ha demostrado que la cirugía LASIK, un procedimiento ambulatorio que dura 15 minutos, es altamente eficaz para corregir la *miopía* ("near-sightedness") y algunos otros problemas de la visión, pero tiene ciertas desventajas. *Algunas de las preguntas más comunes...*

•**¿Cuán eficaz es la cirugía LASIK?** Es muy eficaz para personas con casos leves o moderados de astigmatismo, *hipermetropía* ("farsightedness") y miopía. De las personas con uno de esos problemas, el 90% de las que se someten a LASIK logran una visión de 20/40 ó mejor. Alrededor del 50% al 60% logran una visión perfecta de 20/20.

La cirugía LASIK no puede corregir las cataratas, el glaucoma ni la degeneración macular. Sin embargo, podría corregir la *presbicia*, el problema de visión relacionado con la edad que requiere el uso de lentes para leer.

•**¿Cuán segura es la cirugía LASIK?** Como con cualquier procedimiento invasivo, hay un escaso riesgo de infección. Normalmente, una infección causada por LASIK puede erradicarse con antibióticos, pero en raros casos, la infección deja al paciente con una leve pérdida de la visión.

En casos extremadamente raros –menos de uno en 10.000–, una persona cuya visión se había corregido con lentes acaba siendo considerada legalmente ciega después de la cirugía LASIK.

En total, alrededor del 1% de las personas que se someten a la cirugía LASIK experimentan complicaciones, ya sea durante la cirugía o después.

•**¿Quién sería un candidato para LASIK?** La persona con un caso leve o moderado de astigmatismo, hipermetropía o miopía que prefiere no usar anteojos (gafas) ni lentes de contacto*.

El punto primordial a considerar es éste: *¿mejoraría enormemente su vida el poder ver claramente sin necesidad de lentes correctores?* De no ser así, no tiene sentido asumir incluso un riesgo minúsculo de que su visión pueda ser dañada.

•**¿Quién no sería un candidato?** Cualquiera que tenga resequedad en los ojos, diabetes grave, una afección del sistema inmune, glaucoma u otra enfermedad que pueda afectar el proceso curativo.

La cirugía LASIK está prohibida además para las personas que han tenido previamente una cirugía ocular... que posean córneas excepcionalmente delgadas... o que padezcan *queratocono*, una afección en la cual la córnea desarrolla una forma cónica.

*Los problemas de la visión se miden en dioptrios. En general, no se debería usar la cirugía LASIK para una miopía de más de 12 dioptrios, hipermetropía de más de seis dioptrios, o astigmatismo de más de seis dioptrios. Con los avances en la tecnología, quizá pronto sea posible tratar los problemas de visión más graves.

La reglamentación federal estadounidense requiere que los pacientes de LASIK tengan al menos 18 años de edad. No hay un límite máximo de edad.

•¿Qué implica exactamente la cirugía LASIK? El paciente, a quien se le podría dar un sedante suave, como *diazepam* (Valium), se reclina sobre una silla o camilla. Las pestañas se mantienen inmóviles con tira adhesiva, y se usa un espéculo para mantener abierto el ojo.

El oftalmólogo, usando un instrumento quirúrgico especial conocido como *microquerátomo*, corta un delgado fragmento de la córnea. Ésa es la "ventana" transparente en el frente del ojo. Este fragmento se dobla como una bisagra que cuelga del ojo.

Luego, el oftalmólogo usa un láser excimer para vaporizar porciones de la córnea, reconfigurándola para cambiar su poder de refracción. Ésa es la amplitud hasta la cual desvía los rayos de luz que entran al ojo.

El fragmento de la córnea vuelve a doblarse y ponerse en su posición original, y se trata el ojo con gotas antibióticas.

Algunos pacientes se recuperan dentro de las 24 horas. A otros les lleva varias semanas. Normalmente, se usa un parche en el ojo durante varias horas después de la cirugía, y luego a la noche durante varios días.

•¿Se practica la cirugía LASIK en ambos ojos a la vez? La mayoría de los pacientes prefiere tratar ambos ojos a la misma vez, pero a veces prefiero tratar un ojo y luego el otro alrededor de una semana más tarde, para asegurarme de que el paciente se recupere bien de la primera cirugía.

•¿Cuál es la mejor manera de elegir un cirujano para la cirugía LASIK? Obtenga una remisión de su oftalmólogo o médico de cabecera, o del director del departamento de oftalmología en una facultad de medicina u hospital universitario de su localidad.

Le convendría seleccionar un oftalmólogo acreditado por la junta médica ("board-certified") que haya realizado al menos 100 cirugías LASIK.

Cataratas: Secretos para prevenirlas... y revertirlas

Robert Abel, Jr., MD, oftalmólogo con práctica privada en Wilmington, Delaware. Es autor de *The Eye Care Revolution* (Kensington Health).

Las cataratas son una causa principal de la pérdida de la visión en Estados Unidos, y afectan a casi la mitad de los mayores de 65 años de edad. Pero es un error pensar que las cataratas afectan solamente a las personas mayores. Los cambios físicos que las provocan comienzan casi desde el nacimiento.

Contexto: El lente transparente (cristalino) del ojo consiste en proteínas densamente entretejidas en una estructura cristalina. Cuando estas proteínas son dañadas por los radicales libres –las perjudiciales moléculas de oxígeno producidas en el cuerpo, especialmente ante la exposición a la luz del sol y al humo del tabaco– el cristalino se torna nublado u opaco.

Con el tiempo, esto lleva a la pérdida de la visión, empezando con la visión nocturna reducida hasta llegar a la ceguera.

Las buenas noticias: Las personas que ya han comenzado a tener cataratas con frecuencia pueden mantener su visión y evitar la cirugía de cataratas al bloquear los efectos de los radicales libres. Incluso puede ser posible revertir el daño que ya ha ocurrido. *Algunos consejos útiles...*

•Proteja los ojos de la radiación de la luz ultravioleta. Además de la luz visible, la luz del sol contiene luz *ultravioleta* (UV) invisible. Como el cristalino de los ojos es transparente, la luz UV entra sin problemas y provoca la producción de radicales libres.

Todos, incluidos los niños, deberían usar anteojos (gafas) de sol al estar al aire libre, incluso en los días nublados.

La mayoría de los anteojos de sol de buena calidad bloquea la luz UV. Si no está seguro de que los suyos lo hagan, pídale a un optometrista que los examine.

Si usa lentes de aumento recetados, invierta un poco más de dinero en el revestimiento anti-UV ("anti-UV coating").

•Tome suplementos que protegen los ojos. El hígado produce antioxidantes que ayudan a bloquear la acción de los radicales libres. Tomar suplementos antioxidantes, y consumir alimentos ricos en antioxidantes, otorga protección adicional.

El principal antioxidante para prevenir el daño del cristalino es el *glutatión*. El hígado produce glutatión cuando se consumen alimentos que contienen azufre ("sulfur"), como cebolla, ajo, espárragos y huevos. Pero esto podría no ser suficiente para protegerse de las cataratas.

Consulte a su médico acerca de tomar un suplemento de glutatión diariamente, como *N-acetil-cisteína* (NAC). La NAC se convierte en glutatión en el cuerpo.

Los suplementos de NAC, que se venden sin receta en farmacias y tiendas de alimentos naturales, ayudan a prevenir e incluso revertir las cataratas.

Entre otros antioxidantes que protegen los ojos se incluyen…

•Vitamina C. Datos de un estudio realizado por la Universidad Tufts sugieren que tomar 400 mg de la vitamina C al día puede reducir el riesgo de cataratas graves en un 77%.

Otras investigaciones han demostrado que las personas que consumen muchas frutas y verduras –que son ricas en vitamina C y otros antioxidantes– tienen un riesgo significativamente menor.

Consulte a su médico acerca de tomar 2.000 mg de la vitamina C al día, divididos en dos dosis.

Los suplementos de la vitamina C son especialmente importantes para las personas que fuman. El humo del tabaco, incluido el humo de otras personas que fuman, aumenta enormemente los niveles de radicales libres en los ojos. Y cada cigarrillo fumado destruye unos 25 mg de vitamina C en el cuerpo.

•Vitamina E. Es otro poderoso antioxidante, uno que es difícil obtener de fuentes alimentarias. Las dosis altas pueden ser peligrosas para algunas personas, así que debe consultar a su médico acerca de tomar 400 unidades internacionales (IU, por sus siglas en inglés) de vitamina E una vez al día en la forma de tocoferoles mixtos.

•Quercetina ("quercetin"). Este bioflavonoide antioxidante bloquea la acción de *aldosa reductasa*, una enzima en el cuerpo que aumenta el riesgo de las cataratas. Consulte a su médico acerca de tomar 1.000 mg al día.

•Magnesio. Este mineral contribuye a dilatar los vasos sanguíneos en el ojo, ayudando al cuerpo a eliminar los radicales libres. Tome entre 400 y 500 mg con el estómago vacío a la hora de acostarse, para aumentar el flujo sanguíneo hacia los ojos mientras duerme.

•Carotenoides. Tome una vitamina diaria que contenga unas 5.000 unidades internacionales (IU) de vitamina A y 12 mg de luteína ("lutein"). Se ha demostrado que estos compuestos protegen los cristalinos contra daños.

•Beba seis vasos de agua de ocho onzas (235 ml) al día. Al contrario de la mayoría de los otros tejidos del cuerpo, los cristalinos en sí no tienen vasos sanguíneos que regulen los niveles de fluidos. Dependen del agua que usted consume para eliminar el ácido láctico y otras toxinas que dañan las proteínas.

•Consuma menos grasa saturada. Las personas obesas tienen un riesgo mayor que el normal de contraer cataratas. Esto es debido a que la obesidad tiende a estar directamente relacionada con el consumo de grasa saturada, que activa la formación de los radicales libres.

Lea las etiquetas de los alimentos detenidamente. Las grasas poliinsaturadas y monoinsaturadas no son perjudiciales si se consumen con moderación, pero, con el tiempo, el consumo de mucha grasa saturada –junto con grasa hidrogenada o parcialmente hidrogenada– provocará problemas en los ojos.

Las buenas noticias: Comer menos carnes rojas, productos horneados y productos lácteos enteros reducirá automáticamente la cantidad de grasa saturada de su dieta.

•Consulte a su médico acerca de la miel de eucaliptos ("eucalyptus honey"). Investigaciones preliminares con perros sugieren que las gotas oculares de miel de eucaliptos pueden ayudar a revertir las cataratas.

También prometedor: Las gotas oculares de *metilsulfonilmetano* (MSM), que podrían prevenir las cataratas al aumentar los niveles de azufre en los cristalinos.

SI LA CIRUGÍA RESULTA NECESARIA

Si finalmente usted necesita cirugía de cataratas, no se preocupe, ya que es una de las operaciones más seguras y más eficaces que se realizan.

Normalmente, sólo se necesitan unos pocos minutos para retirar el cristalino dañado y reemplazarlo con uno artificial. No es raro que una persona se someta a una cirugía de cataratas y vuelva a trabajar el mismo día.

La técnica estándar para eliminar las cataratas se llama *facoemulsificación*. El cirujano usa ultrasonido para descomponer las proteínas dañadas en el cristalino. Entonces, las proteínas pueden drenarse con una solución salina y quitarse del ojo. Luego, el cirujano inserta el cristalino artificial.

Algunos cristalinos artificiales son *multifocales* –es decir, están diseñados para corregir tanto la visión de cerca como la de lejos.

Puede parecer una gran idea, pero las personas con este tipo de cristalino artificial suelen tener problemas con el resplandor por la noche. La mayoría de las personas prefiere una implantación monofocal.

Cómo elegir un cirujano: Asegúrese de que tenga experiencia en facoemulsificaciones. Cuantas más veces un cirujano haya realizado la intervención, más probabilidad tendrá de tener éxito.

Le recomiendo que elija a alguien que realice al menos cuatro operaciones de cataratas por semana.

Cómo controlar las cataratas

La vitamina C puede prevenir la aparición de cataratas. Al menos 10 estudios demuestran que tomar 300 mg de la vitamina C al día disminuye el riesgo de la aparición de cataratas relacionadas con la edad, pero la dosis diaria recomendada por el gobierno estadounidense (RDA, por sus siglas en inglés) es de tan sólo 60 mg al día.

Buenas fuentes alimenticias de vitamina C son las verduras y frutas frescas, incluyendo todos los cítricos, tomates, coles de bruselas ("brussels sprouts"), y espinacas. Las personas mayores de 50 años deberían considerar tomar suplementos para asegurarse de que reciban suficiente vitamina C y otros nutrientes importantes.

Los suplementos de la vitamina C son especialmente importantes para los fumadores (y para quienes viven con fumadores), pues tienden a contraer cataratas 10 años antes que los demás.

Stuart Richer, OD, PhD, jefe de optometría del centro médico DVA, en North Chicago, Illinois.

Datos sobre el glaucoma

El glaucoma es una afección ocular que puede aparecer a cualquier edad. Es una causa principal de la ceguera y es más común en personas mayores de 65 años, pero el glaucoma congénito puede diagnosticarse mucho antes –incluso al nacer.

Factores de riesgo: Historial familiar de glaucoma, herencia afroamericana o caribeña, y presión intraocular elevada.

La autodefensa: Someterse a exámenes oculares completos y frecuentes a partir de los 30 años de edad, o incluso antes si tiene factores de riesgo.

Louis Cantor, MD, profesor de oftalmología de la facultad de medicina de la Universidad de Indiana, en Indianápolis.

La autodefensa para los ojos

El riesgo de degeneración macular es mayor en las personas cuya dieta es baja en los carotenoides *luteína* y *zeaxantina*.

Entre los alimentos ricos en estas sustancias se encuentran: huevos, cereal "grits" (sémola), pan de maíz ("corn bread"), jugo de naranja, espinacas, bróculi ("broccoli"), pimientos (ajíes, "peppers") color naranja, calabacines ("squash"), calabaza "pumpkin", kiwi y uvas rojas.

La degeneración macular, una anomalía de las células en la retina, es una causa principal de la ceguera en personas mayores de 40 años.

Alan C. Bird, MD, profesor de oftalmología clínica del University College, en Londres. Su estudio del contenido carotenoide de los alimentos fue publicado en el *British Journal of Ophthalmology.*

Una baya para los ojos

David Winston, herbario y etnobotanista certificado por la American Herbalists Guild, y presidente de Herbal Therapeutics School of Botanical Medicine, en Broadway, Nueva Jersey.

Durante la Segunda Guerra Mundial, los pilotos británicos observaron que la visión nocturna era mejor para aquellos que consumían habitualmente mermelada de ráspano ("billberry"). Las investigaciones posteriores demostraron que el ráspano, un primo del arándano azul norteamericano, es benéfico para una vasta gama de afecciones de la visión.

Además de mejorar la visión nocturna, el ráspano se puede usar para retardar el progreso de la enfermedad llamada *retinitis pigmentosa.* Esta afección ocular hereditaria comienza con la ceguera nocturna y lleva finalmente a la ceguera absoluta.

El ráspano además fortalece las paredes capilares dentro de la retina, lo que es una buena noticia para las personas con retinopatía diabética o degeneración macular.

Importante: El ráspano es más útil para prevenir y retardar la degeneración visual. No restablecerá la visión que ya se ha perdido.

El ráspano es rico en potentes antioxidantes llamados *antocianósidos.* Estos compuestos aceleran la producción de un pigmento de la retina llamado *rodopsina.* El extracto de ráspano se ha normalizado para que contenga un 25% de antocianósidos.

Los diabéticos y otras personas que deseen consumir ráspano como medida preventiva pueden tomar una cápsula de 160 mg al día. Las cápsulas se venden en las tiendas de alimentos naturales.

Si se le ha diagnosticado retinopatía diabética, retinitis pigmentosa o degeneración macular, consulte a su médico acerca de tomar dos o tres cápsulas de ráspano. Con esa dosis no se ha informado de ningún efecto secundario.

O podría comer arándanos azules frescos, cocidos lo suficiente como para descomponer la piel, lo que permite que los componentes activos sean absorbidos. Coma una taza de arándanos diariamente –con los panqueques… o en forma de almíbar o salsa.

Problemas oculares comunes… y qué hacer

Hasta las afecciones oculares más leves pueden ser fastidiosas. *Éstas son algunas de las más comunes:*

•**Ojos enrojecidos.** Pueden provenir de la fatiga, cansancio ocular o alergias. Si existe alguna secreción, consulte a un médico –podría tener *conjuntivitis* ("pink eye").

•**Sensación de sequedad e irritación.** Su glándula lagrimal quizá no esté produciendo suficientes lágrimas –intente con lágrimas artificiales ("artificial tears") o use un humidificador.

•**Dolor súbito seguido de lágrimas,** visión borrosa, enrojecimiento y sensibilidad a la luz. Consulte a un oftalmólogo de inmediato.

•**Pequeño bulto en el borde del párpado.** Probablemente sea un orzuelo, el cual es una glándula lagrimal infectada. Use una compresa tibia y consulte a su médico acerca de tomar un antibiótico.

James J. Salz, MD, profesor clínico de oftalmología del centro médico del condado de Los Ángeles de la Universidad de Southern California (USC), en Los Ángeles.

Cómo tratar los problemas oculares

Mark Abelson, MD, profesor clínico adjunto de oftalmología en la facultad de medicina de la Universidad Harvard, y científico clínico sénior del Schepens Eye Research Institute, ambos en Boston.

Si los ojos le pican, probablemente sea una reacción alérgica. Si le arden, probablemente sea una resequedad de los ojos. Si están pegajosos y con costras, y despierta con espesas mucosidades en los ojos, se trata de conjuntivitis bacteriana.

Pregúntele a su médico acerca de los tratamientos más eficaces para cada una de estas afecciones oculares. Las gotas oculares antialérgicas recetadas generalmente duran más y son más eficaces que las gotas oculares de venta libre.

El tratamiento preferido para la resequedad de los ojos es un producto de venta libre en forma de lágrimas artificiales, como Systane. El único medicamento disponible con receta, que fue recientemente aprobado por la agencia federal Food and Drug Administration (FDA), es el medicamento antiinflamatorio *ciclosporina* (Restasis). Puede ser útil en casos agudos en los que la inflamación es un problema.

La conjuntivitis bacteriana se trata con antibióticos derivados de la fluoroquinolona, como *gatifloxacina* (Zymar) o *moxifloxacina* (Vigamox).

Lo que debe saber sobre las miodesopsias

Las miodesopsias (moscas volantes, "eye floaters") por lo general no son algo por lo que preocuparse. Esas motas negras que se mueven cuando se ajusta la mirada usualmente no afectan la visión. No existe tratamiento para las mismas.

A veces las miodesopsias son permanentes, pero algunas con el tiempo pueden desaparecer por sí solas. Se presentan cuando el gel vítreo que ocupa el ojo se licúa parcialmente. Esto sucede naturalmente con la edad, pero puede ocurrir antes en las personas con miopía o como consecuencia de una herida.

Advertencia: Si aparecen de pronto muchas miodesopsias o están acompañadas por destellos, consulte de inmediato al oculista. Esto podría indicar que el gel vítreo del ojo se ha deteriorado de repente, lo que podría conducir al desprendimiento de la retina u otro daño importante del ojo. La cirugía podría recomendarse en casos selectos.

Thomas J. Liesegang, MD, oftalmólogo de la Clínica Mayo, en Jacksonville, Florida.

Trasplantes de células madres para la ceguera

Los trasplantes de células madres para los ojos pueden curar algunos casos de ceguera. Si la ceguera es el resultado de un daño en la córnea, causado por ciertas enfermedades, quemaduras químicas o por calor, y un pariente posee un tejido compatible, los cirujanos pueden sacar el tejido que contenga células madres del ojo del donante, quitar el tejido dañado del ojo ciego del paciente y luego insertar el tejido del donante.

El nuevo tejido debería crecer en la córnea del ojo ciego y restablecer la visión. Consulte a un cirujano oftalmólogo para obtener mayor información.

Richard S. Fisher, PhD, director del programa de enfermedades de la córnea en el National Eye Institute, de los National Institutes of Health, en Bethesda, Maryland.

La obesidad puede conducir a la ceguera

Las personas con un *índice de masa corporal* (BMI, por las siglas en inglés de "Body Mass Index") mayor de 30 son un 68% más propensas a contraer cataratas –las cuales tienen la posibilidad de llevar a la ceguera– que las personas más delgadas.

El BMI se calcula multiplicando el peso en libras de una persona por 704,5, y dividiendo ese número por la estatura en pulgadas cuadradas. Para hacerlo con una calculadora electrónica, visite el sitio Web del National Heart, Lung and Blood Institute, *www.nhlbisupport.com/bmi*.

Teoría: La obesidad está relacionada con la reducción del control del azúcar en la sangre y la inflamación, y ambas pueden contribuir a la formación de cataratas.

June M. Weintraub, ScD, epidemióloga de la sección de salud ambiental del Departamento de Sanidad Pública de la ciudad de San Francisco.

¿Puede la extracción de la cera de los oídos mejorar la audición?

Quitar la cera de los oídos con una jeringa puede mejorar la audición, pero no siempre.

En un estudio de más de 100 pacientes que consultaron a un médico para quitar la cera de los oídos, dos tercios no experimentaron una mejoría en la audición después de la intervención. Sin embargo, en pacientes que sí se beneficiaron, la audición mejoró de manera significativa, en hasta 35 decibelios.

Es posible que los pacientes que no se benefician de la remoción de la cera tengan una discapacidad auditiva. Deben consultar a un audiólogo para someterse a exámenes.

David Memel, MD, profesor adjunto sénior de la división de atención de salud primaria, en la Universidad de Bristol, en Inglaterra.

Cómo revertir la pérdida de audición

La sordera parcial puede revertirse con frecuencia si se eliminan los productos lácteos de la dieta. Existe evidencia de que algunos pacientes que dejan de consumir productos lácteos y alimentos ricos en suero de leche ("whey") –como muchos panes y pasteles– pueden experimentar mejorías importantes en la audición.

Teoría: La sordera relacionada con la edad podría ser causada por una respuesta alérgica a una proteína contenida en los productos lácteos o con suero de leche.

Si padece sordera relacionada con la edad, haga una prueba de tres semanas: elimine de su dieta todos los productos lácteos, además de los alimentos que contengan suero de leche o proteínas de la leche, y observe si su sordera mejora.

Además, consulte a un médico que sea especialista en audición (un otólogo u otolaringólogo) para someterse a un examen completo.

Robert A. Anderson, MD, fundador y director ejecutivo del American Board of Integrative Holistic Medicine, en East Wenatchee, Washington.

Detenga los sonidos del tinitus

Natan Bauman, EdD, director de la New England Tinnitus and Hyperacusis Clinic, y del Hearing, Balance, & Speech Center, ambos en Hamden, Connecticut. Inventó Solace, un generador de sonido de banda ancha completamente digital y programable, el cual se usa en el tratamiento de tinitus. *www.hearingbalance.com*.

Alrededor del 17% de los estadounidenses y hasta un tercio de los mayores de 65 años de edad experimentan algún nivel de *tinitus*. Las personas con tinitus oyen sonidos –como zumbidos, golpes y pitidos– dentro de su propia cabeza.

Para la mayoría de los afectados, los sonidos son más que nada una molestia, pero pueden llegar a ser tan fuertes y persistentes que es imposible para algunos concentrarse o mantener una conversación.

CAUSAS DEL TINITUS

El tinitus no es una enfermedad, sino un síntoma de un problema médico subyacente.

Las causas más comunes…

•**Daño en los diminutos pelos de las células auditivas del oído interno,** resultado del envejecimiento o la exposición a sonidos fuertes durante toda la vida. Los pelos dañados emiten señales eléctricas anormales que el cerebro interpreta como sonidos.

•**Uso profuso y de largo plazo de aspirina u otros medicamentos antiinflamatorios.** Algunos antibióticos y la quinina (un medicamento que se usa para el tratamiento de la malaria y los calambres en las piernas durante la noche) también pueden provocar el tinitus.

•**La ateroesclerosis, la acumulación de colesterol y otras sustancias grasas en las arterias** pueden provocar turbulencia ruidosa en la sangre de los vasos sanguíneos de los oídos.

La acumulación excesiva de cera en los oídos puede bloquear parcialmente los sonidos externos y hacer que los sonidos internos sean más fuertes y más molestos.

TRATAMIENTOS

El tinitus puede a veces eliminarse si se trata el problema subyacente: quitando la cera excesiva en los oídos o reduciendo la dosis de medicamentos antiinflamatorios.

Para la mayoría de los afectados, el ruido no se eliminará, pero puede hacerse menos molesto. *Los mejores métodos…*

•**Limite el consumo de sal a menos de 2.000 mg al día.** El sodio en exceso puede provocar la acumulación de fluidos que producen ruido en el oído interno, especialmente en las personas que padecen la enfermedad de Ménière, una afección caracterizada por la acumulación de fluido en el oído interno.

•**Limite la cafeína y el alcohol.** La cafeína provoca que los vasos sanguíneos se estrechen… el alcohol provoca que se dilaten –y ambos pueden aumentar los sonidos del tinitus al acrecentar la turbulencia en la sangre.

•**Mantenga las células auditivas ocupadas con ruido de fondo.** Esto puede facilitar que se ignore el tinitus. Puede intentar con una fuente portátil en la sala o música suave en el dormitorio. Un generador de sonido, que se puede adquirir de un audiólogo, llena los oídos con un sonido de tipo "estática". Prender un televisor o una radio entre estaciones produce una estática similar.

•**Adiestre los oídos con un instrumento de readiestramiento para tinitus** (TRI, por las siglas en inglés de "tinnitus retraining instrument"). Alrededor del 80% de los pacientes de tinitus obtienen alivio permanente y significativo en un lapso de 16 meses. Este dispositivo, similar a un audífono, genera sonidos que son casi tan fuertes como el tinitus. Si se usa bajo la supervisión de un audiólogo y durante ocho horas al día, adiestra el sistema nervioso central para percibir el tinitus como ruido de fondo en vez de como un sonido molesto pero importante.

El tinitus viene acompañado frecuentemente por la tensión y la frustración. El tratamiento con el TRI siempre se combina con la psicoterapia –usualmente una terapia cognitiva, la cual ayuda a las personas a lograr control sobre su tinitus.

•**Use un audífono para amplificar los sonidos externos.** Con frecuencia este es el mejor método para quienes tienen sordera relacionada con la edad además de tinitus. La mejoría de la audición hace que los ruidos internos sean menos molestos. Consulte a un audiólogo.

Un tratamiento natural para el tinitus

El ginkgo biloba puede aliviar el tinitus crónico. En cuatro de cinco estudios evaluados, una dosis diaria de entre 120 y 160 mg de ginkgo biloba, tomada en forma líquida o en tabletas, tuvo importantes beneficios para quienes tenían un zumbido en los oídos.

Teoría: El ginkgo biloba aumenta el suministro de sangre al oído interno, lo que podría ayudar a aliviar el tinitus crónico.

Si padece tinitus: Pregúntele a su médico si el ginkgo biloba podría ser un tratamiento eficaz para usted.

Advertencia: El ginkgo puede ocasionar una pérdida de sangre excesiva si está tomando un medicamento anticoagulante, como *warfarina* (Coumadin).

Edzard Ernst, MD, PhD, director del departamento de medicina complementaria en las universidades de Exeter y Plymouth, en Exeter, Inglaterra.

Evite la sinusitis... de forma natural

Murray Grossan, MD, otolaringólogo, de la Tower Ear, Nose and Throat Clinic, del centro médico Cedars-Sinai, en Los Ángeles. Es coautor de *The Sinus Cure–7 Simple Steps to Relieve Sinusitis and Other Ear, Nose and Throat Conditions* (Ballantine).

Aunque sea difícil de creer, la sinusitis, que afecta a 37 millones de estadounidenses cada año, ¡es más frecuente en la actualidad de lo que era en la época anterior a los antibióticos!

Eso no quiere decir que los antibióticos no sean eficaces. Cuando la *sinusitis* (una inflamación de los senos nasales) aparece, el tratamiento con un ciclo completo de antibióticos es con frecuencia esencial para eliminar las bacterias infecciosas.

Los descongestionantes pueden ayudar a aliviar los síntomas de la sinusitis. Lo mismo logran los esteroides orales o de uso externo (para combatir la inflamación de los senos nasales) y los antihistamínicos, si hay alergias subyacentes.

Con más frecuencia, los médicos comprenden que para combatir con éxito la sinusitis y evitar que reaparezca, *los medicamentos por sí mismos no son suficientes.* Hay que asegurarse además de que las membranas mucosas que recubren los conductos nasales y sinusales estén sanas y funcionen de manera adecuada.

SÍNTOMAS

La sinusitis ocurre cuando las membranas mucosas de la nariz y los senos nasales se irritan debido a un resfriado, una alergia, los contaminantes o la exposición al aire frío o seco. Esta irritación causa la inflamación de las membranas. Cuando esto sucede, el movimiento de los *cilios* (los diminutos vellos que cubren todas las membranas mucosas y son responsables del movimiento de la mucosidad sobre su superficie) se enlentece. Al mismo tiempo, la irritación hace que las glándulas mucosas segreguen más mucosidad que la habitual para diluir la bacteria.

Resultado: La mucosidad queda atrapada en los senos nasales, donde fácilmente puede infectarse debido a que la inflamación que debía diluir la bacteria ahora bloquea las entradas de los senos, e impide que el cuerpo elimine las bacterias. *Entre los síntomas de la sinusitis se incluyen...*

- **Presión facial alrededor de los ojos,** las mejillas y la frente.

- **Síntomas de un resfriado** que duran más de 10 días.

- **Mucosidad viscosa y verde/amarilla.**

- **Goteo posnasal,** que ocurre cuando la mucosidad excesiva gotea por la parte trasera de la garganta.

- **Dolor en las muelas superiores.**

- **Fatiga y dolor parecido al de la gripe.**

TRATAMIENTO

Los siguientes tratamientos naturales ayudan a mantener los cilios saludables y funcionando bien, y a prevenir que se forme mucosidad en los senos nasales. Cuando padece sinusitis, estos tratamientos lo ayudarán a aumentar la eficacia de los antibióticos y otros medicamentos, acelerando así la curación y haciendo que la recaída sea menos probable.

1. Beba líquidos calientes. Una de las mejores maneras de desobstruir los senos nasales es bebiendo té –no importa que sea negro, verde, descafeinado o de hierbas– o sopa de pollo caliente durante el día. Beba lo suficiente de modo que el color de su orina sea claro. Estos líquidos calientes ayudan a hidratar las membranas mucosas, acelerando el movimiento de los cilios y eliminando así la mucosidad de los senos nasales más rápidamente. (Lo lamento, amantes del café, pero el café caliente no es ni remotamente eficaz).

Nota para los viajeros: El aire seco del interior de los aviones tiene un efecto particularmente severo en los senos nasales –así que, cuando viaje, lleve bolsitas de té y pídale al auxiliar de vuelo que le dé agua caliente para preparar té.

2. Aplique compresas calientes en la cara. Hágalo tres veces al día durante cinco minutos cada vez. Una pequeña toalla empapada en agua tibia y luego colocada sobre la cara por debajo y entre los ojos lo ayudará a mejorar la circulación en los senos nasales, lo que además contribuirá a activar el movimiento de los cilios.

3. Irrigue los senos nasales. Durante más de 3.000 años, los practicantes de yoga han mantenido los senos nasales saludables con una solución de agua salada que inhalan y exhalan por la nariz rápidamente a baja presión.

Advertencia: No lo intente a menos que le hayan enseñado cómo hacerlo.

Por fortuna, para quienes no somos yoguis, un dispositivo llamado Hydro Pulse Nasal and Sinus Irrigator será suficiente. El flujo pulsante que produce el Hydro Pulse es muy suave.

Una alternativa aun más simple es una botella de irrigación Lavage. En el mejor de los casos, la irrigación debería hacerse usando una solución de Ringer, la solución que se usa en los hospitales para el tratamiento intravenoso, y que es de venta libre en las farmacias.

O podría usar una solución salina isotónica (pero no muy salada) que no contenga nada de *benzalconio* ("benzalkonium"). El benzalconio es un conservante que puede llegar a perjudicar la función nasal, y algunas personas se quejan de que arde. Para preparar su propia solución salina sin conservante, agregue una cucharadita de sal de mesa a una pinta (½ litro) de agua.

Si es propenso a la sinusitis, le recomiendo irrigar los senos nasales dos veces al día, especialmente durante los fríos meses del invierno.

La solución de Ringer, creada para la irrigación, se vende bajo el nombre de Breathe-ease XL (se encuentra disponible también en forma de espray nasal). Para comprar el Hydro Pulse Nasal and Sinus Irrigator, una botella de irrigación Lavage o los productos Breathe-ease, visite el sitio Web en inglés *www.sinus-allergies.com.*

4. Despeje los senos nasales con la aromaterapia. Para ayudar a despejar los conductos y senos nasales congestionados, eche unas gotas de aceite de eucalipto o mentol en un recipiente con agua caliente, y luego aspire los vapores –o simplemente abra un frasco de uno de esos aceites e inhale los vapores directamente.

Vicks VapoRub también es eficaz. Simplemente frote un poco sobre la piel debajo de la nariz.

Entre otros descongestionantes de la aromaterapia se incluyen el rábano picante ("horseradish") –rállelo y agréguelo a un sándwich– y, si realmente es valiente, la mostaza "wasabi" japonesa. Estos tratamientos dan mejores resultados si se usan un par de veces al día, especialmente en el invierno.

5. Tome el desayuno en la cama. Cuando duerme por la noche, la temperatura de su cuerpo baja y el movimiento de los cilios se enlentece. Al tomar el desayuno en la cama con una taza de té caliente, usted les dará a los cilios la oportunidad de entrar en calor y despejar la mucosidad acumulada durante la noche antes de comenzar a hacer exigencias a su sistema respiratorio.

6. Eleve la cabeza mientras duerme. Elevar la cabeza con una o dos almohadas ayudará a los conductos nasales y paranasales a mantenerse abiertos mientras duerme. Cuanto más elevada esté la cabeza, mejor será el efecto.

7. Mantenga el polvo fuera de su dormitorio. El polvo y los ácaros pueden llegar a causar estragos en las mucosas, especialmente cuando duerme y los cilios descansan.

En su dormitorio, evite las cortinas pesadas y las alfombras de pared a pared, las cuales acumulan mucho polvo. Use en cambio alfombras pequeñas, y póngalas en la lavadora al menos cada seis semanas. En general, haga que su dormitorio tenga la menor cantidad de muebles como sea posible, y limpie todas las superficies y detrás de los muebles una vez a la semana. Para reducir aun más el polvo de su dormitorio, recomiendo usar un purificador de aire HEPA y hacerlo funcionar durante todo el día. (La mayoría de la gente piensa que el filtro es muy ruidoso como para usarlo por la noche).

8. Descanse lo suficiente. Si los senos nasales le molestan, se asombrará al ver cuánto mejoran después de tomarse el fin de semana libre y quedarse en la cama. Asegúrese de descansar mentalmente al mismo tiempo. Desconecte el teléfono y evite los noticieros. En su lugar, alquile algunos videos divertidos, busque un buen libro, recuéstese y disfrútelos. La relajación puede ayudar al cuerpo a sanar.

───────────

Más de Murray Grossan...

Suénese la nariz suavemente para ayudar a los oídos

Si se suena la nariz con fuerza, podría romperse el tímpano. Sin embargo, ésa no es la peor consecuencia. También podría provocar una infección de los senos nasales o del oído al sonarse con demasiada fuerza. El sonarse la nariz puede forzar el paso de bacterias de las fosas nasales hacia los senos nasales y el oído medio. La presión excesiva también podría abrir un orificio en el oído interno, lo que podría resultar en sordera permanente, tinitus y mareos.

La autodefensa: Siempre suene la nariz suavemente.

───────────

También de Murray Grossan...

El desayuno en la cama combate las alergias

Se pueden aliviar los síntomas de las alergias tomando el desayuno en la cama. Quienes padecen alergias suelen ser sensibles a los cambios de temperatura, razón por la cual tosen y estornudan cuando salen de una cama cálida. Beber té caliente en la cama calienta el cuerpo y evita esta reacción.

El té, ya sea con cafeína o descafeinado, aumenta la velocidad mediante la cual los cilios de la nariz, los diminutos vellos de las mucosas, se deshacen del polvo que provoca la alergia y que se ha acumulado durante la noche.

Útil: Mantenga un termo con té caliente al lado de su cama y beba una taza al despertarse por la mañana.

Alarmantes peligros de la enfermedad de las encías

Michael P. Bonner, DDS, dentista con práctica en grupo en Rockdale, Texas, y miembro de la Academy of General Dentistry y de la American Academy of Anti-Aging Medicine. Es coautor de *The Oral Health Bible* (Basic Health).

Usted ya sabe que la enfermedad de las encías puede causar caries, mal aliento y pérdida de dientes. Tal vez también sepa que las encías infectadas aumentan el riesgo de los daños al corazón.

Lo que quizá no sepa, y que los dentistas recién están descubriendo, es que la enfermedad de las encías puede aumentar drásticamente la probabilidad de que una persona contraiga afecciones graves, como ataque cerebral o ciertos tipos de neumonía.

EL PROBLEMA

La enfermedad de las encías es causada por el sarro ("plaque"), una capa pegajosa de bacteria que recubre los dientes. La inflamación leve al borde de las encías ("gum line") se llama *gingivitis*. Las enfermedades periodontales más graves ocurren cuando el sarro migra bajo las encías y provoca una infección.

La enfermedad de las encías no es sólo un problema dental. La infección provoca la producción de *citocinas* inflamatorias, sustancias químicas inmunes que en el hígado se convierten en *proteína C-reactiva* (CRP, por sus siglas en inglés). Algunos médicos consideran que el nivel elevado de la CRP es un indicador más preciso de ataques al corazón y al cerebro (apoplejía, "stroke") que los niveles altos de colesterol.

Un nivel normal de la CRP es de 0,8 miligramos o menos por litro de sangre. El nivel aumenta entre 500 y 1.000 veces en personas que padecen una enfermedad de las encías más avanzada.

Resultado: La enfermedad de las encías aumenta el riesgo de ataque al corazón en un 200% a 400% y puede duplicar el riesgo de un ataque cerebral. La enfermedad de las encías y los altos niveles de la CRP además se han vinculado a coágulos de sangre en las piernas (*trombosis venosa profunda*) o en los pulmones (*embolia pulmonar*), los cuales ponen en riesgo la vida.

¿PADECE DE ENFERMEDAD DE LAS ENCÍAS?

Si tiene cualquiera de los siguientes síntomas, probablemente padezca de la enfermedad de las encías y debería consultar a un dentista de inmediato.

●**Encías hinchadas o enrojecidas…** o encías que sangran después de cepillarse o usar hilo dental.

●**Encías brillosas.**

●**Dientes que se han aflojado.**

●**Mal aliento persistente.**

●**Un nivel alto de la CRP** (mayor a 0,8 mg por litro de sangre).

CÓMO PROTEGERSE

La limpieza con hilo dental, cepillo de dientes y el uso de enjuague bucal todos los días son una buena idea, pero no *eliminan* la enfermedad de las encías. La razón es que estos métodos no llegan hasta los microorganismos que se acumulan bajo las encías para provocar la enfermedad.

Para mejorar su régimen dental, siga este programa de cinco pasos…

●**Paso N.º 1.** Use un cepillo de dientes eléctrico. Un cepillo de dientes manual con cerdas redondeadas y suaves quita la mayoría del sarro superficial, pero los cepillos dentales ultrasónicos son más eficaces. Vibran alrededor de 31.000 veces por minuto, generando ondas de fluido que quitan el sarro de los hoyos microscópicos en los dientes. Cepíllese con un cepillo eléctrico dos o tres veces al día.

Mi preferido: Sonicare, disponible en la mayoría de las farmacias.

Costo típico: $120.

Cepillarse los dientes diariamente con cepillo eléctrico, en combinación con el uso de hilo dental, disminuye muchísimo el riesgo de contraer la infección sistémica que ocurre cuando una rotura del tejido de las encías permite que los gérmenes entren al flujo sanguíneo.

Importante: Use pasta dental y enjuague bucal que no sean tóxicos. Si lee las etiquetas de los productos comerciales, encontrará advertencias como "no ingiera" ("don't swallow")

o "en caso de uso incorrecto accidental, comuníquese con un centro de control de venenos" ("poison control center"). La razón de estas advertencias es que estos productos pueden ser tóxicos.

Ciertas pastas dentales contienen *propilenglicol* ("propylene glycol"), el ingrediente principal en muchos anticongelantes. Algunos enjuagues bucales contienen alcohol etílico, el cual seca los tejidos de la boca.

Mejor: Los productos totalmente naturales que limpian los dientes e inhiben la acumulación de organismos dañinos sin tener que preocuparse por la toxicidad.

●**Paso N.º 2.** Use hilo dental a fondo, pero suavemente, al menos una vez al día. Puede usar hilo dental encerado ("waxed") o sin encerar ("unwaxed"). Si sus dientes están muy juntos, use cinta dental plana ("flat dental tape"), como la de la marca Glide, disponible en la mayoría de las farmacias.

●**Paso N.º 3.** Raspe la lengua. La gran superficie de la lengua alberga enormes cantidades de organismos que provocan enfermedades y sustancias químicas que producen inflamación.

Aun si se cepilla y usa hilo dental varias veces al día, los microorganismos de la lengua pueden volver a infectar constantemente el tejido de las encías y aumentar el riesgo de contraer una infección sistémica.

Los raspadores de lengua ("tongue scrapers") que se venden en farmacias son baratos y están disponibles en forma de tiras plásticas con bordes serrados o dispositivos de plástico o metal que tienen un borde raspador en un extremo. Ambos tipos son igualmente eficaces.

Al raspar la lengua, trate de llegar lo más posible hasta el fondo. En general unas pocas raspadas serán suficientes. Hágalo una o dos veces al día.

●**Paso N.º 4.** Irrigue las encías. El espacio angosto (surco) entre un diente y el tejido de las encías que lo rodea alberga hasta 100 billones de microorganismos.

La infección en los surcos genera enormes cantidades de sustancias químicas que producen inflamación, las cuales deberían ser eliminadas diariamente para evitar una infección crónica.

Los dispositivos de irrigación para el uso casero emiten agua dentro de la boca y expulsan el depósito acumulado (desechos celulares y microorganismos celulares infecciosos) que no se alcanzan al cepillar los dientes o usar el hilo dental.

Mi preferido: Hydro Floss, 800-635-3594, *www.oralcaretech.com.*

Costo típico: alrededor de $130.

•**Paso N.º 5.** Suplemente su dieta. Varios nutrientes juegan un papel crucial en la salud de las encías y pueden ayudar a reducir o eliminar la infección o inflamación sistémica. Tome diariamente las cantidades indicadas de suplementos con las comidas, divididas en dos dosis. Las tabletas son apropiadas a menos que se especifique lo contrario. *Suplementos clave por los que debe consultar a su médico:*

•**La vitamina C** puede reducir la pérdida de sangre y la sensibilidad de las encías. Como antioxidante, puede además mejorar la capacidad del sistema inmune de controlar organismos perjudiciales.

Dosis diaria típica: entre 500 y 1.000 mg.

Inteligente: Tome 1.500 mg de vitamina C en tabletas masticables unos 15 minutos antes de ir al dentista. La vitamina C suprime rápidamente la inflamación que puede ocurrir cuando los procedimientos orales impulsan organismos infecciosos hacia el flujo sanguíneo.

Advertencia: Si ha tenido una cirugía de reemplazo articular durante el año anterior, o si padece de soplo cardiaco ("heart murmur"), podría necesitar antibióticos antes de someterse a cualquier tipo de procedimiento oral, incluyendo una limpieza de rutina. Los procedimientos dentales podrían permitir que las bacterias entren al flujo sanguíneo, lo que puede infectar articulaciones artificiales o válvulas cardiacas en las personas con soplo cardiaco. Consulte a su médico para obtener detalles.

•**Los bioflavonoides** son derivados de los cítricos. Fortalecen las encías y ayudan a impedir que los gérmenes entren al flujo sanguíneo. Los bioflavonoides también ayudan a estimular la inmunidad y reducir infecciones.

Dosis diaria típica: 500 mg.

•**La coenzima Q-10** es necesaria para la formación del colágeno. Tómela sólo en forma de cápsula blanda.

Dosis diaria típica: entre 60 y 120 mg.

•**El extracto de semilla de uva** ("grapeseed extract") contiene *proantocianidinas*, compuestos antioxidantes que inhiben la liberación de compuestos que causan inflamación.

Dosis diaria típica: entre 100 y 200 mg.

•**El metilsulfonilmetano (MSM)** es una forma de azufre orgánico que crea tejido saludable de las encías. Se absorbe mejor cuando se toma con 500 a 1.000 mg de la vitamina C.

Dosis diaria típica: entre 1.000 y 3.000 mg.

Proteger las encías puede salvarle la vida

Alan Winter, DDS, periodoncista y socio de Park Avenue Periodontal Associates, 532 Park Ave., Nueva York 10021.

Las caries dentales se están transformando rápidamente en algo del pasado, gracias en gran parte al acceso al agua fluorada (tratada con fluoruro, "fluoride"). Pero la gente sigue perdiendo los dientes debido a la enfermedad periodontal.

Tarde o temprano, el 80% de los adultos contraen esta enfermedad, también conocida como gingivitis. Es causada por *Porphyromonas gingivalis* y otras bacterias que provocan sarro y que se abren camino hacia debajo del borde de las encías ("gum line").

Una buena higiene dental ayuda a mantener estas bacterias bajo control. Sin embargo, si se permite que prosperen, estos microbios desagradables atacan el tejido de las encías.

Una vez que el tejido se deteriora, los dientes lentamente se aflojan y al final podrían tener que ser extraídos.

Peligro adicional: Se cree ahora que las bacterias que provocan las enfermedades de las encías también contribuyen a la enfermedad del corazón y a las complicaciones en el embarazo.

¿PADECE USTED ENFERMEDAD DE LAS ENCÍAS?

La enfermedad de las encías se caracteriza en su etapa temprana por el mal aliento crónico y las encías enrojecidas e hinchadas que sangran cuando los dientes se cepillan. O se pueden formar espacios entre los dientes y éstos podrían aflojarse.

Advertencia: Algunas personas contraen la enfermedad de las encías grave *sin* tener síntomas obvios. Por esta razón, es esencial que un profesional le examine las encías y le limpie los dientes, *al menos dos veces por año.*

La enfermedad de las encías progresa lentamente en algunas personas, y rápidamente en otras. El estrés psicológico puede agravar la afección al liberar hormonas de las que las bacterias se alimentan.

La enfermedad de las encías puede además empeorar por fumar… por enfermedades sistémicas como la diabetes… y por consumir alimentos azucarados. Las encías pueden ser afectadas también por los bloqueadores de canales de calcio, *fenitoína* (Dilantin) y otros medicamentos.

LOS EXÁMENES PERIÓDICOS SON CLAVE

Aunque el examen dental cada seis meses es suficiente para la mayoría de las personas, quienes padezcan problemas en las encías deberían hacerse examinar y limpiar los dientes cuatro veces al año.

La razón: Las bacterias forjan bolsas diminutas entre las encías y los dientes. Cuando estas bolsas sobrepasan los tres milímetros (aproximadamente un octavo de pulgada) en profundidad, las bacterias cambian de una forma relativamente inofensiva a una forma virulenta.

Esta transición ocurre después de que las bacterias han estado creciendo entre ocho y 12 semanas.

Si se hace limpiar los dientes por un profesional cada tres meses, el proceso de las bacterias se interrumpirá antes de que éstas causen daños importantes a las encías.

CÓMO CEPILLARSE BIEN LOS DIENTES

Cepíllese los dientes dos veces al día por al menos 60 segundos. Use un cepillo manual de los "antiguos" con cerdas blandas de nailon y una pequeña cabecera.

Las cerdas duras, especialmente las de crines de caballo ("horsehair") u otras fibras naturales, son demasiado abrasivas.

¿Y los cepillos de dientes eléctricos? En realidad no limpian mucho mejor, aunque pueden agregar un elemento de diversión, motivando a algunas personas a cepillarse con más frecuencia.

Los dispositivos de irrigación que limpian usando agua presurizada generalmente no quitan la placa dental, sino solamente las partículas de alimentos.

LA IMPORTANCIA DEL HILO DENTAL

Usar hilo dental es aun más importante que cepillarse. La mayor parte de las enfermedades periodontales comienzan *entre* los dientes, en áreas que están fuera del alcance de las cerdas de los cepillos.

Mejor método: Use hilo dental no encerado ("unwaxed dental floss") una vez al día. Deslice el hilo dental en el espacio entre los dientes, y luego muévalo suavemente por debajo del borde de las encías.

Una vez que las bacterias se han establecido en bolsas profundas, la única manera de eliminarlas es dejar que un profesional le limpie los dientes.

RASPADO DENTAL

Si la limpieza profesional no le está dando resultado, es posible que necesite un raspado dental ("dental scaling"). En este proceso, un dentista o un higienista dental usa un instrumento especial para llegar más abajo del borde de las encías de lo que es posible en una limpieza normal, quitando la placa dental y los depósitos minerales (sarro) de las raíces de los dientes.

El raspado hace que los dientes sean menos hospitalarios para las bacterias. Además, causa que las bolsas en las que residen se contraigan.

Son necesarias tres o cuatro visitas de 60 minutos cada una.

Precio total: De $400 a $1.000.

CIRUGÍA DE LAS ENCÍAS

Si la enfermedad de las encías se encuentra muy avanzada, o si persiste después del raspado, quizá sea necesaria la cirugía.

En el procedimiento típico, las áreas enfermas de las encías se quitan en colgajos, dejando expuestas las raíces de los dientes de modo que puedan limpiarse completamente.

Una vez que las raíces de los dientes han sido pulidas y se encuentran sin sarro, las bolsas deberían contraerse.

Son necesarios de dos a cuatro procedimientos de 60 a 90 minutos cada uno.

Precio total: entre $3.000 y $6.000.

ANTIBIÓTICOS

Aunque los antibióticos son con frecuencia útiles para controlar el crecimiento de las bacterias durante o después de la cirugía, no sustituyen la cirugía de las encías cuando es necesaria.

Trampa: Si las raíces de los dientes no se pulen y las bolsas se corrigen, las bacterias, y la enfermedad de las encías volverán a presentarse rápidamente una vez que se deje de tomar antibióticos.

Recuerde que la enfermedad de las encías es una afección crónica. Aun si tiene cirugía, debe permanecer extremadamente atento.

Más de Alan Winter...

La verdad sobre el agua fluorada

Los beneficios del agua fluorada parecen superar ampliamente los riesgos. La adición de fluoruro al suministro de agua corriente ha reducido las caries en hasta el 70%, según los Institutos de Salud de Estados Unidos (NIH, por sus siglas en inglés). El fluoruro fortalece el esmalte en los brotes dentarios de los niños, los dientes en desarrollo que aún no han salido –y esto ayuda a impedir las caries.

Advertencia: Mucho fluoruro puede provocar manchas o decoloración en los dientes, pero esto rara vez ocurre. Los niveles de fluoruro que se encuentran en el agua corriente de Estados Unidos –una parte por cada millón de galones, son en general seguros.

Muchos niños muy jóvenes no beben suficiente agua fluorada o beben agua embotellada sin fluoruro o agua de pozo. Si éste es el caso de su familia, consulte a su pediatra acerca de darles suplementos a sus hijos.

Además: Ingerir fluoruro no tiene ningún beneficio verdadero para los adultos, pues sus dientes y esmalte ya están completamente formados.

Combata las caries mientras duerme

Para combatir las caries mientras duerme, use un dedo o cepillo de dientes para frotar un poco de pasta dental con fluoruro ("fluoride") a lo largo del borde de las encías antes de acostarse. Durante la noche, los dientes absorberán el fluoruro que fortalece el esmalte.

Luke Matranga, DDS, profesor adjunto de odontología general en la facultad de odontología de la Universidad Creighton, en Omaha, Nebraska.

Protección muy especial para los dientes y las encías

El tratamiento no quirúrgico para la enfermedad periodontal puede salvar los dientes y hacer que las extracciones no sean necesarias.

Estudio reciente: La limpieza agresiva, conocida como *rascado radical y limpieza del sarro* ("root planing and scaling"), junto con un tratamiento con antibióticos durante dos semanas logró que el 87% de las cirugías y extracciones no fuesen necesarias. Los beneficios duraron cinco años.

Si padece una enfermedad periodontal, consulte a su dentista acerca de alternativas a la cirugía.

Walter J. Loesche, DMD, PhD, profesor emérito Marcus Ward de odontología en la facultad de odontología de la Universidad de Michigan, en Ann Arbor, y líder de un estudio de 90 pacientes con enfermedad periodontal, publicado en el boletín *The Journal of the American Dental Association.*

¿Debería hacerse extraer las obturaciones?

Algunas personas han estado preocupadas por las obturaciones de amalgama de plata ("silver-colored amalgam fillings") que contienen mercurio y podrían provocar afecciones graves, como la esclerosis múltiple y el mal de Alzheimer.

Pero no hay prueba que confirme estos temores. El mercurio que contienen las obturaciones está mezclado con otros metales, como la plata, para formar una aleación estable. Extraer los empastes podría debilitar los dientes, ya que el empaste de reemplazo debe ser más grande.

Si un dentista quiere extraerle las obturaciones de amalgama, pregúntele si hay otras opciones.

Frederick C. Eichmiller, DDS, director del centro de investigaciones Paffenbarger, en Gaithersburg, Maryland.

Las mejores maneras de blanquear los dientes

Paul J. Berson, DDS, profesor clínico adjunto de odontología restauradora en la facultad de odontología de la Universidad de Pensilvania, en Filadelfia.

Usted quizá desea tener dientes más blancos, pero las pastas dentales blanqueadoras ("whitening toothpaste") no le han dado resultado. La realidad es que estos productos pueden quitar brillo a los dientes porque corroen el esmalte.

Entonces, *¿qué da resultado?* Las farmacias venden decenas de productos blanqueadores para los dientes, y casi todos los dentistas realizan procedimientos de blanqueamiento. *Esto es lo que debe saber:*

BLANQUEAMIENTO EN EL CONSULTORIO

La técnica de blanqueamiento más rápida y precisa la realiza un dentista. Un agente blanqueador –usualmente peróxido de hidrógeno (agua oxigenada, "hydrogen peroxide") o peróxido de carbamida ("carbamide peroxide")– se

aplica a los dientes y luego estos se exponen a luz ultravioleta para acelerar la reacción química. Los dientes quedan considerablemente más claros con un solo tratamiento de una hora. Uno o dos tratamientos adicionales podrían ser necesarios si los dientes se encuentran muy manchados.

Las encías se cubren con goma (caucho) para protegerlas de la sustancia química. Algunas personas experimentan sensibilidad en los dientes después del tratamiento. Esto generalmente desaparece dentro de 24 horas.

Precio: entre $500 y $650*.

Las personas que se han sometido al procedimiento deberían tratar los dientes en el hogar aproximadamente una vez al mes para mantenerlos blancos. Su dentista puede proporcionarle una boquilla (bandeja bucal) a su medida ("custom-fitted mouthpiece") que contiene la solución blanqueadora.

Precio por la boquilla y los productos químicos blanqueadores para el hogar: entre $100 y $150.

Las manchas de tabaco, café y té son las más fáciles de eliminar. La coloración amarillenta debido a la edad, que ocurre cuando el esmalte de los dientes se hace más delgado y revela la amarillenta *dentina* (la parte interna del diente), toma más trabajo, pero también puede aclararse en la mayoría de los casos.

La dentina muy manchada –debido al uso de *tetraciclina* en la niñez, por ejemplo, o al tratamiento de conducto radicular que ha hecho que el interior del diente se oscurezca– podría requerir el uso de carillas (fundas, "veneers") u otras técnicas de restauración dental. Los tratamientos de blanqueamiento no son aptos para las restauraciones dentales, como coronas ("crowns"), carillas, cementado ("bonding") o puentes dentales ("bridgework").

KITS DE BLANQUEAMIENTO ("WHITENING KITS") PARA EL HOGAR

Estos kits, disponibles en las farmacias, contienen los mismos agentes blanqueadores que usan los dentistas –pero no son tan concentrados. Puede tomar varios meses para ver resultados.

*El blanqueamiento de los dientes generalmente no está cubierto por el seguro médico.

Los sistemas de blanqueamiento para el hogar vienen con bandejas bucales que se ajustan sobre los dientes. Los kits contienen suficiente gel blanqueador como para usar durante alrededor de un mes. Llene las bandejas con el agente blanqueador, luego colóquelas sobre los dientes por 30 minutos, dos veces al día, hasta que logre la blancura deseada.

Los kits cuestan entre $50 y $70. A la larga, sin embargo, el blanqueamiento casero puede llegar a costar *más* que los procedimientos en el consultorio.

Además, las bandejas no encajan en los dientes tan bien como las bandejas preparadas por el dentista. El agente blanqueador podría chorrear y quemar las encías... o podría no recubrir los dientes de manera pareja, lo que resulta en un blanqueo desparejo.

GELES BLANQUEADORES

Estos geles de venta libre contienen una leve concentración de peróxido de hidrógeno. Cuestan unos $15 y se aplican dos veces al día durante dos meses.

Tienen pocas probabilidades de irritar las encías pero blanquean los dientes sólo ligeramente. Podría tener sensibilidad dental leve hasta dejar de usarlos.

TIRAS BLANQUEADORAS

Las tiras blanqueadoras ("whitening strips") de venta libre contienen una concentración ligera de peróxido de hidrógeno. Se aplican a los dientes y se dejan en el lugar por 30 minutos, una o dos veces al día. Se podría experimentar sensibilidad dental temporal, pero poca o ninguna irritación en las encías.

Una caja de 28 tiras cuesta entre $30 y $45. Generalmente, se tienen que usar durante unos meses para poder ver una mejora importante.

CEPILLOS DE ULTRASONIDO

Las ondas de sonido de los cepillos de ultrasonido ("ultrasonic brushes"), como Sonicare y Ultima, llegan al interior de los poros y logran que las capas de manchas vibren y se suelten. Los cepillos de ultrasonido no eliminan las manchas, pero pueden ayudar a mantener el brillo una vez que los dientes se han blanqueado.

Precio: $80 y más.

Cómo relajarse en el consultorio del dentista

Muchas personas se preocupan cuando van al dentista. *Para ayudar a mitigar el estrés, siga estos consejos:*

•**Para sentirse más en control,** pídale al dentista que le explique el procedimiento antes de llevarlo a cabo.

•**Desempeñe un papel activo en las decisiones** sobre su tratamiento.

•**Comunique sus temores** al dentista de modo que éste pueda ayudarlo a enfrentarlos.

•**Póngase de acuerdo con el dentista sobre una señal,** como levantar la mano, para indicar que usted necesita una breve interrupción durante el tratamiento.

•**Busque una distracción.** Hoy en día muchos dentistas tienen un televisor, auriculares con música, etc.

•**Considere las opciones para el control del dolor,** como premedicación con algo que lo ayude a relajarse o la anestesia local o general.

D. Scott Navarro, DDS, vicepresidente de servicios profesionales de la Delta Dental Plans Association, en Oak Brook, Illinois.

Alivie los dientes sensibles

Use una mota de algodón (bolita de algodón, "cotton ball") para aplicar aceite de oliva tibio sobre el borde de las encías ("gum line"). Esto crea un sello duradero que protege las raíces sensibles que se han expuesto como resultado de la recesión de las encías.

Útil: Caliente el aceite en una cacerola hasta que comience a humear. Seque los dientes con una mota de algodón. Use otra mota para aplicar el aceite en los dientes.

Consulte a su dentista si la sensibilidad persiste.

Danny Bui, DDS, dentista con práctica privada, en Bethesda, Maryland.

Los problemas dentales podrían ser indicios tempranos de la osteoporosis

Como los dientes están incrustados en la mandíbula, las primeras señales de advertencia de la osteoporosis podrían incluir la enfermedad de las encías grave, pérdida ósea alrededor de los dientes, dientes flojos o caídos.

La autodefensa: Pregúntele a su dentista si alguno de sus problemas dentales podría deberse a la osteoporosis.

Para ayudar a prevenir la osteoporosis: Consuma al menos 1.200 mg de calcio con 400 a 800 unidades internacionales (IU) de la vitamina D... haga ejercicios que provocan que los huesos soporten peso ("weight-bearing", en inglés) y ejercicios que fortalecen los músculos... y no fume ni abuse del alcohol.

Barbara J. Steinberg, DDS, profesora clínica de cirugía, de la facultad de odontología de la Universidad Drexel, en Filadelfia.

Advertencia dental sobre las bebidas gaseosas dietéticas

Los bebidas gaseosas sin azúcar ("sugar-free diet sodas") pueden dañar los dientes. Las gaseosas dietéticas son altamente ácidas y pueden llegar a corroer el esmalte de los dientes con el tiempo.

Las personas que sorben bebidas gaseosas sin azúcar durante todo el día pueden llegar a dañar los dientes al punto de que necesiten arreglos importantes.

Más perjudicial: Cuando las personas sorben las bebidas gaseosas dietéticas sin consumir ningún alimento, o tienen la boca seca.

La razón: Los residuos ácidos de las gaseosas permanecen en los dientes.

Antídoto: Enjuague la boca con agua después de beber cualquier bebida gaseosa.

Sheldon Nadler, DMD, dentista con práctica privada, en Nueva York.

3

Síntomas y soluciones

Señales de advertencia médica: Siete síntomas que nunca debe ignorar

La mayoría de la gente consultaría un médico si detectara un bulto sospechoso o cambios en un lunar. Y si sentiría fuertes dolores de pecho, hasta los más estoicos saldrían rumbo a la sala de emergencia más cercana.

Pero otros síntomas son fáciles de desestimar o *descartar*. Sin embargo un pronto diagnostico y tratamiento podrían resguardar su salud, y posiblemente salvar su vida, o la de un ser querido.

Aquí hay siete señales de advertencia que podrían indicar una emergencia médica...

MALESTAR ABDOMINAL

Los persistentes retortijones, hinchazón, vómitos o un cambio en el apetito o en los hábitos del movimiento intestinal pueden indicar una variedad de problemas.

En el mejor de los casos: colon irritable... infección viral... intolerancia a la lactosa... o indigestión.

En el peor de los casos: úlcera... tumor... apendicitis... quiste ovárico... oclusión intestinal... enfermedad inflamatoria intestinal... o inflamación del tracto digestivo, de la vesícula o del páncreas.

Busque tratamiento de emergencia: Si está vomitando y no ha tenido movimiento intestinal ni ha pasado gases en 24 horas –o si tiene súbitos y agudos dolores abdominales acompañados de fiebre– podría necesitar cirugía de emergencia.

Nota: Si su estado es lo suficientemente serio como para requerir tratamiento de emergencia, probablemente sea mejor que no conduzca usted mismo. Llame al 911 ó pídale a un amigo o a un vecino que lo lleve al hospital más cercano tan pronto como sea posible.

Marie Savard, MD, médica internista destacada mundialmente, experta en el bienestar y campeona de los derechos de los pacientes. Es autora de *How to Save Your Own Life* (Grand Central). *www.drsavard.com*.

Para malestares más leves, elimine los causantes posibles, como aspirina, cafeína, alcohol, productos lácteos y edulcorantes artificiales. Intente aliviar cualquier síntoma con un producto de venta libre, como Maalox o Pepto-Bismol.

Consulte a su médico: Si persisten los síntomas durante una semana o más, sométase a un chequeo.

TOS

Una tos seca y sin flema que dura más de dos semanas requiere atención médica.

En el mejor de los casos: goteo posnasal… reflujo gastroesofágico ("acid reflux")… o irritación continua por la tos.

En el peor de los casos: infección… asma grave… cáncer de pulmón… tumor en el sistema linfático (linfoma)… o insuficiencia cardiaca ("congestive heart failure").

Consulte a su médico: Sométase a un chequeo y a rayos X del pecho en la semana siguiente.

DOLOR DE CABEZA

Si está experimentando el peor dolor de cabeza de su vida –especialmente si está acompañado de vómitos– no debería ignorarlo.

En el mejor de los casos: infección viral aguda… o una migraña (jaqueca).

En el peor de los casos: aneurisma con filtración… infección de las membranas que cubren el cerebro y la médula espinal (meningitis bacteriana) si está acompañada de fiebre y cuello rígido… o tumor en el cerebro.

Busque tratamiento de emergencia: Deberá someterse a una *tomografía computadorizada* ("CT scan") o *imagen por resonancia magnética* (MRI) para determinar la causa. Si se trata de un aneurisma, podría requerir cirugía de emergencia. Si es meningitis bacteriana, se deben administrar antibióticos intravenosos tan pronto como sea posible.

CAMBIOS MENTALES

Preste atención a confusión, fallos en la memoria, pensamientos raros o deterioro de la capacidad mental.

En el mejor de los casos: depresión leve… estrés… nivel bajo de azúcar en la sangre… o una deficiencia de la vitamina B-12.

En el peor de los casos: depresión grave… tumor en el cerebro… encefalitis… o reacción adversa a un medicamento. Muchas combinaciones de medicamentos podrían provocar esta reacción, pero los antihistamínicos y los sedantes son particularmente sospechosos.

Importante: Consulte a su médico y farmacéutico acerca de las posibles interacciones entre medicamentos antes de tomar cualquier medicamento nuevo.

Busque tratamiento de emergencia: Si la desorientación es súbita y aguda, los cambios mentales podrían ser signos de un problema grave del sistema nervioso central. Por lo tanto, es muy importante que someta a una evaluación con prontitud.

Consulte a su médico: En caso de síntomas leves o graduales, sométase a un chequeo dentro de las siguientes 24 horas.

SANGRADO RECTAL

Se debe preocupar si tiene deposiciones de color negro o granate (rojo oscuro)… o si nota sangre roja brillante en el papel higiénico o en el retrete (inodoro).

En el mejor de los casos: hemorroides o una ruptura en el tejido que recubre el ano (fisura) pueden causar la sangre roja brillante… los suplementos de hierro y Pepto-Bismol pueden provocar las deposiciones negras.

En el peor de los casos: cáncer rectal, si la sangre es roja brillante… cáncer de colon, úlcera sangrante o *diverticulosis* (pequeñas bolsas por lo general en el intestino grueso), si la deposición es de color negro o granate.

Busque tratamiento de emergencia: Si la deposición es de color negro o granate y está acompañada de vértigo o mareo, podría tener sangrado interno causado por la diverticulosis o una úlcera estomacal. El tratamiento incluye transfusiones de sangre y cirugía.

Consulte a su médico: En caso de deposiciones negras no atribuibles a suplementos de hierro o Pepto-Bismol, hágase evaluar tan pronto como sea posible. En caso de sangre roja brillante, sométase a un chequeo dentro de las siguientes dos semanas. No suponga que padece hemorroides.

PÉRDIDA DE PESO SIN EXPLICACIÓN

Si pierde el apetito o baja más del 5% de su peso corporal, a pesar de alimentarse normalmente, algo anda mal.

En el mejor de los casos: depresión leve… diabetes… glándula tiroides hiperactiva (*hipertiroidismo*)… o parásitos intestinales.

En el peor de los casos: depresión grave… cáncer… hepatitis u otras enfermedades del hígado… tuberculosis… o inflamación crónica del tracto gastrointestinal (enfermedad de Crohn).

Consulte a su médico: Sométase a un chequeo completo, incluyendo un examen completo de sangre, dentro de las dos semanas siguientes.

CAMBIOS EN LA VISIÓN

No ignore la visión borrosa o nublada, o si ve líneas onduladas, o tiene enrojecimiento, dolor intenso o comezón en los ojos.

En el mejor de los casos: alergias… diabetes… conjuntivitis… o tal vez lentes de aumento viejos.

En el peor de los casos: desprendimiento de retina… glaucoma… inflamación de la capa muscular del ojo (*uveítis*)… o un objeto extraño en el ojo.

Consulte a su médico: Sométase a un chequeo con un oftalmólogo dentro de las siguientes 24 horas.

Cómo evitar el consultorio del médico

Edward T. Creagan, MD, especialista en cáncer y profesor de oncología clínica de la facultad de medicina de la Clínica Mayo, en Rochester, Minnesota. Es autor de *How Not to Be My Patient: A Physician's Secrets for Staying Healthy and Surviving Any Diagnosis* (Health Communications).

En más de 30 años como especialista en cáncer, he tenido a mi cuidado unos 55.000 pacientes, y más de la mitad de ellos podría haber evitado la visita a mi consultorio. Es así porque sus cánceres (o, en algunos casos, la enfermedad del corazón y la diabetes) se desarrollaron como resultado de estilos de vida poco saludables y no por factores genéticos.

Debido a que veo todos los días los efectos devastadores de dichos estilos de vida, me he asegurado de tener hábitos personales que me den las mayor probabilidad de mantener la buena salud. *Mis secretos…*

PREVENCIÓN Y DETECCIÓN TEMPRANA

Un chequeo médico al año es importante para todos los mayores de 50 años de edad. Si tiene menos de 50 y en general se encuentra saludable, pregúntele a su médico con qué frecuencia debería hacerse examinar. Tengo 59 años y consulto a mi internista cada primavera para someterme a análisis habituales. Estos análisis son imprescindibles.

Mi consejo: Además de los chequeos anuales y cualquier otro análisis que su médico le recomiende, sométase a colonoscopias (una cada cinco años después de los 50 años). Las mujeres deberían hacerse mamografías (una vez al año después de los 40 años) y exámenes de Papanicolaou ("PAP tests") cada uno a tres años si son activas sexualmente. Los hombres deberían someterse a un análisis del *antígeno prostático específico* (PSA, por sus siglas en inglés) y a un examen rectal digital cada año a partir de los 50 años de edad. Si un pariente de primer grado (padre o hermano) tuvo cáncer, comience a hacerse controles con estos exámenes 10 años antes de la edad en que dicho pariente contrajo el cáncer.

ALIMENTACIÓN SALUDABLE

Mi esposa Peggy y yo somos vegetarianos que comen pescado. Esto significa que no comemos grasas saturadas de origen animal, las cuales incrementan el riesgo de contraer una enfermedad cardiovascular. Obtenemos proteínas de los frijoles (habichuelas, "beans"), nueces y pescado.

Nunca como alimentos fritos o los que contienen muchas calorías, como la mantequilla. Usamos aceite de oliva, incluso con tostadas. Lo único que alguna vez pido en un restaurante de comida rápida es helado con bajo contenido de grasa.

Llevo mi propio almuerzo cuando trabajo en el hospital. Generalmente incluye un sándwich de mantequilla de maní ("peanut butter") y jalea sobre pan integral con mucha fibra (al menos 2 gramos por rebanada), "pretzels", zanahorias y yogur con bajo contenido de grasa. Bebo entre seis y ocho vasos de seis onzas (175 ml) de agua todos los días.

Mi consejo: Planifique al menos una cena sin carne a la semana, como espaguetis con salsa marinara, frijoles negros y arroz integral con ensalada… o "tofu" con verduras salteadas.

SUPLEMENTOS

Los suplementos nutricionales no son tan beneficiosos como las buenas cosas que la naturaleza nos da en forma de hojas o bayas. Sin embargo, puede ser difícil obtener todas las vitaminas que necesitamos por medio de los alimentos. Yo tomo diariamente un suplemento multivitamínico que contiene 18 mg de hierro, ya que, al ser vegetariano, no como carnes ricas en hierro. También tomo un suplemento diario de 400 unidades internacionales (IU, por sus siglas en inglés) de la vitamina E y 500 mg de la vitamina C. Estas vitaminas son buenos antioxidantes. Además, mejoran la recuperación de los músculos después del ejercicio.

Tengo un historial familiar de enfermedad del corazón, por lo que agrego una aspirina para niños de 81 mg todos los días para disminuir mi riesgo de sufrir un ataque al corazón o al cerebro ("stroke").

Mi consejo: Si toma suplementos, esté al tanto de lo que toma y por qué lo toma. La mayoría de las personas consume cualquier cosa que se publicite. Consulte a su médico, farmacéutico o un dietista registrado para recibir orientación. Los empleados de las tiendas de alimentos naturales ("health food stores") raramente tienen la capacitación adecuada.

ACTIVIDAD FÍSICA

Yo corro entre ocho y 12 millas (12 a 20 km), cinco días por semana. Si no puedo correr, nado y uso aparatos aeróbicos, como una cinta sin fin para caminar ("treadmill") y una escaladora ("stair climber").

En días alternos, levanto pesas (una serie de 12 repeticiones por cada grupo importante de músculos). Prefiero pesas sueltas en vez de máquinas de pesas, pues ejercitan tanto los músculos principales, como los abdominales,

y los músculos de apoyo, como los *paraespinales* (los músculos cercanos a la columna vertebral), los cuales ayudan a mi postura.

Mi consejo: Haga al menos 30 minutos de actividad física todos los días. Pueden hacerse en intervalos de 10 minutos por vez. Por ejemplo, camine con un ritmo lo suficientemente rápido como para que su corazón lata más rápido. Además, levante pesas cada dos días o, al menos, dos veces a la semana.

CONTROL DEL ESTRÉS

Todos los años, hago un retiro personal y de silencio de tres días en un monasterio, el cual me ayuda a concentrarme y a poner mi vida en perspectiva. Algunas veces al año, además, voy a una cabaña junto a un lago en el norte de Wisconsin, y dejo mi computadora portátil en casa.

Cada día, hago una lista de cosas para hacer que son importantes. De este modo, no dejo que las agendas de otras personas impulsen la mía. Hago además una caminata de entre 15 y 20 minutos alrededor de la manzana diariamente al mediodía para despejar mi mente y renovar mi energía para la tarde.

Mi consejo: Deje la computadora portátil y el teléfono celular en casa cuando tome vacaciones. Haga un "retiro" diario practicando la meditación o la respiración profunda, dando una caminata o mirando una película divertida.

CONECTIVIDAD SOCIAL

Los vínculos con nuestros familiares, amigos e incluso mascotas nos dan razones para levantarnos por la mañana.

Para mantener una conexión con mis tres hijos, que viven dispersos por todo el país, les escribo a cada uno una carta, a mano, todos los lunes, sin importar dónde estoy ni lo ocupado que esté. El acto en sí es mi "terapia", y no espero respuesta. Además, voy a la iglesia para estimular mi conectividad espiritual.

Mi consejo: Establezca relaciones estables y duraderas. Estas serán su amortiguador contra el estrés y una gran manera de estimular su sistema inmune. Pase tiempo en la naturaleza, en una iglesia, sinagoga o mezquita o con una comunidad espiritual para fomentar una fe en algún tipo de "poder supremo". Si su empleo no le proporciona un significado y un propósito a su vida, halle un pasatiempo o interés fuera de casa que sí lo haga. Esto le dará una razón para seguir adelante incluso ante la presencia de la enfermedad o la adversidad.

Estimuladores del sistema inmune: Cómo vivir sin enfermedades

Leo Galland, MD, director de la Foundation for Integrated Medicine, en Nueva York. El Dr. Galland fue galardonado con el premio Linus Pauling y es autor de *The Fat Resistance Diet* (Broadway). *www.fatresistancediet.com.*

Pasar el invierno sin padecer un resfriado o la gripe parece como ganar la lotería de la buena salud. Usted puede aumentar su probabilidad de ser un afortunado ganador al elegir los alimentos, ejercicios, hábitos y actitudes adecuados.

EL PODER DE LAS PROTEÍNAS

Cuando llega el momento de preparar el sistema inmune para el invierno, se piensa en naranjas, toronjas ("grapefruits") y otros alimentos ricos en vitamina C. Pero hay un alimento aun más importante: las proteínas. Para mantener el sistema inmune fuerte, se debe consumir entre unos 50 y 60 gramos de proteínas al día.

Se pueden obtener fácilmente entre 15 y 20 gramos de proteínas consumiendo cereales y otros alimentos de origen vegetal, pero se deberán agregar otros 30 a 40 gramos de carne, aves, pescado, huevos, productos lácteos y frijoles (habas, habichuelas, judías, "beans").

Como guía, hay entre seis y siete gramos de proteínas en…

- **Un huevo.**
- **Una onza (30 g) de carne magra,** pescado o pollo.
- **Una onza (30 g) de queso duro.**
- **Cuatro onzas (115 g) de leche.**

Nota: Una porción de tres onzas (85 g) de carne, pescado o pollo es alrededor del tamaño de una baraja (mazo de cartas).

GRASAS SALUDABLES

Otra manera de estimular el sistema inmune es consumir ácidos grasos omega-3. Se obtendrá una cantidad suficiente al consumir pescado graso, como salmón, hipogloso ("halibut") y sardinas, dos o tres veces a la semana, especialmente si lo acompaña con verduras de hojas verdes, las cuales también contienen ácidos grasos omega-3.

Otras fuentes: Suplementos de aceite de pescado (entre 1.000 y 2.000 mg al día), semillas de lino –"flaxseed"– molidas (una cucharada al día), y aceite de linaza –"flax oil"– (una cucharadita al día).

LA VITAMINA A PARA LA VITALIDAD

La vitamina A ayuda a mantener la salud de los revestimientos mucosos, la primera línea de defensa contra resfriados e infecciones. El cuerpo convierte la vitamina A del *retinol* de origen animal o el *betacaroteno* de origen vegetal, el compuesto de las plantas que hace que algunas verduras sean de color amarillo, rojo o naranja. Pero la vitamina A es complicada, pues demasiada puede ser tóxica. Además, los científicos han descubierto recientemente que altas cantidades (pero no tan altas como para que sean tóxicas), cuando son derivadas del retinol, podrían estar relacionadas con la osteoporosis. (Con frecuencia pensamos que la osteoporosis es un problema de las mujeres, pero los hombres mayores de 65 años también son vulnerables a la pérdida ósea).

Les recomiendo a los pacientes que consuman muchos alimentos que contengan betacaroteno, como zanahorias, espinacas, calabacines ("squash") y pimientos (ajíes, "peppers") rojos, pero que no tomen vitamina A o betacaroteno en forma de suplementos, salvo en un suplemento multivitamínico. Aun así, asegúrese de que su multivitamínico no contenga más de 5.000 unidades internacionales (IU, por sus siglas en inglés), a menos que tenga una razón específica para tomar más.

OTRAS CONSIDERACIONES ACERCA DE LOS SUPLEMENTOS

Su suplemento multivitamínico también debería contener zinc y selenio, ambos muy buenos estimulantes del sistema inmune.

También obtendrá las vitaminas C y E en un suplemento, pero quizá se pregunte acerca de tomar mayores cantidades, lo cual se ha hecho polémico, especialmente con respecto al sistema inmune de las personas mayores.

En un estudio, la vitamina E en suplemento revirtió las debilidades del sistema inmune. Pero en un segundo estudio, igualmente creíble, los que tomaron las vitaminas E y C tuvieron más infecciones invernales que quienes tomaron un placebo.

Las personas que toman aceite de linaza o de pescado para obtener los ácidos grasos omega-3 parecen beneficiarse al tomar una dosis diaria de entre 200 y 400 IU de la vitamina E y de entre 200 y 1.000 mg de la vitamina C (incluyendo la cantidad del suplemento multivitamínico). Pero si no está tomando aceite de linaza o de pescado, tampoco tome vitaminas E o C adicionales.

Advertencia médica: Las vitaminas E y C podrían interferir con la eficacia de las estatinas (los medicamentos que bajan el colesterol). Si está tomando estatinas, no tome suplementos adicionales de las vitaminas E o C sin consultar a su médico.

MÁS SOBRE LOS MEDICAMENTOS

Reciba una vacuna contra la gripe todos los años. La mejor época es alrededor de octubre (abril en el hemisferio sur). Estudios demuestran que las personas que se vacunaron tuvieron menos casos de gripe y afecciones respiratorias.

Los medicamentos a base de cortisona se recetan con frecuencia para la artritis, alergias y otras afecciones. Sin embargo, estos medicamentos afectan la función del sistema inmune. Si necesita tomar algo para la artritis, los estudios han demostrado que la glucosamina ("glucosamine") ayuda a algunos pacientes con artritis. No hay necesidad de tomar la píldora que contiene la combinación de glucosamina y condroitina, ya que la condroitina ("chondroitin") aumenta el precio y no tiene efectos sobre la artritis.

Los antibióticos también pueden ser malos para el sistema inmune, especialmente cuando se toman por mucho tiempo o intermitentemente pero con frecuencia.

ACELÉRESE Y DESACELÉRESE

El ejercicio beneficia el sistema inmune, pero no haga nada muy intenso. Si no está acostumbrado a hacer ejercicios, 30 minutos al día de caminata a un buen ritmo es suficiente para comenzar. No se exija tanto que no pueda mantener una conversación cómodamente al caminar. Es también importante dormir lo suficiente, especialmente sin interrupciones.

Lamentablemente, a medida que las personas envejecen suelen despertarse con más frecuencia durante la noche y a dormir menos en total. Es importante superarlo. Intente fijarse un horario nocturno que le permita dormir ocho horas. Aunque quizá no llegue a dormir tanto, mejorará su probabilidad de hacerlo.

CÓMO VENCER EL ESTRÉS

Los estudios han confirmado que el estrés –ya sea por un suceso serio e importante de su vida o simplemente por dificultades cotidianas– tiene un efecto negativo sobre el sistema inmune.

Conocerse a uno mismo ("self-awareness") es el punto de partida para cambiar la respuesta personal a las situaciones estresantes, o al menos para poder controlar mejor el estrés. Todas las noches, examine el nivel de estrés que experimentó ese día. Pregúntese qué fue lo que le estresó y cuál aspecto de esa situación lo afectó.

La mayoría de las personas se estresa debido a su modo de pensar. La mente amplifica las situaciones, haciéndolas mucho más dramáticas de lo que fueron en realidad. Una vez que se reconoce cómo contribuyen los pensamientos al estrés, se puede comenzar a modificarlos. Hay muchos libros, como *Don't Sweat the Small Stuff*, por Richard Carlson, PhD (Hyperion), que pueden ayudarlo a cambiar su patrón de pensamiento.

Para disminuir el estrés en caso de una emergencia: Muévase despacio, respire profundamente, medite u ore. En unos minutos, se encontrará relajado y capaz de pensar de manera positiva.

Si usted tiene tos persistente

La tos persistente o la falta de aliento pueden ser síntomas de la *enfermedad pulmonar obstructiva crónica* (EPOC o COPD, por sus siglas en inglés). La EPOC, una inflamación de los pulmones potencialmente mortal, reduce el flujo de aire y dificulta la respiración.

Si fuma, tiene tos persistente, flema o falta de aliento: Consulte a su médico acerca de someterse a pruebas de la función respiratoria, las cuales miden el volumen de aire durante la inhalación y la exhalación.

Bartolome Celli, MD, profesor de medicina de la facultad de medicina de la Universidad Tufts, en Boston.

La trampa oculta para la salud: su sexo es importante

Marianne J. Legato, MD, internista, fundadora y directora del Partnership for Gender-Specific Medicine, en la Universidad Columbia, y profesora de medicina clínica del College of Physicians and Surgeons de la Universidad Columbia, ambos en Nueva York. Es autora de *Eve's Rib: The New Science of Gender-Specific Medicine and How It Can Save Your Life* (Harmony).

Hasta hace poco, los investigadores médicos suponían que los hombres y las mujeres eran idénticos fisiológicamente, con la excepción de los órganos de reproducción. Pero los científicos han descubierto diferencias vitales en las formas en que los cuerpos de los hombres y las mujeres funcionan, experimentan enfermedades y responden a tratamientos.

Queda mucho por investigar en el campo emergente de la medicina específica a cada sexo. Sin embargo, los nuevos descubrimientos ya demuestran que algunas afecciones comunes pueden tratarse con mucha más eficacia cuando se toma en consideración el sexo del paciente. *Por ejemplo...*

DOLOR EN LA MUJER

Los hombres y las mujeres tienen diferentes respuestas fisiológicas al dolor agudo.

Por ejemplo, la presión arterial de un hombre sube durante el dolor agudo. La presión arterial de una mujer permanece estable o baja, pero su ritmo cardiaco se acelera. Esta diferencia tiene importantes repercusiones después de una cirugía, cuando los anestesistas usualmente controlan la presión arterial para evaluar si el paciente necesita analgésicos para calmar el dolor.

La autodefensa: Una mujer que se somete a una cirugía debería pedir que se controle su ritmo cardiaco además de su presión arterial. Si el ritmo cardiaco aumenta, se debería aumentar la medicación contra el dolor.

CÁNCER DE PIEL EN EL HOMBRE

Más de un millón de adultos estadounidenses son diagnosticados con cáncer de piel cada año. Entre estos casos, los hombres blancos mayores de 45 años son dos veces más propensos a desarrollar los cánceres de piel más comunes que las mujeres (carcinoma de células basales y carcinoma de células escamosas). Los hombres son además más vulnerables al melanoma mortal, y representan casi dos tercios de las 7.000 muertes causadas por melanoma cada año.

Dado que los hombres naturalmente tienen más melanina, la pigmentación protectora de la piel, que las mujeres, su mayor susceptibilidad al cáncer de piel debe ser debido al hecho de que generalmente pasan más tiempo libre y de trabajo afuera y son menos propensos a usar protector solar.

La autodefensa: Todos los adultos mayores de 40 años deberían someterse anualmente a un examen de todo el cuerpo por un dermatólogo, para comprobar si hay indicios de cáncer de piel. El examen debería incluir el cuero cabelludo, los dedos, la planta de los pies e incluso los genitales. Los cánceres de piel de los hombres ocurren con más frecuencia en los oídos y el cuello, dos lugares que son típicamente vulnerables debido a su cabello más corto. Los cánceres de piel de las mujeres suelen aparecer en las piernas y caderas. Pero los tumores malignos pueden aparecer incluso en áreas no expuestas. Tanto los hombres como las mujeres deberían hacerse autoexámenes mensuales y aplicar todos los días un filtro solar con un factor de protección solar (FPS o SPF, por sus siglas en inglés) de al menos 15.

ENFERMEDAD DEL CORAZÓN EN LA MUJER

La enfermedad del corazón, por mucho tiempo considerada una afección de los hombres, mata una de cada dos mujeres. Aunque las víctimas masculinas de ataque al corazón típicamente tienen dolor de pecho, el 20% de las mujeres que sufren un ataque al corazón no experimentan dolor de pecho, sino que sienten dolor o malestar en la parte superior del abdomen o la espalda, y tienen falta de aliento, náuseas o sudor intenso. Por lo tanto, su afección es con frecuencia diagnosticada de manera errónea como indigestión o ansiedad.

Otros hechos importantes...

•**Las pruebas de esfuerzo ("stress tests") estándares no son adecuadas para detectar la *enfermedad de las arterias coronarias* en las mujeres.** Este análisis consiste en controlar a un paciente en una cinta sin fin para caminar ("treadmill"), a fin de detectar cambios en la presión arterial o la actividad eléctrica cardiaca (medida con un *electrocardiograma* o ECG).

Estas mediciones son indicadores precisos de la enfermedad del corazón en los hombres, pero un ECG no es tan válido en las mujeres porque es probable que su actividad eléctrica cardiaca cambie durante una prueba en una cinta para caminar, aun teniendo una función cardiaca normal.

La autodefensa: En vez de una prueba de esfuerzo, las pacientes cardiacas deberían pedir una ecocardiografía de esfuerzo ("stress echocardiogram"). Esta prueba usa una sonda de ultrasonido para ver el movimiento del corazón en reposo y durante el momento máximo del ejercicio.

•**Las mujeres con niveles bajos del colesterol "bueno" HDL tienen un alto riesgo de contraer una enfermedad del corazón,** sin importar los niveles de su colesterol "malo" LDL. Si bien los hombres y las mujeres deberían tener niveles de HDL por encima de 45, un nivel por debajo de 45 es especialmente peligroso en las mujeres.

La autodefensa: Consulte a su médico acerca de aumentar el nivel bajo de HDL con medicamentos para el colesterol (estatinas), *terapia de reemplazo hormonal* (HRT, por sus siglas en inglés) o niacina (una vitamina del complejo B).

OSTEOPOROSIS EN EL HOMBRE

Antes de los 60 años, las mujeres pierden masa ósea más rápidamente que los hombres. Después de esta edad, los hombres y las mujeres pierden masa ósea a alrededor del mismo ritmo. De hecho, los hombres representan un cuarto de los casos diagnosticados de osteoporosis en Estados Unidos.

Mientras que la hormona "masculina" *testosterona* ayuda a mantener los huesos, particularmente en los brazos y piernas, la hormona "femenina" *estrógeno* es la clave de la densidad de los huesos en los hombres (y en las mujeres).

La autodefensa: Dejando de lado la terapia de estrógeno (a la cual los hombres no pueden someterse debido a sus efectos feminizadores), las mejores armas contra la osteoporosis son los medicamentos bifosfonatos, como *alendronato* (Fosamax) y *risedronato* (Actonel). Estos medicamentos amplían la masa ósea y reducen el riesgo de fracturas. Son también vitales para la densidad de los huesos el consumo adecuado de calcio (1.500 mg diariamente para todos los mayores de 50 años, entre 1.000 mg y 1.200 mg para los menores de 50 años) y los ejercicios que provocan que los huesos soporten peso ("weight-bearing", en inglés).

CÁNCER DE COLON EN LA MUJER

Algunas personas simplemente suponen que el cáncer de colon afecta a muchas menos mujeres que hombres. No es así. El cáncer de colon aflige a ambos sexos en forma casi idéntica y es la tercer causa de muerte por cáncer entre las mujeres.

Si se detecta temprano, el cáncer de colon es altamente tratable, pero la mayoría de los cánceres de colon son asintomáticos hasta las últimas etapas. Por lo tanto, los controles habituales son imprescindibles.

El cáncer de colon tiende a ocurrir hasta un 20% más en el colon de una mujer que en el colon de un hombre. En estos casos los tumores malignos no se detectan con un sigmoidoscopio, un instrumento usado para examinar el lado izquierdo, o la parte inferior (descendente) del colon.

Advertencia: Debido a que los sigmoidoscopios no acceden al lado derecho (ascendente) del colon, esta prueba es de valor dudoso para ambos sexos. Esto es especialmente importante porque los cánceres están inexplicablemente ocurriendo con mayor frecuencia en esa ubicación.

La autodefensa: Todos los adultos mayores de 50 años de edad deberían someterse anualmente a un análisis de sangre oculta en las deposiciones para detectar sangre que no es visible a simple vista. Un hallazgo confirmado como positivo debería ser seguido por una colonoscopia, un procedimiento ambulatorio en el cual un tubo largo y flexible de visualización se inserta en el recto para examinar todo el colon. Se recomienda una colonoscopia de rutina cada 10 años.

Los estudios demuestran además que la extirpación de la vesícula (una operación más común en las mujeres debido a que son más propensas a los cálculos biliares) aumenta el riesgo de contraer cáncer de colon.

Si ha tenido pólipos en el colon o cirugía de la vesícula o tiene un pariente de primer grado (es decir, padre o hermano) con cáncer de colon, consulte a su médico. Aunque la evidencia reciente ha cuestionado la seguridad de la terapia de reemplazo hormonal (HRT), las mujeres posmenopáusicas que están siendo tratadas con la HRT tienen el 37% menos probabilidad de contraer cáncer de colon que las que no están siendo tratadas con HRT.

Para disminuir el riesgo de contraer cáncer de colon, todos los adultos deberían hacer ejercicios con regularidad y consumir una dieta rica en fibra y baja en grasa, incluyendo al menos cuatro verduras y dos frutas diariamente, con menos del 30% de las calorías provenientes de la grasa.

Las hormonas pueden provocar problemas "ocultos" de salud

Glenn D. Braunstein, MD, jefe del departamento de medicina del centro médico Cedars-Sinai, y profesor de medicina de la Universidad de California en Los Ángeles. Es ex presidente de la junta asesora sobre medicamentos endocrinólogos y metabólicos de la agencia federal Food and Drug Administration (FDA).

La investigación científica ha vinculado las hormonas con la presión arterial alta, la disfunción sexual y otras afecciones preocupantes.

HIPERTENSIÓN "OCULTA"

La presión arterial alta (*hipertensión*) es una causa principal de ataque cerebral ("stroke"), ataque al corazón e insuficiencia renal. Es especialmente peligrosa porque por lo general no tiene síntomas.

Una causa de la hipertensión es el *hiperaldosteronismo primario* (PAL, por sus siglas en inglés), una afección que con frecuencia no se diagnostica. El PAL ocurre cuando una –o a veces ambas– glándulas adrenales (suprarrenales) producen demasiada *aldosterona*, una hormona que mantiene en equilibrio el sodio y el potasio en el organismo.

Los médicos solían creer que el nivel bajo de potasio era el indicio que indicaba la existencia del PAL y, como consecuencia, los pacientes con niveles normales de potasio eran raramente examinados.

Estudio reciente: Durante dos años, investigadores australianos buscaron el PAL en pacientes con hipertensión. De 54 pacientes diagnosticados con el PAL, sólo siete tenían un bajo nivel de potasio. Los médicos ahora estiman que esta afección es alrededor de 10 veces más común que lo que se creía anteriormente.

Repercusión: Todos los pacientes con hipertensión deberían pedirle a su médico un análisis de sangre para detectar el PAL, aun si su nivel de potasio es normal. La extirpación quirúrgica de la glándula adrenal afectada curará o mejorará la hipertensión en casi todos los pacientes con PAL.

USO MÁS SEGURO DE LOS ESTEROIDES

Las hormonas esteroideas *prednisona* y *cortisona* con frecuencia se recetan para controlar el asma, la artritis reumatoide, la enfermedad inflamatoria intestinal y otras afecciones.

Sin embargo, el uso prolongado de estos medicamentos puede llevar a la aparición de la osteoporosis y causar obesidad y presión arterial alta, siendo ambas factores de riesgo de la enfermedad del corazón. Los médicos han sabido desde hace mucho que tomar esteroides aumenta la probabilidad de sufrir daño cardiaco, pero no sabían hasta qué punto.

Estudio reciente: Investigadores en el Reino Unido y Holanda reunieron información sobre medicamentos recetados, hospitalizaciones y causas de muerte de más de 164.000 adultos en un periodo de cuatro años.

Casi la mitad de los pacientes recibieron esteroides en algún momento. En conjunto, esos pacientes tuvieron un 32% de probabilidad de sufrir un evento cardiovascular, como un ataque al corazón, en los siguientes 10 años. El riesgo fue de sólo 19% en las personas que no tomaron esteroides.

Repercusión: Los esteroides son medicamentos útiles con poca probabilidad de causar efectos secundarios cuando se toman en dosis bajas por periodos cortos –unas pocas semanas durante un recrudecimiento de artritis, por ejemplo. Las personas que los toman por afecciones crónicas deben controlarse al menos cada tres meses por factores de riesgo cardiovasculares, como presión arterial alta, intolerancia a la glucosa y colesterol elevado.

Importante: Consulte a su médico sobre los cambios en su estilo de vida que puedan reducir su riesgo de padecer enfermedad del corazón mientras toma estos medicamentos.

Mejores opciones: No fume... haga ejercicios por 30 minutos o más al menos cuatro días de la semana, y consuma una dieta saludable y equilibrada que sea baja en grasa y alta en legumbres (frijoles y guisantes), cereales integrales y frutas y verduras.

MEJOR FUNCIÓN SEXUAL

Alrededor de 5 millones de hombres estadounidenses tienen niveles bajos de testosterona, una afección llamada *hipogonadismo*. Uno de los síntomas principales es la incapacidad de tener erecciones. El medicamento *sildenafilo* (Viagra), que usualmente se receta para el tratamiento de la disfunción eréctil, muchas veces no da resultados cuando los niveles de testosterona están por debajo de lo normal.

Estudio reciente: Investigadores italianos dividieron a hombres con disfunción sexual y niveles de testosterona bajos o normales en dos grupos. A un grupo se les dio parches de testosterona, mientras que a los del segundo grupo se les dio un placebo. Todos los hombres usaron Viagra.

Después de un mes, los hombres del grupo de testosterona tenían mejor función eréctil que los que usaban los parches de placebo, probablemente porque la testosterona mejora directamente el flujo de sangre al pene y además estimula la libido.

Repercusión: Los hombres con disfunción eréctil que no logran resultados con Viagra (y otros medicamentos para la impotencia) deberían someterse a un análisis de sangre para medir sus niveles de testosterona.

Importante: Programe el examen para las 10 a.m. o antes. Los niveles de testosterona generalmente alcanzan su mayor nivel en las primeras horas del día.

Además: Una investigación sugiere que las mujeres que están siendo tratadas con la *terapia de reemplazo hormonal* (HRT, por sus siglas en inglés) para compensar los malestares de la menopausia podrían beneficiarse al agregar testosterona. La hormona parece bloquear algunos de los cambios en los senos relacionados con el estrógeno que aumentan el riesgo de una mujer de contraer cáncer de mama.

Advertencia: Los hombres con cáncer de próstata no deberían usar suplementos de testosterona.

PREVENCIÓN DE LA ATEROESCLEROSIS

La ateroesclerosis ocurre cuando depósitos de grasa, colesterol y otras sustancias se adhieren a las paredes de las arterias e impiden el flujo de sangre al corazón.

Los hábitos saludables –no fumar, consumir una dieta baja en grasa, hacer ejercicios con regularidad, etc.– disminuyen el riesgo de padecer ateroesclerosis. Pero esas estrategias no afectan directamente la acumulación ya existente de grasa en las arterias coronarias.

Una nueva familia de medicamentos experimentales conocidos como *péptidos liberadores de hormonas del crecimiento* (GHRP, por las siglas en inglés de "growth hormone-releasing peptides") parece prevenir la ateroesclerosis y podría revertir las acumulaciones que ya se han formado.

Estudio reciente: Investigadores alimentaron ratones de laboratorio con dietas altas en colesterol y en grasa. La mitad recibió inyecciones de GHRP. Después de 18 semanas, los que tomaron el medicamento tenían menos grasa en las arterias.

Repercusión: Si se comprueba que los GHRP son seguros y eficaces en seres humanos, tendrían la posibilidad de ser usados solos o con estatinas que disminuyen el colesterol para prevenir o tratar la ateroesclerosis.

Lo que se debe saber sobre la diabetes de aparición en adultos

Richard Jackson, MD, director médico del programa ambulatorio de atención intensiva del Joslin Diabetes Center, y profesor adjunto de medicina de la facultad de medicina de la Universidad Harvard, ambos en Boston.

La diabetes puede llevar a una enfermedad del corazón, ataque cerebral ("stroke") y ceguera. Puede además interferir con el flujo de sangre a los brazos y piernas, un problema que a veces requiere la amputación de dedos de mano o pie.

Las buenas noticias: Con el tratamiento adecuado, estos problemas pueden casi siempre evitarse.

Lamentablemente, sólo la mitad de los 12 millones de estadounidenses que se estima que padecen el tipo de la diabetes más común, el tipo 2 que generalmente aparece en adultos, saben que están enfermos*.

*Alrededor de 1 millón de estadounidenses tienen la otra forma de diabetes, tipo 1 (de comienzo juvenil). Ocurre cuando el páncreas no logra producir insulina.

Entre aquellos que saben que padecen diabetes, sólo una fracción diminuta está recibiendo tratamiento intensivo.

AZÚCAR EN LA SANGRE FUERA DE CONTROL

En una persona sana, la insulina mantiene el nivel de glucosa (azúcar en la sangre) dentro del rango normal –entre 60 y 140 miligramos por decilitro (mg/dl).

En las personas con diabetes tipo 1, el páncreas no logra producir suficiente insulina como para mantener los niveles de glucosa bajo control.

En la mayoría de las personas con diabetes tipo 2, el problema no es la disminución de la producción de insulina en el cuerpo, sino que las células se hacen resistentes a los efectos de la insulina, los cuales reducen el nivel de la glucosa.

Cuanto más resistentes se hagan las células, más alto llegarán los niveles de glucosa. Cuanto más altos sean los niveles de glucosa, mayor será el riesgo de complicaciones a largo plazo.

¿Cuál es el secreto para evitar las complicaciones a largo plazo de la diabetes? Siempre debe mantener los niveles de glucosa bajo control.

INDICIOS DE ADVERTENCIA

La diabetes tipo 2 usualmente se desarrolla en personas mayores de 40 años. *Provoca…*

- **Sed desmedida.**
- **Micción frecuente.**
- **Visión borrosa.**
- **Aumento del hambre.**
- **Pérdida de peso inexplicable.**
- **Infecciones en la piel.**
- **Fatiga.**
- **Infecciones vaginales.**

Estos síntomas son con frecuencia sumamente leves. La única manera de asegurarse de que no padece diabetes es mediante un examen de azúcar en la sangre ("blood sugar test"). Insista en este examen como parte de cada chequeo médico anual.

Si su nivel de azúcar en la sangre generalmente está por encima de 140 mg/dl –o si su nivel de azúcar en la sangre en ayunas se encuentra por encima de 120 mg/dl–, su médico debería hacerle exámenes adicionales.

Especialmente útil: La prueba de tolerancia a la glucosa ("glucose tolerance test"), que consiste en ayunar durante la noche, y la medición del azúcar en la sangre antes y después de beber una mezcla de glucosa.

EXAMEN DE HEMOGLOBINA GLICOSILADA (A1-C)

Si padece diabetes, es importante controlar de cerca su nivel de azúcar en la sangre.

Muchos diabéticos aún creen que los autoexámenes diarios de azúcar en la sangre es todo lo que necesitan. Están equivocados. Estos exámenes diarios que consisten en pincharse un dedo, revelan sólo el nivel de azúcar en la sangre en ese momento en particular. La única manera de saber si su nivel de azúcar en la sangre ha estado *consistentemente* dentro de los niveles seguros es pedirle a su médico que le haga un examen de *hemoglobina glicosilada A1-C* ("hemoglobin A1-C").

Este sencillo examen revela el promedio de los niveles de azúcar en la sangre de las ocho semanas anteriores. El examen debería hacerse cada tres meses.

Precio: alrededor de $45 por examen.

En un estudio de 1.400 diabéticos realizado por los Institutos de Salud de Estados Unidos (NIH, por sus siglas en inglés), la mitad de los participantes recibió atención estándar para la diabetes –planificación de la dieta, terapia con medicamentos y ejercicios, y también exámenes diarios de azúcar en la sangre. La otra mitad recibió una atención más intensa con el objetivo de bajar el nivel de la hemoglobina A1-C.

Resultado: Los diabéticos que bajaron el nivel de su hemoglobina A1-C tuvieron un 70% menos complicaciones que aquellos que no lo bajaron.

DIETA Y EJERCICIO

Los casos leves de diabetes tipo 2 pueden usualmente controlarse mediante los hábitos alimentarios saludables y el ejercicio habitual –y, por supuesto, controlando cuidadosamente los niveles de hemoglobina A1-C y de azúcar en la sangre.

Debido a que el cuerpo utiliza pan, pasta y otros carbohidratos para producir la glucosa, algunos médicos urgen a los diabéticos que limiten rigurosamente su consumo de carbohidratos refinados.

Sin embargo, a muchos diabéticos les va bien con una dieta rica en fibra y moderada en carbohidratos –siempre y cuando espacien sus comidas cuidadosamente. Es esencial controlar el azúcar en la sangre para monitorizar los efectos de su dieta.

Objetivo: Descubrir cualquier aumento en los niveles de glucosa.

Si bebe alcohol, hágalo con moderación, y sólo cuando su diabetes esté bajo control. Los diabéticos *nunca* deberían beber alcohol con el estómago vacío.

Mejor: Consulte a un médico *y* a un nutricionista para desarrollar una estrategia factible de planificación de comidas… y un régimen adecuado de caminatas u otro tipo de ejercicio aeróbico.

Hacer ejercicios aeróbicos entre 20 y 45 minutos, cuatro días a la semana, es usualmente muy eficaz para controlar los niveles de glucosa.

Mejor momento para hacer ejercicios: Alrededor de 60 a 90 minutos después de una comida, cuando los niveles de azúcar en la sangre están en su punto máximo.

MEDICAMENTOS PARA LA DIABETES

Aun si consumen una dieta saludable y hacen ejercicios con regularidad, alrededor de un tercio de todos los diabéticos tipo 2 necesitan medicación para controlar sus niveles de glucosa.

Se encuentran disponibles varios tipos de medicamentos…

•**Sulfonilureas.** Estos medicamentos extraen un poco más de insulina del páncreas, y estimulan la sensibilidad del cuerpo a la insulina.

Entre las sulfonilureas comunes se incluyen *gliburida* (Micronase), *glipizida* (Glucotrol) y *glimepirida* (Amaryl).

•**Metformina (Glucophage).** Al igual que las sulfonilureas, este medicamento estimula la sensibilidad del cuerpo a la insulina. Ya que también provoca la pérdida de peso, la metformina es con frecuencia una buena opción para los diabéticos con exceso de peso.

•*Acarbose* (**Precose**). Este medicamento enlentece la digestión de los carbohidratos.

Si los niveles de glucosa permanecen altos a pesar del uso de uno o más de estos medicamentos, o si los fármacos pierden eficacia, podrían ser necesarias inyecciones de insulina.

CHEQUEOS PARA PREVENIR PROBLEMAS

Para evitar las complicaciones, los diabéticos deberían someterse a chequeos médicos habituales. El objetivo es descubrir las complicaciones tan temprano como sea posible.

Diariamente: Revise los pies en busca de enrojecimiento, hinchazón o llagas que no sanan. Los problemas de circulación relacionados con la diabetes hacen que los pies sean mucho más vulnerables a las infecciones.

Anualmente: Un médico debería examinar su presión arterial y los niveles de colesterol… y su nivel de microalbúmina (para comprobar la función renal). Además, un oftalmólogo debería examinar sus ojos en busca de indicios de *retinopatía diabética,* una afección que puede llevar a la ceguera.

Indicadores de la diabetes

El mal aliento y las encías sangrantes podrían ser indicios de diabetes. Debido a que los diabéticos tienen un flujo salival menor y una capacidad reducida para luchar contra las infecciones, las bacterias crecen más rápidamente en las bolsas alrededor de los dientes. Esto los hace más susceptibles a la retracción de las encías, infección oral y enfermedad periodontal. El mal aliento es el resultado de bacterias fermentadas en la boca, los senos nasales o la faringe.

La autodefensa: Si nota encías sangrantes, mal aliento o cualquier otro síntoma de diabetes, como aumento de sed, fatiga o micción frecuente (especialmente por la noche), consulte a su médico para recibir una evaluación completa.

Craig W. Valentine, DMD, dentista con práctica privada en Lakeland, Florida, y portavoz de la Academy of General Dentistry, en Chicago.

Cómo obtener el mejor tratamiento para la diabetes

Irl B. Hirsch, MD, endocrinólogo y director médico del Diabetes Care Center del centro médico de la Universidad de Washington, en Seattle. Es autor de *12 Things You Must Know About Diabetes Care Right Now!* (McGraw-Hill).

Existen mejoras espectaculares en el tratamiento de la diabetes que se están poniendo a disposición de los 12 millones de estadounidenses diagnosticados con la enfermedad cada año.

La agencia federal Food and Drug Administration (FDA) aprobó la *insulina glargina* (Lantus), un medicamento más eficaz y más duradero que se inyecta una vez al día, en lugar de las insulinas estándar que se inyectan una o dos veces al día.

La FDA también ha aprobado una insulina en polvo de acción rápida que puede administrarse mediante un inhalador, en lugar de ser inyectada.

Mientras tanto, el tratamiento para la diabetes sigue siendo problemático. Para el 90% de los casos –las personas con diabetes de aparición en adultos (tipo 2)–, el tratamiento consiste en un control cuidadoso de los niveles de azúcar en la sangre (glucosa) mediante la dieta, el ejercicio y, a veces, la medicación oral o inyectable.

Para el 10% restante de los casos, las personas que padecen la diabetes de comienzo juvenil (tipo 1), se requiere un complicado régimen de inyecciones diarias de insulina.

Problema: Al tratar a pacientes con diabetes, pocos médicos se adhieren a las normas profesionales establecidas por la American Diabetes Association (ADA).

Algunos no realizan chequeos minuciosos o no encargan exámenes importantes. Otros no recetan medicamentos necesarios, como los que se usan para bajar el colesterol. Esto deja a los diabéticos en riesgo de ceguera, problemas renales, enfermedad del corazón, daño a los nervios y otras complicaciones.

El especialista en diabetes Dr. Irl B. Hirsch ofreció respuestas acerca de la atención eficaz para la diabetes...

•¿Con qué frecuencia deberían hacerse los exámenes necesarios? Los diabéticos deberían medir sus propios niveles de glucosa en la sangre con un glucómetro ("blood glucose meter"). Todos los que están a la venta en la actualidad han cumplido con los criterios de la FDA en cuanto a su precisión.

Si toma insulina, controle sus niveles de glucosa cuatro veces al día: antes de las comidas y al acostarse. Si no toma insulina, hágalo dos veces al día, variando el momento del día.

Ya sea que tome insulina o no, medir los niveles de glucosa una o dos horas después de las comidas también puede ser útil para identificar los "picos" de la glucosa.

Los niveles de glucosa en la sangre deberían medir entre 80 y 120 miligramos por decilitro (mg/dl) antes de una comida, y entre 100 y 140 mg/dl al acostarse.

También se debería monitorizar la presión arterial. Si está bajo tratamiento por hipertensión, mídase su presión arterial con un brazalete (banda, "cuff") al menos una vez a la semana. Si su presión arterial es menor de 130/85, puede pedir que le tomen la presión arterial durante su consulta usual con el médico.

Los diabéticos también necesitan someterse al examen de *hemoglobina glicosilada* (hemoglobina A1-C) para medir el nivel de glucosa en la sangre en las 12 a 16 semanas previas. La lectura debería estar por debajo del 7%. Si toma insulina, sométase al examen cada tres meses. Si su tratamiento para la diabetes es con medicación oral o sólo mediante la dieta, sométase al examen dos veces al año.

Un examen de los pies debe realizarse dos veces al año en busca de callos y llagas que podrían conducir a una infección o incluso a una amputación.

Todos los diabéticos necesitan además un examen anual de dilatación ocular ("dilated eye exam")... una prueba de proteína en la orina ("urine protein test")... y un perfil de colesterol y de triglicéridos en ayunas ("fasting triglycerides profile"), medidos con un análisis de sangre.

Los niveles del colesterol "bueno" HDL deberían estar por encima de 45... los del colesterol "malo" LDL por debajo de 100... y los de los triglicéridos por debajo de 200.

•¿Cuándo se debe consultar a un especialista? Si usted tiene problemas para controlar sus niveles de colesterol, glucosa en la sangre o presión arterial, consulte a un endocrinólogo –un médico especializado en las enfermedades del sistema endocrino, incluyendo la diabetes.

Además, un oftalmólogo (un médico especializado en las enfermedades de los ojos) o un optómetra (un especialista no médico que examina los ojos en busca de problemas comunes) deberían realizar su examen ocular para verificar si tiene vasos sanguíneos dañados.

Un podiatra debería hacer las plantillas ortóticas a su medida ("custom-fit orthotics") si sus pies se hinchan y enrojecen debido a zapatos que no calzan bien.

Y un nefrólogo (un médico especializado en los riñones) debería tratarlo si sufre de insuficiencia renal.

Si consulta a un especialista o toma medicamentos recetados por otro médico, dígaselo a su médico de atención primaria.

•¿Corren los diabéticos un riesgo mayor de padecer enfermedad del corazón? Sí. Alrededor de dos tercios de los diabéticos mueren como resultado de la enfermedad del corazón, tres veces más que las personas sin diabetes.

Entre los factores de riesgo adicionales se incluyen: un nivel de colesterol "malo" LDL mayor a 160... un nivel total de colesterol mayor a 240... presión arterial por encima de 140/90... obesidad... proteína en la orina... historial familiar de colesterol alto o ataque al corazón prematuro.

Entre los factores de riesgo más graves se incluyen: un *electrocardiograma* (ECG) anormal; *ateroesclerosis* (endurecimiento de las arterias)... o dolor de pecho al hacer un esfuerzo. Si tiene dos o más de estos tres factores de riesgo, consulte a su médico acerca de realizar una *prueba de esfuerzo nuclear* ("nuclear stress test").

Durante este procedimiento, un material radioactivo se inyecta y se examina el corazón, con frecuencia mientras hace ejercicios.

Para disminuir su riesgo, es importante bajar de peso, de ser necesario... seguir una dieta baja en grasa, baja en calorías y rica en fibra... y hacer ejercicios.

Muchos medicamentos para bajar el colesterol, como *pravastatina* (Pravachol), *simvastatina* (Zocor) y *atorvastatina* (Lipitor), podrían ser de ayuda. La ADA además recomienda tomar una aspirina para adultos o para niños diariamente, con el fin de diluir la sangre y disminuir el riesgo de ataque al corazón.

•¿Por qué es la presión arterial alta tan peligrosa para los diabéticos? La presión arterial alta es común en pacientes con la diabetes tipo 2. Los pacientes con la diabetes tipo 1, especialmente antes de cumplir los 40 años, generalmente tienen hipertensión sólo si además padecen una enfermedad renal.

La hipertensión aumenta su riesgo de padecer enfermedad renal, problemas oculares, y sufrir ataques al corazón y al cerebro ("stroke").

Para disminuir su riesgo, pierda peso, de ser necesario... no agregue sal a su comida... deje de fumar... limite el consumo diario de alcohol a dos onzas (60 ml) de licor fuerte, dos vasos de vino o dos cervezas... y haga ejercicios con regularidad.

Si los cambios en el estilo de vida y la dieta no bajan su presión arterial, su médico podría recetarle un *inhibidor de la enzima convertidora de angiotensina* (inhibidor ACE, por sus siglas en inglés), como *ramipril* (Altace).

Este tipo de medicamentos, que además protege el riñón y el corazón, es la primera línea de defensa contra la hipertensión.

•¿Cuál es el mejor ejercicio para los diabéticos? Depende de su edad y salud. Las actividades aeróbicas, como caminar, andar en bicicleta y nadar, son buenas para la mayoría de las personas.

Haga ejercicios entre 20 y 45 minutos en una sesión o distribuidos durante el día, tres veces a la semana. Evite el levantamiento de pesas, ya que requiere movimientos de esfuerzo que podrían causar lesiones en la retina.

Ayuda para la diabetes

Las estatinas, los medicamentos que bajan el colesterol, pueden ayudar con la diabetes. El uso diario de estatinas puede disminuir el riesgo para los diabéticos de padecer una enfermedad del corazón y sufrir un ataque cerebral ("stroke") por alrededor de un tercio.

Si padece diabetes, consulte a su médico acerca de tomar estatinas habitualmente –aun si su nivel de colesterol es normal– además de los tratamientos para controlar el azúcar en la sangre y la presión arterial.

Rory Collins, MD, codirector de la Clinical Trial Service Unit, y profesor de medicina y epidemiología de la Universidad de Oxford, en Inglaterra.

Nuevo calmante del dolor para los diabéticos

Es posible aliviar el dolor que sufren los diabéticos y otras personas con nervios dañados en las piernas o pies. En la *terapia anodina*, se colocan "paletas" ("paddles") que emiten luz cercana al infrarrojo sobre las zonas dañadas para mejorar la circulación y disminuir el dolor. El noventa y cinco por ciento de los pacientes obtiene alivio.

Tratamiento estándar: 12 sesiones que duran 40 minutos cada una.

Los resultados duran un año. La terapia puede tratar además la inflamación crónica y las úlceras en los pies. No es indicada para mujeres embarazadas y personas con cáncer.

Mayor información: 800-521-6664, *www.anodynetherapy.com*.

Joseph Prendergast, MD, director médico del Endocrine Metabolic Medical Center, en Redwood City, California.

El vinagre podría combatir la diabetes

En un estudio, los pacientes sanos y los pacientes con una afección prediabética conocida como *resistencia a la insulina* bebieron una bebida con vinagre (⅛ taza de vinagre, diluido con ¼ taza de agua y endulzado con sacarina) o un placebo antes de una comida con un alto contenido de carbohidratos. El tratamiento con vinagre mejoró la sensibilidad a la insulina en hasta el 40% en ambos grupos, en comparación con los que tomaron el placebo.

Teoría: El vinagre inhibe la descomposición de los carbohidratos, así disminuyendo los picos de glucosa en la sangre que suelen ocurrir en personas que tienen diabetes.

Si es diabético o resistente a la insulina: Consulte a su médico acerca de beber vinagre diluido antes de las comidas.

Carol S. Johnston, PhD, profesor de nutrición en la Universidad Arizona State, en Mesa.

El remedio de café para prevenir la diabetes

Beber entre cuatro y cinco tazas de café al día puede disminuir el riesgo de contraer la diabetes en un 30%. Beber más no aumenta el beneficio. El café descafeinado sólo tiene un efecto leve. El té no tiene ningún efecto. Otras bebidas con cafeína, como las bebidas cola, no se estudiaron.

Advertencia: Es necesario realizar estudios adicionales antes que los investigadores puedan recomendar el café específicamente como protección contra la diabetes.

Frank B. Hu, MD, PhD, profesor adjunto de nutrición y epidemiología en la facultad de sanidad pública de la Universidad Harvard, en Boston, y líder de un estudio de más de 100.000 personas que fue presentado en una reunión de la American Diabetes Association (ADA).

El peligroso problema de la salud que los médicos no diagnostican

Daniel Einhorn, MD, endocrinólogo y director médico del Scripps Whittier Institute for Diabetes, en La Jolla, California.

Alrededor de uno de cada cinco estadounidenses padece una afección que aumenta su riesgo de desarrollar problemas de salud importantes, como la diabetes, enfermedad del corazón e incluso algunos cánceres –pero la mayoría de los médicos no lo diagnostican.

Se trata del *síndrome de resistencia a la insulina* ("insulin resistance syndrome"), conocido también como síndrome metabólico o, anteriormente, síndrome X. No es una enfermedad, sino un grupo de factores de riesgo que con frecuencia ocurren en personas con exceso de peso que no hacen suficiente ejercicios.

La mayoría de los pacientes con el síndrome de resistencia a la insulina desarrolla una enfermedad del corazón. Alrededor del 90% de los pacientes con diabetes tipo 2 lo tienen. A pesar de esto, los médicos raramente hablan de este síndrome con sus pacientes –ni tampoco relacionan los factores de riesgo individuales con el síndrome en su totalidad.

Para explicar más sobre las causas y tratamientos del síndrome de resistencia a la insulina, el renombrado experto Dr. Daniel Einhorn, MD, contestó algunas preguntas…

•**¿Cuáles son los indicios del síndrome de resistencia a la insulina?** Hay cinco problemas relacionados que los médicos deben buscar. *Se padece el síndrome si se tienen al menos tres de estos cinco…*

•Obesidad, especialmente en el abdomen: la cintura que mide más de 40 pulgadas (100 cm) en los hombres y 35 pulgadas (90 cm) en las mujeres.

•Niveles de azúcar en la sangre en ayunas mayores a 110 miligramos por decilitro de sangre (mg/dl).

•Triglicéridos, un tipo de grasa en la sangre, por encima de 150 mg/dl.

•Colesterol "bueno" HDL por debajo de 40 mg/dl en los hombres y 45 mg/dl en las mujeres.

•Presión arterial mayor a 130/85.

•¿Qué es la resistencia a la insulina, y por qué es un problema? La glucosa, el azúcar en la sangre que las células necesitan para la energía, sólo puede usarse en la presencia de la hormona insulina. La *resistencia a la insulina* significa que las células se han vuelto menos sensibles a los efectos de la insulina. La glucosa entonces permanece en la sangre en vez de ser transportada al interior de las células. Los niveles altos de glucosa en la sangre pueden dañar las células en los vasos sanguíneos, nervios y órganos.

La resistencia a la insulina frecuentemente aumenta con el tiempo. El páncreas tiene que producir cantidades de insulina cada vez mayores para superar la resistencia de las células. La diabetes tipo 2 ocurre cuando el páncreas ya no puede proveer suficiente insulina.

Existe evidencia contundente de que la resistencia de las células a la insulina contribuye a las otras dolencias que son indicios del síndrome –hipertensión (presión arterial alta), nivel bajo del colesterol "bueno" HDL y nivel alto de triglicéridos.

•¿Cuáles son las causas del síndrome? La obesidad, la falta de ejercicio y la edad avanzada son factores que contribuyen. La genética también juega un papel importante. Las personas con un historial familiar de diabetes y enfermedad cardiovascular tienen alrededor de un 50% más de riesgo de padecer el síndrome.

•¿Hay un examen para detectar el síndrome? No, y eso es un problema importante para diagnosticarlo. Si alguien tiene factores de riesgo del síndrome, podría someterse a la prueba oral de tolerancia a la glucosa. En esta prueba, un paciente en ayunas recibe 75 gramos de una solución de glucosa. Los niveles de azúcar en la sangre se controlan dos horas más tarde. Una lectura mayor a 140 mg/dl sugiere que existe resistencia a la insulina.

•¿Es verdad que las dietas bajas en carbohidratos, como la dieta Atkins, reducen la resistencia a la insulina? Muchas personas que padecen el síndrome de resistencia a la insulina pierden peso y disminuyen su resistencia a la insulina cuando evitan el consumo de carbohidratos "blancos", como pan blanco, arroz blanco, papas blancas, etc. Estos alimentos son bajos en fibra y provocan aumentos repentinos de glucosa que requieren que el páncreas produzca insulina en exceso.

•¿Qué otros cambios en la dieta pueden reducir el riesgo? *Yo recomiendo lo siguiente...*

•Consuma pescado al menos dos veces a la semana. Los ácidos grasos omega-3 que hay en el pescado aumentan los niveles del colesterol "bueno" HDL y podrían reducir la inflamación arterial.

•Limite el consumo de alcohol a un trago por día para las mujeres y dos para los hombres –o evítelo si tiene un nivel alto de triglicéridos. El alcohol aumenta levemente los niveles del colesterol "bueno" HDL pero también aumenta el nivel de los triglicéridos.

•Evite las grasas de origen animal, incluyendo los productos lácteos, y las grasas transaturadas ("trans fats") de la margarina y otros alimentos procesados.

•Limite el consumo diario de sodio a unos 1.500 mg. Una cantidad mayor podría elevar la presión arterial.

•¿Qué importancia tiene hacer ejercicios? Mucha importancia. Incluso el ejercicio leve o moderado –como caminar, nadar, andar en bicicleta, etc.– aumenta los niveles del colesterol "bueno" HDL, baja la presión arterial y promueve la pérdida de peso. Junto a una dieta saludable, el ejercicio habitual puede disminuir o incluso eliminar la resistencia a la insulina y la necesidad de medicación. Fíjese el objetivo de hacer al menos 20 minutos de ejercicios al día por lo menos cuatro días a la semana.

•¿Ayudan los medicamentos? No existe un medicamento único que controle todo el síndrome. El enfoque actual consiste en controlar los factores de riesgo individuales del síndrome. *Por lo tanto, un paciente podría necesitar varios medicamentos, incluyendo...*

•Sensibilizadores de la insulina ("insulin sensitizers"), como metformina (Glucophage), que disminuyen la resistencia a la insulina. Algunos también podrían reducir el nivel de triglicéridos. La metformina se toma toda la vida a menos que el paciente pierda peso y tenga importantes disminuciones en la resistencia a la insulina.

Nuevo descubrimiento: Los pacientes que tomaron *metformina* durante alrededor de un año siguieron teniendo mejor sensibilidad a la insulina. Es posible que el medicamento pueda usarse cíclicamente; por ejemplo, un año sí y un año no.

•Medicamentos para perder peso, como *orlistat* (Xenical) o *sibutramina* (Meridia), están aprobados por la FDA para la pérdida de peso como parte de un programa de control de peso supervisado por un médico. La cantidad de peso perdido mediante el uso de estos medicamentos es usualmente suficiente para mejorar la sensibilidad a la insulina, y los mismos son probablemente seguros cuando un médico supervisa adecuadamente su uso.

•Medicamentos antihipertensivos, como los inhibidores ACE, bloqueadores de los canales de calcio, diuréticos tiazídicos, betabloqueantes, etc.

•Medicamentos para elevar los niveles del colesterol "bueno" HDL. *Fenofibrato* (Tricor) y *gemfibrozil* (Lopid) aumentan el HDL y disminuyen los triglicéridos. *Rosuvastatina* (Crestor), un medicamento nuevo, también aumenta el HDL y disminuye los triglicéridos.

La enfermedad de la glándula tiroides podría ser la causa de su fatiga

Richard L. Shames, MD, especialista en la glándula tiroides con práctica privada en Mill Valley, California. Es coautor de *Thyroid Power: 10 Steps to Total Health* (Collins Living). *www.thyroidpower.com*.

Estados Unidos está al borde de una crisis de energía personal. Millones de hombres y mujeres pasan de un día a otro sin entusiasmo, sintiéndose fatigados, incapaces de trabajar de manera productiva o de disfrutar de la vida. Muchos sufren dolencias adicionales, como depresión, ansiedad, problemas digestivos, dolores de cabeza y dolores musculares.

¿Cuál es su problema? Es posible que tengan niveles bajos de la hormona tiroidea.

Los problemas de la glándula con forma de mariposa, ubicada en la base de la garganta, son sorprendentemente comunes, y debido a que los síntomas de hipotiroidismo no son específicos, las enfermedades de la tiroides con frecuencia no se detectan.

LA GLÁNDULA MAESTRA

La tiroides funciona de manera bastante parecida al acelerador del auto para todo el cuerpo. Sus hormonas penetran cada célula para regular la "maquinaria" productora de energía del cuerpo. Si hay muy poco de la hormona tiroidea, los órganos pueden enlentecerse, con consecuencias que van desde irritantes hasta devastadoras.

Se estima que el 5% de los estadounidenses adultos padecen hipotiroidismo. Pero estudios recientes demuestran que en realidad el doble de esta cantidad (o sea, uno de cada 10 estadounidenses) padece este problema. Entre las mujeres que están en la menopausia, *una de cada cinco* tiene hipotiroidismo.

¿A qué se debe esta epidemia? Nadie lo sabe a ciencia cierta, pero algunos endocrinólogos teorizan que la tiroides está afectada por: la contaminación del aire, pesticidas y otros contaminantes químicos… la mayor exposición a radiaciones provenientes de plantas de energía, microondas y teléfonos celulares… y el estrés psicológico crónico.

Sea cual sea la razón, el hipotiroidismo puede provocar síntomas tan diversos como los sistemas corporales que la glándula regula.

Además de la fatiga, poca energía y depresión leve que ocurren frecuentemente, muchas personas con esta afección tienen dificultad para controlar su peso debido a que su metabolismo es lento. Podrían además sentir frío cuando otras personas se sienten bien.

Entre los problemas que podrían indicar que existe una enfermedad de la tiroides se incluyen alergias… resequedad de la piel, eccema o acné en adultos… poca concentración o falta de memoria… dificultad para tragar… o infecciones recurrentes.

CÓMO SER DIAGNOSTICADO

Ya que los síntomas pueden tener una cantidad de causas, los médicos* con frecuencia confunden los problemas de la tiroides con otra afección, como la menopausia, síndrome del intestino irritable o artritis reumatoide.

Para evitar diagnósticos equivocados, los análisis de sangre para evaluar la función tiroidea deberían ser una parte rutinaria de cualquier chequeo médico, especialmente para las personas mayores de 35 años.

Asegúrese de hacerse chequear la tiroides si alguien en su familia (incluso un tío o primo) ha tenido problemas con la tiroides, o una afección como la diabetes o canas prematuras, que con frecuencia sugieren un mal funcionamiento de la tiroides.

Advertencia: El examen más común, el cual mide los niveles de la *hormona estimulante de la tiroides* (TSH, por sus siglas en inglés), a veces da un "falso negativo" (una lectura normal aun cuando existe un problema con la tiroides).

Después de recibir un resultado negativo, el cual aparece con demasiada frecuencia, es prudente someterse a análisis que detecten los niveles de la hormona tiroidea *tiroxina* (T4), la cual el cuerpo convierte en *tironina* (T3).

Pida: Exámenes gratuitos de T3 y T4.

TRATAMIENTO: EL JUEGO DE LAS HORMONAS

El tratamiento estándar para niveles bajos de la hormona tiroidea es una dosis diaria de T4. Pero obtener buenos resultados a veces requiere un poco de ajuste.

Hay cuatro marcas de T4 sintética, o *levotiroxina* –Synthroid, la más vendida y uno de los medicamentos que más se recetan en Estados Unidos; Levothroid; Levoxyl; y Unithroid. Estos preparados *no siempre son* equivalentes. Algunas personas obtienen mejores resultados con unos que con otros. Lamentablemente, es imposible saber por adelantado cuál será mejor para usted.

Si persisten los síntomas por seis meses a pesar del tratamiento con la T4, consulte a

*Para ubicar a un especialista en la glándula tiroides en su zona, comuníquese con la Thyroid Foundation of America, llamando al 800-832-8321 o yendo al sitio Web en inglés *www.allthyroid.com*.

su médico acerca de cambiar de marca. El T4 genérico está disponible, pero su control de calidad podría ser menos confiable que el de los productos de marca, y las potencias podrían variar.

Es posible que ninguna marca de la hormona T4 le dé resultado a usted debido a que su cuerpo no puede convertirla en la T3 de manera adecuada. Si éste fuera el caso, los médicos con frecuencia recomiendan agregar una forma sintética de la T3, llamada *liotironina* (Cytomel). Esta hormona más activa funciona por sí misma y mejora la eficacia de la T4 para ayudar a su cuerpo a restablecer las funciones normales. Pero en muchas instancias, un mejor método sería un extracto natural tiroideo que contiene ambas hormonas T3 y T4.

Bono: Hay marcas de la hormona tiroidea natural, como Armour Thyroid y Westhroid, que cuestan menos que los preparados sintéticos.

CUIDE SU DIETA

Hasta el mejor régimen médico requiere ayuda nutricional. Para mantener sana la glándula tiroides, minimice la exposición a las sustancias químicas que se encuentran en los alimentos procesados. Consuma alimentos naturales, sin conservantes, aditivos ni edulcorantes artificiales. *Además, tome suplementos diarios que contengan...*

- **Vitamina A:** 10.000 unidades internacionales (IU, por sus siglas en inglés).

- **Vitamina C:** 500 mg.

- **Vitamina E:** 400 IU. Consulte a su médico sobre la cantidad adecuada.

- **Vitamina B:** al menos 50 mg de cada una de las vitaminas B-1, B-3, B-5 y B-6.

- **Ácido fólico:** 800 microgramos (mcg).

- **Zinc:** 25 mg.

- **Selenio:** 200 mcg.

- **Manganeso:** 20 mg.

La glándula tiroides necesita yodo para funcionar bien, pero en la actualidad la carencia de este mineral es poco común debido al alto consumo de sal yodada ("iodized salt") por parte de los estadounidenses. En especial si usted vive cerca de la costa del océano, podría estar obteniendo demasiado yodo, que es dañino para la tiroides.

Para reducir el consumo de yodo: Compre sal no yodada ("noniodized salt") y minimice el consumo de sodio evitando refrigerios salados, como las papitas fritas y los "pretzels", y otros alimentos con alto contenido de sodio.

El fluoruro (flúor, "fluoride") es altamente tóxico para la glándula tiroides. No use pasta dental con fluoruro. Si el agua corriente en su hogar es fluorada (tratada con flúor), beba agua embotellada.

reproductivas. Estas hormonas ayudan a mantener la densidad de los huesos.

La mayoría de las mujeres no consideran que esta afección sea lo suficientemente seria como para justificar la atención médica, lo que conduce a una demora en el tratamiento, la cual podría resultar en una pérdida ósea mayor.

Lawrence M. Nelson, MD, endocrinólogo del sistema reproductivo en los Institutos de Salud de EE.UU. (NIH), en Bethesda, Maryland, e investigador en un estudio de 48 mujeres publicado en *Obstetrics & Gynecology*.

Examen para la osteoporosis

Los exámenes rutinarios para detectar la osteoporosis deberían ser parte de la atención médica normal para las mujeres mayores de 65 años.

Las mujeres entre los 60 y 64 años de edad con factores de riesgo de adelgazamiento de los huesos mayores al promedio –como las mujeres delgadas o las que no toman estrógeno–, deberían someterse a exámenes de manera rutinaria.

Mejor procedimiento: La *absorciometría de rayos X de energía dual* (DEXA, por sus siglas en inglés), una prueba indolora con escáner.

Janet D. Allan, PhD, RN, jefa de enfermería de la facultad de enfermería de la Universidad de Maryland, en Baltimore, y ex presidenta de la US Preventive Services Task Force.

Advertencia sobre la pérdida ósea

Los ciclos menstruales irregulares pueden indicar una escasez de hormonas que pudieran llevar a la osteoporosis. La *amenorrea*, la ausencia de un periodo menstrual por tres meses o más, podría significar una deficiencia de estrógeno y de otras hormonas

Cómo fortalecer los huesos con métodos naturales

Annemarie Colbin, PhD, CCP, CHES, terapeuta de alimentos y fundadora del Natural Gourmet Institute for Health and Culinary Arts, en Nueva York. Es autora de *Food and Our Bones–The Natural Way to Prevent Osteoporosis* (Plume Books). *www.foodandhealing.com*.

Si se preocupa por prevenir la pérdida ósea debida a la osteoporosis –como la mayoría de la gente–, probablemente esté tratando de consumir varias porciones de productos lácteos al día.

Problema: Concentrarse sólo en los productos lácteos no es la mejor manera de tener huesos fuertes. Las estadísticas demuestran, por ejemplo, que los países que consumen más productos lácteos (incluyendo Estados Unidos) tienen los *mayores* índices de osteoporosis. *Las razones...*

•**El calcio no es el único nutriente necesario** para tener huesos fuertes.

•**El magnesio y el fósforo también son importantes,** y se encuentran fundamentalmente en fuentes vegetales de calcio, como las verduras de hojas verdes. Las personas que consumen muchos productos lácteos tienden a comer menos de estas verduras.

•**Quienes beben mucha leche suelen consumir más proteínas de origen animal,** y más harina y azúcar refinadas, todos alimentos que hacen que el flujo sanguíneo sea levemente más ácido temporalmente, provocando que los huesos liberen calcio para restablecer el equilibrio normal del pH de la sangre.

•**Las verduras,** por otro lado, hacen que la sangre sea alcalina, lo que promueve el almacenamiento de calcio en los huesos.

Resultado: Una dieta rica en proteínas de origen animal junto a harina y azúcar refinadas efectivamente fomentará la pérdida ósea.

Mejor manera: Obtenga su calcio de la misma fuente de la que las vacas y caballos obtienen el suyo: las plantas.

UNA DIETA PARA HUESOS FUERTES

•**Consuma verduras, verduras y más verduras.** Para una máxima retención del calcio, debería comer al menos dos porciones de verduras (crudas o cocidas) con cada comida.

Aunque prácticamente todas las verduras y los frijoles contienen calcio, yo recomiendo las verduras con alto contenido de calcio siempre que sea posible, incluyendo col rizada ("kale"), berza ("collards"), hojas de mostaza ("mustard greens"), arúgula ("arugula"), col china ("bok choy"), perejil ("parsley"), berro ("watercress"), bróculi ("broccoli"), col (repollo, "cabbage"), zanahorias y calabacitas de bellota ("acorn squash") o calabaza botonera (de natilla, "butternut squash").

Pero evite las espinacas y la acelga ("Swiss chard"), ya que contienen muchos oxalatos, sustancias químicas que interfieren con la absorción de calcio por el cuerpo.

Se recomienda: Las verduras cultivadas orgánicamente (biológicamente), que suelen tener un alto contenido mineral.

•**Modere su consumo de proteínas.** Cierta cantidad de proteína es esencial para tener huesos fuertes –el colágeno, una fuerte red de proteína, conforma alrededor de un tercio de la masa ósea y es esencial para mantener los huesos flexibles y resistentes a las fracturas.

Pero demasiada proteína concentrada de origen animal alterará temporalmente el equilibrio del pH de la sangre, aumentando el riesgo de pérdida ósea.

Recomiendo limitar el consumo a dos o tres porciones al día de cualquiera de los siguientes alimentos ricos en proteínas –pescado, carne de res o de aves alimentadas de forma orgánica (biológica), huevos orgánicos, legumbres (frijoles, habas, habichuelas, lentejas, guisantes, etc.), nueces (almendras, anacardos, nueces de Castilla), semillas de ajonjolí ("sesame seeds", que también son ricas en calcio) y semillas de girasol ("sunflower") o de calabaza "pumpkin".

•**Consuma ocasionalmente productos de soja.** Consumir alimentos de soja –como tofu, sopa "miso" no pasteurizada y "tempeh"–, dos o tres veces a la semana, proporciona otra fuente de proteína. Los productos de soja contienen además fitoestrógenos, los cuales pueden ayudar a prevenir la pérdida ósea.

Sin embargo, no recomiendo el consumo habitual de productos de la soja muy procesados, como la proteína artificial ("textured vegetable protein").

•**Coma cereales integrales.** Para obtener fibra, vitaminas del complejo B y carbohidratos complejos, consuma dos o tres porciones al día de arroz moreno ("brown rice"), cebada ("barley"), harina de alforfón ("buckwheat") o "kasha", mijo ("millet"), quinua (quinoa), copos de avena ("oats"), harina de maíz ("cornmeal"), o trigo integral ("whole wheat").

•**Consuma sardinas,** con espinas y todo. Las espinas blandas de las sardinas son una excelente fuente de calcio y otros nutrientes.

•**Prepare sopas usando caldo de verduras, pollo o carne.** Hervir huesos o verduras en la sopa por un periodo extenso es otra manera espléndida de extraer nutrientes clave.

•**Evite los alimentos y otras sustancias que agotan el calcio.** Los productos hechos con harina y azúcar refinadas encabezan esta lista, debido a que acidifican la sangre del mismo modo que lo hace el exceso de proteínas.

Estos incluyen todas las pastas y cualquier pan, "muffin" y panecillos no integrales, además de bebidas azucaradas, caramelos, helados, pasteles, y cualquier otro postre dulce.

La cafeína en exceso también agotará sus reservas de calcio. Beber dos tazas de café al día durante toda una vida ha sido relacionado con la reducción de la densidad de los huesos más adelante en la vida, a menos que quienes beben café beban además un vaso diario de leche (que parece aplacar el efecto de agotamiento del calcio).

He aquí algunas recetas de fácil preparación para fortificar los huesos…

"DIP" DE SARDINAS

1 lata (alrededor de 125 g o 4⅜ onzas) de sardinas con espinas y todo, enlatadas en aceite o agua

1 cucharada de jugo de limón fresco

1 cucharada de cebolla, rallada

¼ cucharadita de sal marina ("sea salt")

1 cucharada de salsa "tajine" ("tahini") (opcional)

1½ cucharada de perejil ("parsley") fresco, picado

Pimienta recién molida

Abra la lata de sardinas parcialmente y escurra el aceite o el agua. Ponga las sardinas, el jugo de limón, la cebolla, la sal, la salsa "tajine" y el perejil en un bol y mezcle bien con un tenedor. Para un sabor más intenso, espolvoree la pimienta molida por encima. Rinde alrededor de dos tercios de taza.

Este "dip" se puede consumir como parte de un almuerzo liviano o como aperitivo (entremés). Esparza la mezcla sobre galletas integrales de centeno ("rye") o sobre pan de trigo integral ("whole wheat").

VERDURAS AL AJO

½ libra (225 g) de col rizada ("kale"), berza ("collard greens") u hojas de mostaza ("mustard greens")

1 cucharadita de aceite de oliva extra virgen ("extra virgin olive oil")

2 dientes de ajo, pelados y picados

1 a 1½ taza de caldo de verduras ("vegetable stock") o de pollo (o agua)

1 pizca de sal marina ("sea salt")

1 pizca de nuez moscada ("nutmeg") rallada

Corte los tallos de la verdura, lave las hojas restantes y córtelas en trocitos. Luego caliente el aceite levemente en una cacerola grande y agregue el ajo. Revuelva durante un minuto, después agregue la verdura y el caldo, usando una cuchara para sumergir la verdura en el líquido. Cocine a fuego lento sin tapar entre 15 y 20 minutos. Luego agregue la sal y la nuez moscada, y revuelva otros dos minutos. Escurra. (Si queda líquido de la cocción, puede beberlo o guardarlo para preparar una sopa). Rinde cuatro porciones.

PESCADITO CROCANTE AL HORNO

1 libra (450 g) de pescado pequeño entero y fresco, como el eperlano ("smelts"), las anchoas o un pescado blanco pequeño

½ taza de harina de maíz ("cornmeal")

½ cucharadita de sal marina ("sea salt")

½ cucharadita de pimienta

½ taza de aceite de oliva

4 a 6 gajos de limón o lima (limón verde, "lime")

Haga limpiar el pescado, pero dejando las cabezas y las colas. Enjuague varias veces, luego seque con toallas de papel dando palmaditas. Ponga la harina de maíz, la sal y la pimienta en una bolsa plástica o de papel, y sacuda bien para mezclar. Ponga el pescado en la bolsa y sacuda bien, hasta que el pescado esté cubierto con la mezcla.

Luego vierta el aceite de oliva en un bol para sopa y sumerja el pescado brevemente. Ponga en una bandeja para hornear de metal forrada con papel pergamino ("parchment paper"), y hornee a 400°F (200°C) entre 30 y 40 minutos (según el tamaño del pescado) hasta que esté crujiente pero no demasiado dorado. El pescado más largo de 4 pulgadas (10 cm) se debe dar vuelta en la mitad de la cocción. Acompañe con los gajos de limón o lima. Rinde tres o cuatro porciones.

CALDO DE CARNE ("BEEF STOCK")

2 libras (900 g) de huesos medulares de res ("beef marrow bones")

4 cuartos de galón (4 litros) de agua

1 zanahoria grande, picada

1 cebolla mediana, cortada en cuartos

2 tallos de apio ("celery"), picados

3 dientes de ajo, pelados y picados

2 cucharadas de aceite de oliva

½ taza de ramitas de perejil ("parsley")

1 taza de vino tinto o blanco, ó 2 cucharadas de vinagre de vino ("wine vinegar")

Coloque los huesos y vierta el agua en una olla con capacidad de entre 6 y 8 cuartos de galón. Haga hervir, luego cocine a fuego lento 10 minutos. Espume la parte de arriba del líquido, luego agregue las verduras, el ajo, el aceite, el perejil y el vino. Cocine a fuego muy lento durante dos o tres horas con la tapa no muy ajustada, espumando de vez en cuando.

Cuando esté cocido, cuele el líquido y deje enfriar. Quite la grasa congelada. Rinde 2 cuartos de galón.

Las ciruelas pasas podrían ayudar a prevenir la pérdida ósea

En un estudio, 58 mujeres posmenopáusicas que consumieron unas 12 ciruelas pasas (secas, "prunes") al día durante tres meses demostraron niveles más altos de enzimas en la sangre y factores de crecimiento indicativos de la formación de huesos que las mujeres que no consumieron pasas.

Teoría: Los polifenoles y otros nutrientes que contienen las ciruelas pasas actúan como antioxidantes para detener la pérdida ósea.

Aunque se estudiaron sólo las mujeres, los investigadores creen que los hombres pueden obtener los mismos efectos beneficiosos al comer ciruelas pasas.

Bono: Las personas estudiadas no sufrieron ningún efecto secundario gastrointestinal importante.

Bahram H. Arjmandi, PhD, RD, profesor y presidente del College of Human Sciences, de la Universidad Florida State, en Tallahassee.

Cómo vencer la osteoporosis

George J. Kessler, DO, médico del hospital New York-Presbyterian, instructor clínico de medicina de la facultad de medicina Albert Einstein, y profesor clínico auxiliar del New York College of Osteopathic Medicine, todos en Nueva York. Es autor de *The Bone Density Program: 6 Weeks to Healthy Bones and a Healthy Body* (Ballantine).

Todos nos deberíamos preocupar por la osteoporosis. El cuerpo produce toda la densidad que los huesos alcanzarán antes de que cumplimos los 30 años de edad. La densidad de los huesos comienza a declinar después de los 30 años, y este proceso se acelera a medida que se desacelera la síntesis de hormonas sexuales en el cuerpo.

La osteoporosis es especialmente prevalente en las mujeres, aunque alrededor del 20% de sus víctimas son hombres.

Hasta hace poco, se pensaba que la osteoporosis afectaba mayormente a mujeres caucásicas, pero nueva evidencia sugiere que es simplemente más probable que estas mujeres *informen* sobre sus fracturas debido a la osteoporosis. Todas las razas corren riesgo.

LA NUTRICIÓN Y LOS EJERCICIOS

Los huesos parecen ser tan sólidos como piedra. En realidad, están compuestos de células vivas, las cuales están constantemente siendo descompuestas y reemplazadas por nuevas células.

La osteoporosis se desarrolla cuando la descomposición se acelera o se enlentece el reemplazo. *Pero existen estrategias relacionadas con el estilo de vida que pueden mantener este proceso en equilibrio...*

•**Minerales.** La mayoría de nosotros sabemos que el calcio es necesario para la salud de los huesos. Tanto las mujeres premenopáusicas como los hombres menores de 65 años necesitan recibir 1.000 mg al día. Para las mujeres posmenopáusicas y los hombres mayores de 65 años, 1.500 mg es mejor.

Los productos lácteos son la fuente clásica de calcio. Una taza de leche contiene 300 mg, y una taza de yogur de sabor natural ("plain yogurt"), 450 mg. Pero también se puede obtener calcio de los frijoles y habichuelas (entre 100 y 200 mg por taza), col rizada –"kale"– (90 mg por taza) y berza –"collard greens"– (350 mg por taza).

El jugo de naranja fortificado con calcio contiene 300 mg por taza, y el jugo de toronja (pomelo, "grapefruit") fortificado con calcio contiene 280 mg por taza. Los cereales para el desayuno fortificados generalmente contienen 250 mg por porción.

La leche de soja ("soy milk"), el tofu y otros productos de soja pueden contener calcio y también *fitoestrógenos* y otros nutrientes. Estos estrógenos vegetales naturales promueven el crecimiento del nuevo tejido óseo y enlentecen la pérdida ósea.

Los huesos necesitan otros minerales –en particular el magnesio y fósforo– además de la vitamina D. Por fortuna, las fuentes vegetales de calcio también contienen los otros minerales. Se puede obtener toda la vitamina D necesaria de 32 onzas (900 ml) de leche fortificada, o de sólo 20 minutos de exposición a la luz del sol por día. (La piel produce la vitamina D después de ser expuesta a la luz del sol).

•**Ejercicios.** El estrés físico al cual los huesos se someten durante el ejercicio estimula el nuevo crecimiento óseo. Es importante hacer al menos 30 minutos de caminata, levantamiento de pesas u otro ejercicio que provoca que los huesos soporten peso ("weight-bearing", en inglés), tres veces a la semana.

LOS LADRONES DE HUESOS

Para enlentecer la eliminación de calcio del cuerpo, es esencial reducir ciertos alimentos y actividades. *Cuídese de lo siguiente...*

•**Proteínas.** Cada onza (30 g) de proteína de origen animal que consuma provoca la eliminación de alrededor de 25 mg de calcio. La mayoría de los estadounidenses obtienen mucha más proteína de la que necesitan.

•**Alcohol.** No beba más de tres tragos a la semana.

•**Cigarrillos.** Fumar duplica el riesgo de sufrir una fractura de cadera relacionada con la osteoporosis.

•**Sal.** Una porción de ocho onzas (235 ml) de sopa enlatada contiene hasta 3.000 mg de cloruro de sodio. Cada 500 mg de sodio filtra 10 mg de calcio de sus huesos.

•**Cafeína.** Cada taza de café extrae 40 mg de calcio.

•**Refrescos.** El fósforo en las bebidas gaseosas promueve la eliminación de calcio.

¿NECESITAN AYUDA SUS HUESOS?

La prueba de densitometría mineral ósea ("bone densitometry") es un procedimiento ambulatorio de 15 minutos que evalúa la fortaleza de los huesos. La mayoría de las mujeres deberían someterse a la prueba al comenzar la menopausia –los hombres a los 55 ó 60 años de edad. Si la prueba indica un problema, los médicos usan una de las pruebas de colágeno interligado –*N-telopéptido* (NTx) o *deoxipiridinolina* (Dpd)– para medir el índice de pérdida ósea. Su médico considerará información de ambas pruebas para determinar si necesita un tratamiento para la osteoporosis.

Según el grado de adelgazamiento de los huesos, el índice de descomposición ósea, su edad, sexo y otros factores, su tratamiento podría incluir hormonas, medicamentos para fortalecer los huesos o medicación para una afección subyacente (como la glándula tiroides hiperactiva).

¿Y LA HORMONOTERAPIA?

Una mujer con un adelgazamiento importante de los huesos podría ser una candidata para la *terapia de reemplazo hormonal* (HRT, por sus siglas en inglés). Es la manera más eficaz de enlentecer la pérdida ósea. Aun si la pérdida ósea fuese mínima hasta la menopausia, la HRT podría ser una buena idea. La pérdida ósea se acelera durante los primeros tres a cinco años después de la aparición de la menopausia.

Proceder con la HRT es una decisión personal. Una mujer con un historial familiar de osteoporosis podría decidir continuar con la HRT, pero se debería iniciar la HRT sólo si los beneficios son mayores que los riesgos.

Para las mujeres que no quieran usar la HRT debido a los riesgos elevados de contraer cáncer de mama, enfermedad del corazón y sufrir un ataque cerebral, los *moduladores selectivos del receptor de estrógeno* (SERM, por sus siglas en inglés) son similares al estrógeno. Parecen proporcionar todos los beneficios del fortalecimiento de los huesos de la HRT sin los riesgos.

Varios SERM han sido aprobados por la agencia federal Food and Drug Administration (FDA) –*raloxifeno* (Evista), *tamoxifeno* (Nolvadex) y *toremifeno* (Fareston). *Droloxifeno* y otros medicamentos están siendo estudiados.

ALTERNATIVAS A LAS HORMONAS

Para las personas que quieren evitar las hormonas, vale la pena preguntarle al médico sobre estos cuatro medicamentos...

•*Alendronato* (Fosamax). El alendronato, disponible con receta, es el medicamento preferido para los hombres y para la pérdida ósea vinculada al uso de esteroides. Enlentece la pérdida ósea.

●**Risedronato** (Actonel). Este medicamento disponible con receta es similar al alendronato, pero es menos probable que cause problemas digestivos.

●**Calcitonina** (Miacalcin). Este medicamento disponible con receta es con frecuencia la mejor opción para las personas que no pueden tolerar el alendronato o que prefieren un producto natural en vez de uno sintético. Enlentece la pérdida ósea y disminuye el dolor en los huesos.

●**Ipriflavona.** Este medicamento de venta libre, derivado de la proteína de soja, se asemeja al estrógeno. Lo pueden usar las mujeres y los hombres, y es el único medicamento que enlentece la pérdida ósea *y* crea huesos nuevos.

Advertencia sobre los medicamentos para la osteoporosis

Los medicamentos para la osteoporosis pueden provocar problemas de visión potencialmente graves.

Estudio reciente: En casos raros, las personas que tomaban medicamentos *bifosfonatos* para la osteoporosis, como el *alendronato* (Fosamax) o el *risedronato* (Actonel), contrajeron una inflamación ocular.

Si esta afección ocular avanza sin tratarse, podría conducir a la ceguera. Informe de inmediato a su médico si, mientras toma un medicamento para la osteoporosis, experimenta dolor o enrojecimiento de los ojos, visión borrosa o pérdida de la visión, dolor de cabeza o sensibilidad a la luz.

Entre los tratamientos alternativos para los huesos frágiles se incluyen una dieta rica en calcio y vitamina D, y ejercicios que provocan que los huesos soporten peso ("weight-bearing exercises", en inglés), como la caminata.

Frederick W. Fraunfelder, MD, profesor de oftalmología del Casey Eye Institute de la Universidad Oregon Health and Science, en Portland.

Cómo mantener las caderas sanas

Marshall K. Steele III, MD, cirujano ortopédico, fundador y director médico del Center for Joint Replacement del centro médico Anne Arundel, y presidente del Maryland Knee & Hip Center y del Orthopedic and Sports Medicine Center, todos en Annapolis, Maryland. Es autor de *Sideline Help–A Guide for Immediate Evaluation and Care of Sports Injuries* (Human Kinetics).

Cada año, más de 150.000 estadounidenses se someten a la cirugía del reemplazo de cadera, pero muchas de estas cirugías podrían haberse postergado o evitado por completo si los pacientes hubieran tenido más cuidado con las caderas.

La genética podría jugar un papel importante en las causas primarias del dolor de cadera, como la osteoartritis y la osteoporosis, pero cualquiera que sospeche tener problemas de cadera debería consultar a su médico para recibir un diagnóstico adecuado, debido a que podría estar causado por una variedad de problemas.

Importante: La osteoporosis no provoca dolor en sus primeras etapas pero es una causa principal de la fractura de cadera. Insista en que su médico le haga un *examen de absorciometría de rayos X de energía dual* (DEXA, por sus siglas en inglés) si tiene factores de riesgo. Entre éstos se incluyen ser posmenopáusica, tener piel clara o poseer un historial de uso de esteroides. El examen detecta indicios tempranos de la osteoporosis. Un tratamiento temprano con una combinación de medicamentos, hormonas y calcio puede detener o incluso revertir la pérdida ósea.

Más allá de la causa, el malestar de la cadera puede prevenirse o minimizarse con ejercicio, dieta y otras medidas relacionadas con el estilo de vida…

●**Mantenga un peso corporal saludable.** El peso excesivo ejerce una gran tensión sobre las caderas y aumenta el daño causado por la osteoartritis.

Razón: Las caderas soportan el triple de su peso corporal con cada paso. Cada kilo que usted pierde reduce tres kilos el peso que tiene que soportar la articulación de su cadera.

•Evite los ejercicios de alto impacto.
Los deportes que exponen las caderas a impactos, como correr, con frecuencia aumentan el dolor y el daño en las articulaciones en las personas con un historial de problemas en las caderas. Las personas con caderas normales no parecen tener este problema.

Útil: Haga ejercicios de bajo impacto por al menos 30 minutos, cuatro o más días de la semana. Caminar resulta muy eficaz. Fortalece los *abductores*, los músculos en la parte externa de los muslos que mantienen el cuerpo recto. Mover las caderas también ayuda a fortalecer los cartílagos saludables restantes.

Caminar además ayuda a prevenir la osteoporosis. Recomiendo este ejercicio que provoca que los huesos soporten peso porque produce tensión en los huesos, mejorando la absorción de calcio. Los pacientes de la cadera que comienzan a hacer ejercicios frecuentemente informan una disminución de los síntomas dentro de dos semanas.

•Intente hacer ejercicios en el agua.
Es la forma más segura de ejercitar las caderas. Se obtienen los beneficios de mover las articulaciones en su rango completo de movimientos al mismo tiempo que se reduce la presión causada por la gravedad. Estar parado en agua hasta la cintura reduce la presión sobre las articulaciones de la cadera en un 50%. Con el agua por el pecho, la presión se reduce en un 70%.

Quédese hasta 30 minutos en la piscina, caminando hacia delante y de espaldas con el agua hasta la cintura. Si las caderas comienzan a dolerle, vaya a las aguas más profundas para reducir la presión.

•Nutra los huesos y las articulaciones.
Los nutrientes que se encuentran en los alimentos y los suplementos reparan los músculos y tendones heridos… fortalecen los cartílagos… y fortalecen los huesos de las caderas.

Asegúrese de obtener estos nutrientes a diario…

•1.200 mg de calcio y 200 unidades internacionales (IU, por sus siglas en inglés) de vitamina D. Tomar más de 200 IU al día puede ser peligroso –consúltelo con su médico. El calcio fortalece los huesos, y la vitamina D asiste en su absorción. *Buenas fuentes de calcio:* brócoli ("broccoli"), col rizada ("kale"), espinacas y cereales fortificados con calcio. *Buenas fuentes de vitamina D:* yema de huevo y aceite de hígado de bacalao ("cod liver oil").

•60 mg de vitamina C. La vitamina C es un poderoso antioxidante que ayuda en la reparación de músculos y tendones. Se puede obtener esta cantidad de la vitamina C comiendo media naranja.

•1.500 mg de glucosamina ("glucosamine") y 1.200 mg de condroitina ("chondroitin"). La glucosamina ayuda al cuerpo a reponer los cartílagos dañados en la cadera y otras articulaciones. La condroitina parece mantener los cartílagos sanos al ayudarlos a absorber agua.

•Preste atención a su postura. El adulto típico pierde entre el 1% y el 2% de su fuerza muscular cada año entre los 65 y los 85 años de edad. Una pérdida de fuerza combinada con la rigidez articular relacionada con la edad lleva a muchas personas a tambalearse o encorvarse cuando caminan. Una mala postura pone presión adicional sobre las caderas, y la debilidad aumenta el riesgo de sufrir caídas y fracturas.

Útil: Observe su modo de andar mientras se dirige hacia un espejo de cuerpo entero. Si se tambalea ligeramente de lado a lado, existe la posibilidad de que los músculos abductores en la parte externa de los muslos estén débiles. Los ejercicios en el agua, el levantamiento de piernas mientras esté tendido sobre un costado y ejercicios de fortalecimiento de los abductores realizados en las máquinas de gimnasios pueden fortalecer los músculos, mejorar la postura y disminuir o prevenir el dolor de cadera.

•No ignore el dolor de cadera. Cuando sienta dolor, envuelva cubitos de hielo en una toalla o toallita y aplíquela sobre la zona dolorida por alrededor de 10 minutos varias veces al día.

Si el hielo no alivia el dolor, intente con un analgésico de venta libre, como *ibuprofeno* (Motrin) o *naproxeno* (Aleve). Estos medicamentos bloquean las sustancias químicas inflamatorias llamadas *prostaglandinas*. Si suele experimentar irritación estomacal, los antiinflamatorios selectivos de las enzimas Cox-2 pueden ser más seguros de usar. Hable sobre el tratamiento con su médico.

Reducir la inflamación minimiza el dolor y además ayuda a que sanen más rápidamente las articulaciones heridas de la cadera. Si experimenta dolor de cadera persistente, generalmente significa que necesita volver al médico para recibir una evaluación a fondo y más consejos.

•**Haga de su casa un lugar seguro.** Las fracturas de cadera ocurren con más frecuencia cuando las personas se caen en su propio hogar o patio.

Identifique y elimine cualquier riesgo potencial de caída, como las alfombras pequeñas, libros, juguetes de niños, etc.

Además: Reemplace las bombillas de 40 ó 60 vatios o watts por unas de 100 vatios, de modo que pueda ver más fácilmente los riesgos domésticos. (Es posible que tenga que reemplazar las lámparas y luces que no estén diseñadas para usar bombillas de mayor vataje).

Más de Marshall K. Steele...

¿Se encuentra en riesgo de tener problemas de cadera?

Si su respuesta es "sí" a cualquiera de las siguientes preguntas, sus caderas quizá estén siendo maltratadas innecesariamente y debería consultar al médico al respecto.

•**¿Tiene exceso de peso?**

•**¿Siente dolor** en la ingle?

•**¿Tiene problemas para levantar la pierna** al cortarse las uñas?

•**¿Se le tuerce el pie hacia afuera** cuando camina?

•**¿Está entumecido cuando se levanta** de una silla?

•**¿Camina todo el día** sobre hormigón (concreto)?

•**¿Ha tenido una lesión** en la cadera?

•**¿Tiene un historial familiar** de artritis?

•**¿Padece osteoporosis?**

Lo que debe saber sobre la inflamación

William Joel Meggs, MD, PhD, profesor y jefe de toxicología, y vicepresidente de asuntos clínicos del departamento de medicina de emergencia de la facultad de medicina de la Universidad de East Carolina, en Greenville, Carolina del Norte. Es coautor de *The Inflammation Cure: How to Combat the Hidden Factor Behind Heart Disease, Arthritis, Asthma, Diabetes, Alzheimer's Disease, Osteoporosis and Other Diseases of Aging* (McGraw-Hill).

Cada vez que combate un resfriado, sufre un esguince en el tobillo o se hace un corte en el dedo, su cuerpo reacciona para protegerse o sanarse mediante un proceso complejo llamado *inflamación.*

La inflamación, que se caracteriza por enrojecimiento, hinchazón, calor y dolor, implica la liberación de una cascada de mensajeros químicos del cuerpo llamados *citocinas.* Según el tipo y gravedad de la inflamación, las citocinas pueden llegar a provocar que el sistema inmune ataque y destruya los invasores, como los virus o bacterias, o que sane una herida.

Pero demasiada inflamación, debido a una infección, irritación, alergias u otras razones, puede provocar daños graves.

Ejemplos: La inflamación de las articulaciones contribuye a la artritis... la inflamación de la piel lleva a la dermatitis... la inflamación de las encías conduce a la periodontitis*. De hecho, la mayoría de las enfermedades más graves, incluyendo la enfermedad del corazón, el mal de Alzheimer y hasta algunos cánceres, son estimuladas por las inflamaciones.

LA CONEXIÓN CON LA INFLAMACIÓN

Los científicos han sabido durante generaciones que la inflamación causa enfermedades. En la actualidad los investigadores están descubriendo que existe una conexión entre muchas enfermedades relacionadas con las inflamaciones. Este hallazgo podría contribuir a la prevención y el tratamiento más eficaces de esas enfermedades.

Imagine una gota de tinte azul colocada en un vaso de agua. Al principio el tinte se

*En la terminología médica, el sufijo *"-itis"* indica inflamación.

concentra en un lugar, pero con el tiempo toda el agua se torna azul. De manera similar, cuando hay inflamación en una parte del cuerpo, se desarrollan repercusiones en otras partes, con frecuencia distantes y no relacionadas de ninguna otra manera.

Ejemplo: Las citocinas liberadas en respuesta a la inflamación relacionada con la ateroesclerosis (el endurecimiento de las arterias) circulan por todo el cuerpo y parecen estar relacionadas con la enfermedad periodontal, la diabetes tipo 2 y otras afecciones inflamatorias.

Entre las enfermedades relacionadas con la inflamación se incluyen...

•**Ateroesclerosis y enfermedad cardiovascular.** La presión arterial alta y otras irritaciones dañan las paredes arteriales. Esto provoca una inflamación que intenta "reparar" el daño con placa –del mismo modo que usamos masilla para rellenar huecos en las paredes. La exposición al humo de tabaco y la contaminación del aire, el colesterol alto y otros factores pueden hacer que este proceso termine mal. Entonces, en lugar de un buen remiendo liso de placa, gruesas capas se acumulan hasta que las arterias se bloquean.

Pero los ataques al corazón también pueden ocurrir en las personas que sólo tienen pequeñas cantidades de placa en sus arterias. En estos casos, la inflamación puede lograr que incluso las cantidades diminutas de placa se pongan frágiles. Si existe irritación adicional, estas placas pueden reventar, causando que coágulos de sangre bloqueen las arterias y provoquen un ataque al corazón o al cerebro ("stroke").

Lo que puede hacer: Pida que le examinen sus niveles de la *proteína C reactiva* (CRP, por las siglas en inglés de "C-reactive protein"). Esta proteína, que puede medirse con un análisis de sangre de $20, es un poderoso indicador de una futura enfermedad del corazón. Incluso los niveles levemente elevados de la CRP *duplican* el riesgo de sufrir un ataque al corazón. Además, el nivel alto de CRP puede aumentar el riesgo de sufrir un ataque cerebral.

•**Diabetes.** Estudios recientes han sugerido que la inflamación leve o crónica puede aumentar el riesgo de contraer la diabetes tipo 2, una afección en la cual las células del cuerpo se vuelven resistentes a la insulina, una hormona que controla la cantidad de azúcar en la sangre.

Se sabe que los diabéticos tienen un mayor riesgo de contraer una enfermedad del corazón... y algunos científicos creen que la inflamación crónica relacionada con la ateroesclerosis temprana puede en realidad contribuir a la aparición de la diabetes.

Lo que puede hacer: Disminuya su carga inflamatoria total perdiendo peso. La grasa corporal por sí sola incrementa los niveles de algunas sustancias químicas que favorecen la inflamación. Además, vaya al dentista. Los estudios han demostrado que tratar la enfermedad periodontal ayuda a los diabéticos a controlar mejor el azúcar en la sangre.

•**Fatiga.** La fatiga inexplicable es una indicación de que hay una inflamación en alguna parte del cuerpo. Las citocinas liberadas durante una inflamación afectan el cerebro de una manera que causa la fatiga.

La razón por la cual nos sentimos tan agotados cuando estamos engripados es que el proceso inflamatorio está preparando los tejidos infectados para luchar contra el virus.

Lo que puede hacer: Si experimenta fatiga debilitante que interfiere con su trabajo y con sus actividades diarias por más de dos semanas, vaya al médico para hacerse un chequeo y asegurarse de que no padece una enfermedad subyacente, como un virus, alergia o cáncer.

OTRAS MANERAS DE COMBATIR LA INFLAMACIÓN

Reducir la inflamación en el cuerpo es la mejor manera de disminuir el riesgo de contraer enfermedades relacionadas con la inflamación. Ayuda además a rechazar debilidades relacionadas con la edad, como la debilidad muscular, un modo de caminar desequilibrado o lento, y la pérdida de peso involuntaria.

Debido a que el humo del tabaco es de por sí el mayor contribuidor a la inflamación, cualquiera que aún fume debe dejar de hacerlo. Es también importante evitar el humo de otros fumadores y otros tipos de contaminación del aire, incluyendo los humos de hornos y calderas y los gases de los tubos de escape de vehículos.

He aquí otras estrategias para luchar contra la inflamación…

• **Comience a hacer ejercicios.** El ejercicio –de cualquier tipo– es uno de los reductores de la inflamación más eficaces. Los estudios han demostrado que caminar 30 minutos al día reduce los niveles de la CRP a la mitad, y disminuye el riesgo de sufrir un ataque al corazón en el 20%.

Se recomienda: Lleve música con usted. Los estudios han demostrado que las personas que tienen dificultad para hacer ejercicios son capaces de caminar más cuando escuchan música que les gusta.

• **Cambie sus hábitos de limpieza.** Las sustancias químicas que se encuentran en muchos productos de limpieza son irritantes y pueden provocar la inflamación de las mucosas de los ojos, nariz, garganta y pulmones al ser inhaladas. Las personas con asma crónico y problemas de los senos nasales son más susceptibles. Los síntomas, como dolor de cabeza, fatiga y jadeos (respiración sibilante), pueden ser resultado de la exposición a las sustancias irritantes.

Evite respirar los vapores de decolorante (blanqueador, lavandina, lejía, "bleach") y amoníaco, los cuales son irritantes que pueden provocar inflamación.

Nunca combine productos de limpieza. Combinar cloro y amoníaco puede liberar cloramina, un gas altamente tóxico. Cuando se combinan productos de limpieza de inodoro que contengan ácido clorhídrico ("hydrochloric acid") con otras sustancias químicas de limpieza, se puede liberar el gas cloro, el cual fue usado como arma química durante la Primera Guerra Mundial.

Mejor método: Use productos de limpieza que no sean tóxicos, como los de las marcas Citra-Solv o Seventh Generation. Se pueden comprar en la mayoría de las tiendas de alimentos naturales ("health food stores") y algunos supermercados.

• **Use productos sin perfumes, siempre que sea posible.** Muchas de las sustancias químicas usadas en los desodorantes de ambiente ("air fresheners"), fragancias, suavizantes de tejidos ("fabric softeners"), detergentes y productos para el hogar perfumados pueden causar la inflamación de las membranas mucosas y la piel.

Para limitar la exposición a ingredientes artificiales potencialmente dañinos, los productos de higiene personal, como los desodorantes, jabones, champús y cualquier otra cosa que use en el cuerpo, deben también ser sin perfumes siempre que sea posible.

• **Limite el consumo de carne a dos o tres porciones a la semana.** Los productos de origen animal (con la excepción del pescado) figuran entre los máximos provocadores de la inflamación. Los estudios demuestran que las poblaciones que comen más carne roja tienen un mayor riesgo de enfermedad del corazón y algunos tipos de cáncer.

Los productos lácteos con alto contenido de grasa saturada, como la mantequilla, se deberían consumir con moderación.

• **Consuma pescado tres veces a la semana.** El salmón, atún ("tuna"), pez azul ("bluefish"), esturión ("sturgeon"), arenque ("herring") y sardinas figuran entre las fuentes más ricas en ácidos grasos omega-3, que tienen un efecto antiinflamatorio en el cuerpo. Evite los pescados con un alto contenido de mercurio. Entre ellos se incluyen: tiburón ("shark"), pez espada ("swordfish"), blanquillo ("tilefish") y caballa grande ("king mackerel").

Como alternativa, tome un suplemento de aceite de pescado de 1.000 mg o una cucharada de aceite de linaza ("flaxseed oil") diariamente.

Advertencia: Si toma medicamentos anticoagulantes, como la *warfarina* (Coumadin), consulte a su médico antes de usar estos suplementos.

• **Limite el consumo de alcohol a uno o dos tragos al día.** El consumo moderado de alcohol aumenta la expectativa de vida y disminuye el riesgo de contraer la enfermedad de las arterias coronarias. El vino y el jugo de uvas contienen sustancias químicas, como *tirosol* y *ácido cafeico,* que proporcionan beneficios adicionales para controlar los compuestos que favorecen la inflamación.

Advertencia: El consumo en exceso de alcohol puede llevar a la adicción, daño al hígado y hasta algunos tipos de cáncer.

Tomar un descanso puede salvarle la vida

El trabajar sentado en un escritorio lo pone en riesgo de contraer la *trombosis venosa profunda,* que puede poner en peligro la vida. Se trata de un coágulo sanguíneo que se forma en una pierna y puede trasladarse hasta los pulmones. Se ha sabido durante mucho tiempo que esta afección ocurre en los viajes aéreos de larga distancia, pero las investigaciones también la relacionan con estar sentado frente a un escritorio por periodos extensos.

La autodefensa: Tome un breve descanso cada 30 ó 60 minutos, levantándose y caminando un poco.

Richard Beasley, MD, director del Medical Research Institute of New Zealand, en Wellington.

Cómo cuidar el hígado, el segundo órgano más grande

James L. Boyer, MD, profesor de medicina y director del centro del hígado de la facultad de medicina de la Universidad Yale, en New Haven, Connecticut.

El hígado es el segundo órgano interno más grande del cuerpo humano, según el peso (el cerebro es el más grande). Elimina las sustancias tóxicas ingeridas, inhaladas o absorbidas por la piel… combate las bacterias y virus invasores… produce los factores de coagulación, proteína de la sangre, bilis para la digestión y más de 1.000 enzimas… almacena el hierro y la glucosa necesarios para la energía… y metaboliza el colesterol.

PROGRAMA PARA MEJORAR EL ESTADO FÍSICO DEL HÍGADO

• **No abuse del alcohol.** Limite la cerveza, el vino y los licores a dos tragos al día. Más de dos, especialmente en las mujeres, puede dañar el hígado. No beba nada si está tomando ciertos medicamentos, como el *acetaminofeno* (Tylenol). El alcohol disminuye la capacidad del hígado de metabolizar muchos medicamentos, incluyendo los productos de venta libre.

• **Use los medicamentos prudentemente.** No tome antibióticos si tiene un resfriado, pues ellos luchan contra las infecciones bacterianas, no las virales. Consulte a su médico antes de tomar cualquier suplemento de hierbas, pues podría ser tóxico o estar contaminado debido a las malas condiciones de elaboración.

Pregunte siempre por los efectos secundarios de un medicamento, y no combine medicamentos sin la aprobación de su médico.

• **Limite la exposición a las sustancias químicas.** Use únicamente en áreas bien ventiladas los productos de limpieza en aerosol (espray), como tetracloruro de carbono ("carbon tetrachloride") y las pinturas en aerosol… y use una mascarilla que se vende en las ferreterías.

• **Coma con prudencia.** Una dieta equilibrada ayuda a mantener la salud del hígado y de la vesícula, la cual almacena la bilis.

• **Evite los alimentos con mucha grasa.** El consumo alto de grasa aumenta el riesgo de contraer cálculos biliares.

• **Minimice el consumo de sal.**

• **Mantenga su peso ideal.** La obesidad está directamente relacionada con las enfermedades biliares y podría causar la acumulación de grasa en el hígado. La desnutrición proteínica también puede producir la acumulación de grasa.

• **Haga ejercicios todos los días.**

LA AUTODEFENSA CONTRA LAS ENFERMEDADES

Hay numerosos tipos de enfermedades hepáticas, incluyendo las siguientes…

• **Hepatitis A (HAV).** Los causantes son agua, alimentos (mariscos en particular) y utensilios de mesa contaminados. La hepatitis A no causa problemas crónicos en el hígado. Entre los síntomas se incluyen náuseas, vómitos, fatiga e ictericia.

• **Hepatitis B (HBV).** Se transmite mediante el contacto sexual y la exposición a sangre y otros fluidos corporales infectados, y puede llevar a otras complicaciones hepáticas, como la hepatitis crónica, cirrosis e incluso cáncer de hígado.

Ambas hepatitis A y hepatitis B normalmente duran sólo unas pocas semanas, y pueden prevenirse por completo con vacunas, las cuales son recomendadas para quienes trabajen en las áreas relacionadas con la salud o el cuidado de las personas, y cualquier persona que viaje a países en desarrollo. La vacuna para la hepatitis B se recomienda en la actualidad para todos los niños.

•**Hepatitis C.** Se transmite mediante la exposición a la sangre; los usuarios de drogas intravenosas corren el mayor riesgo. La hepatitis C puede llevar a infecciones hepáticas crónicas, y potencialmente mortales, en el 10% al 20% de las personas infectadas. Los hombres mayores con hepatitis C que además abusan del alcohol corren un mayor riesgo de contraer cirrosis.

•**Cirrosis.** Cuando una cicatriz reemplaza las células dañadas, limitando el flujo sanguíneo y perjudicando la función hepática, el hígado se vuelve cirrótico. Las causas más comunes de cirrosis en Estados Unidos son la infección con el virus de la hepatitis C y el beber en exceso. Se ha descubierto que la cirrosis también proviene de una enfermedad congénita (ocurriendo desde el nacimiento), las toxinas del medio ambiente, las reacciones autoinmunes y la infección parasitaria.

CÓMO DETECTAR LOS PROBLEMAS

Aunque sabemos la causa de muchas enfermedades hepáticas, pocas personas pueden ubicar el origen o el comienzo de su afección.

El hígado puede continuar funcionando a pesar de estar algo dañado, por lo que podría no haber ninguna advertencia hasta que un tratamiento eficaz ya sea imposible. *Entre los síntomas de problemas posibles se incluyen...*

•**Fatiga crónica.**

•**Náuseas o pérdida del apetito.**

•**Ictericia** ("jaundice"), una decoloración amarillenta de la piel y los ojos.

•**Hinchazón abdominal** o malestar y dolor abdominal fuertes.

•**Comezón crónica.**

•**Orina muy oscura o deposiciones pálidas.**

Precauciones: Pídale a su médico que le examine el hígado como parte de su chequeo anual. Los análisis de sangre miden la función hepática e indican la presencia de enfermedades. Además, puede preguntarle a su médico acerca de someterse a una ecografía ("ultrasound"), tomografía computadorizada ("CAT scans") o biopsia con aguja ("needle biopsy").

La mayoría de las personas que padece esta enfermedad mortal no sabe que la tiene

Raymond T. Chung, MD, profesor adjunto de medicina de la facultad de medicina de la Universidad Harvard, y director del servicio hepatológico y del programa de trasplante de hígado del hospital Massachusetts General, ambos en Boston.

Más de 5 millones de estadounidenses padecen hepatitis viral –y la mayoría ni siquiera lo sabe. El tipo más peligroso, la hepatitis C, generalmente no causa síntomas por hasta 30 años, pero mata unas 10.000 personas anualmente, y se supone que este número se triplicará a medida que la generación de los "baby-boomers" envejezca.

Los síntomas de la hepatitis pueden tardar décadas en aparecer. *Cuando lo hacen, los síntomas son similares para los distintos tipos de hepatitis...*

•**Fatiga.**

•**Falta de apetito.**

•**Náuseas y vómitos.**

•**Ictericia (color amarillento de la piel).**

•**Fiebre de 100°F (38°C) ó menos.**

•**Dolor en las articulaciones.**

La hepatitis C es una de las seis hepatitis virales actualmente identificadas, siendo las otras A, B, D, E y G. Todas causan la inflamación del hígado, lo que interfiere con su capacidad para funcionar.

Esto es lo debe saber acerca de los tres tipos principales –C, B y A–, presentados por orden de gravedad.

Las buenas noticias: La detección precoz y el tratamiento temprano pueden salvar vidas –y estos tres tipos de hepatitis se pueden prevenir.

HEPATITIS C

Casi 4 millones de estadounidenses padecen la hepatitis C. Usualmente se detecta sólo después de haber ocurrido graves y permanentes daños al hígado. Algunas personas descubren que la tienen cuando tratan de donar sangre, pues los bancos de sangre actualmente comprueban de manera rutinaria la presencia del virus.

Las causas: El virus se propaga mediante sangre infectada. Si recibió una transfusión de sangre antes de 1992, el año en que empezaron a estar disponibles los análisis de sangre para detectar la existencia de la hepatitis C, podría estar en riesgo. El uso de medicamentos intravenosos con agujas compartidas causa alrededor del 60% de las infecciones. La hepatitis C puede además transmitirse mediante la actividad sexual, pero el riesgo en este tipo de exposición es pequeño.

Prevención: No comparta cepillos de dientes, hojas de afeitar (rasurar) ni otros artículos personales que podrían ponerse en contacto con la sangre de otra persona. Si se hace una electrólisis, una perforación en la oreja, o si lo afeita un barbero, asegúrese de que el equipo esté esterilizado. Si se hace una manicura o pedicura, lleve su propio equipo o reserve uno exclusivamente para su uso.

Tratamiento: Alrededor del 20% de los pacientes con hepatitis C combaten el virus por sí mismos sin tener daño en el hígado. Lamentablemente, no hay manera de que los médicos puedan predecir quién podrá lograr esto. La mayoría de los médicos recomienda tratamiento temprano con medicamentos.

El *interferón alfa* puede eliminar el virus de la hepatitis C en más de la mitad de los pacientes. Es una versión sintética del interferón producido por el cuerpo para luchar contra las infecciones virales. El medicamento puede causar graves efectos secundarios, incluyendo la fatiga extrema, depresión, síntomas similares a los de la gripe, anemia y una reducción temporal del conteo de glóbulos blancos. Se

administra con inyecciones semanales durante hasta 48 semanas y se puede combinar con la *ribavarina*, un medicamento que mejora la eficacia del interferón alfa.

Un trasplante de hígado es usualmente la única opción para las personas que tienen una enfermedad hepática avanzada.

HEPATITIS B

Uno de cada 20 estadounidenses padece hepatitis B en algún momento de su vida. Hasta 5.000 personas mueren por esta afección cada año. Alrededor de un tercio de los adultos y la mayoría de los niños que tienen el virus nunca desarrollan síntomas.

Las causas: La hepatitis B se transmite por la sangre y los fluidos corporales. Los factores de riesgo incluyen el sexo sin protección con una persona infectada... compartir agujas contaminadas... o haber recibido una transfusión de sangre antes de 1970, el año en que comenzaron los análisis de sangre para detectar la hepatitis B. El virus puede transmitirse entre los niños en las guarderías y a los bebés durante el nacimiento.

Prevención: La vacunación –tres inyecciones durante seis meses– es eficaz en más del 90% en prevenir la infección. La vacuna se administra a la mayoría de los niños en Estados Unidos. Los adultos con factores de riesgo también deberían recibir la vacuna. La agencia federal Food and Drug Administration (FDA) recientemente aprobó una vacuna, Twinrix, que protege contra las hepatitis A y B y no tiene efectos secundarios conocidos.

Insista en el uso de equipos estériles durante cualquier procedimiento que penetre la piel... y nunca comparta una hoja de afeitar ni un cepillo de dientes.

Tratamiento: Una inyección de *gammaglobulina* dentro de las siguientes 24 horas a una exposición puede impedir el desarrollo de la hepatitis B.

La mayoría de las personas infectadas con la hepatitis B contrae una infección aguda que dura seis meses o menos. Se recuperan completamente sin tratamiento. Alrededor del 5% desarrollan *hepatitis crónica*. El virus queda en el cuerpo, causando daño permanente al hígado y, a veces, cáncer.

Si padece una infección crónica, su médico podría recomendarle una inyección de interferón alfa, el medicamento usado en el tratamiento de la hepatitis C, diariamente por cuatro meses. El virus usualmente no es eliminado sino que permanece en niveles seguros aun después de dejar de tomar el medicamento.

El medicamento *lamivudina* (Epivir), que se toma por vía oral una vez al día, causa considerablemente menos efectos secundarios que el interferón alfa, pero en general debe tomarse por periodos prolongados, y usualmente durante varios años.

El trasplante de hígado es la única opción si el hígado ha sido gravemente dañado por la hepatitis B crónica.

HEPATITIS A

Unos 23.000 estadounidenses se contagian con el virus anualmente. La hepatitis A podría o no causar síntomas. Cuando lo hace, con frecuencia se confunde con la gripe.

Las causas: La hepatitis A se transmite por *vía fecal u oral.* Por ejemplo, una persona trabajando en un restaurante que tenga el virus puede transmitirlo al manipular alimentos sin lavarse las manos después de usar el baño. Comer mariscos crudos de aguas contaminadas puede provocarla. También podría hacerlo el contacto cercano, incluyendo el sexual, con alguien infectado.

Prevención: Lo mejor es vacunarse. Dos inyecciones administradas en un lapso de seis meses son eficaces en más del 90% en prevenir la infección con hepatitis A. La vacuna tarda al menos cuatro semanas en dar resultado. O podría recibir la vacuna Twinrix, que protege contra ambas hepatitis A y B.

Si tiene programado un viaje a un país con servicios sanitarios deficientes o si un miembro de su familia ya padece hepatitis A, su médico podría recomendarle una inyección de gammaglobulina para su protección inmediata.

Otras precauciones…

•**Beba agua embotellada cuando viaje a las zonas de alto riesgo.** Lave todas las frutas y verduras con agua purificada y asegúrese de que sus bebidas no tengan cubitos de hielo.

Es también recomendable cepillarse los dientes con agua embotellada.

•**Evite las carnes que no estén bien cocidas, y especialmente los mariscos crudos,** como las ostras o almejas, etc., a menos que sean de aguas no contaminadas. La cocción mata los virus.

•**Lávese las manos después de usar el baño,** cambiar pañales, etc.

Tratamiento: No existe tratamiento para la hepatitis A. La infección usualmente se cura dentro de dos meses, y en casi todos los casos el hígado se recupera normalmente.

Consuma alimentos poco condimentados para tratar de evitar las náuseas… evite el alcohol… y pregúntele a su médico si es seguro continuar tomando medicamentos con receta o de venta libre.

Cómo proteger el páncreas

Steven D. Freedman, MD, PhD, director del centro del páncreas del centro médico Beth Israel Deaconess, y profesor adjunto de medicina de la facultad de medicina de la Universidad Harvard, ambos en Boston.

El páncreas es un órgano que mide entre cinco y seis pulgadas (13 a 15 cm) y que se encuentra anidado entre el estómago y el intestino delgado. Secreta insulina (la hormona clave para el metabolismo y almacenamiento de azúcar) y enzimas que ayudan a digerir grasas, carbohidratos y proteínas. Cuando el páncreas funciona mal, puede conducir a una variedad de afecciones que ponen la vida en peligro.

Los casos de cáncer pancreático son cada vez más comunes en Estados Unidos, y los investigadores no saben la razón. En la actualidad es la quinta causa principal de muerte por cáncer.

Esto es lo que usted debe saber acerca de este tipo de cáncer mortal y otras enfermedades del páncreas…

PANCREATITIS AGUDA

Esta afección causa inflamación de todo el páncreas. Afecta hasta 80.000 estadounidenses cada año.

Las causas: Las más comunes son el abuso del alcohol y los cálculos biliares. La pancreatitis aguda ha sido además vinculada a niveles extremadamente altos de triglicéridos (más de 1.000 miligramos por decilitro). La afección además puede ser un efecto secundario –por fortuna muy poco común– de varios medicamentos. *Entre ellos se incluyen…*

• **Medicamentos para la presión arterial,** como el diurético tiazídico *hidroclorotiazida* (Esidrix).

• **Sulfamidas,** como *sulfasalazina* (Azulfidine).

• **Medicamentos anticonvulsivos,** como *ácido valproico* (Depakote).

Síntomas: La pancreatitis aguda usualmente aparece de repente, con dolor fuerte que se intensifica en la parte superior del abdomen, y con frecuencia propagándose hacia la espalda. Las náuseas, vómitos y fiebre son comunes. Comer empeora el dolor.

Tratamiento: La afección no puede revertirse, por lo que el tratamiento tiene como objetivo mantener el cuerpo en funcionamiento hasta que pase la crisis, usualmente dentro de los tres o cuatro días siguientes. La mayoría de los pacientes debe ir al hospital para calmar el dolor y recibir fluidos por vía intravenosa (IV). En la mayoría de los casos, la pancreatitis aguda no causa daños permanentes.

Pero puede poner la vida en peligro –alrededor del 5% de los afectados muere como consecuencia de la inflamación grave y el choque ("shock") que interrumpe el funcionamiento de los riñones, los pulmones y otros órganos.

Prevención: Consuma una dieta baja en grasa. Si bebe alcohol, limite el consumo a un trago al día para las mujeres y dos tragos al día para los hombres. Si tiene cálculos biliares ("gallstones") busque tratamiento de inmediato. Si un medicamento causa un ataque de pancreatitis aguda, colabore con su médico para hallar una alternativa. Si sus triglicéridos están muy altos, tome medicamentos, como *gemfibrozil* (Lopid), para controlarlos.

PANCREATITIS CRÓNICA

La inflamación persistente y la cicatrización del páncreas afecta a unos 288.000 estadounidenses. Debido a que la pancreatitis crónica es menos drástica que la afección aguda, podría estar sin diagnosticarse por años.

Las causas: El alcoholismo es la causa de hasta el 70% de los casos de pancreatitis crónica. La causa de los otros casos es desconocida, pero unas investigaciones recientes se han enfocado en mutaciones de varios genes, entre ellos el que causa la fibrosis quística ("cystic fibrosis").

Síntomas: El dolor es con frecuencia constante y fastidioso, en vez de fuerte. Algunos pacientes experimentan episodios de dolor punzante en la parte superior del abdomen, acompañado de náuseas y vómitos –incluso hasta varias veces a la semana. Estos ataques son usualmente provocados al comer, especialmente alimentos de alto contenido en grasas, como la pizza con salchichón "pepperoni", bistec, papas fritas, etc.

El diagnóstico es frecuentemente difícil debido a que el nivel de las enzimas pancreáticas no es elevado en la pancreatitis crónica, como lo es en la forma aguda de la enfermedad. El órgano además podría parecer normal en una *imagen por resonancia magnética* (MRI) o *tomografía computadorizada* ("CT scan").

La prueba más precisa es la *colangiopancreatografía endoscópica retrógrada* (ERCP, por sus siglas en inglés), en la cual un instrumento se introduce por el intestino delgado para inyectar un tinte que hace que los conductos pancreáticos sean visibles en los rayos X. Este procedimiento requiere sedación y debe realizarse en un hospital. Hasta el 6% de las veces, ERCP provoca un ataque de pancreatitis aguda.

Tratamiento: No existe curación para la pancreatitis crónica. Abstenerse del alcohol y la prudencia en la dieta, evitando particularmente los alimentos con alto contenido de grasa, podrían minimizar los recrudecimientos. Muchos pacientes necesitan analgésicos con regularidad, incluso a veces opiáceos, para controlar el dolor. El bloqueo de los nervios celíacos (una cirugía que interrumpe la transmisión de dolor desde el abdomen) puede ser útil en casos de dolor muy fuerte.

Prevención: No abuse del alcohol.

CÁNCER DE PÁNCREAS

Cada año, más de 35.000 estadounidenses son diagnosticados con cáncer pancreático, y el 98% morirá de la enfermedad dentro de los seis meses. Es más común en los hombres que en las mujeres. Hasta el 85% de las veces, se detecta demasiado tarde para la cirugía.

Las causas: Noventa y cinco por ciento de los casos no tiene causa conocida. El 5% restante parece deberse a factores hereditarios.

Síntomas: Un dolor persistente comienza con frecuencia en la parte superior del abdomen y se extiende a la espalda a medida que el tumor maligno se mueve por los nervios. El paciente frecuentemente pierde el apetito, y es común que pierda peso.

Para cuando el tumor es visible en un MRI o tomografía computadorizada ("CT scan"), ya ha comenzado a extenderse. Los análisis de sangre, como el que mide los niveles de CA 19-9, una proteína producida por el tumor, pueden ser útiles, pero no son muy precisos.

La ictericia ("jaundice") –el tono amarillento de la piel y los ojos– ocurre cuando el tumor bloquea las vías biliares, pero generalmente sucede cuando la enfermedad ya está bastante avanzada.

Tratamiento: Cuando se descubre temprano, es posible extirpar la parte cancerosa del páncreas. Es una operación extremadamente compleja y difícil que debería ser realizada por un cirujano experimentado que esté afiliado a un centro médico especializado en cáncer pancreático*. Si la cirugía no es posible, la radioterapia y la quimioterapia tienen como objetivo reducir el dolor y mejorar la calidad de vida.

Prevención: Dejar de fumar es la mejor defensa. Fumar duplica o triplica el riesgo de contraer cáncer pancreático. La pancreatitis crónica es otro factor de riesgo. Debido a que el alcoholismo es una causa principal de la

---

*Para hallar un centro médico especializado en su zona, comuníquese con la National Pancreas Foundation, llamando al 866-726-2737, o yendo al sitio Web en inglés *www.pancreasfoundation.org*.

pancreatitis crónica, la moderación o la abstinencia también son parte de la estrategia de prevención.

Además, tome medidas para reducir su riesgo general de contraer cáncer. No se permita exceder de peso. Trate de consumir una dieta baja en grasa e incluya verduras rojas y amarillas que contengan antioxidantes, como los tomates y pimientos (ajíes, "peppers"). Un suplemento antioxidante –400 unidades internacionales (IU, por sus siglas en inglés) diarias de la vitamina E– también es recomendable. Pero consulte a su médico –tomar grandes cantidades de la vitamina E puede ser peligroso para algunas personas.

Cómo prevenir y tratar los cálculos renales

David S. Goldfarb, MD, profesor de medicina de la facultad de medicina de la Universidad de Nueva York (NYU), jefe clínico de nefrología del New York Veterans Administration (VA) Medical Center, y director del programa de prevención de cálculos renales del New York Harbor Veterans Administration Medical Center, todos en Nueva York.

Si alguna vez ha pasado un cálculo renal (piedra en el riñón, "kidney stone"), sabe que el dolor puede ser atroz. Cada año, más de 1 millón de estadounidenses experimentan este dolor intenso –y la cantidad de casos reportados aumenta constantemente.

Alrededor del 10% de los estadounidenses tienen cálculos renales en algún momento de la vida. *Esto es lo que debe saber para prevenirlos y tratarlos...*

DIFERENTES TAMAÑOS

Los cálculos renales se forman cuando hay una gran concentración de minerales, especialmente calcio, oxalato o ácido úrico, en la orina. El dolor es causado por contracciones de un *uréter*, uno de dos tubos que llevan la orina de los riñones a la vejiga, al pasar el cálculo. Los cálculos renales muy pequeños (de uno a dos milímetros) pueden causar poco o ningún malestar y pasar solos en un día o dos. Los cálculos más grandes (cinco milímetros o más) tienen mayor probabilidad de obstruir o raspar el uréter.

El dolor puede sentirse en un costado, en la espalda o en la ingle, y puede variar entre leve y fuerte. Los ataques generalmente duran entre cinco y 15 minutos. El dolor sigue volviendo durante un periodo de horas, días o incluso meses, hasta que el cálculo pasa fuera de la vejiga en la orina.

Los cálculos renales grandes que obstruyen el flujo de orina pueden conducir a infecciones serias o daño renal –pero no son tan peligrosos como solían serlo gracias a la tecnología reciente que puede destrozarlos o extraerlos antes de que esto suceda.

Si ha tenido cálculos renales, tiene más probabilidad de tener otro que alguien que nunca los ha tenido. Si ha tenido cálculos renales dos veces, su riesgo de sufrir ataques posteriores es aun mayor.

Factores de riesgo: Historial familiar... tener un sólo riñón... enfermedad renal. Los hombres tienen más probabilidad de tenerlos que las mujeres, como así también las personas entre los 20 y 40 años de edad.

TIPOS DE CÁLCULOS

La prevención y el tratamiento de los cálculos renales dependen en parte de la composición mineral de los mismos. *Existen cuatro tipos principales...*

•**Calcio.** Consisten principalmente de calcio y oxalato, un tipo de sal, y representan el 85% de los cálculos renales.

Causas principales: Beber insuficiente agua, consumir una dieta alta en sodio o, paradójicamente, no obtener suficiente calcio.

•**Ácido úrico** ("uric acid"). El ácido úrico es un subproducto del metabolismo de la proteína. Una dieta alta en carnes rojas puede aumentar el riesgo de contraer cálculos renales porque la carne se descompone para producir ácido úrico.

•**Estruvita** ("struvite"). Estos cálculos ocurren principalmente en las mujeres que sufren de infecciones urinarias crónicas. Las bacterias que causan infección secretan enzimas que aumentan el amoníaco en la orina, lo que produce los cristales de los cálculos de estruvita.

Estos cálculos figuran entre los más graves porque están relacionados con el daño renal.

•**Cistina** ("cystine"). Estos cálculos poco comunes se forman sólo en personas con *cistinuria,* una afección genética que causa que los riñones secreten cantidades excesivas de aminoácidos, los pilares fundamentales de la proteína.

Si su médico sospecha que usted tiene un cálculo renal, probablemente le hará un análisis de sangre y recolección de orina durante 24 horas para medir las concentraciones de diferentes minerales.

PREVENCIÓN

La mayoría de los cálculos renales pueden prevenirse...

•**Beba al menos tres cuartos de galón (12 tazas o tres litros) de agua diariamente,** e incluso más si vive en un clima caluroso.

•**Consuma alimentos ricos en calcio.** Sorprendentemente, se necesita más calcio para prevenir los cálculos renales de calcio. El calcio en los alimentos se fija a los oxalatos en el tracto digestivo y evita que estos minerales que causan cálculos se concentren en la orina. Algunos estudios han descubierto además que los alimentos ricos en calcio pueden ayudar a prevenir los cálculos de calcio.

Buenas fuentes alimenticias de calcio: leche, queso y yogur bajos en grasa ("lowfat")... sardinas... cereales y jugos fortificados ("fortified").

Advertencia: A diferencia del calcio en los alimentos, los suplementos de calcio pueden aumentar la probabilidad de padecer cálculos renales porque es menos probable que se fijen a los oxalatos.

Si debe tomar suplementos, los compuestos con *citrato de calcio* ("calcium citrate") tienen menos probabilidad de causar cálculos renales que los compuestos con *carbonato de calcio* ("calcium carbonate"). Los suplementos deberían tomarse con las comidas para que se fijen a los oxalatos.

•**Limite el sodio a 2.000 mg** (un poco menos de una cucharadita) al día, restringiendo su consumo de sal de mesa, comidas rápidas (chatarra) y alimentos envasados (a menos que estén rotulados como "bajos en sodio" o "sin sodio" –"low sodium" o "sodium-free"). Mucho sodio en la dieta filtra el calcio de los huesos y éste se concentra en la orina.

●**Si tiene cálculos renales recurrentes, limite los alimentos ricos en oxalatos,** como la carne de órganos (hígado, corazón, etc.), soja, arenque ("herring"), anchoas, té, café, fresas (frutillas, "strawberries"), espinacas, bebidas cola, nueces ("nuts"), remolachas (betabel, "beets"), salvado de trigo ("wheat bran") y chocolate.

●**Limite la proteína a unos 80 gramos al día** si tiene cálculos de ácido úrico. Una porción de cuatro onzas (115 g) de pollo contiene alrededor de 34 g de proteína.

●**Cambie la composición química de su orina con medicamentos o suplementos.** A las personas que tienen cálculos renales con frecuencia se les puede recomendar que tomen un diurético tiazídico, como *hidroclorotiazida*. Si se toman diariamente de por vida, los diuréticos reducen las concentraciones de calcio en la orina. Entre los posibles efectos secundarios se encuentran: dolor de cabeza, mareos, estreñimiento o diarrea, bajo nivel de potasio en la sangre y presión arterial baja.

Otras opciones…

●*Alopurinol* (Aloprim, Zyloprim), un medicamento disponible con receta, disminuye los niveles de ácido úrico y puede prevenir los cálculos de calcio y ácido úrico. Un sarpullido en la piel, que puede ser grave en algunos casos, es el efecto secundario principal, pero no es muy común.

●Urocit-K, un suplemento de citrato de potasio disponible con receta, inhibe la formación de cálculos de calcio, ácido úrico y cistina. Se toma dos o tres veces al día.

Remedio casero: Mezcle media taza de jugo de limón en dos cuartos de galón (dos litros) de agua, agregue edulcorante si lo desea, y bébalo durante el día. Es rico en citrato pero no da tan buenos resultados como los suplementos recetados.

●Antibióticos. Las mujeres que tienen cálculos de estruvita quizá necesiten tomar antibióticos para eliminar las infecciones del tracto urinario.

TRATAMIENTOS

Generalmente su médico le recomendará que tome un calmante de venta libre o recetado, y luego le aconsejará que espere a que el cálculo pase. *Los cálculos más grandes podrían requerir uno de estos métodos…*

●**Litotripsia extracorpórea por ondas de choque** ("extracorporeal shock wave lithotripsy"). Las ondas de sonido fragmentan los cálculos grandes en cristales más pequeños que pasan fácilmente en la orina. Este procedimiento ambulatorio lleva unos 30 minutos.

Desventajas: La litotripsia no es eficaz en fragmentar cálculos en la parte inferior del riñón… deja fragmentos que podrían aumentar el riesgo de reaparición… tratamientos repetidos podrían causar daño renal.

●**Extracción de cálculos por ureteroscopía** ("ureteroscopic stone removal"). En este procedimiento ambulatorio, un cirujano introduce un cable flexible en la uretra y lo sube hacia la vejiga y los riñones, atrapa el cálculo y lo extrae. Otra forma de este tratamiento consiste en la destrucción del cálculo con un láser.

Tratamientos para la gota que realmente dan resultados

H. Ralph Schumacher, Jr., MD, profesor de medicina de la facultad de medicina de la Universidad de Pensilvania, y jefe de reumatología del hospital de la Veterans Administration, ambos en Filadelfia.

La gota ha existido por al menos 2.000 años y es una de las más viejas enfermedades conocidas por los seres humanos. Solía llamarse "la enfermedad de los reyes" porque usualmente la padecían las personas ricas que se sobrepasaban en bebidas y alimentos suntuosos.

En la actualidad, más de 2 millones de estadounidenses padecen la gota. Alrededor del 90% son hombres mayores de 40 años, aunque las mujeres son más susceptibles después de la menopausia.

¿QUÉ ES LA GOTA?

La gota es un tipo de artritis provocada por niveles altos de ácido úrico, un producto residual que se forma durante la descomposición de purinas. Las purinas se encuentran naturalmente en el cuerpo humano. Además, ciertos alimentos, incluyendo la carne de órganos, contienen muchas purinas. Cantidades menores se encuentran en toda la carne de res, pescado y aves.

La gota causa ataques de dolor fuertes y súbitos, enrojecimiento y sensibilidad alrededor de las articulaciones. Hasta la presión de una sábana puede causar dolor atroz. Usted podría no ser capaz de mover la articulación normalmente durante varios días. El dolor es más intenso durante las primeras 24 a 36 horas, pero puede permanecer por una semana o más.

La mayoría de las personas con gota tiene la incapacidad genética de eliminar del cuerpo los niveles excesivos de ácido úrico. Entre otras causas se incluyen el consumo de muchas bebidas alcohólicas… el uso de algunos diuréticos… y enfermedades como la diabetes y la hipertensión (presión arterial alta).

Más de la mitad de quienes sufren ataques de gota tendrán un segundo ataque dentro de los dos años, y algunas personas sufren ataques con más frecuencia.

¿QUÉ CAUSA EL DOLOR?

El ácido úrico generalmente se disuelve en la sangre y pasa por los riñones en la orina. En la mayoría de las personas con gota, el ácido úrico no es expulsado de los riñones de manera eficaz. Cuando llega a tener grandes concentraciones, puede formar cristales con forma de aguja que se acumulan en los tejidos cercanos a las articulaciones –con frecuencia la articulación del dedo gordo del pie.

Los cristales no causan ningún síntoma mientras permanezcan en tejido sólido. Por razones que no son claras, a veces entran en la articulación. Luego punzan los glóbulos blancos, provocando una respuesta inflamatoria.

DIAGNÓSTICO DE LA ENFERMEDAD

Un simple análisis de sangre puede medir los niveles de ácido úrico. Los niveles de entre 4 y 8 miligramos por decilitro (mg/dl) de sangre se consideran normales. Una lectura mayor a 8 mg/dl es un indicio de gota.

Pero los cristales pueden formarse a niveles de ácido úrico tan bajos como 6,2 mg/dl. La única manera de determinar si padece la gota es hacer que le extraigan líquido de la articulación afectada durante un ataque. Su médico buscará la presencia de cristales de ácido úrico en los glóbulos blancos.

En raras ocasiones, también puede ser importante verificar la existencia de tumores y defectos genéticos raros, que pueden causar que el cuerpo produzca más ácido úrico –por encima de un gramo en 24 horas– de lo que los riñones pueden procesar.

CÓMO DETENER LOS ATAQUES

Los medicamentos son el tratamiento habitual para la gota, *pero también hay otros métodos que puede intentar…*

•**Tome un antiinflamatorio** al primer indicio de síntomas. Cuanto más demore, menos eficaz será el medicamento en detener el ataque.

El antiinflamatorio recetado *indometacina* (Indocin) usualmente es la primera opción para el tratamiento de los ataques de gota. Los analgésicos de venta libre, como la aspirina, *ibuprofeno* (Motrin, Advil) y *naproxeno* (Naprosyn, Aleve), también pueden ser eficaces para ataques menores. Su médico probablemente le recomendará dosis altas (por ejemplo, unos 200 mg de indometacina ó 1.500 mg de naproxeno al día) para revertir la inflamación causada por la gota. Tome los medicamentos con comida para evitar descomponerse del estómago.

•**Aplique una compresa fría o unos pocos cubitos de hielo envueltos en una toalla sobre la articulación afectada.** El frío limita la circulación hacia el área afectada y disminuye el número de glóbulos blancos que producen inflamación. Además, adormece el área y actúa como un anestésico de uso externo. Aplique el frío por unos 20 minutos, espere 20 minutos, y luego aplíquelo de nuevo. Repita con la frecuencia necesaria para obtener alivio.

•**Los esteroides inyectados en la articulación usualmente alivian el dolor en unas pocas horas (o menos),** y generalmente no tienen efectos secundarios. Esto podría ser todo lo necesario para la gota que se limita a una sola articulación. Las personas que no pueden tomar antiinflamatorios debido a que tienen úlceras o padecen enfermedad renal con frecuencia son tratadas con esteroides.

Los esteroides orales se usan sólo muy pocas veces, usualmente cuando la gota afecta múltiples articulaciones y otros medicamentos no son eficaces. Pueden causar efectos secundarios, incluyendo cambios en el apetito o el ánimo, sudoración y dificultad para dormir.

•**Colchicina,** un medicamento oral antiinflamatorio, puede reducir el dolor si se toma temprano durante un ataque –pero alrededor del 80% de las personas que lo toman no pueden tolerar las náuseas, los vómitos y la diarrea, entre otros efectos secundarios. También pueden recetarse dosis bajas entre ataques para disminuir la frecuencia de los mismos.

PREVENCIÓN

Los medicamentos para disminuir el ácido úrico en el suero ("serum uric acid") pueden prevenir futuros ataques de gota. Estos medicamentos se recetan a pacientes que sufren dos o más ataques al año o cuando los depósitos de cristales son visibles bajo la piel.

Importante: No comience una terapia preventiva de largo plazo durante un ataque de gota. La terapia causa variaciones en los niveles de ácido úrico que pueden empeorar los síntomas. El momento para comenzar la terapia preventiva es después de que cesa un ataque.

Medicamentos preventivos:

•*Probenecid* **(Benemid, Probalan)** es un medicamento recetado que aumenta la capacidad de los riñones de eliminar el ácido úrico. Comenzará a mostrar resultados dentro de las dos semanas del inicio del tratamiento. El medicamento se toma diariamente, usualmente de por vida.

Probenecid raramente causa efectos secundarios, pero no puede ser usado por quienes padezcan enfermedad renal. Beba al menos ocho vasos de agua al día para diluir el ácido úrico en los riñones y ayudar a prevenir los cálculos renales.

•*Alopurinol* **(Aloprim, Lopurin, Zyloprim),** que se toma diariamente de por vida, también baja los niveles de ácido úrico al bloquear su producción. A diferencia del probenecid, puede ser usado por personas que padezcan enfermedad renal. Es posible que las dosis tengan que ser modificadas. Una pequeña cantidad de personas tiene una hipersensibilidad al alopurinol, que pone en peligro su vida. Para evitar reacciones más graves, llame de inmediato a su médico si desarrolla un sarpullido.

Otras medidas preventivas…

•**Cambie de medicamentos si está tomando un diurético tiazídico y sufre ataques frecuentes de gota.** Los diuréticos tiazídicos como *bendroflumetiazida* y *hidroclorotiazida,* con frecuencia utilizados para controlar la hipertensión, pueden provocar un ataque de gota. Su médico puede cambiarlo a un inhibidor de la enzima convertidora de angiotensina (inhibidor ACE, por sus siglas en inglés) u otro medicamento para bajar la presión arterial que no tenga este efecto secundario.

•**Beba alcohol con moderación.** Beber más que pequeñas cantidades de alcohol –hasta un trago al día para las mujeres y dos para los hombres– causa que los niveles de ácido úrico suban, aumentando el riesgo de sufrir ataques de gota.

•**Evite las cantidades excesivas de purinas.** La carne de los órganos –como hígado, seso, riñón y molleja– es especialmente alta en purinas. Lo son también las anchoas, el arenque ("herring") y la caballa ("mackerel").

•**Baje de peso lentamente.** Esto significa una libra o dos (o sea, menos de un kilo) por semana cuando está en una dieta. Y tenga cuidado –las dietas que restringen estrictamente las calorías causan la *acidosis láctica,* un aumento en la acidez de la sangre que afecta la capacidad de los riñones de expulsar ácido úrico.

Curas sencillas para la gota

Jamison Starbuck, ND, médica naturista (naturopática) con práctica familiar que dicta clases en la Universidad de Montana, ambas en Missoula. Fue presidenta de la American Association of Naturopathic Physicians y editora colaboradora de *The Alternative Advisor: The Complete Guide to Natural Therapies and Alternative Treatments* (Time-Life).

Muchas personas asocian a la gota con hombres ancianos y corpulentos que consumen alimentos suntuosos, beben alcoholes fuertes, fuman cigarros habitualmente y no hacen ejercicios con regularidad. Pero aunque tengo mucha experiencia con la enfermedad, aun me sorprendió un poco que Sam –un hombre delgado de 30 años que estaba en mi consultorio con el pie derecho enrojecido e hinchado– padeciera gota.

La gota clásica es una artritis aguda de las piernas, comúnmente en el dedo gordo del pie. Seis de cada 1.000 hombres y una de cada 1.000 mujeres padecen gota. Pero una vez que las mujeres llegan a los 60 años, su riesgo de contraer gota es casi igual al de los hombres.

La gota ocurre cuando cristales de *urato monosódico* (MSU, por sus siglas en inglés) se producen en el fluido que rodea una articulación. El dedo gordo del pie es un lugar común porque la circulación a los pies es con frecuencia menos eficaz que la de otras partes del cuerpo.

La *hiperuricemia* –una concentración alta de ácido úrico en la sangre– causará el desarrollo de cristales de urato monosódico en las personas susceptibles. Varias situaciones se relacionan con la hiperuricemia, entre ellas se incluyen: enfermedad renal... consumo de alcohol en exceso... uso de algunos medicamentos, como la aspirina y los diuréticos... una predisposición genética a retener el ácido úrico en el cuerpo... y una dieta alta en alimentos que contienen purina, fundamentalmente las proteínas, como hígado, carne de res, pollo y cerdo; y legumbres, como habas blancas ("navy beans") y frijoles rojos (habichuelas coloradas, "kidney beans"). Las purinas –sustancias naturales que se encuentran en

las células del cuerpo y en cantidades concentradas en algunos alimentos– forman el ácido úrico cuando se descomponen.

En el caso de Sam, fue la genética y una dieta alta en proteínas lo que causó su gota. Su padre había sufrido de gota. Es más, Sam había sido vegetariano durante la mayor parte de su vida adulta, pero recientemente un acupuntor que había consultado acerca de la fatiga crónica le había recomendado que volviera a comer carne. Cuando llegó a mi consultorio, había estado consumiendo algún tipo de proteína de origen animal (pollo, cordero, carne o cerdo) como parte de dos comidas todos los días durante el mes anterior.

Para prevenir la gota: Sugiero que todas las personas mayores de 60 años y los hombres de cualquier edad con un historial familiar de gota no coman más de media porción de carne o pescado al día. Mantenga sus niveles de ácido úrico bajos bebiendo mucha agua (½ onza por cada libra de peso corporal al día, o sea unos 7 ml por kilo). Dos veces a la semana, consuma una porción de ocho onzas (225 g) de cerezas ("cherries") o bayas oscuras frescas o congeladas, como moras ("blackberries"), arándanos azules ("blueberries") o frambuesas ("raspberries"). Estas bayas disminuyen el ácido úrico.

Para los que padecen gota: Elimine todas las proteínas, incluyendo fuentes no tan obvias, como tofu, "tempeh", lentejas, guisantes (arvejas, chícharos, "peas"), legumbres (frijoles, habas, habichuelas, "beans") y queso. Evite las verduras con niveles moderados de purina, como espárragos, espinacas y champiñones (hongos, setas, "mushrooms"). Consuma ocho onzas (225 g) de cerezas al día. Son las frutas más potentes para reducir el ácido úrico. Beba ¾ onza de agua por cada libra de peso corporal al día (o sea, unos 10 ml por kilo). Recomiendo este régimen hasta que los síntomas disminuyan.

Dos medicamentos naturales también pueden ayudar a reducir la inflamación y disminuir los niveles de ácido úrico –el bioflavonoide quercetina y la hierba *Eupatorium purpureum* ("gravel root", en inglés). La dosis típica de quercetina es de un gramo, tres veces al día. Prepare un té con dos cucharaditas de Eupatorium purpureum en ocho onzas (225 ml) de agua, y beba tres tazas al día. Ambos se encuentran disponibles en las tiendas de alimentos naturales ("health food stores").

Cómo aliviar los pies doloridos

Stuart Mogul, DPM, médico del hospital Lenox Hill, y cirujano podiátrico con práctica privada, ambos en Nueva York. Es autor de *Perfect Feet* (Diane Publishing).

Algunos problemas de los pies pueden prevenirse usando zapatos cómodos y manteniendo un peso saludable. Pero ése no es el caso para todas las afecciones de los pies.

Ejemplo: Muchas afecciones de los pies son causadas por defectos naturales, como el arco alto (empeine alto, "high arch") o el pie plano ("flat feet"). Estos pueden afectar la manera en que el pie soporta el peso y se recupera de las lesiones.

Existen nuevos tratamientos para las quejas comunes de los pies debido a los defectos naturales u otras causas…

FASCITIS PLANTAR

La banda de tejido suave en la planta del pie *(fascia plantar)* se tensa y se relaja cada vez que usted da un paso. Caminar o correr puede llevar a diminutos desgarros en los tejidos, causando dolor punzante e intenso debajo del talón. Un aumento súbito de peso o un nuevo programa de ejercicios pueden provocar la fascitis plantar.

Nuevo método: Estirar la fascia plantar.

Qué hacer: Descanse el pie afectado en el muslo de la otra pierna… agarre la base de los dedos… y tire de los dedos hacia la espinilla hasta sentir un estiramiento. Repita dos veces al día. Esta técnica ayuda a aliviar la tensión y la dureza de la fascia plantar.

También útil…

•**Tome un analgésico (calmante del dolor) de venta libre.** *Ibuprofeno* (Advil), *naproxeno* (Aleve) y otros medicamentos antiinflamatorios sin esteroides disminuyen la inflamación.

•**Use ortóticos** ("orthotics"). Estas plantillas ortóticas de plástico hechas a su medida soportan el empeine (arco) del pie.

•**Asegure el pie.** Pídale a su podólogo que le aplique una serie de tiras médicas ("medical tape") de una pulgada (dos centímetros) superpuestas en la planta del pie para disminuir la flexión. Esto quita presión de la fascia plantar y permite que el tejido sane.

•**Use los zapatos apropiados durante un ataque de dolor.** Los tacones del zapato deben tener *al menos* media pulgada (un centímetro) de altura, pero no más de dos pulgadas (cinco centímetros). Elevar el talón coloca más peso sobre la parte delantera de la planta del pie, lo que disminuye la presión sobre la fascia plantar.

Estos métodos mejoran los síntomas en nueve de cada 10 personas con fascitis plantar. Quienes no mejoren tal vez necesiten inyecciones de cortisona para eliminar la inflamación. En casos graves, cortar quirúrgicamente la fascia plantar eliminará los síntomas, usualmente sin interferir con el funcionamiento normal del pie.

INFECCIÓN DE LA UÑA

La infección de la uña *(onicomicosis)* usualmente es provocada por un hongo que hace que la uña pierda el color, quede más gruesa y desarrolle bordes despedazados. Es difícil de tratar porque los medicamentos de uso externo no penetran el blanco de la uña. Los medicamentos antifúngicos orales recetados, como *itraconazola* (Sporanox) y *terbinafina* (Lamisil), con frecuencia eliminan la infección –pero puede tardar entre tres y seis meses.

Nuevo método: Terapia pulsar.

Qué hacer: Con la supervisión de su médico, tome los medicamentos antifúngicos diariamente durante una semana… haga una interrupción de tres semanas… y luego repita el ciclo. Esta técnica puede eliminar la infección a la vez que disminuye el riesgo de daño al hígado y otros efectos secundarios de los medicamentos.

También útil: Seque las uñas y la zona entre los dedos después de ducharse o nadar…

101

y cambie sus medias (calcetines) al menos una vez al día. Reducir la humedad hace más difícil que el hongo prospere.

PIE DE ATLETA

Usualmente es causado por el mismo hongo que es responsable de las infecciones de las uñas, pero es más fácil de tratar porque los medicamentos de uso externo matan las esporas de los hongos en la superficie del pie.

Aplique una pomada, loción, polvo o espray antifúngico de venta libre que contenga *clotrimazol* (Lotrimin) o *terbinafina*, dos veces al día. La mayoría de las infecciones se cura en unos 10 días.

Nuevo método: Tratamiento antifúngico para los zapatos.

Qué hacer: Rocíe sus zapatos con un producto antifúngico de venta libre, como Desenex o Micotin. Estos productos matan las esporas de los hongos que viven dentro de los zapatos y que con frecuencia vuelven a infectar el pie aun después de un tratamiento exitoso con medicamentos.

También útil: Mantenga los pies secos… use sandalias de punta descubierta o "flip-flops" siempre que sea posible (especialmente cuando esté en piscinas o duchas públicas)… y lávese los pies a fondo con jabón y agua. El jabón mata los hongos antes de que se multipliquen.

JUANETES ("BUNIONS")

Los zapatos con tacones altos o punta angosta pueden irritar –pero no causar– esos bultos huesudos al costado del dedo gordo. La mayoría de los juanetes se deben a las deformaciones del pie heredadas –especialmente arcos (empeines) planos que ponen excesiva presión en el lugar donde el dedo gordo se une al pie.

Nuevo método: Plantillas ortóticas a su medida ("orthotics"). Soportan el arco, combaten la irritación y evitan que los juanetes empeoren. También puede aplicar un parche ("moleskin") al bulto para que no roce contra el zapato.

Si los juanetes persisten, tome aspirina o ibuprofeno para reducir la inflamación… aplique hielo por 15 minutos dos o tres veces al día… y use sandalias o zapatos de punta redondeada para prevenir el roce contra el zapato.

También útil: Su médico puede inyectarle cortisona durante ataques dolorosos. Si eso no es suficiente, y los juanetes siguen interfiriendo con su estilo de vida normal, podría ser necesaria la cirugía ambulatoria para remover el bulto y realinear la articulación. Esto elimina el dolor en la mayoría de los casos.

DEDOS MARTILLO ("HAMMERTOES")

Por lo general se deben a un desequilibrio del tendón, que ocurre cuando el *músculo extensor* (en la parte de arriba del dedo) domina al *músculo flexor* (en la parte de abajo), o viceversa. Esto causa que el dedo se doble, forme un bucle y presione contra el zapato.

Los dedos martillo además pueden ser causados por el daño a los nervios y músculos causados por la diabetes o la artritis reumatoide. Por lo tanto, un podólogo debería siempre examinar los dedos martillo para descartar estos problemas subyacentes.

Nuevo método: Artroplastia. Este procedimiento quirúrgico ambulatorio consiste en quitar una pequeña porción de hueso de una de las articulaciones en el dedo para corregir el desequilibrio del tendón. El procedimiento agarrota ligeramente la articulación del dedo y evita que se doble y roce contra el zapato.

También útil: Estiramiento del tendón de Aquiles.

Qué hacer: Apoye los brazos extendidos contra una pared… coloque el pie afectado detrás del otro pie, manteniendo la pierna de atrás derecha… y luego doble la rodilla de adelante mientras se inclina hacia adelante y mantiene el pie afectado apoyado sobre el piso. Mantenga el estiramiento por un minuto. Repita con el otro lado. Hágalo dos veces al día. Este estiramiento del tendón de Aquiles fortalece el músculo flexor y puede detener la formación del bucle del dedo.

Más de Stuart Mogul…

El autoexamen para problemas en los pies

El tipo de pie que usted tenga indica mucho sobre su riesgo de tener problemas de los pies.

Qué hacer: Humedezca los pies en la bañera (tina), párese en un cuadrado de cartón y mire sus huellas. *Si la huella muestra...*

●**El pie entero.** Significa que los pies son *pronados,* o planos. Está predispuesto a padecer fascitis plantar, juanetes, dolor de arco (empeine) o dolor de pierna después de caminar.

●**El talón y la parte delantera de la planta solamente.** Los pies son *cavos,* lo que significa que tiene un arco alto (empeine elevado). Usted es vulnerable a sufrir dolores en las espinillas (inflamación de los músculos de las espinillas) y dolor de cadera o espalda.

●**El talón y la parte delantera de la planta,** con un *tenue* contorno a lo largo de los costados de los pies. Usted tiene una forma ideal del pie y es menos probable que tenga afecciones o problemas en los pies.

Consulte a un podólogo si sus huellas demuestran alguno de los dos primeros indicios de problemas o si está experimentando dolor en el pie o en la pierna con regularidad.

Para hallar un podólogo en su zona, comuníquese con el American College of Foot and Ankle Surgeons, llamando al 800-421-2237, o yendo al sitio Web en inglés *www.acfas.org.*

4

Hágase cargo de su salud

Cómo lograr el mejor chequeo médico

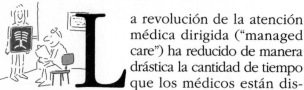

La revolución de la atención médica dirigida ("managed care") ha reducido de manera drástica la cantidad de tiempo que los médicos están dispuestos a pasar con sus pacientes. Durante la típica visita al consultorio, el médico apenas tiene tiempo suficiente para investigar sus síntomas problemáticos y comprobar su peso… pulso… ritmo cardiaco… presión arterial, etc. Pero esto no es suficiente.

No obstante, un chequeo médico riguroso debería dedicarse también a su bienestar físico general… su dieta… su estilo de vida… y cualquier síntoma "silencioso" que pudiera aumentar su riesgo de desarrollar problemas de salud.

La mayoría de los médicos anota su historial médico –sus problemas de salud… sus alergias… los medicamentos que toma, etc. Esta información es imprescindible.

Útil: Cuando el médico anota su historial médico, déle información adicional que tal vez no incluiría. *Por ejemplo…*

- **¿Cómo es su dieta?**

- **¿Toma algún suplemento dietético o de hierbas?**

- **¿Duerme lo suficiente?**

- **¿Está activo físicamente?**

- **¿Está experimentando problemas sexuales?**

Dígale además si usted fuma, cuánto alcohol bebe y si tiene dificultades en sus relaciones personales.

EL EXAMEN FÍSICO

Para ahorrar tiempo, los médicos con frecuencia omiten algunos pasos en el chequeo. Esto puede afectar no sólo su diagnóstico y tratamiento actuales, sino también su salud

---

Leo Galland, MD, director de la Foundation for Integrated Medicine, en Nueva York. Fue galardonado con el premio Linus Pauling y es autor de *The Fat Resistance Diet* (Broadway). *www.fatresistancediet.com.*

en el futuro. *Éstos son los pasos omitidos más comúnmente...*

●**Presión arterial.** Este signo vital generalmente se mide en un brazo con el paciente sentado. Para una lectura más precisa, la presión arterial debería comprobarse en ambos brazos, preferiblemente mientras está reclinado.

Si la presión arterial difiere en un 15% o más entre los brazos, podría haber bloqueos en los vasos sanguíneos grandes.

Importante: Si está tomando medicamentos para la presión arterial –o si se marea cuando cambia de posición–, su médico debería medir su presión arterial inmediatamente después de que usted se ponga de pie. Si la presión arterial baja en más del 10%, podría ser necesario cambiar la dosis del medicamento para la presión.

●**Ojos.** La mayoría de las personas consulta a un oftalmólogo u optómetra, pero si usted no consulta a un especialista de la vista regularmente y es mayor de 40 años, su internista o médico de cabecera debería medir su presión intraocular para detectar si padece glaucoma y averiguar si hay falta de claridad en los cristalinos –un indicio temprano de cataratas.

Extra: Un examen ocular realizado con cuidado puede revelar además el estrechamiento de los vasos sanguíneos o pequeñas hemorragias en la retina, ambos indicadores de afecciones vasculares que aumentan su riesgo de contraer una enfermedad del corazón.

●**Músculos en la parte posterior del muslo** ("hamstrings"). Pocos médicos chequean los músculos en la parte de atrás de los muslos para identificar posibles problemas de la espalda. Para hacerlo, se debe recostar sobre la espalda y levantar cada pierna hasta un ángulo de 90°.

Si no puede hacerlo, podría necesitar un programa de estiramiento para relajar estos músculos.

●**Ganglios (nódulos) linfáticos** ("lymph nodes"). Los ganglios linfáticos en el cuello generalmente se chequean, pero los médicos también deberían examinar los de la ingle y los de las axilas. Los ganglios linfáticos hinchados pueden ser indicios de una infección. Los bultos pueden indicar un cáncer.

●**Puntos para tomar el pulso.** Su médico probablemente le toma el pulso en el cuello o en la ingle, pero quizá pasa por alto los pies. Si la potencia del pulso difiere en estas tres áreas, puede ser un indicio de la enfermedad arterial periférica.

●**Piel.** Muchos médicos ignoran la piel por completo, suponiendo que la debería examinar un dermatólogo. No es verdad. La piel también debería examinarse durante un chequeo médico general.

Para examinar minuciosamente la piel, el médico debería pedirle que se desvista, de modo que pueda buscar lunares en todas las partes del cuerpo, incluso en el cuero cabelludo y las plantas de los pies.

Si tiene lunares de más de media pulgada (un cm), o si sus lunares se han agrandado, oscurecido o cambiado de forma, debería obtener una remisión a un dermatólogo para someterse a un examen para detectar melanoma.

●**Tiroides** ("thyroid"). Esta glándula con forma de mariposa, ubicada en la base del cuello, con frecuencia se pasa por alto durante un examen de los ganglios linfáticos. Al palpar la tiroides, su médico puede tratar de detectar si tiene cáncer de la tiroides.

SÓLO PARA LAS MUJERES

●**Órganos reproductivos y senos.** La mayoría de los médicos chequea los senos en busca de bultos sospechosos, pero pocos les muestran a las mujeres cómo hacerlo en casa una vez al mes.

Útil: Cuando se haga un autoexamen, mueva los ocho dedos (los pulgares no se usan) hacia arriba y abajo, en vez de en un círculo. De este modo, podrá cubrir la totalidad del seno.

Si no consulta a su ginecólogo con regularidad, su médico de atención primaria debería además hacerle los exámenes vaginales y rectales. Estos exámenes deberían hacerse de manera simultánea, lo que facilita la detección de masas sospechosas.

SÓLO PARA LOS HOMBRES

●**Testículos y recto.** Al examinar a los hombres mayores de 40 años, la mayoría de los médicos realiza un *examen de tacto rectal* para detectar el cáncer de próstata. Sin embargo, con frecuencia no realizan un examen para detectar el cáncer testicular. Su médico también debería enseñarle cómo realizar un autoexamen testicular.

A partir de los 50 años –o incluso antes si hay un historial familiar de cáncer de próstata– todos los hombres deberían someterse a un examen de *antígeno específico de la próstata* (PSA, por sus siglas en inglés) cada tres años, o con más frecuencia si se encuentran anomalías.

EXÁMENES DE LABORATORIO

Entre los análisis de sangre de rutina se incluyen: niveles de colesterol... función renal y hepática... nivel de glucosa en la sangre... y un recuento de glóbulos blancos. Pero sabemos que otros análisis de sangre pueden ser importantes si el paciente muestra signos de ciertas afecciones. *Entre estos análisis se incluyen...*

●**Proteína C reactiva** ("C-reactive protein"). Un nivel alto de este indicador de inflamación puede ser un indicio de un riesgo de contraer una enfermedad del corazón.

●**Homocisteína** ("homocysteine"). Los niveles altos de este aminoácido están relacionados con el riesgo de sufrir un ataque al cerebro ("stroke") y contraer una enfermedad del corazón.

Útil: El folato, una vitamina del complejo B, cuando se toma a niveles de entre 200 y 400 microgramos (mcg) diariamente, disminuye los niveles de homocisteína.

●**Hierro.** Niveles altos de este mineral contribuyen a un exceso de hierro (*hemocromatosis*).

●**Lipoproteína-A.** Niveles altos de esta proteína en la sangre aumentan el riesgo de tener coágulos sanguíneos.

●**Magnesio.** Niveles bajos de este mineral pueden causar fatiga, dolor generalizado o espasmos musculares.

●**Zinc.** Si tiene una deficiencia de este mineral que fortalece el sistema inmune, puede ser propenso a infecciones frecuentes.

Más de Leo Galland...

Exámenes médicos importantes que los médicos no recomiendan

Las pruebas de detección especiales –para detectar la enfermedad del corazón, aneurismas, y cáncer de pulmón y de ovario– podrían salvarle la vida. Pero es muy posible que su médico no las ordene porque las empresas de seguro de salud rara vez pagan por ellas.

La razón: Las aseguradoras generalmente pagan por los exámenes sólo cuando a usted se le ha diagnosticado una afección en particular o cuando hay una gran probabilidad de que la tenga. Con algunas excepciones, como las mamografías, el seguro raramente paga por pruebas de detección que tienen como objetivo la detección precoz.

Consulte a su médico si debe someterse a alguno de los siguientes exámenes, aun si tiene que pagarlos usted mismo. Se encuentran disponibles en la mayoría de los centros médicos y de diagnóstico en todo el país. Pídale una remisión a su médico.

Estos exámenes no son apropiados para todos, pero la investigación primaria sugiere que podrían salvar la vida de quienes tienen factores de riesgo importantes.

EXAMEN DE COLESTEROL AMPLIADO

Los exámenes tradicionales de colesterol sólo miden el colesterol "bueno" HDL y los triglicéridos. La fórmula que se usa para calcular los niveles del colesterol "malo" LDL no es siempre precisa. Esto explica en parte por qué la mitad de las personas que sufren ataques al corazón tienen niveles de colesterol que parecen normales.

Mejor: Los exámenes de colesterol ampliados miden específicamente el colesterol "malo" LDL, proporcionando lecturas más precisas. Alrededor de 40 millones de adultos estadounidenses tienen enfermedad del corazón oculta. Los exámenes de colesterol ampliados podrían identificar al 95% de estos pacientes antes de que ocurra un ataque al corazón.

Los exámenes además consideran las partículas individuales de HDL y LDL y determinan lo útil –o nocivas– que pueden llegar a ser.

Ejemplo: El colesterol "bueno" HDL (por las siglas en inglés de lipoproteínas de alta densidad) protege contra la enfermedad del corazón, por lo cual los niveles altos son deseables. Pero algunas personas que parecen tener niveles altos en realidad tienen un subtipo de HDL que no es muy beneficioso. Además, aunque todas las partículas de LDL son malas, las más pequeñas son más peligrosas que las más grandes. Estas diferencias simplemente no se pueden detectar con los exámenes convencionales, pero sí pueden detectarse con los exámenes ampliados.

Quién debería considerarlos: Los pacientes con niveles de colesterol levemente altos (entre 200 y 230 mg/dl) que fumen o que tengan factores de riesgo cardiovascular, como problemas cardiacos, presión arterial alta o un historial familiar de enfermedad del corazón.

Costo: entre $75 y $175.

EXAMEN PARA DETECTAR ANEURISMAS

Los aneurismas son bultos en las paredes de las arterias. Si sufren una ruptura, son mortales entre el 80% y el 90% de los casos, matando unos 30.000 estadounidenses al año.

Mejor: Un escáner para los aneurismas usa un transductor de ultrasonido para detectar aneurismas en las arterias aórticas abdominales. Es el único examen no invasivo que les permite a los médicos identificar aneurismas antes de que se produzca una ruptura. La cirugía para reparar aneurismas puede aumentar los índices de supervivencia al 99%.

Quién debería considerarlo: Los mayores de 60 años que tengan factores de riesgo cardiovascular, como presión arterial alta, o que fumen… así como cualquiera con más de 50 años que tenga un historial familiar de enfermedad del corazón.

Costo: entre $60 y $200, según la amplitud del escáner.

EXAMEN PARA LA ENFERMEDAD DEL CORAZÓN

Los métodos actuales para detectar el riesgo de contraer enfermedad del corazón, como la medida de la presión arterial, no detectan hasta el 75% de los pacientes que posteriormente desarrollan problemas cardiacos.

Mejor: La *tomografía computadorizada del corazón por haz de electrones* (EBT, por sus siglas en inglés) es la primera manera directa y no invasiva de identificar la ateroesclerosis, el principal factor de riesgo de contraer una enfermedad del corazón. El paciente está acostado dentro de una máquina con forma de rosquilla mientras los haces de electrones mapean los depósitos de calcio en las arterias. Los depósitos de calcio indican la presencia de placa –los depósitos grasos que dificultan el flujo sanguíneo al corazón y aumentan el riesgo de tener coágulos de sangre. Los pacientes que tienen indicios tempranos de enfermedad del corazón pueden tomar las medidas necesarias –como reducir el nivel de colesterol, controlar la presión arterial, dejar de fumar, etc.– para prevenir que progresen los problemas.

Desventaja: Los depósitos de calcio no siempre indican un riesgo alto de ataque al corazón. Algunos depósitos podrían ser inocuos. Por otro lado, una persona con resultados negativos podría en realidad tener niveles peligrosos de placa.

Los pacientes con niveles altos de calcio también podrían tener que someterse a una prueba de tolerancia al esfuerzo ("stress test"). Si esta prueba da positivo, el paciente podría tener que someterse a un angiograma –un procedimiento invasivo. Si el angiograma no indica la presencia de una enfermedad del corazón, el paciente se ha sometido a estos exámenes adicionales innecesariamente. Aun así, la tomografía computadorizada del corazón por haz de electrones EBT se considera útil porque los exámenes tradicionales no detectan la mayoría de los problemas cardiacos.

Quién debería considerarla: Todos los hombres mayores de 45 años y las mujeres mayores de 55 años. Si tiene factores de riesgo de padecer enfermedad del corazón –fumar, un historial familiar de enfermedad del corazón, etc.–, considere someterse a una tomografía computadorizada del corazón EBT 10 años antes.

Costo: unos $400.

EXAMEN PARA DETECTAR CÁNCER DE PULMÓN

El cáncer de pulmón raramente causa síntomas hasta que llega a una etapa avanzada.

El índice de supervivencia en cinco años es de aproximadamente el 15%. Los rayos X convencionales pueden no detectar tumores en etapas tempranas.

Mejor: La tomografía computadorizada en espiral ("spiral CT scan") puede detectar tumores cancerosos tan pequeños como un grano de arroz. El ochenta por ciento de los cánceres de pulmón que se encuentran en estudios exploratorios se descubrieron en una etapa durante la cual el tratamiento podía dar resultado.

Desventajas: El examen puede a veces resultar en positivos falsos, o sea, resultados que indican la existencia de cáncer cuando no existe ninguno. Esto podría resultar en biopsias de pulmón riesgosas e innecesarias. El índice de falsos positivos mejora cuando los pacientes se hacen escáneres subsiguientes.

Quién debería considerarlo: Los fumadores y los ex fumadores mayores de 50 años que han fumado al menos un paquete al día durante 10 años o dos paquetes al día durante cinco años.

Costo: entre $200 y $450.

CÁNCER DE OVARIO

Más de 12.000 mujeres estadounidenses mueren de cáncer de ovario cada año. Es el cáncer más mortífero entre las mujeres. Al igual que el cáncer de pulmón, con frecuencia no tiene síntomas hasta que llega a una etapa avanzada de desarrollo.

Mejor: Un dispositivo de ultrasonido insertado en la vagina permite a los médicos examinar los ovarios en busca de cualquier aparición de un tumor maligno. Los investigadores de la Universidad de Kentucky usaron este examen en 23.000 mujeres. De ellas, 29 revelaron tumores cancerosos de ovario, el 76% de los cuales se detectaron en una etapa temprana y apta para el tratamiento. Usualmente, sólo el 25% de los cánceres de ovario se descubre temprano.

Desventaja: El examen no es capaz de diferenciar entre tumores benignos y malignos, por lo que los exámenes que dan resultado positivo podrían resultar en procedimientos médicos innecesarios.

Quién debería considerarlo: Las mujeres mayores de 45 años con factores de riesgo, como un historial familiar de cáncer de colon, mama u ovario… o un historial de tratamientos de reemplazo hormonal o de fertilidad… o quienes nunca hayan quedado embarazadas.

Costo: alrededor de $250.

También de Leo Galland…

Cuidado con los resultados de los exámenes que dan "normal"

No es sorprendente sentirnos aliviados al recibir una llamada del consultorio del médico afirmando que los resultados de los exámenes de laboratorio son "normales"?

Sin embargo, algunos recuentos que parecen estar bien no necesariamente significan que usted esté bien. Ni los recuentos altos o bajos significan siempre que existen problemas de salud.

Clave: Los pacientes deberían pedirles al médico fotocopias de los resultados de sus exámenes y compararlos con resultados anteriores para ver si algo ha cambiado de manera significativa. El médico debería hacerlo –pero no confíe en que lo haga.

Entre los recuentos por los que los pacientes deberían hacer preguntas, se incluyen…

•**Hemoglobina/hematócrito** ("hemoglobin/hematocrit"). Los niveles altos podrían indicar deshidratación… los niveles bajos, anemia.

•**Volumen corpuscular medio** (MCV, por las siglas en inglés de "mean corpuscular volume"). Los niveles bajos usualmente significan que existe una deficiencia de hierro. Los valores altos frecuentemente desaparecen al volver a hacer el examen. Si así no fuera, podrían indicar una enfermedad del hígado o una deficiencia de la vitamina B-12, etc.

•**Glóbulos blancos ("white blood cells") y plaquetas ("platelets").** Investigue los niveles altos y bajos de ambos. Las causas podrían variar entre una infección y trastornos hemorrágicos o leucemia.

•**Albúmina** ("albumin"). Valores por debajo de 4,0 podrían sugerir problemas hepáticos o inflamación crónica.

●**Glucosa en la sangre** ("blood glucose"). Un nivel por encima de 110 en ayunas sugiere una afección prediabética; por encima de 126, probablemente diabetes.

●**Calcio.** Los recuentos altos generalmente desaparecen al repetir el examen. De no ser así, es posible que las glándulas paratiroides no estén funcionando bien.

●**Colesterol.** Los recuentos altos del colesterol "malo" LDL son los más importantes. El colesterol total es menos significativo.

No hay una interpretación única de los resultados. Dedique unos minutos a examinar junto con su médico sus síntomas e historial personal o familiar de la enfermedad. Estos minutos podrían agregar años a su vida.

Cómo sobrevivir una emergencia médica sin un médico

William W. Forgey, MD, ex presidente de la Wilderness Medical Society, en Colorado Springs, *www.wms. org*. Es autor de *Wilderness Medicine: Beyond First Aid* (Globe Pequot) y *Basic Essentials Wilderness First Aid* (Falcon). El Dr. Forgey tiene práctica privada en Merrillville, Indiana. Para mayor información sobre los tratamientos médicos al aire libre, vaya al sitio Web en inglés, *www.docforgey.com*.

Cuando ocurre una emergencia médica, nuestra primera reacción es llamar al 911. Pero si usted está acampando en la ladera de una montaña aislada o explorando una isla remota, no tendrá esta opción. Entonces, ¿qué debería hacer?

Así es como debe tratar las emergencias médicas comunes cuando ocurren en un área remota…

CORTADURA GRAVE

Al aplicar presión directa con la base de su mano se debería detener la hemorragia. Para evitar el contacto con la sangre de la víctima, use una bolsa de plástico como barrera.

Para limpiar la herida, cree su propio dispositivo de irrigación llenando una bolsa de plástico resellable (que se puede volver a sellar) con agua limpia de su cantimplora ("canteen"). Cierre la boca resellable de la bolsa, haga un agujero diminuto (del tamaño de la punta de un lápiz) en una esquina, y apriete la bolsa para expulsar el agua por el agujero.

Si no tiene vendas, las envolturas de plástico de los alimentos constituyen un eficaz protector para la herida. Fíjela con cinta adhesiva. Si no tiene cinta adhesiva disponible, rasgue ropa formando tiras y átelas alrededor de la zona afectada para mantener el protector en su lugar.

Si la herida enrojece, se hincha o se llena de pus, aplique azúcar granulada, la cual ayuda a matar las bacterias.

ESGUINCE

Envuelva la extremidad para proporcionar soporte. Las camisetas ("T-shirts") de algodón son una buena fuente de tela elástica. Si necesita un bastón, cree uno con la rama de un árbol.

HUESO FRACTURADO

Para determinar si un hueso está quebrado, use tres dedos para presionar a lo largo del hueso. Si esta presión duele en cualquier punto, el hueso podría estar quebrado. Estabilice la extremidad con tablillas hechas de los puntales del armazón de una mochila o tiras de una colchoneta de espuma ("foam sleeping pad"). Fije la tablilla con cinta adhesiva o tela rasgada.

Una fractura torcida (en ángulo) puede comprimir las arterias, deteniendo el flujo sanguíneo. Para enderezarla antes de aplicar una tablilla, agarre ambos extremos de la fractura y suavemente tire en sentidos opuestos.

HIEDRA VENENOSA ("POISON IVY")

Alivie el sarpullido aplicando un paño empapado en una solución concentrada de sal y agua.

HIPOTERMIA

Aun durante los meses de verano, una persona puede experimentar hipotermia grave si se sumerge en agua que tiene menos de 50°F (10°C) durante más de 20 minutos.

Si esto ocurre, la víctima debe mantenerse quieta. La actividad física aumenta el flujo sanguíneo hacia la piel. Como la piel ya está muy fría, mover a la víctima reduce aun más la temperatura general del cuerpo. Ponga a la víctima en un lugar cálido, como una carpa.

Si hay un refugio disponible, haga un fuego intenso para calentar a la víctima.

INSOLACIÓN ("HEATSTROKE")

Una persona con piel caliente, enrojecida y seca, y que se siente fatigada o desorientada, debe sumergirse en agua fresca.

Si no hay un lago o arroyo cercano, mueva a la víctima hacia la sombra. Enfríela con hielo, si está disponible, o rocíela con agua o cualquier líquido frío mientras abanica enérgicamente a la persona.

Además, masajee sus extremidades. Eso ayuda al movimiento de la sangre desde las extremidades hacia el centro del cuerpo más rápidamente.

ATAQUE AL CORAZÓN

Si una persona experimenta pesadez o dolor torácico con el esfuerzo… dolor en el cuello o los brazos… sudor, apariencia pegajosa… o extrema falta de aliento, hágala recostarse para disminuir la necesidad de oxígeno.

Ubíquela de modo que su cabeza esté elevada en un ángulo de 45°. Si tiene aspirina, proporciónele una tableta o dos de concentración regular para niños. Si la persona lleva algún medicamento recetado para el corazón, como nitroglicerina, proporciónele una dosis.

PREPARACIÓN PARA EMERGENCIAS

La mejor manera de protegerse en zonas remotas es estar preparado…

•**Vístase para sobrevivir.** Si sale a correr, caminar o de excursión, lleve suministros de emergencia. Además de agua embotellada, un sombrero, anteojos (gafas) de sol y repelente contra insectos, su mochila debería incluir algunos elementos cruciales. *A saber…*

•Un poncho para la lluvia o una bolsa de basura grande que pueda convertirse en poncho. También puede usarse como un refugio provisorio.

•Un juego adicional de ropa seca por si debe pasar la noche afuera.

•Un espejo para hacer señales.

•**Lleve un botiquín médico.** Debe contener gasa ("gauze") estéril… tijeras… vendas ("bandages") adhesivas y elásticas… cinta adhesiva impermeable ("waterproof tape")… tablilla ("splint")… ungüento ("ointment")

antibiótico… colirio (gotas oculares, "eye drops")… guantes de látex para examen… jeringa para irrigación ("irrigation syringe")… medicamentos de venta libre para el dolor (analgésicos, calmantes, "pain relievers"), la acidez estomacal ("heartburn"), la diarrea y las alergias (antihistamínicos).

Los botiquines de ese tipo pueden comprarse en tiendas de productos deportivos y actividades al aire libre por unos $30 ó más.

•**Asegúrese de usar el equipo para el aire libre con cuidado.** La mayoría de las quemaduras en zonas silvestres ocurren cuando agua hirviendo se derrama de un recipiente que se ha colocado sobre una roca o cuando un hornillo se usa incorrectamente.

Cómo se mantienen sanos los médicos teniendo enfermedades alrededor suyo todo el día

Michael Janson, MD, médico general con práctica privada en Arlington, Massachusetts, y New Smyrna, Florida, y ex presidente del American College for Advancement in Medicine, una organización profesional sin fines de lucro dedicada a la educación médica. Es autor de *The Vitamin Revolution in Health Care* (Arcadia Press).

Los médicos proporcionan a sus pacientes lo mejor de sus conocimientos sobre salud y enfermedades basados en la ciencia, pero muchos de ellos se resisten a recomendar tratamientos alternativos que ellos mismos usan.

Aquí tiene lo que muchos médicos que conozco piensan con respecto a la salud de ellos mismos… y cómo se cuidan para minimizar la posibilidad de contraer enfermedades. Consulte a su médico para asegurarse de que este consejo es apropiado para usted.

•**Los suplementos vitamínicos son esenciales para reponer las células con nutrientes.** Más del 60% de los médicos afirman que toman suplementos en forma habitual aunque no necesariamente los recomiendan a sus pacientes.

No hay duda de que una dieta equilibrada es clave para mantener el cuerpo funcionando a su nivel óptimo.

Sin embargo, una variedad de factores influye en el valor de los nutrientes de nuestra dieta diaria, entre ellos: caracteres genéticos… contaminación… alimentos demasiado procesados… y estrés. El estrés agota en el cuerpo los nutrientes importantes que fortalecen el sistema inmune.

Los suplementos vitamínicos mejoran una dieta saludable y ofrecen protección contra los numerosos factores que influyen negativamente nuestros alimentos y nuestra salud.

Lo que recomiendo: Además de un suplemento de multiminerales y multivitaminas, les digo a mis pacientes que tomen entre 50 y 100 mg de la vitamina B-6; entre 400 y 800 microgramos (mcg) de ácido fólico; 2.000 mg de la vitamina C; y entre 6 y 15 mg del betacaroteno natural, diariamente.

•**Vitamina E.** Algunos estudios demuestran que la vitamina E protege contra la enfermedad del corazón. Según una encuesta reciente, el 80% de los médicos afirmó que toma la vitamina E.

Numerosos estudios han demostrado que la vitamina E reduce el riesgo de contraer enfermedad del corazón al proteger el sistema circulatorio de las consecuencias de los depósitos de colesterol. Estos depósitos pueden llevar a la obstrucción de las arterias –y a ateroesclerosis.

Las dosis terapéuticas varían entre 400 y 1.200 unidades internacionales (IU, por sus siglas en inglés) al día de la vitamina E natural (d-alfatocoferol). Consulte a su médico acerca de la cantidad adecuada para usted. Las dosis mayores a 200 IU pueden llegar a ser peligrosas para algunas personas.

Advertencia: Si está tomando medicamentos anticoagulantes (por ejemplo, Coumadin o aspirina), debe consultar a su médico antes de tomar la vitamina E. Sus propiedades naturales anticoagulantes podrían causar demasiado efecto anticoagulante en la sangre.

•**La niacina y el sulfato de glucosamina** pueden disminuir el dolor en las articulaciones y la degeneración del cartílago relacionados con la osteoartritis –sin los efectos secundarios de los fármacos antiinflamatorios.

La osteoartritis –que es una afección degenerativa articular que afecta a alrededor del 80% de las personas mayores de 70 años– se trata eficazmente con medicamentos antiinflamatorios.

Pero estos medicamentos pueden causar efectos secundarios problemáticos y a veces graves para muchos de los pacientes que los toman.

Por esta razón la niacina (vitamina B-3) y el sulfato de glucosamina resultan alternativas eficaces para la mayoría de los pacientes.

La niacina tiene muchos usos en el organismo, incluso ayuda a mantener las funciones mentales normales, la energía en las células, la digestión y una piel saludable.

El sulfato de glucosamina es un compuesto natural que se encuentra en los cartílagos y el tejido conjuntivo y que contribuye a fortalecer las articulaciones. Los suplementos ayudan a reparar el cartílago de las articulaciones y aliviar el dolor en cuatro a ocho semanas.

Dosis: Recomiendo tomar dos tabletas de 500 mg de sulfato de glucosamina ("glucosamine sulfate"), dos veces al día, o dos tabletas de niacinamida ("niacinamide") de 500 mg, dos veces al día.

•**Los dolores de cabeza pueden controlarse eficazmente mediante el masaje y la dieta.** Muchos de mis colegas les piden a sus parejas que les masajeen las sienes o el cuello después de un día de trabajo, o reciben masajes profesionales.

La razón: El masaje puede ayudar a aliviar el dolor de cabeza causado por tensión muscular en varias partes del cuerpo. De hecho, muchas clínicas especializadas en el dolor usan el masaje como parte de un programa general para tratar el dolor de cabeza causado por la tensión.

Su dieta puede jugar un papel importante en la aparición o el agravamiento de los dolores de cabeza –particularmente los alimentos procesados y azucarados, que provocan fluctuaciones en los niveles de azúcar en la sangre.

Lo qué puede hacer: Antes de buscar un analgésico de venta libre, examine los alimentos que ha estado comiendo. Elimine los alimentos muy procesados, que con frecuencia contienen nitratos, harina blanca y azúcar. Satisfaga sus ansias de azúcar comiendo fruta.

Los extractos estandarizados de los medicamentos de las hierbas matricaria –"feverfew"– (entre 25 y 50 mg, dos o tres veces al día) o ginkgo biloba (60 mg, dos veces al día) también pueden reducir la frecuencia e intensidad de los dolores de cabeza sin el efecto de rebote de los medicamentos. (Como con todas las hierbas, las mujeres embarazadas o lactantes deben tomar precauciones adicionales).

•El control del estrés puede ayudar a disminuir y mantener la presión arterial. Muchos médicos prefieren evitar el tema de los ejercicios de respiración y visualización porque todavía no se consideran convencionales en la mayoría de las prácticas médicas. Pero muchos otros creen que son la clave para disminuir la presión arterial y mantenerla baja, con o sin medicamentos.

Ejemplo: Siéntese en una posición cómoda, y coloque una mano en el abdomen. Mientras imagina un lugar cálido y cómodo, inhale y exhale lentamente, empujando la mano hacia fuera cada vez que inhala. Hágalo por lo menos durante cinco minutos, tres o cuatro veces al día.

Es también importante irse a la cama en un estado de calma. Lea un libro relajante o escuche música tranquilizadora poco antes de irse a dormir.

•El ejercicio tiene efectos positivos en más de dos docenas de problemas crónicos de salud, desde el reumatismo hasta la diabetes. Es común que los médicos recomienden la actividad física.

Pero, ¿le ha dicho su médico cuáles son las razones para dar estas recomendaciones? ¿Y cuánto ejercicio debería hacer usted?

Ciertos estudios han demostrado que el ejercicio habitual puede mejorar la salud cardiovascular, incluyendo los niveles de lípidos, la frecuencia cardiaca y la presión arterial, y disminuir el riesgo de contraer cáncer de mama en las mujeres menores de 40 años en más de un tercio.

Algunos investigadores también han demostrado la existencia de aumentos de la fortaleza y de la masa muscular y ósea en hasta un 170% en las personas mayores de 80 años.

La mejor rutina: Camine a un buen ritmo al menos cuatro o cinco veces por semana.

Objetivo: Tres millas (4.800 metros, casi 5 kilómetros) en 45 minutos.

Camine tan rápido como pueda sin perder el aliento –pero llegue a sudar. Hacer ejercicios para el fortalecimiento de los músculos tres veces a la semana es una adición valiosa.

Cómo mantenerse sano: Recomendaciones de seis médicos destacados

Robert Abel, Jr., MD, oftalmólogo con práctica privada en Wilmington, Delaware. Es autor de *The Eye Care Revolution* (Kensington Health).

Samuel Meyers, MD, profesor clínico de medicina de la facultad de medicina Mount Sinai, en Nueva York.

Gail Saltz, MD, profesor adjunto de psiquiatría del hospital New York-Presbyterian y de la facultad de medicina Weill de la Universidad Cornell, y psicoanalista con práctica privada, todos en Nueva York.

Kenneth Offit, MD, MPH, jefe del servicio de genética clínica del centro oncológico Memorial Sloan-Kettering, en Nueva York.

Sheldon G. Sheps, MD, profesor emérito de medicina de la facultad de medicina de la Clínica Mayo, en Rochester, Minnesota.

Lisa Meserole, ND, RD, ex directora de nutrición en la Universidad Bastyr, en Seattle.

S i desea saber cuál es la mejor manera de crear una estrategia completa para mantenerse sano, a continuación algunos destacados especialistas –expertos en la enfermedad del corazón, prevención del cáncer, salud ocular, y más– dan sus recomendaciones...

OFTALMÓLOGO
Robert Abel, Jr., MD

•Use anteojos (gafas) de sol al aire libre –incluso en el invierno. Es la mejor manera de minimizar el daño ocular causado por la luz ultravioleta (UV). Usar consistentemente lentes de sol que bloqueen los rayos UV disminuirá a la mitad su riesgo de contraer cataratas y degeneración macular –la causa principal de pérdida de la visión en los adultos.

Si está tomando diuréticos o antibióticos: Los lentes de sol son especialmente importantes porque estos medicamentos aumentan la fotosensibilidad, lo que hace que el cristalino del ojo sea más vulnerable al daño de los rayos UV.

•**Beba más agua.** La sangre del cuerpo no alimenta el cristalino del ojo, por lo que beber mucha agua para eliminar las toxinas puede reducir el riesgo de contraer cataratas.

•**Coma pescado de agua fría tres veces a la semana.** El salmón, el atún, la caballa ("mackerel") y las sardinas son las mejores fuentes alimenticias del *ácido docosahexaenoico* (DHA, por sus siglas en inglés), un ácido graso de cadena larga que reconstruye las membranas celulares dañadas en la retina y puede mejorar la visión nocturna.

Si no come pescado: Tome un suplemento de aceite de pescado ("fish oil") que contenga 500 mg de DHA suplementario al día… o consuma 500 mg de algas ("algae") suplementarias, que también son ricas en el DHA.

GASTROENTERÓLOGO
Samuel Meyers, MD

•**Consuma 30 gramos de fibra todos los días,** y limite su consumo de calorías provenientes de la grasa a 30% del total de calorías que ingiere. Estos dos cambios de por sí podrían disminuir sustancialmente su riesgo de padecer cáncer de colon y pólipos del colon precancerosos.

Útil: Comience el día con un cereal integral, tal como All-Bran, 100% Bran, Raisin Bran o Fiber One. Todos estos cereales contienen al menos 8 gramos de fibra por porción. Entre otros alimentos ricos en fibra se incluyen las fresas (frutillas, "strawberries") –3 gramos por taza– y las batatas (boniatos, camotes, papas dulces, "sweet potatoes") –4 gramos por unidad.

•**Cocine bien la carne y el pescado.** Más del 90% del pollo que se vende en los supermercados está contaminado con bacterias que causan enfermedades. La preparación segura de los alimentos prevendrá la mayor parte de los casos de infección causada por *Salmonella, Shigella y Campylobacter,* y eliminará millones de consultas al médico anualmente. Use un termómetro para alimentos para asegurarse

que la carne está cocida a 160°F (71°C) y el pollo a 180°F (82°C). Nunca deje que los jugos de la carne cruda caigan sobre los alimentos.

•**Sométase a una colonoscopia.** Después de una prueba de referencia a los 50 años, repita el examen al menos una vez cada cinco años. Unos 150.000 nuevos casos de cáncer de colon se diagnostican cada año, y la mayoría podría prevenirse –o tratarse en su etapa temprana– con la detección adecuada.

Si tiene un historial familiar de cáncer de colon: Sométase a su primera colonoscopia 10 años antes de la menor edad en la cual un miembro de su familia contrajo la enfermedad. Repita el examen cada uno a tres años, según el consejo de su médico.

PSIQUIATRA
Gail Saltz, MD

•**Pida ayuda si sufre de depresión,** aun si la ha tenido sólo unas pocas semanas. Uno de cada 10 estadounidenses sufre de depresión. Sin embargo, la mayoría de ellos nunca busca ayuda porque se sienten avergonzados, o dejan pasar tanto tiempo que la depresión pasa a ser resistente al tratamiento.

Si siente síntomas, como dificultad para dormir, pérdida del apetito, dificultad para concentrarse o desesperanza por más de dos semanas, consulte a un profesional de la salud mental. Si tiene pensamientos sobre infligirse daños, pida ayuda de inmediato.

•**Busque indicios de patrones negativos en su vida.** No pase otro año tomando las mismas malas decisiones… saboteando el éxito laboral… o fracasando en sus relaciones.

Rompa el ciclo examinando todos los aspectos de su vida –familia, amigos, trabajo, tiempo libre, etc. Si las cosas andan mal, pregúntese por qué. Busque comportamientos que puedan impedir que siga adelante. Es el primer paso para hallar modos más saludables de vivir.

•**Reconozca que usted no es perfecto.** Todos experimentamos enfado, frustración y ansiedad de vez en cuando. Usted sufrirá más si cree que ésas y otras emociones "negativas" son de algún modo anormales.

Cuando las cosas no se desarrollen sin problemas, reorganícese y siga adelante… y acuérdese de apreciar las cosas buenas de su vida, como la buena salud o las relaciones amorosas. Es imposible ser feliz cuando sus expectativas son muy altas.

ONCÓLOGO GENÉTICO
Kenneth Offit, MD, MPH

•**Pregúnteles a sus familiares sobre su historial de cáncer.** Averigüe todo lo que pueda sobre los historiales médicos de sus parientes. El historial familiar es uno de los factores de riesgo más importante para los cánceres de mama, colon, próstata y otros tipos comunes de cáncer.

Ejemplo: Si tiene un historial familiar de cáncer de mama, su riesgo de contraerlo podría ser 20 veces mayor que el de alguien sin el historial familiar de cáncer.

Saber que el cáncer viene de familia lo alertará para que tome las medidas necesarias para protegerse. Esto incluye someterse a exámenes de detección con regularidad y seguir una dieta más saludable.

Importante: El historial familiar va más allá de los padres, hermanos u otros parientes de primer grado. Debe conocer además el historial de cáncer de sus abuelos, tíos y tías.

•**No renuncie a las mamografías.** Al revaluar estudios previos, ciertos investigadores cuestionaron si era menos probable que las mujeres que recibieron mamografías habituales murieran de cáncer de mama que las mujeres que no las recibieron. Sin embargo, la mayor parte de la evidencia aún respalda el uso de las mamografías como una técnica de detección.

Alrededor de 47 millones de mujeres estadounidenses mayores de 40 años deberían someterse a mamografías. Las muertes debidas al cáncer de mama podrían reducirse en hasta el 30% con exámenes habituales. Es muy importante someterse al examen anualmente.

CARDIÓLOGO
Sheldon G. Sheps, MD

•**Baje la presión arterial con alimentos.** La dieta DASH (por las siglas en inglés de enfoque dietético para detener la hipertensión) es en la actualidad el método estándar usado para prevenir o disminuir la presión arterial alta. Incluye siete u ocho porciones diarias de cereales… cuatro o cinco porciones de frutas y verduras… dos o tres porciones de productos lácteos bajos en grasa… dos porciones de carne, aves o pescado… y cuatro o cinco porciones a la semana de legumbres, nueces o semillas. Las personas que siguen esta dieta tienen menos posibilidades de sufrir una enfermedad del corazón, ataque al cerebro ("stroke"), osteoporosis o cálculos renales.

Importante: La dieta DASH limita el consumo de sodio a 1.500 mg al día. En las personas sensibles al sodio, reducirlo puede evitar que la presión arterial en la parte superior del rango de la prehipertensión (120-139/80-89) progrese hasta convertirse en una verdadera hipertensión (140/90 ó más)… y si ya padece hipertensión, reducir el consumo de sodio podría disminuir su necesidad de tomar medicamentos.

•**Establezca objetivos modestos de pérdida de peso.** Si tiene sobrepeso, perder tan sólo 10 libras (4½ kilos) podría ser suficiente para reducir la presión arterial en cinco puntos. Perder hasta el 10% de su peso corporal es con frecuencia suficiente para bajar la presión arterial a un rango saludable.

Útil: La actividad física promueve la pérdida de peso y baja la presión arterial –y no es necesario reservar tiempo adicional para hacerla. Incorpore más actividades a su vida diaria caminando por los corredores en el trabajo… estacionando más lejos de la entrada… y usando las escaleras en lugar de los ascensores. Obtendrá beneficios sustanciales para su salud siempre y cuando el total de todas las actividades físicas sumen al menos 30 minutos diarios.

•**Practique una respiración lenta y profunda por 15 minutos la mayoría de los días.** Tiene los mismos beneficios que otras técnicas de meditación –baja la presión arterial… enlentece la frecuencia cardiaca… disminuye las hormonas del estrés, etc.

•**No se olvide de los peligros del humo de otros fumadores.** Todos sabemos que fumar contribuye a contraer enfermedades graves, como la del corazón y el cáncer. El humo de otros fumadores además aumentará el riesgo de padecer esas afecciones, pero pocas personas toman las medidas necesarias para evitar la exposición prolongada.

MÉDICA NATUROPÁTICA
Lisa Meserole, ND, RD

•**Consuma alimentos orgánicos (biológicos) producidos localmente.** Hasta los niveles llamados "seguros" de pesticidas, herbicidas, hormonas y otras sustancias químicas que se encuentran en la carnes y los productos agrícolas cultivados comercialmente podrían aumentar el riesgo de contraer cáncer y otras enfermedades graves.

En años recientes, los estudios han demostrado una reducción del 50% en el conteo de espermatozoides de los hombres estadounidenses... probablemente debido a toxinas ambientales. Consumir alimentos orgánicos no eliminará su exposición a las toxinas, pero ayudará a minimizar la cantidad que consuma.

•**Personalice sus decisiones sobre la salud.** Además de adoptar nuevos hábitos para mejorar su salud en general, es importante tratar afecciones específicas.

Por ejemplo, si tiene frecuentes infecciones de los senos nasales, decídase a comer más alimentos ricos en vitamina C para ayudar a sus membranas mucosas a funcionar eficazmente... mantener el aire húmedo con un humidificador... y hacer ejercicios diariamente para fortalecer el sistema inmune.

•**Equilibre el trabajo con la recreación.** No intente hacer todo. El estrés psicológico ha llegado a niveles de epidemia en este país. El estrés daña los vasos sanguíneos, aumenta la presión arterial y dificulta pensar claramente y tomar decisiones inteligentes y optimistas. Relajarse no es un lujo: necesita hacerlo para mantener su salud. Reserve tiempo cada día para el humor y el amor.

Cómo consultar a un especialista más rápido

Para obtener una cita con un especialista con mayor prontitud, dígale al recepcionista en el consultorio del especialista que su afección lo tiene ansioso. Si esto no da resultado, enfatice que su médico de atención primaria quiere que usted sea recibido por el especialista rápidamente.

Si esto tampoco da resultado, pídale a su médico de atención primaria que programe la cita. Si su médico no puede obtener una cita pronto, llame al especialista y pida una remisión a otro especialista que esté disponible más pronto. Esto con frecuencia da resultado, ya que los médicos no quieren perder pacientes.

Susan A. Albrecht, PhD, RN, profesora adjunta de la facultad de enfermería de la Universidad de Pittsburgh.

Consejos para estar en contacto con su médico

Daniel Z. Sands, MD, MPH, profesor auxiliar de medicina de la facultad de medicina de la Universidad Harvard, en Boston, y coautor de pautas a nivel nacional para la comunicación electrónica entre el médico y el paciente.

Después de una cita con el médico, los pacientes casi siempre tienen preguntas que surgen más adelante –sobre los resultados de los laboratorios, síntomas, remisiones a especialistas, etc. Pero los médicos ocupados reciben hasta 75 mensajes telefónicos al día y no tienen tiempo de contestarlos todos.

El Dr. Daniel Z. Sands explicó cómo mantenerse en contacto entre visitas al consultorio...

•**Confíe en los asistentes del médico.** Las enfermeras y los asistentes de los médicos pueden encargarse de casi todas las preguntas. Si llama directamente a la asistente, es más probable que él/ella responda a su llamada el mismo día.

•**Llame por la mañana.** Las tardes son los momentos más ocupados en los consultorios.

•**Anote lo que quiere decir.** Limítese a *un* tema por mensaje o conversación.

También podría intentar por correo electrónico. Si su médico está dispuesto a responder preguntas satisfactoriamente por correo electrónico, escriba su nombre y número de identificación de paciente en la línea de tema.

De ese modo, su médico sabe que el mensaje es de un paciente. Sea breve y use el correo electrónico sólo para asuntos médicos.

Ya que el correo electrónico es tan seguro como mandar una tarjeta postal (sin sobre), ésta podría no ser la mejor opción para comentar temas confidenciales, como afecciones psiquiátricas, o para tratar temas de salud que deben resolverse de inmediato.

Las médicas tienen mejores modales que los médicos

Las médicas mujeres pasan un promedio de 23 minutos con sus pacientes, comparado con 21 minutos para los médicos hombres.

Las médicas que hablan más de temas sociales y relacionados con estilos de vida, como las ventajas de hacer ejercicio con un amigo o los desafíos de educar a los adolescentes, tienen más probabilidad de entablar una conversación positiva relacionada con la salud, incluyendo las opiniones del paciente sobre las limitaciones de la dieta. Otros estudios han vinculado este estilo de comunicación con la satisfacción de los pacientes, el cumplimiento de recomendaciones médicas y las mejoras en la salud.

Debra Roter, DrPH, profesora de política y gerencia de salud de la Universidad Johns Hopkins, en Baltimore.

Cómo protegerse de la desinformación acerca de la medicina

Dean Edell, MD, presentador del programa de radio sindicado y emitido a nivel nacional, "The Dr. Dean Edell Show". Es autor de *Eat, Drink & Be Merry* (Harper).

Los estadounidenses están estableciendo récords por buena salud y longevidad –y están más preocupados por la salud que nunca antes. Pero gran parte de esa inquietud es innecesaria. *Existe mucha desinformación sobre la medicina en la actualidad, lo que nos preocupa innecesariamente...*

***Mito:* Todos los gérmenes son perjudiciales.** A pesar de la preocupación por los virus del sida y del *ébola* y las bacterias necrosantes (que consumen la carne humana), la gran mayoría de los virus y bacterias coexisten pacíficamente con los humanos.

Algunos gérmenes son beneficiosos. La piel humana, por ejemplo, está cubierta con bacterias que ayudan a prevenir enfermedades al "desplazar" las bacterias que causan las enfermedades.

Los gérmenes que tienen más probabilidad de perjudicarnos son los que menos nos preocupan. La intoxicación alimentaria causada por *Salmonella* y *E. coli* es común. También lo es la gripe, la cual mata entre 20.000 y 30.000 estadounidenses cada año.

Más vale concentrarse en los gérmenes que es probable que causen enfermedades. Lávese las manos con frecuencia para reducir su riesgo de contraer resfriados o gripe. El jabón común es suficiente –no es necesario usar las variedades antibacterianas.

La intoxicación alimentaria puede prevenirse usualmente cocinando las carnes por completo y cuidando que los jugos de la carne cruda no entren en contacto con otros alimentos.

***Mito:* El tiempo frío causa resfriados.** Sin importar lo que la sabiduría popular diga, los resfriados son provocados por los virus, los cuales están con nosotros en tiempos cálidos o fríos.

Los resfriados prevalecen más en el invierno porque entonces pasamos más tiempo adentro, cerca de otras personas. Los virus que causan los resfriados se propagan principalmente por pequeñas gotas de los estornudos y la tos de personas infectadas.

***Mito:* Los medicamentos de hierbas son más seguros que los medicamentos convencionales.** Más de la mitad de los medicamentos convencionales contienen ingredientes que son similares o idénticos a los que se encuentran en las hierbas.

Recibir estos compuestos en forma natural en vez de en forma sintética no los hace más seguros. De hecho, exactamente lo opuesto podría ser verdad.

Cuando toma un medicamento convencional, está recibiendo un solo ingrediente activo. Los medicamentos de hierbas con frecuencia contienen *miles* de ingredientes activos. No siempre sabemos cuáles de estos compuestos son realmente beneficiosos.

Los medicamentos de hierbas son alternativas razonables al tratamiento médico convencional sólo si se ha comprobado que dan resultado.

Ejemplo: Ciertos estudios confiables han demostrado que el jengibre ("ginger") previene las náuseas y que la matricaria ("feverfew") es buena para las migrañas.

La equinácea ("echinacea"), por otro lado, no parece merecer su reputación como buena para combatir los resfriados.

Mito: **La sal causa la presión arterial alta.** El límite superior de consumo de sal recomendado es de 2.400 mg al día. Pero la mayoría de los estadounidenses consume entre tres y cuatro veces esa cantidad, y muy pocos tienen problemas de presión arterial alta.

La sal *sí* eleva la presión arterial en lo que se estima ser el 30% de los estadounidenses que son "sensibles a la sal". Por desgracia, no hay forma de predecir quién es sensible.

La única medida prudente que se puede tomar es hacerse medir la presión arterial… y preguntarle a su médico si restringir el consumo de sodio es una buena idea para usted.

Las mayores fuentes de sodio no son las papitas fritas y otros alimentos con sabor salado. La mayor parte del sodio se obtiene en alimentos como el pan blanco, el budín ("pudding") de chocolate y otros alimentos que no tienen sabor salado.

Mito: **La cafeína es perjudicial.** El café con cafeína, y en un grado menor el té con cafeína y los refrescos gaseosos, pueden descomponer el estómago. Mucha cafeína puede además ser un problema para las mujeres embarazadas o lactantes y para quienes sean propensos a la ansiedad y el insomnio. Por lo demás, la cafeína no tiene nada de malo.

La cafeína es en realidad benéfica para las personas con asma. Es químicamente similar al medicamento broncodilatador *teofilina* (Uniphyl).

Para evitar el insomnio y la ansiedad, limite su consumo de cafeína a unos 250 mg al día. Eso es equivalente a seis latas de una bebida cola de 12 onzas (350 ml) cada una, ocho tazas de té verde, seis tazas de té negro o dos tazas de café con cafeína.

Por otro lado, la cafeína es uno de los pequeños placeres de la vida. Disfrútela.

Mito: **Las infecciones siempre deberían tratarse con antibióticos.** De hecho, las infecciones virales, como los resfriados y la gripe, *nunca* deberían tratarse con antibióticos. Los antibióticos no tienen ningún efecto sobre los virus, sólo sobre las bacterias.

Como algunas infecciones son graves y requieren tratamiento, es siempre una buena idea consultar al médico. Pero *no suponga* que lo que necesita es antibióticos.

Si piensa que está resfriado y su médico le receta un antibiótico, pregúntele por qué. Algunos médicos recetan antibióticos porque piensan que es lo que el paciente espera que hagan.

Mito: **El azúcar causa hiperactividad en los niños.** Los estudios controlados han demostrado que los problemas de comportamiento no son más comunes entre los niños a los que se les da azúcar que entre los niños a los que se les da un sustituto inerte de azúcar.

El "mito del azúcar" comenzó cuando los padres notaron que los niños solían portarse mal en las fiestas de cumpleaños, donde se consumen grandes cantidades de azúcar. Pero es el entusiasmo de la fiesta lo que causa el mal comportamiento, no la torta ni el helado.

Mito: **El chocolate produce acné.** Con la posible excepción de los mariscos, no se ha demostrado que un alimento cause acné. Los brotes ocurren cuando la testosterona, que se encuentra tanto en las mujeres como en los hombres, estimula las glándulas de la piel para que segreguen aceite (*sebo*). El exceso de sebo bloquea los poros, lo que causa los granitos.

Los adolescentes son más propensos a tener acné debido a sus niveles hormonales cambiantes. En los adultos, el estrés psicológico es con frecuencia culpable, pues provoca un aumento pasajero del nivel de testosterona.

Si el acné le está causando molestias, haga lo que pueda para evitar el estrés. No se lave la cara con mucha frecuencia. El jabón seca la piel, aumentando la formación de escamas. Eso puede bloquear los poros.

Haga su propia investigación médica

Carol Svec, investigadora, redactora médica y defensora de pacientes que reside en Raleigh, Carolina del norte. Es autora de *After Any Diagnosis: How to Take Action Against Your Illness Using the Best and Most Current Medical Information Available* (Three Rivers Press).

Si siempre ha confiado en que sus médicos están actualizados en cuanto a tratamientos médicos, se está arriesgando mucho.

Cada año se publican más de 3.000 revistas y boletines biomédicos, y cada año, la agencia federal Food and Drug Administration (FDA) aprueba más de 500 medicamentos nuevos o renovados y más de 3.000 dispositivos médicos nuevos. Ningún médico puede mantenerse al día con todas esas innovaciones.

Los pacientes deben llenar las lagunas transformándose en expertos en cualquier afección que padezcan. Algunos estudios han demostrado que los pacientes bien informados pasan menos días en el hospital, pierden menos días de trabajo, se sienten menos deprimidos y tienen niveles menores de dolor.

BÚSQUEDAS MÁS FÁCILES

Internet permite obtener información médica con más facilidad que nunca. Hay cerca de 10.000 sitios en Internet sobre enfermedades y afecciones específicas.

Para hallar información confiable, comience con sitios avalados por agencias gubernamentales (con direcciones de Internet que terminan en *.gov*), instituciones educativas (con direcciones que terminan en *.edu*) u organizaciones sin fines de lucro (que terminan en *.org*).

Halle uno o dos buenos sitios y consúltelos de manera periódica. Para las afecciones comunes, como diabetes, esclerosis múltiple o asma, basta con hacerlo una vez al mes. Para las enfermedades raras, una vez cada seis meses es más que suficiente, ya que los grandes avances ocurren con poca frecuencia.

Excepción: Para las enfermedades que ponen la vida en peligro, consulte *cada semana* para enterarse de actualizaciones y nuevos ensayos clínicos.

Sin embargo, trate de que la búsqueda no se convierta en una obsesión. Reunir información puede ayudarlo a sentirse "en control", pero cuando la investigación comienza a controlarlo a usted, es hora de restringir la búsqueda.

CÓMO USAR LA INFORMACIÓN DE MANERA INTELIGENTE

Algunos médicos no revelan todas las opciones médicas a sus pacientes, porque piensan que los mismos se confundirán por las alternativas o porque los médicos se especializan en un tratamiento en particular.

Por ejemplo, un cirujano oncólogo puede sentirse más inclinado a recomendar el tratamiento del cáncer con cirugía, en lugar de radioterapia o quimioterapia.

Si usted está bien informado, podrá hablar sobre las opciones de tratamiento, tomar decisiones médicas acertadas y evitar fraudes en los servicios de salud.

Colabore con su médico. Los médicos conocen los pormenores de la medicina, pero los pacientes saben cómo se sienten. *Algunas buenas formas de mantenerse activo…*

•**Hable abiertamente con su médico acerca de participar en las decisiones que afectan su tratamiento.** La mayoría anima a sus pacientes a que busquen información. Si su médico tiene objeciones, busque otro.

•**Mantenga informado a su médico.** No pruebe ningún nuevo medicamento, suplemento, hierba o dispositivo sin consultar antes a su médico. Asegúrese de que no interferirá con su tratamiento actual.

•**Manténgase en contacto *entre* citas.** Muchas veces surgen preguntas entre visitas al consultorio. Pregúntele a su médico cómo prefiere responder a sus preguntas.

Buenas opciones: Enviar mensajes electrónicos (si no le preocupa la privacidad), hablar por teléfono después del horario del consultorio o consultar a una enfermera o asistente del médico. Si estas estrategias no funcionan, podría ser necesario fijar una cita aparte.

•**No inunde a su médico con material escrito.** No le lleve más de tres artículos por consulta. Eso es todo lo que un médico será capaz de evaluar durante una consulta normal.

•**Haga el seguimiento de su progreso.** Pida fotocopias de todos sus informes médicos (análisis de sangre, rayos X, etc.) y guárdelas en una carpeta. Anote toda la información de monitorización, como los niveles de glucosa o presión arterial. Anote también cualquier cambio desde su última consulta, incluyendo nuevos dolores u otros síntomas y los pasos que ha dado para controlarlos.

Lleve su carpeta a todas las consultas. Esa información permite que su médico sepa lo que ocurre entre consultas, y proporciona una referencia rápida en caso de que usted cambie de médico o necesite atención de urgencia.

NO SE ASUSTE INNECESARIAMENTE

Las estadísticas sobre la salud pueden ser confusas y atemorizadoras. Cuando evalúe esas cifras, recuerde que se basan en el resultado promedio de las investigaciones, las cuales incluyen a miles de pacientes.

Ejemplo: Si se dice que una enfermedad tiene un 50% de índice de muertes, la estadística se basa en informes de una amplia población de personas que ha padecido la enfermedad. Esto incluye a las personas que se han sometido a un tratamiento extenso así como otros que rechazaron todos los tratamientos.

Las estadísticas se usan para entender la gravedad de una enfermedad, pero nunca deberían usarse para predecir las consecuencias de la enfermedad en una persona. No deje que sólo los números le hagan perder la esperanza. *Antes de preocuparse por un estudio que se informa en el noticiero, averigüe…*

•**¿Participaron seres humanos en el estudio?** Los estudios con animales son un primer paso valioso, pero no siempre se encuentran los mismos resultados en los seres humanos.

•**¿Cuántas personas participaron en el estudio?** Cuantas más personas, mejor. Si un estudio incluye menos de 100 personas, no lo tome muy seriamente.

•**¿Eran los participantes similares a usted?** ¿Tenían la misma enfermedad? ¿Eran de su mismo sexo y de una edad similar? A menos que las personas fueran similares a usted, el estudio podría no ser relevante.

¿Cuánto sabe acerca de su médico?

John J. Connolly, EdD, ex presidente del New York Medical College, en Valhalla, estado de Nueva York. Es coeditor de *America's Top Doctors* (Castle Connolly Medical Ltd.), una guía anual que provee una lista de los mejores especialistas en una variedad de campos, basada en las credenciales, la experiencia y las evaluaciones de los médicos por sus colegas.

A l elegir a un médico, la mayoría de las personas confían en una recomendación de un amigo, un pariente, un compañero de trabajo u otro médico.

Pero pocos les pedimos suficiente información a los médicos mismos para predecir la calidad de la atención que recibiremos.

Si no se siente cómodo hablando directamente con un médico acerca de sus capacidades, pida hablar con el administrador del consultorio cuando llame para fijar una cita. Esta persona debería estar al tanto de las referencias del médico.

La American Medical Association (AMA, 800-621-8335 ó 312-464-5000, *www.ama-assn. org*) también proporciona información biográfica sobre los médicos –pero la AMA no juzga la calidad.

Para asegurarse de que tiene suficiente información sobre un médico, hágale estas preguntas…

•**¿Está acreditado por la junta médica ("board-certified") en su especialidad?** Ya sea que esté eligiendo un médico de atención primaria o un especialista, la acreditación por la junta médica es el mejor indicador de aptitud y capacitación.

Cada especialidad médica, incluidas la medicina familiar y la medicina interna, tiene una junta administrativa que fija y hace cumplir normas profesionales. La acreditación por la junta de su especialidad significa que el médico ha completado un programa de residencia acreditado y ha aprobado el riguroso examen de la junta.

La American Board of Medical Specialties (*www.abms.org* ó 866-275-2267) puede informarle si un médico ha sido acreditado.

•**¿Dónde completó su residencia?** Busque un médico que tenga al menos tres años de capacitación de postgrado en su especialidad en un programa de residencia en un hospital importante. Esto asegura que el médico ha obtenido experiencia en el tratamiento de pacientes bajo la supervisión de especialistas sobresalientes.

Es apropiado averiguar cuál fue la facultad de medicina a la que asistió el médico. Sin embargo, no ponga demasiada importancia en esto. Todas las facultades de medicina acreditadas cumplen con normas rigurosas, exigiendo a los graduados que aprueben exámenes estandarizados y que compitan por residencias prestigiosas.

Un graduado de una facultad de medicina extranjera debe aprobar el mismo examen que un graduado de una facultad de medicina de Estados Unidos –y completar los mismos requisitos de residencia– para recibir la acreditación de la respectiva junta administrativa en Estados Unidos.

•**¿Por cuánto tiempo ha estado ejerciendo?** Si da mayor importancia a la experiencia clínica de un médico, tal vez prefiera uno de mayor edad que haya ejercido por cierta cantidad de años.

Sin embargo, muchas personas prefieren médicos que han completado su residencia en los últimos cinco años, suponiendo que estarán más familiarizados con los últimos tratamientos.

Más allá de que el médico sea viejo o joven, debería tener mucha experiencia con su afección en particular.

•**¿Con qué hospital está afiliado?** La mayoría de los médicos tienen privilegios de admisión en uno o más hospitales. Esto les permite admitir pacientes al hospital y atenderlos ahí.

Elija un médico que tenga privilegios en un centro médico importante con una buena reputación. Los mejores médicos generalmente ejercen en los mejores hospitales.

Útil: La revista *U.S. News & World Report* clasifica a los mejores hospitales de Estados Unidos cada año. Puede hallar detalles en el sitio Web en inglés, *www.usnews.com*.

CÓMO ELEGIR A UN ESPECIALISTA

En casos de problemas médicos graves, incluidos los que requieran cirugía, su médico de atención primaria con frecuencia lo remitirá a un especialista. Pida más de una recomendación de modo que pueda tener alternativas.

Haga estas preguntas para confirmar la capacidad de un especialista…

•**¿Está acreditado en su subespecialidad correspondiente?** Un médico acreditado por la junta médica en una subespecialidad ha completado una capacitación adicional de postgrado en ese tema.

Ejemplo: Un cirujano de la mano podría ser un ortopedista o un cirujano plástico que haya completado una capacitación de postgrado en cirugía de la mano.

•**¿Con qué frecuencia ha realizado este procedimiento?** Busque un médico que haya realizado un procedimiento, como cirugía laparoscópica o cirugía a corazón abierto, con tanta frecuencia como todos los días o todas las semanas durante varios años.

Para procedimientos poco frecuentes, como la extirpación de ciertos tipos de tumores cerebrales o tumores hepáticos malignos, la frecuencia sería menor. Si un médico tiene más experiencia realizando el procedimiento, mayores serán las posibilidades de tener éxito.

Advertencia: Cada año, cientos de médicos son sancionados o puestos en un periodo de prueba por sus autoridades médicas estatales debido a comportamiento indebido, abuso de drogas, fraude y otros problemas.

Para evitar a estos médicos, llame a la autoridad médica acreditadora de su estado (búsquela en la lista del gobierno del estado en su guía telefónica) o visite el sitio Web en inglés de la Federation of State Medical Boards, yendo *www.fsmb.org.*

Además de poder hacer las preguntas anteriores, los pacientes pueden recibir recomendaciones de grupos de apoyo en su zona, y de sucursales de organizaciones nacionales, como la American Diabetes Association, *www.diabetes.org.*

Use el método de la triangulación: Si tres personas cuya opinión usted respeta recomiendan al mismo médico, es probable que sea una buena elección.

Cómo proteger sus derechos como paciente

Charles B. Inlander, consultor de atención médica y defensor de los consumidores que reside en Fogelsville, Pensilvania. Fue presidente fundador de la organización People's Medical Society, un grupo de defensa de los consumidores de servicios médicos. Es autor de más de 20 libros acerca de la salud de los consumidores, entre ellos, *Take This Book to the Hospital with You: A Consumer Guide to Surviving Your Hospital Stay* (St. Martin's).

Estar enfermo o herido es una experiencia estresante. Algunas heridas o enfermedades, por supuesto, son más estresantes que otras. La sensación general es de haber perdido el control, de estar a merced del "sistema".

Usted quiere respuestas... información... tratamiento de última tecnología. Quiere ser tratado con respeto, y desea que su información médica se mantenga confidencial.

Conocer sus derechos como paciente puede protegerlo del abuso por parte del sistema.

CÓMO OBTENER INFORMACIÓN COMPLETA DE SU MÉDICO

En el pasado, muchos médicos pensaban que los pacientes eran incapaces de entender los diagnósticos y, por lo tanto, compartían poca información sobre la afección del paciente y las alternativas de tratamiento (más allá de lo que se requería para obtener el "consentimiento informado").

En la actualidad, los pacientes tienen más conocimientos y exigen más de sus médicos. *Lo que debe hacer...*

●**Exija el tiempo necesario** para informarle a su médico acerca de sus síntomas; y exija el tiempo para escuchar su explicación de posibles diagnósticos y tratamientos.

Útil: Anote sus síntomas para no pasarlos por alto durante la conversación con el médico.

Si piensa que su médico no lo está escuchando o no le está dando el tiempo que necesita, no se quede callado –*¡dígaselo!*

●**Obtenga una segunda opinión** antes de la cirugía u otro tratamiento invasivo. La mayoría de las empresas aseguradoras están dispuestas a pagar por ello, ya que una segunda opinión podría indicar que se tomen medidas no tan drásticas y menos costosas.

●**Realice su propia investigación.** Aunque no esté autorizado para ejercer la medicina (incluso en su propio tratamiento), existe abundante información médica fácil de entender en Internet (intente en los sitios Web en inglés, *www.ivillage.com* y *www.seekwellness.com*). Consulte además InteliHealth en *www.intelihealth.com.* Y, por supuesto, no confíe sólo en cualquier información que encuentre. Coméntela con su médico.

DECLARACIÓN DE DERECHOS DEL PACIENTE

La mayoría de los hospitales de Estados Unidos han adoptado todos o algunos de los 12 derechos enumerados en la *Declaración de los Derechos del Paciente* ("Patient Bill of Rights"), la cual fue aprobada por la American Hospital Association en 1992. *Esos derechos incluyen...*

●**Derecho a recibir atención médica amable y respetuosamente.**

●**Derecho a obtener información pertinente,** actual y entendible sobre el diagnóstico, el tratamiento y el pronóstico de médicos y otros proveedores de atención al paciente. Esto incluye información sobre las consecuencias financieras de las alternativas presentadas.

●**Derecho a tomar decisiones sobre el cuidado médico.** Esto incluye el derecho a no aceptar un tratamiento recomendado.

•**Derecho a tener una declaración de voluntad anticipada** –es decir, un testamento vital ("living will") o un poder médico ("durable medical power of attorney"). Estos documentos le permiten expresar el tipo de cuidado que usted quiere y el que no quiere.

•**Derecho a tener privacidad.** Esto se extiende no sólo al cuerpo del paciente durante el examen y el tratamiento, sino también a las discusiones del caso.

•**Derecho a suponer la confidencialidad** para todas las comunicaciones y archivos referidos al tratamiento.

•**Derecho a examinar los archivos** referidos a la atención médica personal. Esto incluye el derecho a recibir una explicación sobre dicha información.

•**Derecho a recibir una respuesta razonable** del hospital a un pedido de atención apropiada medicinalmente. Esto podría requerir la transferencia a otra institución médica.

•**Derecho a ser informado acerca de las relaciones comerciales entre el hospital,** los médicos y otra personas que podrían influir en el cuidado y el tratamiento del paciente.

Ejemplo: El urólogo tiene una participación en el centro de litotripsia, donde los cálculos renales se desintegran con ondas ultrasónicas. El urólogo tal vez lo enviará a ese lugar, aunque pueda haber tratamientos alternativos.

•**Derecho a acceder o a negarse a participar en estudios clínicos** de una afección usted padece.

•**Derecho a contar con una continuidad razonable de la atención médica.** No le conviene tener un médico distinto cada dos días.

•**Derecho a estar informado sobre las políticas y prácticas del hospital,** como la forma de resolver disputas sobre facturas.

LOS DERECHOS DEL PACIENTE: ¿SON AUTÉNTICOS O SÓLO UNA FACHADA?

Esos derechos parecen muy buenos, pero son sólo "maquillaje". Los hospitales que afirman que apoyan estos derechos quizá no lo hagan. *En cambio…*

•**Los médicos quizá no informen adecuadamente a sus pacientes** sobre los efectos secundarios de un medicamento recetado.

•**Los hospitales quizá no preparen facturas detalladas** cuando se da de alta al paciente.

•**Los hospitales quizá ni siquiera tengan un médico** en la sala de emergencia las 24 horas del día.

Realidad: Nadie más se preocupará de que sus derechos se cumplan.

Si es un paciente y cree que sus derechos han sido violados o se están violando, puede tomar medidas.

Pida hablar con el defensor del paciente ("patient advocate") del hospital, una persona empleada por el hospital para ser el intermediario entre los pacientes y la administración del hospital.

Encontrará el nombre y el número del defensor del paciente (a veces llamado representante del paciente) en sus documentos de ingreso al hospital o fijado en su habitación del hospital.

Podrían ser necesarias las objeciones verbales al tratamiento que está recibiendo –o que no ha recibido. No dude en decir lo que piensa.

EXAMINE SU HISTORIAL MÉDICO

Examine su historial médico para asegurarse de que no hay errores que podrían causarle problemas más adelante.

La mejor medida que puede tomar: Pídale a su médico una copia de su historial. Alrededor de la mitad de los estados tienen estatutos que le dan a usted el derecho a examinar su historial. Sin embargo, incluso en estados sin dichos estatutos, aun tiene ese derecho. Se supone que los hospitales que han adoptado la *Declaración de los Derechos del Paciente* deben proporcionar su historial si lo solicita.

Nota: Las leyes federales aseguran que los residentes de asilos de ancianos ("nursing homes") en los centros de Medicare y Medicaid pueden tener acceso a sus historiales. Una protección similar se proporciona a pacientes en centros federales como los hospitales de la Veterans' Administration (VA).

Más de Charles B. Inlander...

Cómo mantener la privacidad de su información médica

El formulario de privacidad médica es el resultado, esperado durante mucho tiempo, de la *Ley de Responsabilidad y Transferibilidad de Seguros Médicos de 1996* (HIPAA), cuya intención es proteger la privacidad, no quitarla (*www.hhs.gov/ocr/hipaa*).

Estos son algunos ejemplos de problemas de la privacidad médica...

• **Las empresas farmacéuticas** que obtienen los nombres de pacientes con fines comerciales.

• **Las empresas aseguradoras** que notifican a empleadores sobre problemas de salud de sus empleados.

• **Los mensajes embarazosos** relacionados con los diagnósticos u otros temas confidenciales que se dejan en los contestadores telefónicos automáticos de los pacientes.

• **La información médica** proporcionada a los medios de comunicación sin el consentimiento del paciente.

• **Los nombres de donantes de órganos** divulgados a los receptores de órganos sin su consentimiento.

Las reglas entraron en vigencia el 14 de abril de 2003. Ahora, la mayoría de los profesionales de la salud, empresas aseguradoras y otros que tienen acceso a su historial médico están obligados a enviarle una explicación de cómo usan y divulgan su información médica. Los planes de salud pequeños (aquellos con ingresos anuales menores a $5 millones) tenían un año adicional para cumplirla.

La información divulgada se limita a la mínima cantidad necesaria para el propósito de la divulgación. Por ejemplo, los médicos pueden enviarle a una aseguradora información sobre lesiones causadas por un accidente, pero no el historial médico completo del paciente.

John Featherman, asesor de seguridad, sugiere que nunca debe firmar una renuncia total ("blanket waiver"). Además, examine los avisos sobre privacidad antes de recibir servicios médicos. Usted puede cambiarlos para limitar la información revelada al nombre del médico, la afección y la fecha específicas. Los pacientes tienen el derecho de pedir aun más restricciones de privacidad. *Algunos ejemplos...*

• **Pedir que toda la correspondencia proveniente del médico** se envíe a la dirección de su elección.

• **Si es hospitalizado,** pedir que su nombre, estado general, etc., no se incluyan en el directorio de pacientes.

• **Ver una copia de su archivo** antes de que se envíe a una tercera parte. Asegurarse de que sólo contenga información pertinente.

El proveedor de atención médica no tiene que aceptar sus pedidos adicionales –pero sí tiene que cumplir cualquier acuerdo que haga con usted.

Otros derechos otorgados recientemente...

• **Usted puede inspeccionar y copiar su historial médico,** –y pedir la corrección de los errores que encuentre. Pero no puede exigir que se hagan las correcciones.

• **Puede solicitar una lista de la información médica que se ha divulgado sobre usted, y a quién se ha divulgado.**

Pero no piense que está completamente seguro. El señor Featherman explica que muchas entidades están exentas de las reglas –las agencias del orden público, las empresas de seguros de vida, las aseguradoras de automóviles cuyos planes incluyen beneficios de salud, proveedores de compensaciones para trabajadores, agencias que suministran servicios de asistencia social o de la Seguridad Social, sitios de autoayuda en Internet, detectores de colesterol en los centros comerciales u otros lugares públicos.

También de Charles B. Inlander...

No se convierta en una víctima de los errores médicos

Mientras que los médicos enfrentan una crisis debido a los costos crecientes de los seguros contra la negligencia médica, nosotros los consumidores de servicios médicos enfrentamos nuestra propia crisis. La cantidad de errores médicos está en aumento, y a pesar de muchas discusiones entre los expertos médicos, poco progreso se ha hecho para revertir esta tendencia.

Aunque la mayoría de la gente piensa que los errores médicos ocurren en los hospitales, la verdad es que ocurren muy frecuentemente *fuera* de los hospitales. Alrededor de cuatro de cada 250 recetas dispensadas en farmacias contienen un error. ¡Esto significa que 52 millones de recetas son dispensadas erróneamente al año en Estados Unidos! Los centros quirúrgicos que no están afiliados a un hospital son también un semillero de errores y son raramente inspeccionados por organizaciones de acreditación y gobiernos estatales.

Siempre he aconsejado sobre la importancia de obtener segundas opiniones y de investigar cuidadosamente a su médico y a su hospital. *Consejos adicionales que podrían ser de ayuda...*

•**Revise sus medicamentos.** Alrededor del 20% de todas las hospitalizaciones están relacionadas con errores en la farmacia o reacciones a los medicamentos. Cuando su médico le recete una píldora, pídale que le dé una muestra o que le muestre una foto en un libro, como el *Physicians' Desk Reference*. Fíjese en las marcas, el tamaño y el color. Si recibe una muestra, llévela a la farmacia y compárela con el medicamento que reciba. Siempre que se le dispense un medicamento, pídale al farmacéutico (no al técnico de la farmacia) que verifique el producto y su uso con usted. Pídale que compruebe otra vez el medicamento y que le explique el mejor modo de usarlo y cualquier advertencia. El farmacéutico está obligado por ley a hacerlo si usted se lo pide.

•**Asegúrese de que su médico le dé la información adecuada.** Los estudios demuestran que la razón principal por la que se presentan juicios por negligencia es que los médicos no comunican los riesgos y opciones relacionados con un tratamiento y su experiencia en realizarlo. Hace varios años, ayudé a una señora cuyo cirujano le había recomendado un tratamiento específico para el cáncer. Cuando ella comenzó a hacer preguntas, él dijo: "Soy un experto en esto. Lo que le digo

es lo que usted necesita". Ella consintió y no le hizo más preguntas. El procedimiento no sólo no tuvo éxito, sino que además le causó a ella graves heridas internas. Ella averiguó más adelante que el médico jamás había realizado la cirugía, algo que no le había dicho. Después, lo demandó y ganó. Si su médico elude sus preguntas o parece apurado por salir de la sala de examinación, adelántesele en llegar a la puerta.

•**Use centros quirúrgicos ambulatorios afiliados al hospital.** Aunque aun hay una posibilidad de que cometan errores, los médicos en dichos centros quirúrgicos deben tener privilegios en el hospital al cual el centro está afiliado, y el personal usualmente consiste en empleados del hospital. Los hospitales generalmente hacen cumplir normas más estrictas a su personal que a los centros no afiliados. Estos centros además están acreditados por la misma agencia que acredita los hospitales.

Al investigar de antemano y hacer las preguntas adecuadas, usted puede reducir mucho sus posibilidades de ser afectado por un error médico.

Cómo evitar convertirse en una estadística de los errores médicos

Timothy McCall, MD, internista, editor médico de la revista *Yoga Journal* y autor de *Examining Your Doctor* (Carol Publishing) y *Yoga as Medicine* (Bantam). *www. drmccall.com.*

Los errores médicos son noticia con frecuencia. De acuerdo al Institute of Medicine (IOM, por sus siglas en inglés), los errores de los médicos y otros trabajadores de la salud matan hasta 98.000 estadounidenses cada año. Eso es más del doble de las muertes causadas por cáncer de mama.

El informe del IOM se enfoca en lo que los médicos y las instituciones de salud pueden hacer para reducir el índice de errores, pero también hay mucho que los pacientes pueden hacer.

•**Errores quirúrgicos.** Estos representan alrededor de la mitad de todos los errores médicos. Se trata de todo tipo de errores –por ejemplo, cortar accidentalmente un órgano vital, no controlar adecuadamente la anestesia, o hasta amputar la pierna equivocada. Debido al temor de que el médico realice el procedimiento correcto en el lado equivocado del cuerpo, algunos pacientes quirúrgicos usan marcadores para indicar el sitio correcto de la cirugía en sus cuerpos. Incluso algunos cirujanos han empezado a hacerlo.

Lo que es mucho más importante es enfocarse en las credenciales del cirujano. Los estudios han demostrado que los pacientes se sienten más seguros en las manos de un cirujano que realiza la operación con frecuencia. No hay un número mágico específico, pero yo ciertamente preferiría un cirujano que ha realizado el procedimiento cientos de veces en lugar de uno que lo ha efectuado 10 veces. Y siempre obtenga una segunda opinión sobre cualquier operación electiva, para estar seguro de que realmente la necesita.

Es también una buena idea considerar el hospital donde se hará la cirugía. Es preferible una institución que emplee a muchas enfermeras acreditadas (RN, por las siglas en inglés de enfermera registrada), en lugar de auxiliares de enfermería ("nurse's aides"), que podrían carecer de la capacitación adecuada. Es imposible dar un número exacto de enfermeras deseables, pero el hospital que usted elija no debería asignar más que unos pocos pacientes postoperatorios a cada enfermera acreditada. Debido a las presiones por reducir los costos, hoy en día es común que los hospitales asignen doce o más pacientes a cada enfermera acreditada. Si es posible, pídale a sus familiares que se queden con usted en el hospital para tratar de asegurarse de que usted reciba la atención que necesita.

•**Errores en los medicamentos.** Esta categoría abarca todo desde dar la dosis o el medicamento equivocados hasta olvidar de verificar las alergias. Debido a que un médico podría no darse cuenta de lo que otro está recetando, recomiendo llevar una lista de todos sus medicamentos, o una bolsa con los frascos, a cada consulta. Asegúrese de incluir las vitaminas y otras píldoras de venta libre. Éstas pueden interactuar peligrosamente con algunos alimentos, medicamentos recetados y entre sí.

Use el sentido común. Si una píldora parece diferente de lo habitual, avise al médico, enfermera o farmacéutico. Si desarrolla nuevos síntomas después de tomar un nuevo medicamento, llámelo de inmediato para preguntar si podría ser causado por el medicamento. Nunca abandone el consultorio del médico hasta saber *exactamente* lo que le han dado y por qué, cómo tomarlo y a qué efectos secundarios debe prestar atención.

•**El diagnóstico no percibido o dado tarde de cáncer y otras afecciones que ponen la vida en peligro.** Si no responde al tratamiento o tiene síntomas preocupantes que su médico no le puede explicar, considere recibir una segunda opinión. Por ejemplo, podría pedirle a otro patólogo que examinara la biopsia o a otro radiólogo que interpretara una mamografía dudosa.

•**El ejercicio descuidado de la medicina.** En el mundo acelerado de la medicina moderna, los médicos a veces se olvidan de lavarse las manos o de investigar unos rayos X anómalos. Un médico que esté muy ocupado como para mantenerse al día con la literatura médica podría no estar enterado de un nuevo tratamiento para su afección que podría salvarle la vida.

Para contrarrestar el descuido de los médicos, lo mejor es prestar atención y ser firme con cortesía. Analice la calidad de la atención de su médico. Cambie de médico si no está satisfecho. Los buenos médicos no deberían sentirse amenazados por pacientes que asumen un papel activo en su cuidado médico. Deberían acogerlo con agrado, porque dos cabezas realmente piensan mejor que una.

Más de Timothy McCall...

Sus responsabilidades con el cuidado de su salud

Escribo mucho sobre lo que los médicos deberían –y no deberían– hacer. Pero para asegurarse de recibir atención médica de primer nivel, los pacientes también deben cumplir con su parte. *Esto es lo que sugiero...*

•**Conozca su historial médico.** Un paciente nuevo, un ingeniero civil de alto nivel, sólo fue capaz de identificar el medicamento para la presión arterial que había tomando durante varios años como "una pequeña píldora rosada". Esto dificultó mi tarea.

Yo sugiero que lleve una lista de todos sus diagnósticos importantes. Incluya la terminología médica *y* lo que significa en palabras comunes. El registro debería incluir además las fechas y descripciones de todas las operaciones que ha tenido, los resultados de exámenes diagnósticos, cualquier alergia y todos los medicamentos que toma.

•**Prepárese para sus consultas.** Antes de su cita, prepare una lista de preguntas acerca de su afección y de los problemas que le gustaría que su médico tratara. El tiempo del médico es limitado, así que intente enfocarse en los temas de mayor preocupación.

•**No deje que la vergüenza lo detenga.** Si bebe 12 tazas de café al día, tiene problemas sexuales o molestias en los intestinos, dígaselo a su médico. No tenga vergüenza.

Si le gustaría que cierta información permaneciera fuera de su historial médico, pregúntele al médico si está de acuerdo en no anotarla.

•**Sea sincero.** Si no ha tomado el medicamento que el médico le recetó, dígaselo. Quizá el médico no se dio cuenta de su preocupación por el costo del medicamento o sus efectos secundarios. Del mismo modo, dígale al médico si no tiene intenciones de hacer que le dispensen una receta, dejar de fumar o someterse a un examen ya fijado. Si su médico sabe exactamente lo que usted está dispuesto a hacer –y no hacer– podrán llegar a una solución que satisfaga a ambos.

•**Vaya al grano.** Trate de no tener motivos ocultos para su consulta. Es mejor revelar sus principales preocupaciones tan pronto como sea posible durante la consulta. Muchos pacientes pierden minutos valiosos en temas triviales, para saltar a su verdadera preocupación en el último minuto. Esto hace que sea prácticamente imposible para el médico atender el problema por completo.

•**Describa sus síntomas.** Los médicos están más interesados en escuchar una descripción de sus síntomas que su teoría sobre lo que podría estar causándolos. Si ha sentido dolor en el abdomen, por ejemplo, puede decirle al médico: "Tengo dolor persistente en el abdomen". No le diga: "Mi úlcera me está dando problemas". Después de todo, no todos los dolores en el abdomen son causados por úlceras.

Cuanto más detallada sea la descripción de su afección, más fácil será para su médico encontrar una explicación.

•**Póngase en el lugar de su médico.** Si no puede llegar a una cita programada, llame al médico para cancelarla tan pronto como sea posible.

No llame al médico a medianoche por un problema que ha tenido durante semanas, a menos que haya empeorado súbitamente. Si los honorarios de un médico son razonables, páguelos. Si no tiene recursos para pagar enseguida, pregúntele al médico si sería posible pagar en cuotas. Trate siempre de ser educado y respetuoso –incluso si necesita imponerse.

Especialmente en esta época de planes de atención médica dirigida ("managed care"), es importante mantener a su médico de su lado. Y usted tendrá muchas más posibilidades de satisfacer sus necesidades si considera además las necesidades de su médico.

También de Timothy McCall...

Cómo aprovechar al máximo su chequeo médico anual

En años recientes, algunos expertos han comenzado a cuestionar el valor del chequeo anual de rutina. Como la mayoría de los planes de salud permiten un chequeo gratis o a bajo costo cada año, quizá se pregunte si vale la pena. Yo creo que sí, aunque tal vez no por las razones que usted sospeche.

Muchos elementos del chequeo típico (recuento sanguíneo, electrocardiograma y otros exámenes de rutina) proporcionan poca información útil en el caso de las personas que aparentemente tienen buena salud. Lo mismo se aplica a escuchar los latidos del corazón, comprobar los reflejos y la mayoría de las otras partes de un chequeo tradicional.

Lo que sí es valioso es una discusión detallada sobre la dieta, el ejercicio y otros aspectos de la medicina preventiva. Idealmente, los médicos discutirían estos temas con sus pacientes durante consultas de rutina. Sin embargo, con la abreviación actual de las consultas médicas, a muchos médicos les falta el tiempo. Por esta razón, un chequeo anual podría darles a usted y a su médico la única oportunidad de examinar el estado general de su salud. *He aquí cómo aprovecharlo al máximo…*

• **Comente cada uno de sus problemas médicos principales.** Pregúntele a su médico si ha habido algún avance importante en el tratamiento durante el año pasado. ¿Hay algo más que podría hacer para mejorar o mantener la salud? ¿Hay algún especialista nuevo que podría consultar? ¿Existen nuevos medicamentos que debería tomar?

• **Revise sus medicamentos.** Lleve todos sus medicamentos al consultorio del médico, junto con una lista escrita a máquina de los mismos. Incluya los medicamentos de venta libre y los suplementos dietéticos, además de los medicamentos recetados. De este modo, puede asegurarse de que el médico sabe exactamente lo que usted está tomando.

Ya que cada medicamento abarca riesgos, es una buena idea preguntarle si realmente necesita tomar todos ellos. ¿Hay alternativas más seguras para alguno de estos medicamentos? ¿Hay un historial de interacciones peligrosas entre cualquiera de las píldoras?

• **Sométase a los pocos exámenes diagnósticos de eficacia comprobada.** Como la mayoría de los médicos, insto a mis pacientes a que se chequeen la presión arterial al menos cada dos años. También recomiendo comprobar los niveles de colesterol total y de colesterol "bueno" HDL cada pocos años.

Los exámenes para el cáncer de colon deberían incluir chequeos anuales de sangre oculta en las deposiciones y sigmoidoscopia flexible cada tres a cinco años después de los 50 años de edad. La colonoscopia, un examen más riguroso, puede hacerse con menos frecuencia.

Yo también estoy del lado de los expertos que afirman que las mujeres deberían someterse a un examen de Papanicolaou ("Pap smear") cada uno a tres años, además de un examen anual de senos y, a partir de los 50 años, una mamografía ("mammogram").

Las mamografías *antes* de los 50 años son de valor dudoso. Lo mismo sucede con el análisis de sangre PSA para detectar el cáncer de próstata. Algunos expertos creen en esos exámenes. Otros sospechan que hacen más daño que lo que benefician, por ejemplo, al llevar a una cirugía innecesaria. Examine cuidadosamente las ventajas y desventajas de cada prueba con su médico.

• **Revise sus inmunizaciones.** Los padres suelen ser buenos para recordar que sus hijos necesitan vacunarse –pero se olvidan cuando se trata de ellos mismos. Los médicos también muchas veces descuidan este tema vital. Algunos estudios demuestran que la mayor parte de las personas en riesgo de contraer la hepatitis B, gripe y neumonía no se han vacunado contra dichas enfermedades. ¿El resultado? Más de 60.000 adultos estadounidenses mueren cada año de enfermedades que se podrían haber prevenido con vacunas –comparado con menos de 1.000 niños.

Su médico necesita dedicarle suficiente tiempo al chequeo para hacerlo bien. ¿Cuánto tiempo es suficiente? Eso depende de su edad y su salud en general. Anticipe una consulta de entre 20 y 30 minutos si es joven y goza de buena salud –y el doble de tiempo si no lo es.

Por lo general se reserva más tiempo de lo usual para los chequeos anuales, lo que debería permitirles a usted y a su médico conocerse un poco mejor. Y ésa podría ser la parte más valiosa del chequeo.

**Timothy McCall opina
sobre las segundas opiniones…**

Qué se debe hacer cuando sus médicos no están de acuerdo

Los expertos médicos dicen que siempre es prudente recibir una segunda opinión antes de la cirugía electiva. Estoy de acuerdo. Pero yo también recomiendo recibir una segunda opinión si su médico parece incapaz de diagnosticar su problema, si usted no logra mejorar, según lo previsto, o si le han diagnosticado cáncer u otra enfermedad que pone la vida en peligro.

¿Qué se debe hacer cuando las opiniones de sus médicos no coinciden? Simplemente porque los médicos no estén de acuerdo no quiere decir que uno de ellos esté equivocado. Hay diferencias razonables de opinión, y con frecuencia más de un método dará resultados. A veces no tenemos suficientes datos científicos como para saber a ciencia cierta cuál tratamiento es el mejor.

Esto es lo que sugiero para ayudarlo a resolver consejos contradictorios...

•**Haga su propia investigación.** Aprenda tanto como pueda sobre su diagnóstico y de los tratamientos recomendados. Cuanto más sepa, más inteligentes serán sus preguntas a los médicos –y mejor será su capacidad para evaluar lo que cada uno dice.

•**Analice el asunto con calma.** No se sienta presionado a tomar una decisión inmediata. Con la excepción de verdaderas situaciones de urgencia, es poco probable que un par de semanas de retraso en tomar la decisión cause algún problema. Algunas personas aceptan tratamientos o exámenes que realmente no quieren porque piensan que sus médicos están a favor de los mismos.

Creo que es bueno salir del consultorio del médico, leer sobre su problema, hablar sobre sus opciones con sus seres queridos –y luego tomar la decisión.

•**Pida explicaciones.** Averigüe las razones de cada médico para recomendar un examen o tratamiento en particular. Si puede entender los fundamentos que respaldan la recomendación de cada médico –y no solamente la recomendación misma–, estará en una mejor posición para evaluarla.

¿Existen datos específicos que respaldan el consejo? ¿Se basa el consejo en la experiencia personal? ¿Qué sucedería si se negara a hacer lo que se le recomienda? ¿Sería perjudicial un retraso?

•**Pídale a cada médico que evalúe el consejo del otro.** Un médico podría encontrar puntos débiles en el razonamiento del otro que quizá no se le habrían ocurrido a usted, o al otro médico. De ser posible, obtenga el consejo de cada médico por escrito y muéstreselo al otro.

•**Tenga en cuenta el interés por el dinero.** Al tratar de entender la recomendación de un médico, es bueno saber dónde se encuentran los incentivos financieros. Es lógico –y los estudios lo confirman– que los médicos tengan más probabilidad de recomendar tratamientos o exámenes cuando puedan llegar a ganar algo. Este es el caso de los seguros de salud más tradicionales con "tarifa por servicio" ("fee-for-service"). Bajo los planes de atención médica dirigida ("managed-care"), es menos probable que los médicos recomienden intervenciones costosas –aun si lo beneficiaran a usted.

•**Solicite otra opinión.** Si lo considera necesario, no dude en recibir una tercera o incluso una cuarta opinión. Es usualmente una buena idea consultar a médicos que no estén relacionados con los otros médicos.

Debido a los incentivos financieros de las organizaciones de mantenimiento de la salud (HMO, por sus siglas en inglés) para que no se proporcionen servicios costosos, es generalmente una buena idea recibir una opinión de un médico que esté fuera del plan –aunque usted tenga que pagar más.

•**Siga sus instintos.** En última instancia, muchas preguntas médicas no tienen la respuesta adecuada. Como usted es el que tendrá que sufrir las consecuencias de cualquier decisión médica, deberían ser sus valores, y no los de los médicos, los que determinen qué camino seguir.

Alerta sobre las biopsias

Susan L. Blum, ex editora del boletín informativo *Bottom Line/Health,* 281 Tresser Blvd., Stamford, Connecticut 06901.

Cuando los patólogos de la facultad de medicina de la Universidad Johns Hopkins, en Baltimore, dieron una segunda mirada a más de 6.000 muestras de biopsias analizadas previamente en otras instituciones, los resultados fueron chocantes. Casi dos de cada 100 análisis clínicos estaban equivocados. Casi el 25% de los diagnósticos equivocados confundieron un tumor benigno por un cáncer.

Alarmante: El seis por ciento le dijo al paciente que "todo está bien" cuando en realidad padecía cáncer.

Como resultado de estos errores, algunos pacientes sanos recibieron penosos tratamientos para el cáncer, sin necesidad. Y algunos pacientes con cáncer no recibieron ningún tratamiento.

¿A qué se deben tantos errores potencialmente mortales? El Dr. Jonathan L. Epstein, profesor de patología en Johns Hopkins y autor principal del estudio, dijo que la tendencia es el resultado irónico del progreso de la medicina.

Las nuevas técnicas menos invasivas como las biopsias por punción ("needle biopsies") son más atractivas para los pacientes, ya que extraen menos tejido. Pero estas les dan a los patólogos muestras más pequeñas para examinar –lo que significa que los indicios de enfermedad podrían no ser detectados.

Además, las biopsias tempranas son ahora la norma, gracias a los procedimientos de detección de cáncer como los análisis de sangre y las mamografías. Pero las biopsias tempranas tienen más posibilidades de ser ambiguas, y la probabilidad de que haya "falsos positivos" es mayor.

Para protegerse, el Dr. Epstein les aconseja a los pacientes que hagan que las muestras de las biopsias se vuelvan a examinar por un patólogo especializado en el tipo de tejido que se está examinando.

Si usted ha tenido una biopsia de la próstata, por ejemplo, halle un experto en cáncer de próstata. Pídale ayuda a su médico para localizar al especialista adecuado. La muestra puede enviarse a cualquier lugar del país. Recibir una segunda opinión tomará alrededor de una semana y puede costar varios cientos de dólares. Pero la respuesta podría ser invaluable.

Cómo asegurarse de que su mamografía sea interpretada con precisión

Alexander J. Swistel, MD, director del Weill Cornell Breast Center, y jefe de cirugía del hospital New York-Presbyterian y de la facultad de medicina Weill de la Universidad Cornell, todos en Nueva York. El Dr. Swistel es renombrado ampliamente como un pionero en el tratamiento del cáncer de mama. Es ex presidente del Metropolitan Breast Cancer Group, la organización más antigua y más grande de especialistas del cáncer de mama en Estados Unidos.

Las mamografías son una de las mejores herramientas para detectar tumores de mama. Por eso es importante que se realicen eficazmente. Hay varias preguntas que debe hacer para hallar el centro adecuado para realizar su mamografía. *Ellas son...*

•**¿Ha sido el centro acreditado por el American College of Radiology?** Si el centro está acreditado, los médicos deben mantener archivos precisos sobre su caso, especialmente si se sospecha la presencia de cáncer. También es más probable que el personal esté capacitado.

•**¿Cuántas mamografías se realizan ahí por año?** La cantidad es importante. Un centro que realice 50 mamografías al año no va a ser tan competente como uno que efectúe 500.

•**¿Se interpreta la mamografía en el centro?** Algunos lugares envían sus mamografías fuera para ser interpretadas. La persona de afuera que lo haga puede no tener información clínica pertinente o mamografías viejas para compararlas. Si ése fuera el caso, este centro probablemente no es la mejor opción.

•**¿Se interpreta la mamografía más de una vez?** Se ha desarrollado una práctica reciente llamada doble interpretación. Un médico interpreta la mamografía y luego otro médico también lo hace para evitar errores.

•**¿Qué antigüedad tiene el equipo?** Las máquinas más nuevas producen mejores imágenes.

•**¿Puede el centro realizar biopsias y sonogramas en el sitio?** Esto es un indicio de un centro importante. Si hubiera alguna duda con respecto a una interpretación, obtenga una segunda opinión. Las zonas que parecen cancerosas podrían ser benignas, y viceversa. Una segunda detección en otro centro podría dar la respuesta acertada.

Lo que debe saber sobre los alarmantes errores en los exámenes médicos

Richard N. Podell, MD, MPH, director médico de la Podell and King Medical Practice, en Somerset y Springfield, Nueva Jersey, Es autor de varios libros, entre ellos, *Doctor, Why Am I So Tired?* (Fawcett). *www.drpodell.org.*

Ningún examen médico es perfecto. Aun cuando lo realiza un técnico calificado y lo analiza un laboratorio confiable, lo que usted haga *antes* del examen puede cambiar los resultados significativamente.

No tener ninguna noticia no significa que "todo está bien": Al menos el 2% de los resultados de los exámenes se pierde y nunca llega a manos del médico. Por lo tanto –no suponga que todo está bien si su médico no se pone en contacto con usted. Llame para averiguar los resultados una o dos semanas después de someterse a un examen.

Las siguientes son pautas prácticas para asegurar que los resultados de los exámenes más comunes sean lo más precisos posible…

BIOPSIA

Una biopsia es vital para las personas con resultados sospechosos de los exámenes preliminares de cáncer. Es usada además para diagnosticar afecciones en la piel.

Procedimiento: El tejido sospechoso se extrae con un dispositivo punzante para biopsia o con un bisturí ("scalpel")… luego se analiza bajo un microscopio. Según el lugar del tejido sospechoso, usted podría necesitar ser sedado o recibir puntos.

Precisión: Los resultados pueden ser ambiguos. El juicio y la experiencia de un patólogo son decisivos para una evaluación precisa.

Resultados: En una o dos semanas.

DENSIDAD ÓSEA

Las mujeres deberían someterse a este examen indoloro para la osteoporosis dentro del año siguiente a la menopausia… y de ahí en adelante, cada 12 a 24 meses. La frecuencia adecuada varía según la persona. Hágase el examen antes si existe un historial familiar de la enfermedad o si usted ha tenido alguna vez una fractura… especialmente una fractura sorprendente, que ocurre en una situación de trauma leve –como, por ejemplo, fracturarse la muñeca al caer sobre el césped.

Los hombres deberían someterse al examen si alguna vez han sufrido una fractura seria o tienen un historial familiar de osteoporosis.

Los pacientes que estén tomando corticosteroides, como aquellos para el asma, el lupus o la artritis reumatoide, deberían someterse a exámenes al comienzo de la terapia y cada uno o dos años de ahí en adelante (la frecuencia varía según la persona). Estos medicamentos hacen que los huesos se vuelvan frágiles.

Procedimiento: Se acuesta totalmente vestido sobre una mesa especial o pone su talón, muñeca o dedo dentro de una máquina de *ultrasonido o de absorciometría de rayos X de energía dual* (DEXA, por sus siglas en inglés).

Preparación: No es necesaria ninguna.

Precisión: Varía según el sitio que se mida y el examen que se use. DEXA es el examen más preciso, especialmente cuando se realiza en la columna o la cadera.

Resultados: En una semana.

EXAMEN DE COLESTEROL

Cada cinco años, hombres y mujeres mayores de 20 años deberían someterse a un análisis de sangre para medir sus niveles totales de colesterol HDL (el "bueno") y LDL (el "malo"). Este examen es especialmente importante para las mujeres después de la menopausia, cuando el LDL tiende a subir y el HDL tiende a bajar. Si el nivel de colesterol "malo" LDL es alto, el examen debería efectuarse con más frecuencia.

Procedimiento: Se extrae sangre del brazo.

Preparación: Ninguna es necesaria antes de los exámenes de niveles de HDL y de colesterol total. Antes de los exámenes de LDL y triglicéridos, ayune 12 horas y no beba alcohol por tres días.

Precisión: Muy preciso si se siguen las pautas.

Resultados: En dos días.

EXÁMENES DE CÁNCER DE COLON

Tanto hombres como mujeres deberían someterse anualmente a un examen para detectar sangre oculta en las deposiciones a partir de los 50 años –o antes si existe un historial familiar de cáncer de colon. Además, consulte a su médico para someterse a un examen de tacto rectal a partir de los 40 años.

Precisión: Hay muchas causas benignas que causan la presencia de sangre en las deposiciones, como las hemorroides y la ingestión de ciertos alimentos o medicamentos. Pueden ocurrir resultados positivos falsos.

Mejor: Sométase a una sigmoidoscopia cada tres años o a una colonoscopia cada cinco años. Estos exámenes son mucho más precisos que un examen de las deposiciones.

Procedimiento: Para el examen de las deposiciones, su médico probablemente le dé un kit para obtener una muestra de las mismas. Se recogen las muestras en casa y luego se llevan al consultorio o al laboratorio para la evaluación.

La colonoscopia se realiza en un hospital o en un centro médico ambulatorio. La sigmoidoscopia usualmente se realiza en el consultorio del médico.

Para cualquiera de estos procedimientos, se acuesta sobre un costado encima de una mesa y el médico le inserta un colonoscopio en el ano.

La sedación –ya sea general o local– es necesaria para la colonoscopia, que examina el largo total del colon.

Usualmente hay malestar leve o moderado –y bastante breve– durante la sigmoidoscopia, que sólo examina el tercio inferior del colon. Por lo general no se administra anestesia.

Preparación: Cuatro días antes del examen de las deposiciones, no tome aspirina, ibuprofeno ni suplementos de vitamina C. No coma carne roja durante tres días antes del examen.

Manténgase en una dieta de líquidos por 24 a 36 horas antes de una colonoscopia o sigmoidoscopia. Tendrá además que usar medicamentos o un enema la noche anterior al examen para vaciar los intestinos.

Resultados: En tres días para el examen de las deposiciones –inmediatamente para los otros exámenes.

IMÁGENES POR RESONANCIA MAGNÉTICA

Las imágenes por resonancia magnética (MRI, por sus siglas en inglés) son importantes para quienes puedan tener afecciones en el cerebro, la médula espinal, otros órganos o los vasos sanguíneos.

Procedimiento: Se acuesta dentro de un tubo angosto por 30 minutos o más. Durante ese tiempo, escuchará cómo el escáner hace chasquidos fuertes.

Preparación: Si es claustrofóbico, solicite un sedante antes del procedimiento, o pídale a su médico que le haga una MRI abierta, que tiene un tubo que confina menos, aunque no sea tan sensible.

Precisión: La claridad de la imagen varía según la parte del cuerpo escaneada. Las MRI requieren que el radiólogo use su juicio e interpretación.

Resultados: En una semana o menos.

MAMOGRAFÍA ("MAMMOGRAM")

Todas las mujeres mayores de 40 años deberían someterse anualmente a una mamografía y a exámenes clínicos de los senos. Programe la mamografía durante las dos semanas después de su periodo menstrual.

Razones: Justo antes y durante la menstruación, los senos podrían estar sensibles, lo que hace que el examen sea más doloroso. El tejido de los senos es además más denso en ese momento, lo cual dificulta más la detección de anomalías.

Procedimiento: Un técnico coloca el seno sobre una placa, lo comprime y toma las imágenes de rayos X.

Preparación: No use ningún antitranspirante que contenga aluminio el día del examen. Puede producir manchas en los rayos X que se parecen a anomalías. Dúchese si usó antitranspirante el día anterior.

Precisión: Alrededor del 10% al 15% de los cánceres de mama no se detectan en las mamografías –pero la mayoría de éstos se pueden detectar en un chequeo realizado por un médico o durante un autoexamen. Casi cualquier masa que se encuentre requerirá seguir siendo evaluada, muchas veces con una biopsia.

Resultados: Las pautas federales requieren que los resultados negativos se envíen por correo a los pacientes dentro de las dos semanas del examen. Los resultados sospechosos o positivos deben expedirse aun más rápidamente.

EXAMEN DE PAPANICOLAOU ("PAP SMEAR")

Todas las mujeres mayores de 18 años deberían someterse a un examen anual de Papanicolaou para detectar el cáncer cervical. El riesgo de contraer este cáncer aumenta mucho en las mujeres con múltiples parejas o que comenzaron a ser sexualmente activas siendo muy jóvenes. Los exámenes se pueden realizar en cualquier momento excepto durante un periodo menstrual.

Procedimiento: Se sienta en una mesa de evaluación y coloca los pies en estribos al final de la mesa. El médico introduce un espéculo dentro de la vagina para mantenerla abierta. Luego inserta un largo hisopo o un cepillo dentro de la vagina para raspar unas pocas células del cuello del útero. Estas células se colocan sobre un portaobjetos para ser analizadas. El examen puede ser algo incómodo.

Preparación: No se dé una ducha vaginal, no tenga relaciones sexuales ni use medicación vaginal durante las 24 horas antes del examen.

Precisión: Después de un examen normal, la posibilidad de contraer cáncer cervical durante los próximos tres años es menor a uno en 20.000.

Importante: Un examen de Papanicolaou detecta sólo el cáncer cervical, no el cáncer de útero ni de ovario. Las biopsias endometriales para detectar el cáncer de útero se ofrecen a las mujeres que tienen sangrado vaginal irregular o las mujeres posmenopáusicas que se encuentran en una terapia de estrógeno. Puede usarse una ecografía pélvica ("pelvic ultrasound") para detectar el cáncer de ovario, así como un análisis de sangre CA-125, pero generalmente no se efectúan.

Resultados: En una o dos semanas.

EXÁMENES PARA EL CÁNCER DE PRÓSTATA

Todos los hombres mayores de 40 años deberían someterse a un examen anual de tacto rectal, en el cual el médico busca bultos o un agrandamiento de la próstata.

Todos los hombres mayores de 50 años deben someterse a un análisis de sangre de *antígeno específico de la próstata* (PSA, por sus siglas en inglés). Los hombres con un historial familiar de cáncer de próstata deberían comenzar a someterse a los exámenes al menos cinco años antes de la edad en que el pariente contrajo el cáncer.

Procedimiento: Se extrae sangre del brazo.

Preparación: Evite la actividad sexual y los exámenes de tacto rectal durante las 24 horas antes del examen. Cualquiera de ellos podría aumentar falsamente el nivel de PSA.

Precisión: Los niveles altos de PSA sugieren considerablemente la existencia de cáncer de próstata. Los niveles menores pueden ser provocados por agrandamiento de la próstata o cáncer de próstata.

Resultados: Dentro de dos días.

PRUEBA DE ESFUERZO ("STRESS TEST")

Esta prueba es importante para hombres y mujeres que tienen o sospechan que tienen una enfermedad del corazón, como quienes sufren de dolores de pecho. Es también importante para quienes tienen factores de riesgo de padecer enfermedad del corazón, como un historial familiar de ataque al corazón a una edad joven.

Procedimiento: La actividad eléctrica del corazón y la presión arterial se miden mientras usted camina o corre por una cinta sin fin para caminar ("treadmill") o pedalea en una bicicleta estacionaria. La prueba detecta si el flujo de sangre al corazón se encuentra en riesgo.

Preparación: Use zapatillas deportivas y ropa cómoda. No consuma nada durante las seis horas antes de la prueba.

Precisión: Se da un índice relativamente alto de resultados positivos falsos en personas con un riesgo bajo de enfermedad del corazón. Es mucho menos útil hacer la prueba para detectar enfermedades del corazón en personas que no tienen síntomas o factores de riesgo.

En las personas con síntomas, una prueba de esfuerzo puede proporcionar una estimación del riesgo de morir en los próximos cinco años. Si aparece cualquier malestar durante la prueba, dígaselo inmediatamente al médico.

Resultados: Disponibles de inmediato.

¿De veras necesito ese examen diagnóstico?

Lynne McTaggart, editora del boletín informativo *What Doctors Don't Tell You*, y autora de *What Doctors Don't Tell You* (Thorson's).

En los "buenos viejos tiempos", los diagnósticos médicos se realizaban con poco más que un estetoscopio y buen juicio. Ahora los médicos poseen una vasta gama de instrumentos de alta tecnología que pueden escanear y sondar cada centímetro del interior del paciente.

Usados adecuadamente, estos equipos salvan vidas. Con demasiada frecuencia, sin embargo, los exámenes diagnósticos se realizan sin necesidad. Eso hace perder el tiempo y el dinero de los pacientes… y puede someterlos a preocupaciones innecesarias y hasta al peligro.

Ejemplos: Un rayo X implica la exposición a radiación que puede causar cáncer… y un angiograma mal interpretado puede llevar a una innecesaria cirugía del corazón.

La próxima vez que un médico le recomiende exámenes diagnósticos, hágale estas preguntas…

•**¿Realmente necesito este examen?** La mayoría de los médicos contestarán automáticamente que sí. A continuación, pregúntele si existe una alternativa menos riesgosa que pueda dar la misma información.

Ejemplo: La *imagen por resonancia magnética* (MRI, por sus siglas en inglés) y la *tomografía computadorizada* ("CT scan", en inglés) proveen información similar. Pero la tomografía computadorizada implica radiación; la resonancia magnética no.

Útil: Pregúntele qué hacían los médicos antes de que el examen diagnóstico se desarrollara. En muchos casos, los médicos más viejos saben cómo proporcionar atención excelente sin depender demasiado de los últimos avances en la tecnología y de los dispositivos novedosos.

•**¿Qué me aconsejaría hacer si los resultados del examen son anormales?** Considere la probable cadena de acontecimientos posteriores al examen anormal. Trate de encontrar una manera de disminuir la cantidad de procedimientos a los que deberá someterse.

Ejemplo 1: Si una lectura anormal en un examen significa que será necesario otro examen, ¿es posible hacer el segundo examen de inmediato?

Ejemplo 2: Si un resultado anormal de un examen sugiere un tratamiento que usted encuentra inaceptable, ¿por qué debe someterse al examen en primer lugar?

Muchas mujeres embarazadas se someten a exámenes de *alfafetoproteína* (AFP), el cual puede indicar la existencia del síndrome de Down o de la espina bífida. Si no está dispuesta a considerar un aborto, puede que someterse al examen no tenga sentido.

•**¿Cuán confiable es el examen?** Los exámenes diagnósticos a veces indican que tiene una enfermedad cuando en realidad no la tiene (resultado positivo falso), o que no tiene la enfermedad cuando en realidad sí la tiene (resultado negativo falso).

Un examen con un índice de resultados positivos falsos/negativos falsos por encima del 25% es tan poco confiable que se debe cuestionar su valor.

Ejemplo: El examen de *antígeno específico de la próstata* (PSA), un indicador del cáncer de próstata, tiene un índice de resultados negativos falsos del 40% y de positivos falsos de hasta el 75%.

Tres de cada cuatro hombres que tienen una lectura de PSA anormal, a continuación descubren por medio de una biopsia que *no* tienen cáncer de próstata.

133

•**¿Qué riesgos implica someterse a este examen?** Pregunte con qué frecuencia las personas que se sometieron al examen experimentaron efectos secundarios y de qué tipo. Decida si los riesgos relacionados con la realización del examen son mayores que los riesgos de no someterse al mismo.

Ejemplo: Uno de cada 1.000 procedimientos de angiografía cardiaca, usados para diagnosticar enfermedades del corazón, resulta en un ataque cerebral ("stroke") o ataque al corazón. Pregúntele a su médico qué riesgos corre si se niega a someterse al examen.

•**¿Está completamente capacitado el operador del equipo?** Si su médico no lo sabe, pregúntele al administrador del centro que realiza los exámenes –o al operador mismo.

Busque certificados que detallen la capacitación del operador. Lo preferible es uno que haya efectuado el examen al menos 50 veces.

Especialmente importante: El historial del operador en cuanto a su precisión. Su historial debe corresponder al estándar del equipo en cuanto a la precisión (el índice de resultados positivos falsos/negativos falsos).

Si el operador reconoce que tiene mayores o menores imprecisiones que el estándar, trate de averiguar la razón.

Un alto número de imprecisiones podría significar que no está completamente capacitado. Un número bajo sugiere que su nivel de destreza es excepcionalmente alto, o que no es sincero.

Útil: Cuando programe un examen, pida ser uno de los tres primeros en el turno del operador. Esto ayudará a eliminar errores relacionados con la fatiga del final del turno.

•**¿Cuándo se calibró el equipo por última vez?** Existen estándares distintos para cada máquina, pero la mayoría de los equipos debería revisarse por seguridad y precisión al menos una vez por año.

Si la calibración más reciente se efectuó hace más de 12 meses, hable sobre las pautas de calibración con el operador.

Si debe hacerse rayos X: Asegúrese de que recibirá la menor dosis posible de radiación.

Averigüe la dosis de radiación típica para su tipo de rayos X en particular, y compárela con la dosis que recibirá del equipo que se usará para su prueba.

Las dosis por encima del promedio estándar ("standard mean") significan que la máquina es innecesariamente ineficaz. Halle otro centro que saque rayos X.

Importante: Use protección de plomo en las partes del cuerpo a las que no se les está sacando rayos X.

•**¿Es posible usar los resultados de los exámenes anteriores?** Siempre que sea posible, haga que su médico cuente con los resultados de un examen anterior. Esto le ahorra a usted tiempo y dinero… y evita la exposición a riesgos adicionales.

•**Si un familiar suyo estuviera en mi lugar, ¿le recomendaría que se sometiera a este examen?** Esta pregunta obliga al médico a pensar en un nivel distinto –en vez de considerarlo a usted como un caso profesional entre muchos, lo considerará como si fuera un miembro de su familia.

Esté atento a indicios de ambivalencia. Si el médico hace una pausa o frunce el ceño cuando le hace esta pregunta, haga más preguntas para averiguar cuáles podrían ser las preocupaciones.

No sea innecesariamente polémico al tratar de hallar más información. Con calma, dígale a su médico que usted quiere estar completamente informado acerca de sus opciones antes de tomar la decisión sobre el examen diagnóstico.

¿Vale la pena la tomografía computadorizada del cuerpo entero?

E. Stephen Amis, MD, jefe de radiología de la facultad de medicina Albert Einstein y del centro médico Montefiore, ambos en El Bronx, ciudad de Nueva York.

La *tomografía computadorizada* del cuerpo entero ("full-body CT scan"), en la cual una persona sin síntomas es escaneada con el objetivo de detectar afecciones –como cáncer y enfermedad del corazón– en sus etapas tempranas, se ha hecho cada vez más popular.

¿Sería una buena idea? No la recomiendan ni el American College of Radiology, la American Cancer Society ni la American Heart Association. *Esto es lo que los pacientes deberían saber...*

•**No hay evidencia científica que apoye el uso de la tomografía computadorizada del cuerpo entero** como una técnica de detección para personas sin síntomas. Sin embargo, la tomografía computadorizada dirigida ("targeted CT scans"), como la tomografía torácica para detectar cáncer de pulmón en los fumadores y ex fumadores, es eficaz.

•**Es posible que el cáncer en su etapa temprana no se detecte.** Aunque la tomografía computadorizada del cuerpo entero examina todo el torso, desde el cuello hasta la pelvis, es poco probable que detecte pequeños tumores en el colon, los senos o la próstata.

Mejor: La colonoscopia, la mamografía o el examen de *antígeno específico de la próstata* (PSA, por sus siglas en inglés).

•**Las dosis de radiación son altas.** Una tomografía computadorizada de cuerpo entero emite hasta 300 veces la cantidad de radiación de un rayo X. Como los riesgos de la radiación son acumulativos, las personas que se someten a una tomografía computadorizada de cuerpo entero con frecuencia aumentan su riesgo de contraer cáncer causado por la radiación.

Para aprender más, visite el sitio Web en inglés del American College of Radiology, *www.acr.org.*

Los mejores exámenes médicos caseros

Steven I. Gutman, MD, director de la oficina de evaluación y seguridad de los equipos de diagnóstico "in vitro" de la agencia federal Food and Drug Administration (FDA) en Rockville, Maryland, *www.fda.gov.*

Los dispositivos y kits para hacer exámenes médicos en casa que se venden en las farmacias y por Internet permiten que cualquiera haga convenientemente un examen para detectar enfermedades y otras afecciones médicas en la privacidad de su propio hogar.

Los fabricantes de exámenes caseros deben demostrar a la agencia federal Food and Drug Administration (FDA) que sus productos son tan precisos como los exámenes de laboratorio usados por los consultorios médicos.

Ninguno de los exámenes requiere la receta de un médico, pero no sustituyen las consultas al médico. El seguro de salud no cubre estos exámenes.

Importante: Lea detenidamente las instrucciones que vienen con cualquier examen. Hacer un examen de manera inapropiada –por ejemplo, tomar una muestra de orina en el momento incorrecto del día–, puede invalidar los resultados.

Nota del editor: Los exámenes médicos caseros se encuentran disponibles en farmacias de venta al público y en Internet por medio de compañías como *www.homehealth-testing.com* y *www.homeaccess.com.*

Algunos de los mejores exámenes caseros...

COLESTEROL

El colesterol alto es un factor de riesgo principal de sufrir un ataque al cerebro ("stroke"), enfermedad del corazón y otras afecciones cardiovasculares.

Cómo funciona el examen: Ponga un poco de sangre de un pinchazo en el dedo sobre una tira tratada químicamente. Las lecturas de colesterol aparecerán en una escala similar a un termómetro en unos 10 minutos. Algunos exámenes proporcionan análisis separados para los niveles del colesterol "malo" LDL y del "bueno" HDL. Para esto, debe enviar la muestra de sangre al fabricante y luego esperar varias semanas para obtener los resultados.

Costo promedio: entre $20 y $25 por un paquete de dos exámenes.

CÁNCER DE COLON

Los exámenes de sangre oculta en las deposiciones pueden detectar pequeñas y cantidades de sangre frecuentemente invisibles en las deposiciones –un indicio temprano de cáncer de colon.

Cómo funciona el examen: El examen tradicional de sangre oculta en las deposiciones requiere que tome una muestra de las deposiciones en su casa, y luego la lleve a un laboratorio para el análisis. Un examen nuevo no requiere muestras de deposiciones. Usted deja caer un tejido químicamente tratado dentro del inodoro después de haber defecado. Un cambio de color indica que hay sangre presente. De ser así, tiene que someterse a exámenes adicionales, como una colonoscopia, para detectar la presencia de tumores cancerosos o precancerosos.

Para lograr precisión: Usted debe repetir el examen en tres deposiciones consecutivas. No tome aspirina, *ibuprofeno* u otro medicamento antiinflamatorio sin esteroides durante una semana antes del examen. Los mismos pueden causar sangrado que distorsionaría los resultados.

Durante tres días antes del examen, evite la carne roja y no tome suplementos de vitamina C de más de 250 mg al día. No use este examen si tiene hemorroides sangrantes o fisura anal.

Costo promedio: $24.95 por cada kit.

USO DE DROGAS

Los padres que sospechan que sus hijos usan drogas podrían hacer un examen en casa. Algunos exámenes comprueban la presencia de una droga específica, como la marihuana. Los exámenes más amplios detectan múltiples drogas, incluyendo la cocaína y las anfetaminas.

Cómo funciona el examen: Se vierten unas gotas de orina en un casete para examinar. Los cambios de color o las marcas indican si hay drogas presentes. La marihuana generalmente puede detectarse entre dos y 30 días después de su uso.

Importante: Alrededor del 5% de todos los exámenes de orina para detectar drogas tiene resultado positivo falso, es decir, el examen indica que hay drogas presentes cuando en realidad no las hay. Un examen positivo hecho en casa debería ser confirmado con un examen de laboratorio, como, por ejemplo, el de cromatografía de gases ("gas chromatography").

Costo promedio: $10 por un examen.

Las drogas también pueden detectarse en recortes de cabello, que se envían a un laboratorio para su análisis.

Costo: unos $65.

VIH ("HIV")

Las preocupaciones sobre la privacidad impiden que muchas personas se sometan al examen de VIH, el virus que causa el sida. Los fabricantes de exámenes caseros que analizan los resultados siguen pautas estrictas de confidencialidad.

Cómo funciona el examen: Pinche su dedo y coloque la sangre sobre un papel especial. Llame a un número de acceso libre para activar su código personal. Envíe por correo la muestra de sangre y un número anónimo de identificación personal a un laboratorio. Para obtener los resultados, llame a un número de acceso gratuito ("toll-free") y dé su código personal.

Costo promedio: unos $60 por un examen.

MENOPAUSIA

Las mujeres en los 40 o 50 años de edad comúnmente experimentan bochornos (calores repentinos, sofocos), cambios de ánimo u otros síntomas similares a los de la menopausia. Pueden confirmar si están entrando en la menopausia con un examen sencillo que se hace en el hogar.

Cómo funciona el examen: Coloque unas pocas gotas de orina en una tira de examen. El examen mide los niveles de la hormona foliculoestimulante e indica si una mujer ha entrado en la menopausia.

Los fabricantes de exámenes caseros les aconsejan a las mujeres que repitan el examen cada seis a 12 meses cuando los síntomas de la menopausia aparezcan.

Costo promedio: $30 por dos exámenes.

OVULACIÓN

Los kits de exámenes caseros han eliminado muchas de las conjeturas acerca de cuándo las mujeres podrían quedar embarazadas.

Cómo funciona el examen: Humedezca una tira de examen con orina para medir la hormona luteinizante. Los niveles alcanzan su nivel máximo entre las 24 y 36 horas antes de la ovulación, que es el momento óptimo para tratar de concebir.

Costo promedio: $10 por cinco exámenes.

INFECCIONES DEL TRACTO URINARIO

Con un examen casero, usted puede confirmar si tiene una infección. Luego, su médico puede recetarle antibióticos por teléfono.

Cómo funciona el examen: Humedezca una tira plástica con orina. Parte de la tira cambiará de color si se encuentra presente una infección.

Estos exámenes se recomiendan sólo a las personas que tienen infecciones del tracto urinario (UTI, por sus siglas en inglés) recurrentes y que están familiarizadas con los síntomas, incluyendo micción frecuente o dolorosa.

Si no ha experimentado una infección de las vías urinarias anteriormente, debe consultar a su médico para eliminar cualquier otra afección posible, como clamidia o cálculos renales.

Importante: El examen no detecta infecciones alrededor del 30% de las veces. Consulte a su médico si el examen da negativo pero usted tiene síntomas.

Costo promedio: $25 por cuatro exámenes.

Lo que debe saber antes de someterse a un análisis de sangre

Los técnicos de los hospitales que sacan sangre rutinariamente extraen hasta 10 veces más sangre de la necesaria para realizar exámenes diagnósticos. Las extracciones de sangre pueden reducir considerablemente el volumen de sangre del paciente, causando anemia u otros problemas de salud.

Hace treinta años, los equipos diagnósticos requerían grandes volúmenes de sangre para los exámenes. Pero los equipos de hoy son tan sofisticados que sólo se necesitan muestras diminutas. Los pacientes deberían solicitar extracciones mínimas de sangre.

Jocelyn M. Hicks, PhD, ex jefa del departamento de medicina de laboratorio del Children's National Medical Center, en Washington, DC.

Estos exámenes genéticos podrían salvar su vida

Aubrey Milunsky, MD, directora fundadora del centro de genética humana de la facultad de medicina de la Universidad de Boston. Es autora de *Your Genetic Destiny: Know Your Genes, Secure Your Health, Save Your Life* (Da Capo).

Los genes influyen mucho más que la apariencia y la personalidad. Más de 8.600 afecciones y características se han vinculado a genes específicos, y se sabe que muchas más involucran a *varios* genes.

Pero la herencia no tiene que ser su destino. Entender su constitución genética le dará un arma para proteger su salud. Hasta podría salvar su vida.

Esto es lo que debería saber acerca de las enfermedades hereditarias comunes…

HEMOCROMATOSIS

Una persona de cada 200 tiene dos copias del gen defectuoso que causa la *hemocromatosis*, una afección en la cual el cuerpo almacena hierro en exceso, causando daños potencialmente mortales al corazón, hígado y páncreas.

Considere someterse a un examen de ADN (DNA, en inglés) si: tiene malestar y dolor persistentes en las articulaciones… y un familiar cercano (padre, hermano, tío, primo hermano, abuelo) que sufre o murió de insuficiencia cardiaca, diabetes o cirrosis inexplicable del hígado. En las etapas avanzadas de la hemocromatosis, aparecen pigmentaciones en la piel –usted luce como si se hubiera bronceado aunque no haya estado expuesto al sol.

Si el examen da positivo: Su médico le ayudará a "donar" una pinta (½ litro) de sangre una vez a la semana durante tres meses, y luego una vez cada tres meses. Esto mantiene los niveles de hierro en la sangre bajo control.

EMBOLIA PULMONAR

Alrededor del 3% al 5% de las personas de raza blanca tienen genes defectuosos del componente sanguíneo factor V de Leiden. Alrededor del 2% tienen una mutación en el gen de la protrombina. Esto pone a las personas en riesgo de muerte súbita por embolia pulmonar (un coágulo de sangre en el pulmón).

Considere someterse a un examen de ADN si: usted o un miembro de su familia ha sufrido de *trombosis venosa profunda* (un coágulo de sangre en el muslo o la pantorrilla) o una *embolia pulmonar* (un coágulo de sangre en el pulmón) antes de los 50 años.

Si el examen da positivo: Las mujeres deberían evitar los anticonceptivos orales, los cuales aumentan el riesgo de coagulación. Todos –hombres y mujeres– deberían alertar a su médico si se encontrarán inmóviles por un periodo extenso, como después de una cirugía, o durante un viaje largo en avión o automóvil.

CÁNCER DE MAMA/CÁNCER DE OVARIO

Entre el 5% y el 10% de los cánceres de mama son hereditarios –la mayoría por mutaciones en dos genes específicos: *BRCA1* y *BRCA2*. Una mujer que haya heredado uno de esos dos genes tiene un 85% de riesgo de contraer cáncer de mama –y entre el 40% y el 65% de riesgo de desarrollar cáncer de ovario.

Considere someterse a un examen de ADN si: dos o más parientes cercanos tuvieron cáncer de mama o de ovario... o si un pariente tuvo cáncer en ambos senos.

Si el examen da positivo: La extirpación quirúrgica de ambos senos es una opción. Esto no elimina el riesgo de contraer cáncer –algo de tejido susceptible queda–, pero lo reduce a menos del 10%. La extirpación de ambos ovarios es también una opción.

Si decide evitar la cirugía: Hable con su médico acerca de cómo estar alerta a los indicios tempranos de cánceres de mama y de ovario. Podría recomendarle que se someta habitualmente a mamografías ("mammograms"), ecografías ("ultrasounds"), análisis de sangre, etc.

Importante: Los hijos de las mujeres con cáncer de mama que heredan una mutación del gen del cáncer de mama también son vulnerables. La mitad de los que heredan el gen mutante tienen un mayor riesgo de contraer cáncer de próstata, intestinos, páncreas o seno. Pregúntele a su médico acerca de cómo

vigilar cuidadosamente esos órganos para poder detectar temprano cualquier cáncer.

CÁNCER DE COLON

Del 1% al 3% de los cánceres de colon son causados por *poliposis intestinal familiar*. En esta afección cientos –o posiblemente miles– de tumores se desarrollan a lo largo del revestimiento intestinal. Algunos se convierten en malignos. También hay otros tipos de cáncer de colon hereditario.

Considere someterse a un examen de ADN si: dos miembros de su familia han tenido cáncer de colon... o si un familiar tuvo poliposis familiar.

Si el examen da positivo: La extirpación del colon es una opción. Por lo demás, manténgase atento sometiéndose a una colonoscopia anualmente.

POLIQUISTOSIS RENAL

Una persona de cada 1.000 padece esta enfermedad, que causa múltiples quistes en los riñones y lleva a la hipertensión y a la insuficiencia renal. Además, aumenta el riesgo de sufrir un *aneurisma cerebral* –el ensanchamiento (como una burbuja) de una arteria del cerebro, la cual es propensa a romperse.

Considere someterse a un examen de ADN si: un familiar cercano padece la afección.

Si el examen da positivo: Consulte a su médico acerca de trasplantes de riñón –podría necesitar uno con el tiempo– y sobre imágenes por resonancia magnética (MRI) y tomografías computadorizadas axiales ("CAT scans") del cerebro.

FIEBRE MEDITERRÁNEA FAMILIAR

Esta enfermedad se caracteriza por depósitos progresivos de *amiloide* ("amyloid"), una sustancia cerosa, en los riñones, lo que conduce a la insuficiencia renal y, si no se trata, a la muerte.

Considere someterse a un examen de ADN si: usted es descendiente de armenios, turcos, árabes o judíos sefardíes... y sufre de fiebre intermitente, dolor de pecho y abdomen, artritis u otros síntomas que los médicos no pueden explicar.

Si el examen da positivo: El tratamiento con colchicina ("colchicine"), un medicamento alcaloide en forma de tableta, prevendrá el daño renal grave.

ENFISEMA

Las personas que no poseen la enzima *alfa-1-antitripsina* ("alpha-1-antitrypsin") son propensas a padecer enfisema.

Considere someterse a un examen de ADN si: un pariente cercano contrajo una enfermedad pulmonar crónica, en particular si también padecía cirrosis del hígado.

Si el examen da positivo: No fume y evite el contacto prolongado con cualquier polvo o contaminante industrial.

QUÉ MÁS DEBERÍA SABER

Si piensa que tiene una afección familiar, pregúntele a su médico si le recomienda someterse a un examen de ADN. Piense detenidamente acerca de la decisión y las opciones de tratamiento. Tenga en cuenta que la mayoría de los estados –pero no todos– tienen leyes que prohíben el uso de información genética al ser considerado para un seguro de vida o de salud o para un empleo.

Para hallar a un genetista clínico, llame al departamento de genética del centro médico de una universidad. O comuníquese con el American College of Medical Genetics, llamando al 301-634-7127 ó yendo al sitio Web, *www.acmg.net.*

Por qué debe conocer el historial médico de su familia

Christopher Friedrich, MD, PhD, profesor adjunto de genética médica del centro médico de la Universidad de Mississippi, en Jackson. Es miembro de un consejo sobre el historial médico familiar en el departamento de genomics de los centros para el control y la prevención de enfermedades de Estados Unidos (CDC), en Atlanta.

E l historial médico de su familia –preciso y actualizado– es una de las herramientas más importantes que usted tiene para salvaguardar la salud. Ofrece un mapa de sus propias fortalezas y debilidades genéticas, localizando las afecciones por las cuales necesita frecuentes exámenes de detección y un plan enérgico de prevención.

El Dr. Christopher Friedrich explica lo que necesita saber sobre el historial médico de su familia, y lo que debería hacer con esta información…

•**Si tengo un estilo de vida saludable, ¿igual necesito conocer el historial médico de mi familia?** Sin duda. La mayoría de las enfermedades tienen un componente genético *y* ambiental. Por ejemplo, la combinación de una dieta alta en grasa y el fumar podría llevar a una enfermedad de las arterias coronarias. Pero los factores genéticos ayudan a determinar su vulnerabilidad.

Asimismo, su riesgo de contraer cáncer de pulmón o enfisema depende de sus hábitos con respecto al tabaco *y* de su susceptibilidad genética a los efectos de fumar.

Conocer el historial médico de su familia les permitirá a usted y a su médico monitorizar su salud para detectar síntomas y cambiar su estilo de vida de modo que pueda disminuir drásticamente sus posibilidades de contraer estas enfermedades.

Miles de enfermedades raras, como la fibrosis quística y la hemofilia, son totalmente hereditarias. Si una de esas enfermedades se da en su familia, debería considerar someterse a exámenes genéticos.

•**¿No es responsabilidad de mi médico preguntarme sobre el historial médico de mi familia?** Su médico debería preguntarle acerca del historial médico de su familia durante su primera consulta. Sin embargo, completar ese historial es una tarea cooperativa, y requiere su contribución activa.

Su médico debe conocer cualquier afección que aqueje a sus parientes de primer grado, es decir, padres y hermanos.

Informe a su médico si algún pariente de primer o de segundo grado (abuelos o tíos) sufrió enfermedades heredadas, como anemia falciforme… fibrosis quística… hemofilia… enfermedad de Parkinson… síndrome de Marfan (una afección del tejido conectivo)… o distrofia muscular.

Dígale además a su médico si alguna de las siguientes enfermedades están presentes en su familia: asma, alergias, ataque cerebral ("stroke"), cáncer, diabetes, enfermedad del corazón, enfermedad mental, enfermedad renal, epilepsia, mal de Alzheimer, afección ocular, osteoporosis, presión arterial alta, y problemas de la sangre.

También indique si ha habido algún fumador o abusador de drogas en su familia.

•¿Qué otras cosas debo saber acerca de las afecciones que han aquejado a mis parientes? La edad en la que una enfermedad atacó por primera vez puede ser *muy* importante, porque podría indicar el nivel de vulnerabilidad genética de su familia.

Un ataque al corazón, una apoplejía, una cirugía de baipás (puente coronario, "bypass") o una angioplastia en un pariente varón de primer grado menor de 45 años o en una pariente mujer menor de 55 años podría indicar una gran susceptibilidad genética.

La edad en la que la presión arterial alta, la diabetes o el cáncer atacan también es importante. Cuanto más temprano aparecen estas afecciones, es más probable que esté implicado un factor de riesgo genético.

•¿Me indicará el historial médico de mi familia algo más que yo debería hacer aparte de los posibles cambios en el estilo de vida? El historial de su familia puede indicar además cuándo se justifica hacer exámenes para detectar enfermedades en sus etapas tempranas, es decir, cuando los tratamientos son más eficaces. *Por ejemplo…*

•Si tiene un pariente de primer grado con hipertensión, debería hacerse controles anuales de la presión arterial a partir de los 18 años.

•Si tiene un pariente de primer grado con enfermedad del corazón o colesterol alto, debería comenzar a examinar el colesterol a eso de los 16 años de edad, y continuar con un calendario habitual recomendado por su médico.

•Si han padecido cáncer de mama, de ovario o de colon tres o más parientes (o dos parientes, incluyendo uno de menos de 40 años), debería someterse a mamografías (para detectar el cáncer de mama), análisis de sangre CA-125 (para el cáncer de ovario) y colonoscopias (para el cáncer de colon) a partir de los 40 años, o a la edad más temprana del diagnóstico en su familia, si fuera antes de los 40 años.

•Si es un hombre y su padre, abuelo, tío o hermano padecieron cáncer de próstata, debería considerar exámenes anuales y de *antígeno específico de la próstata* (PSA) a partir de los 45 años.

•Si el historial de mi familia sugiere una vulnerabilidad genética específica, ¿debería someterme a exámenes genéticos? La mayoría de las vulnerabilidades genéticas no se han vinculado aún a mutaciones de genes específicos, por lo que no hay exámenes para detectarlas. Aun con enfermedades como la poliquistosis renal y el síndrome de Marfan, que están vinculadas a mutaciones específicas, las razones para someterse a exámenes genéticos no son siempre claras.

En las familias con un historial de cáncer de mama, el cual se ha vinculado a dos mutaciones de genes específicos (*BRCA1* y *BRCA2*), el examen es probablemente una buena idea. Si se descubre que tiene una o ambas mutaciones, entonces debería estar aun más atento con autoexámenes y mamografías.

Una de las principales ventajas de los exámenes genéticos para detectar la susceptibilidad al cáncer es que identifica a quienes podrían beneficiarse de los controles tempranos y más frecuentes de lo que se recomienda al público en general. Los exámenes además identificarán a quienes no heredaron la mutación de su familia y no necesitan someterse a controles más intensos.

Con las enfermedades heredadas, como la anemia falciforme ("sickle cell anemia"), tiene sentido someter a exámenes al resto de la familia (tíos, primos y sobrinos), además de la familia inmediata, para identificar a los portadores de la mutación del gen, lo que significa que ellos podrían pasar la mutación a sus hijos.

Cómo mejorar la atención médica de emergencia

La atención médica de emergencia funciona con menos problemas cuando los pacientes proporcionan su historial médico.

Qué hacer: Mantenga en su billetera o cartera un informe breve y actualizado que incluya el nombre y el número de teléfono de su médico... todos los medicamentos que toma... diagnósticos y tratamientos... resultados de los principales exámenes diagnósticos... lista de las alergias a medicamentos... y –si tiene algún problema cardiaco– una copia de un electrocardiograma reciente.

Esta información ayuda a los médicos a determinar su problema rápidamente. Los padres deberían llevar esta información sobre sus hijos, pero los niños también pueden llevar su propio informe.

Frank Rasler, MD, MPH, médico de la sala de emergencia del centro médico Dekalb, en Atlanta.

Cómo defenderse de los errores cometidos en las recetas médicas

Para evitar errores en las recetas, dedique tiempo en el consultorio de su médico para anotar los nombres genéricos y de marca del medicamento que le receta, y su propósito y dosis apropiada.

Además, recuérdele a su médico y a su farmacéutico sobre cualquier alergia a medicamentos que tenga y otros medicamentos que esté tomando –incluyendo vitaminas, remedios a base de hierbas y medicamentos de venta libre.

Cuando le vuelvan a dispensar un mismo medicamento, compruebe que las píldoras sean del mismo color y tamaño que antes. Llame con uno o dos días de anticipación para solicitarlo de modo que el farmacéutico no se apresure a hacerlo.

Finalmente, evite solicitar la dispensación de recetas los lunes, pues tienden a ser los días más ocupados para los farmacéuticos.

Rosemary Soave, MD, profesora adjunta de medicina de la facultad de medicina Weill de la Universidad Cornell, en Nueva York.

¿Le han cambiado el medicamento?

Las empresas de seguros de salud con frecuencia cambian a los pacientes a un medicamento recetado distinto, de acuerdo al *formulario de medicamentos* ("drug formulary"), una lista de medicamentos recetados cubiertos por la empresa aseguradora.

Sin embargo, según las investigaciones, el 22% de los pacientes que recibieron un medicamento recetado distinto informaron tener efectos secundarios con el medicamento nuevo.

Además, cambiar de medicamento puede costarle a los pacientes un promedio de $58.50 más, incluidos los viajes adicionales a los consultorios de los profesionales de salud, medicamentos adicionales y visitas al hospital.

La autodefensa: Si su aseguradora cambia su medicamento recetado de acuerdo con un formulario de medicamentos, consulte a su médico.

David Chess, MD, jefe y presidente del Project Patient Care, una organización sin fines de lucro dedicada a mejorar el cuidado médico de los pacientes. *www.projectpatientcare.org.*

Cómo reducir sus facturas médicas en un 25% o más

Sue Goldstein, presentadora de *The Diva of Discounts,* un programa radiofónico en KVCE 1160 AM, en Dallas/Fort Worth. Mantiene el sitio Web de ofertas, *www.biggerbetterbargains.com.*

El precio de la atención médica continúa subiendo. Aun si tiene seguro de salud, éste muy pocas veces cubre todos los gastos. *Pero usted sí puede reducir los costos...*

CÓMO NEGOCIAR UN MEJOR ACUERDO

Más pacientes están negociando con sus médicos para reducir los honorarios. Si le gustaría intentarlo, llame por teléfono al médico *antes* de programar una cita. Pregúntele qué puede hacer para reducir su factura. ¿Habría

141

un descuento si pagara en efectivo… o si programaría la cita fuera de las horas pico? ¿Y si estuviera de acuerdo en ir con poca anticipación cuando el médico tuviera una cancelación? Usted podría ahorrar el 25% en su factura –o quizá más.

Además, si tiene una destreza o proporciona un servicio que el profesional de la salud necesite, hasta podría hacer un trueque por atención médica. ¿Es contador, arquitecto, paisajista o diseñador de páginas de Internet? Pregúntele al médico si estaría interesado en intercambiar servicios.

Si un procedimiento es necesario desde el punto de vista médico, pero usted no tiene seguro y el dinero es limitado, dígaselo a su médico. La mayoría de los médicos están dispuestos a modificar el precio en esas circunstancias.

AHORROS EN LA CIRUGÍA ESTÉTICA

El seguro de salud raramente cubre la cirugía estética, por lo que los cirujanos estéticos están dispuestos a negociar. Algunos cirujanos acreditados por la junta médica ("board certified") a veces ofrecen descuentos significativos a los pacientes que son flexibles en cuanto a los horarios.

Alrededor del 13% de todas las cirugías estéticas programadas se postergan. Esto puede dejar a los médicos con tiempo disponible en la sala de operaciones. Si usted está dispuesto a ocupar esos lugares cuando estén disponibles, el médico podría hacerle un descuento en sus honorarios habituales de tanto como un 15%.

Importante: Pídale al cirujano que le muestre su portafolio de fotografías de pacientes antes y después de la cirugía. Obtenga al menos tres referencias. Además, llame a la asociación médica de su estado –que figura en las *páginas amarillas* bajo "Medical Associations"– para enterarse de acciones disciplinarias, suspensiones de licencias u otras quejas.

CONCURRA A UN HOSPITAL CLÍNICO

Los hospitales universitarios ("teaching hospitals"), las escuelas dentales y las escuelas quiroprácticas de su localidad con frecuencia ofrecen atención médica a bajo costo. Los estudiantes no tienen la experiencia de médicos experimentados, pero generalmente están bien supervisados. Si ellos no están seguros de algo, los médicos más experimentados están disponibles para ayudarlos. Comuníquese con las facultades de medicina o los hospitales universitarios para obtener mayor información.

Recurso: Association of American Medical Colleges (202-828-0400 ó *www.aamc.org*).

CLUBES DE ATENCIÓN MÉDICA A PRECIOS REDUCIDOS

Los clubes de atención médica a precios reducidos ("discount health care clubs") ofrecen grandes ahorros en medicamentos recetados… consultas al médico… y hasta anteojos (gafas, lentes) y audífonos para sordos.

El mejor club que he encontrado es el Meds of America (*www.medsofamerica.com*). Por unos $10* al mes, las personas sin seguro o con seguro limitado pueden comprar medicamentos recetados a precios con descuentos de hasta el 85% del precio habitual. Verifique en el sitio en Internet si los medicamentos que necesita están entre los más de 3.500 que se ofrecen.

Por alrededor de $30 al mes, los miembros tienen acceso a la farmacia que ofrece descuentos y también reciben rebajas en los precios de proveedores médicos. Hay más de 275.000 médicos que participan en Estados Unidos, ofreciendo ahorros del 30% al 50% en promedio… y más de 15.000 dentistas que ofrecen ahorros de hasta el 80%. Los descuentos varían, por lo que los miembros deberían preguntar los precios antes de programar sus citas.

Además, hay un promedio de ahorros de hasta el 30% en una variedad de farmacias de vecindarios para quienes necesitan sus medicamentos recetados de inmediato o que preferirían hablar cara a cara con un farmacéutico.

Estos descuentos están disponibles, ya que los médicos, dentistas y farmacias participantes quieren fortalecer sus negocios y no desean contratiempos con las empresas de seguros.

MEDICAMENTOS GRATUITOS

Las empresas farmacéuticas más importantes pueden proporcionar medicamentos a ciertas personas sin costo o con grandes descuentos. Hay más de 1.100 medicamentos disponibles en 78 programas de las farmacéuticas.

*Todos los precios están sujetos a cambios.

Para ser elegible a estos descuentos, su seguro no puede cubrir el medicamento. Usted además debe ganar suficiente dinero como para no ser elegible a los programas gubernamentales de atención médica –pero no tanto como para que la empresa farmacéutica considere que usted puede pagar.

Los requisitos de ingreso varían de una empresa a otra, pero las personas que ganan menos de $25.000 al año generalmente son elegibles a la mayoría de los programas. Cualquiera con cuentas altas de medicamentos recetados –$300 al mes o más– que gane menos de $50.000 al año también podría ser elegible.

Estos programas se basan en el ingreso, no en los activos. Aun si es propietario de una casa grande, igual podría ser elegible si está jubilado o desempleado temporalmente.

Para averiguar si es elegible y si el medicamento que necesita tiene cobertura, llame al fabricante del mismo.

CUPONES GRATUITOS

Muchas empresas farmacéuticas tienen programas gratuitos de ofertas especiales de una semana a un mes de duración para ciertos medicamentos. Todo lo que los consumidores deben hacer es recortar un cupón de una revista o bajarlo de un sitio en Internet y pedirle a su médico que le extienda la receta. Las reglas varían, pero en muchos casos puede usar el cupón aunque no sea su primera receta para ese medicamento.

No suponga que estos cupones siempre serán un buen negocio. El fabricante quizá hace la oferta especial debido a que un medicamento de la competencia, o incluso una versión genérica más barata, está por salir al mercado. La empresa cuenta con que usted no querrá pasar por la molestia de cambiar de medicamento. Pregúntele siempre a su médico si existe una alternativa más económica o más eficaz.

Para averiguar si hay un cupón disponible para un medicamento en particular, visite el sitio de la empresa en Internet.

DESCUENTOS EN CAMAS REGULABLES Y COLCHONES NO ALÉRGENOS

Para las personas con ciertas afecciones del corazón o problemas de espalda, las camas regulables ("adjustable beds") son una necesidad médica. Para quienes sufren de alergias, los colchones no alérgenos pueden ser indispensables.

City Mattress Factory (800-834-2473) vende todo tipo de colchones y armazones de cama ("bed frames") para camas regulables, usualmente a la mitad del precio al público de los colchones de marca, aun después de considerar el costo del envío.

Ejemplo: Una cama doble regulable cuesta en City Mattress alrededor del 40% menos que una publicitada en televisión.

SI EL DINERO ES EXTREMADAMENTE ESCASO

Si no tiene seguro y necesita tratamiento médico, una opción es participar en un ensayo clínico ("clinical test"). Usted recibe exámenes médicos completos gratuitos, tratamiento gratuito y quizá le paguen por la molestia.

Desventaja: Tal vez no esté aún comprobado que el tratamiento que usted reciba sea eficaz, y hasta podría ser peligroso, aunque esto es raro. Además, si usted participa en un estudio "ciego" ("blind study"), es posible que reciba un placebo (sin ningún efecto) en lugar del medicamento experimental.

Si desea participar en un ensayo clínico, comuníquese con Research Across America (972-241-1222, *www.researchacrossamerica.com*) o con Radiant Research (513-247-5500, *www. radiantresearch.com*).

Estas estafas pueden quitarle dinero, la buena salud... y tal vez la vida

Chuck Whitlock, renombrado defensor del consumidor y especialista invitado a programas de televisión y radio. Es autor de *Chuck Whitlock's Scam School* (Hungry Minds).

El fraude médico es el fraude más peligroso que enfrentan los estadounidenses de edad avanzada –y se está convirtiendo en más frecuente y más peligroso cada día.

Algunos expertos afirman que el fraude médico cuesta entre $100 y $250 mil millones cada año. Y está dirigido directamente a personas mayores, que usan más servicios de atención médica que ningún otro grupo.

Advertencia: El fraude financiero y el fraude al consumidor pueden costarle a usted sólo dinero. El fraude médico puede costarle su buena salud… e incluso la vida.

LA AUTODEFENSA

Para protegerse del fraude médico, es importante primero reconocer que…

•**El riesgo está aumentando.** En la actualidad están operando más estafadores médicos que nunca antes –en respuesta a la creciente población de personas mayores que padecen las afecciones de la edad avanzada, y que deben enfrentar costos médicos crecientes con ingresos fijos.

•**Todos somos vulnerables.** El fraude médico es aun más tentador para las víctimas que el fraude financiero.

El fraude financiero promete sólo dinero fácil. El fraude médico promete una vida más larga, mejor aspecto, más potencia, menos peso, más fuerza, la renovación de las funciones perdidas y –para los desesperados– incluso la vida misma. Y muchas veces promete un milagro fácil, como una píldora que "absorbe" la grasa corporal a la vez que elimina la necesidad de hacer dieta o ejercicios.

Todos queremos estas cosas, por lo que todos somos potencialmente vulnerables a las falsas promesas del fraude médico.

MAYORES PELIGROS

Hay áreas específicas en las que debería ser cauteloso. *Así es como puede protegerse…*

•**Suplementos y medicamentos de venta libre.** El primer problema es que la mayoría de los consumidores no pueden verificar el contenido de lo que compran. Los vendedores lo saben, y pueden aprovechar esto vendiendo algo diferente de lo prometido. *Ejemplos…*

•Se ha descubierto que los suplementos alimentarios que se venden como "97% de proteína", al hacerles un análisis químico, tienen tan sólo un 4% de proteína.

•Productos que cuestan mucho producir, como la vitamina E, ocasionalmente son "acortados", de modo que hay menos en el producto de lo que promete la etiqueta.

La autodefensa: Compre sólo productos de venta libre de la marca de empresas importantes que han confirmado la calidad de sus productos con pruebas efectuadas por grupos independientes de consumidores.

Se recomiendan: Medicamentos y suplementos de firmas importantes, como Twinlab, Rexall y Nature Made.

Un segundo problema es que los empleados de tiendas donde se venden productos de venta libre frecuentemente actúan como si fueran médicos. No les pida que le recomienden un producto –pues ellos no tienen la capacitación médica para hacerlo.

Mucho mejor: Pregúntele a su médico qué debe comprar, y luego dígale al vendedor exactamente lo que quiere.

•**Medicamentos recetados.** El mismo problema existe con los medicamentos de venta libre –el consumidor no puede verificar los ingredientes en el producto.

Estafa: Algunos farmacéuticos a veces disminuyen sus costos revendiendo medicamentos que no adquirieron de empresas farmacéuticas sino de vendedores al por mayor con existencias envejecidas, o de estafadores que venden medicamentos que han comprado a bajo costo usando recetas falsas producidas en masa. Como resultado, los medicamentos que usted compra pueden haber vencido o estar adulterados.

La autodefensa: Compre medicamentos recetados en cadenas de farmacias con buena reputación, como Rite Aid y Walgreens. Éstas tienen departamentos de compras centralizados que aseguran la calidad del producto y eliminan la posibilidad de fraude en la farmacia local.

•**Médicos falsos.** El hecho de que una persona afirme que es un médico no significa que lo sea. Una "fábrica de diplomas" en las Bahamas, que fue recientemente clausurada, vendía 1.100 diplomas médicos *al mes*.

Además, es fácil para un médico falso adoptar la identidad de un médico verdadero, refiriéndose a la educación y los certificados del médico verdadero como suyos propios.

Cuando esté considerando a un nuevo médico, verifique con…

•La junta de examinadores médicos ("Board of Medical Examiners") de su estado para confirmar que esté registrado en su estado. (Un médico falso no está registrado).

•La asociación médica ("Medical Association") de su condado para ver si alguna queja o demanda se ha presentado contra el médico.

Muy buena idea: Cuando esté buscando a un nuevo médico, llame a la enfermera principal en la especialidad que a usted le interesa del hospital de su localidad, como, por ejemplo, cardiología. Pregúntele a quién consultaría si tuviera un problema de salud. Las enfermeras principales pueden ser una fuente de información valiosa.

•**Tratamientos falsos.** Si un médico (o cualquier otra persona) le ofrece un tratamiento médico que es demasiado bueno para creerlo (o tiene un precio demasiado bajo como para ser real), probablemente sea falso.

La autodefensa: Obtenga una segunda opinión. Consulte a otro médico y pídale su opinión sobre el caso. No le revele lo que el primer médico dijo.

Si aún se siente inseguro después de obtener la segunda opinión, busque una tercera opinión. Si el seguro no paga por esta opinión, páguela usted. Es su salud y su vida las que están en juego.

•**Equipos médicos falsos.** Los estafadores hacen fortunas vendiendo equipos médicos falsos que supuestamente mejoran las afecciones de la edad avanzada. *Ejemplos…*

•El ACCU-STOP 2000 era un audífono que se usaba por las noches para interceptar señales de hambre enviadas al cerebro y ayudar a quien lo usaba para adelgazar. Siendo inútil desde un punto de vista médico, costaba sólo 14 centavos producirlo, pero se vendía a $39,95, y 3,5 millones se vendieron antes de que el estafador responsable huyera del país.

•El dispositivo de alerta médico que tenía el inolvidable aviso de televisión que decía "me he caído y no me puedo levantar" se vendía con un contrato de servicio a dos años por $7.200,

aunque el mismo dispositivo estaba disponible por $50 con servicio gratuito por medio de la compañía telefónica. Los vendedores del fabricante hacían llamadas que duraban hasta cinco horas cada una para intimidar a las personas mayores de modo que lo compraran, hasta que el gobierno los clausuró.

Peligro: En el mejor de los casos, los dispositivos médicos falsos son caros e inútiles. En el peor de los casos, confiar en ellos podría poner en peligro su salud y su vida.

La autodefensa: Pregúntele a su médico si lo que se alega sobre un dispositivo es cierto. Si el médico dice "No", créale. (Si el médico dice "Sí", pero las dudas no lo abandonan, pida una segunda opinión).

MÁS AUTODEFENSAS

Los estafadores médicos frecuentemente usan anuncios publicitarios muy convincentes. Pueden hacerlo, pues no están limitados por la verdad. *La autodefensa…*

•**Nunca crea en los testimonios.** La gran mayoría son hechos por cómplices. Pero incluso los "sinceros" pueden ser falsos. *Por ejemplo…*

•Puede tratarse del efecto placebo o un poder de sugestión lo que le proporcionó alivio a alguien con un tratamiento inútil.

•Hasta quienes sufren las enfermedades más graves experimentan pequeños porcentajes de mejoría debido a causas desconocidas. Éstas podrían ser presentadas como "curaciones milagrosas", y los pacientes lo creen, aunque las mejorías no tuviesen nada que ver con el tratamiento.

Ejemplo: Los médicos extranjeros que tratan el cáncer con semillas de albaricoque (damasco, "apricot") y destacan sus pacientes que sobreviven –pero ignoran la cantidad inmensamente mayor que muere.

•**No hable con quienes venden por teléfono.** Cuando lo llamen vendiéndole un producto médico, simplemente cuelgue el teléfono. Las personas mayores, especialmente, han sido educadas para ser amables al hablar por teléfono, y esto se usa para aprovecharse de ellos.

Excepción: Si piensa que una oferta puede ser legítima, pida el nombre y la dirección de la empresa que hizo la llamada. Verifíquelo y llámelos si lo desea.

Más de Chuck Whitlock...

Advertencia sobre el fraude en Internet

Use Internet –pero cuídese también. Internet les da acceso a los consumidores a una enorme cantidad de información médica.

Muchos grupos médicos importantes, como la American Cancer Society, la American Diabetes Association y la National Kidney Foundation, tienen sitios genuinos en Internet que pueden ser muy útiles para los consumidores, como lo son los sitios de los hospitales, facultades de medicina y organizaciones gubernamentales.

Advertencia: Internet no está regulada y abunda en estafadores. Así que asegúrese de que usa Internet para obtener información únicamente de organizaciones reconocidas con integridad incuestionable.

Cuídese de estas estafas

Hal Morris, periodista veterano de asuntos del consumidor que redacta artículos acerca de estafas y reside en Las Vegas.

No se convierta en un blanco principal de engañadores hábiles que son propensos a robar. *Éstas son algunas de las últimas y recicladas estafas que están circulando...*

•**Medicamentos peligrosos.** La agencia federal Food and Drug Administration (FDA) advierte sobre los riesgos relacionados con los medicamentos que usted puede comprar del extranjero. En algunos casos, los medicamentos importados de Canadá son en realidad elaborados en México, Costa Rica, Taiwán, Pakistán, India o Tailandia, entre otros países.

Muchos medicamentos no llevan la rotulación adecuada –a veces las etiquetas no tienen indicaciones para el uso seguro o están escritas en dos idiomas. En algunos casos, los medicamentos están sueltos en bolsas o simplemente envueltos en papel de seda. Además, se ha descubierto que algunos medicamentos provenientes del extranjero están contaminados o no contienen ningún producto medicinal.

La autodefensa: Inspeccione todas las etiquetas de los medicamentos recetados. Verifique las posibles fuentes extranjeras de los medicamentos con su farmacéutico.

•**¿Necesita una silla de ruedas?** ¿Le han ofrecido una silla de ruedas motorizada u otro producto para su movilidad? ¡Cuidado! La agencia que administra Medicare (Centers for Medicare & Medicaid Services), ha descubierto estafadores que se aprovechan del beneficio de Medicare para sillas de ruedas motorizadas, ofreciendo equipos gratuitos a quienes no lo necesitan o que nunca lo reciben.

Su oferta tentadora: "Le daremos una silla de ruedas motorizada gratuita u otro producto para su movilidad si usted promete consultar a nuestros médicos y acepta renunciar a todos sus deducibles de Medicare, Parte B, o a su coseguro".

Los estafadores obtienen dinero al inflar las facturas que presentan a Medicare, cobrando por equipos y suministros no entregados y falsificando documentos para que los beneficiarios tengan derecho a sillas de ruedas y otros equipos que frecuentemente no necesitan. Muy pocos realmente reciben sillas de ruedas motorizadas.

La autodefensa: Examine la recomendación de cualquier proveedor con su propio médico, quien puede determinar sus necesidades. Si tiene preguntas, llame a la línea gratuita de Medicare al 800-633-4227 o visite el sitio Web, *www.medicare.gov.*

•**Batallando contra la panzita.** A medida que crece el tamaño promedio de la cintura de los estadounidenses, también aumentan las estafas para adelgazar. La mayoría de ellas ofrece píldoras o cápsulas que prometen la pérdida de peso sin hacer ejercicios ni mejorar la dieta. Las palabras clave en boga vinculadas a fraudes para adelgazar son: "secreto", "gran avance" ("breakthrough"), "garantizado" y "milagroso".

La autodefensa: Sucumbir a estas afirmaciones simplemente adelgazará su billetera o cartera. Cualquier programa auténtico para adelgazar requiere disminuir las calorías y aumentar los ejercicios.

Consulte a su médico antes de comenzar un programa para adelgazar.

5

Remedios, medicamentos, vitaminas y suplementos

Protéjase usted y a su familia de los errores en la medicación

Se supone que los medicamentos recetados deberían hacernos bien. Pero según un estudio realizado por investigadores en la Universidad de Toronto, alrededor de 100.000 estadounidenses mueren cada año debido a reacciones adversas a los medicamentos recetados por sus médicos. Otros dos millones son perjudicados como resultado de las reacciones a los medicamentos.

Y éstos son los pacientes desafortunados que recibieron el medicamento correcto con la dosis correcta. Ocurren miles de muertes y perjuicios cada año por errores en la medicación, en los cuales se administra la dosis errónea... o el paciente simplemente recibe el medicamento equivocado.

La clave para evitar estos problemas es la información. El paciente, el médico y el farmacéutico deberían estar bien informados acerca de las dosis, los efectos secundarios, los riesgos de sufrir alergias, etc.

Además, todos deberían estar al tanto del historial médico del paciente, incluyendo cualquier otro medicamento que esté tomando.

EN EL CONSULTORIO DEL MÉDICO

Cuando su médico le recete un medicamento, pregúntele por qué se lo está recetando. Averigüe la dosis exacta que le está recetando y cuándo y cómo debe tomar el medicamento.

Pregunte también acerca de los efectos secundarios. Aunque usted ya debería haber completado un formulario indicando los otros medicamentos que toma, es mejor volver a verificar la lista con su médico en el momento en que éste extiende la receta.

Pídale al médico que le prepare una lista de los datos médicos pertinentes que su farmacéutico debería saber –incluyendo los resultados de cualquier examen de la función renal al

Michael Cohen, RPh, presidente del Institute for Safe Medication Practices, 200 Lakeside Drive, Ste. 200, Horsham, Pensilvania 19044. *www.ismp.org*.

que se haya sometido. Las reacciones adversas a medicamentos se vinculan con frecuencia a problemas renales.

EL FORMULARIO DE LA RECETA

La receta escrita debería incluir su estatura y peso… los nombres genéricos y de marca del medicamento… la dosis recetada… y la razón para tomar el medicamento (a menos que la confidencialidad sea importante).

Para los niños y los pacientes con cáncer, la receta además debería incluir la dosis en relación con el peso corporal (miligramos por kilogramo), la cual se usa para calcular la dosis total.

Errores en la escritura: La mitad de todos los errores en la medicación ocurre cuando los farmacéuticos interpretan mal las recetas garabateadas por los médicos. Si usted tiene problemas para leer lo que ha escrito su médico, pídale que vuelva a escribirlo claramente.

El médico debería escribir la palabra "unidad" ("unit") en forma completa siempre, en vez de usar la letra "U" mayúscula, que puede confundirse con un cero.

Si la dosis recetada es de menos de una unidad, el médico debería colocar un cero antes del punto (o la coma) decimal.

Ejemplo: Para una dosis de tres décimas de un miligramo, el médico debería escribir "0,3 mg" (o "0.3 mg", en inglés) en vez de ",3 mg" (".3 mg", en inglés).

Los médicos usan con frecuencia abreviaturas que pueden ser mal entendidas por los farmacéuticos…

- **pc…** después de las comidas.
- **po…** por vía oral.
- **qd…** todos los días.
- **qid…** cuatro veces al día.
- **tid…** tres veces al día.
- **tiw…** tres veces a la semana.

Para evitar confusiones, pídale a su médico que se abstenga de usar estas abreviaturas y que use el idioma común. Si usted o su farmacéutico tienen alguna pregunta acerca de cualquier aspecto de su receta, comuníquese con su médico de inmediato.

EN LA FARMACIA

Lleve a dispensar todas sus recetas a la misma farmacia –idealmente una con un sistema computarizado de control.

Estos sistemas automáticamente advierten sobre interacciones con otros medicamentos… así como sobre los riesgos de alergias y efectos secundarios.

Si su médico le ofrece muestras gratuitas del medicamento que le está recetando, llévelas a la farmacia para que el farmacéutico las verifique usando su sistema.

No confíe en su médico para recordar toda la información pertinente acerca del medicamento. Con los miles de medicamentos disponibles con receta en la actualidad, es imposible incluso para la persona más inteligente conocer todas las interacciones de medicamentos entre sí y con alimentos, los efectos secundarios, etc.

Vuelva a verificar el nombre del medicamento y el aspecto de la píldora. Algunos nombres son fáciles de confundir cuando se escriben a mano.

Ejemplo: El antihipertensivo *amlodipino* (Norvasc) se confunde con frecuencia con el antipsicótico *tiotixeno* (Navane).

Verifique la dosis y la forma de administración con el farmacéutico. También infórmele sobre cualquier otro medicamento que esté tomando… si está embarazada o lactando… si tiene presión arterial alta o diabetes… si padece enfermedad de los riñones o si tiene una deficiencia de la función del hígado.

Pídale al farmacéutico una hoja informativa sobre el medicamento en lenguaje sencillo. Estas hojas, desarrolladas por US Pharmacopeia (Farmacopea de Estados Unidos, una organización independiente no gubernamental), son más fáciles de entender que las hojas adjuntas al envase proporcionadas por los fabricantes de los medicamentos.

Para obtener información más detallada, consulte un libro de referencia sobre medicamentos para el consumidor. Una buena fuente de información es *Consumer Reports Consumer Drug Reference*, editada por Consumer Reports Books. 800-500-9760.

EN EL HOSPITAL

Cada vez que una enfermera llega a administrarle un medicamento, pídale que verifique el nombre del medicamento y la dosis exacta.

Si su médico ha solicitado un cambio en su medicación, pida que el farmacéutico del hospital controle el medicamento para identificar posibles interacciones.

El día antes de que le den de alta, pídale a un amigo o pariente que lleve todos los medicamentos que usted tomará en casa. Examine cada uno con el médico que se lo recetó.

DESPUÉS DE TOMAR EL MEDICAMENTO

Si experimenta cualquier síntoma inexplicable después de tomar un medicamento, póngase en contacto con su médico de inmediato.

No deje de tomar un medicamento recetado sin que su médico lo sepa. Dejar de tomar ciertos medicamentos repentinamente puede ser peligroso y podría causar una reacción grave.

Cómo pueden evitarse los errores peligrosos en la medicación

Netra Thakur, MD, profesor clínico auxiliar de medicina familiar de la facultad de medicina Jefferson, en Filadelfia. Es miembro de la American Academy of Family Physicians.

Los errores en la medicación –como olvidarse de tomar un medicamento a la hora apropiada o tomar más o menos de la cantidad recetada– son la causa de alrededor del 10% de todos los ingresos a los hospitales.

Éstos son los errores más comunes, y cómo prevenirlos:

***Error N.º 1:* No seguir las instrucciones de la etiqueta.** Compruebe detenidamente en la etiqueta la dosis que le corresponda. Tomar la dosis equivocada de un medicamento puede ser peligroso.

Ejemplo: Tomar demasiado de un anticoagulante ("blood thinner") puede causar una hemorragia interna.

Las etiquetas además dan otras instrucciones. Por ejemplo, quizá tenga que tomar los analgésicos con comida para prevenir un malestar de estómago.

Qué hacer: Cada vez que le receten un nuevo medicamento o que le vuelvan a dispensar uno viejo, examine la etiqueta y el resumen del medicamento provisto por la farmacia.

***Error N.º 2:* Saltearse una dosis.** Es fácil olvidarse de tomar un medicamento a las horas apropiadas cada día.

Qué hacer: Mantenga el medicamento donde sabe que lo verá, como en su escritorio o cerca del cepillo de dientes. Si toma varios medicamentos, use una caja para píldoras que tenga un compartimento para cada día.

Importante: Si se olvida de tomar una dosis, lea las indicaciones en la hoja adjunta al envase, o pregúntele a su médico o farmacéutico. En el caso de algunos medicamentos, como los antibióticos, usualmente puede tomar una dosis doble a la siguiente hora determinada. Para otros, como los medicamentos para la presión arterial, es más seguro saltear la dosis que se olvidó y luego tomar la cantidad habitual a la siguiente hora determinada.

***Error N.º 3:* No saber qué medicamentos está tomando.** Si no sabe los nombres de todos los medicamentos que toma –y no está seguro por qué los está tomando–, no hay forma de saber si su médico o farmacéutico accidentalmente le proporciona el medicamento equivocado.

Medicamentos distintos a veces tienen nombres similares. Por ejemplo, el medicamento Benylin para la tos puede confundirse fácilmente con el antihistamínico Benadryl.

Si no sabe los medicamentos que está tomando, no podrá alertar a los médicos en caso de una emergencia. Le podrían dar el tratamiento erróneo en la sala de emergencia

Ejemplo: Los betabloqueantes ("betablockers") que con frecuencia se usan para controlar la presión arterial alta, pueden causar graves síntomas similares a los del asma.

Qué hacer: Antes de irse del consultorio del médico con una receta, pídale que anote el nombre del medicamento y por qué lo necesita. Verifique esta información con el farmacéutico.

Error N.º 4: No reconocer los efectos secundarios de los medicamentos. Los pacientes no siempre relacionan un medicamento con síntomas que son en realidad efectos secundarios.

Ejemplo: Los medicamentos para la presión arterial llamados inhibidores ACE (por sus siglas en inglés) pueden causar una tos seca que podría ser desestimada como un síntoma de un resfriado o una alergia.

Qué hacer: Cuéntele a su médico acerca de cualquier síntoma que comience después de tomar un medicamento nuevo, incluso si parece no estar relacionado. La mayoría de los efectos secundarios pueden reducirse o eliminarse al cambiar de medicamento o ajustar la dosis, siempre bajo supervisión médica.

Error N.º 5: Insistir con medicamentos nuevos. Tanto pacientes como médicos pueden ser influenciados por avisos publicitarios de medicamentos "nuevos y mejorados" en las revistas y la televisión. La gran mayoría de los nuevos medicamentos tienen poca o ninguna ventaja sobre los más viejos. Además, podrían ser más riesgosos porque no han estado en el mercado lo suficiente como para que los médicos sepan mucho sobre sus efectos secundarios o complicaciones, algunas de las cuales podrían no surgir hasta años más tarde.

Qué hacer: Pregúntele a su médico si el nuevo medicamento que le está recetando es claramente superior a otros más viejos que estén disponibles.

Error N.º 6: Combinar medicamentos recetados con suplementos. El riesgo de efectos secundarios aumenta drásticamente cuando se combinan los medicamentos recetados con suplementos alimentarios, hierbas y remedios de venta libre.

Ejemplos: Los suplementos de ajo aumentan el riesgo de hemorragia interna cuando se combinan con el anticoagulante *warfarina* (Coumadin)… la vitamina C puede aumentar la absorción de hierro, lo que podría ser peligroso para algunos… y la hierba efedra puede interactuar con medicamentos para el corazón.

Qué hacer: Informe a su médico sobre todos los suplementos y medicamentos de venta libre que usted toma.

Error N.º 7: Almacenar medicamentos. Nadie quiere deshacerse de medicamentos costosos que podrían ser útiles en el futuro. Sin embargo, mantener medicamentos que no se están usando aumenta la posibilidad de tomar el medicamento equivocado por error.

Qué hacer: Tire a la basura cualquier medicamento que ya no esté usando o cuya fecha de vencimiento ("expiration date") ya haya pasado.

Error N.º 8: Mala comunicación. Las personas con múltiples problemas de salud usualmente reciben medicamentos de diferentes especialistas –como cardiólogos, internistas, reumatólogos, etc. Es poco probable que cualquiera de ellos sepa exactamente qué medicamentos están recetándole los otros. Los pacientes a veces pueden recibir recetas para el mismo medicamento de dos médicos distintos. El mismo medicamento puede venderse bajo diferentes nombres… o distintos medicamentos pueden recetarse con el mismo fin.

Qué hacer: Pídale a su médico de atención primaria que examine todos sus medicamentos recetados. Coloque los medicamentos en una bolsa y llévelos a la consulta con su médico. O envíe una lista a su médico por correo, fax o correo electrónico. Esta verificación de medicamentos asegura que usted no está tomando medicamentos sin necesidad… que no está recibiendo dosis equivocadas… y que los medicamentos no están interactuando de modos perjudiciales.

Compre todos sus medicamentos recetados en la misma farmacia. La mayoría de las farmacias usan computadoras para rastrear las recetas y pueden alertarlo si existen duplicaciones o posibles interacciones.

Tenga cuidado con las píldoras divididas

Partir tabletas puede resultar en dosis imprecisas. Consulte a su médico o farmacéutico antes de dividir cualquier medicamento.

En un estudio, cuando pacientes de edad avanzada usaron uno de los dos cortadores de píldoras disponibles en el mercado, las dosis variaron entre el 9% y el 37% del corte previsto en 50/50. Los pacientes cortan tabletas con más precisión según el cortador que usen, la forma de la tableta y si recibieron instrucciones previas.

Brian T. Peek, PharmD, profesor clínico auxiliar de la facultad de farmacología de la Universidad Campbell, en Buies Creek, Carolina del Norte.

El secreto sencillo para evitar los efectos secundarios de los medicamentos

Jay S. Cohen, MD, profesor adjunto auxiliar de medicina familiar y preventiva, y de psiquiatría de la Universidad de California en San Diego. Es autor de *What You Must Know About Statin Drugs & Their Natural Alternatives* (Square One). El Dr. Cohen ha redactado varios artículos en boletines médicos acerca de la seguridad de los medicamentos. Mantiene el sitio Web en inglés *www.medicationsense.com*.

Cada año, los efectos secundarios de los medicamentos representan alrededor de 115 millones de consultas al médico y 8,5 millones de hospitalizaciones en Estados Unidos.

Y cada año, 100.000 estadounidenses mueren como resultado directo de los medicamentos que toman. Eso es más de los que mueren en accidentes automovilísticos y todos los demás accidentes combinados.

Menos espectacular, pero con frecuencia igual de grave, es que muchas personas sienten tantas molestias por los efectos secundarios que dejan de tomar los medicamentos que necesitan para combatir sus enfermedades.

MEDICACIÓN EN EXCESO

Más del 80% de todos los efectos secundarios están relacionados con la dosis. Cuanto mayor sea la dosis, mayor será el riesgo de sufrir efectos secundarios.

Las investigaciones han demostrado que las dosis bajas frecuentemente surten el mismo efecto que otras más altas, pero pocos médicos –quizá uno de cada 10– hacen un esfuerzo serio para hallar las dosis que maximicen los beneficios para los pacientes y que minimicen los efectos secundarios.

La mayoría de los médicos hacen exactamente lo que aprendieron en la facultad de medicina, es decir, recetan las dosis indicadas en el gigantesco libro de referencia, *Physicians' Desk Reference (PDR)*, las cuales son suministradas por los fabricantes de los medicamentos.

¿Cómo calculan los fabricantes de los medicamentos las dosis indicadas en el PDR? En la mayoría de los casos, prueban sólo unas pocas dosis y luego se deciden por una que sea eficaz para aproximadamente el 75% de los pacientes.

Trampa: Las personas difieren en cómo reaccionan a las distintas cantidades de los medicamentos. A una persona podría hacerle bien 10 mg, mientras que otra podría necesitar una cantidad varias veces mayor.

En general, las personas mayores son más sensibles a los efectos de un medicamento que las personas más jóvenes, y a las mujeres con frecuencia les va mucho mejor con dosis menores que a los hombres.

DOSIS MENORES PERO AUN EFICACES

Las dosis indicadas en el *PDR* son sólo parte de la historia. Una vez que un nuevo medicamento comienza a ser ampliamente recetado, con frecuencia resulta claro que a muchos pacientes les va bien con dosis menores de las indicadas, las cuales además disminuyen los riesgos de sufrir efectos secundarios. *Estos son unos pocos ejemplos:*

•**Antidepresivos.** La dosis inicial recomendada de *fluoxetina* (Prozac) es de 20 mg al día. Pero un estudio publicado en el boletín *The New England Journal of Medicine* demostró que 5 mg al día es frecuentemente eficaz –y menos probable que cause dolor de cabeza, ansiedad y otros efectos secundarios. Otros estudios hallaron que 2,5 mg es con frecuencia suficiente.

Éxitos similares se han informado con dosis menores de lo usual de otros antidepresivos.

•**Medicamentos para las úlceras.** Los medicamentos que bloquean los ácidos, como *omeprazol* (Prilosec) y *lansoprazol* (Prevacid), pueden causar dolor de cabeza, dolor en las articulaciones, náuseas y estreñimiento o diarrea.

La dosis usual de omeprazole es de 20 mg al día, pero algunos estudios han demostrado que 10 mg les dan buenos resultados a muchas personas. A algunas personas de mayor edad les va bien con 5 mg.

●**Medicamentos para bajar el colesterol.** Pruebas preliminares de *simvastatina* (Zocor) y otras "estatinas" sugirieron que estos medicamentos tenían pocos efectos secundarios. Ahora es claro que las estatinas pueden causar problemas gastrointestinales y dolores musculares fuertes.

La dosis inicial de simvastatina usualmente recetada es de 10 mg al día, pero muchas personas logran reducciones importantes de colesterol con 5 mg o incluso 2,5 mg.

●**Medicamentos para la presión arterial.** Los inhibidores de la enzima ACE como *enalapril* (Vasotec) tienen menos probabilidad de causar efectos secundarios que otros medicamentos para la presión arterial. Pero estos medicamentos pueden causar mareos o una tos constante.

El fabricante recomienda una dosis inicial de enalapril de 5 mg al día. Pero un informe publicado por el Comité Nacional sobre la Prevención, Detección, Evaluación y Tratamiento de la Hipertensión sugiere comenzar con 2,5 mg al día. Por desgracia, pocos médicos han leído ese informe.

●**Medicamentos para el dolor.** El *ibuprofeno* (Motrin) y otros *medicamentos antiinflamatorios no esteroideos* (AINE o NSAID, por sus siglas en inglés) son muy eficaces para controlar el dolor y la inflamación causados por afecciones como artritis o tendinitis.

Pero estos medicamentos pueden causar hemorragia, úlcera e irritación estomacal graves.

CÓMO USAR LOS MEDICAMENTOS DE MANERA ADECUADA

Los médicos no desean recetar una cantidad mayor de la necesaria de un medicamento. Simplemente no saben que, después de la aprobación de un medicamento, frecuentemente se descubre que las dosis menores y más seguras también son eficaces. *Es entonces que el paciente tiene que intervenir:*

●**Alerte al médico sobre los efectos secundarios que haya experimentado en el pasado.** Si un medicamento que tomó alguna vez le causó fatiga, existe la posibilidad de que usted sea sensible a un nuevo medicamento para el cual la fatiga es también un efecto secundario común. El médico quizá pueda sugerirle una alternativa.

●**Sugiera comenzar con poca cantidad, aumentar con lentitud ("start low, go slow").** A menos que su afección sea grave, es a menudo prudente comenzar con la dosis más baja posible y, si la misma no surte efecto –aumentarla gradualmente.

Esta estrategia le permite al médico hallar la dosis eficaz más baja. Además, le da a su cuerpo una mejor oportunidad para acostumbrarse a un medicamento nuevo.

●**Intente con dosis intermedias.** La mayoría de los medicamentos vienen con sólo unas pocas concentraciones, pero con frecuencia la dosis eficaz más baja se encuentra entre dos concentraciones distintas.

Hallar un modo de obtener esta dosis intermedia puede requerir un poco de creatividad –como tomar una fracción de una píldora, por ejemplo, o disolver el contenido de una cápsula en jugo y luego dividir la dosis.

Ejemplo: El medicamento fluoxetina se encuentra disponible en píldoras de 10 mg y 20 mg. Se receta generalmente en 20 mg al día –y luego, si es necesario, en 40, 60 u 80 mg. Pero un paciente podría no responder a 40 mg... y 60 mg podría causarle efectos secundarios graves.

Para este paciente, tomar 50 mg (dos píldoras de 20 mg y una de 10 mg) podría resultar ideal.

●**Disminuya la dosis.** Especialmente con medicamentos para la presión arterial y otros que deben tomarse de manera indefinida, es importante hallar la dosis eficaz más baja. Nadie quiere soportar efectos secundarios molestos de por vida.

Las buenas noticias: Aunque una dosis alta puede ser necesaria al principio para controlar la afección, es a menudo posible reducirla más adelante a una "dosis de mantenimiento".

•**Divida la dosis.** A la mayoría de las personas les resulta conveniente tomar su medicación una vez al día, pero una sola dosis grande puede causar una gran concentración del medicamento en el torrente sanguíneo.

Pregúntele a su médico acerca de dividir una dosis grande en dos o tres dosis más pequeñas.

Advertencia: Nunca comience o deje de tomar un medicamento recetado –ni cambie la dosis– sin consultarlo antes con su médico.

Más de Jay S. Cohen...

No tome antidepresivos con aspirina

Tomar analgésicos (calmantes del dolor) y antidepresivos puede causar un sangrado peligroso en el estómago. El consumo prolongado de aspirina, *ibuprofeno* u otros tipos de *medicamentos antiinflamatorios no esteroideos* (AINE) aumenta el riesgo de hemorragia gastrointestinal. Prozac, Zoloft y otros *antidepresivos inhibidores selectivos de la recaptación de serotonina* (SSRI, por sus siglas en inglés) también pueden causar sangrado. Tomar ambos tipos de medicamentos aumenta aun más el riesgo.

La autodefensa: Si está tomando antidepresivos SSRI debería consultar a su médico acerca de tomar analgésicos que no causan sangrado –como el *acetaminofeno* (Tylenol).

Importante: Para minimizar los efectos secundarios, hable con su médico acerca de tomar la dosis eficaz más baja de cualquier medicamento.

Alerta sobre los antidepresivos

Los médicos a menudo recetan erróneamente los tranquilizantes y antidepresivos. En especial entre adultos mayores, algunos de los efectos perjudiciales posibles de estos medicamentos –como retención de orina, sedación y confusión– podrían superar sus beneficios potenciales. Se estima que el 20% de los mayores de 65 años toman un medicamento que podría ser especialmente peligroso.

La autodefensa: Al menos una vez al año, examine con su médico todos los medicamentos de venta libre y recetados que usted toma. Comenten los efectos secundarios que usted experimenta y si puede reducir la dosis o dejar de tomar el medicamento.

Importante: Nunca deje de tomar un medicamento sin consultarlo con su médico.

Arlene S. Bierman, MD, presidenta del consejo de salud de la mujer de la Universidad de Toronto, y científica sénior de la facultad de la City Health Research Unit, del hospital St. Michael's, en Toronto.

Medicamentos que pueden causar aumento de peso

Algunos medicamentos pueden provocar aumentos de peso al incrementar el apetito, enlentecer el metabolismo o causar la retención de líquidos.

Los culpables comunes: Los antipsicóticos más nuevos, como Risperdal, Seroquel y Zyprexa... estabilizadores del estado de ánimo, como *litio* y los anticonvulsivos Depakote y Tegretol... esteroides... antidepresivos tricíclicos, como Aventyl, Elavil y Remeron... medicamentos para tratar la diabetes, como Actos y Avandia.

El aumento de peso puede experimentarse temprano en el curso de la terapia. Si aumenta de peso después de empezar a tomar cualquier medicamento, consulte a su médico. Los diuréticos recetados pueden ayudar a eliminar el peso causado por la retención de agua. Si un medicamento enlentece su metabolismo, es posible que necesite hacer más ejercicios.

Stephanie DeGraw, PharmD, del Institute for Safe Medical Practices, en Horsham, Pensilvania. El instituto edita el boletín informativo para consumidores, *Safe Medicine.* Su sitio Web es *www.ismp.org.*

Los efectos secundarios de medicamentos que afectan a las mujeres de manera distinta

Las mujeres experimentan los efectos secundarios de los medicamentos con más frecuencia y de manera distinta que los hombres. Los sistemas de las mujeres pueden absorber los medicamentos a diferentes ritmos o ser simplemente más sensibles que los de los hombres.

Ejemplos: El antibiótico eritromicina es más probable que cause peligrosas arritmias en las mujeres... los medicamentos para el asma y la epilepsia quizá actúen con menos eficacia durante la menstruación.

Las mujeres deben informar a su médico si toman más de uno de esos medicamentos, beben alcohol o toman suplementos alimentarios.

Raymond I. Woosley, MD, profesor de medicina y vicepresidente de ciencias de la salud de la Universidad de Arizona, en Tucson.

Parches medicinales: Curación con menos efectos secundarios

Richard D. Hurt, MD, profesor de medicina de la facultad de medicina Mayo, y director del Nicotine Dependence Center de la Clínica Mayo, en Rochester, Minnesota. Es un destacado investigador del uso de parches para dejar de fumar.

Muchos medicamentos se encuentran disponibles en forma de parches ("patches"), y muchos otros esperan ser aprobados por la agencia federal Food and Drug Administration (FDA). Los parches medicinales –también conocidos como sistema transdérmico de suministro de medicamentos– ofrecen importantes ventajas y, en algunos casos, causan menos efectos secundarios.

CÓMO ACTÚAN LOS PARCHES

El ingrediente activo del medicamento se integra al gel adhesivo del lado "activo" del parche. Cuando usted quita la cubierta de plástico y aplica el parche sobre su piel, las moléculas del medicamento pasan por la piel hacia el torrente sanguíneo.

Varios tipos de medicamentos se encuentran disponibles en forma de parche, incluyendo...

- **Testosterona** para los hombres con bajos niveles de esta hormona.
- **Estrógeno y progesterona** para las mujeres para el control de la natalidad o la terapia de reemplazo hormonal.
- **Analgésicos narcóticos** ("calmantes").
- **Medicamentos antináuseas** para el mareo por movimiento y las náuseas relacionadas con la quimioterapia.
- **Nitroglicerina** para la angina.
- **Nicotina** para ayudar a las personas a dejar de fumar.

Los parches permanecen en su lugar incluso al nadar o ducharse, y pueden desprenderse con poca o ninguna molestia. Algunos parches de testosterona deben colocarse sobre el tejido escrotal, pero la mayoría de los parches medicinales pueden colocarse en cualquier sitio. Siga las instrucciones del fabricante.

No coloque parches en los codos, las manos o las plantas de los pies. La piel dura de esas áreas impide la absorción.

Generalmente, puede tener más de un parche a la vez –por ejemplo, un parche de nicotina al mismo tiempo que un parche para aliviar el dolor. Las interacciones entre los medicamentos pueden ocurrir con los parches del mismo modo que sucede con las píldoras. Si está usando uno o más parches, o tomando medicación por vía oral, y tiene efectos secundarios, dígaselo a su médico de inmediato.

LAS VENTAJAS

Los medicamentos por vía oral deben darse en dosis relativamente altas. Es así porque hasta el 90% de algunos ingredientes activos pueden desactivarse al pasar por el tracto digestivo y el hígado. Los parches eluden el hígado y los intestinos y suministran los medicamentos directamente en el torrente sanguíneo. Esto permite el uso de dosis menores y disminuye el riesgo de efectos secundarios peligrosos, incluyendo el daño al hígado. *Otras ventajas…*

•**Los parches suministran dosis de medicación a un ritmo consistente durante horas o días,** sin los aumentos repentinos del suministro de medicación que ocurren con los medicamentos por vía oral.

•**El parche se aplica sólo una vez al día** (o una vez a la semana o cada pocas semanas), lo que es más conveniente y más fácil de recordar que tomar medicamentos por vía oral varias veces al día. Con los medicamentos por vía oral, el incumplimiento (olvidarse de tomar el medicamento o saltearse una dosis) es un gran problema, especialmente para las personas con afecciones crónicas.

•**Los pacientes que tienen dificultad para tragar píldoras pueden usar parches.**

LAS DESVENTAJAS

Algunas personas padecen urticaria donde se aplica el parche. Esto generalmente puede prevenirse simplemente aplicando parches a diferentes áreas de la piel en diferentes días. Otros pacientes pueden experimentar una reacción alérgica generalizada, como un sarpullido en todo el cuerpo –pero esto es raro.

Asegúrese de quitar los parches viejos antes de aplicar los nuevos. Tener accidentalmente múltiples parches de la misma medicación podría causar una sobredosis.

¿QUÉ HABRÁ EN EL FUTURO?

Algunos investigadores están desarrollando parches que suministran medicamentos para asma, depresión, diabetes, enfermedad de Parkinson y otras afecciones. Éstos podrían estar disponibles en los próximos años.

También están desarrollando parches que incorporan diminutos circuitos electrónicos y usan corriente eléctrica, calor o ultrasonido para facilitar el pasaje de los medicamentos por la piel, especialmente los que tienen moléculas grandes, como la insulina. Estos parches de técnica avanzada también pueden usarse para suministrar analgésicos más rápidamente que con los parches convencionales.

Aviso para emergencias: Conozca su medicación

Charles B. Inlander, consultor de atención médica y defensor de los consumidores que reside en Fogelsville, Pensilvania. Fue presidente fundador de la organización People's Medical Society, un grupo de defensa de los consumidores de servicios médicos. Es autor de más de 20 libros acerca de la salud de los consumidores, entre ellos, *Take this Book to the Hospital with You* (St. Martin's).

Si toma medicamentos habitualmente, asegúrese de que el personal médico de emergencia tenga rápido acceso a esta información.

La razón: Los procedimientos de emergencia pueden causarle daños a las personas que toman ciertos medicamentos.

Ejemplos: Los nitratos que se usan durante la anestesia pueden ser peligrosos para las personas que toman Viagra… los medicamentos que se usan para disolver los coágulos sanguíneos pueden hacerles daño a las personas que toman el anticoagulante *warfarina* (Coumadin) o aspirina diariamente.

Salvamento: Lleve en su billetera o cartera, junto a su permiso de conducir, una tarjeta con la lista de medicamentos que toma. Debería incluir además suplementos alimentarios… afecciones crónicas… alergias… y lentes de contacto.

Alternativa: Use un servicio de información médica de urgencia. Por ejemplo, MedicAlert (888-633-4298) vende brazaletes y collares grabados con información de salud y un número telefónico para obtener la información sobre sus medicamentos.

Más de Charles B. Inlander…

Cómo obtener medicamentos aún no aprobados por la FDA

Los medicamentos que aún no han sido aprobados por la agencia federal Food and Drug Administration (FDA) pueden estar disponibles para pacientes que demuestren tener una necesidad auténtica. El médico del paciente tiene que recomendarlo, y el medicamento tiene que estar en una etapa de prueba con seres humanos o más avanzada.

Averigüe sobre los programas de *uso compasivo,* para afecciones que varían del cáncer de pulmón a la obesidad, en los sitios en Internet de los fabricantes o en *www.clinicaltrials.gov.*

También de Charles B. Inlander...

Los medicamentos más viejos pueden ser mejores que las versiones nuevas

Las versiones actualizadas –y más costosas– de viejos medicamentos puede que no sean mucho mejores para usted. Algunas empresas farmacéuticas les hacen pequeños cambios a medicamentos existentes y solicitan nuevas patentes. Los nuevos productos generalmente son sólo entre un 3% y un 5% más eficaces que los viejos, pero pueden costar entre el 40% y el 50% más.

Ejemplo: Clarinex es una forma levemente más fuerte de Claritin, un medicamento para las alergias que ahora se encuentra disponible sin receta.

La autodefensa: Pregúntele a su médico sobre las opciones de medicamentos. No cambie a ciegas.

Peligros de los nuevos medicamentos

La quinta parte de los 548 medicamentos aprobados por la agencia federal Food and Drug Administration (FDA) en los últimos 25 años resultó tener graves efectos secundarios que no se conocían cuando fueron aprobados. Siete de los medicamentos, que más tarde fueron retirados del mercado, tenían efectos secundarios tan graves que tal vez contribuyeron a más de 1.000 muertes.

La autodefensa: Evite medicamentos que hayan estado en el mercado por menos de cinco años. Si su médico le receta un nuevo

medicamento, pregúntele si existen alternativas más viejas y ya comprobadas por el tiempo.

Karen Lasser, MD, MPH profesora auxiliar de medicina de la facultad de medicina de la Universidad Harvard, en Boston, y líder de un estudio publicado en el boletín *Journal of the American Medical Association.*

¿Tienen demasiada influencia las empresas farmacéuticas?

Timothy McCall, MD, internista, editor médico de la revista *Yoga Journal* y autor de *Examining Your Doctor* (Carol Publishing) y *Yoga as Medicine* (Bantam). *www. drmccall.com.*

Las empresas farmacéuticas dedican muchísimo tiempo y dinero tratando de influir la manera en que los médicos recetan medicamentos. Y lo hacen por una razón: les da buenos resultados. Los millones de dólares gastados para convencer a los médicos pueden significar miles de millones de dólares en ganancias por medicamentos "exitosos" con precios exorbitantes.

Por desgracia, esta práctica generalmente no beneficia al paciente. Este punto fue comprobado gracias a un importante estudio que demostró que los diuréticos tradicionales (que cuestan centavos por píldora) fueron más eficaces para la presión arterial alta que los medicamentos muy promocionados que cuestan un dólar o más por píldora.

Como paciente, usted simplemente quiere la mejor atención médica que pueda recibir. Le gustaría que las recomendaciones de su médico se basaran en la ciencia y el sentido común, no en esfuerzos de mercadeo por parte de las empresas farmacéuticas.

¿Cómo puede saber si su médico está muy influenciado por las farmacéuticas? Hay algunas señales de advertencia. (Tenga en cuenta, sin embargo, que es un patrón de comportamiento, no una transgresión individual, lo que generalmente sugiere la existencia de un problema). *Algunas señales a las que debe prestar atención:*

•**El médico receta medicamentos promocionados con regalos.** Tenga cuidado si el nombre en su receta coincide con el nombre en los bolígrafos, blocs de apuntes, carteles u otros regalos de las farmacéuticas que abunden en el consultorio del médico. Personalmente, creo que los médicos no deberían aceptar ninguno de estos artículos promocionales. Pueden sutilmente influenciar su comportamiento al recetar, y el gasto contribuye al alto costo de los medicamentos.

•El médico nunca receta medicamentos genéricos. Para la mayoría de los medicamentos, los genéricos son tan eficaces como los de marca. Los médicos que prefieren una marca deberían tener una buena razón para hacerlo y ser capaces de expresarlo si les pregunta. Asimismo, si *nunca* existe una versión genérica de los medicamentos que receta su médico, significa que favorece los más nuevos y más caros. (Los genéricos sólo están disponibles después de que vencen las patentes de los medicamentos de marca).

•El médico receta una píldora para cada afección. Darle a un paciente una receta es una manera que tienen algunos médicos muy ocupados de indicar que la consulta ha terminado. Pero a menudo lo mejor es explorar opciones sin medicación, como ejercicio, cambios en la dieta y estrategias para reducir el estrés, antes de recurrir a los medicamentos. Sin embargo, lleva más tiempo explicar las opciones sin medicamentos, por lo que este camino es cada vez más una cosa del pasado para muchos médicos.

•El médico siempre está dispuesto a recetarle los medicamentos que usted le solicita. En años recientes, las empresas farmacéuticas se han dado cuenta de que otra forma de manipular a los médicos es haciendo publicidad enfocada directamente en los pacientes, quienes entonces les piden a sus médicos medicamentos específicos. Pero con frecuencia la publicidad enfocada en los pacientes es para la promoción de un medicamento que usted no necesita o que quizá no sea la mejor opción para su afección. Los buenos médicos se niegan a aceptar los pedidos de sus pacientes, al menos algunas veces. Pueden sugerir una mejor alternativa o explicarle por qué no necesita ningún medicamento. Algunos pacientes pueden

quedar decepcionados, y podría ser malo para los negocios, pero los mejores médicos saben cuándo decir simplemente "no".

Más de Timothy McCall...

¿Son seguros los medicamentos para bajar el colesterol?

Cuando el popular medicamento *cerivastatina* (Baycol) para disminuir el colesterol fue retirado del mercado después de haber sido vinculado a varias muertes, millones de estadounidenses que tomaban este medicamento se preguntaron si su salud corría peligro. Los usuarios de Baycol que murieron sufrían de inflamación muscular (miositis), un efecto secundario que puede evolucionar hasta causar la insuficiencia renal y la muerte.

Seis estatinas aún siguen en el mercado – *lovastatina* (Mevacor), *simvastatina* (Zocor), *pravastatina* (Pravachol), *atorvastatina* (Lipitor), *fluvastatina* (Lescol) y *rosuvastatina* (Crestor). Todas pueden causar miositis. En general, sin embargo, los medicamentos parecen ser bastante seguros. *Esto es lo que sugiero para disminuir su riesgo de tener problemas:*

•Pruebe las opciones sin medicación antes de comprometerse con un medicamento. El renombrado cardiólogo Dean Ornish ha descubierto que un programa completo de cambios en el estilo de vida –incluyendo yoga, psicoterapia grupal, caminar habitualmente y una dieta vegetariana baja en grasa– puede invertir la acumulación de depósitos grasos en las arterias coronarias. Es interesante notar que el grupo de control en sus experimentos, del cual algunas personas tomaban varios medicamentos para disminuir el nivel de colesterol, tuvo más síntomas y ataques al corazón que quienes siguieron su programa. El programa del Dr. Ornish no es para cualquiera, pero quienes estén dispuestos a cambiar su estilo de vida quizá tengan una alternativa más poderosa –y más segura– que la terapia con medicamentos.

Entre otras opciones sin medicamentos que podrían ayudar a disminuir el nivel de colesterol se encuentran los suplementos de fibra (como Metamucil) y el salvado de avena ("oat bran"). El alcohol con moderación, una terapia de aspirina en dosis bajas, té negro o verde y antioxidantes, como la vitamina E, pueden cada uno de por sí disminuir el riesgo de sufrir un ataque al corazón. Hable con su médico sobre las dosis.

• **Sométase a exámenes para detectar los efectos secundarios.** La mayoría de las personas que toman estatinas no observa ningún efecto secundario, lo que ha dado a algunos pacientes, y a algunos médicos, una sensación ilusoria de confianza. Se recomienda someterse a los análisis de sangre para la función hepática seis semanas después de comenzar la terapia con estatinas y cada cuatro a seis meses de ahí en adelante. Desgraciadamente, pocos médicos insisten en estos exámenes.

Si tiene fiebre, debilidad o dolor muscular inexplicable, deje de tomar el medicamento y consulte a su médico. Si su orina se vuelve marrón, busque atención de inmediato. Podría ser un indicio de insuficiencia renal.

• **Tenga cuidado con las combinaciones de medicamentos.** Un tercio de los usuarios de Baycol que murieron también estaban tomando *gemfibrozil* (Lopid), otro medicamento para bajar el nivel de colesterol. Es inquietante saber que se había advertido a los médicos que no recetaran estos medicamentos juntos.

Generalmente, mientras más medicación tome –especialmente si se trata de nuevos medicamentos– mayor será su riesgo de tener interacciones entre los mismos.

Mi consejo: Evite medicamentos nuevos durante los primeros años a menos que tengan importantes ventajas sobre los más viejos y que sean de eficacia comprobada por el uso.

El retiro de Baycol del mercado nos recuerda que no siempre se puede confiar que los médicos hagan lo que se supone que deben hacer. Algunos no se molestan en averiguar sobre un medicamento antes de recetarlo, sus efectos secundarios, sus interacciones con otros medicamentos y las posibles advertencias. Algunos están demasiado ocupados y simplemente cometen errores. Sea cual sea la causa, usted puede ayudar a evitar este tipo de problemas leyendo las hojas de información adjuntas al envase de cada medicamento que le receten. Pídaselas a su farmacéutico.

Aunque a menudo parece que lo olvidáramos, todos los medicamentos tienen efectos secundarios. Lo que es más importante es si los beneficios posibles superan los riesgos. Si tiene un riesgo alto de padecer enfermedad del corazón –pero no ha tenido éxito con la dieta, el ejercicio y otros métodos sin medicamentos– una estatina es claramente apropiada. De hecho, los efectos causados al no tomar el medicamento podrían ser mucho peores.

Evite las costosas combinaciones de medicamentos

Muchas de las combinaciones de medicamentos de marca son simplemente los mismos medicamentos en diferente envase y más caros.

Ejemplos: Caduet combina una píldora existente para la presión arterial y una píldora para el colesterol… Symbax combina un antidepresivo y un antipsicótico.

Los pacientes deberían usar productos combinados sólo si no hay genéricos o medicamentos similares y el medicamento combinado cuesta más o menos lo mismo que los dos medicamentos por separado. Los pacientes que tengan seguro pueden pagar sólo un copago por un medicamento combinado, pero eso no es un ahorro si existen alternativas más baratas.

Jerry Avorn, MD, profesor de medicina de la facultad de medicina de la Universidad Harvard, y jefe de la división de farmacoepidemiología y farmacoeconomía, del hospital Brigham and Women's, ambos en Boston.

¿Está tomando sus medicamentos de manera adecuada?

El término *"con comida"* ("with food") significa durante una comida, no con un vaso de leche o jugo. *"Antes de las comidas"* ("before meals") significa al menos una hora antes de comer. *"Después de las comidas"* ("after meals") significa al menos dos horas después. *"Con el estómago vacío"* ("on an empty stomach") significa una hora antes o dos horas después de comer. El tipo de comida que consuma también importa.

Ejemplos: El jugo de toronja (pomelo, "grapefruit") intensificará el efecto de algunos medicamentos, y el jugo fortificado con calcio ("calcium-fortified") puede prevenir la absorción correcta.

Pregúntele a su médico y a su farmacéutico acerca de la mejor manera de tomar cada medicamento.

Joe Graedon, farmacólogo en Durham, Carolina del norte, y coautor, con Teresa Graedon, PhD, de *The People's Pharmacy* (St. Martin's). Su sitio Web en inglés *www.peoplespharmacy.org*, provee información acerca de los usos y los efectos secundarios de las hierbas y los medicamentos.

No mezcle estas hierbas culinarias con medicamentos

Varias especias y hierbas culinarias pueden afectar la capacidad del organismo para metabolizar los medicamentos. El ajo, el jengibre ("ginger"), el clavo de olor ("cloves"), la salvia ("sage"), la cúrcuma ("turmeric") y el orégano pueden causar interacciones cuando se consumen con medicamentos anticoagulantes, cardiacos o quimioterapéuticos. El riesgo de una interacción puede aumentar con la cantidad de medicamentos tomados y la cantidad de comidas muy condimentadas consumidas.

La autodefensa: Hable con su médico y su farmacéutico acerca del riesgo de tener dichas interacciones con los medicamentos que toma.

Brian C. Foster, PhD, consejero científico sénior de Health Canada, en Ottawa.

¿Está su medicación agotando los nutrientes de su cuerpo?

Algunos populares medicamentos recetados pueden eliminar nutrientes del cuerpo.

Ejemplos: Los medicamentos recetados para la presión arterial alta, como *propranolol* (Inderal), parecen disminuir los niveles de la coenzima Q-10 en el cuerpo –aunque este nutriente es imprescindible para la salud del corazón… los medicamentos antiinflamatorios sin esteroides, como la aspirina y el *ibuprofeno*, y las píldoras para el control de la natalidad están entre los medicamentos que pueden disminuir los niveles de ácido fólico.

La autodefensa: Pregúntele a su médico si necesita suplementos para contrarrestar los efectos de medicamentos que tome con regularidad.

Ross Pelton, PhD, RPh, farmacéutico que reside en Ashland, Oregon, y coautor de *The Nutritional Cost of Drugs: A Guide to Maintaining Good Nutrition While Using Prescription and Over-The-Counter Drugs* (Morton).

Coordine sus medicamentos para obtener el máximo beneficio

Michael Smolensky, PhD, profesor de salud ambiental y ocupacional, y cofundador y ex director del centro de cronobiología clínica del hospital Hermann, ambos en la Universidad de Texas, en Houston. Es editor del boletín médico *Chronobiology International* y coautor de *Body Clock Guide to Better Health* (Holt).

La mayoría de los estudiantes de medicina aprenden que el cuerpo es *homeostático* –es decir, tiene un "estado estable" de funciones biológicas. Sin embargo, los científicos ahora saben que el organismo funciona rítmicamente.

Los síntomas de afecciones crónicas, como la presión arterial alta, artritis y fiebre del heno, varían mucho según los *ritmos circadianos* (de 24 horas). Al coordinar los medicamentos con los ritmos biológicos del cuerpo –un método de tratamiento conocido como *cronoterapia*–, usted puede recuperarse más rápidamente de un problema de salud o vivir mejor con una enfermedad crónica. *Estos son los últimos descubrimientos en la cronoterapia:*

PRESIÓN ARTERIAL ALTA

Uno de cada cuatro adultos estadounidenses tiene presión arterial alta. La mayoría de los médicos coincide en que la presión arterial ideal debería ser de 115/75. (El número superior es la presión *sistólica*, cuando el corazón late… el número inferior es la presión *diastólica*, cuando el corazón está en reposo entre latidos).

Usando una técnica llamada *monitoreo ambulatorio de la presión arterial* ("ambulatory blood pressure monitoring"), que mide la presión automáticamente 24 horas al día, los médicos ahora saben que la presión arterial tiene un ritmo circadiano.

En la mayoría de las personas, la presión arterial es más alta después de despertar, subiendo por lo menos 25 puntos sistólicos. La presión permanece alta durante el día y baja por la noche, alcanzando su nivel más bajo durante el sueño nocturno. Es importante que los medicamentos recetados para la presión controlen los niveles altos durante el día sin corregir demasiado los niveles nocturnos bajos.

Avances médicos: En Estados Unidos están disponibles cuatro medicamentos específicamente diseñados para mantener los niveles de medicamentos en el cuerpo en sincronía con los ritmos circadianos de la presión arterial. Estos medicamentos, llamados cronoterapias, son los bloqueadores de los canales de calcio *verapamilo* (Verelan PM y Covera-HS) y el de suministro gradual *diltiazem* (Cardizem LA)… y el betabloqueante *propranolol* (Inno-Pran XL).

Elaborado para ser tomado a la hora de acostarse, su tecnología de suministro de medicamento asegura que la medicación no se suministre hasta cuatro horas después de la ingestión. La medicación se suministra entonces de modo que los niveles más altos del medicamento circulen durante el día, cuando la presión arterial sube, y los niveles más bajos del medicamento circulen por la noche, cuando la presión arterial es más baja.

Los estudios clínicos indican que estos medicamentos optimizan el control del aumento de la presión arterial por la mañana, que se ha vinculado a los ataques cerebrales ("strokes") en pacientes con factores de riesgo. Estos medicamentos podrían además minimizar el riesgo de sufrir un ataque al corazón por la mañana.

Advertencia: Si está tomando un medicamento que no sea de cronoterapia, no cambie su horario. Algunos estudios demuestran que tomar ciertos medicamentos a la hora incorrecta puede causar disminuciones enormes en la presión arterial durante el sueño nocturno y quizá no puedan controlar la presión alta durante el día.

Descubrimiento importante: La aspirina en dosis bajas, cuando se toma a la hora correcta del día, podría tener un efecto de disminución de la presión arterial. Un estudio publicado en el boletín médico *Hypertension* descubrió que tomar aspirina en dosis bajas antes de irse a dormir disminuye la presión arterial sistólica en un promedio de cinco puntos, pero no tuvo efecto cuando se tomó a primera hora de la mañana.

Es necesario realizar más investigaciones, pero este descubrimiento sugiere la importancia del ritmo circadiano del organismo, incluso al tomar un medicamento de venta libre como la aspirina.

ARTRITIS

La *osteoartritis* es una enfermedad relacionada con la edad en la que las articulaciones se hinchan, se entumecen y duelen. La *artritis reumatoide* es una enfermedad autoinmune que causa inflamación en las articulaciones. Estas dos afecciones se tratan usualmente con los *medicamentos antiinflamatorios no esteroideos* (AINE o NSAID, por sus siglas en inglés), como *ibuprofeno* (Advil), *ketoprofeno* (Orudis) e *indometacina* (Indocin).

Descubrimiento importante: Los estudios clínicos extensos demuestran que los AINE son más eficaces contra los síntomas de la artritis reumatoide cuando se toman a la hora de acostarse.

Además, los AINE producen menos complicaciones gastrointestinales, como indigestión y malestar estomacal, cuando se toman a la hora de acostarse en vez de por la mañana.

Otros estudios han descubierto que los pacientes con osteoartritis que experimentan sus síntomas más fuertes por la tarde y por la noche obtienen el mayor alivio de los AINE cuando los toman con el desayuno (aunque a esa hora pueda haber un aumento en el riesgo de efectos secundarios gastrointestinales) o al mediodía con el almuerzo.

Si los AINE no alivian los síntomas de la artritis, su médico podría recetarle un medicamento corticosteroide (corticoide) antiinflamatorio, como *prednisona* (Deltasone). Estos medicamentos pueden causar efectos secundarios, como insomnio, cambios en el estado de ánimo y aumento del apetito, especialmente cuando se toman en dosis altas. Algunos estudios demuestran que estos medicamentos son los más eficaces, y los que tienen menos probabilidades de causar efectos secundarios, cuando se toman una vez al día, ya sea por la mañana o temprano por la tarde.

FIEBRE DEL HENO ("HAY FEVER")

Los alérgenos, como el polen, las esporas de moho, los ácaros del polvo y la caspa de los animales, causan este problema respiratorio, también conocido como *rinitis alérgica*. Entre sus síntomas se incluyen estornudos, nariz que gotea, pica o está congestionada, y ojos hinchados.

Uno de cada 10 afectados experimenta síntomas según la estación, mientras que el resto los tienen todo el año. Como saben todos quienes padecen esta afección, los síntomas generalmente son peores temprano por la mañana después de despertarse, aunque muchas personas se quejan de que el sueño es interrumpido por la noche debido a la congestión nasal.

Se cree que el ritmo circadiano de los síntomas de la fiebre del heno se debe a las fluctuaciones de adrenalina y cortisol. Estas hormonas, que contrarrestan la inflamación y la hinchazón causadas por los alérgenos, se encuentran en su nivel más bajo durante la noche.

Para controlar mejor los síntomas matutinos, como los estornudos o la nariz congestionada o que gotea, tome un antihistamínico por la noche o antes de acostarse.

La mejor hora para tomar los medicamentos para el corazón

El mejor momento para tomar la medicación para el corazón es por la mañana. Los medicamentos para el corazón (como los betabloqueantes o los inhibidores ACE) que se toman por la mañana surten efecto cuando usted ya se ha levantado, y por lo tanto ya está exigiendo más a su sistema cardiovascular.

Excepción: Tome estatinas a la hora de acostarse –funcionan conjuntamente con la síntesis del colesterol, y el hígado produce más colesterol por la noche.

Thomas H. Lee, MD, forma parte de la junta editorial del boletín informativo *Harvard Health Letter*, 10 Shattuck St., Boston 02115.

La trampa de la presión arterial

Si toma medicación para la hipertensión, asegúrese de que su régimen de medicamentos controle la presión arterial las 24 horas del día.

Estudio reciente: Algunas personas que tenían presión arterial alta se sometieron a pruebas psicológicas para medir la hostilidad.

Se descubrió que aquellos con un puntaje alto de hostilidad también tenían presión elevada, incluso mientras dormían. Normalmente, la presión disminuye cuando se duerme.

Quienes tuvieron puntaje bajo experimentaban un descenso en la presión durante la noche, pero tenían grandes aumentos en la presión al despertar. Estos aumentos se han vinculado a los ataques al corazón que ocurren temprano por la mañana.

Repercusión: Los hipertensos que tienden a ser hostiles deberían en general tomar su medicamento antihipertensivo al acostarse.

Quienes son menos hostiles deberían en general tomar una píldora de suministro lento por la mañana.

Además, los hipertensos hostiles deberían considerar la psicoterapia o técnicas de relajación como ayuda para dominar su hostilidad.

Jagoda Pasic, MD, PhD, médico del departamento de psiquiatría del centro médico de la Universidad de Washington, en Seattle.

Remedios de venta libre: Algunos son mucho más seguros y más eficaces

Michael B. Brodin, MD, dermatólogo con práctica privada en Scarsdale, estado de Nueva York. Es autor de *The Encyclopedia of Medical Tests* y *The Over-the-Counter Drug Book* (ambos editados por Pocket Books).

Existen alrededor de 300.000 medicamentos de venta libre en el mercado. ¿Cómo se puede hacer una elección inteligente?

Seleccione productos con *sólo un ingrediente activo* –uno que se sepa que es seguro y eficaz para su síntoma principal.

La razón: Cada ingrediente activo en un medicamento tiene sus propios efectos secundarios. No se exponga a dichos efectos secundarios a menos que realmente necesite el medicamento.

Los médicos y farmacéuticos tienden a hablar sobre productos de marca, pero tiene sentido optar por el equivalente genérico cuando hay uno disponible. Los medicamentos genéricos son igual de seguros y eficaces. Además, cuestan menos.

Éstos son los mejores productos de venta libre para varias afecciones comunes:

DOLOR

El *acetaminofeno* que contiene el Tylenol es la mejor opción. Aunque no combate la inflamación, es menos probable que cause malestar estomacal o úlceras, en comparación con la aspirina o los medicamentos antiinflamatorios no esteroideos como *ibuprofeno* (Advil).

El acetaminofeno es seguro para los niños. La aspirina puede causar una afección potencialmente mortal, conocida como el síndrome de Reye, cuando se la da a los niños menores de 16 años.

El acetaminofeno es además el mejor medicamento de venta libre para disminuir la fiebre.

ESTREÑIMIENTO

Muchas personas siguen tomando *sen* (Ex-Lax) u otro laxante estimulante. Pero ahora existe amplia evidencia de que son eficaces los laxantes que producen el aumento del bolo intestinal –y tienen menos probabilidades de crear dependencia.

Los laxantes que producen el aumento del bolo intestinal absorben líquidos y crecen en el intestino. El aumento resultante del tamaño del bolo estimula los músculos de contracción y evacuación.

Diferentes laxantes de este tipo contienen distintos ingredientes activos –*psilio* (zaragatona, "psyllium") en Metamucil, *metilcelulosa* en Citrucel, *extracto de sopa de malta* en Maltsupex y *policarbófilo* en FiberCon. Todos son aproximadamente iguales en su rendimiento.

TOS

El mejor medicamento de venta libre para la tos depende del tipo de tos que tenga.

•**Tos productiva** –una que produce flema. Su mejor opción es el expectorante *guaifenesina*, que se encuentra en Robitussin. Al ayudar a diluir la mucosidad, la guaifenesina parece acortar la duración de la tos productiva… y hace que la tos sea menos dolorosa.

•**Tos seca y áspera.** Use *dextrometorfano*, que se encuentra en Benylin Adult Formula Cough y productos similares. El dextrometorfano, un derivado de la morfina, es más eficaz para contener la tos que *difenhidramina* (Benadryl), un antihistamínico de venta libre que con frecuencia se usa para contener la tos.

El dextrometorfano no causa somnolencia… pero la difenhidramina podría causarla.

CORTADURAS Y RASGUÑOS

Elija un ungüento antibiótico que contenga sólo *bacitracina* o una combinación de bacitracina y polimicina.

La *neomicina* que se encuentra en Neosporin y en productos similares puede causar una reacción alérgica.

DIARREA

Loperamida, que se encuentra en Imodium y productos similares, es segura y fácil de tomar.

Surte efecto al contener las contracciones musculares que conducen a la defecación.

La loperamida es más eficaz que los compuestos adsorbentes *attapulgita* (Kaopectate) y *caolín/pectina* (Kao-Paverin). Es también más eficaz que el *subsalicilato de bismuto* (Pepto-Bismol).

CONGESTIÓN NASAL

La *seudoefedrina*, que se encuentra en Sudafed y otros productos similares, es la mejor opción para el uso frecuente durante el día. Disminuye la congestión al estrechar los vasos sanguíneos, lo que ayuda a encoger los tejidos inflamados.

Ya que la seudoefedrina tiene un leve efecto estimulante, debe evitarse durante al menos cuatro horas antes de acostarse. Si tiene hipertensión, no tome este medicamento sin consultar antes a su médico.

Para controlar la congestión por la noche, la difenhidramina es con frecuencia una mejor opción. Además de secar las membranas mucosas, tiene también un leve efecto de contención de la tos.

Advertencia: Consulte al médico antes de tomar la difenhidramina o cualquier otro antihistamínico si padece glaucoma, enfermedad del corazón o de la tiroides, diabetes, presión arterial alta o agrandamiento de la próstata.

DOLOR DE GARGANTA

La mejor manera de aliviar el dolor de garganta es con gárgaras de agua salada... o con el analgésico (calmante) natural *mentol*. Una buena fuente es las pastillas Halls Mentho-Lyptus Ice Blue Cough Suppressant.

Cada pastilla contiene 12 mg de mentol, más que la mayoría de las otras pastillas para la tos.

INFECCIONES VAGINALES CAUSADAS POR HONGOS (CANDIDIASIS)

Los cuatro principales medicamentos antimicóticos (antihongos, fungicidas) son *clotrimazol* (Gyne-Lotrimin, Mycelex-7), *miconazol* (Monistat 7), *butoconazol* (Femstat 3) y *tioconazol* (Vagistat-1).

Estos productos son tan similares que son prácticamente intercambiables. Compre el que le parezca más conveniente.

La aspirina no es sólo para el dolor de cabeza

Peter Elwood, MD, profesor de epidemiología de la facultad de medicina de la Universidad de Gales, en Cardiff.

Durante los últimos 25 años, más de 140 estudios han demostrado que tomar aspirina puede ayudar a prevenir el ataque al corazón y al cerebro ("stroke"). Las investigaciones recientes sugieren que también podría disminuir el riesgo de padecer otras enfermedades.

El Dr. Peter Elwood, autor principal de un estudio histórico realizado en 1974 que fue el primero en vincular la aspirina a la disminución del riesgo de padecer enfermedad del corazón, comentó las últimas investigaciones sobre este notable medicamento –y quién debería y quién no debería tomarlo.

•**¿Qué eficacia tiene la aspirina para prevenir ataques al corazón y al cerebro?** En estudios que involucraron a hombres que ya habían tenido un ataque al corazón o al cerebro, la terapia de aspirina en dosis bajas (usualmente una tableta o menos al día) disminuyó el riesgo de sufrir un ataque al corazón o al cerebro entre un 30% y un 40%.

El amplio estudio de salud de los médicos estadounidenses (US Physicians' Health Study) indica que la aspirina reduce el riesgo de ataque al corazón en los hombres saludables, y también en los pacientes cardiacos masculinos. Sin embargo, como los hombres saludables que no fuman (y se supone que también las mujeres) tienen un riesgo extremadamente bajo de sufrir un ataque al corazón, el verdadero beneficio para estas personas es probablemente demasiado pequeño para que valga la pena la terapia de aspirina diaria.

Pero para las personas con un riesgo alto de tener un ataque al corazón –las personas mayores, fumadores, quienes tienen presión arterial alta o colesterol elevado o un historial familiar de enfermedad del corazón– la terapia con aspirina con frecuencia vale la pena.

La aspirina previene la enfermedad del corazón al reducir la "viscosidad" de las plaquetas, los fragmentos celulares que se agrupan para formar un coágulo.

•¿Es verdad que la aspirina también juega un papel en el tratamiento del ataque al corazón? Sin duda. Tomar una tableta de aspirina tan pronto como los síntomas se hacen evidentes puede aumentar significativamente la posibilidad de supervivencia, según lo que han demostrado varios estudios.

Cuanto más pronto se tome aspirina, mayor será la probabilidad de supervivencia.

Como el ataque al corazón puede provocar la muerte en pocos minutos, cualquiera que corre riesgo de padecer enfermedad del corazón debería siempre llevar un recipiente con aspirinas… y tomar una tableta al sentir los primeros indicios de dolor en el pecho.

Para llevar la aspirina al torrente sanguíneo lo más rápido posible, es importante *masticar* la tableta antes de tragarla.

•¿Qué otras afecciones puede ayudar a prevenir la aspirina? La evidencia preliminar sugiere que la aspirina puede ayudar a prevenir la enfermedad de Alzheimer.

Existe mucha más evidencia de que la aspirina ayuda a prevenir la *demencia vascular*, un tipo de deterioro cognitivo relacionado con los *accidentes isquémicos transitorios* (AIT) y los ataques cerebrales.

Algunos investigadores creen que los AIT y los ataques cerebrales causados por la coagulación de la sangre contribuyen a alrededor de la mitad de todos los casos de demencia. A menos que haya una buena razón para no tomar aspirina (como un historial de úlceras), cualquiera que tenga indicios de deterioro mental que sugiera demencia vascular probablemente debería tomar aspirina.

Existe también buena evidencia de que la aspirina puede ayudar a prevenir ciertos tipos de cáncer. Tres estudios a gran escala y varios más pequeños han hallado que los pacientes que toman aspirina diariamente tienen un riesgo reducido de padecer cáncer de colon.

También es posible que los cánceres del recto, del estómago y del esófago pudieran prevenirse tomando aspirina con regularidad, según algunos estudios.

Tomar aspirina además parece disminuir el riesgo de desarrollar cataratas… y prevenir la afección relacionada con la diabetes, conocida como *retinopatía diabética*, la cual puede llevar a la ceguera.

•¿Podría la aspirina causar problemas en el estómago y otros efectos secundarios? Alrededor del 8% de las personas en un régimen de aspirina en dosis baja tiene náuseas o dolor de estómago. Tomar aspirina *después* de una comida ayuda a aliviar estos síntomas.

Algunas personas notan que les salen moretones más fácilmente después de iniciar una terapia de aspirina. Esto no es nada preocupante. La aspirina raramente causa hemorragia aguda –con vómitos de sangre o sangre en las deposiciones. Esto es una emergencia médica.

Para estar seguro, consulte a su médico antes de tomar aspirina –especialmente si tiene una úlcera péptica… si está tomando un anticoagulante, como *warfarina* (Coumadin)… o si es alérgico a la aspirina.

•¿Qué dosis de aspirina es apropiada? Cuando se trata de prevenir enfermedades, las dosis bajas están bien. La Organización Mundial de la Salud recomienda tomar 100 mg al día para prevenir el ataque al corazón. Esta dosis es probablemente adecuada para prevenir también otras enfermedades.

Una tableta estándar de aspirina contiene 325 mg. Algunos fabricantes ahora producen tabletas de aspirina de 100 mg. Pero está bien tomar la mitad de una tableta de 325 mg… o una aspirina de 81 mg para niños.

•¿Existe alguna diferencia entre las variedades de aspirina? La aspirina común es adecuada para usar en la terapia de la aspirina diaria… y también para cuando se sospecha un posible ataque al corazón.

La aspirina con recubrimiento entérico ("enteric-coated aspirin") no pasa por el estómago sino que se disuelve en el intestino delgado. Fue desarrollada para minimizar los efectos gastrointestinales en los pacientes con dolor crónico y otras personas que toman grandes dosis de aspirina. Como la terapia con aspirina implica dosis bajas, no hay razón para preferir la aspirina con recubrimiento entérico sobre la común.

Alerta sobre la terapia con aspirina

La aspirina para niños ("baby aspirin") quizá no sea suficiente para proteger contra el ataque cerebral y la enfermedad del corazón. Una aspirina para niños diaria (81 mg) se supone que tiene un efecto anticoagulante suficiente como para disminuir el riesgo de enfermedad del corazón. Pero en un estudio, el 56% de las personas que tomaban aspirina para niños no experimentaron este efecto anticoagulante.

Además: La aspirina con recubrimiento ("coated aspirin") –que tiene un recubrimiento amarillo y duro para facilitar la digestión de la tableta– tal vez no sea eficaz. El sesenta y cinco por ciento de las personas estudiadas no se benefició de la misma.

La autodefensa: Consulte a su médico acerca de tomar a diario una aspirina sin recubrimiento para adultos (325 mg) en su lugar.

Mark J. Alberts, MD, director del Stroke Program en el hospital Northwestern Memorial, en Chicago.

Proteja su estómago si toma aspirina diariamente

La aspirina, tomada comúnmente como anticoagulante o como calmante del dolor, puede irritar o dañar el revestimiento del estómago.

Descubrimiento importante: Tomar la vitamina C junto a la aspirina puede ayudar a mitigar este daño. La vitamina C parece disminuir los niveles de los radicales libres, las moléculas inestables que dañan el revestimiento del estómago.

Si toma una aspirina diaria como terapia: Consulte a su médico acerca de tomar 250 mg de vitamina C con la aspirina.

Thorsten Pohle, MD, especialista en medicina interna de la Clínica de Medicina y la Policlínica B, de la Universidad de Münster, en Alemania.

Cuándo debe tomar la aspirina diaria

Por la noche es el mejor momento para tomar una aspirina diaria para proteger el corazón. En un estudio, las personas con hipertensión leve que esperaron hasta la hora de acostarse para tomar una tableta de aspirina disminuyeron su presión arterial sistólica en un promedio de siete puntos después de tres meses. Quienes no tomaron aspirina o quienes tomaron aspirina por la mañana no demostraron cambios en la presión arterial. Consulte a su médico.

Ramón C. Hermida, PhD, director de los laboratorios de bioingeniería y cronobiología de la Universidad de Vigo, en España.

Cuídese de la sobredosis accidental de acetaminofeno

Peter Draganov, MD, profesor adjunto de medicina de la división de gastroenterología, hepatología y nutrición, de la facultad de medicina de la Universidad de Florida, en Gainesville.

Muchos medicamentos de venta libre contienen *acetaminofeno*, incluyendo algunas variedades de Alka-Seltzer, Benadryl, Contac, Dimetapp, Drixoral, Excedrin, Midol, Robitussin, Tavist, Theraflu y Vicks. Si usted toma algunos de estos productos *y* la dosis recomendada de acetaminofeno, según la cantidad en Tylenol, arriesga dañar el hígado.

El riesgo de sufrir daño hepático es además mayor si usted toma acetaminofeno y bebe más de una cantidad moderada de alcohol.

La autodefensa: Lea las etiquetas detenidamente o pregúntele a su médico o a su farmacéutico. La dosis máxima de acetaminofeno de todas las fuentes es de 4.000 mg diarios.

Más de Peter Draganov...

Alerta sobre la combinación de acetaminofeno y alcohol

El alcohol y el *acetaminofeno* no se deben combinar. El acetaminofeno (en Darvocet, Tylenol, Vicodin y otros medicamentos) provoca entre 70 y 100 muertes al año en Estados Unidos causadas por la insuficiencia hepática aguda, usualmente a causa de una sobredosis o al usarse en combinación con alcohol.

La autodefensa: Nunca tome más de ocho tabletas de acetaminofeno de 500 mg en un día. No lo tome dentro de las 48 horas de haber bebido alcohol. Nunca use acetaminofeno para tratar una resaca (borrachera).

¿Está tomando el calmante del dolor equivocado?

George E. Ehrlich, MD, especialista en dolor y profesor adjunto de medicina en la facultad de medicina de la Universidad de Pensilvania, en Filadelfia, y de la facultad de medicina de la Universidad de Nueva York (NYU). Es coautor de *Conquering Chronic Pain After Injury* (Avery).

Muchísimas personas no obtienen el alivio adecuado del dolor. Con frecuencia esto ocurre porque los doloridos están demasiado preocupados por los posibles efectos secundarios de los analgésicos. O prefieren "resistir el dolor" sin usar medicamentos.

Esto es una desgracia porque el dolor es una causa principal de la depresión y del estrés. Además, el dolor puede intensificarse cuando no recibe tratamiento temprano.

Ejemplo: Imagine que se lesiona la rodilla mientras trabaja en el jardín. En el momento de la herida, el cuerpo libera la *sustancia P*, una sustancia química que causa dolor e irrita los tejidos cercanos. Para compensar por el dolor, usted pondrá más peso sobre la otra pierna. Con el tiempo, esto puede causar dolor crónico *secundario* en la espalda, la pierna o la cadera.

El dolor que persiste por más de 10 días debería ser evaluado por un médico. Éste deberá examinarlo y quizá encargar exámenes para descartar cualquier problema subyacente que empeoraría si no se tratara. También es importante asegurarse de que está tomando los analgésicos adecuados*.

ANALGÉSICOS DE VENTA LIBRE

En la mayoría de los casos, los analgésicos de venta libre dan buenos resultados. A menudo contienen los mismos ingredientes activos que los medicamentos disponibles con receta, aunque en dosis más bajas.

Las mejores opciones:

•**Aspirina.** También conocida como *ácido acetilsalicílico*, la aspirina reduce la infamación, bloquea la transmisión de las señales de dolor a través de los nervios y podría reducir los niveles de las sustancias químicas llamadas *prostaglandinas* que causan dolor. La dosis usual es de dos tabletas de 325 mg, cuatro veces al día, aunque su médico podría recomendarle dosis mayores para dolores fuertes.

Cuándo tomarla: para el dolor de la artritis, las lesiones deportivas, etc. Es el analgésico menos caro, y ha sido usado para el alivio del dolor por más de 100 años. Sin embargo, ya que puede causar acidez estomacal y otros efectos secundarios, especialmente cuando se toma por periodos extensos, muchas personas eligen analgésicos más nuevos que se toleran mejor. Aunque la mayoría de las personas pueden tolerar el uso a largo plazo de aspirina en dosis bajas para prevenir la obstrucción de las arterias, las dosis analgésicas generalmente no deberían tomarse por más de 12 días sin la aprobación de un médico.

No la use: si experimenta dolor de estómago, náuseas, sangrado rectal u otros efectos secundarios gastrointestinales. La aspirina inhibe la acción de ciertas sustancias químicas que protegen el revestimiento del tracto digestivo.

Importante: *No use* aspirina si está tomando un anticoagulante, como *warfarina* (Coumadin), o cualquier producto de hierbas, como ginkgo biloba, que tenga efectos anticoagulantes. Nunca les dé aspirina a los niños,

*Las mujeres embarazadas o lactantes deberían consultar a su médico antes de tomar cualquier analgésico.

salvo en raras ocasiones cuando sea recomendado por un médico. Los salicilatos que contiene la aspirina pueden provocar el síndrome de Reye, una afección potencialmente mortal que causa una inflamación grave del cerebro. La aspirina también puede empeorar el asma.

●**Acetaminofeno.** El *acetaminofeno* es tan eficaz como la aspirina para el dolor crónico y por corto plazo. Además, es menos probable que cause malestar estomacal u otros efectos secundarios relacionados con el uso de la aspirina. Los niños pueden tomar acetaminofeno porque no provoca el síndrome de Reye.

Cuándo tomarlo: para el dolor que no está acompañado por hinchazón o inflamación, como el dolor de cabeza o el dolor causado por el esfuerzo excesivo. A diferencia de la aspirina, el acetaminofeno actúa sólo como analgésico –no tiene ningún efecto sobre la inflamación. La dosis recomendada para adultos es de dos tabletas de 325 mg, tres o cuatro veces al día.

No lo use: si bebe mucho alcohol. Cuando se combina con el consumo excesivo de alcohol, el acetaminofeno puede causar daños al hígado. En las personas mayores, el daño hepático puede ocurrir aun si el consumo de alcohol no es excesivo.

Advertencia: El acetaminofeno extra fuerte ("extra-strength") no es generalmente más eficaz para el dolor que el acetaminofeno común, y es más probable que la dosis mayor cause daño al hígado.

●**Medicamentos antiinflamatorios no esteroideos** (AINE o NSAID, por sus siglas en inglés). La aspirina es un AINE, pero el término generalmente se refiere a otros medicamentos que tienen menos probabilidades de causar efectos secundarios que la aspirina.

Ejemplos: Ibuprofeno (Advil, Nuprin, Motrin) y *naproxeno* (Aleve).

Muchas personas eligen un AINE cuando la aspirina o el acetaminofeno no les proporciona el alivio adecuado o causa efectos secundarios.

Cuándo tomarlos: para todo tipo de dolor, especialmente cuando esté acompañado por inflamación, como el dolor causado por la artritis, los esguinces y otras lesiones.

La dosis recomendada varía para cada AINE. Examine la etiqueta para leer las indicaciones. Los medicamentos son similares, pero no intercambiables. Usted podría obtener alivio de un AINE, pero no de otro. Es posible que tenga que probar varios antes de hallar el que le dé mejores resultados.

No los use: si experimenta los mismos efectos secundarios que con la aspirina –molestia estomacal, hemorragia, úlcera, etc.

Los AINE podrían también inhibir la función renal y no los deberían tomar las personas con enfermedad de los riñones sin la supervisión de un médico.

ANALGÉSICOS DISPONIBLES CON RECETA

La mayoría de los pacientes se automedican con productos de venta libre, luego consultan al médico y continúan con medicamentos recetados más fuertes si no obtienen el alivio adecuado. *Con frecuencia yo receto:*

●**Inhibidores de las enzimas Cox-2.** Los medicamentos de esta clase ayudan a disminuir el dolor y la inflamación. Tienen menos probabilidades que la aspirina de causar úlceras y otros efectos secundarios gástricos debido a que suprimen sólo las enzimas Cox-2 que causan inflamación –y *no* las enzimas Cox-1 que protegen el revestimiento del estómago.

Cuándo tomarlos: para el dolor de largo plazo que está acompañado por inflamación (lesiones, artritis, etc.). Los inhibidores de las enzimas Cox-2 son costosos y quizá no estén cubiertos por el seguro de salud, por lo que generalmente se recetan cuando los AINE más antiguos no surten efecto o causan demasiados efectos secundarios.

Tenga en cuenta que algunos estudios demuestran que los inhibidores de las Cox-2 pueden aumentar el riesgo de sufrir un ataque al corazón o al cerebro después de ser usados durante 18 meses. Consulte a su médico sobre si estos medicamentos son seguros para usted.

No los use: si necesita alivio rápido. Los inhibidores de las Cox-2 pueden tardar al menos cinco días para dar resultados.

●**Narcóticos.** Son los más eficaces de los analgésicos. La codeína, el acetaminofeno con codeína, *oxicodona* (OxyContin) y otros se toman por vía oral, mediante inyección o en forma de parche de suministro lento.

Cuándo tomarlos: para el dolor agudo.

Ejemplo: Después de la cirugía o para calmar cualquier tipo de dolor fuerte. Los narcóticos usualmente se recetan sólo por uno o dos días debido al riesgo de abuso o adicción. No controlan la inflamación.

No los use: Cuando los efectos secundarios –principalmente somnolencia, confusión mental o estreñimiento– son graves, o si tiene un historial de abuso de drogas o de alcohol.

Seis peligrosos mitos sobre los antibióticos

Stuart B. Levy, MD, presidente de la Alianza para el uso prudente de los antibióticos (*www.apua.org*) y director del Center for Adaptation Genetics and Drug Resistance de la facultad de medicina de la Universidad Tufts, ambos en Boston. Es autor de *The Antibiotic Paradox: How the Misuse of Antibiotics Destroys Their Curative Powers* (Da Capo).

Después de los ataques terroristas de 2001, el antibiótico *ciprofloxacina* (Cipro) fue usado por miles de estadounidenses que podrían haber sido expuestos a esporas mortales de la bacteria del ántrax (carbunco, "anthrax").

Por desgracia, casi una de cada cinco de estas personas sufrieron efectos secundarios, incluyendo comezón, problemas respiratorios, e hinchazón de la cara, el cuello y la garganta, según los Centros de Estados Unidos para el control y la prevención de enfermedades (CDC, por sus siglas en inglés).

Aunque la gente suele pensar que los antibióticos son relativamente inofensivos, pueden poner en peligro su salud –y la de su familia.

Éstas son las seis ideas equivocadas más comunes acerca de los antibióticos:

Idea equivocada: Los antibióticos matan los virus.

Los antibióticos atacan sólo las bacterias –no combaten los virus. Los antibióticos no son eficaces para las afecciones virales de las vías respiratorias superiores como los resfriados, la gripe y la tos.

Idea equivocada: Es una buena idea almacenar antibióticos en caso de que alguien se enferme.

Al almacenar antibióticos en su casa, podría estar tentado a tomarlos sin el consejo de un médico.

La automedicación podría causar efectos secundarios inesperados y propagar las bacterias resistentes, que podrían pasar a otros miembros de su familia y al resto de su comunidad. Además, tomar antibióticos o cualquier otro medicamento que no esté almacenado adecuadamente o que se use después de la fecha de vencimiento ("expiration date") puede causar daños al hígado o a los riñones.

Idea equivocada: No hay ningún riesgo en tomar antibióticos aun si no son necesarios.

Cada vez que toma un antibiótico innecesariamente, se arriesga a tener efectos secundarios.

Además, algunas de las bacterias en su cuerpo sobreviven y desarrollan resistencia al medicamento. Estas bacterias inevitablemente pasan a otras personas, creando una fuente de bacterias resistentes a los antibióticos. Cuando otra persona desarrolla una infección con bacterias resistentes a los antibióticos, los medicamentos quizá no tengan efecto y no den resultados.

La única manera de evitar este problema es que todos usemos antibióticos *solamente cuando sea necesario*. Esto significa confiar en un médico para que adecuadamente diagnostique su afección y le recete antibióticos si corresponde.

Idea equivocada: Está bien dejar de tomar antibióticos cuando los síntomas comienzan a ceder.

Aunque empiece a sentirse mejor poco después de comenzar a tomar un antibiótico, aun debe continuar tomando el medicamento durante todo el tiempo prescrito para el tratamiento.

Si no lo hace, las bacterias sobrevivientes podrían reactivar la infección. Tomar sólo antibióticos durante parte de un tratamiento es además más probable que produzca bacterias resistentes a los antibióticos.

Idea equivocada: La resistencia a los antibióticos es sólo un problema teórico.

De hecho, las bacterias han desarrollado resistencia a múltiples antibióticos. Existen algunas bacterias que son resistentes a todos los antibióticos que están disponibles en el mercado en la actualidad.

En 1992, menos del 10% de los pacientes estadounidenses infectados con *Streptococcus pneumoniae* (que causa la neumonía neumocócica, infecciones de los oídos y meningitis) tenían resistencia a la penicilina.

Un informe reciente en el boletín médico *The New England Journal of Medicine* informó que la frecuencia aumentó al 21% en 1995 y al 25% en 1998. Durante ese tiempo, la frecuencia de resistencia de la bacteria a tres o más tipos de antibióticos aumentó del 9% al 14%.

En los hospitales, los antibióticos que alguna vez fueron poderosos, como la meticilina, ya no son confiables para matar la bacteria común *Staphylococcus aureus* (*estafilococo dorado*), que causa la septicemia (envenenamiento de la sangre, "blood poisoning"), la cual puede poner en peligro la vida. De hecho, esta bacteria es frecuentemente resistente a clases enteras de antibióticos, incluyendo las *penicilinas*, las *cefalosporinas*, los *aminoglucósidos* y las *quinolonas*.

Idea equivocada: Es fácil para los investigadores desarrollar antibióticos nuevos y más poderosos.

Esto era cierto cuando la penicilina era usada ampliamente por primera vez en la década de 1940. En ese momento, los científicos sabían que las bacterias patógenas morían cuando eran puestas en la tierra y teorizaban que la tierra debía ser una fuente rica en sustancias químicas antibacterianas adicionales.

Tenían razón. Descubrieron nuevos antibióticos en la tierra por todo el mundo.

Ahora, la mayoría de esos antibióticos ya no son eficaces porque muchísimas bacterias son resistentes a ellos. Como consecuencia, los científicos están creando versiones sintéticas –un proceso que es mucho más caro y que lleva mucho más tiempo que hallar un antibiótico en la naturaleza.

Además, los científicos están encontrando dificultades para producir antibióticos sintéticos para tratar las cepas de las bacterias resistentes a los medicamentos. Ya han pasado los días en que se descubrían rápidamente nuevos antibióticos milagrosos poderosos.

Los antibióticos y el calcio no son compatibles

Tomar antibióticos de *fluoroquinolona*, como Cipro, Levaquin o Tequin, con alimentos fortificados o enriquecidos con calcio, como leche, jugo de naranja y cereales para el desayuno, puede reducir la absorción de los antibióticos. Esto hace que el tratamiento sea menos eficaz y podría producir bacterias resistentes a los antibióticos.

La autodefensa: Siempre que sea posible, tome estos antibióticos con agua, y dos horas antes o después de las comidas.

Pregúntele a su médico cómo tomar otros antibióticos, que quizá también deban tomarse separados de las comidas.

Guy Amsden, PharmD, de Bassett Healthcare, en Cooperstown, estado de Nueva York, y líder de un estudio acerca de la absorción de los antibióticos reportado en el boletín médico *Journal of Clinical Pharmacology*.

Muchos suplementos de hierbas y medicamentos no deberían combinarse

Mark Blumenthal, fundador y director ejecutivo del American Botanical Council (ABC, *www.herbalgram.org*) una organización sin fines de lucro en Austin, Texas, que disemina información acerca de hierbas y plantas medicinales. También es editor sénior de *The ABC Clinical Guide to Herbs* (American Botanical Council).

Uno de cada seis estadounidenses toma medicamentos recetados *y* suplementos de hierbas. La mayoría de los remedios de hierbas son seguros, pero algunas hierbas pueden plantear riesgos potenciales cuando se mezclan con medicamentos recetados o de venta libre*. Es así porque las fórmulas de hierbas pueden tener un efecto fisiológico sobre el organismo, como subir o bajar la presión arterial, el azúcar en la sangre o el ritmo cardiaco.

COMBINACIONES RIESGOSAS

Los medicamentos que no deberían combinarse con algunas hierbas:

•**Antiácidos.** Los medicamentos que alivian los malestares de la acidez estomacal ("heartburn") persistente, la indigestión o la úlcera péptica figuran entre los medicamentos más populares con o sin receta en Estados Unidos. Entre estos medicamentos se incluyen sustancias que neutralizan el ácido gástrico (antiácidos) o inhiben su secreción (inhibidores de bombeo de protón, "proton pump inhibitors").

Las personas que toman antiácidos como Alka-Seltzer o Mylanta, o los inhibidores de bombeo de protón, como *omeprazole* (Prilosec) o *esomeprazole* (Nexium), deberían evitar las fórmulas de hierbas que *estimulan* la producción de secreción ácida. Esto incluye la pimienta de cayena ("cayenne pepper"), que se usa típicamente para tratar las úlceras pépticas.

•**Anticoagulantes.** Millones de estadounidenses usan aspirina o anticoagulantes ("blood thinners") recetados, como *warfarina* (Coumadin), para protegerse contra los ataques al corazón y al cerebro (apoplejía, "stroke").

Lo que muchas personas no saben es que algunas hierbas también pueden tener un efecto anticoagulante. *Entre ellas se incluyen:*

•Matricaria ("feverfew"), usada para las migrañas.

•Ajo, usado para la salud cardiovascular.

•Jengibre ("ginger"), usado para asistir la digestión.

•Ginkgo, usado para mejorar el deterioro cognitivo en los adultos.

•Ginseng, usado para estimular la resistencia física.

Las personas que combinen cualquiera de estas hierbas con un anticoagulante podrían experimentar sangrado excesivo si sufren un

---

*Informe a su médico y su farmacéutico acerca de todos los suplementos de hierbas que toma. Las mujeres embarazadas o lactantes deberían evitar la mayoría de las hierbas.

corte o una herida… también corren un mayor riesgo de sangrado interno si sufren una lesión.

•**Antidepresivos.** Si toma un antidepresivo recetado, debería evitar el remedio de hierbas hipérico (corazoncillo, hierba de San Juan, "St. John's wort").

Aunque el hipérico puede resultar un tratamiento eficaz para la depresión leve o moderada, podría actuar conjuntamente con el tipo de antidepresivo conocido como *inhibidor selectivo de la recaptación de serotonina* (SSRI, por sus siglas en inglés) para producir el "síndrome de serotonina".

Esta afección causa somnolencia, movimientos oculares rápidos, desasosiego y confusión. Entre los SSRI comúnmente usados se incluyen *fluoxetina* (Prozac), *paroxetina* (Paxil), *sertralina* (Zoloft) y *citalopram* (Celexa).

•**Ansiolíticos (tranquilizantes).** Kava, un suplemento de hierbas usado para calmar la ansiedad y el estrés, no debería tomarse con medicamentos recetados para la ansiedad, como *clordiazepoxido* (Librium), *diazepam* (Valium), *alprazolam* (Xanax) y *lorazepam* (Ativan). La combinación de kava con uno de estos medicamentos puede resultar en la pérdida de destrezas motoras.

Advertencia: La agencia federal Food and Drug Administration (FDA) les ha advertido a los consumidores que la kava ha sido vinculada a los daños al hígado graves. Las agencias reguladoras de algunos países europeos también han emitido advertencias o prohibido la venta de la hierba.

Si tiene un historial de enfermedad del hígado… bebe cantidades moderadas o grandes de alcohol… o toma *acetaminofeno* (Tylenol) u otros medicamentos con posibles efectos secundarios en el hígado, debería evitar la kava, a menos que su tratamiento esté supervisado por un médico.

•**Antihipertensivos.** Si su médico le ha recetado un medicamento para bajar la presión arterial, como el diurético tiazídico, no consuma caramelos de regaliz ("licorice") ni suplementos de regaliz que contengan extracto de regaliz. El regaliz puede contrarrestar la capacidad de los medicamentos de bajar la presión. Examine los ingredientes enumerados en la etiqueta.

Los caramelos de regaliz con gusto a anís –pero sin el extracto de regaliz verdadero– son considerados seguros si toma diuréticos.

Los suplementos que contengan *regaliz deglicirrizinado* (DGL, por sus siglas en inglés), usados con frecuencia para tratar las úlceras gástricas, tampoco presentan riesgos.

•**Anticonceptivos orales.** Las mujeres que toman anticonceptivos orales deberían evitar el cáñamo ("chastetree"). Esta hierba, usada comúnmente para aliviar el *síndrome premenstrual*, afecta la regulación de las hormonas y podría interferir con la eficacia de los anticonceptivos orales.

Las usuarias de los anticonceptivos orales también deberían consultar al médico antes de tomar el hipérico. Informes recientes de Escandinavia han reportado que el hipérico disminuye la eficacia de las píldoras anticonceptivas, lo que podría resultar en un embarazo no deseado.

COMPRE CON PRUDENCIA

Como ayuda para asegurarse de la pureza e integridad de un producto de hierbas, compruebe si la etiqueta tiene el sello de una de estas organizaciones:

•**ConsumerLab.com,** una organización independiente de ensayos que publica en Internet los resultados de productos que aprueban sus exámenes.

•**NSF International,** una organización sin fines de lucro que evalúa los procedimientos de elaboración y la calidad de los productos.

•**United States Pharmacopeia (USP),** una organización independiente comisionada por el gobierno estadounidense que establece estándares para medicamentos y suplementos alimentarios.

Cualquiera de esos sellos asegura que el producto contiene los ingredientes y las cantidades indicadas en la etiqueta.

La organización sin fines de lucro American Botanical Council también proporciona información acerca de las interacciones con medicamentos y otras pautas de seguridad en las etiquetas de algunos productos.

Para obtener asesoramiento profesional sobre el uso de suplementos de hierbas, consulte a un médico naturopático (naturista), un profesional de la salud que está capacitado para recetar una variedad de terapias alternativas, incluyendo remedios de hierbas.

Para hallar a un médico naturopático en su zona, comuníquese con la American Association of Naturopathic Physicians, llamando al 866-538-2267 o yendo al sitio Web en inglés *www.naturopathic.org.*

Los medicamentos y el sol no siempre son compatibles

Ciertos medicamentos pueden hacer que su piel se vuelva inusualmente sensible a la luz ultravioleta (UV). Esta afección, llamada *fotosensibilidad química,* puede resultar en quemaduras del sol o un sarpullido después de una exposición breve a la luz del sol.

La fotosensibilidad puede ser un efecto secundario en las personas que toman un antihistamínico, diurético, antiinflamatorio no esteroideo (AINE) o un antibiótico, incluyendo tetraciclina o una sulfonamida ("sulfa drug").

Los filtros solares solamente ofrecen protección limitada a las personas que toman estos medicamentos. Consulte a su médico acerca de una estrategia para evitar el sol.

Barney J. Kenet, MD, cirujano dermatólogo especializado en cáncer de piel del hospital New York-Presbyterian y de la facultad de medicina Weill de la Universidad Cornell, en Nueva York, y coautor (con Patricia Lawler) de *Saving Your Skin–Prevention, Early Detection, and Treatment of Melanoma and Other Skin Cancers* (Four Walls Eight Windows).

Alerta sobre los maníes

Si es alérgico a los maníes (cacahuetes, "peanuts"), asegúrese de recordarle a su médico sobre su alergia siempre que le recete un nuevo medicamento.

La razón: Algunos medicamentos comunes pueden provocar reacciones alérgicas potencialmente mortales en personas que son sensibles a los maníes, la soja o la lecitina de soja ("soya lecithin").

Ejemplos: *Ipratropio* (Atrovent) para el asma e *ipratropio con albuterol* (Combivent) para la enfermedad obstructiva pulmonar crónica. Algunas formulaciones de estos medicamentos contienen algunas de las mismas proteínas que esos alimentos.

Importante: Las alergias a los alimentos no siempre se registran en los expedientes médicos de los pacientes.

Amy M. Karch, RN, profesora adjunta de enfermería clínica de la Universidad de Rochester, en el estado de Nueva York.

Secretos para vivir más tiempo: Suplementos milagrosos

Ronald Klatz, MD, presidente de la American Academy of Anti-Aging Medicine en Chicago (*www.worldhealth.net*), y cofundador de la National Academy of Sports Medicine, Calabasas, California. Es autor de muchos libros, entre ellos, *The New Anti-Aging Revolution* (Basic Health).

El envejecimiento daña las células del organismo –las de los ojos, los oídos, el cerebro, el corazón, los pulmones, la piel, etc. Las células son agredidas por los *radicales libres* (subproductos del metabolismo normal de las células), así como por la luz del sol y los contaminantes. La acumulación de toxinas dificulta el crecimiento y la reparación de las células. Si logramos prevenir o revertir este daño celular, podremos enlentecer el envejecimiento y vivir más tiempo.

Una manera importante de combatir el daño celular es con suplementos que combaten el envejecimiento. A continuación enumeramos siete de los más eficaces. Usted puede elegir tomar uno, varios o todos*.

*Las mujeres embarazadas o lactantes deberían consultar a su médico antes de tomar cualquier suplemento.

Importante: No tome suplementos sin la aprobación de un médico capacitado. Para encontrar uno en su zona, comuníquese con la American Academy of Anti-Aging Medicine, llamando al 773-528-4333 o yendo al sitio Web en inglés *www.worldhealth.net* y haciendo clic en "Directories".

ALFA-GPC ("ALPHA-GPC")

Este nutriente, derivado de la soja, proporciona mucha *colina* ("choline"), la cual protege las células del cerebro. Además, aumenta los niveles del neurotransmisor *acetilcolina,* lo que desencadena una emisión mayor de la *hormona del crecimiento humano* (hGH, por sus siglas en inglés) –la cual se encuentra presente naturalmente en el cuerpo humano cuando somos jóvenes, pero que disminuye de manera constante a medida que envejecemos.

Algunos estudios demuestran que la mayor cantidad de hGH puede reducir la grasa corporal, estimular los niveles de energía y restablecer la función del sistema inmune de la juventud.

En estudios con animales, alfa-GPC corrigió el deterioro cerebral relacionado con la edad. En seres humanos, ayudó a las víctimas de un ataque cerebral ("stroke") a conservar el funcionamiento cognitivo, y mejoró el funcionamiento mental y el estado de ánimo de las personas con demencia.

Dosis: entre 600 y 1.200 mg al día*.

RAÍZ DE ASHWAGANDA

Esta hierba se usa ampliamente en el Ayurveda, la medicina tradicional de la India. Estimula el sistema inmune y, como antioxidante, reduce los radicales libres que dañan las células, particularmente dentro de las células del cerebro. Las propiedades antiinflamatorias han demostrado ser útiles para afecciones inflamatorias como la artritis.

En un estudio, aumentó la hemoglobina, que transporta el oxígeno y rejuvenece las células. Además, el 70% de los hombres en dicho estudio dijeron que su desempeño sexual mejoró –y algunos informaron tener menos canas.

Dosis: entre 3 y 6 gramos de la raíz seca en forma de cápsula al día.

*Las dosis varían según el peso corporal. Consulte a su médico para obtener la cantidad apropiada para usted.

BETAGLUCANO

Este nutriente es derivado de la levadura del pan ("baker's yeast"), las plantas jóvenes de centeno ("rye") y los hongos ("mushrooms") medicinales. Activa los *macrófagos,* las células del sistema inmune que combaten las bacterias, virus y otros organismos que causan enfermedades. El betaglucano mejora la eficacia de la terapia convencional con antibióticos. Actúa como un neutralizador de los radicales libres, eliminando las células dañadas por exposición a la radiación, quimioterapia y contaminantes ambientales. También baja el nivel de colesterol total y de colesterol "malo" LDL, a la vez que aumenta el nivel de colesterol "bueno" HDL. Además, disminuye el riesgo de infección al estimular la actividad de los glóbulos blancos.

Dosis: entre 300 y 1.000 mg al día.

BÁLSAMO DE LIMÓN

El bálsamo de limón (melisa, toronjil, "lemon balm") es un importante antioxidante. Contiene una alta concentración de *fenoles* ("phenols"), sustancias químicas que combaten las toxinas que dañan las células. Esta hierba puede mejorar el sueño… disminuir el dolor causado por afecciones inflamatorias, incluyendo la artritis… estimular el funcionamiento mental… y combatir los virus y bacterias.

Dosis: entre 1.000 y 1.500 mg al día.

Advertencia: Evite tomar bálsamo de limón si se le ha diagnosticado glaucoma. Algunos estudios en animales han demostrado que podría aumentar la presión en los ojos, lo que puede empeorar los síntomas de glaucoma.

ÁCIDOS GRASOS OMEGA-3

También conocidos como *ácidos grasos esenciales* ("essential fatty acids"), los ácidos grasos omega-3 no son producidos por el cuerpo humano. Por lo tanto, se deben obtener por medio de la dieta o con suplementos. Se encuentran fundamentalmente en el pescado, pero también están presentes en pequeñas cantidades en las verduras de hojas verdes… la soja… las nueces ("nuts")… y los aceites de canola y de linaza ("flaxseed oil").

Los ácidos grasos omega-3 disminuyen los niveles en la sangre de los triglicéridos (las grasas "malas") y de la homocisteína (un aminoácido que daña las arterias) y disminuyen la presión arterial. Ayudan a diluir la sangre, evitando así los coágulos. Estos efectos disminuyen el riesgo de enfermedad del corazón y ataque cerebral ("stroke"), las causas de muerte número uno y tres de los estadounidenses (el cáncer es la causa número dos).

Los ácidos grasos omega-3 además actúan como antiinflamatorios, útiles en el tratamiento de enfermedades autoinmunes como la artritis reumatoide, la enfermedad inflamatoria intestinal crónica y la psoriasis. Son uno de los pilares fundamentales de la capa exterior de las células del cerebro y quizá ayuden a tratar la depresión.

Dosis: entre 3 y 10 gramos al día de cápsulas de aceite de pescado. Siga las indicaciones de la etiqueta.

Advertencia: Si padece una enfermedad del corazón o diabetes, consulte a su médico antes de tomar estas dosis altas, que podrían aumentar los niveles de colesterol y azúcar en la sangre.

Para obtener ácidos grasos omega-3 por medio de su dieta, consuma pescados grasos tres o cuatro veces a la semana. Entre éstos se incluyen caballa ("mackerel"), salmón, róbalo (lubina, "sea bass"), trucha ("trout"), arenque ("herring"), sardinas, bacalao negro ("sablefish, black cod"), anchoas y atún. Use aceite de canola –rico en ácidos grasos omega-3– para cocinar y como aderezo de ensaladas.

ACEITE DE PRÍMULA NOCTURNA

El aceite de prímula nocturna (onagra, "evening primrose") es un derivado de las semillas de la planta del mismo nombre. El ingrediente activo es el *ácido gamalinolénico* (GLA, por sus siglas en inglés), un ácido graso omega-6.

A medida que el cuerpo envejece, pierde su capacidad de convertir las grasas de la dieta en GLA. Recibir el suplemento de aceite de prímula nocturna es importante para combatir los efectos generales del envejecimiento. Puede además ayudar a tratar la artritis reumatoide, la diabetes, el daño nervioso (neuropatía), la esclerosis múltiple y los problemas de memoria relacionados con el mal de Alzheimer.

Dosis: entre 3.000 y 6.000 mg diariamente, los cuales contienen alrededor de 270 a 540 mg de GLA.

Advertencia: El aceite de prímula nocturna podría empeorar la epilepsia del lóbulo temporal. Deberían evitarlo los epilépticos y los esquizofrénicos a los que se les ha recetado medicamentos de fenotiazina epileptogénica.

RESVERATROL

El resveratrol es un antioxidante natural que se encuentra en muchas plantas, incluyendo el hollejo de las uvas. El vino tinto es la principal fuente alimenticia. Resveratrol disminuye la "viscosidad" de las plaquetas, reduciendo el riesgo de que aparezcan coágulos. Podría además ayudar a prevenir el desarrollo y progreso de varios cánceres.

Dosis: entre 200 y 650 microgramos (mcg) diariamente. Un vaso de ocho onzas (235 ml) de vino tinto contiene alrededor de 640 mcg.

Los suplementos que los adultos deberían tomar diariamente

Los adultos deberían tomar un suplemento multivitamínico que proporcione el 100% del valor diario recomendado por el gobierno de Estados Unidos (DV, por sus siglas en inglés) de la mayoría de las vitaminas y minerales y que incluya en la etiqueta la fecha de vencimiento ("expiration date").

Todos los adultos mayores de 50 años, especialmente las mujeres, deberían además tomar un suplemento de calcio de 600 mg, ya que los suplementos multivitamínicos usualmente proporcionan sólo alrededor del 10% del DV para el calcio.

Considere además tomar un suplemento de vitamina E. Aunque la evidencia no es concluyente, algunos estudios sugieren que los suplementos de vitamina E podrían reducir el riesgo de contraer enfermedad del corazón, cáncer y el mal de Alzheimer. Pruebe con 200 unidades internacionales (IU, por sus siglas en inglés) del *d-alfatocoferol* natural o 400 IU de la forma sintética *dl-alfatocoferol*.

Es posible que los suplementos de aceite de pescado, que contienen ácidos grasos omega-3, DHA o EPA, también puedan reducir el riesgo de contraer una enfermedad del corazón.

Importante: Consulte a su médico antes de tomar cualquier suplemento nuevo.

Jeffrey Blumberg, PhD, profesor de nutrición de la facultad Friedman de ciencias y política de la nutrición de la Universidad Tufts, en Boston.

Los mejores suplementos para aumentar la energía, la fortaleza y la resistencia

El difunto Edmund R. Burke, PhD, ex profesor de ciencias del ejercicio y director del programa de ciencias del ejercicio, en la Universidad de Colorado, en Colorado Springs, y coautor de *Avery's Sports Nutrition Almanac* (Avery).

Si ha ido recientemente a una tienda de alimentos naturales ("health food store") o a una farmacia, probablemente habrá visto estanterías completas con creatina, DHEA y otros productos que "mejoran el rendimiento" ("performance enhancing").

¿Cuáles de estos productos de venta libre realmente mejora el rendimiento atlético? ¿Cuáles son seguros y fiables? *He aquí un resumen de cada producto...*

CREATINA

De todos los productos que supuestamente tienen un efecto fortalecedor, la creatina es el principal candidato. Existe amplia evidencia científica para apoyar la eficacia de la creatina.

Esta sustancia similar a la proteína –compuesta de tres aminoácidos que se hallan naturalmente en la carne y el pescado– no reemplaza el ejercicio. No aumenta la masa muscular ni estimula la fortaleza por sí misma, pero puede ayudar a amplificar el efecto que tienen los ejercicios de levantamientos de pesas en el fortalecimiento de los músculos. Puede también darle más potencia a su saque en el tenis... y convertirlo en un corredor más veloz. Además, es segura.

La creatina también podría ser eficaz para prevenir e incluso revertir el deterioro muscular que usualmente acompaña el envejecimiento. Esta afección se conoce como sarcopenia.

Dosis típica: entre 2 y 3 gramos al día, preferiblemente con una comida o una bebida rica en carbohidratos, como Gatorade.

GLUCOSAMINA

Si frecuentemente tiene dolor en las articulaciones y los músculos después de hacer ejercicios, considere tomar *glucosamina*. Este suplemento de aminoácidos estimula la reparación de cartílagos y ligamentos.

Dosis típica: entre 500 y 750 mg por la mañana y nuevamente por la noche.

SUPLEMENTO DE VITAMINAS

Para mejorar el rendimiento general, tal vez lo mejor es una tableta de multivitaminas y multiminerales. Es además lo más seguro y lo más barato.

Cada mañana con el desayuno, tome un suplemento que contenga un mínimo del 100% de la dosis diaria recomendada por Estados Unidos (DV, por sus siglas en inglés) para la mayoría de las vitaminas y minerales.

ANDROSTENODIONA

Se dice que la *androstenodiona* estimula el crecimiento muscular al aumentar los niveles de testosterona. Se ha publicitado como una alternativa natural a los esteroides anabólicos, los peligrosos medicamentos usados por muchos fisiculturistas.

No existe evidencia específica de que la androstenodiona aumenta la fortaleza ni la masa muscular. Algunas investigaciones han demostrado que aumenta la testosterona por menos de una hora, incluso cuando se toma en grandes dosis. El aumento de testosterona podría elevar el riesgo de contraer cáncer de próstata en los hombres y acné o vello corporal excesivo en las mujeres.

A pesar de esto, si usted elige tomar androstenodiona, tómela sólo bajo supervisión médica. Si es hombre, asegúrese de que su nivel de *antígeno específico de la próstata* (PSA, por sus siglas en inglés), un indicador de cáncer de próstata, sea monitorizado.

DHEA

La *DHEA* (dehidroepiandrosterona) es una sustancia que producen naturalmente las glándulas adrenales y los ovarios.

Se supone que la DHEA aumenta la masa muscular y la fortaleza, pero como con la androstenodiona, tampoco existe evidencia de que lo haga. También podría tener los mismos efectos secundarios y riesgos graves que la androstenodiona.

La DHEA es beneficiosa sólo para los hombres cuyos análisis de sangre hayan demostrado niveles crónicamente bajos de testosterona.

Debería tomarse bajo la supervisión de un médico de modo que los niveles de testosterona y PSA puedan ser monitorizados.

GINSENG

La hierba ginseng supuestamente aumenta la energía y la resistencia... y ayuda a contrarrestar la fatiga. Los atletas rusos la han usado durante muchos años. Sin embargo, existe poca evidencia científica que respalde estas afirmaciones.

Si quiere probar ginseng de todos modos, la dosis usual es de 100 mg, de dos a cuatro veces al día.

Advertencia: El ginseng puede aumentar la presión arterial. No lo tome si padece hipertensión.

Glucomanán: Un suplemento maravilloso

Andrew L. Rubman, ND, médico naturopático y director de la Southbury Clinic for Traditional Medicines, en Southbury, Connecticut. *www.naturopath.org.*

La mayoría de las personas se beneficiaría al tomar todos los días glucomanán, la raíz en polvo de la planta japonesa llamada *konjac* (*"glucomannan"*). Al mejorar la capacidad del hígado de excretar los residuos liposolubles, disminuirá el nivel de colesterol... estimulará la pérdida de peso... aliviará los síntomas de la menopausia… y aliviará los dolores de cabeza y el síndrome premenstrual.

Tome una cápsula antes de su comida principal. Y asegúrese de consultar a su médico antes de empezar a tomar cualquier suplemento.

Precio: alrededor de $12 por 60 cápsulas, disponible en las tiendas de alimentos naturales ("health food stores").

Más de Andrew L. Rubman…

Aproveche al máximo los suplementos alimentarios

Tome sus vitaminas y minerales en los momentos adecuados y en las combinaciones correctas para maximizar la eficacia.

Ejemplos: Tome la vitamina C por sí sola y no con las comidas –interfiere con la absorción de algunas vitaminas. Tomar las vitaminas A y E y el zinc juntos logra que tengan mayor efecto. Tome calcio y magnesio por separado para obtener una absorción máxima –pero con comida. Tome selenio por sí solo, entre comidas.

Información: National Institutes of Health, Office of Dietary Supplements, 301-435-2920 o *http://dietary-supplements.info.nib.gov.*

Use la melatonina con prudencia

Use la melatonina solamente si su médico se la recomienda. Las campañas de mercadeo instan a las personas mayores a tomar suplementos de melatonina para compensar por su disminución a medida que envejecen. La melatonina se promociona para reajustar el reloj biológico y combatir el insomnio y el desfase horario ("jet lag") al viajar.

La realidad: El nivel de melatonina, la cual es producida por la glándula pineal, no baja automáticamente cuando las personas envejecen. Es más bajo en muchas personas mayores debido a alguna enfermedad, no al envejecimiento.

Trampa: La venta de melatonina no está regulada, y sus efectos a largo plazo son desconocidos.

Martin Scharf, PhD, director del Tri-State Sleep Disorders Center, en Cincinnati.

Busque las siglas "USP" en la etiqueta

Si un suplemento de vitaminas no se desintegra en el tracto digestivo, proporcionará pocos beneficios.

La mejor garantía de que las píldoras se desintegrarán adecuadamente es buscar las siglas "USP" en la etiqueta. Eso significa que cumplen con los estándares sobre desintegración de la Farmacopea de Estados Unidos (USP, por sus siglas en inglés), una organización independiente, sin fines de lucro, que efectúa ensayos farmacéuticos. Las vitaminas genéricas aprobadas por la USP cumplen con los mismos estándares que las marcas más caras.

Robert Russell, MD, director del centro de investigación de la nutrición del departamento de agricultura de EE.UU. (USDA) en la Universidad Tufts, en Boston.

Los ácidos grasos omega-3 combaten la enfermedad del corazón, la artritis y la obesidad

Andrew L. Stoll, MD, director del laboratorio de investigación psiquofarmacológica del hospital McLean, y profesor adjunto de psiquiatría de la facultad de medicina de la Universidad Harvard, ambos en Boston. Es autor de *The Omega-3 Connection* (Free Press).

En Japón y otros países donde el pescado es un alimento principal de la dieta, muchos índices de enfermedades son significativamente más bajos que en países occidentales.

Los ácidos grasos omega-3 –compuestos lípidos que son un componente principal del aceite de pescado– reciben la mayor parte del reconocimiento por esta diferencia.

Hoy en día, muchas personas toman suplementos de omega-3 para reducir el riesgo de contraer enfermedad del corazón, artritis reumatoide y otros problemas de salud. Pero, ¿los ácidos grasos omega-3 realmente proporcionan todos estos efectos saludables?

El distinguido investigador Dr. Andrew L. Stoll aportó los hechos…

•¿Por qué son importantes los ácidos grasos omega-3? Los ácidos grasos esenciales son componentes de la dieta que fomentan la buena salud.

Además de los omega-3, hay otros ácidos grasos esenciales conocidos como omega-6. Para tener una salud óptima, debemos consumir más o menos la misma cantidad de omega-3 y omega-6.

Pero los estadounidenses consumen pequeñas cantidades de pescado y aun menores cantidades de plantas que contienen omega-3, como el lino ("flax") y la verdolaga ("purslane"). En cambio, nuestras dietas están repletas de aceites ricos en omega-6 –el aceite de maíz, de girasol ("sunflower") y la mayoría de los aceites en los alimentos procesados. Consumimos entre 10 y 20 veces más omega-6 que omega-3.

•¿Por qué no es eso bueno para la salud? Los ácidos grasos omega-3 contienen *ácido eicosapentaenoico* (EPA). Cuando consumimos esta grasa benéfica, gran parte de la misma se convierte en *eicosanoides,* sustancias similares a las hormonas que dirigen la respuesta inflamatoria y otras funciones dentro del sistema inmune, el corazón y el cerebro.

Los omega-6 contienen el ácido graso llamado *ácido araquidónico.* Esta sustancia también se convierte en eicosanoides –pero con una diferencia fundamental.

Los eicosanoides de los omega-6 son sumamente inflamatorios. Por otro lado, los eicosanoides de los omega-3 son sólo levemente inflamatorios o, en algunas instancias, antiinflamatorios.

Ésa es la razón por la que el equilibrio es tan importante. Si no se consume cantidades iguales, las respuestas inflamatorias descontroladas pueden dañar prácticamente cualquier sistema de órganos en el cuerpo.

•¿Cómo protegen al corazón los ácidos omega-3? Al compensar el efecto de los omega-6, los omega-3 reducen la *ateroesclerosis* (endurecimiento de las arterias). Sin los ácidos omega-3, los omega-6 pueden inflamar y dañar las arterias coronarias, lo que permite que se acumule la placa.

Los omega-3 además aumentan los niveles de la benéfica lipoproteína de alta densidad (HDL, por sus siglas en inglés), la cual transporta fuera del cuerpo el colesterol que causa la placa.

El EPA impide que las plaquetas se peguen entre sí, lo que reduce el riesgo de coágulos.

Los omega-3 además ayudan a inhibir la *arritmia* (latidos erráticos), el factor principal en los ataques al corazón mortales. Las investigaciones demuestran que 1 gramo o más al día de omega-3 disminuye en un 30% el riesgo de muerte súbita en los pacientes cardiacos.

•¿Cómo ayudan los omega-3 a prevenir la obesidad y la diabetes? La obesidad es un factor de riesgo de la diabetes. Los omega-3 son el único tipo de grasa que realmente puede promover la pérdida de peso, ya que logra que el cuerpo queme calorías. Además, muchas personas que consumen alimentos ricos en omega-3 o toman suplementos informan tener menos ansias por otros alimentos que engordan, como helado, mantequilla y galletitas.

Los omega-3 combaten la diabetes haciendo que los receptores de insulina del cuerpo sean más sensibles. En la diabetes de aparición en adultos (tipo 2), los receptores de insulina del cuerpo no cumplen su función. Esto puede provocar un nivel de azúcar en la sangre peligrosamente alto.

•¿Y qué pasa con las enfermedades del sistema inmune? Los eicosanoides altamente inflamatorios producidos por los omega-6 son grandes combatientes de las infecciones. Pero cuando no son controlados por los omega-3, pueden dañar el tejido sano.

En la afección digestiva conocida como enfermedad de Crohn, el intestino se inflama… en la artritis reumatoide, las coyunturas se inflaman… en el asma, las vías respiratorias se inflaman.

Un sorprendente estudio italiano publicado en el boletín médico *The New England Journal of Medicine* informó que el 60% de los pacientes con la enfermedad de Crohn que tomaron 2,7 g de suplementos de aceite de pescado diariamente tuvieron remisión por más de un año. No se ha comprobado que algún otro medicamento sea más eficaz en el tratamiento de la enfermedad de Crohn.

Algunos estudios también han indicado que los omega-3 reducen la inflamación causada por la artritis reumatoide y el asma.

●**¿Ayudan los omega-3 a combatir otras enfermedades?** La investigación realizada en el hospital Brigham and Women's, en Boston, indicó que los omega-3 bloquean las señales de las células cerebrales anómalas en los pacientes que padecen el trastorno bipolar (psicosis maníaco-depresiva). Por lo tanto, los omega-3 pueden ser un poderoso complemento para el tratamiento de esta enfermedad.

Muchos pacientes bipolares que toman el antidepresivo *litio* (Lithonate) y otros estabilizadores del ánimo, como *divalproex* (Depakote) y *lamotrigine* (Lamictal), mejoran inicialmente pero más adelante recaen. Los omega-3 pueden aumentar la eficacia de los medicamentos y quizá permitir la reducción de la dosis a algunas personas.

Advertencia: Si toma un estabilizador del ánimo ("mood stabilizer"), no cambie la dosis sin la aprobación de su médico. Dejar de tomar esos medicamentos abruptamente puede empeorar la enfermedad.

●**¿Cuánto omega-3 necesita una persona saludable?** Para mantener la buena salud, entre 1 y 2 gramos diarios. Pero es difícil obtener tanto solamente por medio de los alimentos. Tendría que comer, digamos, un filete de salmón grande todos los días.

Ciertamente, se debería tratar de consumir más alimentos ricos en omega-3, como salmón, atún, caballa ("mackerel"), sardinas... carnes de animales de caza, incluyendo bisonte ("buffalo") y venado ("venison")... lino ("flax")... verdolaga ("purslane")... y nueces ("nuts"). Agregue entre una y dos porciones al día de estos alimentos a su dieta. Aun así, quizá no obtenga suficiente omega-3 de fuentes alimenticias. Para asegurar el consumo adecuado, tome un suplemento de entre 1 y 2 gramos diariamente.

●**¿Cómo elijo el suplemento adecuado?** Busque cápsulas de aceite de pescado destilado ("distilled fish oil") que tienen una concentración de omega-3 del 50% o mayor.

Los suplementos de calidad cuestan más, pero le permiten tomar menos píldoras y más pequeñas, sin el sabor a pescado que a menudo se siente con otras marcas.

●**¿Qué recomienda para los vegetarianos?** El aceite de linaza ("flaxseed oil") es una buena opción para los vegetarianos estrictos o para quienes son alérgicos al pescado. Consuma media cucharada de esta fuente vegetal de omega-3 todos los días.

Algunas personas toman aceite de linaza por sí solo. Otras no toleran el sabor fuerte. Sin embargo, es casi imperceptible cuando se usa en la mezcla para hacer panqueques y otras recetas.

●**¿Tienen los suplementos de omega-3 algún efecto secundario?** Los omega-3 quizá inhiban la coagulación de la sangre. Si está tomando un anticoagulante, como *warfarina* (Coumadin), o aspirina en dosis altas, consulte a su médico antes de comenzar un régimen de suplementos de omega-3.

Algunas personas experimentan malestares estomacales, pero esto usualmente desaparece en unos siete días. Hay menos probabilidad de tener este problema si usa un suplemento de buena calidad... lo toma con comidas... y divide su consumo diario entre dos o tres dosis iguales.

Por cierto, es una buena idea tomar las vitaminas C y E con los omega-3. Estas vitaminas antioxidantes neutralizan las moléculas que causan enfermedades, conocidas como "radicales libres". Una vez que los radicales libres son eliminados, los omega-3 pueden cumplir su función.

Yo usualmente recomiendo 800 unidades internacionales (IU, por sus siglas en inglés) de la vitamina E (pero consulte a su médico primero, ya que grandes cantidades pueden ser peligrosas para algunas personas) y 1.000 mg de la vitamina C diariamente. Además de otros beneficios, sus resfriados no durarán tanto tiempo.

Beneficios inesperados de la vitamina D

Michael F. Holick, MD, PhD, profesor de medicina, fisiología y biofísica, en la facultad de medicina de la Universidad de Boston. Es editor de *Vitamin D: Physiology, Molecular Biology and Clinical Applications* (Humana Press).

Todos saben que la vitamina D fortalece los huesos, pero la evidencia científica reciente sugiere que la vitamina D protege contra una amplia variedad de enfermedades, que van desde la presión arterial alta hasta la diabetes y el cáncer –además de ayudar al organismo a absorber calcio.

¿QUÉ ES LA VITAMINA D?

La vitamina D se puede obtener por medio de los alimentos y los suplementos. También es producida por el tejido de la piel cuando se expone a la luz del sol adecuada.

En el cuerpo, la vitamina D viaja al hígado y los riñones, donde es químicamente transformada en una forma biológicamente activa.

La vitamina D es reconocida por su capacidad de triplicar la cantidad de calcio que el sistema digestivo puede absorber de alimentos y suplementos. Esta función ayuda a proteger los huesos, al evitar que el cuerpo extraiga calcio de los huesos para compensar por la deficiencia de dicho mineral.

ÚLTIMOS DESCUBRIMIENTOS

Evidencia convincente demuestra que el consumo adecuado de la vitamina D puede reducir el riesgo de cánceres de mama, próstata, colon y ovario.

Por ejemplo, algunos investigadores han demostrado que el riesgo de padecer algunos cánceres se reduce a la mitad en las personas con niveles altos de vitamina D en la sangre. Un estudio realizado en Finlandia halló menos casos de cáncer de próstata en los hombres que habían sido expuestos a la mayor cantidad de luz solar.

La vitamina D además parece reducir el riesgo de padecer enfermedades autoinmunes, en las cuales las células del sistema inmune atacan los tejidos del propio cuerpo. Se ha demostrado que las dosis altas de vitamina D previenen la diabetes tipo 1 en los niños. La evidencia también sugiere que la exposición adecuada al sol ayudaría a prevenir la esclerosis múltiple.

La vitamina D tal vez proteja al corazón también, posiblemente inhibiendo la producción de la enzima *renina*, que sube la presión arterial.

La deficiencia de la vitamina D es una causa común de la osteoporosis (la enfermedad en la que los huesos se vuelven frágiles), y también puede provocar la *osteomalacia*, un problema menos conocido en el cual los huesos se reblandecen. La osteomalacia ocurre cuando el cuerpo no deposita calcio adecuadamente en el hueso. La afección está relacionada con el dolor de huesos y músculos, debilidad muscular y un aumento del riesgo de sufrir una fractura. La osteomalacia, que principalmente afecta a los adultos mayores pero que puede ocurrir a cualquier edad, es una fuente de dolor crónico que con frecuencia se pasa por alto.

¿TIENE DEFICIENCIA DE LA VITAMINA D?

Un número sorprendente de personas de todas las edades carecen la cantidad adecuada de la vitamina D. Más de un tercio de los 69 estudiantes y residentes del centro médico de la Universidad de Boston, entre los 18 y 29 años de edad, tenían deficiencia al finalizar el invierno. Incluso la luz del sol de todo un verano dejó al 4% sin la cantidad adecuada.

Los mayores de 60 años corren un riesgo mayor, en parte porque sus cuerpos producen la vitamina D a partir de la luz del sol con menos eficacia. Los investigadores de la Universidad Johns Hopkins, en Baltimore, descubrieron deficiencias graves de la vitamina D en más de la mitad de los mayores de 65 años.

¿Está en riesgo? El análisis que mide los niveles en la sangre de la *25-hidroxivitamina D*, la forma de la vitamina D parcialmente activada, cuesta unos $100 y quizá esté cubierto por su seguro de salud. Consulte a su médico, y considere someterse a este análisis en su chequeo médico habitual.

EL TURNO DEL SOL

La dieta raramente proporciona toda la vitamina D necesaria. Para obtener suficiente vitamina D, habría que consumir una cantidad importante de aceite de hígado de bacalao ("cod-liver oil") o de pescado aceitoso, como salmón, anguila ("eel") o caballa ("mackerel"), varias veces a la semana.

La leche se enriquece con vitamina D, pero es necesario beber entre dos y seis vasos de ocho onzas (235 ml) diariamente para obtener el consumo diario recomendado –hasta los 50 años, 200 unidades internacionales (IU, por sus siglas en inglés)… entre los 51 y los 70 años, 400 IU… y de los 71 años en adelante, 600 IU.

Lo que es más, evidencia contundente sugiere que el consumo recomendado es demasiado bajo. Para mantener niveles adecuados de vitamina D en la sangre, algunas personas en realidad podrían necesitar tanto como 1.000 IU diarias.

Para la mayoría de las personas, la exposición al sol es la fuente principal de vitamina D. Cada vez que usted sale al sol en primavera, verano y otoño, su cuerpo de inmediato comienza a producir el nutriente.

Debido a que la vitamina D se almacena en los tejidos adiposos, la exposición razonable al sol durante los meses cálidos puede usualmente suministrar la cantidad adecuada de la vitamina D para todo el año. La exposición razonable depende de la estación, la hora del día y su tipo de piel.

Ésta es una fórmula sencilla: Averigüe cuánto sol es necesario para que su piel se ponga levemente rosada –el principio de una quemadura del sol. Exponga sus manos, cara y brazos sin protección (o brazos y piernas) a la luz directa del sol durante *un cuarto* de ese tiempo, y luego aplique un filtro solar con factor de protección solar (FPS o SPF, por sus siglas en inglés) de 15 para prevenir daños a la piel. Hágalo dos veces a la semana. Cuanto más de su cuerpo exponga, más vitamina D producirá.

Ejemplo: Si su piel se vuelve rosada en una hora, expóngase a 15 minutos de sol. Esto debería lograr que el cuerpo produzca entre 600 y 1.000 IU de vitamina D, sin aumentar su riesgo de contraer cáncer de piel.

Para asegurarse de que está recibiendo suficiente vitamina D diariamente, tome un suplemento de 400 IU (es usualmente parte de una fórmula multivitamínica). Si tiene más de 50 años, consulte a su médico acerca de tomar hasta 1.000 IU diariamente.

La vitamina D estimula la absorción de calcio

Muchas personas toman suplementos de calcio o aumentan la cantidad de calcio en sus dietas para ayudar a evitar la pérdida de masa ósea con la edad. Pero el cuerpo no absorbe todo el calcio que se consume.

Remedio: Algunos estudios demuestran que tomar suplementos de vitamina D puede aumentar la absorción de calcio por el cuerpo en hasta un 65%.

Las raciones diarias recomendadas de vitamina D son de 200 unidades internacionales (IU, por sus siglas en inglés) hasta los 50 años, 400 IU de los 51 a los 70 años, y 600 IU para las personas mayores de 70 años. La vitamina D se encuentra además en el pescado, el hígado, la yema de huevo y la leche fortificada con vitamina D.

Boletín *Medical Update*, Box 2166, Indianapolis 46206.

¿Cansado? ¿Olvidadizo? Quizá necesite más vitaminas del complejo B

Michael Hirt, MD, profesor clínico auxiliar de medicina de la facultad de medicina de la Universidad de California en Los Ángeles (UCLA), y director médico del Center for Integrative Medicine, del Encino-Tarzana Regional Medical Center, en Encino, California.

Es generalmente sabido que el *folato* (*ácido fólico*, "folate") ayuda a prevenir los defectos de nacimiento cuando lo toma una mujer embarazada.

Pero también existe evidencia firme de que el folato y otras vitaminas del complejo B proporcionan muchos beneficios adicionales. De hecho, las vitaminas B cumplen *en general* una mejor función de protección de la salud de un adulto promedio que cualquier otra vitamina.

Un estudio de más de 9.000 estadounidenses demostró que las personas con el consumo mayor de folato en su dieta –400 microgramos (mcg) al día– tuvieron un 86% menos de riesgo de sufrir un ataque al corazón y un 79% menos de riesgo de sufrir un ataque cerebral ("stroke") que quienes consumieron la menor cantidad (100 mcg).

La evidencia también sugiere que un consumo alto de folato podría disminuir el riesgo de desarrollar cáncer de colon y de mama. Además, las vitaminas B podrían ayudar a prevenir el mal de Alzheimer y otros problemas de memoria que experimentan los mayores.

¿Cómo es posible que un nutriente proporcione tantos beneficios para la salud? El Dr. Michael Hirt, uno de los muy pocos médicos estadounidenses que están acreditados por la junta médica ("board certified") en nutrición, contestó ésta y otras preguntas. *Éstos son los detalles...*

•**¿Cuál es la función de las vitaminas del complejo B?** Hay siete vitaminas B. Además del folato, están la B-1 (tiamina), la B-2 (riboflavina), la B-3 (niacina), la B-5 (ácido pantoténico), la B-6 (piridoxina) y la B-12 (cobalamina).

Cada una de estas vitaminas es esencial para la salud óptima. En conjunto, tienen un papel importante en cómo nuestros cuerpos metabolizan el azúcar, la grasa y las proteínas, y en la producción de energía.

Las vitaminas del complejo B además asisten en el funcionamiento químico del cerebro y de los nervios, y fortalecen el sistema inmune.

•**¿Por qué el folato es tan importante para proteger el corazón?** El folato ayuda a disminuir los niveles en la sangre del aminoácido homocisteína. Un nivel alto de homocisteína (por encima de 10) es un factor de riesgo de desarrollar enfermedad del corazón y sufrir un ataque cerebral ("stroke").

Las dietas bajas en grasa, el ejercicio habitual y otras acciones saludables para el corazón no afectan los niveles de homocisteína en el cuerpo. Obtener suficiente folato es la única manera de reducir la homocisteína.

•**¿Es ésa la razón por la que los alimentos que contienen harina de trigo están fortificados con folato?** No. Esta práctica fue decretada en 1998 para prevenir los defectos de nacimiento. Junto a la vitamina B-12,

el folato es esencial para la síntesis del ADN (DNA, en inglés) –la molécula genética que "instruye" a las células sobre cómo formarse y actuar.

Si una mujer embarazada no recibe suficiente folato, el ADN del feto no puede multiplicarse adecuadamente. Eso puede causar la espina bífida, un defecto del tubo neural en el cual los huesos de la columna y la médula espinal no se fusionan correctamente mientras el cuerpo se forma.

La harina fortificada con folato ayuda a asegurar que todas las mujeres reciban suficiente folato en sus dietas para prevenir la espina bífida. Todas las mujeres en edad fértil deberían consumir entre 400 y 800 mcg de folato diariamente.

•**¿Qué puede contarnos de las otras vitaminas B?** La vitamina B-12 es probablemente segunda en poder terapéutico, después del folato. En grandes dosis recetadas por un médico, la vitamina B-12 puede ayudar a aliviar los síntomas de la depresión de grado bajo, la fatiga crónica, el dolor crónico, las alergias al polvo y el polen entre otras alergias, y los cambios de ánimo del *síndrome premenstrual.*

La vitamina B-12 también puede ayudar a controlar los efectos secundarios de los medicamentos psicoactivos, como los que se usan para tratar la enfermedad de Parkinson y la esquizofrenia.

•**¿Cuáles alimentos contienen niveles altos de las vitaminas B?** Algunas de las mejores fuentes de las vitaminas B son los granos integrales, frijoles (habas, habichuelas, "beans"), guisantes (arvejas, chícharos, "peas") y otras verduras. Como muchos estadounidenses no comen la mayoría de estos alimentos, usualmente consumen menos de la cantidad de vitaminas B recomendada por el gobierno.

Útil: Todos deberían someterse a un análisis de sangre cada dos años para comprobar si existe alguna deficiencia de las vitaminas del complejo B.

•**¿Es el bajo consumo dietético la única causa de una deficiencia?** No. El estrés agota las vitaminas B del cuerpo, por lo que la ansiedad o un estilo de vida ajetreado puede causar una deficiencia.

Además, cocinar las verduras –una de las mejores fuentes– reduce el contenido de las vitaminas B. Para evitar este problema, cocine las verduras al vapor –lo que destruye menos vitaminas– o mejor aun, cómalas crudas.

Los adultos –particularmente los mayores de 65 años– corren el riesgo de tener una deficiencia de la vitamina B-12 sin importar cuánto de la misma consuman en su dieta.

Al envejecer el revestimiento del estómago, su capacidad de absorber la vitamina B-12 disminuye. Esto causa una deficiencia que usualmente puede corregirse con una inyección de vitamina B-12 o una tableta que se disuelve bajo la lengua. Comente estas opciones con su médico.

•¿Deberían todos los adultos tomar un suplemento de vitaminas del complejo B? Sí. Como estas vitaminas ayudan a reducir los niveles de homocisteína en la sangre, veríamos un descenso espectacular en la incidencia de la enfermedad del corazón en este país.

Cada año, más de 500.000 estadounidenses mueren de enfermedad del corazón, y muchas de esas vidas podrían salvarse si incluyéramos las vitaminas B en nuestros suplementos.

•¿Qué hay que tener en cuenta al buscar un suplemento de vitaminas B? Yo recomiendo tomar un suplemento de vitaminas del complejo B que contenga el 100% del consumo diario recomendado (valor diario o DV, por sus siglas en inglés), de cada una de las siete vitaminas B. Asegúrese de verificar la etiqueta.

Importante: Bajo ciertas circunstancias, debería tomar más que el valor diario DV de la vitamina B-12. Por ejemplo, recomiendo complementar su consumo del complejo B para llegar a un total entre 100 mcg y 200 mcg de la vitamina B-12 si los análisis de sangre indican que tiene dificultad para absorber el nutriente… si tiene más de 65 años… o si tiene indigestión con frecuencia, lo que podría indicar la existencia de una inflamación en el estómago que reduce la absorción de la vitamina B-12.

•¿Es posible consumir demasiadas vitaminas B? Sí. Más de 200 mg diarios de la vitamina B-3 (niacina), que podría recetarse para disminuir los niveles de colesterol, puede causar enrojecimiento de la piel y niveles peligrosamente altos de enzimas hepáticas.

Con la vitamina B-6, la cual puede tomarse para aliviar los síntomas del síndrome premenstrual, nunca debería tomar más de 25 mg al día sin la supervisión de un médico. Tomada diariamente, los niveles altos de la vitamina B-6 pueden causar daños permanentes a los nervios.

¿Demasiado de algo bueno?

Limite su consumo de alimentos fortificados con vitaminas si toma un suplemento multivitamínico diariamente. El argumento de que tomar demasiado de una vitamina o un mineral es inocuo se aplica sólo a las vitaminas solubles en agua que el cuerpo expulsa –como la vitamina C y las vitaminas del complejo B. El cuerpo almacena las vitaminas solubles en grasa –las vitaminas A, D, E y K.

Ejemplo: Demasiada vitamina A aumenta el riesgo de contraer osteoporosis en las mujeres y los hombres.

Más seguro: Tome un suplemento multivitamínico que proporcione el 100% del consumo diario recomendado, y no más que esa cantidad. Trate de limitar los alimentos fortificados con vitaminas cuyo consumo diario ya ha alcanzado.

Richard Wood, PhD, profesor adjunto de nutrición de la facultad Friedman de ciencias y política de la nutrición en la Universidad Tufts, en Boston.

Obtenga más vitamina C del jugo de naranja

El jugo de naranja ya preparado pierde la mitad de su vitamina C una semana después de abrir el recipiente. De hecho, los niveles de vitamina C comienzan a disminuir inmediatamente después de abrirlo, sin importar la fecha de vencimiento ("expiration date").

La razón: Una vez abierto, el jugo es expuesto al oxígeno, el cual destruye la vitamina C. El oxígeno puede además filtrarse a través de los envases plásticos o encerados.

Mejor: Beba jugo de naranja preparado con un concentrado enlatado. Como este jugo concentrado contiene niveles mayores de la vitamina C, puede usarse por hasta 14 días después de la preparación.

Carol S. Johnston, PhD, RD, profesora de nutrición de la Universidad Arizona State, en Mesa.

La vitamina C y el estrés

Tomar suplementos de vitamina C puede ayudar en la prevención de enfermedades en las personas que están experimentando estrés psicológico.

Una dosis de vitamina C equivalente a varios gramos al día en seres humanos redujo los niveles de *corticosterona* en ratas estresadas por estar inmovilizadas. Los niveles altos de corticosterona y otras hormonas del estrés se han vinculado a afecciones cardiacas, úlceras y otras enfermedades. Es probable que la vitamina C tenga el mismo efecto en las personas.

Cuando esté estresado: Consuma más jugo de naranja, frutas cítricas y otros alimentos ricos en vitamina C… o tome un suplemento de vitamina C de 500 mg diariamente.

P. Samuel Campbell, PhD, profesor emérito del departamento de ciencias biológicas en la Universidad de Alabama, en Huntsville. Su estudio fue presentado en una reunión de la American Chemical Society.

Terapia con antioxidantes

Jeffrey Blumberg, PhD, profesor de nutrición y jefe del laboratorio de investigación de antioxidantes de la Universidad Tufts, en Boston.

La mayoría de las personas están enteradas sobre los *radicales libres* y el daño que causan en el cuerpo humano. Se cree que los radicales libres contribuyen al cáncer, las cataratas, la enfermedad del corazón, el mal de Alzheimer y otras afecciones crónicas.

Y también han oído que los antioxidantes que se encuentran en alimentos y suplementos alimentarios ayudan a minimizar el daño de los radicales libres.

Pero muchas personas todavía están confundidas. *El destacado investigador de los antioxidantes doctor Jeffrey Blumberg aclaró la confusión:*

¿QUÉ SON LOS RADICALES LIBRES?

Los radicales libres son fragmentos moleculares creados cuando el cuerpo quema oxígeno… o cuando es expuesto a algo nocivo como el humo del tabaco o la luz del sol.

Los radicales libres reaccionan con vehemencia con otras moléculas en un proceso conocido como *oxidación*. Los antioxidantes neutralizan a los radicales libres, buscándolos y destruyéndolos antes de que alcancen a las otras moléculas.

Existe cada vez mayor evidencia de que una dieta rica en antioxidantes ayuda a detener el daño causado por los radicales libres. ¿Cómo puede asegurarse de que obtiene suficientes antioxidantes? La mejor estrategia es consumir una variedad de frutas y verduras –entre cinco y nueve porciones al día. Tomar suplementos de antioxidantes también puede ser una buena idea.

Advertencia: Aunque los suplementos de antioxidantes parecen mejorar una dieta equilibrada, no sustituyen dicha dieta.

LOS ANTIOXIDANTES CLAVE

Los científicos han comenzado a identificar los miles de antioxidantes que se encuentran en los alimentos. *Hasta ahora, cinco parecen ser especialmente importantes:*

•*La vitamina C* ayuda a prevenir la enfermedad del corazón al bloquear la oxidación del colesterol y de otras sustancias grasas en la sangre. Además, bloquea los efectos de los *nitritos,* carcinógenos que se encuentran en el tocino ("bacon") y en otras carnes curadas.

Entre las fuentes de vitamina C se incluyen las frutas cítricas, el melón chino ("cantaloupe"), las fresas (frutillas, "strawberries"), los pimientos (ajíes, "peppers"), los tomates y el bróculi ("broccoli"). Una porción de una taza de melón o de bróculi contiene alrededor de 100 mg de la vitamina C.

Suplemento diario: entre 250 y 1.000 mg de la vitamina C. Algunos estudios han demostrado que la incidencia de la enfermedad del corazón –así como las cataratas y el cáncer– es significativamente menor entre las personas cuyo consumo de la vitamina C está dentro de este rango.

Advertencia: El exceso de vitamina C puede causar diarrea. Para evitar problemas, comience con 250 mg al día, y aumente la dosis gradualmente durante varias semanas. No tome más de 1.000 mg al día sin la supervisión de un médico.

Los efectos benéficos de la vitamina C se han demostrado en varios estudios científicos. En 1998, sin embargo, algunos científicos de la Universidad de Leicester, en Inglaterra, publicaron un estudio que sugirió que los suplementos de vitamina C podrían aumentar el riesgo de contraer cáncer.

Los investigadores ingleses hallaron evidencia de daños al ADN (DNA, en inglés) –un marcador del cáncer– en las personas que tomaron 500 mg de vitamina C cada día por seis semanas.

Sin embargo, este estudio no puede tomarse seriamente. Contenía detalles insuficientes como para que otros investigadores evaluaran la metodología.

Además, los autores nunca sometieron el estudio a la revisión de sus pares, el proceso durante el cual con frecuencia se detectan puntos débiles en la metodología.

Revelador: Otros investigadores que intentaron repetir el estudio no llegaron a los mismos resultados.

•La vitamina E combate la enfermedad del corazón al impedir la oxidación del colesterol "malo" LDL... bloquea la oxidación de las células de la piel provocada por la luz del sol... y ayuda a prevenir las cataratas.

Un estudio sugirió que la vitamina E quizá enlentezca el avance del mal de Alzheimer. Otros estudios sugieren que mejora el poder anticoagulante de la aspirina, lo que indica que la combinación de aspirina y vitamina E podría ser una buena idea para muchos pacientes cardiacos.

Entre las buenas fuentes de vitamina E se incluyen el aceite vegetal... las almendras ("almonds") y otras nueces ("nuts")... y especialmente el germen de trigo ("wheat germ").

Ya que las fuentes alimenticias de vitamina E tienden a ser ricas en grasas, es difícil obtener suficiente vitamina E de los alimentos sin consumir demasiada grasa. El suplemento de vitamina E es una mejor idea.

Suplemento diario: entre 100 y 400 unidades internacionales (IU, por sus siglas en inglés) de vitamina E. Sin embargo, más de 200 IU podría ser peligroso, así que consulte a su médico acerca de la cantidad adecuada para usted.

La mayoría de los estudios que demuestran los efectos protectores de los suplementos de vitamina E han usado *dl-alfatocoferol,* la forma sintética de la vitamina. La forma natural, *d-alfatocoferol,* cuesta más pero es un poco más potente.

•El betacaroteno y otros carotenoides ayudan a prevenir la enfermedad del corazón, el ataque cerebral ("stroke"), las cataratas y el cáncer de mama, de cuello uterino y de estómago.

Los carotenoides también bloquean el desarrollo del cáncer de pulmón –al menos cuando son tomados por los no fumadores.

A mediados de la década de 1990, investigadores finlandeses y estadounidenses descubrieron que los fumadores que tomaban suplementos de betacaroteno en dosis altas parecían tener mayores riesgos de contraer cáncer de pulmón.

En vista de estos estudios, quienes fuman mucho deberían evitar los suplementos de betacaroteno. Los estudios con los que no fuman no han descubierto que el betacaroteno o algún otro carotenoide sea tóxico.

Entre las buenas fuentes de betacaroteno y otros carotenoides se incluyen los melones chinos ("cantaloupe"), los albaricoques (damascos, "apricots"), las zanahorias y los calabacines ("squash") y otras frutas y verduras rojas o amarillas... el bróculi ("broccoli")... y las verduras de hojas verdes.

Suplemento diario: 15.000 IU de betacaroteno –sólo para los no fumadores.

Investigaciones preliminares sugieren que otros carotenoides quizá protejan aun más que el betacaroteno:

• El *licopeno* parece reducir el riesgo de contraer cáncer de próstata.

• La *luteína* y la *zeaxantina* parecen proteger contra la degeneración macular relacionada con la edad, una afección de la retina que puede llevar a la ceguera.

•**El selenio** estimula el poder de otros antioxidantes para combatir las enfermedades. En varios estudios recientes, las personas que tomaron un suplemento de selenio tuvieron una reducción importante del riesgo de contraer cáncer de pulmón y de próstata.

Entre las buenas fuentes de selenio se incluyen las nueces del Brasil ("Brazil nuts") y los pescados –especialmente atún, caballa ("mackerel"), ostras y camarones ("shrimp").

Suplemento diario: 200 microgramos (mcg) de selenio. Las dosis más altas pueden causar pérdida de cabello y uñas, y posiblemente daños a los nervios.

•**Los flavonoides** han sido relacionados con la disminución del riesgo de enfermedad del corazón y de ataque cerebral ("stroke") –y posiblemente de algunos tipos de cáncer.

Las fuentes de flavonoides incluyen cebollas, manzanas y uvas… té negro y verde… y vino tinto.

Están disponibles varios suplementos de flavonoides, incluyendo el extracto de corteza de pino ("pine bark extract") y el extracto de semilla de uva ("grape-seed extract"). Pero hasta que la eficacia de estos suplementos se haya demostrado en ensayos clínicos, es probablemente una buena idea depender de fuentes alimentarias de flavonoides.

Alerta sobre la vitamina A

Demasiada vitamina A puede debilitar los huesos, aumentando el riesgo de fracturas. Nadie debería recibir más de 1,5 mg al día.

Las mujeres en realidad sólo necesitan 0,7 mg de vitamina A al día… y los hombres, 0,9 mg. Una dieta saludable que incluya hígado, leche, pescado y aceite de pescado proporciona esas cantidades.

Lea las etiquetas del aceite de pescado para saber el contenido de la vitamina A, y no consuma hígado más de una vez a la semana. Elija un suplemento multivitamínico que contenga no más de 5.000 unidades internacionales (IU, por sus siglas en inglés), o 1,5 mg de la vitamina A. No hay razón para tomar suplementos de vitamina A además de un suplemento multivitamínico.

Donald Louria, MD, jefe emérito de medicina preventiva de la University of Medicine and Dentistry of New Jersey, en Newark.

Peligros con las vitaminas

Bradley Bongiovanni, ND, médico naturopático (naturista) con práctica privada en Atlanta.

Se puede afirmar que la mayoría de las personas se beneficiarían al tomar suplementos alimentarios. Pero ciertos suplementos de vitaminas y minerales pueden tener graves consecuencias para algunas personas. *Por ejemplo:*

•**Fumadores.** El betacaroteno sintético podría aumentar el riesgo de contraer cáncer de pulmón, según un estudio.

Mejor: Obtenga su dosis diaria de zanahorias, espinaca y otras fuentes alimenticias… o tome un suplemento natural con una *mezcla* de carotenoides.

•**Personas que padecen enfermedad de los riñones o hiperparatiroidismo.** No consuma mucho calcio, ya que esas afecciones pueden perturbar el metabolismo del calcio. Limite el consumo de suplementos de calcio a 300 mg al día.

•**Hombres adultos y mujeres menopáusicas.** Demasiado hierro puede conducir a la enfermedad del corazón y otras enfermedades.

Mejor: Muchos alimentos están fortificados con hierro, por lo que los suplementos de hierro son recomendados sólo para las mujeres premenopáusicas, los niños menores de 13 años y las personas que tengan deficiencia de hierro.

•**Personas con la afección metabólica llamada hemocromatosis,** o un historial de cálculos renales (piedras en los riñones). Limite el consumo de suplementos de vitamina C a 250 mg al día.

•**Personas que toman medicamentos anticoagulantes** o que siguen una terapia diaria de aspirina. La vitamina E, el jengibre ("ginger"), el ginkgo biloba, el hipérico (corazoncillo, hierba de San Juan, "St. John's wort") y el ajo pueden intensificar el efecto diluyente de la sangre.

Mejor: Consulte a su médico acerca de modificar su medicación y su consumo de suplementos.

Advertencia sobre los suplementos de antioxidantes

Obtenga sus antioxidantes de las frutas y verduras en vez de con suplementos. Un análisis de 15 estudios a gran escala demostró que tomar suplementos de betacaroteno en realidad *aumenta* el riesgo de muerte por cualquier causa –y por enfermedad del corazón en particular– en una cantidad pequeña pero significativa. Además, demostró que no hay beneficios cardiovasculares importantes en los suplementos de vitamina E.

Nueva recomendación: No use los suplementos alimentarios que contengan betacaroteno ni su primo cercano, la vitamina A. No se sabe a ciencia cierta si protegen contra el cáncer.

Marc S. Penn, MD, PhD, cardiólogo de la Cleveland Clinic Foundation, en Cleveland. Su análisis fue publicado en la revista médica *The Lancet*.

¿Interfiere el hipérico con los medicamentos para el cáncer?

En un estudio, el hipérico, usado por muchas personas que sufren de depresión leve, redujo la eficacia de *irinotecan* (Camptosar), un medicamento comúnmente recetado para el tratamiento del cáncer colorrectal.

Se descubrió que los pacientes que tomaban la hierba y el medicamento tenían un 40% menos del medicamento en su torrente sanguíneo que los pacientes que no usaban hipérico.

Para evitar las interacciones de los medicamentos: Informe a su médico y a su farmacéutico acerca de todas las hierbas y medicamentos de venta libre que esté usando.

Ron H.J. Mathijssen, MD, PhD, científico del departamento de oncología médica del Erasmus Medical Center-Daniel den Hoed Cancer Center, en Rotterdam, Holanda.

Alerta sobre el alto consumo de zinc

El riesgo de contraer cáncer de próstata ha sido vinculado al alto consumo de zinc. El zinc, popularmente usado para prevenir resfriados, se encuentra también en muchas combinaciones de vitaminas y minerales.

Nuevo estudio: Los hombres que tomaron más de 100 mg de zinc diariamente durante 10 o más años tuvieron más del doble de probabilidad de contraer cáncer de próstata que los hombres que no tomaron suplementos de zinc.

La autodefensa: Evite cualquier suplemento que contenga varias veces la cantidad diaria recomendada –que es de 11 mg al día para los hombres.

Michael Leitzmann, MD, DrPH, epidemiólogo nutricional del National Cancer Institute, en Rockville, Maryland. Su estudio de 46.974 hombres fue publicado en el boletín médico *Journal of the National Cancer Institute*.

Advertencia sobre el potasio

A menos que usted haga ejercicios suficientes como para tener grandes pérdidas de fluidos y minerales al sudar, los suplementos de potasio –en forma de polvo, píldora o bebida para deportistas– son innecesarios y en realidad podrían causar daño.

El potasio puede irritar el esófago, el revestimiento del estómago y el intestino delgado, y podría causar un ritmo cardiaco irregular. Puede obtener todo el potasio que necesita –y no hay posibilidad de que reciba demasiado– de los alimentos.

Algunas buenas fuentes: Frutas, particularmente higos ("figs"), naranjas, bananas (plátanos) y melón chino ("cantaloupe")… verduras, incluyendo papas, remolachas (betabel, "beets") y rábanos ("radishes")… y cualquier carne o pescado.

Michael Mogadam, MD, profesor clínico adjunto de medicina en la Universidad George Washington, en Washington, DC, y médico con práctica privada en Alexandria, Virginia.

Efedra escondida

Stephen Bent, MD, experto en efedra y profesor auxiliar de medicina, en la Universidad de California en San Francisco.

Todos hemos oído bastantes noticias atemorizadoras acerca de la popular hierba efedra, también llamada *"Ma huang"*.

La efedra es el ingrediente activo en muchos suplementos para el fisiculturismo y el adelgazamiento; contiene *efedrina,* un compuesto químico potencialmente peligroso que estrecha los vasos sanguíneos y aumenta el ritmo cardiaco.

Los centros de control de envenenamientos han recibido informes de reacciones adversas –como dolor de cabeza, ansiedad e insomnio, y varias *muertes*– debido a la efedra. Además, existe evidencia de que podría aumentar el riesgo de sufrir un ataque cerebral ("stroke").

La American Heart Association ha pedido que se prohíba la venta libre de suplementos de efedra, y la agencia federal Food and Drug Administration (FDA) ha propuesto incluir etiquetas de advertencia en los productos que contengan la hierba.

Por desgracia, no siempre es fácil determinar si un producto contiene la hierba o uno de sus derivados. *Para protegerse:*

•**Lea las etiquetas detenidamente en busca de efedra o derivados de efedra,** como *Ephedra sinica,* cola de caballo ("horsetail") o "Chinese ephedra".

•**Tenga cuidado con productos con etiquetas que afirman "sin efedra".** Muchos contienen *Citrus aurantium,* un compuesto vegetal que contiene *sinefrina,* un primo a nivel químico de la efedrina que podría causar efectos secundarios similares.

•**Evite los medicamentos de venta libre para el asma que contienen efedrina.** Podrían ser tan riesgosos como los suplementos de efedra. Su médico tiene disponibles alternativas más seguras.

¿Aumentan el consumo de hierro los utensilios de cocina?

Los utensilios de cocina de acero inoxidable aumentan el contenido de hierro de algunos alimentos en un promedio del 14%.

Estudio reciente: El hierro se filtró a huevos revueltos, hamburguesas, pechuga de pollo salteada y panqueques… pero no en el arroz, las judías verdes (chauchas, ejotes, "green beans") o en la salsa blanca espesa.

Se estima que alrededor del 6% de los estadounidenses tienen muy poco hierro en sus cuerpos, mientras que el 1% tienen demasiado. Ambas afecciones pueden ser peligrosas.

Si no está seguro acerca de su estado, pídale a su médico que le mida su nivel de hierro.

Helen C. Brittin, PhD, profesora de alimentos y nutrición, de la Universidad Texas Tech, en Lubbock.

Los hombres también necesitan calcio

Después de los 50 años, los hombres deberían consumir 1.200 mg de calcio al día. En un estudio, los hombres tomaron suplementos de calcio para aumentar su consumo diario de 700 mg a 1.200 mg.

Resultado: Experimentaron reducciones significativas en sus índices de pérdida ósea.

Algunos hombres quizá necesiten un suplemento para llegar a los 1.200 mg, pero son preferidas las fuentes alimenticias de calcio. Entre las fuentes se incluyen yogur y leche bajos en grasa y verduras de hojas verdes.

Bess Dawson-Hughes, MD, jefa del laboratorio de calcio y metabolismo de huesos, en el centro de investigación de la nutrición Jean Mayer del departamento de agricultura de EE.UU. en la Universidad Tufts, en Boston.

Los suplementos de aceite de pescado son perjudiciales para algunos

Los suplementos de aceite de pescado pueden ser peligrosos para algunas personas. Pueden aumentar el riesgo de un accidente cerebrovascular hemorrágico (derrame cerebral) en las personas que tienen problemas de coagulación o hipertensión no controlada y quienes toman anticoagulantes. Las dosis grandes –más de 3 gramos todos los días– pueden suprimir el sistema inmune, aumentar los niveles de glucosa en los diabéticos y causar náuseas, diarrea y otros efectos secundarios.

En definitiva: Consulte a su médico antes de tomar cualquier suplemento, y asegúrese de tomar sólo la dosis recomendada.

Boletín informativo *University of California, Berkeley Wellness Letter*, Box 412, Prince Street Station, Nueva York 10012. *www.wellnessletter.com*.

Las vitaminas y los pólipos del colon

Los suplementos multivitamínicos y de calcio combaten los pólipos precancerosos. El uso de vitaminas y calcio también hace que sea menos probable que los pólipos colorrectales vuelvan a aparecer en pacientes a quienes ya les han sacado algunos. Casi todos los casos de cáncer colorrectal comienzan con pólipos benignos.

Richard Whelan, MD, profesor adjunto de cirugía y director de cirugía del colon y del recto en la facultad de medicina Physicians and Surgeons de la Universidad Columbia, en Nueva York.

Cuidado con el picolinato de cromo

El picolinato de cromo, un suplemento alimentario de venta libre, supuestamente fortalece los músculos y reduce la grasa corporal. Pero un estudio sugiere que provoca reacciones químicas que podrían llevar al cáncer.

John B. Vincent, PhD, profesor de química de la Universidad de Alabama, en Tuscaloosa.

6

Soluciones con alimentos

Cómo prevenir el asma, las cataratas, los cálculos biliares y la insuficiencia cardiaca con alimentos

Casi todas las enfermedades más importantes son causadas o afectadas por lo que consumimos. Sin embargo, muy pocos médicos están bien informados acerca de la nutrición. Como consecuencia, rara vez proporcionan asesoramiento sobre la nutrición, aun cuando alimentos específicos pueden ayudar a controlar los síntomas –o a corregir los problemas subyacentes de manera igual de adecuada –o *mejor*– que los medicamentos recetados.

He aquí los mejores tratamientos alimentarios para cinco enfermedades comunes...

ASMA

Esta enfermedad respiratoria afecta a más de 20 millones de estadounidenses y se está volviendo cada vez más común, se supone por el aumento de la contaminación del aire.

Los mejores alimentos: chiles picantes, pescado y café.

Es probable que las personas que habitualmente consumen salsas picantes o chiles (ajíes picantes, "chili peppers") tengan ataques de asma menos frecuentes –y de menor gravedad. La *capsaicina,* la sustancia química que hace que los chiles sean picantes, puede estimular las terminales nerviosas para ayudar a mantener abiertas las vías respiratorias.

Los ácidos grasos de los peces de agua fría –como el salmón, el atún y las sardinas– reducen los niveles de *prostaglandinas* y *leucotrienos,* sustancias químicas que aumentan la hinchazón de los conductos respiratorios.

Útil: El consumo de tres o más porciones de dos a tres onzas (de 55 a 85 gramos) de pescado puede reducir la frecuencia de los ataques de asma.

Isadore Rosenfeld, MD, distinguido profesor Rossi de medicina clínica de la facultad de medicina Weill de la Universidad Cornell, en Nueva York. Es autor de varios libros, entre ellos *Doctor, What Should I Eat?, Power to the Patient* (ambos publicados por Grand Central) y *Dr. Isadore Rosenfeld's Breakthrough Health* (Rodale).

Tradicionalmente, los médicos han aconsejado a las personas que beban una taza de café fuerte al comienzo de un ataque de asma si no tienen a su disposición ninguno de sus medicamentos habituales. Uno de los ingredientes activos del café, *metilxantina,* relaja los músculos de las vías respiratorias.

Los adultos asmáticos que beben varias tazas de café con cafeína diariamente tienen 30% menos ataques que los que no beben café. Recomiendo entre tres y cuatro tazas por día, siempre que no tenga úlceras activas o arritmias cardiacas.

CATARATAS

Una catarata es el empañamiento (opacidad) del cristalino del ojo, lo que causa problemas de visión. Gran parte del daño es provocado por los radicales libres –las moléculas de oxígeno dañinas que se producen como subproducto del metabolismo.

Los mejores alimentos: frutas y verduras de colores intensos, especialmente los calabacines ("squash"), la espinaca, el brócoli ("broccoli"), las naranjas, las zanahorias y las batatas (boniatos, camotes, papas dulces, "sweet potatoes"). Son ricos en vitaminas C y A y también en betacaroteno, todos los cuales reducen el daño ocular.

Útil: Consuma cinco o más porciones todos los días.

INSUFICIENCIA CARDIACA CONGESTIVA

Ocurre cuando una afección subyacente –como una infección viral, la presión sanguínea alta, una válvula cardiaca angosta, etc.– inhibe la capacidad del corazón para bombear sangre.

Los mejores alimentos: arroz moreno ("brown rice"), espinaca, cereal de avena ("oatmeal"), legumbres (alubias, frijoles, habas, habichuelas, judías, lentejas, guisantes y chícharos), papas y bananas (plátanos). Son ricos en magnesio y potasio, los cuales ayudan a mejorar la función cardiaca.

Advertencia: Estos minerales con frecuencia se agotan por el uso de diuréticos –los medicamentos comunes para el tratamiento de la insuficiencia cardiaca.

Útil: Consuma dos porciones diarias de alimentos ricos en magnesio y potasio.

También: Consuma entre cuatro y seis comidas pequeñas por día en lugar de tres comidas grandes. La sangre fluye al estómago después de las comidas grandes, lo que aumenta las demandas de energía al corazón.

Limite la ingestión diaria de sodio a menos de 2.000 mg –menos de una cucharadita. El exceso de sal aumenta la retención de líquidos y disminuye la capacidad de bombeo del corazón.

CÁLCULOS BILIARES

Alrededor de la mitad de los 25 millones de adultos estadounidenses que padecen cálculos biliares (piedras en la vesícula, "gallstones") no presentan síntomas. En el resto de los afectados, esta acumulación de cristales sólidos en la vesícula o en los conductos biliares puede causar dolores agudos debajo del esternón o en la parte superior derecha del abdomen, en especial después de las comidas.

La presencia de estos cristales puede irritar la vesícula biliar y promover infecciones. Incluso un sólo cálculo grande que se desarrolle en la vesícula predispone a ese órgano al cáncer.

Los mejores alimentos: frutas… legumbres… y verduras –cualquier alimento que contenga poca grasa. Los alimentos grasosos tienden a estimular las contracciones de la vesícula, las cuales pueden precipitar los ataques.

Bono: La fibra que contienen los alimentos vegetales interactúa con la bilis de la vesícula y disminuye la formación de cálculos. Una dieta rica en fibras puede disolver los cálculos biliares existentes y también ayudar a perder peso.

Advertencia: Las personas con un exceso de peso de solamente un 10% tienen el doble de probabilidad de padecer cálculos biliares en comparación con las que mantienen un peso saludable.

Útil: Consuma entre 35 y 45 gramos de fibra por día. Coma por lo menos cinco porciones diarias de frutas y verduras, junto con pastas y panes hechos con cereales integrales, legumbres y otros alimentos ricos en fibra.

Buenas elecciones: Una taza de habichuelas cocidas en salsa de tomate –"baked beans"– (13 gramos de fibra)… una papa mediana horneada (4 g)… una manzana grande (5 g)… o media taza de cereal All-Bran (10 g).

SÍNDROME DEL INTESTINO IRRITABLE

Esta afección ("irritable bowel syndrome" o IBS, en inglés) causa contracciones excesivamente fuertes y frecuentes de los músculos intestinales. Los síntomas incluyen gases, hinchazón, diarrea y retortijones abdominales.

Los mejores alimentos: legumbres, panes y cereales integrales. Son ricos en fibra soluble, la cual reduce la diarrea sin agregar demasiado "volumen" al intestino.

El salvado grueso (llamado "coarse miller's bran" en inglés) que se puede comprar en las tiendas de alimentos naturales, contiene abundante fibra soluble.

Útil: Aumente lentamente su consumo a dos cucharadas de salvado grueso, dos veces por día. Para reducir el estreñimiento cuando se consumen alimentos ricos en fibra, es útil tomar varios vasos adicionales de agua por día.

Evite la leche y otros productos lácteos por unas pocas semanas para comprobar si sus síntomas disminuyen. Muchas personas que padecen el síndrome del intestino irritable no pueden digerir la lactosa de los productos lácteos. Si usted es una de ellas, tome un suplemento, como Lactaid, con las comidas.

Cómo compran alimentos los nutricionistas

Ramona Josephson, dietista y nutricionista registrada (RDN) con práctica privada en Vancouver, Canadá. Es autora de *The Heart-Smart Shopper: Nutrition on the Run* (Douglas & McIntyre).

Los consumidores se ven abrumados por el surtido de alimentos. Hoy en día el típico supermercado tiene en existencia 25.000 productos, y estos se envasan, promocionan y exponen para alentar a los consumidores a comprarlos, ya sean saludables o no.

He aquí la manera inteligente de comprar alimentos…

•**Ignore la parte de adelante del paquete.** Allí es donde los fabricantes anuncian información para sacar provecho de nuestros deseos. Nos atraen los productos que anuncian en la etiqueta "sin colesterol", "bajo en grasa" ("low-fat") o "dietético" ("light"), porque pensamos que son buenos para nuestra salud.

Por lo general, esas palabras nos engañan. Los alimentos elaborados con productos vegetales *nunca* contienen colesterol, ya que el colesterol se encuentra en productos que provienen de animales. Y las papitas fritas ("chips"), la margarina y otros alimentos que afirman en la etiqueta que son "sin colesterol" ("cholesterol-free") pueden contener mucha grasa, y la grasa promueve la síntesis del colesterol en el cuerpo.

De modo similar, muchos productos que afirman en la etiqueta "bajo en grasa" pueden contener muchas calorías. Como consecuencia, consumir estos alimentos no le ayudará a controlar su peso.

La autodefensa: Lea la lista de ingredientes y la tabla de "Valores nutritivos" ("Nutrition Facts") impresos en la etiqueta antes de poner un producto en su carrito de compras.

•**Examine el *orden* de los ingredientes.** Los ingredientes están enumerados en orden descendente según su peso. Para determinar cuán saludable es un producto en particular, examine los primeros cuatro ingredientes.

Ejemplo N.º 1: Si desea comprar pan de harina integral, el primer ingrediente debe ser la harina integral ("whole wheat flour") y no la harina blanca enriquecida ("enriched white flour").

Ejemplo N.º 2: Si la botella de "jugo" ("juice") tiene agua y azúcar entre los primeros ingredientes, no es un verdadero jugo.

•**Busque los ingredientes "alias".** Las grasas, la sal y el azúcar tienen muchos nombres distintos. Si necesita controlar su consumo de estos nutrientes, debe saber identificarlos en todas sus formas. *Por ejemplo…*

•La grasa puede figurar en la lista como manteca ("shortening"), manteca de cerdo ("lard"), aceite vegetal hidrogenado ("hydrogenated vegetable oil"), aceite de coco ("coconut oil"), aceite de palma ("palm"), aceite tropical, "tallow", monoglicéridos o diglicéridos.

•La sal puede figurar en la lista como glutamato monosódico (MSG, por sus siglas en inglés), bicarbonato de soda ("baking soda"), polvo de hornear ("baking powder"), salmuera ("brine"), alga marina kelp (fucus), salsa de soja ("soy sauce") o una variedad de nombres que contienen la palabra "sodio" ("sodium").

• El azúcar puede figurar en la lista como miel ("honey"), melaza ("molasses"), dextrosa, sacarosa ("sucrose"), fructosa, maltosa, lactosa, dextrina, maltodextrina, almíbar de arce ("maple syrup"), almíbar de maíz ("corn syrup"), o almíbar de malta.

• **Evite las grasas transaturadas ("trans fats").** Cuando quedó en claro que la mantequilla y la grasa saturada eran perjudiciales para el corazón, los fabricantes de alimentos comenzaron a usar aceites vegetales en su lugar.

Pero el aceite vegetal con frecuencia es alterado químicamente –mediante un proceso conocido como *hidrogenación*– para hacerlo más sólido. La hidrogenación produce la formación de ácidos grasos transaturados, los cuales ahora son considerados más peligrosos para la salud del corazón que la grasa saturada.

Los aceites hidrogenados o parcialmente hidrogenados se usan para hacer papas fritas, "donuts" (rosquillas), margarina y muchos productos horneados, incluyendo galletas saladas ("crackers") y galletitas dulces ("cookies").

La autodefensa: Si el aceite hidrogenado o parcialmente hidrogenado figura entre los primeros cuatro elementos de la lista de ingredientes de un producto, trate de elegir otro.

• **Preste atención al tamaño de la porción.** La tabla de "Valores nutritivos" ("Nutrition Facts") en la etiqueta explica, entre otras cosas, la cantidad precisa de un alimento que constituye una porción individual ("single serving"). Esta es la cantidad sobre la cual está basada la información nutricional.

Los tamaños de las porciones con frecuencia son confusos. Una porción de yogur puede ser media taza, por ejemplo, aunque el envase puede contener tres cuartos de taza. En algunos casos, cereales similares elaborados por el mismo fabricante tienen distintos tamaños de porciones.

Ejemplo: Una porción del cereal Great Grains de la marca Post es dos tercios de taza, mientras que una porción individual de Cranberry Almond Crunch también de la marca Post es una taza.

La autodefensa: Cuando compare la cantidad de grasa, calorías y nutrientes que contienen distintos productos, no se olvide de tener en cuenta el tamaño de la porción.

• **Sea consciente de las fantasías publicitarias.** Los avisos publicitarios de alimentos nos hacen creer que podemos transformarnos comiendo ciertos alimentos. No es cierto.

La mezcla "granola" puede darnos la impresión de que si la comemos nos transformaremos en vigorosos entusiastas de la vida al aire libre, pero las barras de granola frecuentemente contienen muchas grasas y azúcar.

Y si bien los atletas consumen bebidas para deportistas, usted no llegará a ser más atlético porque las beba. En realidad, las bebidas para deportistas pueden contener muchas calorías. Las personas que las toman y no son atletas con frecuencia aumentan de peso involuntariamente.

La autodefensa: Base sus compras de alimentos en los ingredientes, no en una publicidad seductora.

• **Preste atención a la ubicación de los productos.** Los fabricantes de alimentos pagan una cantidad adicional para que sus productos estén ubicados al nivel de los ojos. Con frecuencia, estos productos son muy promocionados –y no son necesariamente los más saludables.

Dirija su mirada hacia arriba y hacia abajo en las estanterías para descubrir opciones más saludables.

• **Examine los productos que se ve impulsado a comprar.** Los productos ubicados al final de los pasillos y próximos a las cajas han sido colocados allí porque estos lugares se destacan. La idea es que usted compre algo que no había planeado comprar.

Piense dos veces antes de colocar estos productos en su carrito de compras.

• **Evite el pasillo de los refrigerios empaquetados ("snack foods").** No piense que cuida su salud comprando papitas horneadas ("baked chips") en lugar de las papitas fritas comunes. Si bien contienen menos grasa, las papitas horneadas no son mucho más saludables que las fritas.

Las meriendas deberían ser pequeñas comidas saludables y no papitas fritas ("chips") ni otros alimentos sin valor nutritivo.

Las buenas opciones para meriendas: frutas, verduras crudas, yogur o mini-pizzas elaboradas con queso mozzarella de poca grasa y salsa de tomate.

No se deje engañar por las etiquetas de los alimentos

Franca B. Alphin, MPH, RD, profesora clínica adjunta, y dietista de la salud de los estudiantes de la Universidad Duke, en Durham, Carolina del Norte.

La agencia federal Food and Drug Administration (FDA) dictaminó que se debe revelar la cantidad de ácidos grasos transaturados ("trans fatty acids") que contienen los productos alimentarios en la tabla de "Valores nutritivos" ("Nutrition Facts") que figura en la etiqueta. Estos aceites modificados químicamente, que conservan los alimentos envasados por más tiempo, aumentan el riesgo de contraer enfermedad del corazón. La reglamentación entró en vigor en 2006. Pero, hasta entonces, los fabricantes podían usar estos ingredientes perjudiciales sin tener que indicarlos claramente como "grasas transaturadas" ("trans fats") o colocar en la lista la cantidad que se había agregado al producto. La mayoría de las papitas fritas ("potato chips"), galletas saladas ("crackers") y alimentos horneados contiene una gran cantidad de grasa transaturada.

Antes de la nueva reglamentación, era imposible que los consumidores conocieran el contenido exacto de los productos alimentarios. Para protegerse, limite el consumo de productos alimentarios en cuya etiqueta figuren ingredientes "hidrogenados" o "parcialmente hidrogenados" ("partially hydrogenated"). Estas son palabras que significan grasas transaturadas.

Siempre que sea posible, elija alimentos cuyas etiquetas afirman claramente que no contienen grasas transaturadas. Las tiendas de productos naturales generalmente tienen estos productos. La empresa Frito-Lay, que vende refrigerios empaquetados y "chips" en la mayoría de los supermercados, también ha eliminado las grasas transaturadas de sus productos.

Atención: Si compra alimentos que contienen grasa transaturada, asegúrese de que ésta no figure entre los primeros cinco ingredientes. Estos son los más importantes y los que más pesan en el contenido del producto. Usted merece encontrar una alternativa más saludable.

Los alimentos adecuados estimulan la capacidad mental

Arthur Winter, MD, neurocirujano y director del New Jersey Neurological Institute, en Livingston, Nueva Jersey. Es coautor, junto con su esposa, la escritora científica Ruth Winter, de *Smart Food: Diet and Nutrition for Maximum Brain Power* (ASJA Press).

Todos saben que la dieta tiene un efecto profundo en el peso corporal, así como en el riesgo de padecer enfermedad del corazón, cáncer y muchas otras enfermedades graves. Pero muy pocas personas reconocen el efecto que tienen los alimentos en la función cerebral.

Las sustancias químicas del cerebro, conocidas como neurotransmisores, llevan mensajes que modifican tanto el ánimo como la capacidad para pensar. Uno de esos neurotransmisores, la *serotonina,* es el antidepresivo natural del organismo. Otro, el *colecistoquinina,* ayuda a la memoria.

Las investigaciones demuestran que se puede influir la actividad de los neurotransmisores a través de los alimentos. Al consumir los alimentos adecuados, usted puede mejorar su memoria, mantenerse alerta todo el día y aliviar la ansiedad.

Situación: La fatiga mental hace que usted pierda la concentración en una partida de bridge intensa.

Lo que debe consumir: No hay nada mejor que la cafeína para revertir un desempeño mental insuficiente o para recuperarse de la fatiga.

Pero debe consumir una cantidad considerable para lograr el mayor efecto –entre 150 y 600 mg para una persona que pese 150 libras (68 kilos). Seis onzas (175 ml) de café contienen alrededor de 100 mg de cafeína.

El azúcar en sus formas naturales también actúa como incentivo mental porque aumenta los niveles de azúcar en la sangre. La glucosa, que contienen las uvas, las naranjas y el maíz (elote, "corn"), es un azúcar natural de acción rápida. Sólo le lleva dos minutos aumentar el azúcar en la sangre.

La fructosa, que contienen muchas frutas y verduras, actúa lentamente –le lleva alrededor de 25 minutos aumentar el azúcar en la sangre– pero su efecto energético es más duradero. Consuma frutas frescas y verduras crudas durante la partida para evitar la fatiga mental.

Situación: Tiene que participar en un seminario que dura todo el día. Necesita lucidez mental y resistencia física.

Lo que debe consumir: La proteína es fundamental. Proporciona los componentes básicos para producir *norepinefrina* y *dopamina* –los neurotransmisores que lo ayudan a mantener su agudeza mental.

Las mejores fuentes de proteína son: huevos, pescado, frijoles (habas, habichuelas, "beans"), carnes, yogur, queso y leche.

Todos experimentamos una disminución en el estado de alerta unas dos horas después de almorzar. Cuanto más grande es el almuerzo, más grande es la somnolencia. Si debe realizar una actividad intensa, considere saltear el almuerzo.

Si el ayuno del mediodía no le conviene, opte por elegir proteínas que se digieran fácilmente, como la ensalada de atún o de huevos.

Los carbohidratos elevan los niveles del aminoácido *triptófano*, el cual ayuda a producir el neurotransmisor calmante serotonina. El consumo alto de proteínas y la limitación de los carbohidratos, como las pastas y las papas fritas, ayudan a disminuir al mínimo la somnolencia.

Situación: Tiene que hacer una presentación en su trabajo. Necesita memorizarla rápidamente.

Lo que debe consumir: La *colecistoquinina* es un neurotransmisor que mejora la memoria al producir triptófano y otro aminoácido llamado *fenilalanina.* Sin embargo, la sincronización es fundamental si desea lograr el máximo efecto del la colecistoquinina.

Estudie su presentación *antes* de comer. Inmediatamente después de que termine de memorizar el material, coma una merienda o una comida que contenga alimentos que produzcan colecistoquinina para que lo ayude a memorizar lo que acaba de aprender.

Entre los alimentos que producen colecistoquinina se incluyen la leche, las nueces ("nuts") y el arroz.

Situación: Se siente malhumorado y decaído.

Lo que debe consumir: Alimentos ricos en ácidos grasos omega-3 –salmón, trucha ("trout"), nueces ("nuts"), aceite de canola y frijoles de soja ("soybeans")– para ayudar a eliminar la depresión.

El chocolate, que aumenta los niveles de serotonina, también alivia el decaimiento.

Para obtener un efecto calmante, opte por comer alimentos que contengan triptófano, como pavo (guajolote, "turkey"), bananas (plátanos) y maní (cacahuates, "peanuts").

Tres alimentos que ya no son tabúes

Aquí figuran tres alimentos que ahora no son considerados malos para la salud…

Nueces ("nuts"): Alrededor de 170 calorías y de 14 gramos de grasa por onza (30 g). Pero, de hecho, las personas que las comen unas pocas veces por semana consumen un total menor de calorías que las personas que no comen nueces. Y algunas nueces, como las almendras ("almonds"), pecanas ("pecans"), y nueces de Castilla ("walnuts"), pueden ayudar a reducir el colesterol.

Mariscos: Es verdad que contienen colesterol, pero la principal culpable del aumento de los niveles de colesterol en los seres humanos es la grasa saturada. Y los mariscos contienen poca grasa saturada.

Huevos: También contienen mucho colesterol, pero poca grasa saturada. Está bien comer hasta un huevo por día a menos que su médico le haya aconsejado lo contrario.

Gene A. Spiller, PhD, DSc, director del Health Research and Studies Center y de la Sphera Foundation, ambos en Los Altos, California.

¡Atención! Seis alimentos saludables que pueden ser muy peligrosos... *para usted*

Julie Avery, RD, directora de proyectos de nutrición del programa cardiológico preventivo del Cleveland Clinic Heart Center, en Ohio.

Los alimentos que son reconocidos universalmente como "buenos para la salud" pueden, en realidad, causarles problemas a algunas personas. *Es importante estar al tanto de los posibles riesgos...*

JUGO DE TORONJA

Los investigadores médicos han descubierto que la digestión del jugo de toronja (pomelo, "grapefruit") utiliza la misma vía hepática que algunos medicamentos. Por lo tanto, si bebe jugo de toronja y toma algunos medicamentos al mismo tiempo, los efectos de los medicamentos pueden intensificarse o disminuir.

Los medicamentos que pueden ser afectados por el jugo de toronja: Los medicamentos para la presión sanguínea... los antihistamínicos... los medicamentos para disminuir el colesterol... algunos antidepresivos.

Lo esencial: Pregúntele a su farmacéutico si alguno de los medicamentos que toma puede ser afectado. Si la respuesta es afirmativa, evite la toronja y su jugo por lo menos cuatro horas antes y después de tomar el medicamento.

De lo contrario, disfrútelo. Es rico tanto en vitamina C como en fibras. Las toronjas rosadas y rojas también contienen *licopeno,* un antioxidante que protege de la enfermedad del corazón y del cáncer.

AGUACATES

Los aguacates (paltas, "avocados") contienen abundantes nutrientes y fibra pero también contienen mucha grasa. Un aguacate mediano contiene 30 gramos de grasa –más grasa que seis cucharaditas de aceite. Los aguacates también contienen muchas calorías –más que cinco veces la cantidad de calorías por onza (o por gramo) de la mayoría de las otras frutas.

Lo esencial: Los aguacates son saludables cuando se consumen con moderación. Un límite seguro sería comer una tajada fina por día. Si usa el aguacate para preparar guacamole (agregando tomates cortados en cubitos, y cebolla y ajo picados), trate de no comer más de tres cucharadas.

VERDURAS DE HOJAS VERDES

El bróculi, la espinaca, la acelga ("Swiss chard") y otras verduras de hojas verdes son ricas en la vitamina K, que contribuye a la coagulación de la sangre. Si toma medicamentos para diluir la sangre (anticoagulantes), como Coumadin (*warfarina*), consuma cantidades consistentes de estos alimentos.

Comer una cantidad más grande –o una cantidad mucho menor– que lo habitual de verduras de hojas verdes puede alterar los efectos de estos medicamentos y dar lugar a una coagulación anormal.

Lo esencial: Las verduras de hojas verdes contienen abundante vitamina C, folato y otros nutrientes esenciales. Todos debemos consumir por lo menos dos porciones diarias. Si toma un medicamento para diluir la sangre, asegúrese de consumir siempre la misma cantidad.

VINO TINTO

El vino tinto contiene *flavonoides,* los que, al parecer, impiden que el colesterol se acumule en las arterias. Beber cantidades moderadas de vino tinto disminuye el riesgo de enfermedad del corazón y de ataque cerebral.

Desventaja: El beber demasiado alcohol puede interferir con algunos medicamentos. También puede aumentar el riesgo de padecer enfermedad hepática (del hígado), depresión y otros problemas de salud.

Lo esencial: Las mujeres deben limitar el consumo de vino a cinco onzas (150 ml) por día... los hombres, a 10 onzas (300 ml) por día. O, para otras bebidas alcohólicas, el límite máximo es de una bebida diaria para las mujeres y de dos para los hombres. Estas cantidades proporcionan los beneficios sin causar mucho riesgo.

PESCADO CRUDO

Algunas veces, el pescado crudo está contaminado con parásitos. Esto es cierto para el pescado crudo de los bares y restaurantes donde se sirve "sushi", y también para las ostras ("oysters") y almejas ("clams") crudas. Los mariscos crudos también pueden transmitir hepatitis.

Para una persona sana, los parásitos no son un problema –son destruidos en el intestino. Sin embargo, para quienes tienen un sistema inmune débil, los parásitos pueden causar malestar intestinal e incluso enfermedades.

Lo esencial: Todos los que tienen una inmunidad debilitada –como las personas mayores... los niños muy jóvenes... los que se someten a quimioterapia, etc.– deben evitar el pescado y los mariscos crudos.

Es conveniente comer pescado cocido –el calor destruye los parásitos perjudiciales.

TOMATES

Los tomates, una gran fuente de vitamina C y licopeno, algunas veces causan alergias alimentarias. Los tomates también pueden causar urticaria y dificultad para respirar en quienes son alérgicos a la aspirina, ya que contienen *salicilatos*, compuestos similares a la aspirina.

Lo esencial: Es poco probable que el consumo de tomates les cause problemas a la mayoría de las personas. Pero las alergias a alimentos son potencialmente graves, así que consulte a su médico sobre cualquier alimento al que usted sospecha que puede ser sensible.

Bombas de tiempo: La sal, el azúcar y las grasas ocultas en los alimentos cotidianos

John A. McDougall, MD, fundador y director médico del McDougall Program, en Santa Rosa, California. Es autor de numerosos libros, entre ellos *The McDougall Program for Women: What Every Woman Needs to Be Healthy for Life* (Plume). *www.drmcdougall.com.*

Incluso las personas que comen bien comprometerán su salud con hábitos alimentarios inadecuados –y frecuentemente ni siquiera se dan cuenta.

Los culpables más peligrosos son la sal, el azúcar y la grasa. Efectúe los cambios adecuados para evitar estos ingredientes "ocultos" con el fin de reducir su riesgo de enfermarse.

LA SAL OCULTA

La sal común ("table salt") y los ingredientes con mucho sodio conservan y dan sabor a casi todo –incluyendo la mezcla para confeccionar budín ("pudding") o torta ("cake mix")... el aderezo para ensalada ("salad dressing")... la comida congelada... y los alimentos enlatados.

Alrededor del 20% de los estadounidenses es sensible al sodio, padece presión sanguínea alta o retiene líquidos debido al consumo excesivo de sodio. El exceso de sodio también causa la eliminación de calcio de los huesos y, como consecuencia, contribuye al desarrollo de la osteoporosis.

El estadounidense típico consume entre 3.000 y 5.000 mg de sodio por día. Trate de consumir no más de 2.000 mg por día. Las personas que padecen insuficiencia cardiaca congestiva, gota, presión alta y problemas de los riñones deben evitar los alimentos a los que se les ha añadido sal.

El sodio se añade de diversas maneras, incluyendo como glutamato monosódico (MSG, por sus siglas en inglés)... bicarbonato de sodio ("sodium bicarbonate")... cloruro de sodio (sal común)... y nitrato de sodio ("sodium nitrate").

Una taza de sopa puede contener entre 800 y 1.000 mg de sodio, y unas pocas papitas fritas ("chips") pueden contener hasta 400 mg. Lea las etiquetas para comparar el contenido de sodio de productos similares. *Otras estrategias...*

•**Compre alimentos en su estado natural.** Evite los alimentos procesados. Es probable que se les haya agregado mucho sodio.

•**No agregue sal cuando cocina.** Si debe agregar sal, úsela en pequeñas cantidades sobre la superficie cuando esté listo para comer, no la mezcle. Su lengua detectará la sal y usted estará satisfecho sin haber consumido una gran cantidad mezclada con la comida.

•**Use jugo de limón,** jugo de lima (limón verde, "lime"), vinagre y hierbas y especias adicionales para dar sabor a los alimentos. Todos ellos agregan sabor sin una mayor cantidad de sodio. Añada unas pizcas o chorritos a las verduras cocidas, al jugo de tomate y a la sopa con poco sodio.

EL AZÚCAR OCULTA

Se añaden azúcares refinadas e incluso naturales a casi todo –a los alimentos para bebés y a los cereales para el desayuno... a las salsas para las pastas y los alimentos procesados. En las etiquetas de los alimentos, el azúcar figura de muchas maneras –como sucrosa, fructosa, almíbar de maíz con alto contenido de fructosa ("high-fructose corn syrup"), jugo de fruta concentrado, miel, melaza ("molasses"), almíbar de arce ("maple syrup") y otros. Un ingrediente cuya denominación termine en "ose" es, generalmente, un tipo de azúcar.

Si tiene sobrepeso, el consumo excesivo de azúcar puede enlentecer la pérdida de peso o incluso hacer que aumente de peso. Las frutas secas, el jugo de frutas y los alimentos endulzados con azúcar adicional tienen una concentración de calorías. Todas las azúcares –ya sean refinadas o naturales– pueden aumentar los niveles elevados de los triglicéridos en la sangre, un factor de riesgo de enfermedad del corazón.

Aquí tiene algunas estrategias para evitar azúcar...

•**Consuma fruta fresca.** Limite el consumo de productos con frutas procesadas, como los jugos de fruta y las frutas envasadas y secas. Les aconsejo a mis pacientes que coman no más de tres porciones de fruta por día... o una porción por día para lograr una mayor pérdida de peso.

•**Considere la fruta como un postre.** La fruta es una fuente maravillosa de vitaminas, minerales, sustancias fitoquímicas que sustentan la salud, y también fibra. Coma fruta fresca al final de una comida. Evite los postres que engordan y que carecen de beneficios nutritivos.

•**Agregue azúcar, pero sólo a la superficie.** Al igual que con la sal, una pequeña cantidad de azúcar rociada sobre la superficie del alimento añade sabor sin muchas calorías adicionales. Un bol de cereal de avena ("oatmeal") cocida, con una cucharadita de azúcar morena encima, satisface y contiene menos azúcar que muchas variedades de avena envasadas ya endulzadas.

De igual modo, puede comprar cereales no endulzados para un desayuno frío y rociarlos con un poquito de miel. Consumirá menos azúcar que con el cereal endulzado previamente.

LA GRASA OCULTA

Se agrega grasa a los alimentos procesados para mejorar el sabor y la textura y para mezclar los ingredientes. Todos debemos controlar el consumo de grasa. Además de la obesidad, el consumo excesivo de grasa en la dieta promueve el cáncer, la enfermedad de las arterias coronarias y la diabetes. Tanto las grasas animales como las grasas vegetales son preocupantes.

Aconsejo que *no* se consuman grasas agregadas. Quienes necesiten perder peso también deben evitar los productos vegetales que contienen mucha grasa, como los aguacates (paltas, "avocados"), nueces ("nuts"), aceitunas, semillas y productos de soja ("soy").

Los fabricantes hacen figurar la grasa en las etiquetas de distintas maneras...

•**Monoglicéridos y diglicéridos.** Estas son las grasas que se añaden al pan y a otros productos horneados para tiernizarlos.

•**Grasa hidrogenada (ácidos grasos transaturados, "trans fatty acids").** Comúnmente usados en la margarina y en los alimentos procesados, elevan los niveles de colesterol en la sangre aun más que la mantequilla y la crema.

•**"Sin grasa/desgrasado" ("fat-free").** Los alimentos que contienen menos de medio gramo de grasa por porción pueden figurar en la etiqueta como "sin grasa" ("fat-free"). El problema es que muchas "porciones" típicas son pequeñas para lo que acostumbran los consumidores. Si consume varias porciones de un alimento desgrasado, es posible que consuma una gran cantidad de grasa.

•Elección de las grasas. Los alimentos con frecuencia son etiquetados como fuentes *posibles* de grasa. Un producto etiquetado podría decir: "Puede contener aceite de soja o aceite de semilla de algodón" ("may contain soybean and/or cottonseed oil"). Los fabricantes entonces pueden usar la grasa que le brinde mayor beneficio a la empresa.

Estrategias de autodefensa contra la grasa…

•Consuma alimentos frescos. Las papas horneadas, las verduras cocidas al vapor y el arroz cocido no contienen ninguna grasa adicional, a menos que usted se la agregue.

•Elija inteligentemente. Consuma menos carne y menos productos lácteos y más granos enteros y frutas y verduras frescas.

•Cocine los ingredientes básicos sin usar las mezclas preparadas –para controlar la cantidad de grasa que utiliza.

Ejemplos: Use sólo los utensilios de cocina no adherentes… en las recetas, experimente con una cantidad de grasa cada vez menor… sustituya la grasa por el puré de bananas, el puré de manzana no endulzado ("unsweetened applesauce") o la pasta de ciruelas secas ("prune paste").

La verdad acerca de las grasas y los aceites

Jamison Starbuck, ND, médica naturopática (naturista) con práctica familiar y conferencista de la Universidad de Montana, ambas en Missoula; es ex presidenta de la American Association of Naturopathic Physicians y editora colaboradora de *The Alternative Advisor: The Complete Guide to Natural Therapies and Alternative Treatments* (Time-Life).

La mayoría de las personas que se preocupan por la salud saben que algunos tipos de grasa de la dieta son necesarios y saludables, pero no muchas personas saben la *razón*.

La grasa es un componente necesario para la energía, la producción de hormonas, la actividad cerebral y nerviosa, la piel sana, la buena digestión y la absorción de nutrientes en el tracto gastrointestinal. Si padece depresión, fatiga, eczema, problemas de la memoria, síndrome premenstrual (PMS, por sus siglas en inglés), enfermedad de la vesícula biliar o una enfermedad autoinmune, como la artritis reumatoide o el lupus, puede sentirse mejor si añade grasas y aceites saludables a su dieta y a su lista de suplementos.

Como regla general, un 20% de sus calorías diarias deben provenir de la grasa. Para controlar su consumo, lea las etiquetas de los alimentos y lleve un diario de lo que consume. Elija fuentes saludables, como pescados (sin incluir los mariscos), huevos, soja ("soy"), nueces ("nuts"), semillas y aguacates (paltas, "avocados"). Use aceites de oliva y de canola para cocinar. Limite su consumo de grasas saturadas, como carne roja (no más de dos veces por semana) y quesos con mucha grasa (dos onzas –55 gramos– por día).

Recuerde, también, que los aceites se deterioran fácilmente debido a la luz, al aire y al calor. Esto produce radicales libres, sustancias que pueden producir inflamación y cáncer. A fin de proteger sus aceites para cocinar, guárdelos en frascos de vidrio herméticamente cerrados y colóquelos en una alacena oscura y fresca. (Los alimentos aceitosos, como las nueces y semillas, deben almacenarse de manera similar). Efectúe una "prueba del olfato" para detectar la rancidez antes de consumir cualquier alimento que contenga mucha grasa o aceite. Si está rancio, notará un olor ácido peculiar.

Si padece alguna de las afecciones médicas enumeradas aquí –o si hace ejercicios más de dos horas por día– quizá no sea adecuado simplemente agregar grasas y aceites saludables a su dieta. Tal vez necesite complementar su dieta con un aceite medicinal, como el aceite de pescado o de linaza. Las indicaciones para cada uno son levemente distintas.

Prefiero el aceite de linaza ("flaxseed oil") para tratar la fatiga, eczema, enfermedad de la vesícula biliar y las enfermedades autoinmunes. Recomiendo el aceite de linaza cultivado de manera orgánica. La dosis diaria común es de 3.000 mg, y se debe tomar con las comidas. Tenga en cuenta que algunas personas son alérgicas a las semillas de lino ("flax"). El síntoma más común es una erupción en la piel, que desaparece después de dejar de consumir el aceite de linaza.

Recomiendo el aceite de pescado ("fish oil") para los pacientes que sufren de depresión, problemas de la memoria, síndrome premenstrual (PMS, por sus siglas en inglés) y menstruaciones irregulares. El aceite de pescado actúa dentro de los 10 días –con mayor rapidez que el aceite vegetal– para resolver los problemas cerebrales y hormonales. El aceite de pescado se consigue en líquido o en cápsulas. Es mejor tomar el aceite de pescado líquido o con las comidas –mezclado con requesón ("cottage cheese") o jugo de naranja, por ejemplo– para disimular el gusto. Yo tomo una cucharada de aceite de pescado todas las mañanas con el desayuno. La dosis típica es de 2.000 mg diarios. Busque un aceite de pescado que contenga 300 mg de *ácido eicosapentaenoico* (EPA, por sus siglas en inglés) y 200 mg de *ácido docosahexaenoico* (DHA, por sus siglas en inglés).

Advertencia: Si está tomando *warfarina* (Coumadin) u otro anticoagulante, consulte a su médico antes de consumir aceite de pescado, el cual también puede tener un efecto diluyente en la sangre.

Elimine el hábito de consumir azúcar

Nancy Appleton, PhD, investigadora y especialista en nutrición que reside en Santa Mónica, California. Es autora de *Lick the Sugar Habit* y *Lick the Sugar Habit Counter* (ambos de Avery).

E l estadounidense típico consume más de 20 cucharaditas de azúcar refinada por día. Eso constituye un 20% más que la cantidad que consumíamos hace diez años.

Si piensa que el deterioro de los dientes y el aumento de peso son las únicas consecuencias para la salud, reflexione una vez más.

Al reemplazar las frutas y verduras y otros alimentos ricos en nutrientes que combaten las enfermedades, las bebidas y los alimentos azucarados pueden provocar un aumento de los niveles de azúcar (glucosa) en la sangre y obesidad. Estos trastornos pueden causar, a su vez, problemas crónicos de salud, como enfermedad del corazón, presión sanguínea elevada y diabetes.

Las tortas, galletitas, golosinas y helados no son las únicas fuentes de azúcar refinada. También puede encontrarse en bebidas y alimentos aparentemente saludables, como los "muffins", el cereal de avena ("oatmeal") instantáneo sazonado ("flavored"), las batatas (boniatos, camotes, "sweet potatoes") enlatadas e incluso en la limonada tradicional ("old-fashioned").

Para algunas personas, el azúcar –al igual que el alcohol o el tabaco– puede ser adictivo.

Ejemplo: Los adictos al azúcar planifican sus comidas para tener un poco de azúcar en el cuerpo en todo momento. Sienten ansias de consumir azúcar y síntomas de abstinencia, como fatiga, dolor de cabeza, depresión o temblores, si dejan de consumir azúcar de golpe.

Por eso es importante que los adictos al azúcar reduzcan *lentamente* el azúcar de sus dietas.

Ya sea usted un adicto al azúcar o sólo un típico estadounidense que consume demasiada azúcar –frecuentemente sin saberlo– su salud a largo plazo se beneficiará si reduce de manera gradual su consumo. *Esta es la manera de hacerlo…*

•**Lea la tabla de "Valores nutritivos" ("Nutrition Facts") que figura en las etiquetas de los alimentos.** Una persona sana puede metabolizar 8 gramos –dos cucharaditas– de azúcar a la vez. Evite los alimentos que contengan más de 8 gramos de azúcar por porción.

Esto implica evitar las bebidas gaseosas y muchos jugos de fruta, que en promedio contienen unos 40 gramos de azúcar en una porción de 12 onzas (350 ml).

•**Evite los alimentos y bebidas que contienen edulcorantes artificiales** ("artificial sweeteners"). Aun si los alimentos endulzados artificialmente no contienen azúcar, pueden estimular sus ansias de comer dulces. En lugar de consumir una gaseosa dietética, por ejemplo, opte por agua mineral o agua del grifo con un chorrito de limón.

●**Use *la mitad* de azúcar.** Comience por reducir la cantidad que habitualmente agrega a su café, té, cereal, etc.

Además, reduzca a la mitad la cantidad de azúcar que usa en las recetas de cocina. Sin embargo, debido a que el azúcar suaviza la masa y permite que la superficie se dore mejor, algunas recetas pueden no dar buenos resultados sin azúcar.

Qué hacer: Prepare recetas que no piden azúcar. Su ausencia no afectará la textura de muchos alimentos.

Ejemplo: Los pasteles de fruta que se hacen con frutas totalmente maduras tienen un sabor muy dulce sin la media taza –o más– de azúcar que con frecuencia se pide en la receta.

Reduzca gradualmente el consumo de azúcar hasta que sus papilas gustativas se adapten. Si es un adicto al azúcar, trate de eliminar azúcar por completo.

●**Satisfaga sus ansias de consumir azúcar.** La fruta es su mejor opción. Además de los nutrientes y de las sustancias químicas que combaten enfermedades, conocidas como *fitoquímicos*, la fruta proporciona fibra. Esta reduce la absorción de azúcar en el torrente sanguíneo.

La fruta no le proporcionará la misma ráfaga de energía que obtiene del azúcar refinada. En parte, esa es la causa por la cual el azúcar es tan adictivo para algunas personas.

Una vez que se acostumbre a comer fruta en lugar de, digamos, galletitas o golosinas, agregue verduras a su repertorio de meriendas (refrigerios).

Cocine al vapor algunas papas blancas, batatas (boniatos, camotes, "sweet potatoes") calabacines ("squash") y otras verduras que contengan carbohidratos complejos.

Los carbohidratos complejos se transforman en azúcar en su tracto digestivo. Esto proporciona una corriente constante de azúcar en el torrente sanguíneo.

Mantenga estos alimentos en su refrigerador junto con tiritas de pimientos (ajíes, "peppers") verdes y rojos, jícama, zanahorias y apio.

Útil: Cepíllese los dientes cuando sienta ansias de consumir azúcar. La mayoría de las pastas dentales contienen un edulcorante artificial. Con frecuencia, éste satisface esas ansias.

●**No guarde alimentos que contengan azúcar en su hogar.** De ese modo, si siente ansias de consumir azúcar, se verá obligado a ir al supermercado para satisfacer su hábito.

Esta táctica dilatoria le dará tiempo de cambiar de parecer y moderar –o disminuir– las ansias.

Las ansias de consumir azúcar con frecuencia desaparecen dentro de unos 15 minutos. Si todavía tiene que consumir azúcar después de haber llegado al supermercado, compre la menor cantidad de lo que desee y disfrútelo. Después tire a la basura lo que no consumió… o regálelo.

●**Sea consciente del estrés psicológico.** ¿Hay algo que le produce ansiedad? ¿Se está poniendo ese refrigerio dulce en la boca para calmar el malestar emocional?

En lugar de abrir el refrigerador, trate de hacer ejercicios, escribir en su diario, respirar hondo, hacer yoga, escuchar música, rezar o meditar –cualquier cosa que le ayude a aliviar el estrés.

Una vez que haya eliminado –o por lo menos disminuido– su consumo de azúcar, apreciará el dulzor natural de muchos alimentos saludables. Una zanahoria o un trozo de fruta sabrá tan bien como alguna vez sabían las golosinas.

El dulce que alarga la vida

La miel puede ayudar a prevenir la enfermedad del corazón y el cáncer. Es tan rica en antioxidantes como algunas frutas y verduras. Cuanto más oscuro sea el color, mayor será la cantidad de antioxidantes. La miel de alforfón (trigo sarraceno, "buckwheat") contiene las mayores cantidades. La miel de clavo ("clover honey") –el tipo de miel del que se dispone más comúnmente– tiene entre un tercio y la mitad de la cantidad, pero aun es una buena fuente de antioxidantes. Use miel en lugar de azúcar en el cereal, el té, etc.

Nicki J. Engeseth, PhD, profesor adjunto de química de los alimentos, en la Universidad de Illinois en Urbana, y líder de un estudio sobre el efecto de la miel en la sangre humana, publicado en el *Journal of Agricultural and Food Chemistry.*

Un sorprendente medicamento milagroso: El café matutino

Bennett Alan Weinberg y Bonnie K. Bealer, coautores de *The Caffeine Advantage* (Free Press) y *The World of Caffeine* (Routledge). Durante años han estado investigando la cafeína, trabajando con destacados científicos y médicos. Con sede en Filadelfia, llevan a cabo programas de educación que capacitan a los médicos en el uso de los fármacos.

Todos sabemos que la cafeína nos hace sentir más alertas. Pero ¿sabía usted que puede ser un medicamento potente con poderes curativos notables?

Durante decenas de años, los asmáticos han obtenido alivio con la cafeína. Algunas investigaciones han demostrado que también ayuda a prevenir la enfermedad de Alzheimer y la de Parkinson… limita el daño causado por un ataque cerebral ("stroke")… y disminuye la incidencia del cáncer de piel, de colon y de mama. Es un antioxidante más potente que la vitamina C para eliminar los radicales libres.

Además de prevenir enfermedades, la cafeína puede ayudarnos en nuestra vida cotidiana –por ejemplo, al levantar el ánimo y al maximizar la pérdida de peso.

¿Tiene alguna desventaja? Los estudios científicos que han examinado a decenas de miles de personas han revelado que la cafeína no es el villano que se pensaba que era. Por ejemplo, a pesar de lo que muchas personas piensan, no causa o empeora la hipertensión o los problemas del corazón.

Algunas personas padecen insomnio o nerviosismo después de haber consumido una gran cantidad de cafeína. Estos y otros efectos secundarios habitualmente desaparecen cuando se consume periódicamente o en pequeñas cantidades. Las mujeres embarazadas deben limitar su consumo de cafeína. Más de 300 ml por día aumentan el riesgo de sufrir un aborto espontáneo. Consulte a su médico.

CÓMO ACTÚA

Muchos de los beneficios cotidianos que nos aporta la cafeína provienen de sus efectos en los *neurotransmisores*, las sustancias químicas que regulan la comunicación entre las células nerviosas. La cafeína estimula los efectos de los neurotransmisores *dopamina* y *serotonina,* que mejoran el ánimo. También aumenta los niveles de *acetilcolina,* un neurotransmisor que mejora la memoria de corto plazo.

Los científicos del National Addiction Centre en Londres estudiaron a más de 9.000 personas y descubrieron que las que consumieron cafeína lograron una puntuación más alta en las pruebas de tiempos de reacción, razonamiento y memoria. Otros estudios han demostrado que la cafeína mejora las puntuaciones de las pruebas para determinar el coeficiente intelectual ("IQ test scores").

Una cantidad tan pequeña como 100 mg de cafeína –la cantidad contenida en cuatro onzas (120 ml) de café filtrado gota a gota ("drip-brewed")– estimula el ánimo y la memoria. Se necesitan mayores cantidades –200 mg o más– para lograr un desempeño mental o físico óptimo.

Usted no desarrollará una tolerancia a los efectos benéficos de la cafeína. Si 300 mg le ayudan a correr más rápido la primera vez que los consume, la misma dosis proporcionará el mismo beneficio aun después de consumir cafeína durante años.

La cafeína hace efecto en 15 minutos. Los efectos habitualmente duran entre tres y cuatro horas, pero esto varía de persona a persona. Las mujeres que toman anticonceptivos orales metabolizan la cafeína más lentamente y pueden sentir los efectos en sus organismos el doble de tiempo. Pero los fumadores metabolizan la cafeína con mayor rapidez y tienen un estímulo más breve.

La cantidad de cafeína "adecuada" varía de persona a persona. Algunas pocas personas apenas pueden tolerar una dosis de 50 mg de cafeína, mientras que muchas otras pueden consumir 500 mg o más todos los días sin problemas. Comience con unos 100 mg por la mañana y aumente gradualmente su dosis hasta que obtenga beneficios sin efectos secundarios.

También determine su "punto límite", la hora después de la cual el consumo de cafeína interfiere con su sueño. Este limite es distinto para cada persona. Algunas personas saben que no pueden consumir cafeína después del mediodía, mientras otras pueden consumirla inmediatamente antes de ir a dormir y duermen profundamente. El punto límite para muchas personas es de cinco a seis horas antes de ir a dormir.

Útil: Las píldoras de cafeína, como NoDoz, estimulan mejor que el té o el café. Una de las sustancias químicas que contienen el café y el té, el *ácido clorogénico,* atenúa parcialmente los efectos de la cafeína. Las píldoras de cafeína no actúan con mayor rapidez, pero los efectos son más notables y previsibles.

Aquí figuran cinco maneras mediante las cuales la cafeína puede mejorar su vida…

ALIVIE EL DOLOR DE CABEZA

La cafeína es un ingrediente activo de algunos analgésicos de venta libre, como Anacin y Excedrin, y de analgésicos recetados, como Darvon Compound-65.

Es particularmente útil para los dolores de cabeza causados por migrañas y tensión porque estimula los mecanismos naturales del cuerpo para combatir el dolor. Los estudios realizados en la Diamond Headache Clinic en Chicago demostraron que la cafeína eliminó el dolor de cabeza en casi dos tercios de los participantes –y que hizo efecto 30 minutos más rápido que el *ibuprofeno.*

Remedio de cafeína: Tome 200 mg de cafeína al primer síntoma de dolor de cabeza o de migraña… y, de ser necesario, siga tomando 100 mg cada dos o tres horas. Para obtener un alivio adicional, tome cafeína con 200 a 400 mg de ibuprofeno. Esta combinación aumenta los efectos analgésicos, sin que se corran riesgos.

ADELGACE

La cafeína estimula la liberación de *colecistoquinina* (CCK, por sus siglas en inglés), una hormona que suprime el apetito, demora la aparición del hambre y promueve una sensación de satisfacción. Además, la cafeína promueve la eliminación eficiente de grasas (*lipolisis*) y acelera el metabolismo.

Remedio de cafeína: Una dosis diaria de 200 mg ayuda a quemar entre 50 y 100 calorías adicionales. Eso significa una pérdida de cinco a 10 libras (de dos a 4½ kilos) por año. Comerá menos si consume cafeína 15 minutos antes de una comida particularmente tentadora.

OPTIMICE LOS EJERCICIOS

La cafeína mejora casi todos los aspectos de la actividad física, incluidas la resistencia, la velocidad y la capacidad pulmonar. También contribuye a la recuperación de las células musculares dañadas.

Remedio de cafeína: Una dosis de 200 mg aumentará la resistencia hasta en un 20% cuando haga ejercicios en una bicicleta fija, corra en la cinta sin fin ("treadmill") o haga otros ejercicios moderadamente vigorosos. Antes de realizar ejercicios más extenuantes –como correr una maratón– tome entre 300 y 400 mg de cafeína.

CONDUZCA CON MÁS SEGURIDAD

La fatiga del conductor es la principal causa de muerte en las carreteras. Un estudio realizado por el departamento estadounidense Health, Education and Welfare reveló que el estado de alerta y los tiempos de reacción de los conductores que consumieron 200 mg de cafeína aumentaron considerablemente en comparación con personas a las que no se les había dado cafeína.

Remedio de cafeína: Si se siente somnoliento mientras conduce, salga de la carretera… tome café o una píldora de cafeína… y luego duerma una siesta de 15 minutos. La cafeína ingresará en el torrente sanguíneo mientras descansa, lo que aumentará su estado de alerta cuando regrese a la carretera.

Advertencia: La mayoría de las personas primero descansan, y *después* beben café cuando vuelven a la carretera. Eso es peligroso –usted está grogui (atontado) debido a la siesta y la cafeína no ha tenido tiempo de surtir efecto.

COMBATA EL DESFASE HORARIO

Alrededor del 94% de los viajeros de larga distancia sufren fatiga, irritabilidad, dolor de cabeza o malestar gastrointestinal debido al desfase horario ("jet lag"). El cuerpo necesita un día para adaptarse a cada huso horario que usted atraviesa, en especial si viaja de oeste a este.

Remedio de cafeína: Antes de su viaje, evite la cafeína para que sus efectos sean mayores posteriormente. Pero no deje de consumir cafeína de manera abrupta. Esto puede producir síntomas de abstinencia, como dolor de cabeza y ansiedad. En cambio, disminuya su consumo, reduciéndolo en alrededor de 150 mg por día –por ejemplo, eliminando una taza de café. Cuando inicie su viaje, debería haber dejado de consumir cafeína totalmente durante un día o dos.

Tome una píldora de cafeína de 200 mg o beba alrededor de una taza y media de café inmediatamente después de llegar a su destino. Puede repetir la dosis cada tres horas hasta que llegue a su límite personal de cafeína. El aumento de energía le ayudará a estar despierto y ajustará el reloj de su cuerpo al nuevo huso horario.

Canela para la diabetes

Media cucharadita de canela ("cinnamon") por día puede reducir los niveles de azúcar en la sangre de los diabéticos en un 20%. Espolvoree canela en polvo sobre pan tostado o cereal… y mézclela con jugo o café.

Richard Anderson, PhD, químico investigador en el centro de investigación de la nutrición del departamento de agricultura de Estados Unidos en Beltsville, Maryland, y líder de un estudio de la diabetes tipo 2, publicado en *Diabetes Care*.

Beba cacao caliente

El cacao ("cocoa") caliente combate mejor las enfermedades que el vino o el té. Una taza de cacao caliente contiene alrededor de 611 mg de *fenoles* ("phenols") y 564 mg de *flavonoides*, dos potentes antioxidantes que protegen contra el cáncer y la enfermedad del corazón.

En comparación, una copa de vino tinto contiene 340 mg y 163 mg, respectivamente, de estos compuestos, mientras que el té verde contiene 165 mg y 47 mg… y el té negro contiene sólo 124 mg y 34 mg.

Bono: Aunque el chocolate es muy rico en antioxidantes, también contiene mucha grasa saturada. La cantidad equivalente de cacao contiene menos de 1 gramo de grasa saturada.

Chang Y. Lee, PhD, profesor y jefe de ciencia y tecnología de los alimentos, de la Universidad Cornell, en Geneva, estado de Nueva York.

Los arándanos agrios protegen contra las enfermedades

Los arándanos agrios ("cranberries") encabezan la lista de alimentos que combaten enfermedades. Contienen más compuestos benéficos por onza (por gramo) que otras importantes fuentes de nutrición, como el brócoli ("broccoli") y los arándanos azules ("blueberries").

Los arándanos agrios frescos y secos proporcionan la mayor protección antioxidante contra la enfermedad del corazón y el cáncer, seguidos por la salsa de arándanos agrios y el jugo de arándanos agrios.

Buena idea: Consuma media taza de arándanos agrios frescos o secos diariamente.

Joe A. Vinson, PhD, profesor de química de la Universidad de Scranton, en Pensilvania.

Las manzanas sanan

Un estudio reciente halló que la incidencia de cáncer de pulmón se redujo en un 60%… el asma en un 20%… y las muertes por enfermedad del corazón en un 20% en personas que consumían una manzana por día.

Teoría: Las manzanas contienen una gran cantidad del bioflavonoide *quercetina,* que ayuda a bloquear la acumulación de radicales libres en el cuerpo. El daño celular causado por los radicales libres contribuye al desarrollo de dichas enfermedades.

La autodefensa: Consuma una manzana pequeña todos los días para obtener este beneficio.

Otros alimentos ricos en quercetina: cebollas, col (repollo, "cabbage"), moras ("blackberries") y arándanos agrios ("cranberries").

Paul Knekt, PhD, epidemiólogo del National Public Health Institute, en Helsinki, Finlandia. Su estudio fue publicado en el *American Journal of Clinical Nutrition.*

El orégano también sana

El orégano tiene 42 veces más poder antioxidante que la misma cantidad en gramos que la manzana… 30 veces más que la papa… y 12 veces más que la naranja. Una cucharada de orégano fresco (o media cucharadita de orégano seco) contiene la misma cantidad de antioxidantes que una manzana mediana.

Otras hierbas ricas en antioxidantes son el cebollín ("chives"), el cilantro ("coriander"), el eneldo ("dill"), el perejil ("parsley"), la salvia ("sage") y el tomillo ("thyme").

Útil: Añada hierbas al agua caliente para preparar un té potente… o espolvoréelas sobre carnes magras y verduras.

Shiow Y. Wang, PhD, fisióloga y bioquímica en materia vegetal en el departamento de agricultura de Estados Unidos (USDA), en Beltsville, Maryland. Su estudio fue publicado en el *Journal of Agriculture and Food Chemistry.*

Elija pan de centeno en lugar de pan de trigo

Los panes de centeno ("rye") son más saludables que los panes de trigo ("wheat"). Los almidones (féculas) del pan de centeno se descomponen con más lentitud que los del pan de trigo y, como consecuencia, no producen aumentos repentinos de insulina. Los investigadores consideran que los picos altos y reiterados de insulina que se producen después de las comidas, causados por el gran consumo de carbohidratos, pueden aumentar el riesgo de desarrollar una resistencia a la insulina y a la diabetes tipo 2.

La autodefensa: En sus comidas diarias, reemplace el pan de trigo por el de centeno.

Hannu Mykkanen, PhD, profesor de nutrición de la Universidad de Kuopio, en Finlandia.

El jugo de uvas aumenta el beneficio de la aspirina

El jugo de uvas moradas ("purple grape juice") aumenta los efectos de protección cardiaca de la terapia de aspirina diaria. La aspirina ayuda a proteger de un ataque al corazón a las personas que corren ese riesgo, al prevenir la formación de coágulos sanguíneos. Pero la adrenalina que produce el ejercicio o los periodos de estrés psicológico pueden contrarrestar este efecto benéfico.

Resultado: Reducción de la protección contra ataques al corazón.

Las buenas noticias: Los *flavonoides* que contiene el jugo de uvas –al igual que la cerveza oscura y el vino tinto– bloquean los efectos de la adrenalina.

Lo mejor: entre 10 y 12 onzas (entre 300 y 350 ml) de jugo de uvas por día.

John Folts, PhD, profesor de medicina y director del laboratorio de investigación y prevención de la trombosis coronaria, en la facultad de medicina de la Universidad de Wisconsin, en Madison.

Leche de soja y calcio

Robert P. Heaney, MD, profesor de medicina de la facultad de medicina de la Universidad Creighton, en Omaha, Nebraska. Su estudio comparativo del calcio de la leche de vaca y el de las bebidas de soja fue publicado en el *American Journal of Clinical Nutrition.*

La leche de soja ("soy milk") no proporciona tanto calcio como la leche de vaca.

La razón: El calcio de la leche de soja es absorbido por el cuerpo con menor facilidad.

Si toma leche de soja: Trate de obtener más calcio por medio de productos lácteos descremados (desnatados) o con poca grasa ("low-fat"). O busque leche de soja que contenga 500 mg de calcio por taza –el cuerpo absorberá 300 mg, el equivalente de una taza de leche de vaca.

Más de Robert P. Heaney...

Cómo obtener calcio de fuentes no lácteas

Hay diversas maneras de obtener más calcio por medio de la dieta aparte de beber leche. Intente consumir una taza de brócoli ("broccoli") crudo picado (42 mg de calcio)... media taza de almendras secas no blanqueadas –"dried unblanched almonds"– (126 mg)... una lata de sardinas con huesos –"bone-in sardines"– (351 mg)... un vaso de ocho onzas (235 ml) de jugo de naranja fortificado con calcio –"calcium-fortified"– (300 mg)... y otros alimentos fortificados con calcio. La dieta estadounidense típica proporciona alrededor de 600 mg de calcio. Se recomienda consumir 1.000 mg por día. Para lograrlo, es posible que necesite suplementos.

Importante: Evite los suplementos elaborados con recursos naturales, como con conchas de ostras ("oyster shells") y harina de huesos ("bonemeal"), porque es más probable que contengan impurezas.

Advertencia: El consumo de calcio con tetraciclina o con hierro puede reducir su absorción.

El té fortalece los huesos

Los resultados de investigaciones recientes indican que la densidad ósea de la espina dorsal y de los huesos de la cadera de las personas que tomaron un promedio de dos tazas de té por día durante seis años fue alrededor de un 2% mayor que la de las personas que no tomaron té. Después de 10 años, la densidad ósea de los bebedores de té fue un 6% mayor.

Teoría: El fluoruro (flúor, "fluoride") y los compuestos químicos en el té, llamados *flavonoides,* aumentan la densidad ósea. Los distintos tipos de té –negro, verde y el chino "oolong"– proporcionan el mismo beneficio.

Chang Chin Jen, MD, director del centro de investigación sobre la diabetes y la obesidad, en el hospital universitario National Kung, en Taiwán.

El té negro fortalece el sistema inmune

Las personas que bebieron cinco tazas de té negro por día durante una semana tuvieron en la sangre seis veces más proteínas que combaten los gérmenes, que las que tenían antes de comenzar a tomar té.

Teoría: La capacidad del té negro de fortalecer el sistema inmune proviene de la *L-teanina,* un aminoácido que se encuentra en el té negro y en otros tés no herbarios.

La buena noticia: Es posible que tomar habitualmente sólo dos tazas por día pueda otorgar los mismos beneficios.

Debido a que el té puede reducir la absorción del hierro, las personas que padecen una anemia causada por la deficiencia de hierro deben limitar su consumo de té.

Jack Bukowski, MD, PhD, profesor clínico auxiliar de medicina en la facultad de medicina de la Universidad Harvard, y en el hospital Brigham and Women's, ambos en Boston.

Una bebida que combate el cáncer, la enfermedad del corazón, el resfriado y las caries

Lester Mitscher, PhD, distinguido profesor de química medicinal de la Universidad de Kansas, en Lawrence. El Dr. Mitscher fue galardonado por la American Chemical Society en reconocimiento por su labor –durante muchos años– dedicada a los tés y a la resistencia a los antibióticos. Es coautor de *The Green Tea Book: China's Fountain of Youth* (Avery).

Seguramente sabe que el té verde es bueno para la salud. Pero ¿sabía que tanto el té verde como el té negro ayudan a prevenir el cáncer, combatir la enfermedad del corazón y el resfriado, e incluso a prevenir las caries?

Hace más de 4.000 años, un emperador chino fue el primero en promover los beneficios que el té proporciona a la salud. *He aquí lo que han revelado las últimas investigaciones científicas...*

POR QUÉ AYUDA EL TÉ

El té negro y el té verde son elaborados con hojas de la planta *Camellia sinensis.* Las hojas contienen *catequinas,* antioxidantes que bloquean la acción de los radicales libres (moléculas perjudiciales).

La catequina más potente es el *galato de epigalocatequina* (EGCG, por sus siglas en inglés). Un estudio realizado en la Universidad de Shizuoka, en Japón, reveló que el poder antioxidante de la EGCG del té verde fue 200 veces mayor que el de la vitamina E, otro antioxidante.

El té verde se elabora con hojas nuevas y frescas, que se pasan por vapor inmediatamente para preservar las catequinas y después se secan. El té negro contiene aproximadamente la mitad de catequinas del té verde porque es sometido a un mayor procesamiento antes de secar las hojas.

BENEFICIOS ESPECÍFICOS

Entre los beneficios para la salud de las catequinas en el té se incluyen...

•**La reducción del riesgo de algunos tipos de cáncer,** incluyendo los cánceres de pulmón, de mama y del tracto digestivo. En un estudio de más de 35.000 mujeres durante ocho años realizado por la Universidad de Minnesota, las que tomaron dos o más tazas de té verde o de té negro diariamente tuvieron un riesgo 10% menor que las que rara vez tomaron té.

•**La reducción de enfermedad del corazón,** al bloquear la formación de la placa en las arterias coronarias. Un estudio realizado durante cuatro años por la facultad de medicina de la Universidad Harvard indicó que los participantes que bebían 14 o más tazas de té verde o de té negro por semana tuvieron, después de un ataque al corazón, una tasa de mortalidad menor en un 44% que las personas que no tomaron té.

•**La reducción de los resfriados y otras enfermedades.** El té impide que los radicales libres debiliten el sistema inmune. En un artículo científico, investigadores de la facultad de medicina y farmacología de la Universidad Toyama, en Japón, confirmaron los informes de que las catequinas en el extracto de té verde inhiben el desarrollo de los virus de la gripe. Científicos del centro de ciencias de la salud de la Universidad del Estado de Nueva York (SUNY) en Syracuse examinaron esta información y concluyeron que el té verde fortalece el sistema inmune.

•**El aumento de la densidad ósea.** Un estudio de más de 1.000 participantes indicó que tomar dos o más tazas de té por día durante por lo menos seis años aumentó la densidad ósea.

•**La prevención de las caries,** al bloquear el crecimiento de los *Streptococcus mutans,* las bacterias relacionadas con la placa dental.

•**Ayuda a la digestión** al fomentar el crecimiento de bacterias benéficas en los intestinos.

¿QUÉ CANTIDAD DE TÉ SE DEBE BEBER?

Trate de beber cuatro tazas de té verde o seis tazas de té negro por día. Los tés más caros pueden saber mejor, pero no necesariamente proporcionan más beneficios para la salud.

Deje reposar el té durante tres minutos o menos para asegurarse de que se liberen los antioxidantes. Si se deja reposar más tiempo, se produce más tanino, lo que hace que el té sea amargo.

El té frío produce los mismos beneficios, pero los antioxidantes se degradan con el tiempo, así que beba el té enseguida después de haberlo preparado.

El té contiene menos cafeína que el café – en comparación a los 160 mg de cafeína que contiene una taza de café americano filtrado ("brewed coffee")... el té verde contiene hasta 30 mg por taza... el té negro hasta 90 mg por taza. Las personas que son sensibles a la cafeína pueden preferir el té descafeinado. El proceso que extrae la cafeína del té no interfiere con sus beneficios para la salud.

Alternativa: Pruebe las cápsulas de té verde sin cafeína ("caffeine-free green tea capsules") que se pueden comprar en las tiendas de alimentos naturales ("health food stores"). Busque una marca que sea de elaboración orgánica, que no tenga conservantes ("preservatives") y cuya fecha de vencimiento garantice su frescura. La dosis habitual es de dos cápsulas de 250 mg por día.

Las nueces que combaten el colesterol

Un estudio ha revelado que el consumo de cantidades moderadas de nueces pecanas –"pecans"– (tres cuartos de taza por día durante ocho semanas) puede disminuir los niveles del colesterol "malo" LDL en un 10%.

Las grasas monoinsaturadas y poliinsaturadas de las nueces causan este efecto, en especial cuando las nueces reemplazan las grasas saturadas en la dieta.

Los estudios realizados con almendras ("almonds") y nueces de Castilla ("walnuts") han revelado resultados similares. Las nueces también contienen abundantes cantidades de vitamina E, cobre, magnesio y fibra benéfica para la salud del corazón.

Wanda Morgan, PhD, RD, profesora adjunta de nutrición humana y de ciencia de los alimentos en la Universidad estatal de Nuevo México, en Las Cruces.

Cocine las pastas "al dente"

La pasta que está levemente dura tiene un *índice glucémico* (GI, por las siglas en inglés de "glycemic index") menor que el de la pasta que se cocina hasta que está tierna.

Los alimentos con un índice glucémico bajo son absorbidos en el torrente sanguíneo con mayor lentitud que los alimentos con un índice glucémico alto y no provocan un aumento rápido del azúcar en la sangre. La absorción más lenta puede proteger del aumento de peso, la enfermedad del corazón y la diabetes.

Natural Health, 70 Lincoln St., Boston 02111.

Las zanahorias cocidas son más nutritivas que las crudas

Los niveles de antioxidantes aumentaron más de un 34% después de que las zanahorias fueron cocinadas –y siguieron aumentando mientras las mantuvieron a una temperatura de 104°F (40°C) durante una semana.

El calor suaviza el tejido de las zanahorias y permite la liberación de los antioxidantes adheridos a las paredes de las células. Este fenómeno también puede ocurrir en otras verduras.

Luke Howard, PhD, profesor de ciencia de los alimentos de la Universidad de Arkansas, en Fayetteville.

La trampa de los alimentos orgánicos

Los anunciantes pueden afirmar que los productos orgánicos están cultivados sin pesticidas. Pero un estudio ha revelado que un 23% de estas frutas y verduras contienen rastros de pesticidas. Esto se debe a que los pesticidas de larga vida, como el DDT, que ha sido prohibido en Estados Unidos, pueden permanecer en la tierra durante años.

Según una investigación reciente, el 73% de los productos no orgánicos contiene restos de pesticidas. Para estar protegido, lave muy bien *todas* las frutas y verduras.

Edward Groth III, PhD, asesor de las comunicaciones acerca de la salud y de los riesgos del medioambiente, de Groth Consulting Services, en Pelham, estado de Nueva York.

melocotones (duraznos, "peaches"), melón cantalupo, melón "honeydew", peras y tomates.

Manténgalos separados de las frutas y verduras sensibles al etileno, como las berenjenas, brócoli, judías verdes (chauchas, ejotes, "green beans"), lechuga, manzanas, papas, pepinos, sandía y zanahorias.

Revista *Real Simple,* Time-Life Building, 1271 Avenue of the Americas, Nueva York 10020.

Productos con niveles altos y bajos de pesticidas

Las manzanas, cerezas, uvas, apio, lechuga y calabacines de invierno ("winter squash") conservan niveles altos de residuos de pesticidas. Las bananas (plátanos), arándanos azules ("blueberries"), mangos, sandía, brócoli, coliflor y berenjenas ("eggplants") generalmente tienen pocos residuos.

La autodefensa: Compre productos orgánicos, los cuales tienen menos residuos… lave muy bien todas las frutas y verduras antes de servirlas.

Caroline Smith DeWaal, JD, directora de seguridad de los alimentos del Center for Science in the Public Interest, en Washington, DC, y coautora de *Is Our Food Safe?* (Three Rivers).

Separe las frutas y las verduras

Algunas frutas y verduras producen *etileno*, un gas que causa que otras frutas y verduras se maduren más rápido. Mantenga las frutas y verduras que son sensibles al etileno separadas de las que emiten dicho gas.

Entre los productos que emiten etileno se incluyen los albaricoques (damascos, "apricots"), bananas (plátanos), ciruelas ("plums"), kiwis,

¿El lavado con agua de las frutas y verduras elimina todas las bacterias?

El lavado de las frutas y verduras con agua no elimina completamente las bacterias, como *E. coli* y *Listeria*, que pueden causar intoxicación alimentaria ("food poisoning").

Lo mejor: Llene una botella que tenga atomizador (rociador) con vinagre blanco o vinagre de sidra de manzana ("apple cider vinegar"), otra con agua oxigenada ("hydrogen peroxide") al 3%, la misma potencia que comúnmente se encuentra en las farmacias. Primero rocíe todas las frutas y verduras con el vinagre, cuya acidez mata la mayoría de los organismos. Luego rocíelas con el agua oxigenada, un potente oxidante que ayuda a eliminar la Listeria. Enjuague bien con agua.

Se recomiendan estas precauciones para todas las frutas y verduras, incluso las orgánicas.

Susan Summer, PhD, profesora y jefa del departamento de ciencia y tecnología de los alimentos, en el Instituto politécnico de la Universidad estatal de Virginia, en Blacksburg.

Mantenga bajos los niveles de mercurio

Para reducir al mínimo la exposición al mercurio proveniente del atún enlatado, consuma sólo el atún oscuro ("chunk light tuna" en Estados Unidos) en lugar de la albacora ("albacore") o el atún de carne blanca ("solid white tuna"). El primero es más oscuro que la albacora y proviene de atunes más pequeños, que generalmente contienen menos mercurio.

Boletín informativo *University of California, Berkeley Wellness Letter. www.wellnessletter.com.*

Asegúrese de que su agua sea segura para beber

Timothy McCall, MD, internista, editor médico de la revista *Yoga Journal* y autor de *Examining Your Doctor* (Carol Publishing) y de *Yoga as Medicine* (Bantam). *www.drmccall.com.*

El agua del grifo puede estar contaminada por cientos de sustancias potencialmente perjudiciales. Los expertos –incluidos los médicos– no están de acuerdo sobre el riesgo. Sin embargo, es una ingenuidad descartar los posibles perjuicios.

La mayoría de los estadounidenses obtiene el agua potable a través de un sistema municipal de suministro de agua. Si este es su caso, solicite a su empresa suministradora de agua una copia del *análisis de los contaminantes del agua potable municipal.* Por ley se les exige a las empresas que analicen sus aguas de manera periódica y que pongan los resultados del análisis a disposición del público.

Sin embargo, puede haber problemas si se confía solamente en estos análisis. El plomo proveniente de las cañerías y de los grifos de su hogar puede filtrarse en el agua después de que el agua sale del control de la empresa. Para saber si su agua contiene plomo, puede hacerla analizar. El costo es generalmente alrededor de $40.

Existen otros dos posibles problemas con los análisis de contaminantes que provee la empresa suministradora de agua. Primero, ellos brindan un "panorama instantáneo" de las toxinas. Una contaminación pasajera podría no ser evidente en el momento en que el agua fue analizada.

Segundo, hay centenares de sustancias químicas perjudiciales que no se consideran.

Si su agua procede de una fuente privada –o si está preocupado por su sistema comunitario de suministro de agua– considere hacerla analizar… no sólo por el plomo, sino también por otros metales pesados, pesticidas, nitratos y bacterias. Por lo general, una serie de análisis cuesta menos de $200, pero pida presupuestos. Aun entre los laboratorios autorizados, el precio varía bastante. Un laboratorio, National Testing Laboratories (800-458-3330), ofrece una amplia variedad de análisis por alrededor de $160.

Si necesita ayuda para localizar un laboratorio autorizado que efectúe análisis de aguas, comuníquese con el departamento de su estado que controla la calidad del agua ("water-quality"), o llame a la línea telefónica directa del departamento Safe Drinking Water de la agencia federal Environmental Protection Agency (800-426-4791). Tenga cuidado con las organizaciones que ofrecen análisis de agua gratuitos. Habitualmente tratan de vender un sistema de filtración que tal vez no necesite.

Usted podría invertir miles de dólares haciendo analizar el agua para detectar cualquier posible contaminante. Considero que eso no es práctico –ni asequible– para la mayoría de las personas. Recomiendo que se haga un análisis para detectar sólo los contaminantes más probables. Llame al departamento de salud local y pregunte qué tipos de contaminantes son comunes en su zona. Si los análisis revelan –o si usted sospecha– que hay contaminantes particulares, elija un sistema de purificación de agua que trate esos problemas específicamente. *Los mejores sistemas a considerar son…*

• **Los filtros de carbono ("carbon filters") eliminan el mal gusto,** el cloro y algunos compuestos orgánicos peligrosos. No son eficaces para eliminar virus y bacterias.

• **Los filtros de ósmosis inversa ("reverse osmosis filters") eliminan una gran variedad de minerales potencialmente tóxicos,** metales pesados y microorganismos infecciosos. Pero son caros y desperdician una gran cantidad de agua.

●**Los filtros para la destilación ("distillation filters") eliminan plomo,** microbios y contaminantes producidos por el ser humano. No son eficaces para eliminar los *compuestos orgánicos volátiles* como el benceno y el cloroformo, que han sido vinculados al cáncer.

Para obtener más información sobre sistemas de filtración de agua, comuníquese con la National Sanitation Foundation, llamando al 800-673-6275 o yendo al sitio Web *www.nsf.org.*

Indudablemente, el agua embotellada es una solución posible, pero no se fíe. Algunas son menos saludables que una buena agua corriente municipal. Dado el costo elevado de las marcas de mayor calidad, un sistema de purificación hogareño sería una mejor solución a largo plazo.

No obstante, tenga cuidado. Casi toda el agua embotellada carece de fluoruro (flúor, "fluoride") y muchas unidades de filtración hogareñas eliminan el fluoruro. Los niños podrían necesitar otra fuente de este elemento que protege los dientes.

Los alimentos que contribuyen a la relajación

Annemarie Colbin, PhD, especialista acreditada en educación de la salud y fundadora del Natural Gourmet Institute for Health and Culinary Arts, en Nueva York. La Dra. Colbin es autora del capítulo "Food for Relaxation" en *The Big Book of Relaxation* (The Relaxation Company). También es autora de *Food and Our Bones: The Natural Way to Prevent Osteoporosis* (Plume).

Usted probablemente sabe que los alimentos ricos en carbohidratos y fibra –y carentes de grasa hidrogenada (la grasa que contienen los alimentos fritos, la margarina, la manteca "shortening")– contribuyen a que se mantenga sano. Pero, ¿sabía usted que los mismos alimentos también ayudan a que su mente y cuerpo se relajen?

Las verduras cocidas al vapor, las frutas, el pan de trigo integral, el arroz moreno ("brown rice"), la polenta o el cereal de avena ("oatmeal") lo ayudan a relajarse al proporcionar a su cuerpo una fuente de energía que es metabolizada y absorbida constantemente –y al estimular la producción de serotonina, la sustancia química que relaja el cerebro.

Cuando estos alimentos se consumen con alguna proteína –pescado o pollo– producen calma y concentración.

MITOS ACERCA DE LOS ALIMENTOS

El alcohol y el azúcar refinada parecen tener un efecto relajante en el cuerpo. En realidad, con frecuencia causan somnolencia. Pero no se deje engañar.

Después de un alivio inicial de la tensión, los efectos del alcohol desaparecen y dejan a muchas personas tensas y enojadas.

Lo mismo se aplica al azúcar. Después de un "golpe" de azúcar inicial –la fuerza que hace que uno se sienta alerta y despejado– muchas personas se sienten agotadas.

Generalmente necesitan más azúcar para sentirse incentivadas nuevamente, y el ciclo de subidas y bajadas se torna habitual.

ALIMENTOS QUE RELAJAN

Para ayudar a mantener su energía equilibrada y que se sienta sin tensiones, coma una variedad de estos alimentos saludables…

●**Desayuno.** Comience el día con un pedazo pequeño de pescado acompañado de pan de centeno moreno ("dark rye bread")… o con un huevo orgánico sobre una tostada de pan integral… o con cereal de avena ("oatmeal") cocinado con pasas de uva ("raisins") y canela ("cinnamon") y espolvoreado con semillas tostadas de girasol ("sunflower seeds") y calabaza "pumpkin".

La combinación de carbohidrato y proteína lo hará sentir relajado y concentrado –a diferencia de un desayuno rico en grasas y azúcar (un "muffin" o "donut"/rosquilla), los cuales pueden crear la necesidad de beber más cafeína y consumir más azúcar a medida que transcurre la mañana.

En general, no recomiendo el consumo de productos lácteos. Entre otras cosas, tienden a hacer que algunas personas se sientan pesadas y congestionadas.

●**Almuerzo afuera.** Coma un sándwich hecho con pan de trigo integral ("whole wheat"), pan "pita", panecillo inglés ("English muffin") o pan de centeno ("rye") tostado.

Alimentos que satisfacen mucho: las carnes naturales cortadas en tajadas finas, como pavo (guajolote, "turkey"), pechuga de pollo o rosbif ("roast beef")… un poquito de mostaza o de mayonesa… y verduras, como lechuga, tomate, cebolla, zanahoria rallada o brotes ("sprouts").

Otra buena opción para el almuerzo es una sopa –cualquiera que tenga frijoles (habas, habichuelas, "beans") o guisantes (arvejas, chícharos, "peas") secos –como la sopa de guisantes secos ("split pea soup"), de lenteja, de frijoles "Yankee" o de frijoles negros. También son buenas las sopas de verduras sustanciosas ("hearty vegetable soup") y la sopa de pollo, acompañadas de pan y ensalada.

Si su objetivo es estar alerta y dinámico, consuma más proteínas y menos carbohidratos.

Buena elección: pescado o pollo asado acompañado de una ensalada. Evite el postre.

Mala elección: pasta y ensalada verde –es probable que lo deje relajado y listo para dormir una siesta, y sin ganas de encarar una actividad.

•**Almuerzo en casa.** Prepare puré de aguacate (palta, "avocado") con un poquito de "salsa" mexicana y sírvalo sobre un pan "pita" de trigo integral. Haga puré de salmón o sardinas enlatados, con un poco de jugo de limón, cebolla y apio picados, y espárzalo sobre galletas de centeno ("rye crackers").

La papa dulce. Un entremés o merienda relajante con poca grasa consiste en un ñame ("yam") o batata (boniato, camote, papa dulce, "sweet potato") horneado. Para tener los ñames a mano, hornee seis a la vez a 400°F (200°C) durante una hora –pero no los envuelva ni pinche la cáscara. Guárdelos en el refrigerador y sírvalos fríos, asados o fritos en una sartén, o cortados en tajadas y calentados al vapor.

•**Cena afuera.** Para dormir bien, elija pastas (evite la pesada salsa blanca Alfredo), polenta, arroz, verduras cocidas, ensaladas, curris, pescado fresco horneado o asado… y otras comidas que contengan pocas proteínas y muchos carbohidratos complejos.

Postre. Trate de comer algo que tenga frutas como un sorbete. Evite el chocolate, que contiene cafeína y azúcar.

•**Cena en casa.** Una cena vegetariana casera rica en fibra lo relajará y le proporcionará los nutrientes que necesita.

Buenas elecciones. Arroz moreno ("brown rice"), cebada ("barley"), polenta, "kasha", sopa de frijoles, verduras como el bróculi, ñame ("yam") o calabacín ("squash") horneado, y ensalada.

Postre. Algo que esté endulzado con jugo de fruta, malta de cebada ("barley malt") o almíbar de arce ("maple syrup"), el cual tiene la ventaja adicional de ser rico en calcio.

ALIMENTOS QUE SE DEBEN EVITAR

Algunos alimentos y bebidas estimulan el sistema nervioso y causan tensión e insomnio –sin importar si se consumen por la mañana o por la noche. *Para estar relajado evite…*

•**Cafeína.** Entre los alimentos y bebidas que contienen cafeína se incluyen las gaseosas, el chocolate, los tés –incluido el té verde– y algunos medicamentos recetados y de venta libre.

•**Alcohol.** Está bien tomar de vez en cuando un cóctel o una copa de vino con la cena, pero beber alcohol todos los días puede interferir con el sueño y causar cambios en el estado de ánimo.

•**Azúcar.** Cuando tiene ansias de comer algo dulce, pruebe un postre endulzado con jugo de fruta, malta de cereales ("grain malt") o almíbar de arce ("maple syrup"). El té de manzanilla ("chamomile") con miel es relajante. *He aquí una de mis delicias dulces favoritas…*

BANANAS AL ESTILO DE VERMONT

4 bananas (plátanos), maduras pero firmes

1 cucharada de mantequilla sin sal

1 cucharada de almíbar de arce

2 cucharadas de agua

Pele las bananas, córtelas por la mitad, luego corte nuevamente cada trozo por la mitad a lo largo. Derrita la mantequilla y viértala en una bandeja para hornear de 9 por 13 pulgadas (23 por 33 cm). Acomode las bananas en la bandeja, dándolas vuelta una vez para untarlas con un poco de mantequilla por el otro lado. Mezcle el agua y el almíbar de arce, y rocíe por encima de las bananas. Ase cinco minutos, o hasta que las bananas estén tiernas. Cuatro trozos por persona. Rinde cuatro porciones.

El yogur alivia las alergias

Puede sonar como un cuento de viejas, pero en un estudio, los adultos que consumieron 16 onzas (475 ml) de yogur de sabor natural ("plain yogurt") por día tuvieron menos síntomas de alergias, como estornudos, nariz que gotea y congestión nasal, que los que bebieron una cantidad igual de leche descremada (desnatada, "skim milk").

El yogur contenía dos tipos de bacterias "benéficas", *Lactobacillus acidophilus* y *Bifidobacterium bifidum,* que ayudan a crear un equilibrio saludable de la microflora en el tracto gastrointestinal. Esto permite que su cuerpo pueda combatir mejor los alérgenos.

Si sufre de alergias: Consuma yogur de las marcas Stonyfield Farms, Cascade Fresh y Horizon, en cuyas etiquetas figuran estos dos tipos de bacterias.

Carlo Aldinucci, investigador del departamento de fisiología de la Universidad de Siena, en Italia.

Los alimentos que desencadenan la fiebre del heno

Algunos alimentos y algunas hierbas contienen proteínas similares a las que se encuentran en el polen de la ambrosía ("ragweed") y pueden causar síntomas de alergias que pueden ser leves (picazón, estornudos) o graves (asma, bajada abrupta de la presión arterial).

Alimentos y hierbas que se deben evitar: bananas (plátanos), melón chino ("cantaloupe"), melón "honeydew", pepinos, sandía, calabacitas italianas "zucchini", manzanilla ("chamomile") y equinácea ("echinacea").

Útil: Evite estos alimentos y hierbas si le causan ardor, cosquilleo o picazón cuando los consume.

Si es alérgico, estos alimentos y hierbas también pueden desencadenar urticarias, ojos llorosos, un gusto metálico o picazón en el paladar (parte de arriba de la boca).

Leonard J. Bielory, MD, director de la división de alergia, inmunología y reumatología, de la University of Medicine and Dentistry of New Jersey, New Jersey Medical School, en Newark.

Los frijoles: El alimento perfecto

George L. Hosfield, PhD, investigador genetista jubilado del Departamento de Agricultura de Estados Unidos (USDA), y director de investigación sobre los frijoles de la Sugarbeet and Bean Research Unit, de la Universidad Michigan State, en East Lansing.

Los frijoles (alubias, habas, habichuelas, judías, "beans") son una fuente bien conocida de proteína y fibra. Pero pocas personas se dan cuenta de lo versátiles y nutritivos que realmente son. *Por ejemplo...*

Una porción común de frijoles (media taza de frijoles cocidos) contiene 8 gramos de proteína. Si come frijoles con una porción de un alimento integral —como una tajada de pan de trigo integral o media taza de arroz—, obtendrá una "proteína completa" que contiene todos los aminoácidos esenciales para mantener el cuerpo sano.

Una porción de frijoles tiene un tercio de las calorías de la carne de vaca y contiene menos de 1% de grasa. Mientras tanto, la carne de vaca no contiene fibra, pero una porción de frijoles tiene aproximadamente 7 gramos de fibra —alrededor de un 25% de la cantidad diaria que se recomienda consumir.

Debido a que los frijoles se digieren lentamente y no aumentan rápidamente los niveles de azúcar en la sangre, se afirma que tienen un índice glucémico (GI, por sus siglas en inglés) bajo*. Esto significa que los frijoles mantienen los niveles de insulina relativamente estables.

Los alimentos que tienen un índice glucémico alto, como el arroz blanco, los "bagels" y las

*El índice glucémico (GI) varía de 0 (nada de azúcar) a 100 (pura azúcar). La mayoría de los frijoles tiene un índice glucémico de alrededor de 30.

papas blancas, provocan fluctuaciones en el azúcar en la sangre y en la insulina, lo cual puede contribuir a que algunas personas desarrollen la diabetes.

VITAMINAS Y MINERALES

Media taza de la mayoría de los frijoles proporciona alrededor de un tercio del requerimiento diario de ácido fólico –una vitamina que ayuda a producir proteínas vitales y ADN (DNA, en inglés) en el cuerpo. El ácido fólico puede también disminuir el riesgo de sufrir un ataque al corazón.

Esa misma porción de frijoles también brinda alrededor del 15% de la dosis diaria recomendada de potasio (el cual es importante para la función de los nervios y músculos) y más del 10% de la cantidad recomendada de hierro (el cual es crucial para la función del sistema inmune).

Los frijoles son una buena fuente alimenticia de calcio para fortalecer los huesos, y media taza proporciona alrededor del 3% de la cantidad diaria recomendada. Eso puede no parecer mucho, pero es más calcio del que obtenemos de muchos otros alimentos, con excepción de los productos lácteos.

ANTIOXIDANTES

Los científicos han descubierto que la piel de los frijoles –la cobertura exterior– es rica en *flavonoides,* los antioxidantes que protegen del cáncer. El color de los frijoles determina el contenido de flavonoides; cuanto más oscuro es el frijol, más antioxidantes contiene.

Por esta razón, los frijoles negros son la fuente más rica de antioxidantes. Contienen *antocianinas,* los mismos antioxidantes que se encuentran en las uvas y las bayas ("berries") de color oscuro. De hecho, una taza de frijoles negros contiene la misma cantidad de antioxidantes que una copa de seis onzas (175 ml) de vino tinto.

Los frijoles rojos en forma de riñón (habichuelas coloradas, "kidney beans" o "chili beans") son la siguiente mejor fuente de antioxidantes, seguidos por los frijoles marrones (habichuelas pintas –"pinto beans"– o lentejas) y los frijoles amarillentos (garbanzos). Las habas blancas ("Great Northern beans" o "navy beans") proporcionan la menor cantidad de antioxidantes

de todas las variedades de frijoles. Sin embargo, las habas blancas aun son nutritivas debido a su contenido de fibras, proteínas, vitaminas y minerales.

Los frijoles de soja ("soybeans") son una fuente de *isoflavonas,* los antioxidantes que pueden reducir el riesgo de padecer osteoporosis y prevenir algunos cánceres, incluyendo los tumores malignos en la próstata.

Debido a que las isoflavonas de la soja producen una actividad similar a la de los estrógenos en el cuerpo, al parecer ayudan a prevenir el cáncer de mama en algunas mujeres –pero desgraciadamente pueden promover el crecimiento de tumores en otras.

Hasta que sepamos más, la mayoría de los médicos considera que los frijoles de soja son benéficos para la mayoría de las personas, pero las mujeres con cáncer de mama (o con factores de riesgo, como un historial familiar de la enfermedad) deben hablar con sus médicos antes de añadir frijoles de soja a su dieta.

PREVENCIÓN DE ENFERMEDADES

Numerosos estudios han demostrado que el consumo de frijoles puede prevenir el desarrollo de la enfermedad del corazón y del cáncer de colon.

El efecto benéfico de los frijoles para el sistema cardiovascular se debe principalmente a su alto contenido de fibra soluble. Se ha demostrado que la fibra soluble disminuye los niveles del colesterol "malo" (LDL, por sus siglas en inglés), que crea placa en las arterias. La fibra soluble también aumenta los niveles del colesterol "bueno" (HDL, por sus siglas en inglés), que ayuda a eliminar la placa arterial.

Además, según algunos estudios, las personas que comen frijoles más de dos veces por semana tienen un 47% menos de probabilidad de desarrollar cáncer de colon que las personas que comen frijoles con menor frecuencia.

Se han presentado varias teorías para explicar por qué las personas que comen frijoles habitualmente son menos propensas a desarrollar cáncer de colon. Los frijoles mantienen bajos los niveles de insulina, lo cual puede combatir el cáncer de colon. Se ha demostrado que los niveles de insulina altos promueven el cáncer de colon.

Los frijoles también ayudan a eliminar los radicales libres producidos por el metabolismo, los cuales dañan los tejidos y pueden ser parcialmente responsables por el cáncer de colon. Las fibras eliminan el material de desecho de los intestinos de modo que se forman menos radicales libres.

¿ENLATADOS O SECOS?

Los frijoles enlatados son muy convenientes y pueden ser preparados en pocos minutos. Sin embargo, generalmente contienen más de 300 mg de sodio por porción. (El consumo diario de sodio no debe exceder los 2.000 mg). Para reducir el contenido de sodio, enjuague bien los frijoles enlatados. Los frijoles secos generalmente contienen menos de 10 mg de sodio por porción, pero requieren hasta 12 horas de remojo y deben ser cocidos una o dos horas.

Para optimizar sus beneficios nutritivos, consuma por lo menos media taza de frijoles cuatro veces por semana. (Esta es aproximadamente la cantidad que contiene una lata de 19 onzas –540 g). Sin duda, obtendrá beneficios adicionales si consume más.

Para obtener el espectro completo de flavonoides, varíe el tipo de frijoles que consume. Por ejemplo, consuma frijoles negros un día, habichuelas coloradas y habas blancas al día siguiente, etc.

NO MÁS FLATULENCIA

Los frijoles producen gases intestinales porque los seres humanos carecen de una enzima llamada *alfagalactosidasa,* la cual es necesaria para digerir los azúcares complejos en los frijoles.

Se puede reducir el efecto de los azúcares complejos escurriendo los frijoles enlatados antes de servir. (Remojando los frijoles secos durante la noche y reemplazando el agua de remojo con agua fresca contrarresta el gas, pero también puede reducir el contenido mineral).

También puede añadir la enzima faltante a su sistema digestivo tomando un producto llamado Beano (disponible en las farmacias y supermercados) antes de consumir frijoles.

Cómo mejorar la digestión de los frijoles

Para que los frijoles no causen flatulencia, cocínelos bien y deseche el agua en la que los cocinó. La fécula de los frijoles que no se ha cocido es una de las causas principales del gas intestinal. Enjuague bien los frijoles enlatados después de sacarlos de la lata y deseche el agua, la cual contiene azúcares que no se pueden digerir. Aumente su consumo de frijoles de manera gradual durante unas semanas para que su cuerpo tenga tiempo de adaptarse.

Si aún tiene gases: Pruebe Beano, un producto de venta libre que ayuda a digerir los azúcares que causan gases.

Recordatorio: Los frijoles son muy nutritivos, contienen fibra, proteína, potasio, magnesio y otros nutrientes.

Franca Alphin, MPH, RD, profesora clínica auxiliar y dietista especializada en la salud de los estudiantes, en la Universidad Duke, en Durham, Carolina del Norte.

Secretos para evitar problemas digestivos

Rafael Kellman, MD, del Kellman Center for Progressive Medicine, en Nueva York. Es autor de *Gut Reactions* (Broadway).

Acidez estomacal… úlceras… reflujo gástrico… enfermedad intestinal. A más de la mitad de los estadounidenses adultos se le ha diagnosticado estos y otros problemas del tracto digestivo.

Los problemas gastrointestinales dan lugar a más visitas al médico que cualquier otra afección médica, con excepción del resfriado. Pero pocos afectados reciben un tratamiento eficaz.

Ahora existen pruebas de que los problemas gastrointestinales contribuyen a la enfermedad del corazón, la artritis y algunos problemas neurológicos, como la demencia.

¿Parece difícil de creer? Los investigadores han determinado que los intestinos (un conducto de 30 pies –unos 9 metros– que se extiende desde la boca hasta el ano) contienen las dos terceras partes de las células del sistema inmune que combaten las enfermedades del organismo. Actúan como los "guardianes" de la salud.

En un estudio publicado en la revista médica *Lancet,* se descubrió que los pacientes que padecían insuficiencia cardiaca congestiva tenían en la sangre altos niveles de *endotoxinas,* proteínas derivadas de bacterias que comúnmente se encuentran confinadas en los intestinos. La irritación o inflamación de las paredes intestinales hacen que las bacterias y sus toxinas pasen al torrente sanguíneo y se propaguen por todo el cuerpo. Esto desencadena reacciones inflamatorias que pueden causar enfermedad del corazón, artritis y enfermedades autoinmunes.

¿ESTÁ PERJUDICANDO A SUS INTESTINOS?

Con frecuencia, los problemas intestinales son causados por algunos de los tratamientos y prácticas alimentarios que las personas siguen para tener una buena salud gastrointestinal y general.

Ejemplo: Los estadounidenses gastan más de 1.000 millones de dólares por año en antiácidos de venta libre para tratar de eliminar la acidez y el malestar estomacales.

Problema: El uso prolongado de antiácidos disminuye los niveles de los ácidos estomacales y causa un desequilibrio en los microbios del tracto digestivo. Esto no sólo permite que prosperen los virus y las infecciones estomacales, sino que también bloquea la absorción de calcio, zinc y magnesio.

Mejor que los antiácidos de venta libre: La raíz de regaliz deglicirrizinada (DGL, por sus siglas en inglés). La raíz de regaliz ("licorice root") hace que las paredes estomacales sean más resistentes a las enfermedades producidas por alimentos e inhibe el crecimiento de la bacteria *Helicobacter pylori,* una causa principal de la formación de úlceras. Pregúntele a su médico si puede tomar una tableta de 500 mg de raíz de DGL 30 minutos antes de cada comida.

CURACIÓN NATURAL

Los regímenes herbarios y dietéticos pueden prevenir y curar la mayoría de los trastornos gastrointestinales. A diferencia de la mayoría de los medicamentos recetados y de venta libre, el método natural trata la causa del problema en lugar de los síntomas. Los tratamientos naturales generalmente son también más seguros que los medicamentos*.

• **Enfermedad del reflujo gastrointestinal** (GERD, por sus siglas en inglés). Esto sucede cuando el ácido del estómago vuelve al esófago y causa una sensación de ardor en el pecho.

Qué hacer: Tome una tableta de 1.000 microgramos (mcg) de la vitamina B-12 y una tableta de 800 mcg de ácido fólico por día. No consuma pastas, pan, chocolate ni café.

• **Úlceras.** Las lesiones en la membrana mucosa del estómago causan un dolor agudo y persistente semejante a un calambre.

Qué hacer: Tome 800 mcg de ácido fólico dos veces por día y 500 mcg de raíz de DGL 30 minutos antes de cada comida. Tome 2 gramos de la hierba botón de oro (hidraste, "goldenseal") dos veces por día, durante 14 días.

Útil: El jugo de col (repollo, "cabbage") promueve la curación de las úlceras creando el revestimiento mucoso del estómago. Beba dos vasos por día.

Receta casera: En un extractor de jugos, mezcle dos tazas de col picada con cuatro tallos de apio y dos zanahorias.

• **Acidez estomacal e indigestión.** Estos causan gases, hinchazón, eructos y malestar estomacal.

Qué hacer: Tome 4 gramos del aminoácido *L-glutamina* ("L-glutamine") tres veces por día y 500 mg de raíz de DGL 30 minutos antes de cada comida. Tome 1.000 mg de mástique (almáciga, "mastic"), un aceite derivado de la sabia de un árbol, dos veces por día. Beba té de jengibre ("ginger") después de las comidas. Evite los *medicamentos antiinflamatorios no esteroideos* (AINE o NSAID, por sus siglas en inglés) de venta libre, los cuales pueden empeorar los síntomas.

*Advertencia: No deje de tomar su medicación actual ni comience los regímenes descritos aquí sin la autorización de su médico. Además, algunos suplementos pueden ser peligrosos para las mujeres que están embarazadas o amamantando.

Nota: Mi experiencia clínica demuestra que los pacientes que padecen GERD, úlceras o acidez estomacal frecuentemente se benefician del consumo a corto plazo de una dosis elevada de vitamina A. Consulte a su médico para que le indique la dosis. Demasiada vitamina A puede causar toxicidad en el hígado y defectos de nacimiento.

• **El síndrome del intestino irritable.** Esta afección causa diarrea o estreñimiento, gases excesivos y dolor gastrointestinal.

Qué hacer: Beba té de menta piperita ("peppermint"), melisa (toronjil, "lemon balm"), o jengibre ("ginger") para reducir los gases. Evite los productos de trigo. En cambio, aumente de manera gradual su consumo de productos de avena ("oat") y arroz. Las manzanas, legumbres (frijoles, habas, habichuelas, lentejas, guisantes y chícharos), pasas de uva ("raisins") y uvas pueden intensificar los problemas que causan los gases.

• **La enfermedad de Crohn.** Causa dolor abdominal agudo, defecación con sangre, fiebre y hemorragias en el recto.

Qué hacer: Tome una tableta de 800 mcg de ácido fólico por día, junto con un suplemento de fibra dietética. Tome una tableta de 500 mg de raíz de DGL 30 minutos antes de cada comida. Tome 2 gramos de aceite de pescado o de aceite de linaza ("flaxseed oil") tres veces por día y 2 gramos del bioflavonoide *quercetina* ("quercetin") y 4 gramos de L-glutamina ("L-glutamine") dos veces por día con las comidas. Además, tome 2 gramos de botón de oro (hidraste, "goldenseal") dos veces por día con las comidas durante 14 días. Evite todos los alimentos que contengan grasa hidrogenada, como margarina, galletitas, tortas y la mayoría de los refrigerios procesados empaquetados ("snack foods").

CÓMO EJERCITAR EL VIENTRE

De la misma manera que el ejercicio aeróbico habitual fortalece el corazón, su vientre también necesita un ejercicio diario para funcionar en forma adecuada. Esto es cierto aunque no tenga problemas gastrointestinales.

La actividad física adecuada estimula el flujo sanguíneo y mantiene los neurotransmisores que recubren la pared intestinal sanos y activos.

También recomiendo que practique la respiración profunda o yoga, o que haga ejercicios abdominales (como "sit-ups" o "stomach crunches") durante unos 10 minutos por día.

Útil: Mientras reposa tendido de espalda, masajee la zona del estómago durante unos 10 minutos, dos veces por día.

Evite la acidez estomacal en los restaurantes

Para prevenir la acidez cuando coma afuera, elija las comidas cuidadosamente. Las ensaladas habitualmente son buenas –pero pida que le sirvan el aderezo separado ("on the side") –así puede consumir menos.

La razón: La mayoría de los aderezos para ensaladas contienen grasa, lo que es más probable que produzca acidez en las personas que suelen padecerla.

Más opciones: pasta con una salsa simple, como pesto o salsa de limón, pero evite la comida italiana picante, especialmente en las salsas de tomate. La carne debe ser muy magra ("very lean"). La comida mexicana generalmente no causa problemas si evita el exceso de queso y usa una "salsa" suave ("mild") –pero los frijoles negros algunas veces causan acidez. Evite las comidas fritas o salteadas ("sautéed") –en su lugar pida comidas asadas ("grilled" o "broiled").

David Peura, MD, profesor de medicina de la Universidad de Virginia, en Charlottesville, y presidente de la American Gastrointestinal Association.

¿Cuánto tiempo se pueden guardar los alimentos?

Si no está seguro cuándo tirar la carne o la leche, siga estos consejos. *La agencia federal Food and Drug Administration (FDA) tiene directrices sobre cuánto tiempo se pueden guardar los alimentos sin correr riesgos...*

•**Carne de res molida** ("ground beef"). Hasta dos días refrigerada… cuatro meses congelada.

•**Pescado magro** –como el bacalao ("cod") o la platija ("flounder"). Hasta dos días refrigerado… seis meses congelado.

•**Pescado grasoso** –como el salmón o el pez azul ("bluefish"). Hasta dos días refrigerado… no más de dos o tres meses congelado.

•**Pollo entero.** Hasta dos días refrigerado… 12 meses congelado.

•**Carne procesada para el almuerzo** ("luncheon meats"). Hasta cinco días refrigerada… uno o dos meses congelada.

•**Leche.** Cinco días refrigerada… solamente un mes congelada.

FDA Consumer, Government Printing Office, Box 37195, Pittsburgh 15250.

¿Se pueden poner recipientes plásticos en el microondas?

Clair Hicks, PhD, profesora de ciencia de los alimentos de la Universidad de Kentucky, en Lexington.

Son aptos para poner en el microondas los plásticos con códigos de reciclado que indican que no corren riesgos en el microondas. Pueden usarse los recipientes de plástico que llevan el número 1 (*polietileno terphthalate*) y el número 5 (*polipropileno*). El plástico con el número 6 (*poliestireno*) sólo puede colocarse en el microondas si se cubre con una envoltura protectora transparente, como una de papel plástico apta para el microondas ("microwave-safe plastic wrap").

La mayoría de los biberones para bebés y sus envolturas desechables ("disposable liners") se pueden colocar en el microondas. Cualquier cosa rotulada como *nailon (nilón, "nylon"), apta para horno doble ("dual oven-able")* o *apta para microondas ("microwave safe")* también puede colocarse en el microondas.

Pero no ponga en el microondas los recipientes de plástico que lleven el número 2 (*polietileno de alta densidad*)… el número 3 (*cloruro de polivinilo*)… el número 4 (*polietileno de baja densidad*)… o el número 7 (que está hecho de otras resinas).

Tampoco: No coloque en el microondas envolturas plásticas o bolsas de plástico –salvo las que estén rotuladas como *aptas para microondas* ("microwave safe"). El papel encerado ("waxed paper") y las toallas de papel pueden usarse en el microondas.

Mejor: bols y recipientes de vidrio o de cerámica que están hechos para usar en el microondas –generalmente tienen una tapa de plástico con un escape de vapor específicamente diseñados para el microondas.

7

Dolor de cabeza, artritis y dolor crónico

Causas poco conocidas del dolor de cabeza

La International Headache Society (*www.i-h-s.org*) ha identificado más de 150 tipos distintos de dolor de cabeza. Aunque no hay necesidad de preocuparse por la mayoría de los dolores de cabeza, algunos podrían ser peligrosos y poner la vida en riesgo. (Para información en español vaya a *www.cefaleas.sen.es*, el sitio Web del Grupo de Estudio de la Cefalea de la Sociedad Española de Neurología).

Importante: Consulte a su médico si experimenta dolores de cabeza todos los días... tiene dolor de cabeza fuerte que aparece repentinamente o que no se alivia con analgésicos (calmantes del dolor) de venta libre, como aspirina o *ibuprofeno*... o tiene dolor acompañado de otros síntomas, como fiebre, rigidez en el cuello, convulsiones, olores extraños, cambios en la visión, entumecimiento en un brazo o una pierna, etc.

Entre las causas del dolor de cabeza...

MONÓXIDO DE CARBONO

La mala ventilación o un sistema defectuoso de calefacción pueden causar la acumulación de *monóxido de carbono*, un gas inodoro que desplaza al oxígeno en la sangre y el cerebro. Puede provocar síntomas persistentes –como dolor de cabeza, fatiga y debilidad general– durante meses o años.

Si sólo tiene dolor de cabeza en su casa y el dolor desaparece cuando sale, quizá padezca un envenenamiento con monóxido de carbono, especialmente si otros miembros de la familia también tienen frecuentes dolores de cabeza.

Contrate a un especialista para que revise su calefacción ("furnace"). Deje la puerta del garaje abierta mientras trabaje con un vehículo y el motor esté encendido –y no caliente el motor mientras esté en el garaje.

Seymour Diamond, MD, fundador y director de la Diamond Headache Clinic, y director de la Diamond In-Patient Headache Unit del hospital St. Joseph, ambas en Chicago. Es autor de *Conquering Your Migraine* y *Headache and Your Child* (ambos editados por Fireside).

RELACIONES SEXUALES

Un dolor de cabeza punzante podría desarrollarse durante el coito u ocurrir sólo durante el orgasmo. También conocidos como dolores de cabeza *coitales* u *orgásmicos,* usualmente son benignos –pero no siempre.

Una pequeña cantidad de dolores de cabeza durante las relaciones sexuales son causados por un *aneurisma* (un vaso sanguíneo dañado) en el cerebro o por un tumor en el cerebro. Consulte a su médico, quien probablemente le recomendará hacerse una *imagen por resonancia magnética* (MRI, por sus siglas en inglés) y una *arteriografía por resonancia magnética* (MRA, por sus siglas en inglés) para examinar los vasos sanguíneos en el cerebro.

Cuando las personas en buena salud tienen dolor de cabeza durante las relaciones sexuales, usualmente el dolor se debe al aumento de presión en el cerebro y en el líquido cerebroespinal. El medicamento recetado *indometacina* (Indocin), que se toma una hora antes del coito, frecuentemente evita este tipo de dolor de cabeza.

ESFUERZOS

El esfuerzo puede causar el mismo tipo de dolor de cabeza que el dolor durante las relaciones sexuales, probablemente por razones similares. El toser –así como el estornudar, reír, defecar y hacer ejercicios– aumenta la presión en el cerebro.

Consulte a su médico si el dolor es fuerte u ocurre cada vez que tose o estornuda. Esto podría ser indicio de un problema más grave que podría requerir la atención médica.

La mayoría de los dolores de cabeza debidos al esfuerzo son leves y desaparecen en unos pocos minutos.

ALCOHOL

El alcohol dilata los vasos sanguíneos y aumenta el flujo de sangre al cerebro. El aumento de la presión puede provocar dolor de cabeza.

Los licores de color oscuro –como el güisqui ("whiskey"), el ron, el vino tinto, etc.– tienen más posibilidades que los licores transparentes (como el vodka) de causar dolor de cabeza. Los licores oscuros contienen acetona y otras impurezas.

Mientras bebe alcohol, o justo después de beberlo, tome una cucharada de miel o un vaso de jugo de naranja. Éstos contienen *fructosa*, un azúcar que disipa el alcohol. Una taza de café también ayuda porque la cafeína estrecha los vasos sanguíneos –el efecto opuesto al alcohol. La cafeína es tan eficaz como el ibuprofeno, pero, al contrario del ibuprofeno, el efecto positivo desaparece después de 90 minutos.

NITRITO DE SODIO

Este conservante químico que se encuentra en los perritos calientes (panchos, "hot dogs"), el tocino (panceta, "bacon") y otros embutidos, dilata los vasos sanguíneos. Tan sólo un miligramo puede provocarles dolor de cabeza a las personas sensibles a este producto químico.

Estos dolores de cabeza usualmente comienzan dentro de la hora siguiente de haber ingerido nitrito de sodio. Son molestos pero benignos. El dolor casi siempre desaparece en una hora.

GLUTAMATO MONOSÓDICO (MSG)

El aditivo alimentario MSG (por las siglas en inglés de "monosodium glutamate") frecuentemente se usa en las comidas asiáticas, y es por esta razón que el dolor de cabeza causado por el MSG se llama a veces "síndrome de restaurante chino". Pero este nombre es engañoso, ya que el MSG se agrega a miles de alimentos envasados.

El MSG provoca que los vasos sanguíneos se dilaten en las personas sensibles a este aditivo. El dolor de cabeza usualmente comienza dentro de los 30 minutos siguientes al consumo de MSG y desaparece en una hora. Entre otros síntomas se incluyen presión en el pecho, enrojecimiento facial y malestar abdominal. En algunas personas los síntomas pueden retrasarse hasta 24 horas.

Las personas sensibles al MSG deberían leer todas las etiquetas de los alimentos. Cuando come fuera de casa, pida que las comidas se preparen sin MSG. La mayoría de los restaurantes están familiarizados con el inconveniente y acceden al pedido sin problema.

HELADO

Consumir helado o bebidas muy frías rápidamente puede provocar un breve pero intenso dolor de cabeza. Alrededor de un tercio de los estadounidenses lo experimentan, y es casi universal entre los que tienen migrañas.

El frío estimula el complejo nervioso esfenopalatino dentro de los senos nasales. El dolor de cabeza resultante es inofensivo y usualmente dura entre unos pocos segundos y dos minutos.

Coma lentamente los helados y otros alimentos fríos. Tome a sorbos las bebidas frías.

CAÍDA DE LA PRESIÓN ARTERIAL

Al levantarse después de estar recostado o sentado, la presión arterial disminuye. Las personas cuya presión arterial ya es baja –un efecto secundario común de los antihipertensivos y de algunos antidepresivos y medicamentos para el corazón– pueden experimentar fuertes dolores de cabeza cuando se levantan o se mueven demasiado rápido. Este tipo de dolor, llamado dolor de cabeza *ortostático,* es inofensivo. Los vasos sanguíneos se dilatan y se estrechan naturalmente cuando uno se mueve, y el dolor rara vez dura más de unos pocos segundos.

Levántese en etapas. Cuando esté recostado, levántese lentamente hasta sentarse, espere unos pocos segundos y luego lentamente póngase de pie por completo.

Si toma medicamentos para la presión arterial u otras afecciones, dígale a su médico si experimenta dolor de cabeza ortostático. Al cambiar de medicamento o de dosis, usted podría eliminar el dolor de cabeza.

Más de Seymour Diamond...

La cafeína y el ibuprofeno

La cafeína aumenta el efecto del ibuprofeno. Cuando los voluntarios tomaron el calmante del dolor junto al equivalente en cafeína de dos tazas de café, el 71% experimentó alivio completo del dolor. Tan solo el 58% de quienes tomaron solamente ibuprofeno experimentaron alivio completo. La combinación debería además aliviar otros tipos de dolor, incluyendo el dolor de espalda y el dolor muscular.

Si sufre dolor: Consulte a su médico acerca de tomar 400 mg de ibuprofeno junto a dos tazas de ocho onzas (235 ml) de café.

Remedio alimentario que alivia el dolor de cabeza

David Marks, MD, ex reportero médico de las estaciones de TV WNBC-TV y WCBS-TV, ambas en Nueva York, e internista con práctica en Norwalk, Connecticut. Fue director médico del New England Center for Headache en Stamford, Connecticut, y es coautor (con la Dra. Laura Marks) de *The Headache Prevention Cookbook–Eating Right to Prevent Migraines and Other Headaches* (Mariner).

Se sabe que el vino tinto y otras bebidas alcohólicas provocan el dolor de cabeza. Pero otros alimentos y bebidas menos obvios también pueden causar problemas.

Evitar estos alimentos puede con frecuencia aliviar el dolor y permitirle reducir o eliminar su uso de medicamentos para el dolor de cabeza*.

Importante: Informe a su médico acerca de su plan de dieta, de modo que pueda controlar su progreso y ajustar su tratamiento para el dolor de cabeza según corresponda.

He aquí cómo comenzar...

IDENTIFIQUE LOS ALIMENTOS QUE LE PROVOCAN DOLOR DE CABEZA

Decenas de alimentos pueden causar migrañas (jaquecas) y otros dolores de cabeza, pero la mayoría de las personas son afectadas sólo por unos pocos. Para identificar los alimentos que lo afectan, evite *todos* los posibles desencadenantes (vea la lista en la página que sigue) durante dos semanas. Si su dolor de cabeza está relacionado con los alimentos, notará una mejoría.

REINTRODUZCA LOS ALIMENTOS PROHIBIDOS

Después de dos semanas, vuelva a consumir *un* alimento de la lista de alimentos a evitar cada semana. Si no experimenta cambios, el alimento no le provoca dolor de cabeza. Si su dolor de cabeza vuelve o empeora, el alimento reintroducido es probablemente el

*Comuníquese de inmediato con un médico si su dolor de cabeza es peor o "diferente" a lo usual... aparece rápidamente y en forma muy fuerte... ocurre por primera vez después de los 50 años... o está acompañado de síntomas neurológicos, como parálisis, dificultades al hablar o pérdida del conocimiento. Estos síntomas pueden ser indicio de un aneurisma, un tumor en el cerebro, ataque cerebral ("stroke") o algún otro problema grave.

culpable y debería ser eliminado permanentemente de su dieta.

ALIMENTOS A EVITAR

•**Todas las bebidas alcohólicas,** incluyendo el jerez para cocinar ("cooking sherry").

•**Todos los quesos,** excepto estos: American, "ricotta", requesón ("cottage cheese"), Velveeta y queso crema ("cream cheese").

•**Cualquier alimento que contenga glutamato monosódico (MSG, por sus siglas en inglés) o conservantes,** incluyendo los que se encuentran en las sopas enlatadas.

•**Todas las semillas y las nueces** ("nuts").

•**Todos los chocolates,** algarroba ("carob"), y regaliz ("licorice").

•**El tocino** (panceta, "bacon"), los perros calientes (panchos, "hot dogs"), las salchichas ("sausage"), el salchichón "pepperoni", el "salami", la boloña, el jamón y todos los productos de carne enlatada, curada o procesada.

•**Los pepinillos encurtidos** ("pickles"), los chiles (ajíes, "chili peppers") y las aceitunas.

•**Los frutos secos no orgánicos,** como las pasas de uva ("raisins"), los dátiles ("dates") y los albaricoques (damascos, "apricots").

•**La salsa de soja** ("soy sauce"), el aceite de oliva y el vinagre, excepto el blanco y el de sidra ("cider").

•**Todos los edulcorantes artificiales,** incluyendo los que se encuentran en los refrescos dietéticos.

•**Las variedades no secas de mostaza,** salsa "ketchup" y mayonesa.

•**Todos los frijoles** (alubias, habas, habichuelas, "beans"), incluyendo las habas blancas ("lima beans"), las judías verdes (ejotes, "string beans"), los garbanzos y las lentejas.

•**La leche entera,** la crema agria ("sour cream"), el suero de leche ("buttermilk"), la crema batida ("whipped cream") y los helados.

ALIMENTOS A RESTRINGIR

•**Los tomates y las cebollas** –½ taza de cada uno al día.

•**Las naranjas,** las toronjas (pomelos, "grapefruits"), las mandarinas ("tangerines"), los limones y las limas (limones verdes, "limes") –½ taza de cada uno al día.

•**Bananas (plátanos)** – ½ banana al día.

•**Yogur de leche descremada/desnatada** ("skim-milk yogurt") – ½ taza al día.

•**Bebidas con cafeína** –16 onzas (475 ml) al día.

Los alimentos que pueden provocar el dolor de cabeza "misterioso"

Entre los alimentos que podrían desencadenar el dolor de cabeza se incluyen el maíz (elote, "corn"), el cual es una causa muy común… cualquier fruta demasiado madura… cualquier alimento encurtido ("pickled"), fermentado o marinado… y los productos horneados que contengan levadura ("yeast"), especialmente los recién horneados y aún calientes.

Tenga cuidado también con: las carnes conservadas o procesadas –boloña, perros calientes (panchos, "hot dogs"), salchichas ("sausages"), etcétera… quesos añejados… huevos… chocolate… bebidas que contengan cafeína o alcohol… cualquier alimento que contenga conservantes.

Robert Milne, MD, miembro fundador de la American Academy of Medical Acupuncture; miembro de la California State Homeopathic Society; y coautor de *An Alternative Medicine Definitive Guide to Headaches* (Future Medicine Publishing).

Los calmantes del dolor de acción más rápida

Para aliviar el dolor más rápidamente, use un analgésico (calmante del dolor) líquido, como Alka-Seltzer (una aspirina líquida), Tylenol líquido (*acetaminofeno*) o Advil líquido (*ibuprofeno*) para la primera dosis.

Los analgésicos líquidos son absorbidos por el cuerpo mucho más rápidamente que las tabletas y las cápsulas. Cambie a un medicamento antiinflamatorio como Advil o Aleve unas horas después.

Warren Scott, MD, especialista en medicina deportiva en Santa Cruz, California.

Cómo aliviar el dolor de cabeza –rápidamente

Cuando aparezca un dolor de cabeza, muévase. El ejercicio produce endorfinas que calman el dolor y mitigan el estrés.

Además: Beba una bebida con cafeína para acelerar la absorción de la aspirina… masajee la cabeza y el cuello. *Visualización guiada:* cierre los ojos… imagine agua moviéndose sobre usted en una playa soleada, con las olas aliviándole la tensión. Cuando se relaje, imagine su dolor de cabeza como un objeto. Conviértalo en forma líquida –y permita que se vaya por entre los dedos.

Roger Cady, MD, director médico del Headache Care Center en Springfield, Missouri.

El masaje de los pies alivia el dolor de cabeza

La reflexología –el masaje de puntos específicos de presión en los pies y otras extremidades– ayudó al 81% de quienes sufrían de migrañas o de dolor de cabeza causado por tensión, en un estudio reciente. Muchas personas pudieron dejar de tomar medicamentos para el dolor de cabeza después de usar la reflexología durante seis meses.

Para hallar un profesional de la reflexología en su zona, vaya al sitio Web en inglés *www. reflexology-usa.org.*

Laila Launso, PhD, profesora adjunta del departamento de farmacología social de la facultad de farmacología de la Universidad Real Danesa, en Copenhague, Dinamarca.

Remedios naturales para el dolor de cabeza

Alexander Mauskop, MD, profesor adjunto de neurología clínica en la Universidad del Estado de Nueva York (SUNY) en Brooklyn, y director del New York Headache Center, en Nueva York. Es coautor de *The Headache Alternative: A Neurologist's Guide to Drug-Free Relief* (Dell).

El medicamento que logra los mejores resultados para el dolor de cabeza depende del tipo de dolor de cabeza que tenga. *Entre los tipos distintos…*

•**Las migrañas** usualmente se tratan con *sumatriptán* (Imitrex), *zolmitriptán* (Zomig) u otros medicamentos del tipo "triptán".

•**Los dolores de cabeza causados por tensión** usualmente se tratan con medicamentos antiinflamatorios como ibuprofeno (Motrin) o naproxeno (Aleve).

•**Los dolores de cabeza en cúmulos** (en brotes, grupos) usualmente se tratan con sumatriptán u oxígeno inhalado.

Estos tratamientos son confiables y seguros para el uso ocasional, pero cuando los pacientes comienzan a usar la medicación para el dolor de cabeza más de dos veces a la semana, los malestares estomacales y otros efectos secundarios se transforman en una inquietud grave*.

Por esta razón, quienes sufren de dolor de cabeza deberían consultar al médico acerca de también intentar métodos sin medicamentos.

MODIFICACIÓN DE LA DIETA

Los dolores de cabeza crónicos frecuentemente tienen su origen en la sensibilidad a los alimentos. Para identificar los alimentos que provocan su dolor, intente una dieta de eliminación. *Esto es lo que hay que hacer…*

•**Durante una semana,** mantenga una lista de todos los alimentos y bebidas que consume. Asegúrese de incluir aderezos y condimentos.

•**En los 30 días siguientes,** evite todos los alimentos y bebidas que consumió durante

*Comuníquese con el médico de inmediato si su dolor de cabeza está acompañado por confusión, convulsiones o pérdida del conocimiento… dolor en el ojo o el oído… dificultad al hablar, entumecimiento, visión borrosa o problemas al caminar… fiebre o náuseas.

las 24 horas anteriores a cada dolor de cabeza que tuvo a lo largo de la semana.

•**Después de 30 días,** vuelva a introducir los alimentos sospechosos de a uno por comida. Antes de comer el alimento, tómese su pulso en reposo. Veinte minutos después de comer, tómese el pulso nuevamente.

Si su pulso después de comer el alimento tiene 10 o más latidos por minuto que su pulso antes de comerlo, podría ser sensible al alimento que ha vuelto a introducir en la dieta. Intente evitar este alimento por otros 30 días.

Si sigue siendo sensible a este alimento por varios meses, elimínelo permanentemente.

SUPLEMENTOS NUTRICIONALES

Los dolores de cabeza les ocurren con menos frecuencia a las personas cuyo consumo de ciertos nutrientes clave es adecuado. *Consulte a su médico acerca de tomar...*

•**Magnesio,** 400 mg al día. Este mineral no tiene efecto sobre los dolores de cabeza causados por tensión, pero es moderadamente eficaz contra las migrañas y los dolores de cabeza en cúmulos.

Más eficaz: las tabletas de magnesio quelado ("chelated") o de liberación lenta ("slow-release"). Se absorben mejor que las tabletas convencionales.

•**Aceite de pescado ("fish oil") o aceite de linaza ("flaxseed oil"),** 15 gramos al día. Son ricos en ácidos grasos omega-3, los cuales han sido vinculados a la disminución de la frecuencia y la intensidad de las migrañas.

•**Lecitina,** 200 mg al día. Esta proteína –que se vende como un polvo que puede mezclarse en bebidas– disminuye los síntomas de los dolores de cabeza en cúmulos.

•**Vitamina B-2** (riboflavina). Se ha demostrado que las dosis muy grandes de esta vitamina del complejo B –400 mg al día durante dos o tres meses– disminuyen la frecuencia y la intensidad de las migrañas.

Las dosis muy grandes deberían tomarse sólo bajo la supervisión de un médico.

ACUPUNTURA

La acupuntura puede combatir los dolores de cabeza causados por tensión y las migrañas. Usualmente, el paciente tiene

sesiones de tratamiento una o dos veces por semana durante 10 semanas, seguidas por sesiones mensuales de "mantenimiento".

Para hallar un acupunturista en su zona, comuníquese con la American Academy of Medical Acupuncture, llamando al 310-364-0193 o yendo al sitio Web en inglés *www. medicalacupuncture.org.*

Advertencia: Asegúrese de que el acupunturista usa agujas descartables.

En muchos casos, los dolores de cabeza pueden prevenirse mediante la acupresión, la variante de la acupuntura que se puede utilizar en casa sin ayuda. *Intente estas técnicas al comenzar a sentir dolor...*

•**Presione los pulgares contra los huecos entre los músculos del cuello,** apenas debajo de la base del cráneo y alineado con las orejas. Manténgalos en este lugar durante dos minutos, mientras respira profundamente.

•**Use los pulgares para presionar los rincones superiores internos de las órbitas de los ojos.** Manténgalos en este lugar por un minuto mientras respira profundamente.

•**Use el pulgar derecho para presionar sobre la parte superior del montículo carnoso entre el pulgar izquierdo y el dedo índice.** Manténgalo durante un minuto mientras respira profundamente. Cambie de mano y repítalo.

FACTORES AMBIENTALES

Para evitar la fatiga visual que provocan algunos dolores de cabeza, asegúrese de tener la iluminación adecuada para la tarea que esté realizando.

Las bombillas fluorescentes frecuentemente producen un parpadeo apenas perceptible que puede causar dolor de cabeza. Si existe alguna posibilidad de que el parpadeo de las bombillas fluorescentes sea la causa de sus dolores de cabeza, cambie a bombillas incandescentes.

Importante: Sométase a un examen de la vista con un profesional una vez al año. Esforzarse para compensar por la mala visión puede causar dolor de cabeza.

El moho, los ácaros del polvo y los hongos pueden provocar dolor de cabeza. Para eliminar estos agentes irritantes transportados por el aire, instale extractores de aire en su baño y su cocina… y un deshumidificador en su sótano y en cualquier otra área húmeda. La humedad en el interior debería mantenerse entre el 35% y el 40%.

Use jabón hipoalergénico sin perfumes ("scent-free hypoallergenic soap") y atomizadores sin aerosol ("nonaerosol sprays")

Algunos dolores de cabeza son provocados por la exposición crónica a los niveles bajos de *monóxido de carbono* (CO). Nunca deje un vehículo encendido en un garaje adjunto a la casa. Considere la instalación de un detector de CO ("carbon monoxide detector") en su casa.

REMEDIOS DE HIERBAS

La matricaria ("feverfew") puede disminuir la frecuencia y la intensidad de las migrañas. Si desea hacer la prueba con esta hierba, mastique dos hojas frescas o congeladas secas (liofilizadas, "freeze-dried") al día… o tome 125 mg de matricaria seca que contenga al menos un 0,2% de partenolido ("parthenolide").

No existe evidencia de que los remedios de hierbas sean eficaces contra los dolores de cabeza causados por tensión o en cúmulos.

TERAPIA DE MASAJES

Se ha demostrado que los masajes alivian los dolores de cabeza causados por tensión y las migrañas, pero no los dolores de cabeza en cúmulos.

Para hallar un terapeuta en masajes en su zona, comuníquese con la American Massage Therapy Association, llamando al 877-905-2700 o yendo al sitio Web en inglés *www.amtamassage.org*.

AUTORREGULACIÓN BIOLÓGICA ("BIOFEEDBACK")

Al usar dispositivos que miden la tensión muscular y el flujo sanguíneo, la autorregulación biológica le enseña a usted a relajar los músculos tensos… y aumenta el flujo sanguíneo hacia el cuero cabelludo. Estas técnicas pueden aliviar el dolor de cabeza.

Para los adultos, 10 o más sesiones de entre 30 y 60 minutos pueden ser necesarias. Los niños usualmente necesitan sólo cinco o seis.

Para hallar un terapeuta en autorregulación biológica en su zona, comuníquese con el Biofeedback Certification Institute of America,

llamando al 303-420-2902 o yendo al sitio Web en inglés *www.bcia.org*.

EJERCICIO

La actividad aeróbica es beneficiosa para las personas con dolor de cabeza crónico. Al agregar un *mantra* –una palabra o frase que se repite muchas veces para concentrar la mente– se aumenta el efecto.

Advertencia: Hacer ejercicios cuando tiene ciertos tipos de dolor de cabeza puede intensificar el dolor.

PARA EL DOLOR DE CABEZA PERSISTENTE

Si las terapias sin medicamentos no le dan resultado en tres meses, consulte a un especialista en dolores de cabeza.

Para obtener una lista de especialistas en su zona, comuníquese con la National Headache Foundation, llamando al 888-643-5552 o yendo al sitio Web *www.headaches.org*. Para temas en español, vaya directamente al sitio *http://www.headaches.org/education/Spanish_Topics*.

Más de Alexander Mauskop…

Cómo detener las migrañas

Los medicamentos analgésicos han brindado un grato alivio a millones de personas que sufren de migrañas. Pero los medicamentos no son la única arma eficaz contra las migrañas.

Muchas terapias alternativas, desde la acupuntura hasta los suplementos nutricionales, pueden mejorar la eficacia de los medicamentos contra las migrañas. En algunos casos, eliminan por completo la necesidad de tomar medicamentos.

CONTROL DEL ESTRÉS

El estrés psicológico puede provocar migrañas. Algunas personas que sufren de migrañas tienen dolor de cabeza durante periodos de estrés intenso. Otras tienen dolores de cabeza "feriados", o sea, después que el estrés ha disminuido.

Al entrenar nuevamente al sistema nervioso, la autorregulación biológica ("biofeedback") puede ser muy eficaz en combatir el estrés psicológico.

No necesita ser la autorregulación biológica convencional, en la cual el paciente –acoplado a electrodos– controla su nivel de ansiedad mediante señales visuales o auditivas. Casi cualquier técnica de relajación puede dar resultado –incluyendo la meditación, el yoga, la autohipnosis, la relajación progresiva o las artes marciales moderadas como el taichí.

ELIMINACIÓN DE LA CAFEÍNA

En pequeñas cantidades, la cafeína alivia el dolor de las migrañas. No es sorprendente que muchos analgésicos a base de aspirina contengan cafeína... y quienes sufren de migrañas frecuentemente beben café al sentir los primeros dolores.

Pero para aquellos que consumen más del equivalente a dos tazas de café al día, dejar de tomar una taza puede causarles el síndrome de abstinencia de cafeína, lo que puede provocar migrañas.

Lección: Las personas que sufren de migrañas y beben mucho café, té o bebidas cola con cafeína –o que consumen mucho chocolate, el cual también contiene cafeína– pueden beneficiarse al abandonar su hábito.

ALIMENTOS QUE PROVOCAN DOLOR DE CABEZA

La frecuencia y la intensidad de los dolores de cabeza pueden reducirse al evitar ciertos alimentos que los provocan...

•**Queso añejado ("aged"),** vino tinto, alimentos encurtidos ("pickled"), higos ("figs"), bananas y otros alimentos que contienen el aminoácido tiramina ("tyramine").

•**Yogur,** cerveza, pan recién horneado y otros alimentos fermentados.

•**Frutos secos.** La mayoría contiene sulfitos, conservantes que pueden provocar dolor de cabeza. Las pasas de uva ("raisins") contienen un pigmento rojo que puede provocar migrañas.

•**Los alimentos que contienen nitritos o glutamato monosódico** (MSG, por sus siglas en inglés).

•**El pan y la pasta elaborados con trigo.** Aunque una verdadera sensibilidad al trigo es rara, algunas personas que sufren de migrañas descubren que evitar el trigo los ayuda a controlar sus dolores de cabeza.

HÁBITOS DE SUEÑO NO ADECUADOS

Las migrañas pueden ser provocadas por dormir muy poco –o demasiado. Propóngase dormir ocho horas por noche. No intente "ponerse al día" durmiendo hasta tarde los fines de semana. En cambio, tome siestas cortas durante el día.

VITAMINAS Y MINERALES

El magnesio juega un papel clave en la función cerebral. Entre otras cosas, ejerce influencia en la dilatación de los vasos sanguíneos y los niveles de la serotonina –ambos factores en el dolor de las migrañas.

Hasta el 50% de quienes sufren de migrañas tienen una deficiencia de magnesio, según las investigaciones recientes.

La espinaca y otras verduras de hojas verdes oscuras son ricas en magnesio. Pero otras buenas fuentes de magnesio, incluyendo las nueces ("nuts") y los frijoles (alubias, habas, habichuelas, judías, "beans"), contienen compuestos que pueden provocar migrañas. Por esta razón, es difícil corregir una deficiencia de magnesio sólo por medio de la dieta.

Mejor: Consulte a su médico acerca de tomar un suplemento que contenga entre 300 y 600 mg de magnesio al día.

También útil: suplementos de la vitamina B-2 (riboflavina). Un estudio de doble ciego, publicado en la revista *Neurology*, halló que tomar 400 mg de la vitamina B-2 diariamente ayudó a reducir de manera significativa la frecuencia de las migrañas.

Es posible que tenga que tomar suplementos de vitamina B-2 por hasta cuatro meses antes de notar algún efecto.

MATRICARIA

La matricaria ("feverfew"), una hierba relacionada con la manzanilla ("chamomile"), ha sido usada durante siglos para tratar las migrañas. Estudios recientes han descubierto que el uso diario de la matricaria reduce la frecuencia de las migrañas en hasta un 25%.

La matricaria se vende en las tiendas de alimentos naturales ("health food stores"). La dosis usual es de 100 mg al día.

ACUPUNTURA Y MASAJES

La acupuntura puede ser muy eficaz en aliviar el dolor de las migrañas. Usted puede intentar una sesión de 20 a 30 minutos por semana durante 10 semanas como medida preventiva… además de "correcciones" periódicas si los dolores de cabeza vuelven.

Para hallar un acupunturista en su zona, comuníquese con la American Academy of Medical Acupuncture, llamando al 310-364-0193 o yendo al sitio Web en inglés *www. medicalacupuncture.org.*

El masaje combate las migrañas indirectamente al aliviar el estrés. Además, ciertos masajes parecen lograr buenos resultados en el alivio de las migrañas que no se pueden atribuir solamente a la reducción del estrés.

Varias técnicas de masajes para combatir las migrañas –descritas por Toru Namikoshi en su libro clásico *Shiatsu and Stretching*– han demostrado ser particularmente eficaces. *Intente lo siguiente…*

•**Coloque los pulgares en cada lado de la espina dorsal,** en los huecos entre los músculos del cuello, justo debajo de la base del cráneo. Incline la cabeza hacia atrás. Presione firmemente durante dos o tres minutos, respirando profundamente mientras lo hace.

•**Presione la membrana entre el pulgar y el dedo índice con el pulgar y el índice de la otra mano.** Presione fuertemente durante un minuto, respirando profundamente. Repítalo con la otra mano.

CUANDO LOS MEDICAMENTOS SON NECESARIOS

La presentación en 1993 del medicamento *sumatriptán* (Imitrex) fue celebrada como un gran avance médico para quienes sufren de migrañas –y no es de extrañarse.

Este medicamento recetado, que se toma al sentir los primeros indicios de una migraña, estrecha los vasos sanguíneos dilatados, aliviando no sólo el dolor sino también las náuseas y la sensibilidad a la luz y el ruido que con frecuencia acompañan las migrañas.

El sumatriptán puede tomarse en forma oral o, para un alivio más rápido, inyectarse o aplicarse en la nariz con atomizador (espray).

Por desgracia, el sumatriptán puede causar efectos secundarios desagradables, incluyendo presión en el pecho y un aumento pasajero de la presión arterial.

El sumatriptán y los medicamentos "triptán" más nuevos –incluyendo *zolmitriptán* (Zomig), *rizatriptán* (Maxalt) y *naratriptán* (Amerge)– están prohibidos para la mayoría de los pacientes cardiacos y las personas con riesgo de padecer enfermedad del corazón.

Entre otros medicamentos que han comprobado ser eficaces en la prevención de las migrañas se incluyen…

•**Anticonvulsivos,** como *ácido valproico* (Depakote) y *gabapentina* (Neurontin).

•**Antidepresivos.** Los tetracícliclos, como *nortriptilina* (Pamelor), *imipramina* (Tofranil) y *desipramina* (Norpramin), son más eficaces.

•**Betabloqueantes,** como *propranolol* (Inderal) y *atenolol* (Tenormin).

Adelantos para el alivio de los dolores de cabeza

Robert B. Daroff, MD, profesor de neurología y vicedecano interino de la facultad de medicina de la Universidad Case Western Reserve, en Cleveland. También fue jefe de personal y vicepresidente sénior de asuntos académicos de los University Hospitals of Cleveland, y presidente de la American Headache Society (*www. americanheadachesociety.org*).

Cuando los pacientes se quejan de dolor de cabeza, la mayoría de los médicos simplemente sacan sus recetarios.

Por suerte, los investigadores han descubierto muchos nuevos enfoques para prevenir y tratar esta afección tan común. *Estos son los últimos adelantos…*

MEJOR DETECCIÓN DE LAS MIGRAÑAS

Menos de la mitad de los 30 millones de estadounidenses que se estima que sufren de migrañas reciben un diagnóstico correcto. Los pacientes –y sus médicos– frecuentemente las confunden con dolores de cabeza causados por tensión o por sinusitis. Debido a que los tratamientos que podrían ser eficaces para esas afecciones no lo son para las migrañas, un diagnóstico erróneo con frecuencia causa frustración y molestias innecesarias.

Los expertos en dolores de cabeza no tienen dificultades para reconocer las migrañas. La razón principal del diagnostico acertado es que usualmente le dedican una hora a la evaluación de cada paciente nuevo. Los médicos de atención primaria no disponen de ese tiempo –y en algunos casos, de la experiencia necesaria– para identificar adecuadamente los síntomas de las migrañas.

Nuevo estudio: Los investigadores de la facultad de medicina Albert Einstein, en Nueva York, proporcionaron una encuesta sencilla a 443 pacientes que tenían un historial de dolor de cabeza. Se descubrió que más del 90% de quienes contestaron "sí" a dos de las tres preguntas clave padecía migrañas. *Estas eran las preguntas...*

• **¿Ha limitado un dolor de cabeza sus actividades** por uno o más días en los últimos tres meses?

• **¿Siente náuseas** cuando tiene un dolor de cabeza?

• **¿Le molesta la luz** cuando tiene un dolor de cabeza?

Repercusión: Esta prueba de tres preguntas les da a los médicos una guía rápida y precisa que puede ayudarlos a hacer un diagnóstico correcto.

Esta prueba no es una herramienta de diagnóstico perfecta. Por ejemplo, es posible que algunos pacientes que contestan "sí" a dos de las preguntas padezcan una enfermedad subyacente, como cáncer.

Advertencia: Los pacientes –y los médicos– frecuentemente confunden las migrañas con la sinusitis crónica. *No lo crea.* Los síntomas de las migrañas –dolor intenso con náuseas y cambios en la visión, como auras, pero sin fiebre– casi nunca son causados por infecciones de los senos nasales.

HIERBAS Y EL DOLOR DE CABEZA

Casi la mitad de todos los estadounidenses usan remedios de hierbas de vez en cuando, incluyendo ginkgo biloba para la memoria... ginseng para aumentar la energía... equinácea ("echinacea") para los resfriados... hipérico (corazoncillo, hierba de San Juan, "St. John's wort") para la depresión... suplementos de ajo para la salud del corazón, etc. La mayoría de las personas no se dan cuenta que algunas de estas hierbas comunes pueden en realidad provocar dolor de cabeza o interactuar con tratamientos convencionales para el dolor.

Nuevo estudio: Los investigadores de la Universidad de Utah identificaron los productos de hierbas que son más comúnmente usados en Estados Unidos. Luego exploraron la literatura científica e identificaron posibles efectos secundarios e interacciones con medicamentos.

Ginkgo biloba, ginseng, equinácea, hipérico y los suplementos de ajo interfieren con las enzimas del hígado que descomponen el medicamento para las migrañas *sumatriptán* (Imitrex) y los antidepresivos tetracíclicos *amitriptilina* (Elavil) y *nortriptilina* (Aventyl), que son también comúnmente usados para el tratamiento y la prevención de las migrañas.

Resultado posible: Niveles peligrosos de medicamentos pueden acumularse en el torrente sanguíneo.

Además, la combinación de hierbas con medicamentos podría hacer que los tratamientos sean menos eficaces, lo que puede causar que su médico le recete dosis innecesariamente altas.

Ginkgo biloba incluso podría causar dolor de cabeza en algunas personas.

Repercusión: Los pacientes que se están sometiendo a un tratamiento para el dolor de cabeza en cúmulos (en brotes, grupos) o las migrañas *no* deberían usar ginkgo biloba, ginseng, equinácea, hipérico ni suplementos de ajo, sin la supervisión de un médico.

BOTOX Y EL DOLOR DE CABEZA

Ya que los analgésicos de venta libre que se toman al inicio de un dolor de cabeza no siempre alivian los síntomas, algunos pacientes toman esos medicamentos todos los días. Pero el uso diario a largo plazo de dichos medicamentos aumenta el riesgo de tener efectos secundarios, como irritación gástrica o sangrado en el estómago.

Además, el uso diario de medicamentos recetados o de venta libre puede también causar graves dolores de cabeza de *"rebote"* –dolores de cabeza crónicos diarios que ocurren cuando pasa el efecto de un medicamento.

Nuevo estudio: Los investigadores de Kaiser Permanente, en San Diego, administraron inyecciones de la *toxina botulínica* (Botox), el popular tratamiento antiarrugas, a 271 pacientes con dolor de cabeza que no habían obtenido alivio con los tratamientos estándares. A los pacientes del estudio se les administraron inyecciones cada tres meses, durante un periodo de seis a 15 meses.

Al final del estudio, el 80% de los participantes dijeron que sus dolores de cabeza eran menos frecuentes, menos intensos o ambos. Alrededor del 95% informó que no tenían efectos secundarios. Este estudio confirma los resultados de estudios previos.

La mayoría de los pacientes recibe 30 pequeñas inyecciones por tratamiento, usualmente en áreas del cuero cabelludo donde el dolor está presente.

Repercusión: El Botox disminuye la frecuencia de los dolores de cabeza y es una buena opción para quienes no obtienen alivio con otros métodos. El uso del Botox para los dolores de cabeza aún es experimental, por lo que el seguro no paga por el mismo.

LAS VENTAJAS DE LA PSICOTERAPIA

El dolor debilitante de las migrañas puede afectar la salud emocional y también la física. Es común que las personas que tienen migrañas frecuentes se sientan incomprendidas o frustradas por amistades y colegas que no aprecian cuánto están sufriendo. Aunque los médicos rutinariamente tratan los síntomas físicos, con frecuencia no les prestan atención suficiente a los componentes emocionales del dolor de cabeza crónico.

Nuevo estudio: Los investigadores de la Universidad de Ohio sometieron a más de 100 pacientes con migrañas a una serie de pruebas psicológicas y neurológicas. Se halló que casi un tercio tenía trastornos del estado anímico o ansiedad, siendo la depresión el diagnóstico más común, seguido por el trastorno de ansiedad generalizada.

Es comprensible que las personas que sufren de migrañas frecuentes se depriman y tengan ansiedad, pero las migrañas no son la causa. Es posible que haya un tercer factor subyacente –quizá un desequilibrio de serotonina u otros neurotransmisores– que provoca las migrañas y los trastornos del estado anímico.

Repercusión: Las migrañas, además de otros tipos de dolor crónico, están con frecuencia acompañadas por depresión o ansiedad. Las personas deprimidas tienden a experimentar aun más dolor. Tienen además menos posibilidades de practicar las estrategias positivas para superar la situación, como hacer ejercicios o efectuar cambios saludables en la dieta.

Todos los pacientes con migrañas deberían considerar visitar a un psicoterapeuta para someterse a un tratamiento de psicoterapia o recibir medicamentos que podrían ayudarlos a sobrellevar el estrés psicológico relacionado con las migrañas.

Opciones para aliviar las migrañas

Fred Sheftell, MD, director y fundador de The New England Center for Headache, en Stamford, Connecticut, y presidente del American Council for Headache Education. Es coautor de *Conquering Daily Headache* (Decker).

Se estima que 28 millones de estadounidenses sufren de migrañas, pero menos de la mitad de ellos reciben tratamiento para el dolor. Como los síntomas de las migrañas tienden a ser tan variados, muchos médicos no logran dar el diagnóstico acertado, y mucho menos recetar el tratamiento correcto.

Como resultado, quienes sufren de migrañas con frecuencia dependen de analgésicos (calmantes) de venta libre, como *acetaminofeno* (Tylenol) o *ibuprofeno* (Advil).

Estos medicamentos de venta libre pueden aliviar el dolor leve, pero no el dolor moderado o fuerte. Si se toman con demasiada frecuencia o en dosis altas, estos analgésicos pueden empeorar –en vez de aliviar– el dolor de cabeza.

Las buenas noticias: Si padece migrañas, puede disminuir la frecuencia y la intensidad de sus ataques si evita ciertos alimentos y hace suficiente ejercicio. Si tiene migrañas fuertes frecuentes, los medicamentos recetados pueden eliminar e incluso prevenir el dolor.

¿SE TRATA REALMENTE DE UNA MIGRAÑA?

Las migrañas afectan al 6% de los hombres y al 18% de las mujeres. La predisposición a padecer migrañas es heredada.

Las fluctuaciones del nivel de *serotonina*, una sustancia química del cerebro, provocan las migrañas. Estos cambios afectan la actividad de los vasos sanguíneos, los cuales se inflaman y se dilatan.

Las migrañas duran entre cuatro y 72 horas y están acompañadas por náuseas… vómitos… o sensibilidad a la luz o el sonido. Las migrañas además causan al menos dos de estos síntomas –ocurren en un lado de la cabeza… causan dolor pulsante… interfieren con, o limitan, las actividades… empeoran con la actividad física.

Antes de diagnosticar una migraña, su médico debe descartar cualquier otra posible causa de su dolor de cabeza –en particular, la presión arterial alta o las alergias. Esas afecciones necesitan un tratamiento distinto.

EL PAPEL DE LA DIETA

Ciertos alimentos que contienen el aminoácido *tiramina* pueden provocar ataques de migrañas al dilatar los vasos sanguíneos.

Entre las fuentes de tiramina se incluyen el vino tinto, la cerveza y el alcohol de color oscuro, como el güisqui escocés y el burbon… el chocolate… las nueces ("nuts")… las bananas (plátanos)… las cebollas… la pizza… los aguacates (paltas, "avocados")… los productos de carne procesada… el cerdo… la crema agria ("sour cream")… los alimentos encurtidos ("pickled") y fermentados… y el queso añejado ("aged").

Los aditivos alimentarios *glutamato monosódico* (MSG, por sus siglas en inglés), grasa hidrolizada ("hydrolyzed fat") y *proteína hidrolizada* pueden también provocar migrañas al causar la retención de líquido y la dilatación de los vasos sanguíneos. Estos aditivos se encuentran en las papitas fritas ("potato chips") y los alimentos enlatados.

El magnesio ayuda a disminuir la frecuencia de los ataques de migrañas al estabilizar los nervios que, al excitarse, pueden provocar dolor de cabeza. Quienes sufren de migrañas deberían consumir suficientes alimentos que contengan este mineral. La espinaca y otras verduras de hojas verdes son buenas opciones.

Para asegurarse de que obtiene suficiente magnesio: Consulte a su médico acerca de tomar un suplemento de magnesio de 400 mg diariamente. Es posible que necesite tomar magnesio por cuatro meses, antes de notar resultados.

Los alimentos ricos en la vitamina B-2 (riboflavina) –como el brócoli ("broccoli"), el pescado y los productos lácteos– también ayudan a combatir las migrañas. Se cree que la riboflavina ayuda al aumentar la eficacia de la *mitocondria*, las microscópicas "centrales de energía" dentro de las células del cuerpo.

Considere tomar un suplemento que contenga 400 mg de vitamina B-2 todos los días. Se ha demostrado que esta dosis disminuye la frecuencia de las migrañas en más del 50%.

Un médico debería supervisar el tratamiento con vitamina B-2 si se toma con una dosis tan alta. Lleva entre tres y cuatro meses para dar resultados.

EL EJERCICIO PUEDE SER DE AYUDA

El ejercicio aeróbico mejora el flujo sanguíneo al cerebro y provoca la liberación de compuestos analgésicos llamados *endorfinas*. Después de cuatro meses de ejercicio habitual, quienes sufren de migrañas tienen menos ataques.

Camine, ande en bicicleta, nade o haga un ejercicio aeróbico durante 30 a 40 minutos, tres o cuatro días a la semana. Intensifique los ejercicios gradualmente hasta llegar a esta cantidad de tiempo.

¿SERÍAN NECESARIOS LOS MEDICAMENTOS?

Las migrañas moderadas o fuertes frecuentemente requieren una terapia con medicamentos. La medicación *adecuada* –tomada al sentir los primeros signos de un ataque de migraña– puede aliviar el dolor rápidamente.

Los medicamentos de tipo "triptán" son los más eficaces para detener las migrañas que no reaccionan a los cambios en el estilo de vida, como la dieta y el ejercicio.

•***Zolmitriptán* (Zomig).** Estas tabletas usualmente alivian el dolor en unos 60 minutos. Además, ayudan a prevenir las recurrencias.

●**Sumatriptán (Imitrex)** se encuentra disponible en forma de autoinyección, espray nasal o tableta. La inyección detiene el dolor en una hora. Al espray nasal y las tabletas les lleva más tiempo actuar, pero son ideales para los pacientes a los que no les gustan las inyecciones.

●**Naratriptán (Amerge).** Estas tabletas alivian el dolor más lentamente que las de sumatriptán o zolmitriptán pero son más eficaces en la prevención de reapariciones.

●**Rizatriptán (Maxalt)** es una tableta u oblea ("wafer") que se disuelve en la lengua. Quienes sufren de migrañas y también de náuseas con frecuencia prefieren la oblea. Rizatriptán puede además actuar de manera más rápida que otros medicamentos "triptán".

Efectos secundarios: Fatiga, molestias leves en el pecho y dolor opresivo en el cuello y en los hombros pueden ocurrir con cualquier "triptán". Las inyecciones tienden a actuar de manera más rápida, pero podrían ser más problemáticas que las tabletas o las obleas.

Los nuevos medicamentos de tipo "triptán", como *eletriptán* (Relpax), *almotriptán* (Axert) y *frovatriptán*, pueden detener las migrañas recurrentes mejor que los "triptán" antiguos.

Advertencia: Los medicamentos "triptán" están prohibidos para las personas con enfermedad de la arteria coronaria, presión arterial alta incontrolada (por encima de 140/90) y las que han sufrido un ataque cerebral ("stroke"). Quienes fuman o tienen otro factor de riesgo de contraer enfermedad del corazón –como obesidad o colesterol total por encima de 220 mg/dl– deben ser controlados detenidamente mientras estén tomando estos medicamentos.

MEDICAMENTOS PREVENTIVOS

Si los medicamentos de tipo "triptán" no alivian las migrañas en cuatro horas, o si los ataques son frecuentes, el siguiente paso es la medicina preventiva.

Cada persona reacciona de manera diferente a estos medicamentos, así que colabore con su médico para hallar el medicamento adecuado para usted. Entre las opciones se incluyen…

●**Betabloqueantes** ("beta-blockers"): *atenolol* (Tenormin), *nadolol* (Corgard), *propranolol* (Inderal) y *timolol* (Blocadren).

●**Bloqueadores de los canales de calcio** ("calcium channel blockers"): *verapamilo* (Calan).

●**Antidepresivos:** *amitriptilina* (Elavil) y *nortriptilina* (Pamelor), *fluoxetina* (Prozac), *paroxetina* (Paxil) y *sertralina* (Zoloft) son excelentes para la depresión pero menos eficaces para el dolor de cabeza.

●**Antiespasmódicos:** *divalproex* (Depakote).

●**Antagonistas de la serotonina-2** ("seratonin-2 antagonists"): *ciproheptadina* (Periactin).

●**Agonistas del adrenorreceptor alfa-2** ("alpha-2-adrenoceptor agonists"): *clonidina* (Catapres).

●**Analgésicos/sedantes:** aspirina o acetaminofeno, cafeína y un sedante leve (Fiorinal o Fioricet).

SEGUIMIENTO DE LOS SÍNTOMAS DE LAS MIGRAÑAS

Los síntomas de sus migrañas y su reacción al tratamiento pueden variar. Para ayudarlo a usted –y a su médico– a identificar patrones, es útil mantener un diario de dolores de cabeza.

Registre la duración de cada migraña… cualquier medicamento que tome… la severidad del dolor en una escala de 1 (menor) a 10 (mayor)… y el grado del alivio.

Con frecuencia, las migrañas pueden ser provocadas por eventos específicos, como trastornos emocionales… saltearse una comida… cambios en el estado del tiempo… ciertos alimentos… luces parpadeantes o brillantes… cambios en el sueño.

Registre los provocadores de las migrañas e intente evitarlos.

El reflujo gastroesofágico puede causar migrañas

El reflujo –también llamado indigestión ácida ("acid reflux", en inglés)– puede causar que el dolor se irradie desde las encías y dientes superiores hacia las mejillas y los ojos, un lugar común del dolor de las migrañas.

La autodefensa: Si padece reflujo gastroesofágico y migrañas frecuentes, consulte a su médico. Una dosis mayor del medicamento para el reflujo puede ayudar a prevenir los dolores de cabeza.

Egilius L. H. Spierings, MD, experto en dolores de cabeza del departamento de neurología del hospital Brigham and Women's y de la facultad de medicina de la Universidad Harvard, ambos en Boston.

Alivio para la artritis

John D. Clough, MD, reumatólogo jubilado del departamento de enfermedades reumáticas e inmunológicas de la Cleveland Clinic y autor de *The Cleveland Clinic Guide to Arthritis* (Kaplan).

Más de 21 millones de estadounidenses sufren de osteoartritis, una enfermedad articular degenerativa. Esta es la mala noticia.

La buena noticia es que ahora sabemos más sobre la enfermedad que nunca antes, incluso cómo enlentecer su progreso.

CAUSAS

Existen muchos tipos distintos de artritis. La osteoartritis es el tipo más común. Cuando se padece osteoartritis, se deteriora el cartílago que suaviza el extremo de los huesos en las articulaciones. Con el tiempo, el cartílago puede desgastarse por completo, dejando que un hueso friccione contra otro hueso.

La osteoartritis comúnmente afecta los dedos, el cuello, la parte inferior de la espalda, las caderas y las rodillas. *La causa exacta de la enfermedad no se sabe a ciencia cierta, pero estos son los factores de riesgo clave…*

•**Edad avanzada.** Las personas mayores de 45 años tienen un mayor riesgo de contraer la enfermedad. En las personas de mayor edad, el cartílago de las articulaciones contiene menos fluido y podría ponerse frágil, lo que lleva al deterioro.

•**Historial familiar.** La herencia juega un papel, especialmente en la osteoartritis de las manos. Este tipo de osteoartritis, que a la larga da a los dedos un aspecto nudoso (retorcido),

es más común en las mujeres cuyas madres también sufrían de esta afección.

•**Lesión previa.** No todas las lesiones en las articulaciones causan problemas, pero si sufrió el desgarro de un cartílago o la ruptura de los ligamentos en una articulación importante, entonces tiene más posibilidades de desarrollar un problema en esa zona.

•**Obesidad.** El exceso de peso ejerce una presión innecesaria en las articulaciones que soportan el peso del cuerpo –en particular en las caderas y las rodillas.

SÍNTOMAS PRECOCES

La osteoartritis con frecuencia progresa lentamente, pero puede haber indicios precoces…

•**Dolor en las articulaciones** durante o después de usarlas, después de un periodo de inactividad o durante un cambio en el estado del tiempo.

•**Inflamación y rigidez** en una articulación, en particular después de usarla.

•**Inestabilidad en las articulaciones,** especialmente perceptible en las rodillas, las cuales pueden tomar un aspecto patizambo (las rodillas se juntan) o de piernas arqueadas, a medida que el cartílago se deteriora.

•**Bultos óseos.** Con la osteoartritis de las manos, estos bultos (llamados nódulos de Heberden y nódulos de Bouchard) pueden aparecer en las articulaciones medias o finales de los dedos o en la base del pulgar.

CÓMO PROTEGERSE

No hay curación conocida para la osteoartritis, pero cambios en el estilo de vida pueden ayudar. *Para prevenir o enlentecer el progreso de la enfermedad…*

•**Pierda peso.** Si bien es obvio que correr y saltar pueden ser penosos para las articulaciones, si se excede de peso, incluso las actividades rutinarias como caminar o subir escaleras pueden resultar difíciles. Baje de peso, y así podrá reducir la presión sobre las articulaciones que soportan el peso de su cuerpo.

•**Haga ejercicios.** Elija actividades de bajo impacto, como caminar, andar en bicicleta y nadar, de modo que no ponga mucha presión sobre las articulaciones.

Si ha sufrido una lesión en la rodilla, también es útil hacer ejercicios de fortalecimiento del cuádriceps (el músculo en la parte delantera del muslo) y estiramiento de los músculos en la parte posterior del muslo ("hamstrings") para que esos músculos puedan estabilizar y mover mejor la rodilla.

Nuevo descubrimiento: Un estudio recientemente publicado en *Arthritis & Rheumatism* demuestra que las personas con osteoartritis en la rodilla que hicieron ejercicios con regularidad por hasta 18 meses tuvieron menos impedimentos y fueron capaces de caminar mayores distancias que las personas que abandonaron el programa.

Consulte a su médico antes de comenzar un programa de ejercicios. El médico podría recomendarle colaborar con un fisioterapeuta para planear un programa de ejercicios que satisfaga sus necesidades específicas.

MEDICAMENTOS

Los que padecen osteoartritis tienen varias opciones para el tratamiento...

•**Medicamentos por vía oral.** Los medicamentos más comúnmente usados para la osteoartritis son analgésicos (calmantes), como *acetaminofeno* (Tylenol) y medicamentos antiinflamatorios no esteroideos (AINE o NSAID, por sus siglas en inglés), que se dividen en dos categorías...

•AINE no selectivos. Los medicamentos como aspirina, *ibuprofeno* (Advil), *diclofenaco* (Voltaren) y *naproxeno* (Aleve) se usan comúnmente para el tratamiento de los síntomas causados por la inflamación (dolor, hinchazón, enrojecimiento, etc.), y le dan muy buenos resultados a algunas personas. Sin embargo, el uso a largo plazo de los AINE puede causar problemas que van de malestar estomacal a sangrado en el estómago.

•Inhibidores selectivos de las enzimas Cox-2 ("selective Cox-2 inhibitors"). Estos medicamentos fueron originalmente promocionados como con menos posibilidades de causar problemas gastrointestinales que los AINE tradicionales, pero la mayoría han sido retirados del mercado debido a los efectos secundarios potencialmente abrumadores. *Rofecoxib* (Vioxx), por ejemplo, fue retirado en septiembre de 2004, después de que un estudio demostró que el medicamento predispuso a las personas a sufrir un ataque al corazón. En la actualidad, se usa un solo inhibidor de las enzimas Cox-2, *celecoxib* (Celebrex), aunque se está estudiando si es seguro. Celebrex no parece causar los mismos riesgos para el corazón que Vioxx. Consulte a su médico.

Descubrimiento reciente: En un artículo publicado en *The Journal of the American Medical Association*, tres investigadores de la Universidad Harvard examinaron 114 ensayos clínicos de Vioxx, Celebrex y otros fármacos. Los investigadores descubrieron que Celebrex estaba relacionado con lecturas de presión arterial baja (al contrario de Vioxx, el cual estaba relacionado con lecturas de presión arterial más alta).

•**Inyecciones.** En los casos en que una articulación en particular está muy inflamada, un médico podría optar por inyectar una preparación corticosteroide en la articulación. Esto puede proporcionar alivio rápido durante varios meses, pero el uso a largo plazo de corticosteroides puede ser perjudicial para el tejido y los huesos.

SUPLEMENTOS

La *glucosamina* ("glucosamine") y el *sulfato de condroitina* ("chondroitin sulfate") juegan un papel en la estructura del cartílago y de otros tejidos conectivos –y se pueden obtener sin receta en suplementos. Un estudio masivo, conocido como el "Ensayo de intervención de la artritis con glucosamina y condroitina" (GAIT, por sus siglas en inglés), coordinado por la facultad de medicina de la Universidad de Utah, descubrió que en los pacientes con dolor moderado o fuerte, la glucosamina y la condroitina proporcionaron alivio al dolor estadísticamente significativo. Sin embargo, la combinación no dio mejores resultados que un placebo en el grupo general de pacientes.

Además, un estudio realizado sobre la glucosamina sugiere que potencialmente podría enlentecer el progreso de la osteoartritis de las rodillas, aunque no todos los estudios sobre este suplemento confirman este descubrimiento. Es necesario hacer más investigaciones, pero los suplementos parecen ser seguros.

Excepción: Las personas que son alérgicas a los mariscos no deberían consumir la glucosamina, ya que se elabora con mariscos.

REEMPLAZO DE LA ARTICULACIÓN

En la terapia de reemplazo de la articulación (artroplastia), la articulación dañada se quita y se reemplaza con una prótesis de plástico o de metal. El reemplazo de la articulación puede ser muy eficaz, en particular para las articulaciones más importantes que soportan el peso del cuerpo, como las caderas y las rodillas, permitiéndole disfrutar de una vida activa y sin dolor. El reemplazo del hombro también es eficaz, y la tecnología para articulaciones más pequeñas y complejas, como la muñeca y el tobillo, está mejorando.

Alivie el dolor de artritis... de manera natural

James M. Rippe, MD, profesor adjunto de medicina de la facultad de medicina de la Universidad Tufts, en Boston. El Dr. Rippe es el fundador y director del Rippe Lifestyle Institute, en Shrewsbury, Massachusetts, y autor de muchos libros, entre ellos, *The Joint Health Prescription* (Diane).

Más de la mitad de los estadounidenses mayores de 40 años enfrentan algún tipo de problema con las articulaciones, incluyendo la rigidez y el dolor artrítico. En las personas mayores de 60 años, los problemas en las articulaciones representan más del 50% de todos los casos de incapacidad.

En el pasado, los médicos usualmente recetaban analgésicos (calmantes) para el tratamiento de afecciones en las articulaciones. Pero esos medicamentos no resuelven los problemas subyacentes. *He aquí cómo obtener alivio duradero...*

EJERCICIOS

Hace una década, los médicos les decían a sus pacientes con dolor en las articulaciones que evitaran hacer ejercicios. Ahora sabemos, por medio de decenas de estudios, que el ejercicio habitual es una de las mejores cosas que se puede hacer por las articulaciones.

El programa ideal de ejercicios para mantener las articulaciones sanas debería incluir ejercicios aeróbicos y estiramiento, y también ejercicios de fortalecimiento...

•**Ejercicios aeróbicos.** El entrenamiento más seguro consiste en las actividades de bajo impacto como caminar, nadar y andar en bicicleta.

Evite correr o trotar, los ejercicios aeróbicos "step" y saltar la cuerda –podrían causarle una lesión en una articulación.

•**Estiramiento.** Dé vueltas a la cabeza, gire los hombros y haga estiramientos de los músculos en la parte posterior del muslo ("hamstrings").

•**Fortalecimiento.** Use pesas ("dumbbells") o máquinas de pesas. Los ejercicios de estiramiento y fortalecimiento ayudan a amortiguar y estabilizar las articulaciones.

Para comenzar un programa de ejercicios: Empiece con 10 minutos de ejercicio aeróbico todos los días. Cada semana, aumente ese tiempo por cinco minutos, hasta llegar a los 30 minutos de actividad aeróbica moderada todos los días. Haga ejercicios de estiramiento cada mañana y cada noche. Los ejercicios de fortalecimiento deberían hacerse un día sí, un día no.

No tiene que hacer todos los ejercicios diarios de una sola vez, con tal que acumule 30 minutos de actividad durante el día. Trabajar en el jardín, hacer las tareas del hogar y subir escaleras también cuentan.

Advertencia: Si ya padece artritis u otra afección grave en las articulaciones, como una lesión previa, pídale a su médico o fisioterapeuta que le recomiende los ejercicios adecuados para usted. Cualquiera que haya tenido una vida sedentaria debería consultar a un médico antes de comenzar un programa de ejercicios.

PÉRDIDA DE PESO Y NUTRICIÓN

Si usted tiene exceso de peso, perder tan sólo 10 libras (4 ó 5 kilos) reducirá el desgaste natural en las articulaciones. Aun si no tiene sobrepeso, la nutrición adecuada puede ayudar a mantener las articulaciones sanas.

No confíe en las "dietas para la artritis" que afirman que curan el dolor en las articulaciones mediante el uso de un solo tipo de alimento, o eliminando categorías enteras de alimentos. *Por lo contrario, simplemente siga principios básicos para tener una buena nutrición...*

•**Evite las grasas no saludables.** Una dieta rica en grasas provoca la inflamación –un componente clave de los problemas de las articulaciones. Esto se aplica especialmente a las grasas saturadas (que se encuentran en muchos productos de origen animal, como la carne roja) y los ácidos grasos omega-6 (que se encuentran en muchos alimentos procesados y aceites vegetales).

Útil: Sustituya las grasas monoinsaturadas, como el aceite de oliva y el de canola. Consuma alimentos ricos en ácidos grasos "buenos" omega-3, como nueces ("nuts"), semillas de lino ("flaxseed") y pescado de aguas frías, incluyendo salmón y caballa ("mackerel"). Esos alimentos ayudan a combatir la inflamación.

•**Consuma más alimentos ricos en vitaminas.** Las frutas y verduras son buenas fuentes de vitaminas antioxidantes. Los antioxidantes neutralizarán los radicales libres, los cuales dañan las células y contribuyen a la inflamación de las articulaciones.

Además, ciertas vitaminas pueden actuar directamente sobre las articulaciones. La vitamina C está relacionada con la producción de colágeno, un componente del tejido conectivo y del cartílago. El betacaroteno y las vitaminas D y K ayudan al desarrollo de huesos fuertes.

Para obtener mayor información sobre la nutrición y alimentación sana, comuníquese con la American Dietetic Association, llamando al 800-877-1600 o yendo al sitio Web que contiene información en español, *www.eatright.org*.

SUPLEMENTOS

Las investigaciones sugieren que ciertos suplementos pueden ayudar a aliviar los problemas de las articulaciones. *Pregúntele a su médico si alguno de los siguientes suplementos es adecuado para usted*…*

•**Vitaminas.** Aunque los alimentos son la mejor forma de obtener las vitaminas, es recomendable tomar un multivitamínico para asegurarse de que recibe todas las vitaminas que necesita. Entre éstas se incluyen el betacaroteno y las vitaminas C, D y E. La vitamina E es especialmente difícil de obtener en cantidades suficientes únicamente por medio de los alimentos,

*Los suplementos pueden interactuar con medicamentos –así que debe informar a todos sus médicos acerca de lo que está tomando.

pero grandes cantidades de vitamina E podrían ser peligrosas, por lo que debe consultar a su médico acerca de la cantidad adecuada.

•**Gelatina** ("gelatin"). Contiene glicina y prolina, dos aminoácidos que son importantes para la reconstrucción del cartílago. Estos aminoácidos se encuentran en productos hechos con proteína de colágeno hidrolizado (como Knox NutraJoint), los cuales se disuelven en jugo sin solidificarse –al contrario de la gelatina para cocinar.

Dosis diaria típica: 10 gramos.

•**Glucosamina** ("glucosamine"). Este azúcar es uno de los componentes básicos del cartílago. Cada vez más evidencia sugiere que los suplementos de glucosamina ayudan a aliviar el dolor y la rigidez de la artritis –sin efectos secundarios importantes.

Dosis diaria típica: 1.500 mg.

•**Condroitina** ("chondroitin"). Se cree que la condroitina, que se encuentra presente en forma natural en el cartílago, protege contra las enzimas destructivas. Varios suplementos combinan la glucosamina y la condroitina.

Dosis diaria típica: 1.200 mg.

El agua ayuda a combatir la osteoartritis

El dolor de la osteoartritis puede ser un síntoma de deshidratación en las articulaciones. Beber más agua a menudo mejora la afección después de unas cuatro semanas –el tiempo necesario para la rehidratación del cuerpo. Beba la mitad de su peso corporal en onzas (⅓ litro por cada 10 kilos de peso).

Ejemplo: Si pesa 160 libras, beba diariamente 80 onzas (10 vasos de ocho onzas cada uno). En el sistema métrico, si pesa 70 kilos, beba 7 veces ⅓ litro o 2⅓ litros. Beba más durante el verano, cuando la humedad es alta, y cuando haga ejercicios.

Ronald Lawrence, MD, PhD, miembro fundador de la International Association for the Study of Pain, en Seattle, Washington, y coautor de *Preventing Arthritis* (Berkley).

El jengibre alivia el dolor artrítico en la rodilla

Entre los pacientes de artritis que tomaban 225 miligramos de un extracto de jengibre ("ginger") al día, el 63% informó tener menos dolor al estar de pie y después de caminar 50 pies (15 metros).

Teoría: El jengibre contiene *salicilatos*, los mismos compuestos antiinflamatorios que se encuentran en la aspirina.

Cuando se toma en grandes dosis, la aspirina, a diferencia del jengibre, puede causar irritación en el estómago. El extracto de jengibre está disponible en la mayoría de las farmacias y tiendas de alimentos naturales.

Roy D. Altman, MD, profesor de medicina y jefe de la división de reumatología e inmunología de la facultad de medicina de la Universidad de Miami.

La cirugía de la rodilla artrítica tal vez no ayude a aliviar el dolor

Es posible que la cirugía artroscópica para la rodilla con artritis no sea eficaz. Esta cirugía implica extraer el cartílago dañado. En un estudio, algunos pacientes tuvieron una cirugía artroscópica verdadera y otros una cirugía placebo (se hicieron pequeñas incisiones, pero no se extrajo el cartílago).

Durante los dos años siguientes, los pacientes que tuvieron la cirugía placebo informaron de manera consistente tener las mismas mejoras que los pacientes que tuvieron la cirugía verdadera.

Nelda Wray, MD, jefa de medicina general del centro médico de Veterans Affairs, y profesora de medicina y ética médica de la facultad de medicina de la Universidad Baylor, ambos en Houston. Su estudio de 180 pacientes fue publicado en *The New England Journal of Medicine.*

Cómo detener el dolor en la rodilla –sin cirugía

Brian C. Halpern, MD, especialista en medicina deportiva y médico auxiliar en el Hospital for Special Surgery, y profesor clínico auxiliar de la facultad de medicina Weill de la Universidad Cornell, ambos en Nueva York. Es autor de *The Knee Crisis Handbook* (Rodale).

La rodilla es la mayor articulación abisagrada en el cuerpo humano, y está sometida a la mayor tensión física.

Ejemplo: Un adulto que pesa 150 libras ejerce una presión de entre 300 y 400 libras sobre la rodilla cuando corre o salta. (Y un adulto que pesa 75 kilos ejerce una presión entre 150 y 200 kilos cuando corre o salta).

A medida que envejecemos, somos cada vez más propensos a contraer la osteoartritis. Este desgaste de la artritis afecta a la rodilla más que a ninguna otra articulación.

La rodilla es además propensa a sufrir lesiones, la mayoría de las cuales son causadas por el uso excesivo –es decir, presionar los músculos y tendones más allá de su capacidad.

En las personas sedentarias, el poco uso es el problema principal. Las personas que no hacen ejercicios con regularidad carecen de la fortaleza muscular necesaria para darle a la rodilla el apoyo completo al realizar las actividades diarias, como trabajar en el jardín o correr para tomar un autobús.

Los principales tipos de lesiones en las rodillas...

•**Lesiones de los ligamentos.** La rodilla tiene cuatro *ligamentos* principales, cables fuertemente entretejidos que limitan el rango de movimiento de la articulación. Forzar la rodilla más allá de su rango normal de movimiento durante las actividades, como esquiar o jugar al fútbol, puede provocar un esguince o un desgarro. Muchas lesiones de los ligamentos pueden curarse por sí mismas, pero los ligamentos desgarrados podrían requerir reparación quirúrgica.

•**Lesiones de los meniscos.** Los dos *meniscos* en la rodilla actúan como arandelas de goma. Amortiguan el fémur y absorben los

235

impactos. Las lesiones pueden ocurrir al girar, doblar o agacharse, y usualmente implican desgarros en el cartílago, comúnmente debidos a movimientos súbitos. Los meniscos además se endurecen y degeneran con el tiempo. Los pequeños desgarros en los cartílagos se curan habitualmente de manera natural. Los desgarros más graves podrían requerir cirugía.

●**Tendinitis.** Esta irritación o inflamación de un *tendón* –el extremo grueso de un músculo que se sujeta al hueso– puede ser el resultado de correr o saltar. Usualmente mejora con remedios caseros, como bolsas de hielo, ejercicios de estiramiento y fortalecimiento, y medicamentos antiinflamatorios. Sin embargo, un tendón completamente desgarrado casi siempre requiere cirugía.

●**Bursitis.** A veces se le llama "rodilla de mucama" porque la inflamación de las *bursas* –las bolsas pequeñas llenas de fluido ubicadas donde los tendones se conectan con el hueso– es a menudo causada por el tipo de presión que ocurre cuando una persona se arrodilla, como lo haría alguien al fregar pisos. La bursitis puede ser intensamente dolorosa, pero los síntomas disminuyen cuando el fluido en las bolsas es reabsorbido por el cuerpo, usualmente en unas pocas semanas.

LAS CLAVES PARA LA PREVENCIÓN

Hay ciertos factores que predisponen a una persona a las lesiones en la rodilla –tales como problemas con la alineación de las piernas, diferencias en la longitud de las piernas o tener articulaciones muy flexibles –que no pueden cambiarse. *Pero la mayoría de los problemas de la rodilla pueden prevenirse con la atención adecuada...*

●**Beba líquidos durante todo el día.** Beber líquidos nutre los músculos y las estructuras alrededor de la rodilla al aumentar la circulación, transportar nutrientes y eliminar ácido láctico y otras toxinas que pueden producir dolor y lesiones. Propóngase beber unos seis vasos de ocho onzas (235 ml) de líquido todos los días.

●**Entrénese "en fases".** Si sus ejercicios son casuales –caminatas a buen ritmo, levantamiento de pesos ocasional, etc.–, hágalos a *distintas* horas del día.

La razón: Los músculos se adaptarán a un rango más amplio de estados corporales, como los cambios en los niveles de cortisol, la hormona del estrés. Esto ayuda a lograr un mejor estado físico general y fortalece la rodilla.

●**Tome glucosamina y condroitina.** Los suplementos combinados que contienen ambas sustancias ("glucosamine" y "chondroitin") ayudan a la regeneración del cartílago y a reducir la inflamación de las articulaciones.

Dosis típica: 1.500 mg de glucosamina y 1.200 mg de condroitina al día.

●**Reemplace el calzado deportivo cada 300 a 400 millas** (500 a 650 km). Esto es especialmente importante si realiza deportes de alto impacto, como tenis, correr (trotar, "jogging"), basquetbol, etc. La tensión sobre la rodilla es mayor cuando los zapatos envejecen y pierden elasticidad.

●**Evite los "asesinos de la rodilla".** Los ejercicios, como sentadillas profundas ("deep squats"), saltar o flexionar las rodillas, son una de las causas principales de las lesiones en la rodilla. Los ejercicios que emplean movimientos elásticos o de rebote para alargar los músculos frecuentemente pueden provocar que el músculo se contraiga en vez de estirarse. Haga ejercicios más controlados, como andar en bicicleta, nadar o caminar, si tiene un historial de lesión o dolor en la rodilla.

●**Obtenga suficiente calcio.** La mayoría de los adultos necesita entre 1.200 y 1.500 mg diariamente para mantener la fortaleza adecuada de los huesos. La pérdida de densidad ósea que ocurre frecuentemente con la edad debilita los huesos, aumentando los desgarros en los músculos, tendones y ligamentos que soportan la rodilla.

SECRETOS PARA EL TRATAMIENTO

Es común que las lesiones en la rodilla tarden semanas o meses en sanar por completo. *Éstas son las mejores opciones para el tratamiento...*

●**Aplique hielo.** Aplicar frío –como una bolsa de hielo o cubitos de hielo envueltos en una toalla– a la rodilla por unos 20 minutos tan pronto como sea posible después de una lesión, contrae los vasos sanguíneos y reduce la inflamación. Repita el tratamiento cada pocas horas, y siga haciéndolo durante dos días.

Útil: Un producto llamado Knee Cryo Cuff, disponible en algunas farmacias, comprime y enfría la rodilla al mismo tiempo. La compresión alivia el dolor y reduce la inflamación.

Precio usual: $125.

•**Descanse moderadamente.** No conviene esforzar la rodilla demasiado mientras esté curándose, pero sí conviene moverla en su rango normal de movimiento –*sin llegar a sentir dolor.* El movimiento estimula todas las células y también el líquido sinovial lubricante, el cual además proporciona nutrientes al cartílago circundante. Los pacientes que permanecen moderadamente activos se recuperan más pronto que quienes permanecen en reposo total.

•**Tome analgésicos.** Los medicamentos como la aspirina, *ibuprofeno* (Advil), *naproxeno* (Aleve) y otros medicamentos antiinflamatorios no esteroideos (AINE o NSAID, por sus siglas en inglés) reducen los niveles de prostaglandinas, las sustancias químicas que causan dolor y aumentan la inflamación y el daño a los tejidos.

•**Aplique crema analgésica.** Los ungüentos ("ointments") de uso externo y de venta libre, como Zostrix, contienen *capsaicina*, la sustancia que hace que los chiles (ajíes, "chili peppers") sean picantes. Estas cremas analgésicas eliminan de las células nerviosas la *sustancia P* que causa dolor. Los ungüentos no tienen mucho efecto sobre el dolor fuerte, pero parece que ayudan a aliviar las molestias leves en la rodilla. Anticipe el uso de una crema analgésica una o dos veces al día durante al menos una semana antes de sentir alivio.

MEJORES OPCIONES QUIRÚRGICAS

Si usted y su médico determinan que necesita cirugía en la rodilla, no se preocupe –no es la experiencia terrible que solía ser. Los cirujanos ortopédicos realizan artroscopias para todo excepto el reemplazo total de la rodilla.

Durante la artroscopia, delgados lentes e instrumentos se insertan en muy pequeñas perforaciones en la rodilla, lo que permite obtener una imagen bien iluminada y ampliada de la articulación de la rodilla para ver en el monitor de un televisor. El cirujano puede diagnosticar de manera más precisa la lesión y repararla, de ser necesario.

La artroscopia puede realizarse de manera ambulatoria. Usualmente, la recuperación lleva entre cuatro y seis semanas.

Más de Brian C. Halpern...

¿Es grave?

Algunas lesiones en la rodilla pueden tratarse en casa, pero otras requieren atención médica inmediata. *Consulte a su médico si...*

•**La rodilla no puede soportar ningún peso.** Esto puede ser un indicio de un desgarro en un cartílago u otra lesión grave.

•**No mejora después de unos días.**

•**La rodilla está infectada.**

Principales indicios: Calentamiento, enrojecimiento o inflamación.

•**La rodilla se traba o falla** cuando trata de caminar.

Avances increíbles en el reemplazo articular

Andrew A. Shinar, MD, profesor auxiliar de cirugía ortopédica y director del centro de reemplazo articular del centro médico de la Universidad Vanderbilt, en Nashville.

Los médicos solían desalentar a todos los adultos menores de 65 años a que se sometieran a una cirugía de reemplazo articular. Se pensaba que las articulaciones artificiales durarían sólo unos 10 años y el paciente necesitaría cirugías posteriores si viviera varias décadas más.

Eso ya no es así. Los materiales usados ahora en las articulaciones artificiales son muy duraderos y pueden funcionar 20 años o más.

Aunque la mayoría de las personas tienen pocas o ninguna complicación, la cirugía de reemplazo articular no carece de riesgos. Los pacientes deben tomar un papel activo para asegurarse de que las nuevas articulaciones permanecerán sin problemas.

Andrew Shinar, MD, quien realiza unas 300 cirugías de reemplazo articular al año en el centro de reemplazo articular de la Universidad Vanderbilt, contestó algunas preguntas…

•¿Quién debería considerar la cirugía de reemplazo articular? Cada año, hasta 400.000 estadounidenses se someten a la cirugía de reemplazo articular para aliviar el dolor, la rigidez y la inmovilidad. La mayoría sufre de osteoartritis, la descomposición gradual de los cartílagos y los huesos. El reemplazo articular es también una opción para quienes han sufrido una lesión o padecen artritis reumatoide grave u otra afección en las articulaciones.

El reemplazo articular tiene mayor éxito en las articulaciones grandes como las caderas, rodillas y hombros. Es menos eficaz en las pequeñas articulaciones de las manos, aunque este procedimiento está mejorando.

Nunca existe urgencia para someterse a la cirugía. Es frecuentemente posible controlar la incomodidad con analgésicos de venta libre, ejercicios y otras medidas relacionadas con el estilo de vida. Las articulaciones artificiales pueden desgastarse, por lo que es mejor demorar el procedimiento si es posible.

Los pacientes generalmente optan por la cirugía si tienen dolor constante y fuerte en las articulaciones o si tienen problemas con las actividades diarias, como caminar, subir escaleras, levantarse de una silla, etc. El paciente –no el cirujano– decide cuándo "ya no puede más".

•¿De qué están hechas las articulaciones prostéticas? Usualmente de metal (titanio o cromo y cobalto), plástico o una combinación. La "cabeza esférica" de la articulación artificial de una cadera, por ejemplo, usualmente está hecha de metal, mientras que la "cavidad" está hecha de plástico duro.

Un tipo de plástico –el polietileno entrecruzado ("cross-linked polyethylene")– es increíblemente duradero. Prácticamente no muestra desgaste después de 10 años.

Un nuevo método –articulaciones de cerámica sobre cerámica– parece tener características duraderas muy impresionantes, pero aún no tenemos datos a largo plazo.

•¿Por qué se desgastan los reemplazos articulares? La abrasión. Las partes se mueven una contra otra, lo que provoca el desgaste en un periodo extenso. Estos materiales más nuevos deberían eliminar dichos problemas.

•¿En qué consiste la cirugía? Se le da al paciente un anestésico general, espinal o epidural. Usualmente recomiendo un epidural –porque proporciona mejor control del dolor después de la cirugía.

El cirujano entonces hace una incisión. El reemplazo de cadera con una incisión mínima requiere sólo una incisión de entre tres y cinco pulgadas (de 8 a 13 cm), mientras que el reemplazo estándar de cadera requiere una incisión de entre 10 y 12 pulgadas (de 25 a 30 cm).

En todos los procedimientos de reemplazo articular, el cirujano extrae el tejido y el hueso dañados, manteniendo intactos el tejido y el hueso sanos, y luego implanta la nueva articulación.

Los pacientes más jóvenes recibirán frecuentemente implantes hechos a medida y colocados a presión ("pressed-fit") –partes precisas que esencialmente se encajan en el lugar. El hueso que lo rodea gradualmente crece en el implante y proporciona soporte adicional.

Los pacientes de mayor edad, que tienen huesos más frágiles, no siempre pueden soportar la fuerza que se necesita para los implantes colocados a presión. Una alternativa es cementar la articulación al hueso. Algunos cirujanos usan este método con todos sus pacientes porque la cementación proporciona al implante una fortaleza inmediata y acelera la recuperación. Sin embargo, puede complicar procedimientos futuros si la articulación artificial tuviera que ser reemplazada.

La mayoría de las personas se van del hospital después de dos o tres días, sin importar la técnica o el tipo de articulación que se reemplace.

•¿Qué sucede después de la cirugía? Es importante mover la articulación lo más pronto posible. Su cirujano probablemente le recomendará consultar a un fisioterapeuta, quien planeará un programa de ejercicios adecuado.

•¿Qué más puedo hacer para mejorar mi recuperación? Si fuma, deje de hacerlo de inmediato. Fumar retrasa el desarrollo de nuevos vasos sanguíneos en los huesos que rodean la articulación nueva. Además, puede impedir que el hueso crezca en la articulación artificial. Fumar también retrasa la curación de las incisiones quirúrgicas.

•¿Cuáles son los mayores riesgos de la cirugía de reemplazo articular? La infección es un riesgo. Las bacterias colonizan rápidamente el material extraño en el cuerpo, incluyendo las articulaciones artificiales. La infección resultante puede aflojar la articulación.

Después de la cirugía de reemplazo, informe a su dentista y a su médico que tiene una articulación artificial. Podría necesitar antibióticos antes de someterse a un tratamiento dental o a otro procedimiento invasivo durante dos años después del reemplazo de la articulación.

Además, si contrae cualquier tipo de infección (urinaria, cutánea, etc.), asegúrese de recibir tratamiento médico de inmediato.

La dislocación es otro riesgo. Las partes móviles en las articulaciones prostéticas pueden separarse o dislocarse. Esto es común en los reemplazos de cadera.

El aumento de la fortaleza muscular ayuda a prevenir las dislocaciones. Es también importante evitar movimientos combinados que hagan que la cadera se mueva en dos direcciones a la vez –por ejemplo, cruzar las piernas por la rodilla o agacharse a un lado para levantar algo.

Pueden formarse coágulos, pero es raro y usualmente no es peligroso. El médico le dará un anticoagulante antes, durante y después de la cirugía para prevenirlos.

Es también importante flexionar los pies y pantorrillas varias veces al día. Siga haciendo este ejercicio con diligencia por al menos tres meses después de la operación, ya que esto bombea sangre por las venas y ayuda a prevenir la coagulación. Además, evite los viajes largos en avión o automóvil.

•¿Son exitosos los resultados? Algunos resultados son extraordinarios. Con el nuevo procedimiento de reemplazo de cadera mínimamente invasivo, los pacientes motivados pueden volver a su trabajo de oficina en tan sólo dos semanas. He logrado resultados similares con el reemplazo de rodilla unicompartimental, o sea el reemplazo de la mitad de la rodilla.

Con otros procedimientos, puede retomar sus actividades normales de seis a ocho semanas después de la cirugía, aunque ciertas actividades podrían estar restringidas. Por ejemplo, si tiene cirugía de reemplazo de rodilla o de cadera, las actividades de alto impacto, como correr o jugar al basquetbol, quizá nunca obtenga la aprobación de su médico. Es probable que sí pueda nadar, jugar al golf, caminar o andar en bicicleta cómodamente. Con el reemplazo de hombro, podría levantar cargas livianas, pero debería evitar jugar al tenis.

•¿La articulación artificial hará sonar las alarmas de los aeropuertos? Sí. Los dispositivos de seguridad son más sensibles de lo que solían ser. Pídale a su cirujano que le proporcione una tarjeta que explique que tiene una articulación artificial. Lo ayudará a pasar por puestos de control más rápidamente.

¡La osteoartritis NO es inevitable!

Brenda D. Adderly, MHA, autora de *The Arthritis Cure Fitness Solution* (Lifeline Press).

Algunos expertos creen que la *osteoartritis* (OA) de las manos, caderas, rodillas y otras articulaciones es en realidad provocada por cambios químicos en los cartílagos de las articulaciones afectadas, causados en parte por importantes nutrientes que son expulsados del cartílago.

Esto hace que el cartílago sea menos esponjoso y más vulnerable a la inflamación.

Una manera de revertir este cambio químico es tomando, todos los días, dos suplementos alimentarios específicos –*glucosamina* ("glucosamine") y *sulfato de condroitina* ("chondroitin sulfate"). Estos suplementos nutricionales de venta libre (disponibles en las farmacias y tiendas de productos nutricionales) ayudan a estimular el crecimiento del tejido sano del cartílago, revirtiendo los síntomas de la artritis.

Además de la dosis diaria de estos dos suplementos, lo más importante que puede hacer para prevenir los síntomas de la osteoartritis es hacer ejercicios…

•El ejercicio lo ayuda a mantener un peso saludable, lo que ejerce menos tensión en las articulaciones cuando está de pie y camina.

• **El ejercicio promueve el flujo de líquidos lubricantes ricos en nutrientes** hacia el tejido del cartílago de las articulaciones, lo que ayuda a reparar el daño relacionado con la artritis causado por la pérdida de nutrientes.

• **El ejercicio además fortalece los músculos que rodean las articulaciones,** lo que proporciona amortiguación y soporte adicional a las propias articulaciones.

Mi programa saludable para curar la artritis ("Arthritis Cure Fitness Plan") consiste de tres partes –estiramiento, fortalecimiento y ejercicios cardiovasculares.

ESTIRAMIENTO

La mayoría de las personas que padecen osteoartritis experimentan límites en el rango de movimiento y en la flexibilidad de las articulaciones afectadas. Esto hace que sea fácil desgarrarse los tendones y músculos contiguos, y pone más tensión sobre otras partes del cuerpo que compensan por las áreas inflexibles.

Es por esta razón que los ejercicios de estiramiento, realizados cinco días a la semana, deberían ser el primer paso en el programa saludable para curar la artritis.

Intente comenzar con sólo uno de los estiramientos de la lista a continuación. Hágalo por un par de días, y luego agregue uno o dos estiramientos… y después más.

Descubrirá que estos ejercicios mejoran su flexibilidad y disminuyen la incomodidad del esfuerzo muscular.

Estiramiento del pecho: Estando de pie, enlace entre sí las manos detrás de la espalda. Mueva los hombros hacia atrás mientras levanta las manos unas pocas pulgadas más arriba, como si quisiera mostrarle a alguien su collar o corbata preferida. El pecho automáticamente se expandirá. Manténgase así de 10 a 30 segundos.

Estiramiento de la espalda y el torso: Recuéstese de espaldas, con la parte inferior de la espalda presionada contra el piso. Flexione ambas rodillas, y luego bájelas lentamente hacia su lado izquierdo, de modo que el tobillo y la rodilla derechos descansen sobre el tobillo y la rodilla izquierdos.

Despliegue ambos brazos hacia los costados, empujando los hombros de modo que queden tan planos como sea posible, y suavemente gire la cabeza hacia la dirección opuesta a las rodillas.

Relájese y mantenga la posición durante 30 segundos, sintiendo el estiramiento en la espalda y en las piernas. Luego, cambie de lados y repítalo.

Estiramiento de la parte superior del brazo y de la espalda: Cruce el brazo derecho sobre el torso y deje descansando la parte superior sobre la palma izquierda, de modo que la mano izquierda sostenga por completo el brazo derecho.

Mantenga el "brazo perezoso" y suavemente tire del mismo a lo largo del cuerpo hasta que sienta un estiramiento en el hombro derecho. Manténgase así entre 10 y 30 segundos, y luego cambie de lados y repítalo.

Estiramiento de los músculos en la parte posterior del muslo ("hamstrings"): Siéntese en el borde de una silla firme con las manos sobre las caderas. Enderece la pierna derecha, manteniendo la pierna izquierda doblada.

Inclínese hacia delante desde las caderas, empujando el pecho hacia la rodilla hasta sentir un buen estiramiento en la parte trasera de la rodilla, pantorrilla y muslo derechos. Manténgase así entre 10 y 30 segundos, y luego cambie de lados y repítalo.

Estiramiento de las nalgas: Estando recostado sobre el piso, agarre la pierna derecha detrás de la rodilla con ambas manos, manteniendo la pierna izquierda recta.

Suave y lentamente tire de la rodilla derecha hasta que esté tan cerca del pecho como sea posible, sintiendo el estiramiento en la parte inferior de la espalda y en las nalgas. Manténgase así entre 10 y 30 segundos, y luego cambie de piernas y repítalo.

Estiramiento de las pantorrillas: Dé un paso adelante con la pierna izquierda como si estuviera por comenzar una carrera. Manteniendo recta la pierna derecha y con el talón derecho plano sobre el piso, flexione apenas la rodilla izquierda y desplace su peso hacia la pierna izquierda. Debería sentir un estiramiento en la pantorrilla derecha al inclinarse hacia delante. Manténgase así entre 10 y 30 segundos, y luego cambie de piernas y repítalo.

FORTALECIMIENTO MUSCULAR

Aumentar la fortaleza muscular es la parte más importante del programa saludable para curar la artritis. Los músculos fuertes pueden reducir el peso que soportan las articulaciones artríticas y además actuar como amortiguadores, absorbiendo impactos y disminuyendo así el dolor al moverse. El fortalecimiento muscular tiene la ventaja adicional de aumentar la masa ósea.

Los siguientes ejercicios pueden hacerse con o sin pesas. Usted sabrá que se encuentra en el nivel adecuado de resistencia cuando sienta una leve sensación de ardor en el músculo que está ejercitando después de unas 10 repeticiones.

Para obtener los mejores resultados, estos ejercicios deberían hacerse al menos tres veces a la semana.

Hombros y bíceps: Mientras sostiene pesas ("dumbbells") o latas de alimentos en cada mano (o con las manos vacías, si las latas son muy pesadas para usted), doble los codos de modo que los puños estén al nivel de los hombros. Lentamente levante ambos brazos en forma recta por arriba de la cabeza. Repita este movimiento entre ocho y 10 veces.

Hombros y tríceps (parte superior trasera de los brazos): Sentado en un sillón firme, agarre ambos apoyabrazos del sillón e impúlsese hacia arriba hasta estar casi de pie, usando sólo los brazos –sin impulsarse con las piernas.

Repita este ejercicio entre ocho y 10 veces.

Las personas con manos o muñecas artríticas no deberían hacer este ejercicio.

Cuádriceps I (parte delantera de los muslos y parte inferior de la espalda): Recuéstese de espaldas con ambas rodillas dobladas. Empujando con los pies, levante las nalgas tres o cuatro pulgadas (7 ó 10 cm) arriba del piso. Mantenga esta posición durante 10 segundos, y luego reléjese lentamente y permanezca recostado por cinco segundos. Repita entre ocho y 12 veces.

Cuádriceps II (parte delantera de los muslos): Siéntese en una silla y ponga en el tobillo derecho las asas de una bolsa de supermercado que contenga una o dos latas de alimentos llenas.

Levante la pierna derecha y enderécela, levantando la bolsa del piso. Mantenga esta posición mientras cuenta hasta cinco. Luego, lentamente baje la pierna hasta el suelo, y repítalo hasta 10 veces, si es posible. Cambie de piernas y repítalo.

EJERCICIOS CARDIOVASCULARES

Los ejercicios cardiovasculares (aeróbicos) no sólo fortalecen el corazón y el sistema circulatorio –además llevan el líquido sinovial hacia las articulaciones y aumentan la fortaleza y la resistencia de los músculos. También proporcionan soporte adicional a las articulaciones. Es la mejor manera de mantener su peso en un nivel saludable.

Comience haciendo lo que pueda, aunque sea sólo caminar una o dos cuadras a un ritmo cómodo (despacio está bien). Vaya un poco más lejos cada vez, hasta llegar a una media hora o más.

Los ejercicios cardiovasculares deberían hacerse dos o tres veces a la semana, alternándolos día a día con ejercicios de fortalecimiento. *Otras buenas actividades aeróbicas...*

• **Caminar.** Es especialmente bueno para quienes tienen artritis en las caderas, rodillas y tobillos.

• **Nadar.** Es bueno para mejorar la flexibilidad de las articulaciones y disminuir el dolor relacionado con la artritis –se recomienda también para las personas con osteoartritis que tienen exceso de peso.

• **Ejercicios aeróbicos en el agua.** Esto puede ser tan sencillo como caminar en la parte poco profunda de la piscina. Muchas personas con artritis encuentran beneficioso alternar unos pocos minutos de ejercicios aeróbicos en el agua con unos minutos de natación moderada.

• **Andar en bicicleta.** Esta actividad es especialmente buena para las personas con artritis en las rodillas.

• **Clases de ejercicios aeróbicos.** La actividad de bajo impacto es buena para la artritis en todas las partes del cuerpo.

• **Baile de salón ("ballroom dancing").** Es bueno para la artritis en todas las partes del cuerpo.

Grandes avances en el tratamiento de la artritis

Harris H. McIlwain, MD, especialista en enfermedades que causan dolor del Tampa Medical Group, en Tampa, Florida. Está acreditado por la junta médica ("board certified") en reumatología y medicina geriátrica, y es coautor de *Pain-Free Arthritis: A 7-Step Program for Feeling Better Again* (Henry Holt).

Si padece artritis, es posible que tenga una almohadilla térmica ("heating pad") muy gastada y un botiquín repleto de analgésicos (calmantes). Por desgracia, esos métodos sólo proporcionan alivio temporal, tanto para la *osteoartritis* (una enfermedad relacionada con la edad que causa rigidez y dolor en las articulaciones) como para la *artritis reumatoide* (una enfermedad autoinmune que provoca inflamación en las articulaciones).

Aunque en la actualidad no existe una cura para la artritis, varios tratamientos poco usados pueden controlar sus síntomas de manera significativa…

HAGA EJERCICIOS

Los pacientes con artritis frecuentemente evitan hacer ejercicios por temor a que empeore el dolor de las articulaciones y los músculos. Sin embargo, las investigaciones han demostrado de manera consistente que el ejercicio alivia los síntomas de la artritis y mejora la fortaleza y la flexibilidad. El ejercicio además ayuda a prevenir el aumento de peso, el cual se ha demostrado que empeora el dolor de la artritis.

Evidencia científica: Los investigadores de la facultad de medicina de la Universidad Wake Forest descubrieron que el ejercicio de resistencia o aeróbico disminuye la incidencia de los impedimentos para realizar las actividades diarias clave (comer, vestirse, bañarse, etc.) en pacientes con artritis en alrededor del 50%.

Qué hacer: Haga estiramientos durante al menos 10 minutos al día. Realice una actividad aeróbica (como andar en bicicleta o caminar) muy lentamente, aumentando hasta llegar a los 30 minutos, cinco días a la semana. Haga ejercicios de fortalecimiento –ya sea levantamiento de pesas o con máquinas de resistencia ("resistance machines")–, gradualmente aumentando hasta llegar a los 15 minutos, tres veces a la semana*.

Para minimizar el dolor y prevenir lesiones, aplique calor húmedo a las articulaciones artríticas o a los músculos doloridos durante 15 minutos antes y después del ejercicio.

AUMENTE SU CONSUMO DE VITAMINAS C Y D

La vitamina C parece enlentecer la pérdida del cartílago causada por la osteoartritis, mientras que una dieta baja en vitamina D podría acelerar el avance de la osteoartritis.

Evidencia científica: En investigaciones realizadas como parte del Framingham Heart Study, los médicos descubrieron que los pacientes que consumieron una dieta alta en vitamina D, o que tomaron suplementos de vitamina D, disminuyeron su riesgo de empeorar la artritis en un 75%. Además, un estudio de 25.000 personas realizado por la Arthritis Research Campaign en Inglaterra descubrió que un consumo bajo de vitamina C puede aumentar el riesgo de contraer artritis.

Qué hacer: Tome suplementos diarios que proporcionen entre 500 y 1.000 mg de vitamina C y 400 unidades internacionales (IU, por sus siglas en inglés) de vitamina D.

TOME TÉ

El té puede ayudar a disminuir la inflamación de la artritis y el deterioro óseo.

Evidencia científica: Los investigadores recientemente descubrieron que el té verde contiene un *polifenol*, o compuesto químico, que reprime la expresión de un gen clave relacionado con la inflamación causada por la artritis. El té negro se hace con las mismas hojas y podría ser beneficioso, aunque se procesa de manera diferente.

Qué hacer: Beba una o dos tazas de té caliente o frío todos los días.

COMA UVAS

Los hollejos de las uvas contienen *resveratrol*, el único compuesto natural que se sabe que actúa como los inhibidores de las enzimas Cox-2. Igual que los inhibidores farmacéuticos de las Cox-2, el resveratrol suprime el gen Cox-2 y

*Un médico o fisioterapeuta puede ayudarlo a planear un programa seguro de movimientos que combine ejercicios aeróbicos, de estiramiento y de fortalecimiento.

también desactiva las enzimas Cox-2, las cuales producen inflamación en el lugar de la herida o del dolor.

Evidencia científica: Un estudio publicado en el boletín médico *Journal of Biological Chemistry* confirmó que el resveratrol actúa como antioxidante e inhibidor de las enzimas Cox-2.

Qué hacer: Coma una taza de uvas blancas o rojas todos los días.

Las buenas noticias: Beber vino puede ser tan saludable como masticar las uvas. Todos los vinos contienen un poco de resveratrol, siendo el vino tinto el que contiene más de este compuesto. Pero, para obtener los mayores beneficios para la salud, limite su consumo de vino a no más de una o dos copas al día.

PONGA LOS SUPLEMENTOS A PRUEBA

Los suplementos alimentarios pueden ser valiosos complementos de los tratamientos tradicionales con medicamentos, permitiendo a los pacientes disminuir o, en algunos casos, eliminar por completo los medicamentos costosos*. *Los más eficaces son…*

• **Glucosamina.** Se cree que este suplemento, derivado de las conchas de los mariscos, colabora en la lubricación de las articulaciones y disminuye la rigidez y el dolor de la artritis.

Evidencia científica: En un informe publicado en el *British Medical Journal,* se descubrió que tomar 1.500 mg de glucosamina todos los días enlentece el deterioro del cartílago en los pacientes con osteoartritis.

Qué hacer: Pregúntele a su médico si tomar 1.500 mg de glucosamina diariamente podría ayudarle. La glucosamina se envasa con frecuencia con condroitina, pero hay menos evidencia que apoye la eficacia de la condroitina.

Advertencia: Las personas que tengan alergia a los mariscos *no* deberían tomar la glucosamina.

• **SAMe.** Los médicos europeos usualmente recetan este suplemento natural para la depresión y la artritis.

*Consulte siempre a su médico antes de tomar suplementos. Algunos podrían interferir con la acción o eficacia de ciertos medicamentos.

Evidencia científica: Algunos estudios indican que el SAMe (se pronuncia "sami" en inglés) alivia el dolor y la inflamación aproximadamente tanto como el *naproxeno* (Aleve), pero sin causar malestar estomacal y otros efectos secundarios. Tiene el beneficio adicional de mejorar el ánimo, posiblemente al aumentar la producción de *dopamina,* una sustancia química del cerebro.

Qué hacer: Si su artritis no mejora con glucosamina, consulte a su médico acerca de tomar entre 400 y 1.200 mg de SAMe todos los días.

HÁGASE MASAJEAR

La acción manual por parte de fisioterapeutas o terapeutas en masajes es uno de los tratamientos más eficaces para aliviar el dolor de cuello y de espalda.

Evidencia científica: En un estudio reportado en el boletín médico *Archives of Internal Medicine,* los pacientes con dolor de espalda que se sometieron a 10 semanas de masajes terapéuticos tomaron menos medicamentos el año siguiente que los pacientes con dolor de espalda que no recibieron masajes.

Qué hacer: Considere recibir masajes habituales, según sea necesario, para el control del dolor.

Siempre que sea posible, elija un terapeuta en masajes con licencia otorgada por el estado. Para localizar uno, comuníquese con la American Massage Therapy Association, llamando al 877-905-2700 o yendo al sitio Web en inglés *www.amtamassage.org.*

CONSIDERE EL ENCINTADO TERAPÉUTICO ("THERAPEUTIC TAPING")

El encintado terapéutico –envolver cinta rígida alrededor de una articulación para volver a alinear, sostener y quitarle presión a la misma– podría tener beneficios importantes para aliviar el dolor de algunos pacientes con osteoartritis.

Evidencia científica: En un estudio australiano, el 73% de los pacientes con osteoartritis de la rodilla experimentaron síntomas considerablemente reducidos después de tres semanas de encintado terapéutico. Los beneficios fueron comparables a los logrados con los medicamentos habituales y duraron tres semanas después de que el encintado había terminado. Aunque el estudio observó solamente las rodillas, el encintado podría surtir efecto también en los codos, las muñecas y los tobillos.

Qué hacer: Pregúntele a su médico si el encintado terapéutico es apropiado para usted.

Importante: El encintado debe hacerse de manera adecuada para que sea eficaz. Si lo intenta, primero debería pedirle a un médico o fisioterapeuta familiarizado con el procedimiento que envuelva la articulación que tiene problemas. El/ella podrá mostrarle a usted o a un familiar la técnica correcta.

Si el encintado resulta ser muy difícil o molesto, una manga elástica de neopreno ("neoprene sleeve") que usan los atletas podría proporcionar beneficios similares. Se encuentra disponible en la mayoría de las farmacias.

Más de Harris H. McIlwain...

Estrategia para el alivio del dolor de la artritis

Para minimizar el dolor de la artritis y proteger las articulaciones, siga estos consejos útiles...

•**En el supermercado, pida bolsas de plástico con asas (agarraderas) que puedan pasarse sobre el brazo,** entre la muñeca y el codo. Esto traslada el peso a los hombros y a la parte superior del cuerpo, en vez de las más delicadas articulaciones de la mano y de la muñeca.

•**Coloque "empuñaduras" de espuma ("foam grips") alrededor de lápices y bolígrafos** (se venden en las tiendas de artículos para oficina). También puede usar estas mismas cubiertas alrededor de ganchos de crochet y agujas de tejer.

•**Use pasta dental con bomba** ("pump"), en lugar de los tubos que se aprietan.

•**Elija ropa con cierres de Velcro,** en vez de cremalleras ("zippers") y botones.

•**Las mujeres deberían usar un brasier (sostén, ajustador, sujetador) que se abra por delante.**

Los alimentos que curan la artritis

Isadore Rosenfeld, MD, distinguido profesor Rossi de medicina clínica, de la facultad de medicina Weill de la Universidad Cornell, en Nueva York. Es autor de varios libros, entre ellos *Doctor, What Should I Eat?,* (Grand Central) y *Dr. Isadore Rosenfeld's Breakthrough Health* (Rodale).

Tanto la osteoartritis como la artritis reumatoide causan inflamaciones dolorosas que usualmente empeoran con la edad.

Pero la elección de los alimentos adecuados puede ayudar a disminuir este dolor –sin los efectos secundarios causados por algunos analgésicos (calmantes del dolor).

El mejor alimento: el pescado grasoso –salmón, caballa ("mackerel"), sardinas, etcétera. Los ácidos grasos omega-3 que se encuentran en el pescado contrarrestan los efectos de las *prostaglandinas*, las sustancias químicas que provocan la inflamación.

Consuma tres o más comidas con pescado a la semana. Si está embarazada, pregúntele a su médico si debería comer pescado.

También útiles: nueces del Brasil (castañas del Brasil, "Brazil nuts"). Contienen *selenio,* un micromineral ("trace mineral") que posiblemente puede disminuir los síntomas de la artritis. Una sola nuez del Brasil suministra la cantidad diaria recomendada de 70 microgramos (mcg).

Alrededor del 20% de todos los casos de osteoartritis y artritis reumatoide están vinculados a alergias a los alimentos.

Entre los causantes comunes se encuentran la soja ("soy"), el café, los huevos, la leche, el maíz (choclo, elote, "corn"), el trigo, las papas, la carne de res y de cerdo, y los mariscos (especialmente los camarones, "shrimp").

Les recomiendo a mis pacientes con artritis grave que dejen de comer estos alimentos problemáticos, uno a la vez, para ver si sus síntomas disminuyen.

Asombrosos remedios nuevos para controlar la artritis reumatoide

James F. Fries, MD, profesor de medicina y reumatología de la facultad de medicina de la Universidad Stanford, en Palo Alto, California. Es coautor de *The Arthritis Helpbook* (Da Capo).

Si se encuentra entre los 2,1 millones de estadounidenses que padecen *artritis reumatoide* (AR), tengo buenas noticias. Nuevas estrategias de tratamiento están demostrando ser mucho más eficaces que las estrategias que se consideraron avanzadas tan sólo unos pocos años atrás.

Repercusión: Si padece AR pero no ha consultado a un médico recientemente, su tratamiento actual podría no ser el óptimo.

La AR, una enfermedad autoinmune, ocurre cuando el sistema inmune ataca a las propias células del cuerpo como si fuesen invasoras.

Este ataque provoca que las articulaciones se inflamen y estén sensibles al tacto. Las enzimas producidas en las articulaciones como resultado de esta inflamación digieren lentamente el tejido contiguo, causando daño permanente al hueso y al cartílago.

El daño a las articulaciones comienza más pronto en el proceso de la enfermedad de lo que muchos pacientes de AR –e incluso algunos médicos– se dan cuenta. Por esta razón, es crucial que el tratamiento comience sin demora.

Muy importante: Consulte a un reumatólogo. Debido a todos los avances recientes, pocos médicos de atención primaria están al día con los tratamientos para la artritis reumatoide.

PROGRAMACIÓN DE LOS MEDICAMENTOS

El avance reciente más importante en el tratamiento de la AR es la secuencia en que los medicamentos son programados ("sequencing"). Tradicionalmente, los médicos recetaban potentes *medicamentos antirreumáticos modificadores de la enfermedad* (DMARD, por sus siglas en inglés), sólo después de que los *medicamentos antiinflamatorios no esteroideos* (AINE o NSAID, por sus siglas en inglés) no habían dado resultado.

Nueva opinión: Es más eficaz recetar primero los DMARD, lo que asegura que la enfermedad quede bajo control tan pronto como sea posible.

Irónicamente, los resultados demuestran que el *naproxeno* (Naprosyn), *ibuprofeno* (Advil) y otros AINE no son tan benignos como su reputación sugiere.

Algunas investigaciones indican que los problemas gastrointestinales y otros graves efectos secundarios provocados por los AINE causan más de 16.000 muertes y 100.000 hospitalizaciones cada año.

Metotrexato (Rheumatrex), *hidroxicloroquina* (Plaquenil) y otros DMARD ahora parecen no ser más riesgosos que los AINE, y son más eficaces.

Resultado: Casi todos los pacientes con artritis reumatoide deberían tomar un DMARD. Con el uso precoz y consistente de los DMARD, la incapacidad durante toda la vida puede disminuir hasta dos tercios.

ALIVIO TOTAL DEL DOLOR

El viejo método de tratar la artritis reumatoide era intentar mantener el dolor a un nivel tolerable, pero como el dolor surge de los daños al tejido, aun las molestias leves indican que el progreso de la enfermedad continúa.

Mejor: Tratar la enfermedad hasta que el dolor y la rigidez desaparezcan. No dude en decirle a su médico si aún siente dolor. No lo tolere… y no suponga que es normal.

Llegar a vivir sin dolor podría llevar tiempo –a algunos medicamentos les lleva hasta seis semanas para dar resultado. Y si un DMARD no le da resultado, su médico podría intentar con otro… o con una combinación de medicamentos.

NUEVOS MEDICAMENTOS

Si los DMARD más antiguos no surten efecto –o si causan graves efectos secundarios– podría ser un candidato para uno de estos nuevos medicamentos.

La agencia federal Food and Drug Administration (FDA) ha aprobado varios medicamentos para el tratamiento de la artritis reumatoide. *Aquí tiene dos que son prometedores…*

• **Leflunomide** (Arava) enlentece el ritmo de la división celular, inhibiendo la reproducción de células que dañan las articulaciones. Es con frecuencia una buena opción para las personas que no pueden tolerar el metotrexato, el cual causa úlceras en la boca, problemas en el hígado y otros efectos secundarios.

•*Etanercept* (**Enbrel**) e *infliximab* (**Remicade**) actúan bloqueando el *factor de necrosis tumoral* (TNF, por sus siglas en inglés), un compuesto que ocurre naturalmente y que activa la respuesta a la inflamación.

EL PAPEL DEL EJERCICIO

El ejercicio no puede curar la artritis reumatoide, pero puede llegar a ser muy eficaz en el alivio del dolor en las articulaciones y la mejora de la flexibilidad. Casi todos se benefician de un programa de caminatas.

Además, para prevenir la rigidez de las mañanas, haga estiramientos suaves antes de acostarse por la noche… y antes de levantarse por la mañana. Dedique tiempo extra a estirar cualquier articulación que se haya "congelado".

Incluya ejercicios para las manos y muñecas, ya que estas articulaciones son frecuentemente afectadas por la AR. Un ejercicio particularmente eficaz para la mano es el "paseo con los pulgares".

Qué hacer: Manteniendo la muñeca recta, toque el pulgar con el dedo índice, formando una "O". Enderece y estire el pulgar y el otro dedo, y luego toque el pulgar con el dedo medio. Repítalo con todos los dedos.

Elija ejercicios de acuerdo a las articulaciones que están afectadas y cuán controlada esté la enfermedad. Coméntelo con su reumatólogo.

No haga ningún ejercicio que aplique fuerza en exceso sobre una articulación inflamada.

La relación entre la artritis reumatoide y los ataques al corazón

Según las investigaciones científicas, las mujeres con artritis reumatoide tienen hasta tres veces más del riesgo normal de sufrir un ataque al corazón.

Teoría: La inflamación del revestimiento de las articulaciones –una característica de la artritis reumatoide– está relacionada con el mayor riesgo de sufrir un ataque al corazón. Aunque las razones no se entienden por completo, es probable que el mismo proceso inflamatorio que provoca la artritis reumatoide también juegue un papel en la *ateroesclerosis* (depósito de placas de grasa en las arterias) y el ataque al corazón. A pesar de que sólo se estudiaron mujeres, los investigadores sospechan que esta misma relación existe en los hombres.

La autodefensa: Las personas con artritis reumatoide deberían controlarse atentamente y recibir tratamiento para los factores de riesgo cardiovasculares, como la presión arterial alta, el nivel alto de colesterol, la diabetes y fumar.

Daniel H. Solomon, MD, MPH, profesor adjunto de medicina de la facultad de medicina de la Universidad Harvard, en Boston. Su estudio de 20 años de 114.342 mujeres fue publicado en el boletín médico *Circulation*.

Este programa de diez pasos para el dolor crónico da buenísimos resultados

Dharma Singh Khalsa, MD, director fundador del Acupuncture Stress Medicine and Chronic Pain Program, de la facultad de medicina de la Universidad de Arizona, en Phoenix. Es además presidente fundador y director médico de la Alzheimer's Prevention Foundation, en Tucson, y coautor de *The Pain Cure* (Grand Central).

Alrededor de 25 millones de estadounidenses están acosados por algún tipo de dolor crónico –ciática, migrañas, artritis, dolor muscular, etc. Existen maneras eficaces de aliviar el dolor crónico, pero *no son* usualmente recomendadas por los médicos tradicionales.

Además de la cirugía y los narcóticos, los médicos tradicionales con frecuencia les recomiendan medicamentos antiinflamatorios no esteroideos (AINE o NSAID, por sus siglas en inglés) como *ibuprofeno* (Motrin), a sus pacientes con dolor crónico.

Estos medicamentos pueden ser muy eficaces contra el dolor agudo, como los esguinces o el dolor de muelas, pero son menos eficaces contra el dolor crónico. Además, los AINE pueden causar úlceras sangrantes y otros efectos secundarios.

He aquí 10 estrategias para el alivio del dolor que sí dan resultados…

•**Coma más pescado y aves.** Los médicos con frecuencia recetan *fluoxetina* (Prozac) para el dolor crónico. Este antidepresivo disponible con receta ayuda a controlar el dolor al aumentar los niveles de *serotonina*, un neurotransmisor en el cerebro. La serotonina bloquea la síntesis de la *sustancia P,* uno de los mensajeros químicos principales vinculados al dolor crónico.

Pero muchas personas pueden mantener altos los niveles de serotonina simplemente consumiendo alimentos ricos en *triptófano,* un aminoácido que el cuerpo convierte en serotonina.

Dos fuentes excelentes de triptófano son las aves y el pescado. Si sufre de dolor crónico, intente comer tres onzas (85 g) de pollo, pavo (guajolote, "turkey"), salmón, etc., cinco días a la semana.

Además de bloquear la sustancia P, la serotonina ayuda a que la persona sea menos consciente del dolor al mejorar el ánimo y regular los ciclos alterados del sueño.

•**Coma una banana (plátano) todos los días.** La mayoría de los dolores crónicos provienen de la artritis, el dolor muscular u otra afección inflamatoria, lo que invariablemente causa espasmos musculares. Estos espasmos contribuyen al dolor crónico.

Coma una banana al día –con un poco del revestimiento interior de la cáscara que puede sacar con una cuchara. Esto le proporcionará una gran cantidad de magnesio y potasio, los cuales ayudan a controlar los espasmos.

•**Haga ejercicios con regularidad.** El ejercicio provoca la síntesis de los calmantes naturales que se conocen como *endorfinas.*

Si experimenta dolor fuerte probablemente no se sienta con ganas de hacer ejercicios vigorosos. No se preocupe. La síntesis de la endorfina puede provocarse con cualquier tipo de actividad que exija al cuerpo un poco más de lo acostumbrado.

Si ha vivido de manera sedentaria durante largo tiempo, algo tan simple como rotar los brazos por unos pocos segundos puede dar resultado. Lo mismo ocurre al sentarse en una silla y levantar las piernas unas cuantas veces.

•**Tome medidas para controlar el estrés psicológico.** El estrés juega un papel central en el dolor crónico. La meditación y otras técnicas de relajación disminuyen los espasmos musculares, limitan la liberación de hormonas del estrés que causan dolor y mejoran la respiración –y ayudan a aliviar la intensidad del dolor.

Un estudio descubrió que las personas doloridas que meditaron entre 10 y 20 minutos al día visitaron una clínica para el dolor un 36% menos frecuentemente que quienes no meditaron.

Qué hacer: Reserve al menos 15 minutos de tranquilidad cada día. Si no se siente cómodo meditando, use el tiempo para orar… visualizar una escena pacífica… o sentarse tranquilamente.

•**Evite las grasas dañinas.** Las carnes rojas y el aceite de cocina estimulan la producción de ácido *araquidónico,* un compuesto que el cuerpo convierte en sustancias similares a las hormonas que provocan inflamación. Estas sustancias se conocen como *prostaglandinas.*

Quienes sufren de dolor crónico deberían evitar por completo las carnes rojas… y usar muy poco aceite de cocina.

•**Tome suplementos de ácidos grasos omega-3.** Tomar entre 1.000 y 3.000 mg de aceite de pescado o aceite de linaza ("flaxseed oil") todos los días ayuda a bloquear la síntesis de las prostaglandinas.

Además de bloquear la síntesis de las prostaglandinas, un tipo de ácido graso omega-3 conocido como *ácido eicosapentaenoico* (EPA, por sus siglas en inglés) mejora la circulación al hacer que las plaquetas –estructuras similares a las células que son responsables de la coagulación de la sangre– sean menos "pegajosas". Esto ayuda a evitar que la sangre se acumule y cause inflamación e irritación.

Los suplementos de ácidos grasos no son necesarios para las personas que comen pescado de agua fría y carne oscura varias veces a la semana. El salmón, el atún, la caballa ("mackerel") y las sardinas son adecuados.

●**Tome un suplemento de vitaminas B.** El dolor crónico viene con frecuencia acompañado de fatiga. Cuando se siente con más energía, su dolor es más fácil de controlar.

Para aumentar su energía, consulte a su médico acerca de tomar un suplemento diario que contenga al menos 50 mg de vitaminas del complejo B. Las vitaminas B ayudan a aumentar los niveles de energía al facilitar la producción del trifosfato de adenosina (ATP, por sus siglas en inglés), el compuesto de alta energía que se encuentra en las *mitocondrias*, las "plantas de energía" dentro de las células.

●**Condimente los alimentos con cúrcuma** ("turmeric"). Su principal componente, la *curcumina*, ha demostrado ser tan eficaz en el alivio del dolor como la cortisona y el ibuprofeno, sin correr riesgo de efectos secundarios. Una o dos pizcas al día es todo lo que necesita.

●**Ponga a prueba la acupuntura.** Existe ahora evidencia sólida de que la acupuntura puede llegar a ser más eficaz que los medicamentos para el alivio de muchos tipos de dolor crónico.

La acupuntura realizada por un doctor en medicina parece ser especialmente eficaz. Esta acupuntura médica con frecuencia implica la aplicación de corriente eléctrica a las agujas que se insertan en la piel. Esta variante de la acupuntura tradicional se llama *electroacupuntura*.

Para hallar un acupunturista en su zona, comuníquese con la American Academy of Medical Acupuncture, llamando al 310-364-0193 o yendo al sitio Web en inglés *www.medicalacupuncture.org*.

●**Consulte a un quiropráctico o a un osteópata.** La mayoría de los médicos confían en los medicamentos y en la cirugía para controlar el dolor. Los quiroprácticos y los osteópatas incorporan la manipulación física a sus tratamientos. Para ciertos tipos de dolor, especialmente el dolor de espalda, la manipulación con frecuencia da mejores resultados que los medicamentos o la cirugía.

Detenga el dolor rápidamente con la autohipnosis

Bruce N. Eimer, PhD, psicólogo clínico e hipnoterapeuta con práctica privada en Filadelfia. Es autor de *Hypnotize Yourself Out of Pain Now! A Powerful, User-Friendly Program for Anyone Searching for Immediate Pain Relief* (Crown).

Como psicólogo clínico, me he especializado durante muchos años en el tratamiento de personas que sufren de dolor crónico.

Sin embargo, fue sólo después de que un accidente automovilístico me dejó con un dolor fuerte y persistente que comencé a apreciar plenamente el poder de la hipnosis para continuar donde los medicamentos recetados, la fisioterapia y la cirugía no llegan.

¿POR QUÉ LA HIPNOSIS?

La hipnosis es un estado alterado de la conciencia. Aumenta la capacidad de enfocarse y temporalmente agudiza la concentración.

Toda hipnosis es *auto*hipnosis. Incluso si el estado alterado se logra con la ayuda de un experto, sólo se puede llegar a estar hipnotizado si uno mismo permite que así suceda*.

Las características de la hipnosis hacen que sea útil para el tratamiento del dolor crónico. Es un estado de atención concentrada, que por sí mismo puede disminuir el dolor y la angustia emocional relacionada con el sufrimiento físico. Además, aplaca la tensión y alivia el insomnio.

CÓMO ENTRAR AL ESTADO HIPNÓTICO

El primer paso en la hipnosis se llama *inducción*. En este proceso, se emplean técnicas que enfocan la atención (en el tic tac de un metrónomo o el sonido de una voz, por ejemplo) y se proporcionan sugerencias para profundizar la relajación.

Intente este método de inducción de dos minutos –es efectivo para muchas personas…

*Para localizar a un profesional calificado del hipnotismo clínico en su zona, comuníquese con la American Society of Clinical Hypnosis, llamando al 630-980-4740 o yendo al sitio Web en inglés *www.asch.net*.

Levante una mano. Concéntrese en un solo dedo, con los ojos abiertos (mirando fijamente el dedo) o cerrados (imaginándolo). Luego, permita que los otros dedos desaparezcan de su conciencia.

A medida que sigue concentrándose, sienta cómo la mano y el brazo comienzan a ser más pesados. Baje el brazo lentamente, y permítase entrar a un estado agradable de relajación.

Cuando la mano haya bajado por completo y esté descansando en su regazo o en el apoyabrazos de su silla, los ojos deberían estar cerrados y debería sentirse relajado. Concéntrese en su respiración. Sienta el vientre expandirse con cada inhalación y contraerse al exhalar.

Para relajarse más profundamente, cierre los ojos e imagine que baja 20 escalones. Sienta la alfombra tupida y acolchada bajo los pies y la madera suave y pulida del pasamano.

Con cada paso, permítase descender a un estado más profundo de relajación. Al pie de las escaleras, encuentre una puerta. Ábrala, y "entre" al lugar donde se sienta más feliz, satisfecho y contento (una playa cálida, una pradera plácida en la montaña o un café en una acera de París). Imagine este "lugar preferido" en gran detalle, y permanezca allí todo el tiempo que desea.

Para salir de este estado hipnótico, suba las escaleras, y siéntase más despierto con cada paso. Cuando llegue al último escalón se sentirá alerta y reanimado.

Cuanto más frecuentemente repita la inducción, con más facilidad llegará a la misma. Practique al menos dos veces al día, durante 10 minutos cada vez.

CÓMO BENEFICIARSE DEL ESTADO HIPNÓTICO

Después de haber practicado la inducción diariamente durante tres semanas, debería ser capaz de relajarse profundamente cuando quiera e ir a su "lugar preferido" cuando necesite un alivio del estrés o una pausa del dolor.

Una vez que conozca a fondo el proceso de inducción, puede agregar las siguientes técnicas. Practique la técnica de su elección durante 10 minutos todos los días.

•**Distracción.** La mayoría de las personas soportan el dolor de manera natural enfocando su atención en otra cosa. Una técnica sencilla de distracción es frotar los dedos de una mano entre sí. Concéntrese en las sensaciones en los dedos, la textura de la piel y la temperatura.

Haga esto *antes* de inducir el estado hipnótico. Así le sugerirá a su subconsciente que puede distraerse del mismo modo, siempre que sienta malestar. Después del primer mes, notará que aun cuando se encuentra en su estado normal de vigilia, podrá desviar su atención del dolor más eficazmente.

•**Disociación.** Ésta es quizás la manera más poderosa de lidiar con el dolor fuerte. Su dolor no ha desaparecido, pero su subconsciente asume la tarea de sentir el dolor mientras su conciencia se relaja.

Practique esta técnica visualizando su sombra. Se mueve con usted y está unida a su cuerpo, pero no está dentro de su cuerpo. Mientras esté en estado de hipnotismo, imagine su sombra… y luego visualícese uniéndose a ella.

Ponga el dolor en su sombra. Luego, imagínese que se va alejando de su sombra y del dolor. El dolor se encuentra en su sombra, pero no en su cuerpo.

•**Autosugestión.** Esta técnica ayuda a desarrollar disposiciones y creencias que fortalecen su capacidad de sobrellevar el dolor.

Elija mensajes que tengan significados especiales para usted, y escríbalos en un diario o en tarjetas. Repita uno a usted mismo tres veces antes de inducir el estado hipnótico.

Algunas autosugestiones útiles…

•Yo estoy a cargo.

•Puedo controlar el dolor. Puedo soportarlo.

•Siempre que me siento estresado, acepto los sentimientos y me calmo.

•Me enorgullece que puedo controlar mis problemas cada vez mejor.

Descifrando los misterios de la fibromialgia

Timothy McCall, MD, internista, editor médico de la revista *Yoga Journal*, y autor de *Examining Your Doctor: A Patient's Guide to Avoiding Harmful Medical Care* (Carol Publishing) y *Yoga as Medicine* (Bantam). *www.drmccall.com.*

La fibromialgia es una enfermedad frustrante tanto para los médicos como para los pacientes. Como no existe un examen de laboratorio concluyente para diagnosticar la afección, algunos médicos ni siquiera están seguros de que existe. Muchos pacientes van de médico a médico, soportando una serie de exámenes de laboratorio que no determinan nada y medicamentos que no los ayudan, hasta que finalmente alguien acierta en el diagnóstico.

Entre los síntomas típicos de la fibromialgia se incluyen dolor por todo el cuerpo, fatiga y problemas del sueño. Quienes la padecen frecuentemente tienen otras afecciones, como el síndrome del intestino irritable, depresión y *apnea del sueño*, una afección que interrumpe temporalmente la respiración mientras se duerme. La fibromialgia se diagnostica identificando los síntomas característicos y los "puntos sensibles" que usualmente ocurren en las caderas, los hombros y en un lado de la columna vertebral. Esta afección aflige a las mujeres siete veces más que a los hombres.

Aunque la causa de la fibromialgia se desconoce, los estudios demuestran que la afección no es simplemente "imaginada". Los investigadores han descubierto, por ejemplo, niveles significativamente altos de un mediador del dolor, llamado *sustancia P*, en el líquido cerebroespinal de los pacientes con fibromialgia, lo que sugiere anormalidades en el modo en que las sensaciones de dolor se procesan en la médula espinal y en el cerebro.

Debido a que la fibromialgia es una enfermedad crónica, reacciona mejor a un programa holístico que incluye intervenciones convencionales (incluyendo terapia con medicamentos), medidas alternativas (como acupuntura y masajes) y cambios en el estilo de vida. *Éstas son algunas estrategias útiles...*

●**Haga ejercicios suaves.** El ejercicio puede ayudar en casos de fibromialgia, pero tenga cuidado. Demasiado ejercicio en poco tiempo puede exacerbar los síntomas. El yoga moderado es una buena opción, ya que es seguro, fácil y puede hacerse en casa. Comience lentamente y aumente gradualmente hasta llegar a 30 minutos diarios.

●**Considere inyecciones en los puntos hiperirritables.** Los médicos pueden tratar el dolor inyectando un anestésico local directamente en los puntos sensibles, y luego estirando los músculos subyacentes para aliviar la tensión. Los tratamientos usualmente deben repetirse varias veces para obtener un efecto óptimo. Ya que la habilidad del médico que administra las inyecciones es clave, si usted no siente ningún alivio después de algunos tratamientos, intente con otro médico antes de renunciar a este método por completo.

●**Haga la prueba con medicamentos.** Aunque los analgésicos (calmantes) de venta libre deberían usarse primero, algunos médicos han descubierto que un opiáceo suave llamado *tramadol* (Ultram) proporciona alivio significativo a la mayoría de los pacientes con fibromialgia. Entre otras opciones se incluyen los antidepresivos tetracícliclos ("tricyclic antidepressants") y los relajantes musculares.

●**Enfrente el estrés psicológico.** Aunque el estrés y la depresión no causen la fibromialgia, pueden "avivar las llamas" y empeorar los síntomas. Además de medidas para la disminución del estrés (como yoga, meditación y caminatas), usted podría necesitar antidepresivos y terapia conductual cognitiva, la cual identifica y cambia patrones de pensamientos negativos que conducen al sufrimiento psicológico.

●**Conéctese con otras personas.** Considere unirse a un grupo de apoyo local o en Internet. Para averiguar más, comuníquese con la Fibromialgia Network, yendo al sitio Web en inglés *www.fmnetnews.com*, o llamando al 800-853-2929. Este grupo publica un boletín informativo y una lista de médicos que tienen experiencia en el tratamiento de esta afección muy poco comprendida.

Cómo aliviar un dolor muscular misterioso

Jamison Starbuck, ND, médica naturista (naturopática) con práctica familiar que dicta clases en la Universidad de Montana, ambas en Missoula; es ex presidenta de la American Association of Naturopathic Physicians y editora colaboradora de *The Alternative Advisor: The Complete Guide to Natural Therapies and Alternative Treatments.* (Time-Life).

Si tiene dolor muscular crónico, especialmente en el cuello y los hombros y alrededor de las articulaciones… si está afectado por dormir mal, fatiga durante el día y apatía… podría padecer *fibromialgia.* Aproximadamente entre 3 y 5 millones de estadounidenses padecen esta enfermedad misteriosa. Y el 80% son mujeres entre los 35 y los 60 años de edad.

La fibromialgia no se reconoció como enfermedad hasta 1990. La causa de esta afección es aún desconocida, y muchos médicos siguen ignorando los "criterios diagnósticos" que se usan para identificarla. Estos consisten en dolor muscular en ambos lados del cuerpo durante al menos tres meses consecutivos… y dolor en al menos 11 de 18 "puntos sensibles", incluyendo en las rodillas y codos, la base del cuello y el cráneo y otras áreas.

La fibromialgia puede ser difícil de diagnosticar. No existe un análisis de sangre para confirmar el diagnóstico. Y como afecta músculos (tejido blando) en vez de huesos, los rayos X no son útiles. No es sorprendente que muchos casos no se diagnostiquen.

Si piensa que podría padecer fibromialgia, es importante consultar a un profesional de la salud que esté bien familiarizado con la afección. Busque a alguien que pueda recitar los criterios diagnósticos y que haya tratado exitosamente al menos varios casos. Si necesita ayuda para hallar a un profesional calificado, comuníquese con la Fibromialgia Network, llamando al 800-853-2929 o yendo al sitio Web en inglés *www.fmnetnews.com.*

Debido a que ningún medicamento por sí mismo alivia todos los síntomas de la fibromialgia, los médicos con frecuencia usan varios. Si colabora con un médico, podría recibir recetas para un relajante muscular, un sedante o un antidepresivo. Estos medicamentos pueden causar efectos secundarios desagradables, incluyendo náuseas, problemas digestivos, boca seca y dolor de cabeza. Para controlar estos problemas, los médicos con frecuencia recetan medicamentos adicionales, los que pueden causar sus propios efectos secundarios. Como usted imaginará, este método de tratamiento no siempre es exitoso.

Muchos casos de la fibromialgia pueden controlarse simplemente al eliminar la carne, los productos lácteos, el azúcar refinada, las grasas hidrogenadas y el alcohol. Estos alimentos empeoran los síntomas al robarle al cuerpo los ácidos grasos esenciales que combaten la inflamación.

Si padece fibromialgia, considere seguir una dieta rica en pescado, semillas, soja y granos. Si un mes con esta dieta semivegetariana logra disminuir los síntomas, quizá le convendría que estos cambios en la dieta sean permanentes.

En mi práctica, he notado una relación fuerte entre la fibromialgia y la salud de las glándulas adrenales del paciente. En casos simples, el letargo y el dolor de la fibromialgia pueden eliminarse al mejorar la función adrenal con ginseng siberiano (*Eleutherococcus senticosus*). Dos veces al día, tome una cucharadita de un extracto de la hierba seca mezclado con alcohol al 1:1 –disponible en las tiendas de alimentos naturales ("health food stores"). Esta dosis es segura para la mayoría de las personas, pero consulte antes a su médico.

La combinación de magnesio y ácido málico (malato, "malic acid") con frecuencia ayuda a aliviar la sensibilidad en los puntos que desencadenan la fibromialgia. Esta combinación en una sola píldora –disponible en las tiendas de alimentos naturales ("health food stores") y en algunas farmacias– mejora la salud del tejido muscular. Es segura para la mayoría de las personas –pero, como siempre, consulte a su médico primero.

Aunque la fibromialgia es una afección física, muchas personas que la padecen empeoran las cosas al "írsele la mano". Les doy a mis pacientes este consejo –aprenda a dejar algunos proyectos sin terminar, y use el tiempo liberado para hacer algo agradable por usted. Siempre puede terminar el proyecto más adelante.

Cómo obtener alivio del dolor con remedios naturales

Para muchas personas, buscar un calmante para el dolor es tan instintivo como comer. ¿Tiene hambre? Vaya al refrigerador y busque un refrigerio empaquetado. ¿Tiene dolor? Tome una píldora. Pero las píldoras para el dolor tienen su precio.

El *acetaminofeno* (Tylenol, Panadol, etc.) puede causar daño al hígado. Los medicamentos antiinflamatorios no esteroideos (AINE o NSAID, por sus siglas en inglés), como *naproxeno* (Aleve) e *ibuprofeno* (Advil, Motrin, etcétera), pueden causar sangrado en el estómago y función renal disminuida. Pueden también inhibir la reparación del cartílago en las rodillas, las caderas y otras articulaciones.

Además de ser adictivos, **Lortab**, **Percocet** y otros analgésicos (calmantes) narcóticos pueden causar somnolencia y confusión mental. El relajante muscular *ciclobenzaprina* (Flexeril) ha sido vinculado a mareos, sarpullidos, arritmia y convulsiones.

En algunos casos, los riesgos que presentan esas reacciones adversas son contrarrestados por beneficios evidentes. Cuando el dolor es especialmente fuerte, nada puede reemplazar el alivio clemente de los medicamentos, pero para las molestias comunes —como el dolor de cabeza causado por tensión, el esguince del tobillo, la rigidez en las articulaciones, el dolor de espalda y el dolor posquirúrgico— es frecuentemente mejor evitar los medicamentos y optar en su lugar por tratamientos naturales.

El hielo podría parecer anticuado, pero sigue siendo uno de los mejores calmantes disponibles. Es fabuloso para el dolor de espalda, el dolor y la inflamación en las articulaciones y el dolor de cabeza. Reduce la congestión, mejora el flujo de la sangre y estimula la curación. Una bolsa de guisantes (arvejas, chícharos, "peas") congelados da el mismo resultado que una bolsa de hielo, y puede volverse a congelar y a usar muchas veces. Usualmente, una aplicación de 10 minutos, dos o tres veces cada hora, es eficaz.

Si los dolores de cabeza son su problema, beber mucha agua es a menudo todo lo que necesita. En particular, los dolores de cabeza causados por tensión y los dolores de cabeza "tóxicos" por beber demasiado alcohol o consumir demasiada cafeína reaccionan bien a la "hidroterapia". Beba ocho onzas (235 ml) de agua cada 10 minutos durante una hora. ¡Asegúrese de estar cerca de un baño antes de comenzar este remedio!

Para los rasguños, torceduras y esguinces agudos, los moretones y otros traumas menores, nada es mejor que el *árnica*. Este medicamento homeopático —disponible en las tiendas de alimentos naturales y en muchas farmacias— disminuye los moretones y el dolor. A menos que tenga tendencia a sufrir accidentes, un frasco que cuesta menos de $10 debería durarle varios años. Yo recomiendo árnica con una potencia de 30C —usualmente dos gránulos ("pellets") homeopáticos, de una a tres veces al día, por hasta siete días.

Para la tendinitis y la ciática —y para acelerar la recuperación de la cirugía— frecuentemente recomiendo *bromelaína* ("bromelain"). Este agente antiinflamatorio natural —una enzima derivada de la piña (ananá, "pineapple")— estimula la desintegración de los compuestos inflamatorios en el lugar de la lesión. La bromelaína se encuentra disponible en cápsulas en tiendas de alimentos naturales y en farmacias. La dosis típica es de 250 mg, de una a cuatro veces al día. Sin embargo, las personas con presión arterial alta no deberían tomar la bromelaína.

La *boswellia serrata* (incienso, "frankincense") se ha utilizado durante mucho tiempo en el tratamiento de la artritis en la India y el Medio Oriente. Aunque los estudios de esta hierba en seres humanos no son adecuados, mi experiencia clínica —y la de muchos profesionales de la salud— ha sido muy promisoria. Rutinariamente recomiendo boswellia como sustituto para los AINE en casos de dolor de espalda, artritis, dolor de las articulaciones inflamadas, y agudas lesiones musculares y óseas. Aun en el uso a largo plazo, la boswellia no parece causar el dolor ni el sangrado en el estómago que pueden ocurrir con el uso de los AINE.

La boswellia se puede comprar en las tiendas de alimentos naturales. Busque boswellia sola, o combinada con jengibre ("ginger") y cúrcuma ("turmeric"), otros dos calmantes herbarios que no causan problemas de estómago. La dosis típica es de 300 mg de boswellia, tres veces al día, según sea necesario.

Siete mitos sobre la esclerosis múltiple

David H. Mattson, MD, PhD, profesor de neurología y director del Neuroimmunology/Multiple Sclerosis Center de la facultad de medicina de la Universidad de Indiana, en Indianápolis. El Dr. Mattson ha realizado investigaciones extensas sobre el uso del interferón beta y otros medicamentos para tratar y controlar la esclerosis múltiple.

Muchas personas piensan que el diagnóstico de *esclerosis múltiple* (MS, por sus siglas en inglés) significa la incapacidad profunda y la muerte prematura. Eso no es verdad.

Realidad: Aunque la MS puede ser debilitante en algunos casos, los nuevos métodos de tratamiento les permiten vivir vidas relativamente normales a la mayoría de las personas que padecen MS.

La MS es una enfermedad autoinmune que afecta a unos 400.000 estadounidenses. En las personas con MS, los anticuerpos y los glóbulos blancos dañan la capa de mielina que rodea los nervios en el cerebro y en la médula espinal.

Resultado: Cicatrices (*esclerosis*) que dañan múltiples áreas en los nervios y enlentecen o bloquean la transmisión normal de las señales nerviosas, causando grados variados de incapacidad física.

Alrededor de tres de cada cuatro personas con MS nunca necesitan una silla de ruedas. La mayoría de los pacientes son capaces de seguir trabajando, hacer ejercicios, disfrutar de salidas con sus familias, etc. La MS puede enlentecerlos, pero raramente disminuye su capacidad de vivir plenamente. Casi todos tienen vidas de duración normal.

Otros errores…

Mito N.º 1: La MS es fácil de diagnosticar.

Realidad: La MS puede ser difícil de diagnosticar porque los síntomas varían de una persona a otra, según el lugar exacto del daño a los nervios. Los síntomas además suelen tener altibajos en periodos de meses –o incluso años– y los pacientes pueden tener exámenes neurológicos normales entre los primeros ataques.

Entre los síntomas precoces comunes se incluyen visión borrosa o doble, debilidad en una pierna o una mano, y entumecimiento, hormigueo –incluso ardor o comezón– en las extremidades, el tronco o el rostro. Algunas personas con MS también sufren fatiga, depresión, temblores, estreñimiento, mareos y dificultad para llegar al orgasmo. Por ese motivo la MS puede confundirse fácilmente con otras afecciones que producen síntomas similares, como lupus, artritis en el cuello y enfermedad de Lyme.

Si se sospecha que padece MS: Después de un examen clínico completo, su médico muy probablemente le pedirá que se someta a una *imagen por resonancia magnética* (MRI, por sus siglas en inglés)… una punción lumbar ("spinal tap") para detectar los indicadores de anticuerpos… y una serie de pruebas de impulsos eléctricos que miden la velocidad en la que los nervios conducen las señales visuales, auditivas y sensoriales al cerebro.

Mito N.º 2: La MS es siempre causada por factores hereditarios.

Realidad: Las infecciones virales o bacterianas pueden provocar ataques de MS en alguien que pueda tener una susceptibilidad genética. La aparición de los síntomas también se ha relacionado con la gripe y otras enfermedades infecciosas, como infecciones de la vejiga o virus respiratorios no específicos. ¿La razón? Las personas con MS tienen sistemas inmunes hiperactivos, que no sólo atacan cuerpos extraños sino que también pueden atacar el tejido cerebral benigno ("amigo").

Aunque es verdad que la herencia es probablemente un factor de riesgo de la MS (si tiene un pariente de primer grado con MS, su probabilidad de contraerla es entre 20 y 40 veces mayor), los científicos aún no han podido determinar las causas exactas de la enfermedad.

Mito N.º 3: Todos los pacientes con MS experimentan la misma frecuencia y gravedad de los síntomas.

Realidad: El grado de la incapacidad varía mucho de una persona a otra. Los pacientes con MS *benigna* –aproximadamente el 10% de los casos– tienen sólo síntomas leves que no empeoran y no causan incapacidad a largo plazo.

Alrededor del 80% de las personas con MS tienen una forma de la enfermedad llamada *remitente-recurrente* ("relapsing-remitting"). Tienen brotes de síntomas cada uno a tres años, seguidos de periodos variables sin síntomas externos. Después de unos 10 años, la mitad de los pacientes de este grupo empeora de manera progresiva.

Sólo alrededor del 10% de los pacientes con MS –quienes tienen un tipo conocido como *progresiva primaria*– invariablemente experimentan un empeoramiento continuo de los síntomas desde el comienzo de la enfermedad.

Mito N.º 4: La MS no puede diagnosticarse hasta estar en una etapa avanzada.

Realidad: Los médicos ahora están comenzando a diagnosticar y tratar a pacientes que han tenido sólo *un* ataque de síntomas de MS (por ejemplo, trastornos en la visión, la fortaleza o el equilibrio), que usualmente duran más de un día y tienen una recuperación que dura entre dos y cuatro semanas.

Los pacientes que tienen una forma recurrente de MS deberían comenzar un régimen con medicamentos tan pronto como puedan, cuando la medicación tiene más posibilidades de frenar el progreso de la enfermedad.

Mito N.º 5: No existe un tratamiento eficaz contra la MS.

Realidad: Los medicamentos no curan la MS, pero sí enlentecen el progreso de la enfermedad y alivian o eliminan los síntomas. *Tratamientos comunes...*

• **Interferones beta.** Se suministran por inyección una vez a la semana, tres veces a la semana o un día sí, un día no, y pueden enlentecer el progreso de la MS en un 35%.

Entre los efectos secundarios se incluyen síntomas similares a los de la gripe.

• **Glatiramer** (Copaxone). Es un péptido sintético que se suministra diariamente por inyección. Resulta tan eficaz como los interferones beta, pero no causa ninguno de los efectos secundarios similares a los de la gripe, aunque se podría experimentar tensión en el pecho o ansiedad. Se cree que el medicamento bloquea los ataques del sistema inmune a la mielina de los nervios.

• **Corticosteroides.** Al tomarlos en forma oral o por inyección, disminuyen la inflamación del cerebro durante los ataques de MS y ayudan a abreviarlos. Estos medicamentos pueden causar efectos secundarios, como retención de líquidos y aumento del apetito.

• **Relajantes musculares.** Medicamentos como *tizanidina* (Zanaflex) y *baclofeno* (Lioresal), que se toman varias veces al día, se usan con frecuencia para controlar los espasmos musculares. Entre los efectos secundarios se incluyen sedación y mareo, pero la mayoría de las personas toleran bien estos medicamentos.

Mito N.º 6: Las recaídas de MS no pueden predecirse.

Realidad: Por desgracia, actualmente no hay una forma de predecir de manera precisa una recaída de MS. Pero esto podría cambiar en el futuro. De acuerdo a un estudio publicado en *The New England Journal of Medicine,* dos sencillos análisis de sangre pueden detectar anticuerpos que podrían ayudar a determinar si quienes padecen MS tienen posibilidades de sufrir una recaída.

Estos análisis podrían además ayudar a confirmar un diagnóstico y ayudar a predecir la gravedad de la enfermedad en el futuro. Los resultados de dichos análisis les podrían permitir a los médicos determinar cuáles pacientes podrían evitar la terapia con medicamentos –y los efectos secundarios relacionados.

Mito N.º 7: Las personas que padecen MS no deberían hacer ejercicios.

Realidad: Los ejercicios ayudan a estimular la fortaleza muscular y la energía. Los estudios demuestran que los pacientes con MS que realizan ejercicios con regularidad experimentan menos fatiga que quienes son sedentarios.

Determine cuánto ejercicio es necesario antes de comenzar a sentir fatiga, y luego redúzcalo. Por ejemplo, si normalmente se cansa después de correr dos millas (3 km), limítese a una milla y media.

Útil: Nadar es ideal para las personas con MS. Usar distintas brazadas pone en funcionamiento todos los grupos de músculos más importantes, y la inmersión en el agua ayuda a prevenir el recalentamiento, lo que puede causar fatiga extrema y debilidad muscular en algunas personas con MS.

Sorprendente secreto para aliviar el dolor de espalda

Arthur H. White, MD, ex presidente de la North American Spine Society, y jubilado cirujano ortopédico de la espalda, que reside en Walnut Creek, California. Es coautor de *The Posture Prescription* (Three Rivers).

La palabra "postura" tiene connotaciones negativas para muchas personas que fueron obligadas a pararse rectas en la niñez.

Pero una buena postura puede ayudarlo a evitar, disminuir –y hasta eliminar– la mayoría de los tipos de dolor de espalda. Un programa de ejercicios que se enfoque en la postura puede ayudarlo a evitar poderosos medicamentos o cirugía –los tratamientos habituales recomendados por la mayoría de los médicos.

Por fortuna, el tipo de postura que yo recomiendo *no* es la posición "recta como una flecha" que la mayoría de nuestros padres nos obligaban a adoptar.

CÓMO FUNCIONA LA COLUMNA VERTEBRAL

Cuando nos ponemos de pie, nos sentamos y movemos de manera adecuada, los huesos y discos mantienen su alineación óptima y su función saludable. Si le agregamos estrés físico a cualquier parte de la espalda, como inclinarse, levantarse y sentarse repetidamente, entonces los discos pueden desgarrarse, protruirse y presionar un nervio –e incluso reventarse. Cuando los discos se dañan, se produce un espasmo en los músculos grandes de la espalda para proteger la columna vertebral, y el tejido muscular podría inflamarse y doler.

ALINEACIÓN ADECUADA DE LA COLUMNA VERTEBRAL

Tres ejercicios distintos lo ayudarán a lograr la postura adecuada. Repita estos ejercicios 10 veces cada uno, dos veces al día.

Importante: Tenga paciencia. Aunque la postura adecuada pudiera ser incómoda al principio, estas posiciones parecerán cómodas y naturales después de unas tres semanas de práctica.

• **Deslizamiento dorsal.** Siéntese en una silla con la espalda apoyada. Incline la cabeza hacia delante sin mover la espalda ni los hombros. Sienta la tensión en el cuello. Recline la cabeza hacia atrás, centrada entre los hombros. Luego, apriete los omóplatos para enderezar los hombros.

La mayoría de las personas lleva la cabeza hacia delante, una posición que contribuye al dolor de cabeza y del cuello. La cabeza siempre debería estar centrada sobre el cuerpo con el mentón paralelo al piso.

• **Apretón de hombros.** Póngase de pie con los pies separados en una distancia igual a la de los hombros y las rodillas levemente dobladas. Junte las manos detrás de la espalda aproximadamente al nivel de las caderas.

Sin mover la parte inferior de la espalda, levante los brazos y manos para enderezar los hombros y apriete los omóplatos entre sí.

• **Vara recta.** Tome una vara de una yarda (un metro) o un palo de escoba, o un poste de tres pies (un metro) con ambas manos y manténgalo detrás suyo al nivel de la cintura. Enderece la espalda de modo que la cabeza, la parte superior y la parte inferior de la espalda estén todas tocando la vara.

Para enderezar la parte inferior de la espalda, incline la pelvis hacia delante "metiendo" las nalgas. Luego, mantenga esa posición durante unos 30 segundos.

Mejor: Camine durante unos minutos mientras sostiene la vara detrás de la espalda para sentir cómo es moverse con la espalda recta.

TODO JUNTO

•**Manténgase recto.** Póngase de pie con los pies separados unas pocas pulgadas (alrededor de 10 a 15 cm), con los dedos hacia delante. Doble las rodillas levemente. Equilibre su peso entre ambos pies, sin poner demasiado peso en los dedos ni en los talones. No cambie su peso de una pierna a otra.

Enderece la parte inferior de la espalda inclinando la pelvis hacia delante. Relaje los hombros, y luego apriete los omóplatos entre sí.

Finalmente, centre la cabeza sobre su cuerpo. Idealmente, debería mantener esta posición cada vez que esté de pie.

Cuando esté sentado, la posición de la cabeza y de la parte superior y la parte inferior de la espalda debe ser erguida. No se apoye en el respaldo de una silla. Si lo hace, apoye la parte inferior de la espalda con un almohadón.

Buena idea: Observe la forma en que camina en los espejos, vidrieras o cualquier otra superficie reflectora para detectar si se está encorvando. Si habitualmente está sentado por periodos largos, asegúrese de que la parte de adelante del asiento de la silla esté inclinada hacia arriba, de modo que las rodillas estén por encima de las caderas. Como alternativa, descanse los pies sobre una guía telefónica o un taburete. Cuando esté de pie durante largos periodos, coloque un pie sobre un taburete.

CÓMO MOVERSE DE MANERA ADECUADA

La espalda compensa por debilidades en otras partes del cuerpo. Por ejemplo, si usted levanta una caja demasiado pesada para los brazos, es probable que use la espalda para levantarla. Aunque los músculos de la espalda son grandes y fuertes, usarlos de manera incorrecta puede causar distensiones, torceduras y lesiones de disco.

Los ejercicios a continuación lo ayudarán a desarrollar la fortaleza y la flexibilidad necesarias para evitar lesiones de la espalda.

A medida que se acostumbra a estos movimientos, intégrelos a su vida diaria.

Ejemplo: Haga unas sentadillas cuando quita malezas en el jardín o haga el estiramiento de piernas mientras habla por teléfono.

•**Sentadillas** ("squats"). El mejor ejercicio general es la sentadilla porque permite un estiramiento total de los tobillos, las rodillas, las caderas, el tendón de Aquiles y los músculos de la pantorrilla. Simplemente al levantarse de una sentadilla usted fortalecerá y pondrá más firmes los muslos. Esto le permitirá estar de pie por periodos extensos sin poner tensión en la espalda.

Con los pies separados, haga una sentadilla profunda. Mantenga los pies planos sobre el piso, y acerque las nalgas lo más posible a los talones. Mantenga su peso sobre los talones.

Una vez que esté en esta posición, enderece la espalda. Use la vara recta, de ser necesario.

Si no puede llegar totalmente hasta abajo, agárrese a una superficie plana y estacionaria, como un escritorio o la encimera en la cocina, y agáchese tanto como pueda. Mantenga esta sentadilla durante al menos 30 segundos, y luego levántese usando sólo los músculos de los muslos.

Haga esta media sentadilla entre 20 y 30 veces al día. Cuando pueda hacer 30, intente la sentadilla completa. Luego realice una o dos sentadillas completas entre cinco y 10 veces al día. Puede incorporar esto a sus actividades diarias, como al sacar algo de un armario bajo.

Advertencia: *No* haga la sentadilla completa si tiene artritis o reemplazo total de rodilla o cadera. Además, no haga este ejercicio con pesas ("dumbbells") ni barras ("barbells"). El peso adicional puede dañar las rodillas.

•**Estiramiento de piernas.** Mientras se encuentre en la postura adecuada estando de pie, póngase de pie frente a una mesa u otra superficie plana y estacionaria. Estire una pierna en forma recta y descanse el talón izquierdo sobre la mesa. Apóyese en la pared u otro objeto para mantener el equilibrio, de ser necesario. Permanezca así por al menos 30 segundos, y luego repítalo con la otra pierna.

Ilustraciones de los ejercicios de Shawn Banner.

Si este ejercicio es demasiado difícil, comience con una superficie más baja, como una silla o un escalón. Si este ejercicio parece demasiado fácil, puede obtener estiramiento adicional al inclinar la parte superior de su cuerpo hacia la pierna levantada, manteniendo la espalda recta.

Haga el estiramiento de piernas entre 10 y 20 veces al día. Puede hacerlo mientras lee, mira televisión o habla por teléfono.

Sí, se puede vencer el dolor crónico de espalda

Art Brownstein, MD, instructor clínico de medicina de la Universidad de Hawái, en Mano, y director médico de la Princeville Medical Clinic, en Princeville. Es autor de *Healing Back Pain Naturally* (Pocket).

Sufrí de dolor debilitante de espalda durante más de 20 años, a partir de principios de la década de 1970. La cirugía no me ayudó. El dolor llegó a ser tan fuerte que fui adicto a los analgésicos (calmantes)... y caí en una profunda depresión.

Debido a la desesperación, pasé cinco años estudiando con curanderos en Estados Unidos y el Lejano Oriente, explorando alternativas a los tratamientos médicos convencionales para el dolor de espalda. *Lo que aprendí...*

•**La cirugía raramente es la respuesta.** Es adecuada en ciertos casos, como cuando hay un quiste o una anomalía congénita en la columna vertebral. Pero para la mayoría de los problemas de espalda, la cirugía sólo debilita la columna.

•**El dolor de espalda se origina en los músculos.** Frecuentemente tanto los médicos como los pacientes piensan que el dolor de espalda es un problema del esqueleto. De hecho, la alineación, el movimiento y la curvatura de la columna vertebral son controlados por los músculos que rodean la espalda.

Los músculos rígidos y los espasmos musculares en la espalda aprietan las vértebras. Esto comprime los discos entre las vértebras, y los rayos X de la espalda muestran lo que parece ser un problema de disco. La verdadera razón del problema, sin embargo, se encuentra en los músculos.

Estar sentado contribuye en gran medida al dolor de espalda, ya que causa que los músculos de la espalda se acorten, se entumezcan y se debiliten. Eso los hace vulnerables a las lesiones.

•**El estrés psicológico juega un papel clave.** La primera vez que tuve dolor fuerte de espalda ocurrió mientras estudiaba en la facultad de medicina, que es un ambiente notoriamente estresante.

En los cuatro años anteriores a mi cirugía, había perdido a cuatro miembros de mi familia... y mi esposa se estaba muriendo de cáncer.

En esa época, yo no relacionaba esos factores estresantes con mi dolor de espalda. Pero aprendí que el cerebro está "ligado" a los músculos de la espalda, y que el estrés psicológico inevitablemente causa que estos músculos se contraigan.

Esto puede desalinear la espalda. También puede contraer los vasos sanguíneos, limitando el suministro de sangre a la espalda.

El método holístico que aprendí durante esos cinco años logró maravillas. Ahora hago surf, enseño yoga y dirijo una ajetreada práctica médica –todo sin dolor.

Éstas son las estrategias que usted puede usar para vencer el dolor de espalda...

ESTIRAMIENTO

El estiramiento diario descomprime la columna vertebral, mejorando su flexibilidad y aumentando el flujo de sangre a los músculos de la espalda.

El estiramiento además ayuda a revertir la atrofia muscular causada por un estilo de vida sedentario. *Algunos estiramientos sencillos y seguros que usted puede intentar...*

•**Apretón de glúteos.** Recuéstese de espaldas con las rodillas dobladas y los pies planos sobre la cama o el piso. Apriete los músculos en las nalgas tanto como pueda, y luego relájese lentamente.

•**Levantamiento de rodillas.** Recuéstese de espaldas con las piernas dobladas o rectas. Luego, levante lentamente la rodilla derecha hasta el pecho. Coloque las manos sobre la espinilla derecha, y suavemente empuje la pierna más cerca al pecho.

Note la expansión del pecho y del abdomen y el estiramiento en la cadera, la rodilla y la columna lumbar. Baje la rodilla derecha y repita con la rodilla izquierda.

●**Estiramiento del gato/caballo.** Agáchese sobre las manos y rodillas, manteniendo su peso distribuido de manera equitativa de adelante hacia atrás y de lado a lado. Lentamente arquee la columna vertebral como un gato. Baje la cabeza, y relaje los músculos del cuello y de los hombros.

Mantenga esta posición durante el tiempo que le lleve respirar varias veces, sintiendo cómo se estiran los músculos de la espalda. Luego, lentamente, relaje el arco y deje que la espalda se encorve como la de un caballo viejo. Levante la cabeza y alce la vista, extendiendo las nalgas hacia arriba y sintiendo el estiramiento en el cuello, la parte superior de la espalda y la columna vertebral.

Advertencia: No se fuerce a estar en ninguna posición que sea dolorosa. Respire suave y lentamente durante cada estiramiento.

El mejor programa general de estiramiento para la espalda es el yoga. Por desgracia, las clases de yoga que se ofrecen en los gimnasios ("health clubs") son con frecuencia demasiado vigorosas para las personas con problemas de espalda.

Antes de inscribirse, asegúrese de que el instructor tenga experiencia trabajando con pacientes con dolor de espalda.

EJERCICIOS

Una vez que haya estado haciendo estiramientos diarios por un mes o dos, agregue un programa de caminata, natación u otro tipo de ejercicio moderado para fortalecer aun más los músculos de la espalda.

Importante: Preste atención a cómo siente la espalda al moverse.

Advertencia: Si anda en bicicleta, evite la posición inclinada. Puede exacerbar el dolor de espalda.

DISMINUCIÓN DEL ESTRÉS

La meditación y otras técnicas de relajación –practicadas durante unos veinte minutos cada día– son muy eficaces para aliviar el estrés.

Técnica de relajación fácil: Siéntese cómodamente con los ojos cerrados. Note la espalda moviéndose apenas cada vez que respira. Note además el suave tirón en la columna vertebral que ocurre cada vez que respira.

Al relajarse, visualice la espalda en estado fuerte, sano y flexible. Imagínese inclinándose y moviéndose con gracia y vigor.

La actividad recreativa –el juego– es quizás la forma más eficaz de aliviar el estrés que puede haber causado el dolor de espalda. Dedique tiempo a sus aficiones (pasatiempos, "hobbies"). Escuche música. Practique su deporte preferido –pero asegúrese de proteger la espalda.

Imprescindible: Evite la mentalidad del "ganador a cualquier costo". Aprenda a jugar por el placer del juego.

CÓMO ENTENDER EL DOLOR

Como yo, muchos de mis pacientes han encontrado útil tener un "diálogo interno" con el dolor en la espalda.

Qué hacer: Cierre los ojos. Imagine que su dolor ha tomado la forma de un animal, un personaje de historieta (cómic) o cualquier otra cosa que se le ocurra. *Pregúntele al dolor…*

●**¿Por qué estás aquí?**

●**¿Por qué eres tan doloroso?**

●**¿Cómo puedo librarme de ti?**

Para concluir el diálogo, exprese su agradecimiento y lentamente abra los ojos. Repita este proceso una o dos veces al día.

Dolor de espalda –cuándo debe consultar al médico

Carol Hartigan, MD, experta en rehabilitación del hospital New England Baptist, en Boston.

S i está sufriendo un "ataque a la espalda", debería consultar a un médico si existen una o más de estas condiciones…

●**El dolor de espalda es el resultado de un trauma importante,** como una caída fuerte.

•**Tiene fiebre.**

•**Las piernas o los pies están débiles, entumecidos u hormigueantes.**

•**Tiene un historial personal de cáncer.**

•**Es mayor de 50 años.**

•**No mejora después de cuatro semanas.**

Si ninguna de estas condiciones está presente, es probable que un médico no pueda hacer mucho por usted. El tiempo es con frecuencia el único tratamiento eficaz para el dolor de espalda. Algunas personas ponen por las nubes el masaje u otras terapias, pero lo más probable es que hayan mejorado solos. Con o sin tratamiento, un problema de espalda usualmente mejora en seis semanas.

Yo no recomiendo quedarse en la cama a descansar, ya que estar inmóvil puede empeorar la inflamación. El ejercicio actúa como un antiinflamatorio natural. Recomiendo comenzar con un ejercicio aeróbico suave, como caminar o nadar, tan pronto como sea posible –pero no haga ninguna actividad de alto impacto y variable como el tenis.

Si lo puede tomar, el *ibuprofeno* (Advil o Motrin) puede disminuir el dolor y la inflamación.

Aplique hielo en la zona con una bolsa de verduras congeladas o una bolsa de hielo ajustable al cuerpo. Hágalo por 15 minutos cada pocas horas durante las primeras 24 horas para disminuir la inflamación. Después de varios días, aplicar calor antes de una actividad puede ayudar.

Cómo controlar el dolor de espalda

Michael S. Sinel, MD, profesor clínico auxiliar de medicina del centro médico de la Universidad de California en Los Ángeles (UCLA), y especialista en la columna vertebral con práctica privada en Beverly Hills. Es coautor de *Win the Battle Against Back Pain: An Integrated Mind-Body Approach* (Dell).

El dolor de espalda frecuentemente se atribuye a una hernia de disco u otro problema anatómico. No obstante, en alrededor del 85% de los casos el dolor no tiene nada que ver con la anatomía, pero se debe al estrés psicológico, la depresión, la ansiedad o el enfado… o simplemente al estar en un mal estado físico.

En consecuencia, el remedio para el dolor de espalda usualmente no es el reposo en la cama ni la cirugía –es mejorar su estado emocional y físico. *He aquí cómo hacerlo…*

•**Escriba un diario.** Apenas unos pocos días después de experimentar emociones o dolor físico, es difícil recordarlos de manera precisa. Es muy útil mantener un diario de *dolor-actividad-ánimo-medicamento.*

A cada hora que esté despierto, califique su dolor de 0 (sin dolor) a 10 (peor dolor imaginable). Califique también su estado anímico de 0 (excelente) a 10 (angustia grave). También anote cualquier medicamento que tome y cualquier actividad –ya sea "pelea con la pareja" o "no puedo dormir". Además, lleve un registro de sus ejercicios.

Periódicamente revise este diario para ayudar a identificar las situaciones y reacciones que provocan el dolor… y haga lo posible para evitarlas.

•**Evalúe su personalidad.** Ciertos rasgos están relacionados con el estrés psicológico –y con el dolor de espalda. Entre estos rasgos de la personalidad frecuentemente se incluyen demasiada autodisciplina… fuerte deseo de tener éxito… tendencias perfeccionistas y compulsivas… y autocrítica severa.

Si cree que posee cualquiera de estos rasgos, esfuércese por atenuarlos.

•**Reconozca y reprograme los pensamientos negativos.** Las personas bajo estrés psicológico con frecuencia sucumben a pensamientos negativos irracionales. Éstos producen depresión, ansiedad y temor –y dolor de espalda.

En las situaciones estresantes, identifique los pensamientos negativos como "Nunca mejoraré en este trabajo", y practique cambiarlos por pensamientos que ayudan a sobrellevar la situación, como "Estoy mejor que hace una semana".

Lo mismo cuenta para los pensamientos acerca del dolor de espalda. En lugar de pensar "nunca se me irá este dolor", afirme: "el dolor ya no es tan fuerte".

●**Discuta con su cerebro.** Dígale que ya no va a aceptar más el dolor. Establezca "barreras del dolor" –defensas que alejan el dolor.

Ejemplos: Distráigase con un pasatiempo ("hobby") o llame a un amigo.

●**Exprese la ira.** Golpee una almohada o pegue un grito cuando está solo en un cuarto. Mantener dentro de usted las emociones complicadas, como la ira, puede causar una tensión en los músculos que provoque el dolor de espalda.

●**Aprenda una técnica de relajación.** La relajación en cualquier forma puede aliviar el estrés. Pero las técnicas formales de relajación son más eficaces para sobrellevar las situaciones estresantes –disminuyen el ritmo del corazón y de la respiración, la presión arterial y la tensión muscular.

Aprenda respiración profunda… relajación progresiva… meditación… o visualización (imaginar situaciones pacíficas o actividades placenteras; "imagery", en inglés).

Compre un libro o una cinta de audio para aprender una de estas técnicas. Luego, use la técnica en momentos de estrés para rechazar el dolor de espalda.

●**Hable con un psicoterapeuta.** La psicoterapia promueve actitudes positivas y proporciona una forma de canalizar los sentimientos que ayuda a prevenir el dolor de espalda.

●**Cambie de trabajo.** El estrés en el trabajo y la insatisfacción con el empleo pueden provocar dolor de espalda. Busque un empleo menos estresante y más recompensante… o mejore el que ya tiene. Modifique su horario o sus tareas.

●**Halle un propósito.** No permita que el dolor sea el centro de su vida. Cuanto más propósito tenga en su vida –más cosas que le importen–, menos dolor tendrá.

●**Establezca objetivos concretos.** Propóngase objetivos alcanzables a corto plazo en todos los aspectos de su vida. El éxito diario alivia el estrés y crea buenos sentimientos que ayudan a prevenir el dolor de espalda.

Ejemplos: Dígase a sí mismo que hará 10 ventas hoy… o haga algo agradable por su cónyuge e hijos.

●**Mejore su estado físico.** El ejercicio aeróbico de bajo impacto habitual es vital –tan sólo 30 minutos cada dos días disminuye los niveles de las hormonas del estrés y provoca la liberación de endorfinas que alivian el dolor. Este ejercicio puede consistir en caminar a buen ritmo, nadar, hacer ejercicios aeróbicos en el agua o pedalear una bicicleta estática recumbente ("recumbent stationary bicycle"), lo cual es mejor para la espalda que pedalear estando erguido.

En combinación con el levantamiento de pesas, el ejercicio aeróbico fortalece los músculos que soportan la espalda. Si tiene dolor fuerte de espalda, evite los deportes de alto impacto, como el fútbol americano y el básquetbol, y los deportes que requieren súbitos giros o torsiones, como el ráquetbol o el golf.

●**Haga ejercicios para la espalda.** Un ortopedista, un fisiatra (médico que se especializa en el diagnóstico y tratamiento no quirúrgico de afecciones musculoesqueléticas) o un fisioterapeuta pueden sugerir ejercicios para fortalecer los músculos de la espalda y abdominales –que ayudan a soportar la columna vertebral.

Pregúntele también a su médico o fisioterapeuta acerca de ejercicios de estiramiento lento para mejorar la flexibilidad.

●**Mantenga el peso adecuado.** El exceso de peso aumenta la presión en todas las estructuras del cuerpo, incluyendo la espalda.

Un estómago prominente, en particular, ejerce presión sobre la parte inferior de la espalda, haciéndola más susceptible a las lesiones y al dolor.

●**Levante cosas correctamente.** Todos hemos oído acerca de la manera correcta de levantar un objeto pesado. Doble las rodillas, no la cintura… sostenga cerca el objeto y haga fuerza en forma recta hacia arriba con las piernas, de modo que las mismas soporten la mayor parte del peso… mantenga la columna vertebral recta mientras levanta… y nunca gire mientras esté levantando. Si tiene que girar en otra dirección, gire todo su cuerpo.

●**Siéntese y póngase de pie en forma correcta.** Al levantarse, haga una "inclinación de la pelvis". Con las palmas en la región baja de la espalda, levemente empuje la parte inferior de la espalda hacia dentro e incline la pelvis hacia delante a medida que gradualmente extiende la espalda hacia arriba.

Al sentarse, mueva el cóccix (trasero) lo más atrás que sea posible por encima de la silla, con la parte superior de su cuerpo inclinándose hacia delante. Mantenga la parte superior de su cuerpo en forma vertical al sentarse.

●**Cambie de posición frecuentemente.** No esté de pie o sentado en una posición por periodos largos. Si debe estar de pie y quieto, apóyese contra algo. Si puede, descanse un pie sobre un taburete o una baranda. Use zapatos con suela acolchada y tacones bajos.

Estar sentado durante periodos largos ejerce presión sobre la parte inferior de la espalda. Conducir puede ser especialmente problemático debido a que las vibraciones de la ruta se transmiten a la columna vertebral. En los viajes extensos en automóvil, deténgase al menos una hora para estirarse y caminar.

●**Use una silla buena.** Debería colocar la espalda en la posición adecuada –manteniendo la curva de la columna vertebral. Si no puede conseguir una silla que le permita hacer esto, enrolle una toalla y colóquela contra la parte inferior de la espalda. Apoye los pies sobre un taburete (banqueta, escabel) o un libro grande.

●**Duerma sobre un costado,** con las caderas y las rodillas dobladas hacia el cuerpo –como en la posición fetal. Coloque una pequeña almohada entre las rodillas. Si debe acostarse sobre la espalda, coloque almohadas debajo de las rodillas.

¿Debería consultar a un quiropráctico?

Rand Swenson, MD, DC, PhD, profesor adjunto de neurología y anatomía de la facultad de medicina de la Universidad Dartmouth, en Hanover, New Hampshire. Tiene práctica clínica privada en neurología en el centro médico Dartmouth-Hitchcock, en Lebanon y el hospital Monadnock Community, en Peterborough, ambos en New Hampshire.

Un estudio científico demostró que la manipulación vertebral es tan eficaz para el tratamiento del dolor en la parte inferior de la espalda, como lo son el ejercicio y las píldoras para el dolor. Entonces, ¿vale realmente la pena el tratamiento de un quiropráctico?

Sin duda, según Rand Swenson, MD, DC, PhD, un distinguido doctor en medicina que además tiene capacitación en la quiropráctica.

Para las personas que sufren de los efectos secundarios de los analgésicos (calmantes), como irritación estomacal, o para quienes el dolor de espalda no mejora al hacer ejercicios, el tratamiento quiropráctico puede ofrecer alivio duradero.

He aquí lo que debería saber…

¿QUÉ ES LA QUIROPRÁCTICA?

Con el tratamiento quiropráctico, la relación entre la estructura de la columna vertebral y la función del sistema nervioso es clave para mantener o restaurar la salud.

Durante cada sesión de cinco a 20 minutos, los quiroprácticos manipulan la columna vertebral en direcciones específicas con distintos grados de fuerza. Se cree que estas manipulaciones, también llamadas *ajustes de la columna* ("spinal adjustment"), restauran el rango normal de movimiento en las articulaciones de la columna… mejoran la postura… y relajan los músculos de la espalda. Pueden activar las fibras sensoriales en los tejidos de la columna vertebral que provocan la supresión del dolor a corto plazo (de días a semanas).

Los beneficios a largo plazo no se han establecido claramente, pero los estudios sugieren que una serie de cinco o más tratamientos quiroprácticos puede proporcionar alivio del dolor por un año o más.

Los ortopedistas, neurólogos y neurocirujanos frecuentemente remiten pacientes a los quiroprácticos por dolores de espalda no específicos, que provienen de los músculos, ligamentos y articulaciones de la columna vertebral y no requieren intervención médica como la cirugía.

La mayoría de los planes privados de seguro de salud, Medicare y el programa de compensación a los trabajadores ("worker's compensation") cubren la atención quiropráctica.

Existe evidencia sólida que apoya el uso de la quiropráctica para varias afecciones, incluyendo…

DOLOR EN LA PARTE INFERIOR DE LA ESPALDA

Docenas de estudios científicos demuestran que el tratamiento quiropráctico puede aliviar el dolor de espalda que ha durado menos de cuatro semanas. También parece ser útil para el dolor crónico de espalda, aunque esto no se ha estudiado tan bien.

Un gran estudio de más de 700 pacientes publicado en el *British Medical Journal* halló que la quiropráctica era más eficaz para el dolor no específico de la parte inferior de la espalda que los tratamientos médicos habituales –reposo en la cama, medicación antiinflamatoria y fisioterapia. Los pacientes del estudio tuvieron grandes mejoras iniciales, pero los beneficios fueron aun más pronunciados un año más tarde.

Importante: La quiropráctica para el dolor de la parte inferior de la espalda es más eficaz cuando se combina con un programa vigoroso de rehabilitación que incluya ejercicios de estiramiento y fortalecimiento. La acupuntura y otros procedimientos para aliviar el dolor también pueden usarse conjuntamente con la quiropráctica.

DOLOR DE CUELLO

Un estudio holandés de 183 pacientes con dolor de cuello (columna cervical) que había durado al menos dos semanas demostró mayores mejoras con manipulación vertebral que con fisioterapia o analgésicos. Los pacientes tratados con *ambas* manipulación *y* fisioterapia tuvieron las mayores mejoras.

Advertencia: La manipulación quiropráctica del cuello podría provocar un ataque cerebral ("stroke") en las personas con anomalías no detectadas en los vasos sanguíneos del cuello. El riesgo se estima en uno en 1 millón. *No* busque tratamiento quiropráctico si sufre de cualquier síntoma neurológico, como pérdida de la visión, visión doble, pérdida de sensibilidad o parálisis.

DOLOR DE CABEZA

Los dolores de cabeza tensionales causados por anomalías en la columna cervical (*dolores de cabeza cervicogénicos*) responden particularmente bien al tratamiento quiropráctico. Estos dolores de cabeza usualmente causan dolor en la parte superior del cuello en la base del cráneo.

Las migrañas y otros dolores de cabeza también pueden ser aliviados por el tratamiento quiropráctico, aunque usualmente en un grado menor.

Investigadores en Dinamarca informaron recientemente que hasta un 70% de los pacientes con dolores de cabeza cervicogénicos tuvieron mejoras significativas –en la frecuencia de los dolores de cabeza y también en el dolor– después de someterse a la manipulación quiropráctica.

Algunos estudios incluso sugieren que la quiropráctica da resultados tan buenos como la *amitriptilina* (Elavil), un medicamento antidepresivo usado para los dolores de cabeza causados por tensión. Los beneficios de un solo tratamiento quiropráctico pueden durar un mes o más. En comparación, los medicamentos dejan de dar resultado tan pronto como se dejan de tomar.

EN QUÉ CONSISTE

Cada año, hasta el 10% de los estadounidenses consultan a quiroprácticos. La mayoría recibe entre ocho y 14 tratamientos (de una a tres veces a la semana), con ocasionales "afinamientos" o "retoques", según sea necesario. Cinco visitas deberían ser suficientes para un reciente brote de dolor de espalda o de cuello. Las afecciones que han durado meses o años podrían requerir hasta 15 tratamientos.

La quiropráctica tiene un buen historial de seguridad. Es posible que se sienta sensibilidad o dolor después de los tratamientos, pero usualmente desaparecen en uno o dos días.

Un quiropráctico debería recibir un historial completo de su salud antes del tratamiento inicial. Realizará pruebas de reflejos y rango de movimiento para descartar problemas potencialmente graves, como *ciática* (irritación o daño del nervio ciático de la columna). Se trata de los mismos exámenes que le harían un neurólogo u ortopedista. Y los rayos X podrían recomendarse para comprobar la estabilidad de la columna. Avísele a su quiropráctico si padece osteoporosis.

Importante: Su quiropráctico debería estimar la cantidad de tratamientos que necesite.

No se conforme con una respuesta vaga. Pregúntele qué progreso puede esperar durante el periodo de tratamiento (menos dolor, menor cantidad de dolores de cabeza, etc.). Consulte a su médico si no logra este objetivo o si sus problemas empeoran.

CUÁNDO EVITAR AL QUIROPRÁCTICO

Los relatos de individuos sugieren que la quiropráctica podría ser útil para el síndrome del intestino irritable y algunos tipos de dolor menstrual. Sin embargo, la evidencia para esos usos es muy débil.

La quiropráctica tiene además la reputación de ser útil para el asma, pero la investigación no es muy sólida. Dos estudios bien diseñados no encontraron ningún beneficio verdadero en el funcionamiento pulmonar después de la atención quiropráctica.

La quiropráctica no es adecuada como la forma principal de tratamiento para la diabetes, el cáncer, la enfermedad de Parkinson ni otras enfermedades sistémicas.

Los pacientes que sufren de dolor de espalda acompañado por debilidad en una pierna, dolor que irradia hacia abajo por toda la pierna, fiebre o pérdida del control de la vejiga o de las evacuaciones deberían consultar a un médico antes de considerar el tratamiento quiropráctico. Esos síntomas podrían indicar un problema médico grave, como un tumor, absceso o fractura de una vértebra.

Además, la manipulación vertebral debería ser evitada por cualquier persona con...

- **Cáncer en la columna vertebral.** La manipulación puede romper o fracturar huesos que ya están debilitados por el cáncer.

- **Infección en la columna.** Las infecciones bacterianas pueden debilitar la columna vertebral y aumentar el riesgo de sufrir una fractura durante la manipulación quiropráctica.

- **Artritis reumatoide grave.** La manipulación puede aumentar el dolor y la inflamación.

- **Ciática fuerte.** La manipulación podría empeorar la ciática y otros problemas en los nervios de la columna.

- **Hernia grande de disco.** Hay un pequeño riesgo de que los pacientes empeoren después de algunos tipos de manipulación.

8

Enfermedad del corazón
y ataque cerebral

Secretos eficaces de baja tecnología para la prevención de los ataques al corazón

Incluso con todos los avances en la cardiología, las estrategias naturales siguen siendo herramientas útiles para la prevención de ataques al corazón –y con frecuencia son lo único necesario. Usted encontrará que unos pocos cambios sencillos en el estilo de vida pueden resultar significativos. *Algunas sugerencias saludables...*

DISMINUYA EL COLESTEROL

La *atorvastatina* (Lipitor) y otras estatinas que reducen el colesterol pueden ser muy eficaces en bajar los niveles altos de colesterol.

Pero las estatinas pueden causar náuseas, dolores musculares, insomnio y otros efectos secundarios. Por esta razón, es una buena idea investigar las estrategias alimentarias para mantener bajos los niveles de colesterol.

Parte del colesterol que se encuentra en nuestros cuerpos proviene del consumo de huevos, leche entera, carne y otros alimentos de origen animal. Pero la mayoría es producido por el propio organismo.

¿Qué determina cuánto colesterol produce el cuerpo? La grasa de la dieta es clave. Cuanta más grasa usted consuma –particularmente grasa saturada–, más colesterol producirá el cuerpo.

CÓMO ELIMINAR LA GRASA

El estadounidense promedio recibe el 40% de sus calorías en forma de grasa. La American Heart Association recomienda reducirlo al 30%, pero para la mayoría de las personas, eso es demasiado alto para reducir el colesterol.

Para lograr un impacto significativo en los niveles de colesterol, se debe obtener no más del 20% de las calorías totales de la grasa. *Para lograrlo, tome medidas para eliminar los alimentos grasosos de su dieta...*

David Heber, MD, PhD, director fundador del centro de la nutrición humana de la facultad de medicina de la Universidad de California en Los Ángeles (UCLA). Es autor de *Natural Remedies for a Healthy Heart* (Avery).

- **Aderezos para ensalada ("salad dressings") a base de aceite.** Condimente en su lugar con una mezcla de mostaza ("mustard") y vinagre balsámico ("balsamic vinegar"), vinagre de arroz o vinagre de vino.

- **Mantequilla, margarina y mayonesa.** Use caldo o vino para saltear los alimentos. Use aerosol para cocinar ("cooking spray") para evitar que los alimentos se peguen a las cacerolas.

Siempre que sea posible, coma pan mientras esté aún caliente. Así, estará húmedo sin tener que untar una sustancia grasosa. Unte mermelada ("jam") o ajo asado sobre su tostada en vez de mantequilla.

- **Carne roja.** Sustitúyala por carne blanca de pollo o pavo (guajolote, "turkey")… o elimine totalmente las carnes. Estudios recientes demuestran que reemplazar las proteínas de origen animal con tofu, "tempeh" y otros alimentos de soja ("soy") puede reducir los niveles de colesterol en hasta un 8%. Eso significa una reducción del 16% en el riesgo de sufrir un ataque al corazón.

- **Pescado grasoso de granja marina** ("farm-raised"), incluyendo bagre ("catfish") y trucha ("trout"). Sustitúyalo por un pescado bajo en grasa, como pargo (huachinango, "snapper"), hipogloso ("halibut"), mariscos o atún ("tuna") envasado con agua.

- **Leche y queso enteros y bajos en grasa** ("low-fat"). Elija leche descremada (desnatada, "skim milk"). Aunque los quesos con grasa reducida se encuentran disponibles, es mejor evitar incluso esas variedades. Con frecuencia contienen hasta un 70% de la grasa que se encuentra en los quesos comunes.

- **Fideos de huevo** ("egg noodles"). Use arroz o pasta en su lugar.

- **Productos de repostería.** Las galletas, las galletitas y los pasteles horneados comercialmente suelen ser ricos en grasa. Es mejor consumir productos horneados caseros hechos con puré de manzanas ("applesauce") en vez de aceite. El puré de manzanas puede usarse en lugar de aceite en las mismas cantidades.

LA IMPORTANCIA DE LA FIBRA

La fibra, la parte no digerible de las frutas y verduras, ayuda a bajar los niveles de colesterol al incentivar la eliminación de ácidos biliares ricos en colesterol. Se debería obtener entre 25 y 35 gramos de fibra por medio de la dieta todos los días. Esta cantidad es entre 15 y 25 gramos más de la que el estadounidense promedio obtiene.

Para aumentar su consumo de fibra…

- **Coma un bol de avena ("oatmeal") u otro cereal rico en fibra** como parte de su desayuno habitual. Busque cereales que contengan al menos 8 gramos de fibra por bol.

- **Consuma entre cinco y 11 porciones de frutas y verduras al día.** Son buenas opciones: coles de Bruselas ("brussels sprouts"), brócoli ("broccoli"), zanahorias, tomates, bananas (plátanos), naranjas y bayas ("berries").

SUPLEMENTOS

El colesterol forma depósitos que obstruyen las arterias coronarias sólo si se ha oxidado. Los nutrientes antioxidantes, como las vitaminas C y E, interrumpen el proceso de oxidación.

Es difícil obtener suficientes antioxidantes solamente por medio de los alimentos. Por esta razón, es una buena idea tomar 400 unidades internacionales (IU, por sus siglas en inglés) de la vitamina E cada día, además de 500 mg de la vitamina C. Sin embargo, consulte antes a su médico, ya que más de 200 IU de la vitamina E podrían ser peligrosas.

El ácido fólico sirve en primer lugar para bajar los niveles de *homocisteína,* un aminoácido que, se piensa en la actualidad, es un factor de riesgo de la enfermedad del corazón. Considere tomar 400 microgramos de ácido fólico en forma de suplemento todos los días.

El ajo también parece disminuir el colesterol y la presión arterial. Considere tomar entre dos y cuatro cápsulas de 500 mg de ajo cada día.

Si su nivel de colesterol total permanece por encima de 240 después de 12 semanas de haber comenzado este plan natural y saludable para el corazón, tal vez necesite tomar una estatina. Consulte a su médico para recibir mayor información.

REDUCCIÓN DEL ESTRÉS

El estrés estimula la liberación de sustancias químicas similares a la adrenalina que suben la presión arterial y hacen que el corazón lata más rápido. Esta carga adicional aumenta el riesgo de sufrir un ataque al corazón, aun si su nivel de colesterol es bajo. Ésa es la razón por la que la reducción del estrés es una parte crucial de cualquier programa saludable para el corazón. *Estas son algunas sugerencias...*

• **Evite las situaciones estresantes.** Mantenga un diario de lo que es estresante en su vida. Piense cómo podría cambiar cada situación –o su reacción a la situación– para aliviar el desgaste en su sistema cardiovascular.

Ejemplo: Para evitar el tráfico pesado, intente salir más temprano al trabajo.

• **Halle maneras de recuperarse entre los episodios estresantes.** La jardinería, la lectura, el yoga o incluso algo tan sencillo como detenerse brevemente para respirar profundamente cuando la tensión aumenta pueden ser muy eficaces.

Además de aliviar el estrés, hacer ejercicios con regularidad resulta en notables reducciones de los niveles de colesterol y de la presión arterial. Además, estimula la pérdida de peso, ayudando a reducir aun más la carga al corazón.

El ejercicio no tiene que ser agotador. Una caminata a buen ritmo de 30 minutos al día es suficiente para obtener la mayoría de los beneficios. Consulte a su médico antes de comenzar un programa de ejercicios.

El desencadenante N.º 1 de los ataques al corazón

Muchos ataques al corazón son provocados por una comida grasosa. Los investigadores han descubierto que los ataques al corazón tienen más posibilidades de ocurrir en las seis horas siguientes al consumo de una comida *rica en grasa,* más allá de cuál sea la fuente de la grasa.

Los estudios realizados recientemente han demostrado que los alimentos grasosos aumentan el nivel en la sangre de una sustancia que estimula la formación de coágulos y hacen que las arterias se endurezcan más, limitando el flujo de sangre.

Prevención: Los hombres y mujeres que no han tenido ataques al corazón deberían comer comidas con menos de 20 gramos de grasa saturada. Una "comida mortal" sería, por ejemplo, una hamburguesa de carne de vaca de primera –"prime beef hamburger"– (20 g), con papas fritas preparadas en grasa de vaca –"beef tallow"– (10 g) y una copa de helado de primera calidad (20 g).

William P. Castelli, MD, director médico del Framingham Cardiovascular Institute y ex director del Framingham Heart Study, en Framingham, Massachusetts.

Si está sufriendo un ataque al corazón...

Mastique una tableta de aspirina si piensa que quizá esté teniendo un ataque al corazón. No la trague, ya que masticar la aspirina hace que funcione casi dos veces más pronto, logrando más rápidamente un efecto benéfico sobre la coagulación de la sangre.

Richard O'Brien, MD, portavoz del American College of Emergency Physicians y médico en la unidad de emergencia del hospital Moses Taylor, en Scranton, Pensilvania.

Terapia de frío para las víctimas del paro cardiaco

La American Heart Association ha aprobado la *hipotermia terapéutica* ("therapeutic hypothermia"). Esta consiste en enfriar el cuerpo de una víctima en un coma causado por paro cardiaco después de que el funcionamiento del corazón ha sido reanudado con un desfibrilador. La temperatura del cuerpo se reduce en entre 5°F y 9°F (entre 3°C y 5°C) al usar mantas refrescantes y bolsas de hielo dentro de las seis a ocho horas posteriores al paro cardiaco.

Teoría: Enfriar el cuerpo enlentece la inflamación que daña el cerebro y que ocurre cuando la sangre oxigenada vuelve al cerebro.

La hipotermia terapéutica está disponible en la mayoría de los hospitales importantes.

Terry L. Vanden Hoek, MD, profesor de medicina de emergencia en la Universidad de Chicago.

Cómo ayudar a curarse a si mismo

Rachael Freed, MSW, fundadora de la organización Heartmates, Inc., con base en Minneapolis, la cual provee recursos para los pacientes cardiacos y sus familias.

Después de que un ser querido sufre un ataque al corazón, la vida cambia para siempre. Lloramos por la pérdida de nuestras antiguas costumbres inocentes… y nuestras certezas perdidas. Y enfrentamos cambios en el estilo de vida, la seguridad financiera, la jubilación y las capacidades físicas de nuestros cónyuges.

Aprender a vivir con incertidumbre es uno de los mayores desafíos para la pareja de una persona con enfermedad del corazón.

Con los años, quizá usted haya desarrollado una sensación de seguridad. Ahora las reglas han cambiado.

Importante: Permítase romper el protocolo familiar y hacer lo que sea necesario para sobrellevar la situación. La tarea de la pareja de un paciente cardiaco es desarrollar una "nueva normalidad" que incorpore la enfermedad del corazón.

Lo bueno: Hacer frente a la mortalidad puede reordenar para bien las prioridades de una pareja.

Usted no tiene el poder para erradicar la enfermedad del corazón de su cónyuge ni para eliminar los efectos en su vida. Su objetivo es estar preparado para apoyar la recuperación del paciente, *y la suya.*

Años después de un suceso cardiaco, la gente espera que la pareja de la víctima siga dando ánimo constantemente.

Mi experiencia: Durante el periodo de crisis, los amigos preguntaban sólo por el paciente, y cuando terminó la emergencia, se sentían muy incómodos como para darme apoyo. Pero yo necesitaba ayuda… mucha ayuda.

PENA Y PÉRDIDA

Después del ataque al corazón de mi esposo, yo me las arreglaba, pero me sentía abrumada por fuertes sentimientos que me llevaron meses definir. Era la pena que acompaña la pérdida.

Como mi esposo aún estaba vivo, ¿cómo podía yo estar sintiendo pena y pérdida? Porque nuestra vida juntos había cambiado para siempre.

Durante una presentación que hice hace tiempo para cónyuges de sobrevivientes de ataques al corazón, dije: "Ustedes están sintiendo pena". Sus lágrimas y agradecimientos me convencieron de que iba por el camino correcto.

USTED TAMBIÉN ES UNA PRIORIDAD PRINCIPAL

La persona más importante en la recuperación de un paciente cardiaco no es el médico, sino el cónyuge. Para mantener su papel como un asistente positivo, usted debe prestar atención a su propia recuperación.

Ejemplo: A quienes viajan en avión se les dice que se pongan su propia máscara de oxígeno antes de ayudar a otra persona.

Cuidarse a sí mismo lo ayuda a aceptar una crisis que cambia la vida. *Estas son algunas medidas a tomar…*

●**Haga una lista.** Debería incluir las acciones que beneficiarían su cuerpo, sus sentimientos, su mente y su espíritu. Anote una acción en su calendario cada día… y realícela.

Ejemplos: Escuche música… siéntese en una capilla… dé una caminata.

●**Reúna información.** Aprenda cómo la dieta, el ejercicio y el estrés afectan a los pacientes cardiacos.

●**Confíe en alguien.** Para reducir su sensación de aislamiento, comparta sus preocupaciones con un hermano, un buen amigo o un vecino que no lo juzgue.

Muchas personas encuentran mucho alivio al comunicarse con otros en situaciones similares.

Buen recurso: El sitio Web en inglés de Heartmates, *www.heartmates.com.*

TÓMESE SU TIEMPO

El temor persistente de otro ataque siempre está presente por debajo de la superficie. El miedo nunca desaparece por completo, pero usted comenzará a darse cuenta de que su cónyuge no sufrirá un colapso cada vez que tosa.

La curación es un proceso, no un suceso. Lleva al menos un año, con frecuencia dos, para recuperarse de un ataque al corazón o un evento cardiaco del cónyuge. Nadie más que usted conoce los límites de su periodo de aflicción.

ACEPTE SU PAPEL EN LA CURACIÓN

Tome estas medidas para reforzar los lazos familiares y su vitalidad como pareja…

•**Involucre a toda la familia.** El paciente y los miembros de la familia quizá experimenten diferentes realidades. Esté al tanto de lo que su familia está sintiendo. En reuniones semanales para resolver problemas, pídale a cada persona que describa sus mayores preocupaciones. Luego, discútanlas.

Ejemplo: Si sus hijos han crecido y viven en otro sitio, hacer este ejercicio, incluso una vez durante una visita, puede disminuir la tensión y ser muy útil.

•**Luche contra sus sentimientos de culpa y el temor de estresar al paciente.** Sea prudente en todo, pero sepa que el paciente no morirá si usted accidentalmente espolvorea un poco de sal sobre su comida… usa una aspiradora ruidosa… se toma cierto tiempo para sus cosas… o llora.

•**Repare el vínculo con su pareja.** El temor a la comunicación es común después de que una estadía en el hospital haya amenazado los lazos del matrimonio.

El trauma separa a algunas "parejas cardiacas", intensificando los conflictos ya existentes. Para otras parejas, la crisis proporciona una oportunidad para enriquecer la relación.

Enfrentar honestamente los cambios en su relación implica un paso hacia la profundización del vínculo marital. *Evite estas trampas…*

•**Ocultar sus preocupaciones y temores** al paciente.

•**Pensar que puede reducir el estrés y la tensión al ocultar su enojo** y otros sentimientos negativos.

•**Suponer que siempre debe estar de acuerdo con el paciente.**

•**No tener en cuenta sus propias necesidades emocionales legítimas.**

•**Permitir que la televisión reemplace el valioso tiempo** de comunicación de la pareja.

SEXO: LA PREGUNTA QUE NO SE HACE

En mis presentaciones en grupo, la gente casi nunca pregunta sobre el sexo. En privado, están angustiados por el silencio, el aislamiento y la falta de información sobre la impotencia.

Las siguientes ideas equivocadas contribuyen a los temores y preocupaciones de los cónyuges…

Mito: **La actividad sexual es peligrosa para los pacientes cardiacos.**

Realidad: Para la mayoría, no lo es. La cantidad de energía que se gasta durante el sexo es aproximadamente equivalente a subir dos tramos de escaleras. El paciente que pueda hacer esto último probablemente pueda tener relaciones sexuales sin correr riesgo.

Mito: **La enfermedad del corazón disminuye el apetito sexual y perjudica el desempeño sexual.**

Realidad: La fatiga, la depresión y la medicación para la angina, la presión arterial alta o las palpitaciones pueden causar impotencia. La fatiga y la depresión pueden tratarse. Si un medicamento en particular es el problema, el médico podría recetar uno diferente.

Mito: **La enfermedad del corazón implica el fin de la actividad sexual normal.**

Realidad: Después de unas semanas de descanso y recuperación, la inmensa mayoría de las "parejas cardiacas" pueden reiniciar sus relaciones sexuales… y reparar sus lazos mediante el afecto y la intimidad física.

Cómo recuperarse de una crisis cardiaca

Barry A. Franklin, PhD, director de los laboratorios de Rehabilitación y ejercicios cardiacos del hospital William Beaumont, en Royal Oak, Michigan. Es coautor de *Take a Load Off Your Heart–109 Things You Can Actually Do to Prevent, Halt and Reverse Heart Disease* (Workman).

Cada año, 1 millón de estadounidenses sobreviven ataques al corazón. Otros 1,2 millones se someten a una angioplastia con balón o cirugía del corazón. Estas personas a menudo piensan que la vida tal como la conocían se ha terminado. Eso es un error.

Dos análisis de 21 ensayos clínicos, que incluyeron más de 4.000 pacientes con enfermedad del corazón, descubrieron que la rehabilitación disminuyó entre un 20% y un 25% el riesgo de morir en los tres años siguientes a la cirugía*.

Un programa de rehabilitación cardiaca ofrece…

•**Apoyo psicológico.** La rehabilitación de un ataque al corazón o una cirugía del corazón es estresante para la mente. Un personal de rehabilitación experimentado reduce esta carga al proporcionar actividades supervisadas y educación en un ambiente compasivo.

Importante: Pensamientos positivos. Los pacientes que prosperan son siempre aquellos que *creen* que pueden lograr longevidad y una alta calidad de vida.

El apoyo de la familia y los amigos es imprescindible. A los pacientes de rehabilitación cardiaca que viven solos y tienen pocos familiares y amigos, les va mucho peor que a quienes tienen una red social firme y compasiva. Si vive solo, es especialmente importante cultivar amistades y estar activo socialmente.

•**Consejos personalizados.** Después de evaluar su caso en particular, el personal de rehabilitación proporciona consejos personalizados sobre dieta, ejercicio y otros temas acerca del estilo de vida.

*Para obtener una lista de los programas de rehabilitación cardiaca, comuníquese con la American Association of Cardiovascular and Pulmonary Rehabilitation, llamando al 312-321-5146, o yendo al sitio Web en inglés *www.aacvpr.org*.

•**Seguimiento de los síntomas.** El personal de rehabilitación monitoriza su progreso y le informa a su médico si usted experimenta síntomas como falta de aire, irregularidades en el ritmo cardiaco o angina.

Un programa típico tiene cuatro fases…

•La fase I ocurre mientras usted aún se encuentra hospitalizado e incluye actividades de cuidado personal, sentarse o ponerse de pie frecuentemente y caminatas de baja intensidad (a un ritmo lento por periodos breves).

•La fase II puede comenzar tan pronto como una semana después de salir del hospital y puede durar hasta 12 semanas. Se inicia un programa de ejercicios de intensidad moderada. El seguro usualmente cubre la rehabilitación hasta la fase II.

•La fase III dura entre tres y seis meses. El nivel de ejercicio aumenta gradualmente. El personal ofrece consejos sobre la reducción de los factores de riesgo, el control del estrés y la dieta.

•La fase IV consiste en un programa de ejercicios para toda la vida, combinado con una modificación permanente de la dieta y otras medidas de prevención.

LA PREVENCIÓN SÍ FUNCIONA

Además de la rehabilitación, los pacientes cardiacos deberían considerar seguir mi programa de 11 pasos. *Cada letra representa una o más intervenciones comprobadas o prometedoras…*

•**A–Aspirina.** Una aspirina para bebé (81 mg) diaria reduce en hasta el 30% el riesgo de que los sobrevivientes de ataques al corazón sufran eventos cardiacos recurrentes.

•**A–ACE: inhibidores de la ACE** (por las siglas en inglés de la enzima convertidora de angiotensina). Estos medicamentos relajan los vasos sanguíneos y, como consecuencia, reducen la presión arterial y aumentan el flujo de oxígeno hacia el corazón. Un estudio de más de 2.200 sobrevivientes de ataques al corazón halló que el tratamiento con inhibidores de la ACE redujo en aproximadamente un 25% los ataques al corazón recurrentes.

•**A–Arterial: control de la presión arterial.** Haga todo lo posible por tener una presión arterial por debajo de 140/90, mediante la dieta y el ejercicio y, de ser necesario, los medicamentos.

●**B–Betabloqueantes.** Éstos están entre los medicamentos más eficaces (junto a los diuréticos) para bajar la presión arterial. Han demostrado que reducen en alrededor del 25% el riesgo de futuros ataques al corazón.

●**B–B: vitaminas del complejo B.** Los niveles altos del aminoácido *homocisteína* han sido vinculados al daño arterial. Los niveles de la homocisteína pueden reducirse considerablemente al tomar suplementos diarios que contengan al menos 400 microgramos (mcg) de ácido fólico... 2 mg de la vitamina B-6... y 6 mcg de la vitamina B-12, y al comer alimentos ricos en las vitaminas del complejo B, como bananas (plátanos) o ciruelas secas ("prunes").

●**C–Cambio en el comportamiento.** La lucha contra la enfermedad del corazón es una maratón, no una carrera corta de velocidad. Es necesario adoptar cambios permanentes y continuos en el estilo de vida.

●**C–Control del colesterol.** Su colesterol total no debería exceder los 200 miligramos por decilitro (mg/dl). Para quienes han tenido un ataque al corazón o se han sometido a una angioplastia o una cirugía de desviación coronaria (baipás, "bypass"), el colesterol "malo" LDL debería estar por debajo de 70 mg/dl. Si se encuentra en riesgo de padecer enfermedad del corazón, su colesterol LDL no debería sobrepasar los 100 mg/dl.

El colesterol "bueno" HDL debería estar por encima de 40 mg/dl, y los triglicéridos deberían encontrarse por debajo de 150 mg/dl. Si estos objetivos no se pueden alcanzar solamente mediante la dieta y los ejercicios, se debería considerar el tratamiento con estatinas.

●**D–Dieta: modificación de la dieta.** No más del 20% de sus calorías diarias totales deberían provenir de la grasa. Limite su consumo de grasa saturada al 7% de sus calorías totales.

Para reducir el consumo de grasa, verifique el contenido de grasa en las etiquetas de los alimentos, consuma más frutas y verduras, fibra y pescado, limite el consumo de carne, y evite el queso y la leche enteros.

●**D–Depresión.** Identificar y tratar la depresión en los pacientes cardiacos es crucial. Nueva evidencia sugiere que los pacientes deprimidos tienen menos probabilidad de buscar atención médica o ceñirse a un programa de rehabilitación. Como resultado, tienen más posibilidades de sufrir un evento cardiaco.

●**E–Ejercicios.** Realizar al menos 30 minutos de ejercicio moderado la mayoría de los días (o preferiblemente todos) mejorará varios factores de riesgo de enfermedad del corazón, como los niveles de colesterol y presión arterial, y fomentará la pérdida de peso.

Para obtener mejores resultados, lentamente aumente hasta llegar al punto de quemar entre 1.500 y 2.000 calorías a la semana. Para una persona de 160 libras (unos 72 kilos), eso es equivalente a caminar entre 15 y 20 millas (unos 25 ó 30 km).

●**E–Vitamina E.** Los suplementos diarios de 400 unidades internacionales (IU, por sus siglas en inglés) de vitamina E podrían tener un efecto protector sobre el corazón. Aunque un importante estudio reciente halló que los suplementos de vitamina E *no* afectaron los resultados cardiovasculares en los pacientes con un alto riesgo de eventos cardiacos, yo creo que la evidencia que existe apoya el uso de esta vitamina.

Defensa contra el ataque al corazón

Dennis Sprecher, MD, cardiólogo del Sistema de Salud de la Universidad de Pensilvania, y ex director de cardiología preventiva y rehabilitación de la Cleveland Clinic Foundation. Es autor colaborador de *The Cleveland Clinic Heart Book* (Hyperion).

Tal vez ya ha disminuido su consumo de grasa y colesterol. Quizá ha comenzado a hacer ejercicios y ha perdido peso. Si fumaba, ha dejado de hacerlo. Y es posible que se ha acostumbrado a beber té verde. ¿Qué más puede hacer para reducir su riesgo de sufrir un ataque al corazón?

En realidad, mucho más. Los consejos a continuación son del Dr. Dennis Sprecher, un especialista en ataques al corazón y ex director de cardiología preventiva y rehabilitación en la mundialmente reconocida Clínica Cleveland.

•**Coma más manzanas,** cebollas y judías verdes (chauchas, ejotes, "green beans")… y beba más jugo de uvas moradas ("purple grape juice"). Estos alimentos son ricos en los antioxidantes que protegen el corazón llamados *flavonoides.*

Los flavonoides benefician al corazón al inhibir la oxidación del colesterol –un proceso químico que provoca el bloqueo de las arterias.

Los flavonoides además ayudan a dilatar las arterias que suministran sangre rica en oxígeno al corazón.

Advertencia: El jugo de uvas no endulzado –con 154 calorías por cada ocho onzas (235 ml)– contiene demasiadas calorías como para beberlo todos los días.

Igual que el jugo de uvas moradas, el vino tinto también contiene flavonoides. Pero dados los riesgos relacionados con el consumo de alcohol, los hombres no deberían beber más de dos vasos de cinco onzas (150 ml) al día… y las mujeres no más de un vaso de cinco onzas diariamente.

•**Aumente el consumo de ácidos grasos omega-3.** El aceite de pescado es una buena fuente de ácidos grasos omega-3, los cuales se cree que son los responsables de la menor incidencia de muertes relacionadas con el corazón entre personas que comen al menos algo de pescado.

Los omega-3 aumentan los niveles del colesterol "bueno" HDL y reducen la presión arterial al relajar las arterias… estabilizar los latidos del corazón… e inhibir la formación de coágulos que obstruyen las arterias. Intente comer pescados ricos en omega-3, como el salmón y la trucha ("trout"), dos veces a la semana.

Advertencia: El aceite de pescado es una fuente altamente concentrada de calorías provenientes de la grasa. Consumir demasiado eleva los niveles del colesterol "malo" LDL.

Si no le gusta el pescado, las semillas de lino ("flaxseed") molidas –que se venden en las tiendas de alimentos naturales ("health food stores")– son una fuente alternativa de omega-3. Agréguelas al cereal del desayuno.

Otra fuente poco conocida de omega-3 es la arúcula ("arugula").

•**Consuma más frijoles (alubias, habas, habichuelas, "beans") y otros alimentos bajos en grasa** –y menos carne. Una taza de frijoles negros proporciona tanta proteína como dos onzas (55 g) de carne de vaca magra y molida. Pero los frijoles contienen sólo un gramo de grasa en total, en comparación con 12 gramos en la carne.

Además, los frijoles no contienen grasa saturada ni colesterol. La carne contiene 4 gramos de grasa saturada y 43 mg de colesterol.

•**Consuma más alimentos a base de soja ("soy") y avena ("oat").** Ambos protegen al corazón al fomentar la eliminación del colesterol que circula en el torrente sanguíneo.

Use leche de soja ("soymilk") en vez de leche de vaca con los cereales de avena o salvado ("bran") ricos en fibra. El tofu y el queso de soja bajos en grasa –que se encuentran en la sección de productos lácteos de muchos supermercados– son otras buenas fuentes de soja. O desayune con cereal de avena ("oatmeal") o pan de salvado en lugar de cereales azucarados.

•**Elimine casi todo el consumo de sal.** Es ampliamente conocido que el exceso de sodio –que se encuentra en la sal común y en muchos alimentos procesados– puede dañar el corazón al aumentar la presión arterial. Sin embargo, el estadounidense promedio aún consume 6.000 mg al día –mucho más que los 2.400 mg recomendados.

Para disminuir su consumo de sal, siga la dieta desarrollada como parte de un estudio importante conocido como Enfoques dietéticos para detener la hipertensión (DASH, por sus siglas en inglés).

La dieta DASH consiste principalmente de frutas, verduras, cereales integrales y productos lácteos bajos en grasa. Las personas que siguieron la dieta DASH experimentaron una reducción del 15% de ateroesclerosis (arterias endurecidas y obstruidas), una causa de los ataques al corazón.

La dieta DASH además disminuye la presión arterial tanto como lo hace la medicación.

Mayor información en el sitio Web *www. nhlbi.nih.gov/health/public/heart/hbp/dash/ how_plan.html.*

•**Coma seis comidas pequeñas al día.** Las comidas pequeñas y frecuentes hacen que sea menos probable que el cuerpo convierta en grasa las calorías consumidas.

Antes de ir a un restaurante, coma una manzana u otra merienda (refrigerio) baja en grasa. Esto mitiga el hambre, por lo que será menos probable que consuma muchos alimentos ricos en calorías, como pan o algún aperitivo (entremés).

•**Haga ejercicios con más frecuencia.** Además de quemar las calorías excedentes, la actividad física aumenta los niveles del colesterol "bueno" HDL.

Aunque la mayoría de los expertos recomiendan hacer ejercicios durante 30 minutos al menos tres veces a la semana, nuevas investigaciones confirman que la actividad *diaria* rinde los mayores beneficios.

Camine, trote, corra, baile o haga algún otro ejercicio moderadamente vigoroso por al menos 30 minutos al día. Si no puede hacer una sesión continua de ejercicios de 30 minutos, haga tres sesiones de 10 minutos a lo largo del día.

•**Domine el estrés psicológico.** En respuesta a una situación estresante, ya sea un embotellamiento o un jefe problemático, el cuerpo produce dos hormonas clave. La *epinefrina* eleva la frecuencia cardiaca… el *cortisol* sube la presión arterial.

Si su cuerpo genera constantemente estas hormonas, el corazón trabaja demasiado –y eso aumenta el riesgo de sufrir un ataque al corazón.

Cuando estamos estresados, nuestra respiración se acelera y se hace más superficial, lo que priva al corazón de oxígeno.

Para invertir esta tendencia que roba el oxígeno, inhale profundamente por su nariz mientras cuenta hasta 10 cuando se sienta estresado. Luego, exhale mientras cuenta hasta 10. Repita dos veces más.

Consulte a su médico acerca de la medicación para proteger el corazón. Tomar una aspirina diaria ayuda a reducir la tendencia de la sangre a coagularse. Y eso hace que sea menos probable que sufra un ataque al corazón.

Advertencia: No tome aspirina para proteger su corazón sin consultar antes a su médico. En algunas personas, el uso habitual de aspirina puede causar sangrado interno.

Si su colesterol total es de 200 o más o tiene un historial familiar significativo de enfermedad del corazón, probablemente debería tomar *pravastatina* (Pravachol) u otra estatina recetada.

Triglicéridos: El culpable de la enfermedad del corazón que muchas veces se ignora

Daniel Rader, MD, director de la clínica de medicina cardiovascular preventiva y de lípidos, de la facultad de medicina de la Universidad de Pensilvania, en Filadelfia.

Si se hace medir con regularidad los niveles de colesterol, sin duda conoce la diferencia entre el colesterol "malo" (lipoproteína de baja densidad o LDL, por sus siglas en inglés) y el colesterol "bueno" (lipoproteína de alta densidad o HDL, en inglés). Pero hay otro tipo de lípido en la sangre que se merece la misma atención –los triglicéridos.

Esto es lo que debería saber…

¿QUÉ SON LOS TRIGLICÉRIDOS?

Los triglicéridos, que circulan en el torrente sanguíneo, son grasas que han sido digeridas y se encuentran listas para proporcionar energía a las células de los músculos o para ser depositadas en los tejidos grasos. Al igual que el colesterol, los triglicéridos no flotan libremente en la sangre sino que están unidos a moléculas más grandes conocidas como lipoproteínas.

En un reciente análisis de 17 estudios que involucraron a más de 46.000 hombres y alrededor de 11.000 mujeres, se descubrió que el aumento de los triglicéridos incrementó significativamente el riesgo de padecer enfermedad del corazón durante la siguiente década –en un 14% en los hombres y un 37% en las mujeres– aun después de que otros factores, como el fumar, la obesidad y la presión arterial alta, se hubieran considerado.

Según las pautas más recientes publicadas por el Instituto Nacional para el corazón y la sangre (NHLBI, por sus siglas en inglés), el nivel normal de triglicéridos es de menos de 150 miligramos por decilitro (mg/dl)… el límite superior normal es de entre 150 y 199… el límite alto es de entre 200 y 499… y el muy alto es de 500 o más.

Importante: Si su nivel de triglicéridos es muy alto (especialmente si se encuentra por encima de 1.000 mg/dl), hay un riesgo más inmediato de tener pancreatitis aguda, una inflamación súbita que puede ser mortal.

TRIGLICÉRIDOS ALTOS

Al igual que el colesterol alto, los niveles elevados de triglicéridos tienden a ser hereditarios.

Ciertos medicamentos también pueden aumentar los niveles de triglicéridos, entre ellos, el estrógeno (incluso los bajos niveles de hormonas que se encuentran en las píldoras anticonceptivas)… los esteroides, como *prednisona* (Deltasone) o *cortisona* (Cortone)… los betabloqueantes, como *propranolol* (Inderal) o *atenolol* (Tenormin)… y los diuréticos. La *tretinoína* (Retin-A), que se receta frecuentemente para las afecciones de la piel, puede provocar aumentos muy significativos en los triglicéridos.

Los niveles de triglicéridos también pueden subir a causa de enfermedades, como la diabetes tipo 2 (que generalmente comienza en la adultez) y la insuficiencia renal.

CAMBIOS EN EL ESTILO DE VIDA

Para bajar su nivel de triglicéridos, siga estas estrategias de eficacia comprobada…

•**Disminuya el consumo de los carbohidratos.** Aunque la cantidad y el tipo de grasa es esencial para el colesterol, el factor clave para los triglicéridos son los carbohidratos. Cuando los carbohidratos digeridos pasan por el hígado, se cree que estimulan la liberación de triglicéridos.

Los carbohidratos simples –el azúcar y los almidones refinados– se descomponen más rápidamente y tienen el mayor efecto sobre los niveles de los triglicéridos. Evite pasteles, tortas, golosinas y caramelos, el pan blanco y la pasta. Las bebidas que contienen azúcar son particularmente malas. Elimine los refrescos gaseosos, y coma frutas en vez de beber jugo de frutas. Una naranja contiene alrededor de la mitad del azúcar que hay en un vaso de ocho onzas (235 ml) de jugo de naranja.

El alcohol tiene el mismo efecto que el azúcar. Limítese a no más de una bebida al día.

•**Haga suficiente ejercicio.** Si tiene una vida sedentaria, cualquier aumento en la actividad podría ser útil. Dé una caminata a la hora del almuerzo… use las escaleras… trabaje en el jardín en vez de mirar televisión.

Más es mejor. Usted probablemente notará una disminución mucho mayor en los niveles de triglicéridos si hace al menos 30 minutos de ejercicio aeróbico (caminar a un buen ritmo, correr o trotar, nadar o andar en bicicleta) al menos tres veces a la semana.

•**Pierda peso, de ser necesario.** Ser obeso está relacionado fuertemente con el nivel alto de triglicéridos. Para determinar si tiene exceso de peso, calcule su *índice de masa corporal* (BMI, por las siglas en inglés de "Body Mass Index").

Fórmula: Divida su peso en kilos por el cuadrado de su estatura en metros; o sea, divida dos veces su peso por su estatura. Por ejemplo, si pesa 70 kilos y mide 1,70 metros, divida 70 por 1,70 dos veces, con el resultado de 24,2. (En el sistema inglés de medidas, multiplique su peso en libras por 703, y divida dos veces el resultado por su estatura en pulgadas).

Si el resultado es mayor a 25, es posible que necesite perder peso. Para una calculadora del BMI, visite el sitio Web (en inglés y en español) de NHLBI, *www.nhlbisupport.com/bmi.*

TRATAMIENTO CON MEDICAMENTOS

Si los cambios en el estilo de vida no bajan su nivel de triglicéridos a menos de 150 en un plazo de seis meses, quizá necesite medicación…

•**Fibratos.** *Gemfibrozil* (Lopid) y *fenofibrato* (Tricor) son los medicamentos más eficaces. Bajan los triglicéridos en hasta un 50% –y suben el colesterol "bueno" HDL en hasta un 20%.

Efectos secundarios: leves problemas gastrointestinales (malestar estomacal, náuseas, diarrea).

•**Niacina.** Es casi tan eficaz como los fibratos. La niacina, una vitamina del complejo B de venta libre, debe tomarse en grandes dosis de 1.000 a 2.000 mg diariamente y debería usarse sólo bajo la supervisión de un médico. Además, aumenta el colesterol "bueno" HDL.

Efectos secundarios: bochornos (calores repentinos, sofocos) que se propagan desde el pecho hacia la cara… malestar estomacal… y úlcera.

Nota: Niaspan, una forma recetada de niacina de liberación prolongada, tiene menos efectos secundarios.

•**Estatinas.** Podrían recetarse si el colesterol "malo" LDL también debe bajarse. Las estatinas reducen los triglicéridos, pero no tanto como los fibratos o la niacina. Las estatinas más potentes, como *simvastatina* (Zocor) y *atorvastatina* (Lipitor), son las más eficaces.

Efectos secundarios: leves problemas gastrointestinales (estreñimiento, gases, calambres). En casos raros puede ocurrir dolor muscular.

•**Aceite de pescado.** Los suplementos de aceite de pescado ("fish oil") también bajan los triglicéridos. Sin embargo, este tratamiento requiere una dosis alta (entre seis y nueve cápsulas de 1.000 mg al día). Consulte a su médico antes de tomar esta dosis. Las cápsulas de aceite de pescado usualmente se agregan sólo cuando los medicamentos no han dado resultados.

Efectos secundarios: Olor a pescado en el aliento y malestar estomacal.

El síndrome X… la causa poco conocida de muchos ataques al corazón

Gerald M. Reaven, MD, profesor emérito de medicina de la facultad de medicina de la Universidad Stanford, en California. Es coautor de *Syndrome X: Overcoming the Silent Killer That Can Give You a Heart Attack* (Simon & Schuster).

No hay duda de que un nivel elevado de colesterol –especialmente un nivel alto del colesterol "malo" LDL– es un factor principal de riesgo de ataque al corazón. Pero hay otro factor de riesgo que por fin está recibiendo la atención que se merece como un importante contribuyente a la enfermedad del corazón –la resistencia a la insulina.

La insulina –producida por el páncreas– es la hormona que introduce el azúcar de la sangre (glucosa) en las células. Las células pueden hacerse resistentes a la acción de la insulina. Como resultado, el páncreas produce más insulina en un intento de "forzar" que el azúcar entre en las células.

El exceso de insulina daña las arterias coronarias. Además, provoca una variedad de anomalías metabólicas que contribuyen al desarrollo de coágulos y placas de grasa que obstruyen las arterias.

Este conjunto de anomalías, que afecta a 70 millones de estadounidenses, se llama el "síndrome X". *Incluye…*

•**Exceso de fibrinógeno,** una sustancia que provoca coágulos.

•**Exceso de inhibidor del activador del plasminógeno tipo 1 (PAI-1),** una sustancia que enlentece la descomposición de los coágulos.

•**Niveles altos de triglicéridos,** las principales partículas del cuerpo que almacenan grasa.

•**Niveles bajos de colesterol "bueno" HDL,** que elimina la grasa de las arterias.

Muchas personas con el síndrome X tienen además presión arterial alta, y posiblemente tienen intolerancia a la glucosa –una afección caracterizada por niveles levemente altos de azúcar en la sangre.

Importante: La intolerancia a la glucosa no es lo mismo que la diabetes, pero hasta el 5% de las personas que tienen síndrome X llega a desarrollar diabetes tipo 2. Es la forma que ocurre cuando, debido a la resistencia a la insulina, los niveles de azúcar en la sangre suben hacia el rango de la diabetes.

DIAGNÓSTICO DEL SÍNDROME X

Los resultados de cinco exámenes sencillos llevan al diagnóstico del síndrome X. *El riesgo de sufrir un ataque al corazón aumenta con cada resultado de estos exámenes fuera de lo normal…*

•**Nivel de triglicéridos en ayunas** mayor a 200 miligramos por decilitro (mg/dl).

•**Nivel de colesterol "bueno" HDL en ayunas** menor a 35 mg/dl.

•**Presión arterial** por encima de 145/90.

•**Exceso de peso** de 15 libras (7 kilos) o más.

•**Nivel de azúcar en la sangre en ayunas** mayor a 110 mg/dl... o un nivel mayor a 140 dos horas después de beber una solución de glucosa.

CÓMO COMBATIR AL SÍNDROME X

•**Consuma la dieta adecuada.** Los estadounidenses están asediados por un exceso de dietas "sofisticadas", todas pretendiendo ser mejores para la pérdida de peso y la salud.

La dieta de la American Heart Association aconseja disminuir el consumo de grasa y aumentar el de carbohidratos. La dieta *"Zone"* aconseja aumentar el consumo de proteínas y disminuir el de grasa.

Estas dietas podrían darle resultado a las personas que no tienen el síndrome X, pero la proteína y los carbohidratos estimulan la producción de insulina –lo que resulta peligroso para las personas que padecen el síndrome X.

La dieta Atkins aconseja consumir niveles bajos de carbohidratos y tanta grasa como se desee. Pero esa dieta tiene un contenido muy alto de grasa saturada, la cual obstruye las arterias.

La dieta ideal para combatir el síndrome X proporciona el 45% de las calorías de los carbohidratos... el 15% de las proteínas... y el 40% de la grasa.

Clave: Déle prioridad a las grasas benéficas –las monoinsaturadas y poliinsaturadas. Deberían proporcionar entre el 30% y el 35% de la dieta. Solo entre el 5% y el 10% debería provenir de las grasas saturadas.

Entre las buenas fuentes de grasas saludables se encuentran los aguacates (paltas, "avocados")... los pescados grasosos –como róbalo (lubina, "sea bass"), trucha ("trout"), lenguado ("sole") y salmón–... mantequilla de maní ("peanut butter") natural... nueces ("nuts") y semillas... aceites de canola, maíz, oliva, alazor (cártamo, "safflower"), maní (cacahuate, "peanut"), soja ("soybean"), ajonjolí ("sesame") y girasol ("sunflower").

•**Baje de peso.** Eliminar el exceso de peso mejora la resistencia a la insulina.

Estudio reciente: La resistencia a la insulina disminuyó en un promedio del 40% en personas con exceso de peso que perdieron 20 libras (9 kilos).

•**Haga ejercicios.** Las personas que hacen ejercicios diariamente utilizan la insulina un 25% más eficazmente que quienes no hacen ejercicios. Cuarenta y cinco minutos de ejercicios aeróbicos al día es lo ideal.

•**Deje de fumar.** Fumar produce resistencia a la insulina.

MEDICACIÓN

Si los cambios en el estilo de vida no superan el síndrome X, los medicamentos pueden ayudar...

•**Medicación para bajar los triglicéridos.** Tres medicamentos pueden disminuir los triglicéridos. También bajan los niveles de PAI-1 y aumentan el colesterol "bueno" HDL.

Uno de ellos –la niacina– tiene además el beneficio de disminuir el nivel de colesterol "malo" LDL. Un efecto secundario común del ácido nicotínico (niacina) es el enrojecimiento facial.

La autodefensa: Para minimizar el enrojecimiento causado por el ácido nicotínico, aumente la dosis gradualmente.

Otros dos medicamentos eficaces son *gemfibrozil* (Lopid) y *fenofibrato* (Tricor). En casos raros, sin embargo, pueden causar daño al hígado.

La autodefensa: Consulte a su médico acerca de hacerse exámenes periódicos de su función hepática.

•**Medicación para la presión arterial.** El cincuenta por ciento de las personas diagnosticadas con presión arterial alta también padecen el síndrome X. Pero algunos medicamentos para la presión arterial pueden empeorar la afección.

Consulte a su médico acerca de los posibles riesgos de tomar una dosis alta de diuréticos y betabloqueantes si padece el síndrome X.

Debido a que el síndrome X es causado por la resistencia a la insulina, es lógico preguntar si las *tiazolidinedionas* –medicamentos que aumentan la sensibilidad a la insulina– podrían ser útiles. En la actualidad, dichos medicamentos se usan para tratar la diabetes tipo 2.

La investigación actual determinará si las tiazolidinedionas mejoran el síndrome X. Hasta que no se completen los estudios, estos medicamentos no deberían usarse para tratar la afección.

¿Cuál es su riesgo de padecer enfermedad del corazón?

Durante años, los médicos han considerado al índice de masa corporal (BMI, por sus siglas en inglés) como un gran indicador del riesgo de contraer enfermedad del corazón. (El BMI se calcula dividiendo su peso en kilogramos por el cuadrado de su estatura en metros. Un BMI de más de 25 sugiere que la persona tiene exceso de peso… y más de 30 indica obesidad).

Pero la investigación demuestra que la medida de la cintura es en realidad más precisa que el BMI para evaluar el riesgo de contraer enfermedad del corazón.

Para determinar la medida de su cintura: Mida justo arriba de la parte superior del hueso de la cadera, inmediatamente después de una exhalación normal. Los hombres se encuentran en riesgo de padecer enfermedad del corazón si la medida de su cintura es mayor a 35 pulgadas (89 cm). Las mujeres corren riesgo si la medida de su cintura es mayor a 33 pulgadas (84 cm).

Si la medida de la cintura lo ponen a usted en peligro, consulte a su médico sobre cómo reducir su riesgo de enfermedad del corazón –perdiendo peso, bajando la presión arterial y el colesterol "malo" LDL, y aumentando el colesterol "bueno" HDL.

Shankuan Zhu, MD, PhD, ex miembro del equipo de investigación del New York Obesity Research Center y, en la actualidad, profesor auxiliar de medicina familiar y de la comunidad, del Medical College of Wisconsin.

La mejor dieta para bajar el colesterol

John A. McDougall, MD, fundador y director médico del McDougall Program, en Santa Rosa, California (*www.drmcdougall.com*). Es autor de numerosos libros, entre ellos *The McDougall Program for a Healthy Heart: A Lifesaving Approach to Preventing and Treating Heart Disease* (Plume).

La importancia de bajar los niveles del colesterol se destacó nuevamente cuando los Institutos de Salud de Estados Unidos (NIH, por las siglas en inglés de National Institutes of Health) emitieron pautas que recomiendan tratamientos agresivos para los niveles de colesterol total mayores a 240 miligramos por decilitro (mg/dl). Los NIH recomendaron llegar a un nivel menor de 200 mg/dl.

Con mis pacientes, voy un paso más allá –colaboro con ellos para lograr y mantener un nivel de colesterol total *menor a 150 mg/dl*. Éste es el punto en el cual la enfermedad del corazón deja de progresar y comienza a revertirse. Además, a este nivel de colesterol el riesgo de morir de enfermedad del corazón es casi cero. Pero si usted se conforma con un colesterol total de 200 mg/dl, aun someterá a sus arterias a la acumulación de placa y toxinas –y se arriesgará a sufrir un ataque al corazón.

Así es cómo ayudé a mis pacientes con colesterol alto a mantenerlo bajo control…

ELIMINE LOS PRODUCTOS DE ORIGEN ANIMAL

La forma individual más eficaz de bajar el colesterol es dejar de comer alimentos que contienen colesterol. En otras palabras, *evite todos los productos de origen animal* –como carne roja, aves, mariscos, pescado, huevos, productos lácteos y alimentos elaborados con los mismos.

Con respecto a la salud de las arterias, no existe una cantidad "segura" de productos de origen animal que pueda consumir.

Entre los alimentos prohibidos (muchos de los cuales durante mucho tiempo han sido percibidos como admisibles) se incluyen…

• **Pescado y aves.** Los estudios demuestran que estos alimentos suben el colesterol con tanta certeza como la carne de vaca o de cerdo.

•**Leche, queso y otros productos lácteos descremados/desnatados ("skim") o bajos en grasa.** Incluso cuando la grasa se ha quitado, las proteínas de origen animal en estos alimentos pueden aumentar los niveles de colesterol y dañar las paredes de las arterias.

•**Grasas "libres" ("free fats") como las que contienen la margarina, y los aceites de maíz, de oliva y de canola.** Estas grasas se oxidan fácilmente en el torrente sanguíneo, haciendo que sea probable que se acumule placa en las paredes de las arterias.

Si sigue una dieta estrictamente vegetariana durante varios meses, debería poder bajar los niveles de su colesterol en un 25% o más. Al mismo tiempo, los niveles en la sangre de triglicéridos, homocisteína, ácido úrico y otros factores de riesgo de la enfermedad del corazón también disminuirán.

DELICIAS VEGETARIANAS

Renunciar a los productos de origen animal no significa que usted deba comer mal. Los alimentos incluidos en mi programa son variados y deliciosos. Proporcionan todos los nutrientes necesarios en cantidades óptimas.

Puede consumir *todo lo que desee* de lo siguiente…

•**Cereales integrales,** incluyendo cebada ("barley"), arroz moreno ("brown rice"), harina de alforfón ("buckwheat"), "bulgur" de trigo, maíz, cereal de avena ("oatmeal"), y trigo, además de fideos ("noodles") hechos con esos productos.

•**Papas, batatas** (boniatos, camotes, papas dulces, "sweet potatoes") y ñames ("yams").

•**Tubérculos,** incluyendo remolachas (betabel, "beets"), zanahorias y nabos ("turnips").

•**Calabacines** ("squash") y calabacitas, ya sean verdes ("acorn squash"), amarillas ("buttercup") o las italianas "zucchini".

•**Frijoles y guisantes,** incluyendo alubias, arvejas, chícharos, garbanzos, habas, habichuelas, lentejas y judías verdes (ejotes, "string beans").

•**Otras verduras,** como brócoli ("broccoli"), coles de Bruselas ("brussels sprouts"), col (repollo, "cabbage"), apio ("celery"), las lechugas más oscuras, espinaca, pepinos ("cucumbers"), quingombó ("okra"), cebollas, pimientos (ajíes, "peppers") y champiñones ("mushrooms").

•**Hierbas de cocina y especias no muy picantes.**

Consuma sólo cantidades limitadas de frutas y jugos de frutas (no más de tres porciones al día), azúcar y otros edulcorantes, sal y alimentos salados de origen vegetal, como mantequilla de maní ("peanut butter"), "dips" hechos con semillas, aguacates (paltas, "avocados"), aceitunas y productos de soja –incluyendo el tofu. Los azúcares simples, incluso las frutas y jugos, aumentan el colesterol y los triglicéridos.

PLAN DE MENÚS SALUDABLES PARA EL CORAZÓN

Hay varios libros excelentes de cocina vegetariana disponibles, pero no tiene que ser un chef para preparar comidas saludables para el corazón. Comience con papas, arroz, frijoles o espaguetis, y luego agregue alguna salsa o sopa a base de verduras y con poca grasa. Acompañe con una ensalada y pan, y tendrá una comida completa. *Otros consejos…*

•**Para el desayuno,** tostadas, "bagels", cereal de avena ("oatmeal") u otros cereales, papas horneadas estilo "hash browns" y panqueques (todos hechos con los ingredientes adecuados) están bien. Use leche de arroz ("rice milk") o de soja ("soy milk") con los cereales fríos.

•**Saltee los alimentos en salsa de soja** ("soy sauce"), vino o jerez ("sherry"), vinagre (de arroz o balsámico), salsa Worcestershire vegetariana, salsa o jugo de limón o de lima (limón verde, "lime").

•**Coma hasta sentirse satisfecho…** y coma con la frecuencia que sea necesaria.

•**Para estimular la sensación de satisfacción,** incluya frijoles y guisantes en sus comidas.

El menú de un día típico podría incluir…

Desayuno: Panqueques, cereal de avena, pan tostado a la francesa ("French toast") o una tortilla de huevos.

Almuerzo: Sopa de verduras, con un sándwich vegetariano o una hamburguesa vegetariana.

Cena: Burritos de frijoles, verduras al estilo chino "mu-shu" con arroz, "chili" con arroz, o espaguetis con salsa marinara, con un pedazo de pan fresco y una ensalada de garbanzos.

Después de una semana o dos de seguir esta dieta, la mayoría de las personas desea consumir alimentos saludables –y no extraña toda la grasa tóxica que anteriormente consumía.

MEDICAMENTOS PARA BAJAR EL COLESTEROL

Con un paciente de alto riesgo –alguien que haya tenido, o que corre riesgos de tener, un ataque al corazón, cirugía de desviación coronaria ("bypass") o angioplastia– yo no esperaría varios meses para "ver qué pasa". Si su colesterol total no ha bajado a 150 mg/dl después de 10 días de comer saludablemente, entonces sugiero suplementar la dieta con medicamentos.

Con una dieta vegetariana y medicación para bajar el colesterol, el colesterol de casi cualquier persona puede bajarse hasta 150 mg/dl.

Primero, pruebe algunos de los "medicamentos" naturales para bajar el colesterol…

•**Ajo** –hasta 800 mg, o un diente todos los días.

•**Salvado de avena** ("oat bran") –dos onzas (55 g) al día; o cereal de avena ("oatmeal") –tres onzas (85 g) al día.

•**Vitamina C** –2.000 mg al día.

•**Vitamina E** –400 unidades internacionales (IU, por sus siglas en inglés) de la forma en seco, al día. Pero consulte antes a su médico, ya que más de 200 IU podría ser peligroso.

•**Betacaroteno:** 25.000 IU al día.

•**"Gugulipid":** Recientemente, he estado recomendando esta hierba de la India –entre 500 y 1.500 mg, tres veces al día.

•**La niacina de liberación inmediata** ("immediate-release niacin") es otro medicamento potencialmente útil. Pero se sabe que ha dañado el hígado, por lo que debería tomarse sólo bajo la supervisión de un médico.

Si el paciente no responde, usualmente receto *simvastatina* (Zocor), *pravastatina* (Pravachol), *lovastatina* (Mevacor) o *fluvastatina* (Lescol). Ya que el paciente podría tener que tomar este medicamento durante años, es importante que reciba el que le resulte más eficaz, pero con los mínimos efectos secundarios.

EL EJERCICIO Y LOS BUENOS HÁBITOS

Mientras que el ejercicio no es tan decisivo como la dieta, una caminata a buen ritmo de al menos 20 minutos cada día beneficia de muchos modos el corazón y las arterias.

El ejercicio habitual ayuda a entrenar al corazón a latir más eficazmente… aumenta los niveles del colesterol "bueno" HDL… baja los niveles de los triglicéridos… aumenta el flujo de oxígeno al corazón, cerebro, músculos y otros tejidos… y estimula el sistema inmune.

Y por supuesto: No fume. Limite el consumo de café (tanto el común como el descafeinado suben los niveles de colesterol en alrededor del 10%). Beba alcohol moderadamente, o no lo beba. Sus arterias se lo agradecerán.

El jugo de arándanos agrios combate la enfermedad del corazón

El jugo de arándanos agrios ("cranberries") se ha usado por mucho tiempo para prevenir las infecciones del tracto urinario en las personas que son susceptibles a esta afección.

Descubrimiento reciente: Beber tres vasos de ocho onzas (235 ml) de jugo de arándanos agrios diariamente durante un mes aumenta en un 10% los niveles del colesterol "bueno" HDL. Esto teóricamente reduciría el riesgo de enfermedad del corazón en alrededor del 40%.

Teoría: La actividad antioxidante del jugo proporciona el beneficio de proteger el corazón.

Útil: Sólo beba las variedades no endulzadas ("unsweetened"), las cuales contienen la mitad de las calorías del jugo común de arándanos agrios.

Joe Vinson, PhD, profesor de química de la Universidad de Scranton, en Pensilvania.

Los ácidos grasos transaturados son peores que la mantequilla

Los ácidos grasos transaturados ("trans fatty acids") son peores para la salud que las grasas saturadas de la crema agria ("sour cream"), la mantequilla y la manteca de cerdo ("lard").

Según la National Academy of Sciences, los ácidos grasos transaturados aumentan su riesgo de sufrir un ataque al corazón –tanto o más que las grasas saturadas– al aumentar los niveles del colesterol "malo" LDL y bajar los del colesterol protector HDL. No existe una cantidad de consumo que no presente riesgos.

Además de estar presente en los productos lácteos ricos en grasa, las grasas transaturadas se encuentran en los alimentos que contienen aceites vegetales hidrogenados o parcialmente hidrogenados, como tortas, pasteles y galletitas… y en las comidas rápidas como las papas fritas, el pollo y otros alimentos fritos.

Suzanne Havala Hobbs, DrPH, RD, dietista registrada y profesora adjunta auxiliar de la facultad de sanidad pública de la Universidad de Carolina del Norte, en Chapel Hill. Es autora de varios libros, entre ellos, *Being Vegetarian for Dummies* (For Dummies).

Cómo controlar el colesterol más fácilmente

Las inyecciones administradas dos veces al año de una vacuna experimental subieron los niveles del colesterol "bueno" HDL en el 40% en estudios con animales.

De ser exitoso con seres humanos, este tratamiento podría ser una alternativa conveniente y menos costosa a las estatinas, medicamentos que usualmente se toman dos veces al día de por vida.

Arteriosclerosis, Thrombosis, and Vascular Biology, un boletín médico de la American Heart Association, 7272 Greenville Ave., Dallas, Texas 75231.

El jugo de naranja aumentó el colesterol "bueno" HDL

Beber jugo de naranja puede aumentar la cantidad de colesterol "bueno" HDL en el cuerpo. Cuando los investigadores les dieron jugo de naranja diariamente a personas con niveles altos de colesterol en la sangre, durante tres meses, aumentando la cantidad hasta que bebían tres vasos al día en el tercer mes, descubrieron que la cantidad de colesterol HDL en la sangre había aumentado más del 21%.

Cinco semanas más tarde, cuando las personas volvieron a sus dietas originales, su HDL aún se mantenía en su nivel elevado.

Elzbieta M. Kurowska, vicepresidenta de investigación y desarrollo de la Research Park Corp., de la Universidad Western Ontario, en Londres, Canadá.

Los cítricos disminuyen el riesgo de enfermedad del corazón

La toronja (pomelo, "grapefruit") y la naranja protegen al corazón, según informa la Dra. Pamela Mink.

Nuevo descubrimiento: En un estudio de casi 35.000 mujeres de entre 55 y 69 años, los investigadores descubrieron que las que consumieron la mayor cantidad de *flavanonas,* flavonoides antioxidantes que se encuentran principalmente en los cítricos (como la toronja y la naranja), tuvieron un 22% menos de riesgo de muerte por enfermedad del corazón que quienes consumieron la menor cantidad.

Teoría: Los flavonoides ayudan a prevenir los coágulos y estimulan la salud de los vasos sanguíneos. Si toma medicamentos, pregúntele a su médico si los cítricos afectarán la eficacia de ellos.

Pamela Mink, PhD, MPH, científica directora sénior de ciencias de la salud de Exponent Inc., en Washington, DC.

Los milagrosos medicamentos para el corazón

Steven E. Nissen, MD, jefe de cardiología, de la Cleveland Clinic Foundation, y profesor de medicina de la Universidad Ohio State, en Cleveland.

Todos sabemos que demasiado colesterol es malo. Los niveles altos en la sangre de esta sustancia similar a la grasa, aumentan el riesgo de ataque al corazón y muerte súbita.

Pero, ¿cuánto es demasiado? ¿Y cuál es la mejor manera de disminuir los niveles de colesterol? Las respuestas han cambiado recientemente, en gran parte debido a los medicamentos para bajar el colesterol llamados *estatinas*. Millones de estadounidenses ya los toman… y cada estudio parece agrandar el círculo de personas que podrían beneficiarse de la terapia con estatinas. ¿Los debería tomar usted?

PAUTAS RECIENTES

El National Cholesterol Education Program emitió pautas diseñadas para ayudar a la gente a decidir si necesitan bajar sus niveles de colesterol.

Las personas sanas deberían mantener su colesterol "malo" LDL –el tipo vinculado a la enfermedad del corazón– por debajo de 130 miligramos por decilitro (mg/dl). Quienes han sufrido un ataque al corazón o al cerebro ("stroke") o padecen diabetes o una enfermedad cardiovascular deberían tener como meta un nivel de LDL de 70 mg/dl. Lo mismo se recomienda si fuma cigarrillos o tiene un historial familiar de enfermedad del corazón.

Si una dieta rica en fibra y baja en grasa no disminuye el colesterol lo suficiente en tres meses, quizá necesite medicamentos.

DESCUBRIMIENTOS SORPRENDENTES

Algunos datos sugieren que estas pautas no son suficiente. El estudio British Heart Protection Study observó a más de 20.000 personas con enfermedad cardiovascular o diabetes que fueron seleccionadas al azar para tomar *simvastatina* (Zocor) o un placebo durante cinco años.

Los resultados fueron sorprendentes. Las personas que tomaron simvastatina tuvieron un 33% menos de ataques al corazón y al cerebro que aquellas que tomaron el placebo. Además, necesitaron significativamente menos cirugías del corazón, angioplastias y amputaciones.

Lo más importante: El beneficio no se limitó a las personas que tenían colesterol alto. La simvastatina parecía prevenir los ataques al corazón y al cerebro incluso en quienes tenían niveles de LDL por debajo del nivel recomendado.

¿QUÉ SIGNIFICA ESTO PARA USTED?

Si ha sufrido un ataque al corazón o al cerebro o se le ha diagnosticado una enfermedad cardiovascular o diabetes, probablemente se beneficie de la terapia con estatinas. Esto es así aun si sus niveles de colesterol se encuentran en el rango saludable.

Si no pertenece a estas categorías, pero tiene varios *factores* de riesgo de enfermedad del corazón –es hombre, de mediana edad, fuma cigarrillos, tiene presión arterial alta o un historial familiar de ataques al corazón–, entonces se encuentra en una zona de riesgo indefinida. Pero generalmente les recomiendo estatinas a dichas personas.

La medicación con estatinas no significa que pueda descuidarse. El estilo de vida es importante. Debería tomar las medidas necesarias para disminuir su riesgo de ataque al corazón –como hacer ejercicios, mejorar su dieta y mantener un peso corporal saludable.

CÓMO ELEGIR LA MEJOR ESTATINA

Las estatinas se toman usualmente para bajar el colesterol. La *atorvastatina* (Lipitor) y la *simvastatina* (Zocor) parecen ser las más eficaces.

Pero aunque las estatinas son usualmente la mejor medicación para bajar el colesterol "malo" LDL, otros medicamentos son a veces más apropiados para personas con ciertos problemas de colesterol…

•**Su nivel de colesterol HDL es muy bajo.** Si los niveles de este colesterol "bueno" (que elimina los depósitos de grasa de las arterias) son muy bajos, su médico podría recetarle niacina. Niaspan, una forma de niacina de liberación prolongada ("sustained-release") disponible sólo con receta, tiene efectos secundarios mínimos.

•**Su nivel de triglicéridos –otra grasa en la sangre– es alto.** Su médico podría aconsejarle que tome un derivado del ácido fíbrico, como *gemfibrozil* (Lopid) o *fenofibrato* (Tricor), los cuales también aumentan los niveles del colesterol "bueno" HDL.

Ambos, la niacina y el ácido fíbrico, pueden tomarse con una estatina para obtener una acción doble contra la enfermedad del corazón.

¿SON SEGURAS LAS ESTATINAS?

Hace varios años, la *cerivastatina* (Baycol) fue retirada del mercado. El medicamento estaba vinculado a más de 100 muertes por *rabdomiólisis,* una afección grave caracterizada por fuertes dolores musculares y debilidad. El riesgo con otras estatinas es extremadamente bajo –se estima que una persona de cada 3 millones tiene una reacción mortal.

Una minoría de personas que toman estatinas experimenta dolores musculares. Usualmente se sienten mejor cuando cambian a una dosis más baja o a una forma distinta de estatina.

Algunos se preocupan de que las estatinas podrían bajar demasiado su nivel de colesterol. Sin embargo, aunque el organismo necesita algo de colesterol para las funciones biológicas como la formación de membranas celulares, la cantidad necesaria es muy pequeña.

DOS POSIBLES BENEFICIOS ADICIONALES

Según un estudio presentado en una reunión de la American Academy of Neurology, más de 2.500 personas que tomaron estatinas tuvieron mucha menos probabilidad de contraer el mal de Alzheimer, la causa principal de la demencia.

Es necesario hacer más investigaciones al respecto, pero la protección al cerebro podría resultar ser otra razón convincente para considerar las estatinas.

Existe también evidencia preliminar de que las estatinas podrían ayudar a reducir el riesgo de padecer cáncer de colon, especialmente cuando se toman en combinación con medicamentos antiinflamatorios no esteroideos (AINE o NSAID, por sus siglas en inglés) como la aspirina. Pero, nuevamente, es necesario que se realicen más investigaciones.

Cómo disminuir su nivel de colesterol sin medicamentos

El difunto Robert E. Kowalski, reportero médico y autor de *The New 8-Week Cholesterol Cure: The Ultimate Program for Preventing Heart Disease* (Harper Torch). *www.thehealthyheart.net.*

Es posible bajar el colesterol sin medicamentos. Hacer cambios simples en la dieta y tomar suplementos puede disminuir el colesterol naturalmente para disfrutar de buena salud del corazón por toda la vida.

DISMINUYA SU RIESGO DE LA ENFERMEDAD DE LAS ARTERIAS CORONARIAS

Tome un suplemento multivitamínico diario, además de 1.000 microgramos (mcg) de ácido fólico… 6 mg de vitamina B-6* y 500 mcg de vitamina B-12.

Estas vitaminas del complejo B funcionan para "normalizar" los niveles en la sangre de la *homocisteína* –un aminoácido que puede predecir el riesgo de un ataque al corazón, tan bien como lo hace el colesterol alto.

Pídale a su médico que controle sus niveles de colesterol –incluyendo el colesterol total, el colesterol "malo" LDL y el colesterol "bueno" HDL. Asegúrese de que también controle sus niveles de triglicéridos.

Estos números indican su riesgo de padecer una enfermedad de las arterias coronarias. Sin importar su edad, trate de mantener su colesterol total por debajo de 200 –idealmente entre 160 y 180– con un nivel de LDL que no sea mayor a 70.

UN ALIMENTO MUY IMPORTANTE

Usted puede bajar su nivel de colesterol en alrededor del 10% simplemente al consumir salvado de avena ("oat bran"). Cuando come una taza de salvado de avena (el equivalente a tres "muffins" de salvado) o una taza y media de cereal de avena ("oatmeal") cada día, el salvado se mezcla con la bilis en el tracto digestivo. La bilis luego es eliminada al defecar.

Como la bilis contiene colesterol, el organismo debe usar más colesterol en la sangre

*Esta es una cantidad muy pequeña, así que busque una mezcla de vitaminas que contenga la vitamina B-6.

para producir bilis adicional. Otros alimentos ricos en fibra soluble, como frijoles (alubias, habas, habichuelas, "beans") secos, pasas de uva ("raisins"), ciruelas secas ("prunes") e higos, también ayudan a eliminar la bilis.

OTRAS MEDIDAS ALIMENTARIAS

Usted puede reducir el colesterol en la sangre en un 10% adicional al tomar una sustancia que bloquea el colesterol llamada fitoesterol ("phytosterol"). Cuando se toma *fitoesterol* antes de una comida que contenga productos de origen animal, las moléculas de fitoesterol ocupan los receptores de colesterol en los intestinos. Esto previene que el colesterol pase al torrente sanguíneo.

Una compañía llamada Endurance Products vende una tableta de 450 mg de fitoesterol.

Precio: $58* por 400 tabletas. (Para encargar, visite el sitio Web en inglés *www.endur.com*).

Yo recomiendo tomar una o dos tabletas, 30 minutos antes de cada comida. Si va a comer huevos, tome una tableta por cada yema.

LOS ALIMENTOS DE SOJA Y LA GRASA BUENA

Comer soja ("soy") puede resultar en otra reducción del colesterol del 10%, pero hay que consumir una buena cantidad –25 gramos de proteína de soja al día. Eso es equivalente a tres vasos de ocho onzas (235 ml) de leche de soja ("soy milk"), además de meriendas (refrigerios) con nuez de soja ("soy nut").

Si adopta todos estos métodos, tendrá una disminución significativa en su nivel de colesterol. La otra medida es reducir la grasa que consume.

Esto no significa eliminar *toda* la grasa. Puede comer todo el pescado que desee, especialmente el pescado grasoso, ya que contiene los ácidos grasos omega-3 que protegen el corazón. Además, use tanto aceite de oliva y aceite de canola como desee.

Simplemente disminuya el consumo de la grasa transaturada ("trans fats", referida en las etiquetas de los alimentos como aceite vegetal o grasa "hidrogenada" –"hydrogenated"– o "parcialmente hidrogenada" –"partially hydrogenated"). La grasa saturada también debería limitarse.

*Precio sujeto a cambio.

La grasa transaturada no sólo aumenta los niveles del colesterol total y LDL, sino que además disminuye los niveles del colesterol "bueno" HDL, que es protector.

Otra gran fuente de grasa transaturada se encuentra en los restaurantes de comida rápida, donde se fríen los productos en grasa hidrogenada. No consuma comida rápida más de una vez a la semana. No comerla nunca es aun mejor.

Para reducir su consumo de grasa saturada, coma aguacates ("avocados"), nueces ("nuts") o mantequilla de maní ("peanut butter") en lugar de carne siempre que sea posible. Consuma leche descremada/desnatada en vez de productos lácteos con poca grasa. Quite la piel del pollo; y coma sólo cortes magros ("lean") de carne de res.

Si piensa comer hamburguesas o pastel de carne ("meat loaf"), elija un trozo de "London broil" o aguayón ("top round") magro en el supermercado y pídale al carnicero que recorte la grasa antes de moler la carne. Así obtendrá carne de res molida ("ground beef") con sólo un 5% de grasa, el mismo porcentaje de grasa que la pechuga de pollo sin piel. La carne molida común contiene entre un 15% y un 30% de grasa.

LA NIACINA PUEDE AYUDAR

Si su colesterol es mayor a 240, resígnese y consulte a su médico acerca de tomar medicamentos para bajarlo.

La niacina, una vitamina del complejo B, es preferible a las estatinas por varias razones. Primero, las estatinas son costosas, y no todos tenemos seguro de salud que cubra el costo. Segundo, no sabemos casi nada acerca de los efectos secundarios a largo plazo de las estatinas. Finalmente, aunque las estatinas bajan el colesterol total y el "malo" LDL, no afectan el colesterol "bueno" HDL, los triglicéridos ni otras "subfracciones" del colesterol.

La niacina baja los niveles del colesterol total y LDL y los triglicéridos. Además, aumenta el HDL y baja los niveles de otras dos partículas peligrosas: la *subfracción alfa de lipoproteína,* o colesterol lp(a), y el pequeño y denso colesterol LDL, los cuales son especialmente propensos a depositarse en las paredes de las arterias.

La niacina sí tiene inconvenientes. Tiene que tomarla tres veces al día (usualmente una tableta de 500 mg con cada comida) y tiene que controlar las enzimas del hígado *cada seis meses,* ya que las dosis altas necesarias para disminuir el colesterol pueden causar trastornos en el hígado. La niacina puede además causar rubor.

Una terapia reciente que combina las estatinas y la niacina también parece prometedora en ensayos clínicos. En un estudio de pacientes cardiacos en la Universidad de Washington, los resultados de este método prácticamente interrumpieron el progreso de la enfermedad del corazón. Las estatinas por sí solas no lo lograron.

Más allá del colesterol: Seis amenazas para el corazón que los médicos a veces pasan por alto

Michael Mogadam, MD, profesor clínico auxiliar de medicina de la Universidad Georgetown, en Washington, DC, e internista y especialista en lípidos, con práctica privada en Alexandria, Virginia. Es autor de *Every Heart Attack Is Preventable* (NAL Trade).

La mayoría de los médicos creen que el colesterol alto es la principal causa de la enfermedad del corazón. Pero siete de cada 10 víctimas de un ataque al corazón tienen niveles de colesterol en el rango "superior-normal" ("borderline") –entre 180 y 240 mg/dl.

Claramente, los niveles de colesterol son importantes. Los niveles altos de colesterol "malo" LDL o de triglicéridos, o los niveles bajos de colesterol "bueno" HDL son factores de riesgo. También lo son el fumar, la obesidad, la hipertensión, la diabetes, etc. *Pero otros factores de riesgo también son importantes...*

INFECCIONES CAUSADAS POR CLAMIDIA

Chlamydia pneumoniae, un germen común del tracto respiratorio, puede migrar a las arterias y provocar una infección que podría dañar los revestimientos. (*C. pneumoniae* está vinculada a los microorganismos que causan la enfermedad de transmisión sexual conocida como clamidia, pero es distinta).

Se cree que más de la mitad de los adultos con ateroesclerosis (endurecimiento de las arterias) están infectados con C. pneumoniae. Sólo el 5% de las personas con arterias sanas están infectadas.

La autodefensa: Cualquier persona con bronquitis o sinusitis crónica que tenga dos o más factores de riesgo de tener una enfermedad del corazón debería someterse a un análisis de sangre para detectar C. pneumoniae.

El tratamiento usualmente incluye tomar el antibiótico por vía oral *azitromicina* (Zithromax) durante 14 días, y luego una píldora por semana durante tres meses.

ÁNIMO DECAÍDO

El diez por ciento de los adultos estadounidenses tienen un síndrome conocido como HAD, por las siglas en inglés de hostilidad, ira ("anger") y depresión. El HAD aumenta el riesgo de enfermedad de las arterias coronarias, tanto como el colesterol alto o la hipertensión.

La autodefensa: Las personas que se frustran fácilmente... pierden los estribos... y con frecuencia se sienten enfadadas deberían discutirlo con un médico.

Las técnicas de reducción del estrés, como la meditación, la respiración profunda y el yoga, son útiles. De hecho, un estudio realizado en la Universidad Duke halló que la reducción del estrés disminuyó en un 70% el riesgo de padecer una enfermedad de las arterias coronarias.

FIBRINÓGENO ELEVADO

El fibrinógeno es una proteína en la sangre relacionada con la coagulación. Un nivel elevado (mayor a 250 mg/dl) *triplica* el riesgo de padecer una enfermedad de las arterias coronarias.

La autodefensa: Una persona que consuma una dieta rica en grasa y tenga uno o más factores de riesgo de enfermedad del corazón debería someterse a un análisis de sangre para medir su nivel de fibrinógeno.

Elimine de su dieta los alimentos fritos, la margarina y otros alimentos que contengan ácidos grasos transaturados ("trans-fatty acids"). Estas grasas estimulan al hígado para que produzca mucho fibrinógeno.

También útil: Consumir pescados grasosos, como el atún, la caballa ("mackerel") y el salmón, tres o cuatro veces a la semana. Los ácidos grasos omega-3 que hay en el pescado disminuyen el fibrinógeno y el riesgo de tener coágulos. Tomar una aspirina para bebé de 81 mg ("baby aspirin") además de entre 400 y 800 unidades internacionales (IU, por sus siglas en inglés) de vitamina E diariamente debería también contrarrestar los niveles altos de fibrinógeno. Sin embargo, consulte a su médico antes, ya que tomar más de 200 IU de vitamina E podría ser peligroso.

Importante: Si tiene un nivel de fibrinógeno elevado y ha sufrido un ataque al corazón o al cerebro, o tiene arteriopatía periférica (mala circulación de la sangre en las piernas), su médico podría recomendarle niacina, una vitamina del complejo B, o un medicamento para bajar el colesterol, como la *pravastatina* (Pravachol).

HEMATÓCRITO ELEVADO

El hematócrito es el porcentaje del volumen total de sangre que está compuesto por glóbulos rojos. En los niveles más altos (del 48% al 51%) los glóbulos rojos hacen que la sangre sea más espesa e impida la circulación. El hematócrito alto puede triplicar el riesgo de sufrir un ataque al corazón.

La autodefensa: Si usted tiene una tez rubicunda… siente fatiga por la mañana… u ocasionalmente mareo o confusión, debería hacerse examinar. Su nivel de hematócrito se mide rutinariamente en los análisis de sangre –y al donar sangre.

Su médico necesitará descartar afecciones que aumentan los niveles de glóbulos rojos, como los trastornos de la médula ósea o de los pulmones.

Si por lo demás goza de buena salud: Done una pinta (½ litro) de sangre cada pocas semanas hasta que su nivel de hematócrito baje a entre el 42% y el 45%. Continúe donando sangre cada 90 días para mantener un nivel saludable.

HOMOCISTEÍNA ELEVADA

Un nivel anormalmente elevado de esta proteína en la sangre puede *duplicar* el riesgo de tener un ataque al corazón o al cerebro.

Un nivel elevado de homocisteína daña el revestimiento de las arterias y aumenta el riesgo de tener coágulos.

La autodefensa: Cualquier persona que tenga un historial personal o familiar de enfermedades cardiovasculares –o con uno o más factores de riesgo–, debería hacerse un examen para detectar la homocisteína elevada.

Si su sangre contiene más de nueve micromoles por litro, consulte a su médico acerca de tomar suplementos de vitaminas del complejo B. Recomiendo entre 1.000 y 2.000 microgramos (mcg) de folato y la misma cantidad de vitamina B-12, dos veces al día.

Si su nivel de homocisteína permanece alto después de ocho o 10 semanas, recomiendo agregar entre 50 y 100 mg de vitamina B-6, dos veces al día.

PROBLEMAS DE LAS PLAQUETAS

En algunas personas, las plaquetas en la sangre –estructuras similares a las células que asisten en la coagulación– funcionan más de lo que deberían, aumentando el riesgo de tener coágulos que podrían causar un ataque al corazón. Los niveles excesivos de plaquetas (por encima de 250.000 por mililitro de sangre) también son peligrosos.

La autodefensa: Las personas que tengan uno o más factores de riesgo de enfermedad del corazón deberían someterse a un análisis de sangre para medir el nivel de sus plaquetas.

Si el nivel de sus plaquetas es elevado, tome una tableta de aspirina de 81 mg diariamente y una aspirina de 325 mg cada dos semanas para aumentar la eficacia de la dosis de aspirina diaria.

El medicamento disponible con receta *clopidogrel* (Plavix) también tiene efectos antiplaquetarios. Es útil para las personas que son alérgicas a la aspirina.

Todos los hombres mayores de 35 años y las mujeres mayores de 45 años deberían consultar a sus médicos acerca de tomar una dosis baja de aspirina diaria –aun si no tienen factores de riesgo de enfermedad coronaria. Al hacerlo podrían salvar sus corazones, y sus vidas.

¿Le han analizado su nivel de homocisteína?

David W. Freeman, ex director editorial de *Bottom Line/Health,* Boardroom Inc., 281 Tresser Blvd., Stamford, Connecticut 06901.

Hay evidencia sólida de que demasiada *homocisteína* –un aminoácido que se crea en el cuerpo después del consumo de carne y productos lácteos– implica un mayor riesgo de tener una enfermedad del corazón y un ataque cerebral.

Sin embargo pocos médicos urgen a sus pacientes a que controlen su nivel de homocisteína.

¿Por qué? Según el Dr. Kilmer McCully –el patólogo de Providence, Rhode Island, que originó la teoría de la relación de la homocisteína con la enfermedad del corazón–, muchos médicos ignoran los estudios que demuestran lo peligroso que puede ser la *hiperhomocistinemia.*

Otros no llegan a recomendar el examen porque piensan que es muy costoso… o porque el equipo necesario no está disponible en el laboratorio de diagnóstico que usan.

NO HAY MÁS EXCUSAS

Dos exámenes de homocisteína usan equipos estándar de laboratorio. Los médicos no tienen que encontrar un nuevo laboratorio, y el costo de los exámenes debería estar en el rango de los $50.

Someterse a exámenes tiene sentido para todas las personas mayores de 65… y para los mayores de 50 años que tengan un historial familiar de problemas del corazón.

En algunos casos, un nivel elevado de homocisteína es causado por una enfermedad subyacente –la cual necesita ser tratada. Con más frecuencia, el problema es simplemente comer demasiada carne y productos lácteos, y no comer suficientes frutas y verduras.

Muchas veces es posible mantener baja la homocisteína, comiendo adecuadamente y tomando tres vitaminas B diariamente –ácido fólico (1 mg), B-6 (10 mg) y B-12 (0,1 mg). Dosis más altas podrían ser necesarias para bajar un nivel elevado.

Si cree que podría beneficiarse de los exámenes de homocisteína y su médico nunca se los ha mencionado, pregúntele sobre los mismos. No permita que un médico desinformado ponga su vida en peligro.

El mejor examen para predecir el riesgo de un ataque al corazón

El análisis de sangre para la *proteína C reactiva* (PCR o CRP, por sus siglas en inglés) es un mejor instrumento de predicción de un ataque al corazón que los niveles de homocisteína o de colesterol. Este examen mide una proteína en el cuerpo, cuyos picos han sido relacionados con ataques al corazón y al cerebro. El análisis generalmente cuesta unos $60 y podría no estar cubierto por el seguro.

Las buenas noticias: La dieta, el ejercicio y las estatinas pueden reducir la PCR de manera significativa.

Richard Milani, MD, director del Cardiovascular Health Center, y vicepresidente del departamento de cardiología de la Ochsner Clinic Foundation, en Nueva Orleans.

La autodefensa contra los errores en las salas de emergencia

Las salas de emergencia de los hospitales (ER, por sus siglas en inglés) diagnostican erróneamente alrededor de uno de cada cinco pacientes con insuficiencia cardíaca como asma o *enfermedad pulmonar obstructiva crónica* (EPOC o COPD, por sus siglas en inglés).

La razón: Con frecuencia esos pacientes llegan con falta de aire y respiración dificultosa, síntomas similares a los de las enfermedades pulmonares. Como resultado, hay menos probabilidad que los médicos de las salas de emergencia encarguen exámenes para determinar si existe insuficiencia cardiaca. Además, el tratamiento para la EPOC podría empeorar el problema cardiaco.

Si va a la sala de emergencia con falta de aire: Pídale al médico que mida su nivel de *péptido natriurético cerebral* (BNP, por las siglas en inglés de "B-type natriuretic peptide"). Un nivel de BNP de menos de 100 puede descartar una enfermedad del corazón. Si su BNP sobrepasa los 100, y especialmente si se encuentra por encima de 500, probablemente padezca insuficiencia cardiaca.

Peter A. McCullough, MD, MPH, cardiólogo asesor y director de la división de nutrición y medicina preventiva del hospital William Beaumont, en Royal Oak, Michigan.

Cómo evitar un efecto secundario de la cirugía de "bypass"

La cirugía de desviación de la arteria coronaria (baipás, "bypass") puede ser severa para el cerebro. En un estudio de 300 pacientes, el 39% demostró un deterioro de las destrezas de razonamiento, seis semanas después de la cirugía. El mayor deterioro ocurrió en los pacientes con las fiebres más altas durante las 24 horas siguientes a la cirugía.

La autodefensa: Pregúntele a su cirujano qué medidas se tomarán para proteger el cerebro.

Ejemplos: Recalentamiento postoperatorio lento ("slow postoperative rewarming")... monitoreo de la temperatura corporal... filtros para vía arterial ("arterial line filters"), los cuales eliminan desechos nocivos... dispositivos salvadores de células que reciclan la sangre del paciente y reducen los desechos en el circuito de la desviación (puente, "bypass").

Hilary Grocott, MD, profesor adjunto de anestesiología y medicina de cuidados críticos del centro médico de la Universidad Duke, en Durham, Carolina del Norte. Sus descubrimientos fueron publicados en el boletín médico *Stroke*.

Peligro para las mujeres de la cirugía de "bypass"

Las mujeres entre los 50 y los 59 años de edad tienen tres veces más probabilidad de morir después de someterse a una cirugía de desviación de la arteria coronaria (baipás, "bypass") que los hombres de la misma edad.

Las posibles razones: Ya que los médicos son menos propensos a sospechar que las mujeres jóvenes padecen una enfermedad del corazón, se remite a las mujeres para la cirugía sólo cuando la enfermedad del corazón se encuentra avanzada.

Además: Las mujeres tienen arterias más pequeñas, lo que hace que la cirugía de "bypass" sea más difícil.

Pero las mujeres no deberían evitar esta cirugía que puede salvar la vida.

La autodefensa: Someterse a análisis habituales para detectar factores de riesgo de enfermedad del corazón, como presión arterial elevada, nivel alto de azúcar en la sangre y colesterol alto, a partir de la adultez temprana.

Si cualquiera de esos niveles es alto, busque tratamiento pronto para reducir su riesgo.

Viola Vaccarino, MD, PhD, profesora de medicina de la facultad de medicina de la Universidad Emory, en Atlanta, y líder de un estudio de más de 57.000 pacientes de cirugía de "bypass", reportado en el boletín médico *Circulation*.

La calvicie fue vinculada a los problemas del corazón

Los hombres que están perdiendo el cabello en la coronilla de la cabeza tienen un 36% más de riesgo de padecer problemas del corazón que los hombres que no se están quedando calvos... o que tienen ligeras entradas en el cabello.

Perder el cabello en la coronilla es una característica heredada que podría vincularse a niveles altos de hormonas masculinas. El hombre que esté perdiendo el cabello de esta manera debería controlar escrupulosamente sus niveles de colesterol y la presión arterial, y asegurarse de hacer ejercicios de manera regular, no fumar y consumir una dieta saludable para el corazón.

JoAnn Manson, MD, DrPH, jefa de medicina preventiva del hospital Brigham and Women's, en Boston, y coautora de un estudio de 22.000 médicos hombres, entre los 40 y 84 años, reportado en el boletín médico *Archives of Internal Medicine.*

Buenas noticias sobre los nutracéuticos

Stephen L. DeFelice, MD, presidente de la Foundation for Innovation in Medicine (*www.fimdefelice.org*), en Cranford, Nueva Jersey, y ex jefe de farmacología clínica del Walter Reed Army Institute of Research, en Washington, DC. El Dr. DeFelice originó la palabra inglesa "nutraceutical" y fue uno de los primeros investigadores en estudiar los efectos de la carnitina sobre el corazón. Es autor de *The Carnitine Defense* (Rodale).

Existe ahora evidencia convincente de que ciertos alimentos, llamados "nutracéuticos", contienen nutrientes especiales que protegen de la enfermedad del corazón. El más importante de ellos es la *carnitina*, un aminoácido que se encuentra en la carne roja y en pequeñas cantidades en el pollo, el pescado, los productos lácteos y ciertas frutas y verduras.

La principal función de la carnitina en el organismo es transportar los ácidos grasos de los alimentos que consumimos hacia la mitocondria. Estos microscópicos "hornos" –que se encuentran dentro de cada célula– convierten los ácidos grasos en la energía química que se usa en todo el cuerpo.

SUPLEMENTOS DE CARNITINA

Los biólogos han estudiado la carnitina ("carnitine") desde la década de 1940. Estudios recientes sugieren que los niveles altos de carnitina mejoran la función cardiaca en las personas que padecen una enfermedad de las arterias coronarias.

Otros estudios han demostrado que la carnitina que se proporciona inmediatamente antes o después de un ataque al corazón ayuda a estabilizar el ritmo cardiaco. Esto mejora la eficacia del bombeo del corazón.

La carnitina ha demostrado además que minimiza el daño causado al corazón después de un ataque coronario.

Nadie puede predecir cuándo ocurrirá un ataque al corazón. Por esta razón, es frecuentemente una buena idea para las personas mayores de 35 años tomar un suplemento diario de carnitina, para asegurar que los niveles de la misma en el cuerpo sean suficientes para proteger el corazón. Consulte a su médico.

Los suplementos de carnitina son especialmente importantes para las personas con uno o más factores de riesgo de ataque al corazón –obesidad, historial familiar de enfermedad del corazón, nivel alto de colesterol, presión arterial alta y diabetes.

Los suplementos de carnitina se venden sin receta en farmacias y tiendas de alimentos naturales ("health food stores"). Revise las etiquetas detenidamente. Estudios en animales sugieren que el *fumarato* de carnitina ("carnitine fumarate") protege más al corazón que otras formas de carnitina.

Dosis diaria típica: entre 1.500 y 3.000 mg. Tomar carnitina dos veces al día –en dosis divididas cada 12 horas– ayuda a mantener consistentes los niveles en la sangre.

Con esa dosis, la carnitina es muy segura. Cualquier exceso es eliminado en la orina.

MÁS ALLÁ DE LA CARNITINA

La carnitina no es el único nutracéutico saludable para el corazón. La vitamina E, el magnesio, el ácido fólico y otras vitaminas del complejo B, el cromo ("chromium") y el etanol (alcohol etílico, "ethyl alcohol") *con moderación* han demostrado que disminuyen el riesgo de ataque al corazón.

Debido a que estos compuestos están presentes en los alimentos sólo en cantidades ínfimas, puede ser difícil obtener la cantidad suficiente de ellos sólo por medio de los alimentos. Por esta razón, tomar suplementos es con frecuencia una buena idea.

VITAMINA E

La vitamina E ayuda a neutralizar los radicales libres, ayudando a evitar que estos fragmentos moleculares altamente reactivos provoquen la acumulación de depósitos grasos en las arterias coronarias.

Dosis diaria típica: 400 unidades internacionales (IU, por sus siglas en inglés). Sin embargo, debería consultar a su médico, ya que tomar más de 200 IU podría ser peligroso para algunas personas. Además, para obtener esa cantidad de vitamina E solamente de los alimentos habría que comer 48 tazas de germen de trigo ("wheat germ") o 100 tazas de espinacas todos los días.

Un estudio reciente de pacientes con alto riesgo de padecer enfermedad del corazón parece sugerir que los suplementos de vitamina E no protegen al corazón de la falta de oxígeno. Este estudio contradice otros numerosos estudios que demostraron que los suplementos sí protegen al corazón.

Podría resultar que la vitamina E es más eficaz en la prevención del desarrollo del colesterol alto y de la presión arterial alta que en disminuir el riesgo de ataque al corazón en las personas que ya tienen estos factores de riesgo.

Advertencia: Consulte a su médico si ha sufrido un ataque cerebral o si sigue una terapia de aspirina diaria o toma *warfarina* (Coumadin) u otro anticoagulante recetado. En dichos casos, los suplementos de vitamina E pueden diluir la sangre hasta el punto de que una hemorragia sea posible.

MAGNESIO

El magnesio actúa para prevenir que las plaquetas en la sangre se acumulen y obstruyan las arterias coronarias. Además, estabiliza el ritmo cardiaco, disminuyendo el riesgo de daños al músculo cardiaco durante un ataque al corazón.

Dosis diaria típica: entre 400 y 500 mg. Divídala en dos dosis y tómelo dos veces al día para mantener altos los niveles en la sangre todo el día.

Entre las fuentes alimenticias de magnesio se incluyen alcachofa (alcaucil, "artichoke"), frijoles (alubias, habas, habichuelas, judías, "beans"), mariscos, nueces ("nuts") y cereales integrales.

VITAMINAS DEL COMPLEJO B

El ácido fólico, una vitamina del complejo B, disminuye los niveles en la sangre de la *homocisteína,* una proteína en la sangre que ha sido vinculada a la enfermedad del corazón. El efecto del ácido fólico sobre la homocisteína es especialmente acentuado cuando se toma en combinación con las vitaminas B-6 y B-12.

Dosis diarias típicas: 400 microgramos (mcg) de ácido fólico… 400 mg de vitamina B-6… entre 500 y 1.000 mcg de vitamina B-12.

ALCOHOL

El consumo moderado de alcohol combate la enfermedad del corazón de tres maneras –aumenta los niveles del colesterol "bueno" HDL… ayuda a eliminar del cuerpo el colesterol "malo" LDL… y ayuda a prevenir la acumulación de plaquetas.

"Dosis" diaria típica: el equivalente a un trago para las mujeres… uno o dos tragos para los hombres. Un trago equivale a 12 onzas (350 ml) de cerveza, cuatro onzas (120 ml) de vino o 1,5 onzas (45 ml) de licores destilados.

Si tiene un historial personal o familiar de abuso del alcohol: Consulte a su médico antes de consumir alcohol. Las mujeres embarazadas no deberían beber alcohol.

CROMO

Se ha demostrado que el cromo ("chromium") disminuye la resistencia de las células a la insulina –una afección que causa que los niveles de glucosa suban. Este es un problema importante para los diabéticos.

Dosis diaria típica: entre 500 y 1.000 mcg.

Entre las fuentes alimenticias del cromo se incluyen la levadura de cerveza ("brewer's yeast"), el hígado, las yemas de huevo, el germen de trigo ("wheat germ") y los cereales integrales.

CÓMO LOGRAR LOS RESULTADOS DESEADOS

Si le resulta muy difícil recordar cuáles suplementos debe tomar una vez al día y cuáles dos veces al día, divida todas las dosis a la mitad y tome todos sus suplementos dos veces al día.

Advertencia: Consulte a un médico antes de tomar cualquier suplemento nutricional. Igual que los medicamentos recetados, los suplementos pueden interactuar con otros medicamentos que usted tome.

Su médico debería controlar cuidadosamente los efectos de los suplementos… y, de ser necesario, modificar las dosis.

Los guisantes amarillos para un corazón sano

El "kudzu" y los guisantes (chícharos, "split peas") amarillos son mejores que los frijoles de soja ("soybeans") para la protección del corazón. Estas legumbres son más ricas en *genisteína* y *dadzeína* –isoflavonas que se cree que protegen contra la enfermedad del corazón– que los frijoles de soja. Las plántulas de "kudzu" contienen al menos 10 veces más de esas sustancias benéficas que los frijoles de soja… los guisantes amarillos, casi el doble que los frijoles de soja.

Importante: Para obtener la mayor protección de cualquiera de estas legumbres, lave y consuma los brotes de las plántulas así como sus raíces, las cuales contienen la mayor concentración de genisteína y dadzeína.

Peter B. Kaufman, PhD, profesor emérito de fisiología y biotecnología de las plantas en la Universidad de Michigan, en Ann Arbor.

Beba cerveza para combatir los coágulos

En un descubrimiento reciente, los hombres que bebieron 12 onzas (350 ml) de cerveza al día durante un mes tuvieron en la sangre un 10% menos de *fibrinógeno*, la proteína que provoca coágulos, que quienes bebieron sólo agua mineral. Los coágulos aumentan el riesgo de sufrir ataques al corazón y al cerebro.

Teoría: Los compuestos conocidos como *polifenoles* que se encuentran en la cerveza –así como en el vino y el jugo de frutas– actúan como antioxidantes y pueden provocar este efecto benéfico.

La autodefensa: Pregúntele a su médico si el consumo moderado de cerveza, vino o jugo de frutas es apropiado para usted.

Shela Gorinstein, PhD, investigadora principal y jefa del grupo de investigación internacional del departamento de las sustancias químicas medicinales y productos naturales de la Universidad Hebrea de Jerusalén, en Israel.

Nuevas estrategias para controlar la presión arterial alta

Sheldon G. Sheps, MD, cardiólogo y profesor emérito de medicina de la facultad de medicina Mayo, en Rochester, Minnesota. Fue editor-jefe del libro *Mayo Clinic on High Blood Pressure* (Kensington).

La mayoría de las personas supone que la presión arterial alta (hipertensión) es relativamente fácil de diagnosticar y tratar. No es así. Incluso los médicos experimentados pueden no tratar eficazmente todas las complejidades de la afección.

Para evitar muchas de las graves amenazas a la salud relacionadas con la hipertensión –como ataques al corazón y al cerebro, insuficiencia renal, etc.– estos son los últimos descubrimientos de las investigaciones…

•**Incluso la hipertensión leve debe tratarse.** La presión arterial óptima es de 115/75. Tradicionalmente, los médicos han tratado la presión arterial sólo cuando las lecturas suben hasta 140/90 o más.

Pero investigaciones recientes demuestran que una lectura sistólica (el número mayor) entre 130 y 139, y una lectura diastólica (el número menor) entre 85 y 89 pueden causar daño a las arterias*.

Cualquier aumento en la presión arterial debe bajarse, ya sea con cambios en el estilo de vida (una dieta saludable, ejercicio habitual, etc.) o medicación.

•**La presión sistólica es tan importante como la presión diastólica.** Muchos médicos siguen enfocándose en la presión diastólica porque aprendieron que era la causa principal del daño a los órganos.

Realidad: La presión sistólica levemente alta (entre 140 y 150) debe bajarse –aun si la presión diastólica es normal.

•**La "presión del pulso" puede predecir una enfermedad del corazón con más precisión** que las lecturas sistólica y diastólica.

*La presión sistólica es la fuerza que se genera cuando la principal cavidad de bombeo del corazón se contrae. La presión diastólica es la que ocurre entre esas contracciones.

La presión del pulso es la diferencia numérica entre las presiones sistólica y diastólica. Algunos investigadores creen que la presión del pulso es aun más importante que la presión sistólica para determinar los riesgos a la salud a largo plazo.

Una presión del pulso por debajo de 50 indica que las arterias están elásticas y sanas. Pero cuando las arterias están entumecidas e inelásticas, la presión sistólica sube y la presión diastólica cae. Esto aumenta la presión del pulso a 60 o más.

Nuevos medicamentos: Los inhibidores de los vasopéptidos ("vasopeptide inhibitors") se concentran en la presión del pulso bajando la presión sistólica, pero teniendo un efecto relativamente menor sobre la presión diastólica. Estos medicamentos, que se encuentran actualmente en ensayos clínicos, estarán disponibles en el futuro con receta médica.

•Las lecturas de la presión arterial tomadas en el consultorio del médico no son siempre suficiente. Las personas que con regularidad chequean su presión arterial en casa tienden a controlar su hipertensión más eficazmente que quienes reciben sólo lecturas periódicas en el consultorio del médico.

Bono: El chequeo realizado en casa puede detectar dos tipos comunes de lecturas defectuosas de la presión arterial…

•*La hipertensión de la bata blanca* es un incremento de la presión arterial que ocurre cuando las personas sienten ansiedad durante la consulta con el médico (que usualmente viste una bata blanca).

•*La normotensión de la bata blanca* es una disminución de la presión arterial que ocurre en las personas que se sienten especialmente relajadas en el consultorio del médico (en comparación con el hogar o el trabajo).

Considere el chequeo en casa si su presión arterial es levemente alta durante las consultas con el médico… o si está bajo tratamiento para la presión arterial alta. Su médico puede darle recomendaciones especiales sobre la frecuencia. *Para obtener lecturas precisas en casa…*

•Use un dispositivo electrónico (digital) para medir la presión ("blood-pressure measuring device"). La mayoría de los modelos son fáciles de usar. *Costo:* entre $35 y $400. *Importante:* Pídale a su médico que le mida el brazo para determinar el tamaño apropiado de la banda. Las bandas muy pequeñas dan lecturas artificialmente altas. Las bandas muy grandes dan lecturas bajas.

•En los días en que se mida la presión, tome dos lecturas por la mañana (unas pocas horas después de despertarse)… y dos por la noche… y luego promedie los resultados. Espere siempre al menos media hora después de comer… fumar… o beber cafeína o alcohol para medir su presión arterial. *Importante:* Vaya primero al baño. Una vejiga llena sube las lecturas.

•Lleve un registro de las lecturas a su próxima consulta con el médico. Si las lecturas parecen ser inusualmente altas –o están subiendo a medida que pasa el tiempo– llame al médico de inmediato.

•La sal realmente es importante. Las investigaciones demuestran que la restricción del consumo de sal a 1.500 mg diarios (una cantidad menor a la recomendación actual de 2.400 mg) puede reducir la presión sistólica en 11,5 puntos y la presión diastólica en un promedio de 5,5 puntos.

•Beber alcohol puede subir la presión. Se cree que el consumo excesivo de alcohol contribuye a la hipertensión en una de cada 10 personas que sufren de esta afección.

Los hombres deberían beber menos de dos tragos al día… y las mujeres, sólo uno.

•Respirar profundamente ayuda. Las personas que practican la respiración profunda durante 15 minutos diariamente –inhalar por la nariz durante unos cuatro segundos… mantener el aire por un momento… y luego exhalar por la boca durante cuatro segundos– pueden reducir su presión arterial.

Útil: La agencia federal Food and Drug Administration (FDA) ha aprobado un dispositivo disponible con receta llamado RESPeRATE para bajar la presión arterial alta. Este dispositivo mide el ritmo de la respiración, y luego crea ejercicios dirigidos por audio para enlentecer la respiración.

Mayor información: Comuníquese con el fabricante, InterCure, llamando al 877-988-9388 o yendo en Internet al sitio Web en inglés *www.resperate.com.*

•**Hasta las menores pérdidas de peso son importantes.** En un estudio reciente, el 40% de las personas con hipertensión que perdieron entre ocho y 10 libras (entre 3,5 y 4,5 kilos) pudieron dejar de tomar los medicamentos antihipertensivos.

Clave: Haga ejercicios con regularidad, consuma menos grasa y reduzca sus calorías.

•**Haga ejercicios diariamente.** La mayoría de los expertos recomienda hacer ejercicios al menos tres días a la semana, pero nuevas investigaciones demuestran que hacer ejercicios todos los días o la mayoría de los días puede bajar la presión arterial entre cinco y 10 puntos.

Mejores opciones: Los ejercicios aeróbicos, como caminar, andar en bicicleta o nadar.

Disminuya la presión arterial con alimentos

Michael F. Roizen, MD, ex decano de la facultad de medicina de la Universidad del Estado de Nueva York (SUNY Upstate) en Syracuse. Es autor de *Real Age: Are You as Young as You Can Be?* (Cliff Street Books) y *The RealAge Diet: Make Yourself Younger with What You Eat* (Collins Living). *www.realage.com.*

La presión arterial alta es más que una causa principal de la enfermedad del corazón y de los ataques cerebrales. Es además un factor importante en la pérdida de la memoria, la aparición de arrugas en la piel, la impotencia y la disminución de la respuesta sexual en las mujeres. La mayoría de los estadounidenses tienen presión arterial muy por encima del ideal de 115/75. De hecho, menos del 10% de los mayores de 50 años tienen una presión ideal.

Mientras que muchas personas necesitan tomar medicamentos, una dieta rica en frutas, verduras, fibra, calcio y potasio puede ayudar a reducir la presión…

•**Consuma entre dos y cuatro porciones de frutas y entre tres y cinco porciones de verduras todos los días.** Una variedad colorida es mejor.

•**Hasta el 25% de las calorías diarias deberían provenir de la grasa saludable** (monoinsaturada y poliinsaturada). Estas grasas se encuentran en los aceites de oliva, canola y linaza ("flaxseed oil")… aguacates (paltas, "avocados")… nueces ("nuts") sin sal… y pescado. Cuando cocine, use aceite moderadamente. Una media cucharadita por comida contiene todos los nutrientes necesarios.

•**Coma un diente de ajo y tanta cebolla como pueda tolerar cada día.** Éstos contienen flavonoides, los cuales ayudan a las arterias a resistir el endurecimiento.

•**Evite la grasa saturada** que se encuentra en todos los productos de origen animal. No coma carne roja más de una vez a la semana. Una hora antes de comer una comida grasosa, tome 400 mg de vitamina C y 400 unidades internacionales (IU, por sus siglas en inglés) de vitamina E (consulte a su médico acerca de la cantidad apropiada). Estas vitaminas pueden contribuir a tener arterias más sanas.

•**Obtenga 1.200 mg de calcio diariamente** –y 400 IU de vitamina D como ayuda para la absorción.

•**Integre al ejercicio en su "régimen diario".** Mis pacientes hipertensos comienzan con 30 minutos de caminata diaria. Después de tres semanas, agregan 10 minutos de levantamiento de pesas, tres veces a la semana. Cualquier ejercicio es bueno… y un poco es mejor que nada.

El chocolate es bueno para el corazón

Un *poco* de chocolate puede ser bueno para el corazón. El chocolate contiene flavonoides –compuestos antioxidantes que también se encuentran en las frutas y las verduras y protegen contra la enfermedad del corazón. El chocolate oscuro ("dark") contiene más flavonoides que el chocolate con leche ("milk").

Francene Steinberg, PhD, RD, profesora adjunta de nutrición de la Universidad de California en Davis.

Una manera mejor de bajar la presión arterial

Pregúntele a su médico si puede intentar perder peso y reducir el sodio, en vez de tomar medicamentos contra la hipertensión, para bajar su presión arterial.

Un estudio de 975 personas de entre 60 y 80 años descubrió que un tercio de ellos dejaron de tomar la medicación para la presión arterial después de perder menos de ocho libras (3,5 kilos) y reducir su consumo de sodio en un 25%. Y entre las personas que sólo perdieron peso o redujeron su consumo de sodio, un tercio pudo dejar de tomar los medicamentos.

Paul Whelton, MD, vicepresidente sénior de ciencias de la salud del centro de ciencias de la salud de la facultad de sanidad pública y medicina tropical de la Universidad Tulane, en Nueva Orleans.

Alerta sobre la caída de la presión arterial

La disminución de la presión arterial puede ser un indicio del deterioro de la salud.

Contexto: La presión arterial tiende a aumentar muy lentamente con la edad. Pero un estudio demuestra que los mayores de 65 años que tuvieron una disminución de su presión arterial sistólica de 20 puntos o más, o una disminución de la presión arterial diastólica de 10 puntos o más, en un periodo de tres años tuvieron un 60% más de probabilidad de morir de la enfermedad del corazón durante los siguientes tres años que las personas que no tuvieron ningún cambio en su presión.

Consulte a su médico si su presión arterial diastólica disminuye en más de 20 puntos sin haber tomado medicamentos para bajar la presión.

Shiva Satish, MD, MPH, profesor auxiliar de medicina interna de la Universidad de Texas, en Galveston.

Cómo evitar un ataque cerebral… y cómo recibir la ayuda adecuada si sufre un ataque

Harold P. Adams, Jr., MD, profesor y director, de la división de enfermedades cerebrovasculares de la facultad de medicina de la Universidad de Iowa, en Iowa City, y jefe de la junta asesora de la American Stroke Association. *www.strokeassociation.org.*

El ataque cerebral ("stroke") es la causa principal de invalidez en Estados Unidos –y la tercera causa principal de muerte, después de los ataques al corazón y el cáncer.

Al igual que los ataques al corazón, son el resultado de la interrupción del flujo de sangre a los tejidos clave. *Hay dos tipos de ataques cerebrales…*

•**El ataque cerebral isquémico** (apoplejía) es por lejos el tipo más común. Es causado por un coágulo que se forma dentro de las arterias del cerebro o que es llevado por la sangre al cerebro desde otra parte del cuerpo.

El ataque cerebral isquémico puede además ocurrir cuando depósitos de grasa (placas) se revientan dentro de una arteria en el cerebro o el cuello.

•**El ataque cerebral hemorrágico** (derrame cerebral) tiene más posibilidades de causar la muerte. Ocurre cuando un vaso sanguíneo se revienta en el cerebro, permitiendo así un sangrado incontrolado dentro del cerebro o en los espacios circundantes.

MEDIDAS DE PREVENCIÓN

Además de dejar de fumar y mantener el azúcar en la sangre bajo control, siga estas pautas…

•**Mantenga su presión arterial baja.** Hágase medir la presión anualmente, o con más frecuencia si tiene sus números en el límite superior-normal ("borderline"). La presión arterial debería ser menos de 115/75.

Las personas que desarrollan presión arterial alta a la mediana edad tienen un riesgo mayor de sufrir un ataque cerebral. La mayoría necesita medicamentos, pero el riesgo de ataque cerebral se puede disminuir con cambios en la dieta, la pérdida de peso y los ejercicios.

Una estrategia eficaz se desarrolló como parte de un estudio en curso conocido como Enfoques dietéticos para detener la hipertensión (DASH, por sus siglas en inglés). La dieta DASH, que enfatiza el consumo de frutas, verduras y productos lácteos bajos en grasa, parece ayudar a disminuir la presión arterial.

Para obtener mayor información sobre la dieta DASH, visite el sitio Web *http://www.nhlbi.nih.gov/hbp/prevent/h_eating/h_e_dash.htm*.

•**Controle el colesterol.** El ejercicio habitual y una dieta saludable pueden ayudar a mantener la proporción adecuada entre el colesterol "malo" LDL y el colesterol "bueno" HDL –lo que disminuye la formación de placas que angostan las arterias.

La misma dieta DASH que controla la presión arterial ayuda a mantener bajo el colesterol. También lo hace la dieta mediterránea, la cual enfatiza los cereales, las frutas, las verduras y el aceite de oliva.

Si una dieta saludable y los ejercicios habituales no son suficiente, su médico podría recetarle medicamentos para bajar el colesterol.

•**Relájese.** El estrés psicológico crónico aumenta el riesgo de sufrir un ataque cerebral de dos maneras. Aumenta la presión arterial y puede llevarle a comer, fumar o beber alcohol en exceso.

Útil: La meditación. Un estudio reciente demostró que la meditación trascendental puede reducir el riesgo de sufrir ataques al corazón y al cerebro.

•**Beba alcohol con moderación.** El consumo moderado de alcohol parece disminuir el riesgo de ataque cerebral. Pero no tome más de dos vasos de vino diarios. Y ya que el alcohol puede causar otros problemas de salud, quienes no beben no deberían comenzar a hacerlo para reducir el riesgo de ataque cerebral.

•**Tome aspirina… quizá.** Es posible que el tomar aspirina habitualmente prevenga los ataques al corazón y al cerebro, al evitar que las plaquetas que forman los coágulos se agrupen. La mayoría de los pacientes toma una tableta de 81 mg diariamente o una tableta de 325 mg cada dos días. Pero la evidencia tiene más peso para la prevención de un ataque al corazón.

Consulte a su médico antes de comenzar la terapia con aspirina, ya que puede causar sangrado en el estómago y otros problemas.

La aspirina es especialmente beneficiosa para las personas que han experimentado un *ataque isquémico transitorio* (AIT o TIA, por las siglas en inglés de "transient ischemic attack"). Un AIT es a menudo una señal de advertencia de que un ataque cerebral verdadero es inminente.

Síntomas: Los síntomas de un AIT son similares a los de un ataque cerebral –debilidad súbita o adormecimiento de la cara, un brazo o una pierna, especialmente en un lado del cuerpo… confusión súbita… problemas para hablar o para entender el habla… pérdida de la vista… súbito dolor fuerte de cabeza… o problemas súbitos al caminar, acompañado de mareo y pérdida del equilibrio o de la coordinación.

Busque tratamiento de inmediato para esos síntomas, aun si desaparecen rápidamente.

Algunos pacientes no pueden tolerar la aspirina o tienen síntomas de AIT a pesar de tomar aspirina. En esos casos, los médicos frecuentemente recetan otros agentes antiplaquetarios, como *ticlopidina* (Ticlid) o *clopidogrel* (Plavix).

LA OPORTUNIDAD QUE NO TIENE PRECIO

El tratamiento durante las tres horas siguientes a la aparición de un ataque cerebral ofrece la mejor posibilidad de recuperación total. Igual que el ataque al corazón, el ataque al cerebro es una emergencia y se debe llamar al 911 inmediatamente. Sea precavido y pregúntele a su médico la ubicación del centro para ataques cerebrales ("stroke center") más cercano, donde expertos en ataques cerebrales siempre están disponibles.

Usando una *tomografía computadorizada* ("CT scan") o una ultrarrápida *imagen por resonancia magnética* (MRI, por sus siglas en inglés), un equipo especializado en ataques cerebrales determina si el ataque es isquémico (apoplejía) o hemorrágico (derrame cerebral). Un *activador del plasminógeno tisular* (tPA, por sus siglas en inglés), que ataca los coágulos, no puede darse a un paciente con derrame cerebral. Si el ataque cerebral es isquémico, el tPA suministrado dentro de las tres horas siguientes puede resultar salvador. Suministrado por inyección en una vena –o mediante un catéter directamente al cerebro– el tPA disuelve los coágulos, restableciendo la circulación normal al cerebro.

El tratamiento del derrame cerebral es más difícil, pero la cirugía es a veces útil.

El personal de las ambulancias está comenzando a recibir instrumentos sofisticados para el tratamiento del ataque cerebral que hasta recientemente estaban disponibles sólo en las salas de emergencia. Por eso, es usualmente mejor ir al hospital en ambulancia.

Diagnóstico del ataque cerebral en un minuto

Los investigadores de los ataques cerebrales han creado una prueba sencilla de tres pasos para saber si alguien ha sufrido un ataque cerebral. *Esto es lo que hay que hacer...*

1. Pídale a la persona que muestre sus dientes. La "prueba de la sonrisa" ayuda a determinar la debilidad facial en un lado.

2. Pídale a la persona que cierre los ojos y levante los brazos en forma recta frente al cuerpo. Las víctimas de un ataque cerebral usualmente no pueden levantar los dos brazos a la misma altura.

3. Pídale a la persona que repita una oración sencilla, como "Más vale tener suerte que ser bueno". Escuche si arrastra las palabras.

Esta prueba de tres pasos no debería usarse como sustituto de la evaluación médica apropiada y podría no detectar algunos tipos de ataques cerebrales. Sin embargo, si usted o alguien que conozca demuestra *cualquiera* de los síntomas antes descritos, llame de inmediato al 911.

Es imprescindible detectar precozmente los síntomas de un ataque cerebral. Los medicamentos potencialmente salvadores que atacan los coágulos deben administrarse dentro de las tres primeras horas después del ataque.

Jane H. Brice, MD, MPH, profesora auxiliar de medicina de emergencia de la facultad de medicina de la Universidad de Carolina del Norte, en Chapel Hill.

Detección más rápida del ataque cerebral

La veloz *imagen por resonancia magnética* (MRI, por sus siglas en inglés) les permite a los médicos diagnosticar un ataque cerebral en tan sólo tres minutos, permitiendo así que los medicamentos salvadores que atacan los coágulos se administren más rápido. Una MRI rápida puede realizarse casi tan rápidamente como una *tomografía computadorizada* ("CT scan"), el examen que se usa actualmente para diagnosticar un ataque cerebral. Sin embargo, la nueva tecnología proporciona una mejor imagen del cerebro y de los bloqueos de los vasos sanguíneos que la tomografía computadorizada.

La MRI rápida se ofrece ahora en algunos centros médicos de Estados Unidos y debería hacerse cada vez más disponible en el futuro.

Jonathan H. Gillard, MD, profesor y asesor de neurorradiología del hospital Addenbrooke de la Universidad de Cambridge, en Inglaterra.

¿Conoce los síntomas de un "miniataque cerebral"?

Casi cuatro de cada cinco médicos de atención primaria encuestados no pudieron identificar los síntomas típicos de un "miniataque cerebral". Un *ataque isquémico transitorio* (AIT o TIA, por las siglas en inglés de "transient ischemic attack") ocurre cuando una arteria que va hacia el cerebro o que está en el cerebro, se bloquea. Los síntomas incluyen adormecimiento o debilidad en la cara, un brazo o una pierna, especialmente en un lado... dificultades visuales en uno o ambos ojos... confusión o problemas para hablar... problemas al caminar... y mareo.

La autodefensa: Si experimenta esos síntomas debe ir a un hospital de inmediato. El tratamiento de los factores de riesgo de AIT, como colesterol y presión arterial alta, puede prevenir un verdadero ataque cerebral.

S. Claiborne Johnston, MD, PhD, director del Stroke Service de la Universidad de California en San Francisco.

Los riesgos de ataque cerebral que hasta los médicos pasan por alto

Gregory W. Albers, MD, profesor de neurología y ciencias neurológicas del centro médico de la Universidad Stanford, y director del Stanford Stroke Center, ambos en Palo Alto, California. Fue jefe de la junta de expertos en ataques cerebrales y fibrilación atrial del American College of Chest Physicians, y codirector de la Stroke Center Network de la National Stroke Association y jefe del Stroke Council de la American Heart Association.

El ataque cerebral es la causa principal de muerte y de daño al cerebro. La mayoría de nosotros sabemos que se puede reducir el riesgo de ataque cerebral, al controlar el colesterol y la presión arterial elevados, consumir una dieta equilibrada y hacer ejercicios con regularidad. Pero es lo que usted quizás *no* sepa acerca de esta afección discapacitante lo que podría salvar su vida.

Estos son algunos de los riesgos de ataque cerebral que con frecuencia se pasan por alto...

PREHIPERTENSIÓN

Hasta hace muy poco, la presión arterial de menos de 140/90 era considerada normal. Sin embargo, los estudios indican ahora que una lectura mayor a 115/75 aumenta el riesgo de ataque cerebral y debería tratarse con una combinación de ejercicios, dieta y medicamentos, de ser necesario.

Lo que quizás usted no sepa: Aunque los diuréticos, los betabloqueantes y los inhibidores de la enzima convertidora de angiotensina (inhibidores de la ACE, por sus siglas en inglés) se han usado por mucho tiempo para disminuir la presión arterial, las investigaciones recientes revelan que un nuevo tipo de medicamentos antihipertensivos, llamados *bloqueadores de los receptores de la angiotensina II* (ARB, por sus siglas en inglés), puede proporcionar protección única contra el ataque cerebral.

Estudio reciente: Un ARB conocido como losartán (Cozaar) disminuyó el riesgo de ataque cerebral en un 25% más que el betabloqueante *atenolol* (Tenormin). Varias pruebas de gran escala se están realizando para estudiar los ARB.

Si los resultados son tan prometedores como este estudio preliminar, los ARB podrían transformarse en el medicamento antihipertensivo preferido para la prevención de los ataques cerebrales.

Extra: Los ARB causan menos efectos secundarios que otros medicamentos para la presión arterial.

La autodefensa: Si toma medicamentos para bajar la presión arterial, pregúntele al médico si un ARB sería apropiado para usted.

FIBRILACIÓN AURICULAR

Esta alteración del ritmo cardiaco afecta a dos millones de estadounidenses. Con la *fibrilación auricular o atrial* (AF, por las siglas en inglés de "atrial fibrillation"), las cavidades superiores del corazón tiemblan rápidamente o irregularmente y no bombean eficazmente.

Lo que quizás usted no sepa: Cada año, hasta 70.000 ataques cerebrales en Estados Unidos son causados por la fibrilación auricular. Durante la fibrilación, algunos pacientes experimentan un ritmo cardiaco acelerado, palpitaciones o un estremecimiento en el pecho, mareo o falta de aliento. Para otros pacientes, el primer síntoma de la fibrilación puede ser un ataque cerebral.

La autodefensa: Para determinar si tiene fibrilación auricular, ponga su dedo índice sobre su muñeca y compruebe su pulso en busca de un ritmo irregular o aleatorio. La fibrilación puede confirmarse con un *electrocardiograma* ("EKG") rutinario.

Si se le diagnostica fibrilación auricular, el médico podría recetarle un medicamento antiarrítmico, como *digoxina* (Lanoxin) o *amiodarona* (Cordarone), o un tipo de descarga eléctrica, conocida como cardioversión ("cardioversion"), para corregir la arritmia.

Sin embargo, el índice de recurrencia para la fibrilación auricular es alto con esas terapias. Es usualmente preferible elegir un tratamiento que prevenga los coágulos, en vez de enfocarse en la alteración del ritmo cardiaco. El uso de por vida de anticoagulantes puede reducir en un 68% el riesgo de sufrir un ataque cerebral en los pacientes con fibrilación.

El anticoagulante recetado con más frecuencia, *warfarina* (Coumadin), es extremadamente eficaz en la prevención de coágulos y la disminución del riesgo de ataque cerebral en personas con fibrilación auricular. Por desgracia, tiene un "índice terapéutico" limitado –ya que apenas un poco más de lo ideal en el cuerpo puede causar sangrado… y un poco menos de lo ideal puede permitir que ocurra un ataque cerebral.

La warfarina también interactúa con otros medicamentos, suplementos y alimentos.

Ejemplo: La vitamina K, que se encuentra en las verduras de hojas verdes y la margarina, contrarresta los efectos de la warfarina.

Ya que la warfarina interactúa con tantas sustancias comunes, las personas que la toman deben someterse a un análisis de sangre mensualmente… y los médicos deben modificar la dosis con frecuencia. Como resultado, menos de la mitad de los pacientes con fibrilación auricular que deberían tomar Coumadin en realidad lo hacen.

DOLOR EN LA PIERNA

Así como la ateroesclerosis puede angostar los vasos sanguíneos que van hacia el corazón y el cerebro, también puede bloquear las arterias en las extremidades, causando *arteriopatía periférica* (PAD, por sus siglas en inglés). El dolor en la pierna –específicamente en la pantorrilla– es el síntoma principal. El dolor, conocido como claudicación intermitente ("intermittent claudication"), usualmente comienza al caminar y desaparece al detenerse. La arteriopatía periférica afecta hasta el 20% de los estadounidenses mayores de 65 años.

Lo que quizás usted no sepa: Si padece arteriopatía periférica, puede que también padezca ateroesclerosis en algún otro lugar del cuerpo, como en el corazón o el cerebro. Esto lo pone en un mayor riesgo de sufrir un ataque cerebral. Además, es posible que padezca arteriopatía periférica "silenciosa" o asintomática. Los factores de riesgo de la arteriopatía periférica son los mismos que para la enfermedad cardiovascular –presión arterial alta, colesterol alto, diabetes y la edad.

La autodefensa: La arteriopatía periférica se diagnostica fácilmente y sin dolor con una prueba del índice tobillo-brazo, que mide la razón de la presión arterial en el brazo y el tobillo. Si se le diagnostica arteriopatía periférica, el médico podría recetarle un medicamento antiplaquetario, como aspirina o *clopidogrel* (Plavix). El ejercicio moderado para reducir el dolor en la pierna y los medicamentos para bajar el colesterol o la presión arterial también podrían ser recomendados.

APNEA DEL SUEÑO

Esta afección ocurre cuando la respiración se interrumpe temporalmente durante el sueño. Se estima que el 24% de los hombres y el 9% de las mujeres padecen apnea del sueño significativa.

Lo que quizás usted no sepa: Las personas que padecen apnea del sueño tienen entre tres y seis veces más posibilidades de sufrir un ataque cerebral. Su presión arterial sube de manera significativa durante la noche, lo que puede aumentar el riesgo de obstrucción aterosclerótica de las arterias carótidas –del cuello–, una causa principal de los ataques cerebrales.

En un estudio reciente que involucró a hombres entre los 45 y los 77 años de edad, más del 21% de los pacientes con apnea del sueño tenían placas calcificadas, las cuales bloquean el flujo de la sangre, en sus arterias carótidas. Sólo el 2,5% de los pacientes de control sanos tenían placas calcificadas.

La autodefensa: La obesidad es el factor principal de riesgo de la apnea del sueño… y los ronquidos fuertes y la somnolencia excesiva durante el día son indicios reveladores. Si sospecha que podría padecer apnea del sueño, consulte a su médico acerca de un diagnóstico y las mejores opciones para el tratamiento.

Advertencia: Es importante que los pacientes con fibrilación auricular que tengan síntomas de apnea del sueño se hagan exámenes para detectar la apnea del sueño. Los investigadores de la Clínica Mayo han informado que la fibrilación auricular tiene el doble de posibilidades de recurrencia en los pacientes con apnea del sueño que no se ha tratado.

La relación entre las migrañas y los ataques cerebrales

Las migrañas que son precedidas por un aura aumentan cinco veces el riesgo de un ataque cerebral isquémico (apoplejía). Las auras, que afectan a alrededor del 15% de todos los que sufren de migrañas, suceden hasta una hora antes de que se sienta el dolor de cabeza.

Un aura usualmente incluye puntos centellantes o brillantes u otras alteraciones sensoriales. La razón de la relación entre las migrañas y los ataques cerebrales no se conoce.

Si tiene migrañas con auras: Consulte a su médico por un tratamiento y para discutir un plan para disminuir su riesgo de sufrir un ataque cerebral.

Neil R. Poulter, MD, profesor de medicina cardiovascular preventiva del Imperial College, en Londres. Su estudio de 286 mujeres fue publicado en el *Journal of Neurology, Neurosurgery and Psychiatry.*

Las férulas pueden ayudar a prevenir el ataque cerebral… sin peligro

Los pacientes que han sufrido un ataque cerebral pueden recibir férulas ("stents") como una alternativa ambulatoria a la cirugía para las arterias carótidas (del cuello) obstruidas.

Las férulas son pequeños dispositivos de malla de alambre que mantienen abiertas las arterias obstruidas y pueden reducir el riesgo de un ataque cerebral. La mayoría de los pacientes pueden volver a casa cuatro horas después del procedimiento, en vez de tener que pasar la noche en el hospital.

Un reciente estudio aleatorio ("randomized") de pacientes de cirugía de alto riesgo ha demostrado que el procedimiento tiene la mitad del riesgo, en comparación con la cirugía tradicional. Se usa un angiograma para determinar si un paciente es un candidato para las férulas en la carótida.

Gary S. Roubin, MD, PhD, jefe del departamento de cardiología de intervención del Lenox Hill Heart and Vascular Institute of New York, en Nueva York.

El posible riesgo de la cirugía de las arterias

La cirugía para despejar las arterias ("artery-cleaning surgery") solamente tiene sentido si la obstrucción arterial es grave.

Trampa: En las personas cuyas arterias carótidas (del cuello) están levemente obstruidas, la *endarterectomía de la carótida* tiene más posibilidades de causar un ataque cerebral que de prevenirlo.

La cirugía puede soltar un trozo diminuto de la placa de grasa que forma la obstrucción… y enviarlo al cerebro, donde bloqueará la circulación.

Resultado: Si las arterias carótidas están bloqueadas en un 70% o más, la endarterectomía puede reducir de manera significativa su riesgo de sufrir un ataque cerebral. Pero si las arterias se encuentran menos gravemente bloqueadas, puede ser más seguro vivir con la obstrucción.

Henry J. Barnett, MD, investigador principal del estudio North American Symptomatic Carotid Endarterectomy Trial, realizado en el Robarts Research Institute, en London, Ontario, Canadá. Su estudio durante 11 años de 2.885 personas que habían sufrido un ataque cerebral o un ataque isquémico transitorio fue presentado en una reunión de la American Heart Association.

9

Prevención y tratamiento del cáncer

Métodos comprobados para disminuir el riesgo de 12 cánceres comunes

Las estadísticas demuestran que el cáncer mata a uno de cada cuatro estadounidenses. Y cada año se diagnostican más de un millón de casos nuevos. Algunos factores de riesgo del cáncer –como el historial familiar, la edad, el origen étnico, etc.– no pueden cambiarse. *Pero usted sí puede disminuir su riesgo de contraer cáncer haciendo algunos cambios básicos en su estilo de vida...*

- •No fume.
- •Consuma una dieta saludable.
- •Mantenga un peso saludable.
- •Realice actividad física habitualmente.
- •Limite el consumo de alcohol.
- •Protéjase del sol.
- •Evite las infecciones que se trasmiten sexualmente.

Hasta el 50% de los cánceres en este país podrían prevenirse. *He aquí algunas medidas específicas que puede tomar para disminuir su riesgo de contraer los cánceres más comunes...*

CÁNCER DE PRÓSTATA

Más de 200.000 casos nuevos se diagnostican anualmente. *Para disminuir su riesgo...*

•Limite la cantidad de grasa de origen animal en la dieta. Los hombres que consumen menos de cinco porciones al día de carne, leche, queso, etc., tienen un riesgo menor de contraer cáncer de próstata. Una porción de estos alimentos, la cual es de cuatro onzas (115 g), es alrededor del tamaño de un mazo (baraja) de naipes.

Se están realizando muchas investigaciones para identificar los factores de la grasa de origen animal que aumentan el riesgo de contraer

Cynthia Stein, MD, MPH, directora adjunta del centro para la prevención de cáncer de la facultad de sanidad pública de la Universidad Harvard, en Boston. El sitio Web del centro, *www.diseaseriskindex.harvard.edu*, ayuda a los individuos a evaluar su riesgo de contraer distintos tipos de cáncer.

cáncer de próstata. Una explicación podría ser que dicha grasa puede afectar los niveles de diferentes hormonas, aumentando así el riesgo de contraer cáncer.

•**Consuma una o más porciones diarias de tomates o alimentos a base de tomates,** como jugo de tomate y salsa de tomate para espaguetis. Una porción equivale a media taza de tomates enteros o picados o salsa de tomate, o tres cuartos de taza de jugo de tomate. Los tomates contienen mucho *licopeno*, el antioxidante que podría proteger la próstata de las células cancerosas. Otras frutas y verduras contienen licopeno, pero los tomates son la mejor fuente.

•**Consulte a su médico acerca de someterse a pruebas de detección,** especialmente si tiene un riesgo alto –los afroamericanos y los hombres con un pariente cercano que tuvo cáncer de próstata a una edad temprana corren un riesgo mayor.

CÁNCER DE MAMA

Más de 190.000 mujeres estadounidenses son diagnosticadas con cáncer de mama anualmente. Aunque la inmensa mayoría de las personas con cáncer de mama son mujeres, alrededor de 1.500 hombres estadounidenses también son diagnosticados con esta enfermedad cada año. *Para disminuir su riesgo…*

•**Coma al menos tres porciones de verduras diariamente.** Una porción es equivalente a una taza de verduras de hojas verdes o media taza de otras verduras, frijoles (alubias, habas, habichuelas, judías, "beans") o guisantes (arvejas, chícharos, "peas") cocidos. Las verduras contienen numerosos nutrientes y vitaminas que quizá reduzcan el riesgo de contraer diferentes tipos de cáncer. Específicamente, los niveles bajos de la vitamina A han sido relacionados con el riesgo de cáncer de mama.

•**Limite su consumo de alcohol.** El alcohol puede afectar los niveles de estrógeno y otras hormonas, aumentando el riesgo de cáncer de mama. Las mujeres que beben menos de un trago al día tienen un riesgo menor de contraer cáncer de mama. Un trago es equivalente a una lata de cerveza, una copa de vino o una onza (30 ml) de una bebida destilada.

•**Sométase a pruebas de detección con regularidad.** Todas las mujeres deberían someterse a exámenes clínicos de las mamas con regularidad y deberían comenzar a someterse a mamografías ("mammograms") a los 50 años (antes si existe un historial familiar evidente u otros factores de riesgo).

CÁNCER DE PULMÓN

El cáncer de pulmón es el tercer cáncer más común en Estados Unidos, y la causa principal de muertes causadas por cáncer. Más de 200.000 casos nuevos son diagnosticados anualmente. *Para disminuir su riesgo…*

•**No fume** –y evite el humo de otros fumadores. El humo de tabaco causa el 90% de los casos de cáncer de pulmón. Dejar de fumar no sólo disminuye el riesgo de contraer cáncer de pulmón, sino que además disminuye el riesgo de padecer enfermedad del corazón, ataque cerebral ("stroke") y cánceres en la boca, el esófago, el páncreas, el riñón, la vejiga, el cuello del útero y el colon.

•**Consuma una dieta rica en frutas y verduras,** las cuales contienen muchos ingredientes que combaten el cáncer, incluyendo las vitaminas A y C. Las personas que comen tres o más porciones al día tienen un riesgo menor de contraer cáncer de pulmón. Una porción es equivalente a una taza de verduras de hojas verdes… una fruta de tamaño mediano… media taza de frutas o verduras picadas… o un tercio de taza de jugo.

Aunque las frutas y verduras pueden ayudar a proteger contra muchos tipos de cáncer, nada disminuirá tanto su riesgo de contraer cáncer de pulmón como evitar el humo del tabaco.

CÁNCER DE COLON Y DE RECTO

El cáncer de colon y de recto es actualmente la segunda causa principal de muertes causadas por cáncer en Estados Unidos. Más de 140.000 nuevos casos son diagnosticados cada año. *Para disminuir su riesgo…*

•**Mantenga un peso saludable.** Los investigadores han descubierto que las personas que mantienen un peso saludable tienen un riesgo menor de contraer cáncer del colon. Esto podría ser porque el peso afecta los niveles de diferentes hormonas en el cuerpo.

• **Limite la cantidad de carne roja en su dieta.** Las personas que comen menos de una porción al día de carne de vaca, ternera, cerdo o cordero tienen un riesgo menor de contraer cáncer de colon. Una porción equivale a unas cuatro onzas (115 g). La carne cocida contiene sustancias químicas que podrían aumentar el número de células cancerosas.

• **Evite el alcohol.** Igual que con el cáncer de mama, se ha descubierto que las personas que beben menos de una bebida alcohólica al día tienen un riesgo menor de contraer cáncer de colon. El alcohol disminuye los niveles de folato, una vitamina del complejo B que podría proporcionar protección contra el cáncer.

• **Tome un suplemento multivitamínico diario.** Debería contener 400 unidades internacionales (IU, por sus siglas en inglés) de folato.

Además: Consuma alimentos ricos en folato, como espinacas, espárragos, frijoles (alubias, habas, habichuelas, "beans"), guisantes (arvejas, chícharos, "peas") y cereales fortificados.

• **Haga ejercicio por al menos 30 minutos todos los días.** La actividad física tiene muchos beneficios. Una manera en que podría ayudar a luchar contra el cáncer de colon es al acelerar el movimiento de los residuos por el cuerpo.

• **Sométase a pruebas de detección.** Estas permiten el descubrimiento precoz y la eliminación de pólipos –los pequeños bultos que podrían volverse cancerosos. Las personas que se hacen pruebas de detección con regularidad corren un riesgo menor de contraer cáncer de colon. Consulte a su médico acerca de la frecuencia adecuada para someterse a las pruebas de detección.

CÁNCER DE VEJIGA

Más de 60.000 casos nuevos son diagnosticados cada año. Es más común en los hombres. *Para disminuir su riesgo:*

• **Si fuma, deje de hacerlo ya.** El tabaco contiene más de 40 carcinógenos. Muchos de éstos pueden concentrarse en la orina y dañar las células que recubren las paredes de la vejiga. Fumar tan solo un cigarrillo al día puede aumentar el riesgo de contraer cáncer. Deje de fumar, y su riesgo disminuirá casi de inmediato.

• **Cuídese de las sustancias químicas en el lugar de trabajo,** especialmente las que se usan en las industrias del caucho, el aluminio y las tinturas. Las sustancias químicas, incluyendo las aminas aromáticas, han sido vinculadas a un aumento en la incidencia de cáncer de vejiga. Es imprescindible el uso de equipos de seguridad adecuados –guantes, mascarillas, trajes protectores y protección para los ojos.

MELANOMA

El melanoma, la forma más mortífera de cáncer de piel, ataca a más de 50.000 estadounidenses cada año. Otros tipos de cáncer de piel, como el carcinoma de las células basales y el de las células escamosas, son más comunes (más de 1 millón de casos al año) pero también más fáciles de tratar. *Para disminuir su riesgo…*

• **Use filtro solar.** Evite las exposiciones prolongadas al sol, especialmente entre las 10 a.m. y las 4 p.m. Use sombrero, anteojos (gafas) de sol y mangas largas con tanta frecuencia como le sea posible. Siempre use filtro solar con un factor de protección solar (SPF, por sus siglas en inglés) de 15 o más. Vuelva a aplicarlo con frecuencia, especialmente si ha estado en el agua o transpirando.

• **Proteja a sus hijos.** Hasta el 80% de la exposición al sol de toda una vida puede ocurrir antes de los 21 años. Las quemaduras de sol de los primeros años de la vida aumentan el riesgo de contraer cáncer de piel en los años posteriores. No permita que sus hijos salgan sin filtro solar, un sombrero y protección para la piel.

CÁNCER DE ÚTERO

También llamado cáncer de endometrio, es el cáncer más común del aparato reproductor femenino. Alrededor de 36.000 casos son diagnosticados anualmente. *Para disminuir su riesgo…*

• **Mantenga un peso saludable.** Los niveles altos de estrógeno, especialmente después de la menopausia, pueden aumentar el riesgo de contraer cáncer de útero. Y el exceso de grasa aumenta la cantidad de estrógeno en el cuerpo de una mujer.

CÁNCER DE RIÑÓN

Es diagnosticado en alrededor de 50.000 estadounidenses anualmente. *Para disminuir su riesgo...*

•**No fume.** Muchos de los mismos cancerígenos que dañan la vejiga también aumentan el riesgo de contraer cáncer de riñón.

•**Mantenga un peso saludable.** Además de los otros beneficios de un peso saludable, las personas que no se exceden de peso también tienen un riesgo menor de contraer cáncer de riñón.

CÁNCER DE PÁNCREAS

Este tipo de cáncer es diagnosticado en unos 35.000 estadounidenses cada año. Frecuentemente se descubre en una etapa tardía, debido a que quizá no existan indicios tempranos de advertencia. Las tasas de supervivencia son espantosas –20% al año... 4% a los cinco años, según la American Cancer Society. *Para disminuir su riesgo...*

•**Consuma al menos tres porciones de verduras todos los días.** Las verduras podrían proteger contra el cáncer de distintas maneras. Por ejemplo, podrían proteger contra el cáncer de páncreas al agregar fibra a la dieta.

•**No fume.** Las personas que fuman corren un riesgo mayor de contraer cáncer de páncreas que quienes no fuman. Las sustancias químicas del humo del tabaco causan daños a las células en todo el cuerpo, aumentando el riesgo de tener muchos tipos de cánceres y otras enfermedades, como la enfermedad del corazón y el ataque cerebral ("stroke").

CÁNCER DE OVARIO

Afecta a 30.000 mujeres estadounidenses cada año. Igual que el cáncer de páncreas, esta enfermedad es con frecuencia difícil de detectar y, en muchos casos, se extiende antes de ser diagnosticada. *Lo que disminuye su riesgo...*

•**Amamantar,** que puede causar que una mujer ovule (produzca un óvulo) con menos frecuencia, podría ayudar a disminuir el riesgo de contraer cáncer de ovario.

•**Tomar píldoras anticonceptivas** por al menos cinco años puede también disminuir el riesgo del cáncer de ovario. Podrían proteger al evitar la ovulación.

Sin embargo, también existen riesgos al tomar anticonceptivos por vía oral, y las mujeres deberían hablar con sus médicos acerca de los riesgos y beneficios.

CÁNCER DE ESTÓMAGO

Se descubren más de 21.000 casos nuevos cada año. *Para disminuir su riesgo...*

•**Consuma tres o más porciones diarias de frutas.** Una vitamina que existe en la fruta y podría ser particularmente beneficiosa es la vitamina C –los niveles bajos de la vitamina C se han relacionado con el cáncer de estómago.

•**Limite el consumo de sal.** El alto contenido de sal podría afectar el revestimiento del estómago, y así aumentar el riesgo de contraer cáncer. Frecuentemente se encuentran grandes cantidades de sal en los alimentos procesados, las sopas y las salsas.

CÁNCER CERVICAL

El cáncer cervical (del cuello del útero) tiende a crecer lentamente, lo cual explica por qué con frecuencia puede prevenirse o tratarse con éxito cuando se detecta precozmente con una prueba de Papanicolaou ("Pap test"). Alrededor de 13.000 mujeres estadounidenses son diagnosticadas con cáncer cervical anualmente. *Para disminuir su riesgo...*

•**Use prácticas sexuales seguras** –como los condones, la abstinencia o la monogamia. Las mujeres expuestas a infecciones trasmitidas sexualmente, especialmente ciertos tipos del *virus del papiloma humano* (VPH o HPV, por sus siglas en inglés) –y en particular en edades tempranas– corren un riesgo mayor. Las infecciones podrían causar cambios en las células que pueden llevar al cáncer cervical.

•**No fume.** Nuevamente, las sustancias químicas del humo del tabaco causan daños a las células y aumentan el riesgo de contraer cáncer.

•**Sométase a pruebas de Papanicolaou con regularidad.** Éstos pueden identificar cambios en las células antes de que se vuelvan cancerosas. Las mujeres que se hacen pruebas de Papanicolaou con regularidad tienen un riesgo menor de contraer cáncer cervical.

Cuidado con los cancerígenos ocultos

Christopher J. Portier, PhD, director del programa de toxicología del medio ambiente de los National Institutes of Environmental Health Sciences, en Research Triangle Park, Carolina del Norte.

Cada dos años, el gobierno federal estadounidense publica su *Informe sobre cancerígenos* ("Report on Carcinogens"), una lista de todas las sustancias ambientales que se sabe –o parece probable– que causan cáncer. El Informe no calcula la probabilidad de que una persona expuesta a estas sustancias llegue a contraer cáncer. Tampoco ofrece maneras de contrarrestar los riesgos de contraer cáncer.

Estos son algunos de los cancerígenos comunes que se deben evitar...

ESTRÓGENOS

Todas las mujeres están expuestas a varias formas de la hormona llamada estrógeno. Esto incluye la forma natural segregada por los ovarios y el tejido adiposo (grasoso), y en algunos casos, los estrógenos usados en las píldoras anticonceptivas, la *terapia de reemplazo hormonal* (HRT, por sus siglas en inglés), las cremas vaginales, etc.

Los estrógenos son cancerígenos, y, cuanto mayor sea la exposición de una mujer, mayor será el riesgo de contraer cáncer de mama y de útero. En casos infrecuentes, los hombres deben tomar estrógeno para tratar el cáncer de próstata. También tienen más riesgo de contraer cáncer de pecho.

Las mujeres no pueden reducir su exposición a las formas naturales del estrógeno. Quienes comienzan a menstruar a una edad temprana (antes de los 11 años) o tuvieron un comienzo tardío de la menopausia (después de los 55 años) tienen una mayor exposición a las formas naturales del estrógeno –y deberían asegurarse de someterse con regularidad a las pruebas de Papanicolaou ("Pap smears"), mamografías ("mammograms") y otros exámenes de detección.

El uso de la HRT es polémico. No cabe duda que los medicamentos son benéficos para el alivio de los síntomas de la menopausia. Sin embargo, las viejas afirmaciones de que la HRT ayuda a disminuir la incidencia de enfermedad del corazón no han sido confirmadas por las investigaciones. Además, la HRT podría aumentar el riesgo de tener coágulos, ataques cerebrales ("stroke") y otros problemas graves.

La agencia federal Food and Drug Administration (FDA) exige que las etiquetas de los medicamentos con estrógeno, incluyendo las píldoras anticonceptivas, adviertan sobre los posibles riesgos de cáncer.

Aún no está claro si los compuestos similares al estrógeno que se encuentran en la soja aumentan el riesgo de cáncer. Se están realizando investigaciones.

Para protegerse: Todas las mujeres deberían hablar con sus médicos acerca de los riesgos y beneficios de los suplementos de estrógeno.

IQ

La IQ (la abreviatura de *2-amino-3-metilimidazo [4.5-f] quinoleína*) pertenece a la familia química llamada *aminas heterocíclicas*, que se producen al cocinar con fuego alto. Entre los alimentos cocinados que tienen los niveles más altos de la IQ se incluyen la carne de vaca y el pescado, ya sean fritos o asados a la parrilla o en el horno.

Los estudios en animales sugieren que la exposición a la IQ podría causar cáncer de la glándula mamaria, del hígado y del intestino delgado. Algunos estudios en seres humanos sugieren que las personas que comen la mayor cantidad de alimentos fritos o asados a la parrilla o en el horno corren un riesgo mayor de contraer cáncer de mama y del colon y el recto.

Para protegerse: Cocine sus alimentos más lentamente con fuegos más lentos. Evite o reduzca la frecuencia en la que asa a la parrilla o en el horno con fuego alto. No chamusque ni queme los alimentos.

METILEUGENOL

El metileugenol es una sustancia que ocurre naturalmente y se encuentra en muchos aceites esenciales, incluyendo los de la albahaca ("basil"), la nuez moscada ("nutmeg") y la canela ("cinnamon"). Se usa como agente saborizante en muchos alimentos envasados. Las palabras "sabores naturales" ("natural flavoring") en una

etiqueta podrían indicar que el producto contiene metileugenol.

Otras fuentes: trampas o tiras para insectos... y productos horneados, como las galletitas con jengibre ("gingersnap cookies").

Los estudios en animales sugieren que la exposición a largo plazo al metileugenol provoca daño en el ADN (DNA, en inglés) que aumenta el riesgo de contraer cáncer de hígado. No se sabe a ciencia cierta si los seres humanos corren el mismo riesgo –pero casi todos estamos expuestos a esta sustancia química todos los días.

Para protegerse: Hay investigaciones en curso para determinar los niveles cancerígenos del metileugenol. Aún no se sabe si niveles peligrosos de metileugenol son emitidos por las trampas para insectos. Usar menos albahaca, canela y nuez moscada podría ser útil.

RADÓN

El radón –un gas incoloro e inodoro que se produce por la descomposición del uranio en la tierra y el agua– es uno de los cancerígenos más peligrosos a los cuales los estadounidenses están expuestos con regularidad. La agencia federal Environmental Protection Agency (EPA) estima que uno de cada 15 hogares estadounidenses tiene niveles altos de radón. Se estima que hasta 22.000 muertes por cáncer de pulmón son causadas por el radón cada año.

El radón se filtra dentro de las casas a través de grietas u otras aberturas. Como es nueve veces más denso que el aire, tiende a acumularse en sótanos o áreas de la planta baja.

Para protegerse: Analice los niveles de radón dentro de su casa. Los niveles para una casa promedio no deberían exceder 4 picocurios por litro (pCi/L), según la EPA. Los equipos para las pruebas de radón se encuentran disponibles en las ferreterías y las tiendas de mejoramiento del hogar por menos de $20. El tipo más común es una pequeña caja de carbón que se coloca en la parte más baja de la casa por al menos 48 horas y luego se envía por correo a un laboratorio para ser analizado.

Cuando los niveles de radón son altos, la mitigación del radón debería ser realizada por un profesional especializado.

LUZ ULTRAVIOLETA

Los científicos han sabido por mucho tiempo que distintos tipos de luz ultravioleta –principalmente la radiación ultravioleta A (UVA) y ultravioleta B (UVB) producida por el sol y las camas solares de bronceado– probablemente son cancerígenos.

La exposición a la luz UV causa daño en las células que aumenta el riesgo de contraer cáncer de piel, incluyendo el melanoma, y el linfoma no Hodgkin. Cuanto mayor sea la exposición, mayor será el riesgo.

En 1994, la American Medical Association recomendó la prohibición de los equipos de bronceado ("tanning equipment") –pero sin embargo, unos 28 millones de estadounidenses aún usan camas de bronceado. Lo que es más, alrededor de un tercio de los estadounidenses pasan demasiado tiempo al sol.

Para protegerse: Evite el uso de cualquier equipo de bronceado, y la exposición excesiva al sol. Conduzco un convertible, pero siempre llevo un sombrero u otra ropa de protección... y aplico filtro solar con factor de protección solar (SPF) de 15 ó mayor antes de salir por periodos extensos.

SERRÍN

Cada año, alrededor de 600.000 estadounidenses –en su mayoría fabricantes de muebles, carpinteros y trabajadores de aserraderos– son expuestos a niveles peligrosos de serrín (aserrín, "wood dust"). También corren riesgos las personas que trabajan con madera como pasatiempo (hobby) o que hacen abono ("compost") en su patio o jardín con corteza de árbol y otros materiales orgánicos que contienen madera.

Se ha demostrado que la exposición al serrín aumenta el riesgo de contraer cáncer de pulmón. Además, aumenta el riesgo de padecer enfermedad de Hodgkin y cáncer de las fosas nasales y de los senos paranasales.

Para protegerse: Use una mascarilla de papel siempre que esté cortando o lijando madera. Las mascarillas, disponibles en ferreterías y tiendas para el hogar, cuestan unos 10 centavos cada una y pueden reducir de manera drástica la cantidad de polvo que entra en los pulmones o en las fosas nasales.

Acrilamida: Un riesgo sabroso

George M. Gray, PhD, ex director ejecutivo del Harvard Center for Risk Analysis, de la facultad de sanidad pública de la Universidad Harvard, en Boston.

Cuando unos científicos suecos informaron que las papas fritas ("french fries"), las papitas fritas ("potato chips") y otros alimentos a base de almidón contenían niveles extremadamente altos de *acrilamida*, un posible carcinógeno, el descubrimiento fue noticia por todo el mundo. Algunos de los alimentos analizados tenían hasta 600 veces más acrilamida de lo que la agencia federal Environmental Protection Agency (EPA) permite en un vaso de agua.

Casi todos los alimentos contienen algo de acrilamida, pero los alimentos a base de almidón son los que contienen más. Este compuesto también se produce por reacciones químicas que ocurren al cocinar con temperatura alta, como al asar y freír.

Aunque los informes iniciales eran inquietantes, algunos investigadores han puesto ahora el riesgo en contexto. La acrilamida sí aumenta el riesgo de cáncer en animales de laboratorio –pero sólo cuando se consume en dosis extremadamente grandes. Habría que comer *decenas de miles* de papas fritas u otros alimentos a base de almidón cocidos para obtener una cantidad peligrosa.

Lo esencial: Consuma una dieta variada, rica en frutas, verduras y otros alimentos saludables. Reduzca su consumo de "chips" y otros refrigerios empaquetados ("snack foods"), lo cual, por supuesto, disminuirá su consumo de acrilamida –así como de sal, grasa y otros ingredientes que sabemos que no son saludables.

Alimentos que ayudan a prevenir el cáncer

Mitchell L. Gaynor, MD, fundador de Gaynor Integrative Oncology (*www.gaynoroncology.com*), asesor sénior de oncología médica del Strang Cancer Prevention Center, y profesor clínico auxiliar de medicina de la facultad de medicina Weill de la Universidad Cornell, todos en Nueva York. Es autor de *Healing Essence* y *Dr. Gaynor's Cancer Prevention Program* (ambos Kensington Health).

Las estadísticas demuestran que a uno de cada tres estadounidenses se le diagnosticará cáncer. Aunque esto es alarmante, la mayoría de nosotros ya tenemos una buena idea de lo que debemos hacer para minimizar el riesgo. *Por ejemplo…*

- **No fume.**
- **Protéjase del sol.**
- **Evite el consumo de grasas saturadas.**
- **Coma muchas verduras y frutas frescas.**
- **Haga ejercicios con regularidad.**
- **Sométase a exámenes de detección de cáncer con regularidad*.**

En años recientes, los investigadores de nutrición han ido mucho más allá de estas estrategias básicas. Han demostrado que ciertos compuestos que ocurren naturalmente tienen poderosas propiedades para luchar contra el cáncer.

Al aumentar su consumo de los alimentos que contienen estas *sustancias fitoquímicas*, usted puede disminuir su riesgo de contraer cáncer aun más…

- **Carotenoides,** incluyendo el betacaroteno y el licopeno. Se encuentran en frutas, verduras de color rojo o naranja, y verduras de hojas verdes. Estos poderosos antioxidantes combaten el cáncer al neutralizar los radicales libres.

*Para las mujeres: una mamografía para detectar cáncer de mama (entre los 40 y los 49 años de edad, cada uno o dos años; para las mayores de 50, cada año)… prueba de Papanicolaou ("Pap test") para detectar cáncer del cuello del útero (para las mayores de 18, cada año). *Para los hombres:* análisis de sangre PSA para detectar cáncer de próstata (para los mayores de 50, cada año). *Exámenes para detectar cáncer de colon para los hombres y las mujeres:* examen de tacto rectal (para los mayores de 40, cada año)… examen de sangre oculta en las heces (para los mayores de 50, cada año)… sigmoidoscopia flexible (para los mayores de 50, cada tres años).

•**Isoflavonas.** Se encuentran en el tofu, la leche de soja ("soy milk"), las hamburguesas vegetarianas y otros productos de soja. Entre otros efectos, las isoflavonas bloquean la *angiogénesis*, el proceso por el cual se forman nuevos vasos sanguíneos para llevar nutrientes a los tumores cancerosos.

•**Sulforafano.** Se encuentra en el bróculi ("broccoli"), col rizada ("kale"), coles de Bruselas ("brussels sprouts") y col (repollo, "cabbage"). Activa las enzimas que combaten el cáncer en el organismo.

•**Galato de pigalocatequina.** Se encuentra en el té verde. Este poderoso antioxidante, 200 veces más potente que la vitamina C –ayuda a bloquear los efectos de las nitrosaminas y otros cancerígenos. El té verde debería tomarse *sin leche*, la cual reduce la actividad antioxidante.

•**Ácidos grasos omega-3.** Se encuentran en el salmón, abadejo (eglefino, "haddock"), bacalao ("cod"), atún ("tuna"), hipogloso ("halibut"), caballa ("mackerel") y sardinas. Estos ácidos bloquean la síntesis de las *prostaglandinas*, los compuestos naturales del cuerpo que estimulan el crecimiento de los tumores.

Otras fuentes de ácidos grasos omega-3 incluyen el aceite de linaza ("flaxseed oil") –dos cucharadas al día– y las cápsulas de aceite de pescado ("fish oil") –entre 700 y 1.000 mg, tres veces al día.

•**Jengibre** ("ginger"). Contiene gingerol y otros 13 compuestos antioxidantes, cada uno de los cuales es más potente que la vitamina E. Los estudios recientes con ratones demostraron que el consumo de jengibre puede prevenir los tumores en la piel.

Beba cada día dos o tres tazas de té de jengibre… o tome una cápsula de jengibre de 550 mg.

•**Romero** ("rosemary"). Esta hierba popular contiene *carnosol*, un compuesto que desactiva los carcinógenos y ayuda a controlar el efecto de las prostaglandinas en el organismo. En estudios recientes, los tumores se redujeron en un 85% en los ratones que fueron alimentados con grandes cantidades de romero.

Aún hay que realizar estudios en seres humanos. Sin embargo, debido al hecho de que el romero es seguro, no hay inconveniente en consumirlo de manera habitual. Se vende en forma de té o como extracto, el cual puede agregarse al té verde.

INTEGRACIÓN DE TODO

Los nutricionistas frecuentemente afirman que cinco porciones de frutas y verduras al día son suficientes para mantener una buena salud. Pero para obtener un beneficio máximo contra el cáncer, es mejor comer entre seis y ocho porciones diarias (incluyendo al menos una crucífera y un tomate).

Una porción equivale a media taza de verduras… o una fruta.

Problema: Hasta los consumidores concienzudos con frecuencia se dan cuenta de que tienen problemas para incorporar todas esas frutas y verduras.

Si tiene problemas para obtener su cuota diaria recomendada, considere extraer jugos. Compre una máquina extractora de jugos de buena calidad, como las de marca Omega y Juiceman. Dedique tiempo para experimentar con combinaciones de frutas y verduras.

Dos combinaciones sabrosas:

•**Jugo N.º 1:** Una cabeza de col (repollo, "cabbage"), dos zanahorias y una remolacha (betabel, "beet").

•**Jugo N.º 2:** Un tercio de taza de bróculi ("broccoli"), dos zanahorias, una manzana y un pepino ("cucumber").

Aun preparando jugos, es difícil obtener las cantidades adecuadas de ciertos nutrientes que combaten el cáncer sólo por medio de los alimentos. *Es una buena idea tomar suplementos que contengan…*

•**Ácido alfalipoico** ("alpha-lipoic acid"). Este antioxidante ayuda a reabastecer las reservas de vitamina E en el cuerpo y podría prevenir la activación de ciertos genes del cáncer. Tome entre 60 y 200 mg al día.

•**Vitamina E.** Se ha demostrado que este antioxidante disminuye la incidencia del cáncer de próstata en hasta un tercio. Tome entre 200 y 400 unidades internacionales (IU, por sus siglas en inglés) al día. (Las cantidades mayores a 200 IU podrían ser peligrosas, así que consulte a su médico antes de tomarlas).

•**Selenio.** Se ha demostrado que este mineral disminuye el riesgo de contraer cáncer de colon en alrededor del 60%. Tome entre 100 y 200 microgramos (mcg) diariamente.

LA IMPORTANCIA DE LA RELAJACIÓN

El estrés, la depresión y el pesimismo disminuyen la respuesta del sistema inmune, dejando al cuerpo vulnerable al cáncer. Para disminuir su riesgo de contraer cáncer, aprenda a relajarse.

No mire televisión. Concéntrese en practicar meditación, yoga, taichí u otra técnica de relajación.

Una manera fácil y muy eficaz de relajarse es la entonación ("toning", en inglés).

Qué hacer: Inhale por la nariz, y luego suelte la respiración por la boca mientras emite un sonido sostenido.

La entonación puede hacerse con la frecuencia que desee –en cualquier momento, en cualquier lugar.

Advertencia para las mujeres que fuman

Las mujeres que fuman cigarrillos tienen tres veces más probabilidad de contraer cáncer de pulmón que los hombres fumadores.

Teoría: Las células de la mujer son menos capaces de reparar el daño al ADN (DNA).

Si fuma o fumaba antes: Pregúntele a su médico acerca de someterse anualmente a una tomografía computadorizada en espiral ("spiral CT scan"). Es mejor que los rayos X de pecho para detectar el cáncer de pulmón cuando aún es más tratable. Pocas empresas de seguro de salud pagan por el examen, pero vale la pena pagar por el mismo, que generalmente cuesta entre $300 y $1.000.

Entre los indicios de cáncer de pulmón se incluyen tos persistente, falta de aliento, ronquera, flema ensangrentada, infecciones respiratorias recurrentes, dolor de pecho, pérdida del apetito o pérdida de peso inexplicable.

Claudia Henschke, MD, PhD, profesora de radiología de la facultad de medicina Weill de la Universidad Cornell, en Nueva York.

Hasta el 70% de los cánceres puede evitarse... mejore sus probabilidades

Melanie Polk, MMSc, RD, directora de educación sobre la nutrición del American Institute for Cancer Research, 1759 R St. NW, Washington, DC 20009.

Las personas frecuentemente suponen que el cáncer está fuera de su control porque es "genético". Pero la realidad es que las decisiones con respecto al estilo de vida son mucho más importantes para determinar quién contraerá cáncer y quién no.

Aun si sus genes lo ponen a usted en riesgo de contraer cáncer, entre el 60% y el 70% de todos los tumores malignos pueden evitarse prestando atención a cuatro factores de su estilo de vida –la dieta, el control del peso, la actividad física y el no fumar.

SI HACE SÓLO UN CAMBIO

Consumir una dieta a base de verduras es lo más importante que puede hacer para ayudar a disminuir su riesgo de contraer cáncer.

Los alimentos deberían ser procesados mínimamente y comidos lo más cerca posible a su estado natural. Los alimentos procesados podrían perder algo de su valor alimenticio.

Ejemplo: Coma una papa en lugar de papas fritas o papitas fritas ("potato chips").

Además, limite su consumo de alimentos con azúcar agregada, como refrescos y cereales azucarados.

Si come carne roja, no coma más de tres onzas (85 g) al día.

Comer al menos cinco porciones –alrededor de media taza cada una– de frutas o verduras todos los días puede disminuir su riesgo de contraer cáncer en un 20%.

OTRAS MEDIDAS IMPORTANTES

•**Mantenga un peso saludable,** y manténgase físicamente activo. Trate de no aumentar mucho de peso después de alcanzar su estatura máxima (alrededor de los 18 años para las mujeres... y los 24 para los hombres).

Comience por caminar todos los días, aumentando gradualmente hasta llegar a una hora diaria de caminata a un buen ritmo. Además, participe en algún tipo de actividad física vigorosa por al menos una hora cada semana.

•**Beba alcohol moderadamente** –o, aun mejor, no beba nada. No existe evidencia de que el alcohol disminuya el riesgo de contraer cáncer, aunque alguna evidencia sugiere que el consumo moderado de alcohol ayuda a prevenir la enfermedad de las arterias coronarias en los hombres y posiblemente en las mujeres. Si bebe alcohol, limite su consumo a un trago al día si es mujer… dos tragos al día si es hombre.

Evite el alcohol por completo si es una mujer con un alto riesgo de contraer cáncer de mama.

•**Seleccione alimentos que sean bajos en grasa y sal.**

Limite su consumo de alimentos ricos en grasa. Cocine con una cantidad moderada de grasas monoinsaturadas, como el aceite de oliva y el de canola.

Evite las grasas de origen animal y las hidrogenadas, que comúnmente se encuentran en la manteca ("shortening"), la margarina y los productos de panadería.

Preste atención a los refrigerios empaquetados ("snack foods"), los condimentos salados y los pepinillos encurtidos ("pickles").

•**Prepare y almacene alimentos de manera segura.** Mantenga fríos los alimentos fríos y calientes los alimentos calientes.

Si come carne, evite chamuscarla o quemarla. Limite su consumo de carne curada ("cured") o ahumada ("smoked"). Tome precauciones al asar a la parrilla –recorte la grasa de la carne, déjela marinar y luego cocínela en el horno de microondas por la mitad del tiempo de cocción antes de asarla.

•**Evite todos los tipos de tabaco.**

FACTORES DE RIESGO DE CÁNCER

Las precauciones contra el cáncer son particularmente importantes para las personas con mayor riesgo de contraerlo. *Entre estos factores de riesgo se incluyen*…*

*Esta información se basa en un estudio importante realizado por el American Institute for Cancer Research que analizó más de 4.500 estudios para determinar la relación entre la dieta, el estilo de vida y el riesgo de contraer cáncer.

•**Historial familiar de tipos de cáncer ligados genéticamente,** como los cánceres de mama, de ovario y de colon.

•**Enfermedad inflamatoria intestinal.**

•**Infección de virus del papiloma humano ("Human papillomavirus" o HPV).**

•**Alcoholismo.**

•**Virus de la hepatitis B y C (HBV y HCV, por sus siglas en inglés).**

Factores de riesgo adicionales para las mujeres…

•**Primer periodo menstrual antes de los 12 años.**

•**Primer hijo nacido después de los 30 años.**

•**Sin hijos y con más de 50 años.**

•**Posmenopáusica y bajo terapia de reemplazo hormonal (HRT).**

Si el médico dice cáncer…

C. Norman Coleman, MD, director del programa de ciencia de la radiación oncológica y director adjunto del centro para la investigación de cáncer del National Cancer Institute, en Bethesda, Maryland. Es autor de *Understanding Cancer: A Patient's Guide to Diagnosis, Prognosis and Treatment* (Johns Hopkins University Press).

No cabe duda que el diagnostico de cáncer es una experiencia estresante. Pero la vida diaria –y el tratamiento– deberían seguir sin mayores problemas si el paciente hace frente a la situación de forma activa e informada para luchar contra la enfermedad.

Las buenas noticias: El cáncer raramente requiere una respuesta inmediata. En la mayoría de los casos, está bien tomarse varios días e incluso unas semanas para aprender acerca del tipo específico de cáncer y las varias opciones de tratamiento.

Recurso útil: la línea gratuita del National Cancer Institute, 800-422-6237.

CÓMO OBTENER UN DIAGNÓSTICO

El médico de atención primaria debería coordinar los pasos necesarios para confirmar el diagnóstico inicial. Esto incluye planificar la realización de una biopsia y otros exámenes que deban hacerse.

LA CONSULTA AL ONCÓLOGO

Si los exámenes confirman la existencia de un tumor maligno, el médico de atención primaria debería remitir al paciente a un especialista en cáncer (oncólogo)…

Hay tres tipos principales de oncólogos:

•**Los cirujanos oncólogos** se especializan en la extirpación quirúrgica de tumores.

•**Los oncólogos médicos** se especializan en el tratamiento de quimioterapia.

•**Los radiólogos oncólogos** se especializan en la terapia de radiación.

Varios oncólogos podrían con el tiempo involucrarse en el tratamiento del cáncer. Para prepararse para esa posibilidad, es mejor seleccionar un oncólogo principal que coordine todos los exámenes y tratamientos.

Es también una buena idea pedirle al médico de atención primaria que intervenga en las decisiones importantes. Dado su conocimiento del historial médico del paciente, podría ser capaz de ofrecer consejos que los especialistas no podrían ofrecer.

ESTUDIOS PARA LA ESTADIFICACIÓN

Antes de que el tratamiento pueda iniciarse, debe determinarse el grado y la naturaleza exacta del tumor maligno. Este proceso –conocido como "estadificación" ("staging")– permite que el paciente y sus médicos elijan el mejor tratamiento. Proporciona además un punto de referencia ("benchmark") que ayudará a indicar la eficacia de cualquier tratamiento.

Los estudios para la estadificación incluyen exámenes físicos, chequeos, biopsias, análisis de sangre y los procedimientos de diagnóstico por imágenes.

Los oncólogos usan diferentes escalas para indicar la etapa de un cáncer. Algunos usan los números 1, 2, 3 y 4 (o los números romanos equivalentes). Otros usan las letras A, B, C y D. En ambos casos, cuanto mayor sea el número o la letra, más grave será el cáncer.

Ejemplo: El cáncer de mama en etapa 1 es un pequeño tumor, no más grande de 2 cm de diámetro. La etapa 2 es un tumor de entre 2 cm y 5 cm. La etapa 3 es un tumor de más de 5 cm. La etapa 4 significa que el cáncer se ha extendido (metastatizado) a otros sitios del cuerpo.

Algunos oncólogos describen adicionalmente los cánceres usando el sistema *TNM*. El grado T indica el tamaño del tumor primario. El grado N indica el grado en el cual se han encontrado células cancerosas en los ganglios (nódulos) linfáticos. El grado M indica si ha habido metástasis del cáncer.

Ejemplo: Un tumor en el pecho de 3 cm que involucra un ganglio linfático, pero que no se ha extendido a otros sitios del cuerpo, sería designado como T2N1M0.

EVALUACIÓN DE LAS OPCIONES DE TRATAMIENTO

Una vez que el cáncer se ha estadificado, el paciente debería pasar unos días, o unas semanas, reuniendo información acerca de sus opciones de tratamiento.

Útil: Preparar una lista de control. Debería llevarla cada vez que el paciente se encuentra con alguno de sus médicos. *La lista debería incluir…*

•**El nombre del paciente,** su dirección, número de teléfono y números de identificación del historial médico.

•**El nombre del oncólogo principal,** su dirección y teléfono, y su especialidad.

•**Los nombres de todos los otros médicos** involucrados en el tratamiento.

•**El tipo de cáncer/sitio del tumor.**

•**La etapa del cáncer,** y los resultados de los estudios para la estadificación.

•**Los tratamientos que se están considerando.** Con cada uno, anote la duración del tratamiento, si la hospitalización es necesaria y si el paciente será capaz de seguir con sus actividades normales.

•**Los beneficios potenciales** y los efectos secundarios de cada tratamiento.

•**Los estudios clínicos de tratamientos experimentales,** en los cuales el paciente quizá quiera participar.

A medida que el paciente reúne información, debería comunicarse periódicamente con su médico de atención primaria y su oncólogo principal –para repasar las ventajas y desventajas de cada opción de tratamiento.

Si se está considerando la participación en un estudio clínico de un tratamiento experimental de cáncer, el paciente debería averiguar exactamente lo que esto implica.

LA IMPORTANCIA DE LA SEGUNDA OPINIÓN

Ya que el cáncer es una enfermedad tan compleja, generalmente es mejor consultar a varios especialistas antes de elegir un tratamiento.

Las segundas opiniones son especialmente valiosas cuando más de un tipo de tratamiento se encuentra disponible –por ejemplo, si la terapia de radiación se considera como alternativa a la cirugía o a la quimioterapia.

CÓMO ELEGIR EL TRATAMIENTO

Una vez que toda la información se ha recopilado, el paciente debería repasar su lista con familiares y amigos, y luego comentar cada tratamiento con su oncólogo principal para analizar la elección y formular un plan específico.

Secretos para sobrevivir al cáncer

El difunto Richard Bloch, filántropo y cofundador de la empresa de preparación de impuestos H&R Block, Inc., fue diagnosticado con cáncer de pulmón en 1978, y le dieron tres meses de vida… sin embargo, vivió hasta el 2004.

Casi desde el momento en que un diagnóstico de cáncer se confirma, los consejos comienzan a llegar –de parte del médico… los padres… el cónyuge… los parientes… los amigos.

Pero quizá nadie esté mejor capacitado para indicar cómo vencer la enfermedad como los propios sobrevivientes del cáncer. *A continuación, varios sobrevivientes sugieren algunas estrategias para superar los tiempos difíciles:*

•**Obtenga una segunda opinión tan pronto como sea posible después de su diagnóstico inicial.** Idealmente, recibirá opiniones de varios especialistas, incluyendo un oncólogo médico, un radiólogo oncólogo y un cirujano oncólogo.

Richard Bloch, un sobreviviente de cáncer por largo tiempo, creía tanto en este método que fundó un panel gratuito y multidisciplinario para segundas opiniones integrado por más de 100 médicos en su ciudad natal, Kansas City, Missouri. "Creo que uno de cada cuatro pacientes que el panel evaluó salvó su vida debido al panel", dijo Bloch.

•**Comprométase a hacer todo lo que pueda para vencer la enfermedad.** "Esto podría sonar tonto —dijo Bloch—, pero algunas personas simplemente dejan todo en las manos de sus médicos y esperan que ellos encuentren las soluciones".

Usted debe involucrarse íntimamente en todos los aspectos de su tratamiento del cáncer. Es tentador, por supuesto, dejar los detalles a los médicos, pero para maximizar sus posibilidades de sobrevivir, usted debe reunir todos sus recursos y agotar todas las opciones disponibles.

•**No dude que los tres primeros meses después del diagnóstico serán horribles.** Ese comentario viene de Daniel Kohn, un terapeuta al que se le diagnosticó un tumor en el cerebro hace varios años.

"Usted va a estar conmocionado y sin querer aceptarlo, sin importar lo bien preparado que esté —comentó—. Simplemente deje pasar el tiempo. Las cosas mejorarán".

•**Elija médicos que estén afiliados a un hospital importante.** Luche por su derecho a tener el médico que elija, sin importar lo que diga su compañía de seguros.

•**Busque apoyo emocional más allá de su familia.** Cuando Bloch fue diagnosticado, los pocos sobrevivientes de cáncer que conocía no parecían interesados en hablar con él, así que estableció la línea gratuita Bloch Cancer Hot Line (800-433-0464) atendida por un grupo de voluntarios formado por pacientes de cáncer que reciben llamadas telefónicas de pacientes con cáncer recientemente diagnosticado.

A muchos pacientes de cáncer les parecen muy útiles los grupos de apoyo. Ciertamente no se verá perjudicado al conocer a personas que recibieron sentencias de muerte 10 años atrás… y aún están vivas.

•**Consiga un defensor.** Se trata de una persona que lo acompaña a las citas con el médico, toma notas, se ocupa de los trámites y habla por usted cuando está internado en el hospital.

Un buen defensor puede además investigar el cáncer en particular y filtrar sus descubrimientos antes de pasárselos, de modo que usted no se sienta abrumado por toda la información.

•**Compre una máquina de fax.** Tener una en casa le facilitará enviar, recibir y hacer copias de todos sus archivos médicos (muchas máquinas de fax también funcionan como fotocopiadoras).

Si tiene acceso a un fax en el trabajo o en algún otro lugar fuera de su casa, piense dos veces antes de usarla. Tal vez no quiera que otras personas vean sus archivos médicos.

•**Visite los sitios de Internet.** Va a necesitar información y explicaciones, pero tratar de obtenerlas de muchos sitios puede simplemente agregar confusión.

Si no tiene una computadora en su casa, use la de un amigo o la de una biblioteca, centro de fotocopias o cibercafé (con acceso a Internet) cercano.

Especialmente útil: National Cancer Institute, *www.cancer.gov/newscenter/espanol.*

•**Hágase amigo del personal de su médico.** Así, cuando llame con una pregunta o un problema, lo tratarán como a una persona –y se asegurarán de que obtenga lo que necesita.

Déjeles galletitas, flores o tarjetas de regalo ("gift cards") como agradecimiento.

•**Solicite al consultorio de su médico que programe sus citas** cuando sea remitido a especialistas. Los mismos pueden obtener una cita más pronto de lo que usted podría hacer por su cuenta.

•**Compre una peluca antes de someterse a la quimioterapia** –si hay probabilidad de que los medicamentos que se usarán causen la caída del cabello. Su médico probablemente pueda recetarle una peluca. Es una buena idea porque significa que parte del costo, o todo, podría estar cubierto por el seguro de salud.

•**Dése gustos.** Cuando Kohn tomó esteroides como parte de su tratamiento, anhelaba comer alimentos ricos en grasa, como alitas de pollo y papas fritas. Eso no es inusual.

La esposa de Kohn estaba aterrada. Pensaba que él no estaba cuidándose como debía, pero la comida chatarra proporcionaba una de sus pocas fuentes de placer durante esa época.

•**Si no tiene televisión por cable, encárguela.** Frecuentemente estará muy enfermo como para leer o escribir. Una película divertida o un programa de televisión puede hacer maravillas para mejorar el humor –y es imprescindible que mantenga su buen humor.

•**Acepte que se sentirá deprimido.** Bloch afirmó que "todo sobre el cáncer es deprimente. No tenga dudas de que habrá días en que estará deprimido, así que planifique las cosas que le levanten el ánimo en esos momentos".

Consulte a su médico acerca de la terapia antidepresiva para aliviar los sentimientos de desesperanza que frecuentemente acompañan el cáncer.

Estrategias sorpresivas para sobrellevar el cáncer

Joanna Bull, psicoterapeuta y fundadora de Gilda's Club Worldwide, una comunidad de apoyo social y emocional formada por personas con cáncer y sus familias. Para averiguar más sobre Gilda's Club Worldwide, llame al 888-445-3248 o visite el sitio Web *www.gildasclub.org.*

Vivir con cáncer tiene su costo tanto a nivel emocional como físico. Para más de 23.000 personas con cáncer y sus familias, Gilda's Club Worldwide ha sido el lugar donde pueden encontrar –unos con otros– el apoyo emocional y social que necesitan.

Gilda's Club fue fundado hace más de diez años por Joanna Bull, psicoterapeuta especializada en cáncer que trató a la cómica Gilda Radner, quien murió de cáncer de ovario en 1989. Gilda's Club ha crecido hasta tener 17 clubes asociados en Estados Unidos y Canadá. La Srta. Bull, que ha asesorado a personas con cáncer por más de 25 años, compartió sus consejos sobre cómo vivir mejor con esta temida enfermedad…

DESCARTE LOS MITOS

Usted es el experto. Es su vida y su enfermedad. Lo que usted haga es lo correcto, aunque libros, artículos de revistas y periódicos, y amigos y parientes bien intencionados tengan ideas diferentes. Por desgracia, se han desarrollado mitos que podrían hacer que usted cuestione lo que hace. *Por ejemplo...*

Mito N.º 1: **Un punto de vista positivo aumenta las posibilidades de sobrevivir.** Según la sabiduría popular, tener una actitud optimista y alegre fortalece el sistema inmune y mejora la capacidad del organismo de luchar contra el cáncer. La verdad es que no existe evidencia científica de que el punto de vista tenga un impacto significativo sobre la recuperación.

Si puede mantener una actitud de esperanza y una convicción de que todo terminará bien, genial –y esto le da resultados a algunas personas.

Pero si usted por lo general ve el mundo a través de un vidrio oscuro y tiende a preocuparse en vez de seguir adelante con confianza, no es realista pensar que un diagnóstico de cáncer lo transformará en una persona optimista. No se deje dominar por la creencia errónea de que su actitud pone en peligro su recuperación.

Mito N.º 2: **Hay que aceptar la realidad.** Existe una creencia ampliamente difundida de que es necesario aceptar la seriedad de la enfermedad, y alguien que no logre este nivel de sinceridad absoluta consigo mismo no quiere reconocer la realidad.

Para algunas personas, minimizar la amenaza e incluso la inminencia de la muerte, les permite disfrutar cada día en su plenitud. Como el cáncer tiene con frecuencia muchas sorpresas, nadie realmente sabe lo que sucederá –negarse a enfrentar la realidad quizá sea la táctica más inteligente para algunas personas.

Mito N.º 3: **Usted debe ser un socio activo en su equipo de atención médica.** Muchas personas insisten en tener un papel activo en su propia atención médica. Afirman que los pacientes están obligados a educarse detalladamente acerca de su enfermedad, ir a las consultas con sus médicos con listas de preguntas y buscar otras opiniones médicas.

Este método no es para todos. Si usted se siente más cómodo simplemente aceptando las decisiones del equipo médico en el que usted confía y haciendo lo que ellos piensan que es mejor, pues adelante.

Mito N.º 4: **Éste no es el momento para hacer grandes cambios.** Las personas que viven con cáncer frecuentemente reciben consejos sobre no tomar ninguna decisión importante hasta que tengan la enfermedad bajo control. Pero reflexionar sobre su mortalidad y sus valores personales quizá lo convenzan a tomar las medidas que para otros son difíciles de aceptar.

Ejemplo: Una mujer llegó a convencerse completamente de que su matrimonio, el cual todos pensaban que era maravilloso, era en realidad sofocante y abusivo. Cara a cara con las limitaciones de la vida, abandonó a su marido. No tenía sentido para sus amigos que afirmaban que ahora, más que nunca, ella necesitaba apoyo comprensivo –pero la decisión era correcta para ella.

Mito N.º 5: **La depresión es normal y no necesita tratarse.** Si su aflicción o ansiedad le dificultan el funcionamiento, no suponga simplemente que eso es una reacción normal e inevitable ante la gravedad de su enfermedad.

La orientación psicológica o los medicamentos pueden ayudar a que vuelva a sentirse bien, particularmente si llega a estar muy deprimido. Es absolutamente esencial si usted piensa en el suicidio. El cáncer no es una sentencia de muerte.

CONSIGA APOYO EMOCIONAL

El apoyo emocional es una gran fuente de fortaleza. Planifique obtenerlo. Esto tal vez signifique reunir a sus amigos cercanos y decirles lo que necesita de ellos o depender más de su cónyuge, quien también necesitará apoyo.

Lo que ha sido útil para muchos pacientes es reunirse con otras personas que están pasando por la misma situación. Estos grupos de apoyo ("support groups") alivian la tremenda sensación de aislamiento que las enfermedades graves pueden causar. Además, llegar a conocer personas que están dispuestas a compartir la sabiduría de su experiencia es el mejor antídoto a los mitos que rodean el cáncer.

Aun si ya ha encontrado su propia manera de vivir con el cáncer, escuchar lo que funciona para otras personas puede darle ideas nuevas y lograr que tenga más confianza en sus propias elecciones.

Ejemplo: Si se pone ansioso al someterse a un tratamiento médico, como a la radiación o la quimioterapia, tal vez un compañero de grupo de apoyo pueda sugerirle técnicas de relajación que fueron útiles para esa persona. Seguir su ejemplo hace que la experiencia sea mucho menos penosa.

Para hallar un grupo en su zona, consulte en los hospitales o agencias de servicios sociales. Los sitios para chatear en Internet, incluyendo los que ofrece la American Cancer Society, proporcionan alternativas para las personas que viven en zonas aisladas o que se sienten más cómodas comunicándose a través de Internet en vez de reunirse en persona.

Una nueva manera de interpretar las estadísticas sobre cáncer

Las estadísticas sobre supervivencia al cáncer son mejores de lo que se ha informado.

La razón: Los datos sobre cáncer usando el método estadístico tradicional incluyen a pacientes que recibieron tratamiento avanzado y pacientes que recibieron tratamiento hasta 20 años atrás.

Un nuevo método estadístico separa los grupos. Usando este nuevo método, los índices de supervivencia del grupo que recibe tratamientos actuales mejoran de manera significativa.

Ejemplo: Los pacientes con cáncer de mama tienen un 71% de probabilidad de sobrevivir durante 15 años después del diagnóstico, según el nuevo método, en comparación con sólo un 58% en el método viejo.

Hermann Brenner, MD, MPH, epidemiólogo del centro alemán de investigación sobre el envejecimiento, en Heidelberg, y autor del nuevo método estadístico, publicado en la revista médica *The Lancet.*

Los brotes para sándwich que combaten el cáncer

Los brotes de bróculi ("broccoli sprouts") son ricos en un compuesto que proporciona protección significativa contra los cánceres de mama y de colon.

Los brotes que crecen de ciertas semillas de bróculi contienen hasta 50 veces más de este compuesto –*sulforafano glucosinolato* (SGS)– que el bróculi maduro.

Advertencia: La cantidad de SGS en los brotes de bróculi varía mucho.

BroccoSprouts, una marca desarrollada en la Universidad Johns Hopkins, tiene la garantía de que contiene 20 veces la cantidad de SGS del bróculi maduro al compararlos onza a onza.

Para obtener mayor información, visite el sitio Web en inglés *www.broccosprouts.com.*

Paul Talalay, MD, farmacólogo del Laboratorio Brassica para la químicoprotección de la Universidad Johns Hopkins, en Baltimore.

¿Habrá una cura natural para el cáncer?

Las vacunas experimentales elaboradas con los tumores de los propios pacientes pueden estimular el sistema inmune para destruir los cánceres mortíferos.

Hallazgo: En 18 de los 22 pacientes de cáncer de pulmón que se estudiaron, la vacuna estimuló la respuesta del sistema inmune y causó menos efectos secundarios que los tratamientos convencionales para el cáncer.

Journal of Clinical Oncology, 330 John Carlyle St., Suite 300, Alexandria, Virginia 22314.

Terapia para el cáncer fuera del cuerpo

Por primera vez los médicos han tratado el cáncer removiendo el hígado de un paciente, bombardeándolo con altas dosis de radiación y luego reimplantándolo en el cuerpo. Esta técnica experimental tiene como fin proteger los órganos cercanos saludables de los efectos perjudiciales de la radiación.

Revista *New Scientist*, editada por Reed Business Information Limited, 151 Wardour St., Londres.

Como sobrellevar la quimioterapia

Martin Groder, MD, psiquiatra y asesor de empresas que reside en Chapel Hill, Carolina del Norte.

La quimioterapia es un arma poderosa en la batalla a vida o muerte contra el cáncer. Por desgracia, sus poderosos medicamentos no pueden matar las células malignas sin causar daños en el cuerpo. Los efectos secundarios tóxicos de la quimioterapia son bien conocidos y temidos.

El doctor Martin Groder, un distinguido psiquiatra, comentó sobre su lucha durante tres años contra el cáncer de colon y dio consejos acerca de cómo sobrellevar los efectos de la quimioterapia:

MANTÉNGASE COMPROMETIDO

Someterse a un tratamiento de quimioterapia puede sacarle las ganas de luchar. Sin embargo, debe evitar que lo deprima. Usted se merece disfrutar de una vida satisfactoria a pesar de las tribulaciones. Si tiene una actitud positiva, puede luchar con más fuerza contra la enfermedad.

Muchos oncólogos están de acuerdo en que les va mejor a los pacientes que se comprometen activamente en la lucha. Con frecuencia he tenido que convencer a mis médicos de que valía la pena hacer la prueba con un medicamento o procedimiento del que me había enterado.

No se pueden usar plenamente los recursos del equipo médico cuando se está abrumado por la fatiga, la ansiedad y la depresión. Para la quimioterapia, conviene ser un miembro del equipo completamente comprometido.

EFECTOS SECUNDARIOS DE LA BATALLA

Los efectos secundarios de la quimioterapia frecuentemente no se tratan, así que insista en que su equipo médico los tome con tanta seriedad como usted lo hace. Asegúrese de comentarle a su oncólogo cualquier dificultad que esté teniendo. Sea claro acerca de cuán incapacitantes son e insista en que lo ayude a encontrar maneras de aliviarlos.

•**Náuseas y vómitos.** Los médicos usualmente toman algunas medidas para aliviar estos efectos secundarios, que son comunes y penosos, aunque quizá no los ataquen con suficiente agresividad. Si las náuseas y los vómitos no se controlan, usted podría desarrollar una respuesta condicionada que los provocaría tan pronto entra en la sala donde se realiza el tratamiento o incluso en camino a ese lugar.

Es posible que tenga que tomar muchos medicamentos. Algunos medicamentos viejos, como *proclorperazina* (Compazine), aún son valiosos. Además, se han agregado al arsenal médico poderosos medicamentos nuevos contra las náuseas, como *ondansetrón* (Zofran). Uno solo podría no ser suficiente. Estos medicamentos combaten las náuseas y los vómitos usando diferentes mecanismos, por lo que se complementan entre sí.

Yo tomo Compazine por la mañana antes de un tratamiento que me produce náuseas, y luego Zofran en el momento del tratamiento y cada ocho horas durante el día siguiente.

•**Fatiga.** Pocos médicos toman la fatiga con tanta seriedad como las náuseas y los vómitos, pero es casi tan común, y su efecto en su espíritu puede ser igualmente devastador. En este caso, también, los medicamentos adecuados pueden llegar a ser muy importantes.

Modafinil (Provigil) es eficaz contra el exceso de somnolencia, cuando se siente como si no pudiera mantener los ojos abiertos.

La fatiga generalizada se trata mejor con los tipos de estimulantes que se proporcionan a los niños para el trastorno por déficit de atención.

Uno de los mejores es Concerta, una forma de *metilfenidato* (Ritalin) que se suministra gradualmente en un periodo de 12 horas. Debe tomarse sólo una vez al día y tiene un efecto leve –no se sentirá "acelerado". Otro medicamento, *dexmetilfenidato* (Focalin), funciona de manera similar.

Yo adapto mi medicamento a los síntomas. Por las mañanas de los días que recibo el tipo de quimioterapia que me hace sentir fatigado, tomo Concerta, para lo cual tuve que convencer a mi médico de que me haría bien –y lo ha hecho. Cuando la somnolencia durante el día es un problema, tomo Provigil.

DESINTOXICACIÓN

Debido a que la quimioterapia es inevitablemente tóxica, haga lo que pueda para disminuir la carga tóxica general de su cuerpo. Elimine cualquier cosa que se sume innecesariamente al desgaste natural diario.

Aunque sea posible comer una dieta normal, no se permita consumir alimentos que pondrán a prueba su vulnerable sistema digestivo. Evite las comidas pesadas y grasosas, como las costillitas de cerdo ("spareribs") asadas y el pollo frito. Déle prioridad a alimentos que sean livianos, nutritivos y fáciles de digerir. Yo me alimento con sopa de pollo, galletas saladas, puré de manzanas ("applesauce") y batidos de banana (plátano), soja ("soy") y yogur.

El alcohol también es tóxico y debería evitarse.

Elimine también los tóxicos problemas emocionales de su vida. De hecho, aproveche esta situación para realizar una buena limpieza general. Todos tenemos actividades, relaciones y rutinas que ya no nos dan tanta satisfacción pero a las que nos aferramos por hábito o por una sensación de obligación. Éste es el momento de reconocer que su verdadera obligación es con usted mismo. Por ejemplo, a mí me gustan las mañanas libres, así que decidí no recibir pacientes antes de las 2 de la tarde.

Rodéese de personas comprensivas capaces de darle apoyo. No deje que una sola persona, como su cónyuge, cargue con todo el peso de cuidarlo a usted durante los periodos difíciles. Reclute una "red de apoyo social" de cinco o seis familiares y amistades cercanas para que compartan la responsabilidad. No es difícil obtener apoyo. Simplemente tiene que pedirlo. La gente quiere ayudar, pero frecuentemente no sabe cómo hacerlo.

Si algún familiar o viejo amigo está agotándole la energía, pídale a un miembro de su red de apoyo que le explique lo que usted necesita.

SEA SINCERO

Los secretos son estresantes. Es un desgaste encubrir las cosas con las que usted lucha todos los días, como los efectos de la quimioterapia.

A las personas que son sinceras acerca de sus problemas de salud les va mejor. Esto es particularmente importante cuando la quimioterapia lo obliga a disminuir sus actividades normales. Recibirá una sorpresiva cantidad de ayuda espontánea de empleadores, colegas de trabajo y otros que saben que está luchando por su vida.

Mientras me estoy sometiendo a la quimioterapia, con frecuencia les pregunto a mis amigos, familiares y pacientes si les gustaría una descripción breve de mi situación médica. Casi todos dicen "sí", así que les doy un resumen de dos minutos sobre cómo me está afectando el tratamiento y por cuánto tiempo estimo que durará la quimioterapia. Esto contesta preguntas y ayuda a disipar preocupaciones y temores.

VAYA CON LA CORRIENTE

La quimioterapia usualmente se administra en ciclos. Hay periodos entre tratamientos cuando uno se siente relativamente bien. Adapte su vida a este ritmo, pero hágalo sensatamente. Use el intervalo entre tratamientos para ocuparse de asuntos que se acumularon mientras estaba indispuesto. Trate de disminuir las cargas de modo que pueda estar listo para la siguiente ronda. Programe unas vacaciones, o retome los pasatiempos relajantes.

No entre en un ciclo destructivo tratando de ponerse al día con todo lo que se ha perdido. Terminará estresándose demasiado. Una noche antes de una cirugía de urgencia, trabajé hasta las 9 atendiendo pacientes. Sobreviví la operación, pero abrumé mis recursos físicos sin necesidad.

NO SE RINDA... SIGA LUCHANDO

Las rondas sucesivas de quimioterapia podrían llevar al desaliento por lo que parece una lucha sin fin.

Las siguientes palabras, atribuidas al gran tenista Björn Borg, son una fuente de inspiración para mí: "No soy un gran jugador. Solamente soy mejor en golpear la pelota una vez más que mi adversario".

Así también ocurre con el cáncer. Las investigaciones actuales sobre la quimioterapia prometen el desarrollo de tratamientos más poderosos y menos tóxicos, algunos en el futuro cercano. Si usted persevera y golpea la pelota una vez más que su adversario, se mantendrá siempre un paso adelante.

Lo que usted debe saber acerca del linfoma

Andrew D. Zelenetz, MD, jefe del servicio de linfoma del centro oncológico Memorial Sloan-Kettering, en Nueva York. Ha sido acreditado por la junta médica ("board-certified") en medicina interna y oncología médica, y realiza investigaciones sobre linfoma Hodgkin y no Hodgkin y leucemia linfocítica crónica.

En los últimos 30 años, la incidencia anual de linfoma se ha duplicado en Estados Unidos. Las personas mayores de 65 años representan la mayoría de este aumento.

Por desgracia, el linfoma puede no detectarse durante meses –o incluso años. La razón es que muchos de los síntomas, como ganglios linfáticos inflamados, sudoración nocturna y fiebre, parecen ser menores. En algunos casos, el linfoma se descubre accidentalmente cuando los médicos realizan un chequeo médico de rutina.

Aunque algunas formas del linfoma pueden ser mortales, más de la mitad de los hombres y mujeres diagnosticados con la enfermedad sobrevivirán cinco años o más. De hecho, en la actualidad el índice de cinco años de supervivencia para algunos linfomas se acerca al 90%.

¿QUÉ SON LOS LINFOMAS?

Los glóbulos blancos llamados *linfocitos* ayudan a combatir las infecciones. Aunque la causa

exacta del linfoma se desconoce, los investigadores creen que el daño a los linfocitos, causado por factores ambientales, como exposición a pesticidas –provoca que las células se vuelvan cancerosas. Los tumores cancerosos, o linfomas, podrían afectar un solo ganglio linfático o causar una enfermedad extendida que afecta la médula ósea, el bazo u otros órganos.

Se han identificado más de 40 tipos de linfomas, y se dividen en dos categorías principales...

•**Enfermedad de Hodgkin.** Esta afección es rara, con unos 8.000 casos nuevos diagnosticados anualmente en Estados Unidos. Este tipo de linfoma afecta a los hombres con mayor frecuencia que a las mujeres.

Síntomas precoces: Hinchazón indolora de los ganglios linfáticos del cuello, las axilas o la ingle... fatiga... fiebre y escalofríos... pérdida de peso... comezón... y sudoración nocturna. Aunque la razón es desconocida, los ganglios linfáticos más grandes pueden doler si el paciente bebe alcohol. Tos o falta de aliento pueden ocurrir si los ganglios linfáticos inflamados en el pecho irritan las vías respiratorias. En muchos casos *no* hay síntomas visibles.

El índice de curación para la enfermedad de Hodgkin se encuentra entre el 50% y el 85%, según lo avanzada que esté en el momento del tratamiento.

•**Enfermedad no Hodgkin.** Esta afección es ocho veces más común que la enfermedad de Hodgkin. Alrededor de 65.000 casos se diagnostican anualmente en Estados Unidos, la mayoría en adultos mayores. Hombres y mujeres son afectados por igual.

Síntomas precoces: Generalmente, los mismos de la enfermedad de Hodgkin.

En general, el índice de curación para la enfermedad no Hodgkin es alrededor del 50%, según el cáncer específico y lo avanzado que esté en el momento del tratamiento.

CAUSAS POSIBLES

Nadie sabe por qué la incidencia del linfoma está aumentando. El virus de Epstein-Barr se ha vinculado a ciertos tipos de linfoma, como el linfoma de Burkitt y la enfermedad de Hodgkin. Además, existe evidencia de que la bacteria *H. pylori* común, responsable por la mayoría de las úlceras, aumenta el riesgo de tener linfomas en el estómago.

Se piensa también que la exposición a pesticidas y herbicidas aumenta el riesgo de tener linfomas. La dieta típica estadounidense, rica en grasas saturadas y alimentos procesados, y baja en frutas, verduras, legumbres y cereales integrales, quizá juegue un papel.

El envejecimiento es la causa más probable de la mayoría de los linfomas. Al haber menos muertes causadas por enfermedad del corazón, presión arterial alta y otras enfermedades crónicas, la gente vive más tiempo. Cuanto más vive una persona, más veces deben dividirse las células, lo que aumenta el riesgo de linfoma.

EXÁMENES DIAGNÓSTICOS

Su médico podría sospechar que tiene linfoma si usted nota que tiene ganglios linfáticos hinchados e *indoloros*… síntomas como de gripe o bronquitis persistente… o pérdida de peso o sudoración nocturna que duran varias semanas o más.

Importante: Es común que los ganglios linfáticos se inflamen y se sientan sensibles cuando se tiene un resfriado, gripe u otra infección. Es poco probable que los ganglios que duelen y se inflaman rápidamente sean indicios de linfoma.

Un indicio precoz común del linfoma es un ganglio linfático inflamado en la cavidad torácica. Su médico podría recomendarle que se someta a una radiografía del pecho o a una *tomografía computadorizada* ("CT scan") para detectar hinchazón o bultos.

Si se descubre un ganglio linfático inflamado, su médico debería obtener una muestra del tejido mediante una biopsia para determinar si el ganglio linfático es canceroso.

Mejor: Una *biopsia por escisión* ("excisional biopsy"), mediante la cual se hace una incisión para extraer todo o parte de un ganglio linfático. La cirugía podría ser necesaria para obtener una muestra del tejido de ganglios linfáticos inflamados en el abdomen o en la cavidad torácica.

Si se le ha diagnosticado un linfoma, deberá someterse a una tomografía computadorizada ("CT scan") en el pecho, el abdomen y la pelvis para determinar el alcance de la enfermedad.

El tamaño y la cantidad de los ganglios linfáticos inflamados, junto a informes sobre patología, determinan la fase del linfoma. La enfermedad se clasifica en cuatro etapas: I, II, III y IV. Cuanto mayor el número, más se ha extendido la enfermedad.

Una biopsia de la médula ósea ("bone marrow biopsy") se usa también para determinar la fase del linfoma. Las enfermedades de la médula ósea no pueden verse en una tomografía computadorizada.

Bajo ciertas circunstancias, el oncólogo podría recomendar exámenes adicionales, incluyendo *tomografía por emisión de positrones* (PET, por sus siglas en inglés), *imágenes por resonancia magnética* (MRI, por sus siglas en inglés) o *endoscopia,* mediante la cual se usa un tubo de fibra óptica para examinar el estómago, el intestino delgado o el esófago.

TRATAMIENTOS

Los linfomas se tratan generalmente con quimioterapia, radiación o anticuerpos monoclonales, como *rituximab* (Rituxan). En casos más avanzados, una combinación de estas terapias podría ser aconsejable.

Bajo ciertas circunstancias, podría ser necesario el trasplante de células madre, ya sea un *autotrasplante* (del paciente) o un *alotrasplante* (de un donante). El uso de estos tratamientos depende de las características de la enfermedad.

PREVENCIÓN DEL LINFOMA

Hasta que no se sepa más sobre la causa del linfoma, las estrategias para prevenir la enfermedad siguen siendo bastante especulativas.

El vínculo con los pesticidas es suficientemente claro como para que yo les aconseje a las personas a usar pantalones largos y camisas de manga larga cuando trabajen con productos químicos para jardín o césped. Se recomienda el uso de un overol (mono) descartable si se espera una exposición prolongada a dichos productos químicos.

Debido a que muchos cánceres –así como ataques al corazón y al cerebro– están vinculados a lo que comemos, la dieta también se debe tener en cuenta. Las comidas con poca grasa y pocos alimentos procesados, y ricas en legumbres, frutas y verduras nutritivas, etc., podrían disminuir el riesgo de contraer linfoma.

Las mejores terapias para el cáncer de próstata

Robert G. Uzzo, MD, jefe de cirugía del Fox Chase Cancer Center y profesor auxiliar de medicina de la facultad de medicina de la Universidad Temple, ambos en Filadelfia.

El cáncer de próstata es el segundo cáncer más común entre los hombres (después del cáncer de piel). Aun así, todavía existe controversia sobre con cuánta agresividad se debe tratar un tumor maligno de la próstata –o incluso *si tratarlo o no.*

A diferencia de la mayoría de los cánceres, el cáncer de próstata tiende a crecer gradualmente, frecuentemente durante décadas. Los hombres mayores que tienen cáncer de próstata confinado a la glándula, estadísticamente tienen más probabilidad de morir de otras causas que del mismo cáncer.

Sin embargo, algunos cánceres de próstata sí crecen rápidamente. Incluso los cánceres que inicialmente crecen lentamente pueden progresar y convertirse en mortíferos. El desafío está en saber cuándo es necesario el tratamiento –y elegir el tratamiento que tenga la mayor probabilidad de ser eficaz.

EXÁMENES DIAGNÓSTICOS CLAVES

Una vez que se realiza una biopsia de la próstata y se descubren células cancerosas, el tratamiento adecuado depende de con cuánta agresividad es probable que actúen las células. *Se deben considerar tres factores principales antes del tratamiento…*

•**Antígeno específico de la próstata** (PSA, por sus siglas en inglés). Es una proteína producida por la glándula prostática que se detecta en la sangre. Los niveles altos sugieren que células cancerosas *podrían* estar presentes. Un PSA normal se encuentra por debajo de 4 nanogramos por mililitro (ng/ml) de sangre. Un nivel entre 5 y 10 sugiere que células de cáncer de próstata podrían estar presentes; un nivel por encima de 10 es una poderosa señal de advertencia. Cuanto mayor sea el PSA, mayor será la probabilidad de que células cancerosas se hayan extendido fuera de la glándula.

Importante: Una lectura alta del PSA podría ser causada además por una próstata agrandada o infectada. Además, existe evidencia que sugiere que una eyaculación reciente podría temporalmente elevar una lectura del PSA. Asimismo, un pequeño porcentaje de los hombres con un PSA normal igualmente contraerá cáncer. Por lo tanto, todos los hombres deberían someterse a un *examen de tacto rectal* ("digital rectal exam"), además de a un examen del PSA para detectar la presencia del cáncer de próstata.

•**Puntaje de Gleason** ("Gleason score"). Si su PSA es anormal (usualmente por encima de 4 ng/ml), su médico debería realizar una biopsia con aguja de la próstata, para detectar cáncer. Se realizan múltiples biopsias (usualmente entre seis y 12) de la próstata. Las células cancerosas se clasifican en base a un sistema llamado Puntaje de Gleason, que va de 2 (menos agresivas) a 10 (más agresivas).

Los puntajes de Gleason entre 2 y 4 generalmente indican que el cáncer está creciendo lentamente y tal vez no sea necesario un tratamiento inmediato. Los puntajes entre 8 y 10 indican la presencia de un tumor que crece rápidamente y requiere atención inmediata. Los puntajes en la mitad de la escala pueden indicar tumores de crecimiento lento o rápido.

•**Estadificación** ("staging"). El cáncer de próstata se estadifica mediante un examen de tacto rectal y una tomografía computadorizada ("CT scan") o una gammagrafía ósea cuando corresponda. Esto determina dónde se encuentra ubicado el cáncer –y si se ha extendido más allá de la glándula prostática.

Un tumor maligno en la próstata se clasifica en una de cuatro etapas –la etapa 1 significa un cáncer muy precoz y la etapa 4 el cáncer más avanzado.

OPCIONES DE TRATAMIENTO

Existe controversia al respecto del mejor tratamiento para el cáncer de próstata localizado. No se han realizado estudios comparativos y aleatorios de las dos opciones principales de tratamiento (cirugía o radiación) para el cáncer de próstata. Ambos tratamientos parecen tener aproximadamente los mismos índices de supervivencia para los cánceres en etapas precoces a corto plazo, pero no hay datos disponibles que los comparen a largo plazo.

La "espera con vigilancia cuidadosa" ("watchful waiting") es también una estrategia razonable para los hombres mayores con un cáncer que sea poco probable que crezca o se propague rápidamente.

●**Cirugía.** Con frecuencia se recomienda la extirpación quirúrgica de la glándula prostática –un procedimiento llamado *prostatectomía radical*– para hombres que han sido diagnosticados con cáncer de próstata localizado. Muchos médicos, yo mismo incluido, pensamos que es la mejor opción en general.

En este procedimiento, el cirujano hace una pequeña incisión debajo del ombligo. Se extirpa toda la glándula y algo del tejido que la rodea. Los ganglios linfáticos cercanos también son extirpados y examinados para detectar cáncer.

La prostatectomía radical que preserva los nervios ("nerve-sparing") se recomienda a la mayoría de los pacientes. Si los conjuntos de nervios en cualquiera de los lados de la glándula prostática no tienen cáncer, el cirujano intenta dejarlos intactos mientras extirpa la glándula. Esto disminuye la probabilidad de que un hombre sufra de impotencia después de la cirugía.

Algunos hombres que se someten a la cirugía, aun si es la que preserva los nervios, se vuelven impotentes. Los medicamentos para la disfunción eréctil, como *sildenafilo* (Viagra), *tadalafilo* (Cialis) y *vardenafilo* (Levitra), quizá ayuden en algunos casos, pero no en todos. La cirugía podría además causar goteo posmiccional durante varias semanas. Mientras que la mayoría de los hombres no tienen un problema a largo plazo, entre el 5% y el 10% quizá nunca recuperen el control urinario total.

Importante: Elija un cirujano que realice al menos 50 operaciones que preserven los nervios al año.

●**Terapia de radiación.** Los hombres que estén muy débiles como para someterse a una cirugía del cáncer de próstata –o que no quieran someterse a las molestias y a la prolongada recuperación– podrían ser candidatos para tratamientos de radiación. *Hay dos opciones de radiación…*

●La *radiación de haz externo* ("external beam radiation") se proporciona desde fuera del cuerpo y está dirigida a la próstata. Este tratamiento generalmente se tolera bien. Sin embargo, al igual que la cirugía, puede causar complicaciones, incluso impotencia y diarrea, que generalmente desaparecen a largo plazo.

Los tratamientos ambulatorios usualmente se realizan cinco días a la semana, durante cinco a siete semanas.

Es importante buscar un hospital que ofrezca la *terapia de radiación de intensidad modulada* ("intensity-modulated radiation"), la cual emite dosis más altas de radiación a la glándula prostática, a la vez que minimiza la cantidad que llega a los tejidos saludables cercanos.

●Se colocan *semillas radiactivas* en la glándula prostática con agujas delgadas. Las semillas, del tamaño de un grano de arroz, que están hechas con yodo-125 ó paladio-103, se implantan en la glándula prostática para que emitan dosis altas de radiación directamente a la próstata. ¿Cuál es la ventaja de usar semillas en vez de radiación externa? Los pacientes sólo deben ir al hospital una vez, cuando las semillas radiactivas se insertan.

Los datos actuales sugieren que las semillas tienden a dar resultados solamente cuando hay un volumen relativamente bajo de células cancerosas, y el puntaje de Gleason y del PSA se encuentran en el rango bajo o moderado. Si esos números son altos, la radiación de haz externo podría ser una mejor opción. El riesgo a largo plazo de tener impotencia es más o menos el mismo que con la cirugía.

●**Hormonoterapia.** El tratamiento con hormonas incluye medicación oral o inyectada, o la extirpación quirúrgica de los testículos (orquiectomía). Estas terapias disminuyen la producción de testosterona o bloquean los efectos de la testosterona y otras hormonas masculinas (andrógenos). Disminuir los niveles de andrógenos puede enlentecer el crecimiento del cáncer, pero no es una curación.

La hormonoterapia es principalmente usada cuando el cáncer se ha extendido más allá de la glándula prostática. Puede también usarse en combinación con la radiación en los hombres que tienen tumores agresivos con un puntaje de Gleason alto. Los tratamientos hormonales frecuentemente pueden lograr que los cánceres entren en remisión por varios años.

•**Espera con vigilancia cuidadosa** ("watchful waiting"). La mayoría de los cánceres de próstata progresan durante años, no durante meses. Los hombres mayores de 70 años –cuya expectativa de vida es generalmente menos de 10 años debido a otras afecciones médicas– podrían ser aconsejados por sus médicos para que posterguen su tratamiento médico si se espera que el cáncer crezca lentamente y si no está causando síntomas.

A un hombre usualmente se le aconsejará que se someta a exámenes del PSA dos veces al año para determinar si el volumen de células cancerosas está aumentando. Debería además someterse a chequeos médicos con regularidad.

La autodefensa para las biopsias de la próstata

Asegúrese de que dos patólogos –uno de los cuales sea un experto en el campo– analicen los resultados de su biopsia. Hasta el 2% de las biopsias se interpretan mal, lo que podría significar que no se detecten indicios de cáncer. La probabilidad de cometer errores se reduce si dos médicos interpretan la biopsia.

Patrick C. Walsh, MD, urólogo jefe de los institutos médicos de la Universidad Johns Hopkins, en Baltimore.

Mejor detección del cáncer de próstata

Durante una típica biopsia de la próstata, se toman y se analizan seis muestras de células sospechosas. Sin embargo, esta técnica no detecta hasta uno de cada siete tumores malignos en la próstata.

Algunas investigaciones sugieren que tomar entre 10 y 12 muestras de células descubre un 14% más de cánceres. Las muestras adicionales implican mayores gastos de laboratorio, pero la nueva técnica podría ahorrar dinero y preocupaciones al eliminar la necesidad de biopsias de seguimiento.

Si tiene una cita para someterse a una biopsia de la próstata: Pídale a su médico que examine más muestras.

Robert Bahnson, MD, profesor y director de la división de urología del centro médico de la Universidad Ohio State, en Columbus.

Cuando una lectura alta del PSA no es un problema

Los niveles en la sangre del *antígeno específico de la próstata* (PSA, por sus siglas en inglés) podrían aumentar temporalmente debido a una inflamación en la próstata o a una eyaculación reciente.

Estudio: Casi el 50% de los hombres con lecturas del PSA altas –por encima de 4 nanogramos por mililitro (ng/mL)– en un examen tuvieron niveles normales en exámenes posteriores.

Si su nivel de PSA es alto: Espere al menos seis semanas antes de volver a someterse a un examen. Si la segunda lectura es normal, habrá evitado una biopsia innecesaria. De no ser así, cualquier pequeña demora en realizar más exámenes no importaría, ya que el cáncer de próstata usualmente progresa a un ritmo muy lento.

James A. Eastham, MD, cirujano urológico del centro oncológico Memorial Sloan-Kettering, en Nueva York. Su estudio de los niveles de PSA en 972 hombres fue publicado en el boletín *Journal of the American Medical Association*.

Tratamiento del cáncer de próstata

Sheldon Marks, MD, urólogo oncólogo con práctica privada en Tucson, Arizona. Es autor de *Prostate & Cancer: A Family Guide to Diagnosis, Treatment and Survival* (Perseus).

En el pasado, el 30% de los hombres diagnosticados con cáncer de próstata ya tenían una forma avanzada de la enfermedad. En la actualidad, sólo alrededor del 5% de los hombres diagnosticados con cáncer de próstata tienen una forma avanzada.

La razón: Hoy en día, más hombres se hacen rutinariamente un análisis de sangre para medir los niveles del *antígeno específico de la próstata* (PSA, por sus siglas en inglés). Las células de la próstata producen esta enzima en grandes cantidades cuando la glándula está irritada o dañada. Un nivel normal de PSA es de menos de 4 nanogramos por mililitro (ng/mL). Un nivel más alto sugiere la existencia de cáncer.

No cabe duda que el examen de PSA ayuda a detectar tumores en etapas precoces. Sin embargo, los médicos siguen debatiendo sobre si los hombres deberían someterse a un examen anual de PSA.

Argumento en contra: Frecuentemente el cáncer de próstata crece tan lentamente que representa poco peligro. Tratarlo en sus primeras etapas con cirugía o radiación –lo que puede causar impotencia e incontinencia– podría causar efectos peores que la enfermedad.

Argumento a favor: Cada año, unos 30.000 hombres mueren de cáncer de próstata, el cual es la segunda causa principal de muerte de los hombres (después del cáncer de piel). Recibir tratamiento antes de que la enfermedad se propague puede salvar miles de vidas.

¿Quién debería someterse a un examen anual de PSA? Los hombres mayores de 40 años que tengan un historial familiar de la enfermedad, y todos los hombres de más de 50 años.

El chequeo físico anual debería incluir un *examen de tacto rectal* ("digital rectal exam"). Al insertar un dedo enguantado en el recto, el médico puede detectar anomalías en la próstata.

Si el PSA o el examen de tacto rectal dan resultados anormales, el próximo paso es un examen de ultrasonido con una biopsia de la próstata. Si esto confirma la existencia del cáncer, el objetivo será hallar un tratamiento que maximice el tiempo de supervivencia a la vez que minimice los efectos secundarios.

ETAPAS Y GRADOS

La gravedad del cáncer de próstata se clasifica según etapas y grados. Las cuatro etapas (A, B, C y D) indican el tamaño de un tumor y la probabilidad de que aún esté confinado a la próstata o la medida en la que se podría haber extendido.

Los cánceres de próstata de grado bajo tienden a crecer lentamente, mientras que los de grado alto crecen rápidamente.

TUMORES DE "ETAPA A"

La mayoría de estos tumores se descubren durante la cirugía para aliviar problemas urinarios causados por la *hiperplasia prostática benigna* (BPH, por sus siglas en inglés) –el agrandamiento no canceroso de la próstata relacionado con la edad.

•**Etapa A1.** Tumor pequeño de grado bajo. Una opción excelente –especialmente para los hombres mayores de 65 años– es la "espera con vigilancia cuidadosa" ("watchful waiting"). Cada seis meses se realizan exámenes de PSA y de tacto rectal, y un análisis de orina para verificar si el cáncer está creciendo. De ser así, es el momento de comenzar el tratamiento.

Los hombres menores de 65 años deberían considerar el tratamiento antes. La extirpación quirúrgica de la próstata (prostatectomía radical) es frecuentemente la mejor opción.

Inconveniente N.º 1: La cirugía puede dañar los nervios que controlan la erección y los vasos sanguíneos que suministran al pene. Después de la cirugía, los hombres tienden a experimentar impotencia. La potencia con frecuencia tarda entre seis y 12 meses en volver. Pero en el 50% de los casos, la impotencia es permanente.

Las buenas noticias: Los medicamentos recetados para la impotencia, como *sildenafilo* (Viagra), *tadalafilo* (Cialis) y *vardenafilo* (Levitra), son útiles para los dos tercios de estos hombres. Entre otros tratamientos para la impotencia se incluyen el medicamento intrauretral *alprostadil* (Muse), dispositivos de vacío para la erección, autoinyecciones en el pene de *alprostadil* (Caverject) e implantes en el pene.

Inconveniente N.º 2: Muchos hombres experimentan semanas o meses de incontinencia después de la cirugía. Para unos pocos, el problema es permanente.

Los ejercicios Kegel antes y después de la cirugía pueden ayudar a controlar la incontinencia. Para hacerlos, contraiga repetidamente los músculos pélvicos, como si tratara de detener el flujo de orina, durante cinco minutos cada hora que esté despierto, hasta que deje de experimentar la incontinencia.

Dos métodos de radiación son también posibles alternativas a la cirugía…

●**La radiación de haz externo** ("external beam radiation") se dirige a la próstata en un tratamiento de 10 a 15 minutos diariamente. Usualmente consiste en cinco sesiones a la semana durante siete semanas.

●**Terapia intersticial de semillas** ("interstitial seed therapy"). Diminutas semillas radiactivas se implantan en la próstata.

Hasta el 50% de los hombres que se someten a la terapia de radiación de haz externo se vuelven impotentes. El índice puede ser mucho más bajo con la terapia de semillas.

●**Etapa A2.** Cáncer agresivo de grado alto. Los pacientes menores de 70 años deberían considerar la prostatectomía radical… los hombres mayores de 70 años, la radiación.

Los hombres mayores de 75 años que tengan problemas de salud deberían evitar este tipo de tratamiento u optar por la terapia de reemplazo hormonal.

Las hormonas masculinas (andrógenos) –que podrían estimular el crecimiento del cáncer– se eliminan al extirpar los testículos… o con inyecciones de medicamentos que bloquean las hormonas.

En la mayoría de los hombres, la hormonoterapia causa impotencia permanente. Pero un medicamento de hormonas, *bicalutamide* (Casodex), bloquea la capacidad del cuerpo de usar los andrógenos a la vez que preserva la potencia.

●**Etapa A3.** Tumor descubierto mediante un PSA alto. La cirugía o la radiación son con frecuencia las mejores opciones si se espera que el paciente viva 10 años o más.

TUMORES DE "ETAPA B"

Estos cánceres, descubiertos mediante el examen de tacto rectal, están confinados a la próstata.

●**Etapa B1.** Cáncer en un lado de la próstata. Para quienes tienen una expectativa de vida de más de siete años, la prostatectomía radical es frecuentemente la mejor opción.

Segunda opción: Radiación. Pero los hombres octogenarios y con mala salud podrían preferir la espera con vigilancia cuidadosa o la hormonoterapia.

●**Etapa B2.** Cáncer en ambos lados de la próstata, sin evidencia de diseminación fuera de la glándula.

Mejor tratamiento: Para los hombres menores de 70 años, la cirugía tiende a ser la mejor opción. Para los mayores de 70 años, la radiación es usualmente mejor.

Si elige la radiación, consulte a su oncólogo acerca de un tratamiento previo con inyecciones de hormonas. Ocho o nueve meses de estas inyecciones, seguidas por la radiación, son más eficaces que la radiación sola.

TUMORES DE "ETAPA C"

El cáncer está creciendo fuera de la glándula, en la grasa que la rodea o en otras áreas cercanas. No se ha diseminado a los ganglios linfáticos ni a los huesos.

Hombres menores de 65 años: La cirugía es con frecuencia mejor porque puede eliminar casi todo el cáncer. El "tratamiento escalonado" –cirugía, seguida de radiación si el cáncer vuelve– es también una opción.

Hombres mayores de 65 años: La radiación es con frecuencia lo mejor. Puede detener el cáncer tanto en la próstata como en el tejido circundante. La hormonoterapia es una alternativa para los hombres con expectativas de vida de menos de cinco años.

TUMORES DE "ETAPA D"

El cáncer se ha diseminado a los ganglios linfáticos o a los huesos. En la etapa D1, el cáncer aún está dentro de la pelvis. En la etapa D2, se ha dispersado más allá.

En la etapa D, el objetivo es controlar la dispersión de la enfermedad.

Mejor método: Hormonoterapia. Para los hombres menores de 65 años, debería acompañarse de citorreducción quirúrgica, la extirpación quirúrgica de todo lo posible del tumor.

Para los hombres mayores de 65 años, la hormonoterapia sola es usualmente la mejor opción.

ESTRATEGIAS NUTRICIONALES

•**Evite la carne de vaca y otras carnes grasosas,** y los productos lácteos enteros. Estos alimentos pueden estimular el crecimiento del cáncer. La carne de vaca además aumenta el dolor causado por el cáncer en etapa avanzada.

•**Consuma tomates,** uvas rojas, jugo de uvas rojas ("red grape juice"), vino tinto (una copa al día), pimientos (ajíes, "bell peppers") rojos, sandía y fresas (frutillas, "strawberries"). Contienen *licopeno,* un pigmento rojo que puede enlentecer el crecimiento del cáncer.

•**Consuma soja** ("soy"). Los alimentos de soja contienen *fitoestrógenos,* compuestos que pueden enlentecer el cáncer.

•**Beba té verde.** Contiene varios antioxidantes que combaten el cáncer. Beba cuatro o cinco tazas al día, o tome el equivalente en cápsulas de extracto de té verde.

•**Consulte a su médico acerca de tomar un suplemento diario** que contenga 200 microgramos (mcg) de selenio ("selenium"). Esto podría enlentecer el cáncer.

También puede obtener selenio de los productos de granos integrales (como pan, pasta y cereales fortificados), carnes de órganos (como hígado), pescado y nueces del Brasil (castañas del Brasil, "Brazil nuts"). Una porción de tres onzas (85 g) de pescado, por ejemplo, contiene entre 40 y 70 mcg de selenio.

Asegúrese de hablar con su médico antes de tomar cualquier suplemento nutricional.

RECURSOS ÚTILES

El boletín informativo Prostate Forum es el más preciso y actualizado sobre la nutrición y el cáncer de próstata. Llame al 800-305-2432.

Precio: $55 por 12 números.

Además, visite estos útiles sitios en Internet:

•***www.auafoundation.org/espanol.*** El sitio Web de la American Urological Association Foundation contiene información exhaustiva y actualizada sobre el cáncer de próstata y las investigaciones realizadas.

•***www.prostatepointers.org.*** Prostate Pointers es un recurso minucioso en inglés para pacientes recientemente diagnosticados.

Las últimas opiniones sobre la hormonoterapia

JoAnn E. Manson, MD, DrPH, profesora de medicina y de salud de la mujer en la facultad de medicina de la Universidad Harvard, y jefa de medicina preventiva en el hospital Brigham and Women's, ambos en Boston. Es una de las principales investigadoras de dos estudios sumamente influyentes sobre la salud de la mujer –Women's Health Initiative y Harvard Nurses' Health Study, y autora, con Shari Bassuk, ScD, de Hot Flashes, Hormones & Your Health (McGraw-Hill).

Los bochornos (calores repentinos, sofocos, "hot flashes") pueden llegar en los momentos más inconvenientes, empapando su ropa... la sudoración nocturna puede quitar el sueño... y la resequedad vaginal puede hacer que el sexo sea doloroso. ¿Qué puede hacer una mujer menopáusica?

Sorpresa: La hormonoterapia (HT), descartada por muchos en el campo de la medicina, podría ser la mejor respuesta para algunas mujeres. Cinco años después de que importantes estudios indicaran que la HT aumentaba el riesgo de padecer problemas cardiovasculares y de contraer cáncer de mama –causando que las mujeres en Estados Unidos echaran sus recetas para la HT a la basura– la HT vuelve a estar en auge.

Nuevos descubrimientos: Los últimos estudios, junto a las revaluaciones de investigaciones anteriores, han ayudado a clarificar los riesgos y beneficios de la HT. La HT sigue siendo el tratamiento más eficaz para síntomas como bochornos y sudoración nocturna.

Alrededor del 80% de las mujeres en Estados Unidos experimentan bochornos durante la menopausia. Un episodio típico dura entre uno y cinco minutos, aunque pueden ocurrir "olas de calor" de una hora de duración. Durante un ataque serio de bochornos, la mujer se siente como si la estuviera consumiendo un fuego interno... la piel se enrojece y puede transpirar excesivamente... el corazón puede latir fuertemente... puede sentirse confundida o aturdida... y podría experimentar una vaga sensación de temor. Las mujeres menopáusicas pueden tener varios bochornos cada día, y algunas tienen 10 o más. Los episodios pueden persistir por unos cuatro años –sumando un total de hasta 15.000 bochornos. Mi opinión es que, para más o menos una de cada cuatro mujeres, los síntomas son lo suficientemente fuertes como para merecer un tratamiento.

PERO, ¿ES SEGURA LA HORMONOTERAPIA?

El término *hormonoterapia* se usa con frecuencia para referirse al reemplazo de estrógeno solo o a una combinación de estrógeno y un medicamento similar a la progesterona. Muchos se refieren a todos los medicamentos de reemplazo de progesterona como *progestinas,* aunque el término general preciso es *progestágenos,* el cual incluye las formas naturales y sintéticas. Las mujeres que tuvieron una histerectomía pueden tomar el estrógeno solo. De lo contrario, el estrógeno se da con progestágeno como protección contra el cáncer de útero.

Escoger el momento oportuno es clave para la seguridad en la HT. Los riesgos de coágulos y de ataques al corazón y al cerebro relacionados con la HT son bajos en mujeres menopáusicas recientes que tienen buena salud cardiovascular. Además, el riesgo de contraer cáncer de mama no aumenta mucho hasta que la mujer ha tomado hormonas durante cuatro o cinco años. La mayoría de las mujeres no necesitan HT durante tanto tiempo –los síntomas de la menopausia con frecuencia ya han disminuido anteriormente.

Factor esencial: El tiempo transcurrido desde su último periodo menstrual. Se llega a la menopausia cuando han pasado 12 meses consecutivos sin un periodo. Cuanto más tiempo ha pasado desde la menopausia y cuantos más factores de riesgo de padecer enfermedad del corazón y de contraer cáncer de mama tenga usted, más riesgosa será la HT.

Éstas son las últimas opiniones...

• **Enfermedad del corazón.** Las mujeres que comenzaron la HT hasta 10 años después de la menopausia y la siguieron durante siete años solían tener un riesgo menor de enfermedad del corazón que las mujeres que tomaron un placebo. Las mujeres que comenzaron más de 10 años después de la menopausia solían tener un riesgo mayor. Cuanto mayor era la mujer, mayor era el riesgo.

• **Ataque cerebral** ("stroke"). En todas las edades estudiadas, la HT aumentó el riesgo de tener un ataque cerebral, pero para las mujeres más jóvenes, el riesgo total permaneció bajo –aumentó en aproximadamente dos casos al año por cada 10.000 mujeres.

• **Cáncer de mama.** Las mujeres de todas las edades que tomaron estrógeno con progestina tuvieron un mayor riesgo de contraer cáncer de mama después de cuatro años de uso. El uso durante más tiempo aumentó su riesgo. Las mujeres que tomaron sólo estrógeno durante siete años no tuvieron un riesgo mayor de contraer cáncer de mama (la terapia con estrógeno sólo es adecuada únicamente para las mujeres que hayan tenido una histerectomía).

• **Fracturas de huesos.** El estrógeno claramente reduce el riesgo de tener fracturas de huesos. Sin embargo, este beneficio requiere una HT a largo plazo, por lo que los expertos ya no la recomiendan para tratar la osteoporosis.

OPCIONES ACTUALES

Si usted y su médico deciden que la HT es adecuada para usted, considere las opciones específicas...

• **Estrógeno.** Para el alivio de los bochornos, están disponibles las píldoras diarias... parches transdérmicos en el cuerpo... y gel, espray o crema transdérmicos aplicados una o dos veces al día. Quizá sea menos probable que el estrógeno transdérmico aumente el riesgo de coágulos. La mayoría de los médicos está de acuerdo en que el progestágeno también es necesario con el estrógeno, a menos que una mujer haya tenido una histerectomía.

•**Progestágeno.** Puede tomarse oralmente. También están disponibles las cremas de uso externo y los geles vaginales.

•**Opciones vaginales.** Para las mujeres cuyos síntomas están limitados a resequedad vaginal y molestias durante el acto sexual, entre las opciones se incluyen anillos, supositorios y cremas vaginales. Desde mi punto de vista, es prudente interrumpir el uso de estrógeno vaginal por unas semanas cada tres a seis meses, o agregar progestágeno intermitentemente.

•**Hormonas bioidénticas.** Estas hormonas son elaboradas en laboratorios con la estructura molecular idéntica a la de las hormonas producidas por el cuerpo humano. Algunas personas creen que son más seguras que las hormonas convencionales usadas más ampliamente –pero no se han realizado pruebas a gran escala para corroborar esta creencia.

Pautas de uso: Comience con la menor dosis recomendada. Si los síntomas no disminuyen dentro de cuatro semanas, consulte al médico. Podría tener que aumentar su dosis gradualmente hasta hallar la dosis adecuada para usted. Yo recomiendo que el tiempo total en el que siga la HT sea de menos de cinco años.

Mejor detección del cáncer de mama

Las mamografías ("mammograms") junto al ultrasonido ayudan a detectar pequeños cánceres en tejidos densos del pecho, que ocurren en casi la mitad de las mujeres. En los tejidos más densos del pecho, las mamografías detectan menos de la mitad de todos los tumores invasivos.

Al agregar el ultrasonido, el índice de detección aumenta al 97%.

Thomas M. Kolb, MD, radiólogo con práctica privada en Nueva York, y líder de un estudio sobre la detección de cáncer de mama en 11.220 mujeres, publicado en la revista médica *Radiology*.

Alimentos que previenen el cáncer de mama

Las batatas (boniatos, camotes, papas dulces, "sweet potatoes"), las zanahorias, los albaricoques (damascos, "apricots"), la espinaca y otros alimentos ricos en betacaroteno ayudan a prevenir el cáncer de mama. En un estudio, el riesgo de contraer cáncer de mama fue un 68% menor en las mujeres que consumían la mayor cantidad de betacaroteno que en las que consumían la menor cantidad.

Revista *Prevention*, 33 E. Minor St., Emmaus, Pensilvania 18098.

Las zanahorias combaten el cáncer de ovario

Un estudio demostró que las mujeres que comieron sólo cuatro "palitos" ("sticks") de zanahoria al menos cinco veces a la semana disminuyeron a la mitad su riesgo de contraer cáncer de ovario.

Teoría: El betacaroteno, el nutriente que se encuentra en las zanahorias y que les da su color naranja, ayuda a prevenir el cáncer con sus poderosas propiedades antioxidantes.

Las buenas noticias: Otros alimentos de color naranja, entre ellos, albaricoques (damascos, "apricots"), batatas (boniatos, camotes, papas dulces, "sweet potatoes"), melón ("cantaloupe"), calabacita de invierno amarilla ("butternut squash") y calabaza "pumpkin", también son ricos en betacaroteno.

Daniel W. Cramer, MD, profesor de obstetricia y ginecología de la facultad de medicina de la Universidad Harvard y del hospital Brigham and Women's, ambos en Boston. Su estudio fue publicado en el *International Journal of Cancer*.

Nuevo análisis eficaz de las pruebas de Papanicolaou

Los pruebas de Papanicolaou ("Pap smears") a veces se interpretan mal. Cada año, se les informa a 500.000 mujeres estadounidenses que sus pruebas de Papanicolaou son normales cuando en realidad no lo son.

Resultado: Estas mujeres no reciben el diagnóstico y el tratamiento apropiados para el cáncer cervical en sus etapas más precoces y tratables.

Las buenas noticias: La agencia federal Food and Drug Administration (FDA) ha aprobado *Papnet*, un método computadorizado que reanaliza los resultados de las pruebas de Papanicolaou y que identifica al menos 7,1 veces más "negativos falsos" que al reanalizarlos manualmente.

Klaus Schreiber, MD, profesor de patología del centro médico Montefiore de la facultad de medicina Albert Einstein, en El Bronx, ciudad de Nueva York.

Detección adecuada del cáncer de colon

Samuel Meyers, MD, profesor clínico de medicina de la facultad de medicina Mount Sinai, en Nueva York. Es coautor del texto médico *Bockus Gastroenterology* (W.B. Saunders).

Si alguien le dice que un examen médico de 20 minutos literalmente podría salvarle la vida, ¿no sería tonto rehusarse a hacerlo? Por desgracia, millones de estadounidenses hacen exactamente eso al no someterse periódicamente a un examen para detectar el cáncer de colon.

Resultado: Cada año, alrededor de 45.000 estadounidenses mueren innecesariamente de esta enfermedad. Nueve de cada diez muertes de cáncer de colon podrían evitarse.

Esto es lo que usted debe saber para protegerse del cáncer de colon...

LAS PRUEBAS DE DETECCIÓN SÍ FUNCIONAN

Casi todos los tumores malignos del intestino grueso y del recto comienzan siendo *pólipos premalignos,* tumores planos o con forma de hongo que son inocuos pero que podrían volverse cancerosos. Si se detecta y se extirpa un pólipo, el cáncer no se desarrollará. Ésa es la razón por la cual la detección –someterse a exámenes con regularidad para detectar pólipos o cáncer en sus etapas precoces– es crucial.

Las pautas más recientes para la detección, publicadas por la US Multisociety Task Force on Colorectal Cancer, recomiendan las pruebas de detección para *todos* los hombres y mujeres a partir de los 50 años. Si usted ya ha tenido una cirugía para extirpar pólipos o del cáncer de colon –o si tiene una enfermedad inflamatoria intestinal, como colitis ulcerativa o enfermedad de Crohn–, su riesgo de contraer cáncer de colon aumenta y debería someterse a una colonoscopia según un calendario planificado por su médico*.

Opciones para la detección...

• **Colonoscopia cada 10 años.** Este examen de detección es el más preciso y ha demostrado que previene entre el 85% y el 90% de los tumores malignos del colon. En la actualidad, muchos planes de seguro de salud pagan por la colonoscopia para la detección, como lo hace Medicare. Sin seguro de salud, el procedimiento cuesta unos $3.000.

La colonoscopia tiene la reputación de ser embarazosa y dolorosa. Sin embargo, estas críticas son exageradas y engañosas. De hecho, muchos pacientes dicen que la colonoscopia no es ni cercanamente tan mala como habían esperado.

Lo que implica: Mientras está sedado, un tubo flexible de media pulgada (un cm) de diámetro que emplea óptica de video digital se inserta por el ano y pasa por el intestino

*La persona con un pariente cercano (padres, hermanos o hijos) que ha tenido cáncer de colon o pólipos debería comenzar a someterse a colonoscopias con regularidad a partir de los 40 años (o cinco años antes del diagnóstico más temprano en la familia). Si tiene dos parientes cercanos con la enfermedad, sométase a una colonoscopia cada cinco años. Si tiene tres parientes cercanos, debería recibir asesoramiento genético y posiblemente comenzar las colonoscopias a los 25 años o aun antes.

grueso, permitiéndole al médico ver todo el revestimiento del colon en una pantalla de video. El procedimiento usualmente lleva no más de 20 minutos.

Muchas personas hallan que la preparación, que incluye laxantes para vaciar el intestino, es más desagradable que la misma colonoscopia.

Hasta hace poco, el método de preparación habitual para el intestino consistía en beber la noche anterior, cuatro litros de una solución para limpiar el colon que tenía un mal sabor, como Golytely. *Hoy en día, los productos nuevos hacen que el proceso sea menos desagradable...*

•*Phosphosoda* (fosfato de sodio) también tiene mal sabor, pero sólo tiene que tomar varias cucharadas disueltas en un líquido la noche anterior y la mañana del procedimiento.

Útil: Aunque se puede mezclar con cualquier líquido transparente, la mayoría de los pacientes la mezclan con gaseosa "ginger ale" para que sea más gustosa.

•*Visicol* contiene los mismos ingredientes pero en forma de tableta. En vez de beber una solución líquida, se traga un total de 40 tabletas en varias dosis.

Útil: Cualquiera sea el método de preparación del intestino que utilice, consuma al menos tres vasos de ocho onzas (235 ml) de líquido la noche anterior como ayuda para prevenir la deshidratación. Usted puede beber cualquier líquido, pero Gatorade, que contiene electrolitos, es preferible.

•**Sigmoidoscopia cada cinco años.** Este examen es menos invasivo que la colonoscopia y requiere menos preparación (como, por ejemplo, un enema la noche anterior y la mañana del procedimiento) y ninguna sedación. Pero como este procedimiento es menos exhaustivo que la colonoscopia, identifica sólo el 50% de los tumores malignos en el colon.

Lo que implica: El mismo tubo flexible que se usa en la colonoscopia se inserta y pasa por el tercio inferior del intestino grueso (colon sigmoide), donde aparecen la mitad de los tumores.

La sigmoidoscopia puede ser conveniente para las personas que no quieren ser sedadas. Este procedimiento, que cuesta unos $400, es además menos costoso que la colonoscopia.

Importante: En un día subsiguiente, usted debería volver para someterse a un enema de bario, seguido de rayos X, para permitirle al médico ver los dos tercios restantes del colon. Las radiografías con bario cuestan unos $500.

Aunque la sigmoidoscopia combinada con las radiografías con bario examina todo el colon, sigue siendo menos precisa que la colonoscopia.

•**Examen de sangre oculta en las deposiciones cada año.** Las personas que no desean someterse a la colonoscopia o la sigmoidoscopia pueden optar por este examen. Es la opción de detección menos precisa y sólo reduce el índice de cáncer de colon en un tercio.

Precio usual: $5.

Lo que implica: Se aplica una sustancia química a las muestras de deposiciones para detectar rastros de sangre, lo que sugeriría la presencia de pólipos o tumores. No se requiere ninguna preparación, pero usted debe evitar ciertos alimentos (como carne roja y bróculi –"broccoli") durante tres días y medicamentos (como aspirina) durante una semana antes del examen para asegurar la precisión. Como el examen detecta sangre, tomar aspirina, que puede causar sangrado interno, podría resultar en un positivo falso.

Algunas personas piensan que el procedimiento es desagradable porque implica untar pequeños trozos de sus propias deposiciones en un cartón especialmente tratado. Y si se detecta sangre, deberá someterse a una colonoscopia.

OTRA ALTERNATIVA

La colonoscopia virtual usa la *tomografía computadorizada* ("CT", por sus siglas en inglés) para proporcionar imágenes radiográficas detalladas del colon. Es relativamente no invasiva, no requiere sedación y puede hacerse en el consultorio de su radiólogo. Requiere el mismo tipo de preparación que la colonoscopia.

Este examen es menos preciso que la colonoscopia convencional –detecta entre el 75% y el 80% de los pólipos de más de un centímetro, pero sólo entre el 40% y el 50% de los más pequeños. Las compañías de seguros de salud generalmente no pagan por este examen.

Precio usual: entre $400 y $800.

Podría ser una buena opción para las personas que padecen enfermedad del corazón o de los pulmones, para quienes la sedación puede ser riesgosa.

El hierro aumenta el riesgo de cáncer de colon

Si forma parte del 15% de estadounidenses que están genéticamente predispuestos a contraer cáncer de colon –una afección determinada por exámenes genéticos–, consumir demasiado hierro aumenta el riesgo de contraer cáncer de colon en hasta un 40%.

Teoría: Grandes cantidades de hierro pueden dañar el ADN (DNA), posiblemente provocando cáncer de colon. Entre los alimentos ricos en hierro se incluyen el hígado, los pescados y mariscos y la harina enriquecida ("enriched flour").

Es necesario realizar más estudios para determinar el consumo apropiado de hierro para las personas predispuestas al cáncer de colon.

Nicholas J. Shaheen, MD, MPH, profesor adjunto de medicina y epidemiología de la facultad de sanidad pública de la Universidad de Carolina del Norte, en Chapel Hill.

Cáncer de piel: Mitos y realidades

Barney J. Kenet, MD, cirujano dermatólogo, especializado en cáncer de la piel, del hospital New York-Presbyterian y de la facultad de medicina Weill de la Universidad Cornell, en Nueva York, y coautor (con Patricia Lawler) de *Saving Your Skin–Prevention, Early Detection, and Treatment of Melanoma and Other Skin Cancers* (Four Walls Eight Windows).

Todos sabemos que la exposición excesiva al sol es peligrosa, sin embargo hasta el 50% de las personas mayores de 65 años son diagnosticadas con melanoma o algún otro tipo de cáncer de piel.

¿Por qué? Incluso las personas que están bien informadas acerca de la salud se sienten confundidas con respecto a las mejores maneras de proteger la piel adecuadamente.

Los mitos más peligrosos…

Mito N.º 1: **Una sombrilla de playa mantiene a una persona a salvo del sol.**

Realidad: Cuando está en la playa, un gran porcentaje de la luz ultravioleta (UV) rebota en la arena hacia la piel –aun cuando se encuentra bajo una sombrilla. El agua y la nieve tienen el mismo efecto reflectante.

Cuando esté sentado bajo una sombrilla o en un bote, aplique un protector solar a todas las áreas expuestas de la piel, incluyendo su cara y su cuello –aun si está usando un sombrero con ala. Cuando esté esquiando, aplique protector solar a la cara y el cuello.

Mito N.º 2: **El protector solar con un factor de protección solar (FPS o SPF, por sus siglas en inglés) de 45 es tres veces más eficaz que uno con SPF de 15.**

Realidad: La mayoría de los médicos recomiendan usar un protector solar con un SPF de al menos 15. Un SPF mayor no brindará mucha protección adicional. Un protector solar con un SPF de 45 es sólo alrededor de un 5% más protector que uno con un SPF de 15. El protector solar con un factor más alto además no dura más tiempo.

Todos los protectores solares se deben volver a aplicar cada dos horas –y cada vez que se exponga al agua. Esto es necesario aun con los protectores solares "a prueba de agua" ("waterproof") que proporcionan algo de protección al nadar, pero que también se deben volver a aplicar.

Asegúrese de que la etiqueta del protector solar afirme que es de "amplio espectro" ("broad spectrum"), lo que significa que bloquea los rayos ultravioleta A (UVA) y también los rayos ultravioleta B (UVB). Busque dióxido de titanio ("titanium dioxide") o Parsol 1789 en la lista de ingredientes.

Mito N.º 3: **El protector solar proporciona protección completa del sol.**

Realidad: Aunque el protector solar es esencial, hay otras medidas que también debe tomar. La más importante es minimizar la exposición al sol entre las 10 am y las 4 pm, cuando los rayos del sol son más intensos. Vaya a la playa temprano por la mañana o en las últimas horas de la tarde.

Para proteger las áreas que comúnmente se descuidan, asegúrese de usar...

• **Bálsamo labial protector de rayos UV** con un SPF de 15 o mayor.

• **Un sombrero con un ala de tres pulgadas (8 cm).** Los sombreros de béisbol no protegen las orejas ni la parte de atrás del cuello, los cuales son lugares comunes del cáncer de piel, especialmente para los jugadores de golf o de tenis.

• **Anteojos (gafas) de sol protectores de rayos UV.** La exposición a la luz UV puede causar cataratas.

• **Ropa protectora del sol.** Los rayos UV pueden penetrar muchas telas, incluyendo el algodón. Si sostiene una prenda en alto hacia una luz y puede ver el contorno de la bombilla que brilla a través de la tela, entonces esa prenda no le proporcionará adecuada protección del sol.

Muchas compañías ahora ofrecen prendas livianas con tejidos estrechos que han sido diseñadas para comodidad y protección máxima.

Ejemplo: Ropa protectora del sol con SPF de 30+ de marca Solumbra (800-882-7860, *www.sunprecautions.com*).

Si va a estar afuera y no tiene ropa especial, asegúrese de usar protector solar bajo su camisa.

Mito N.º 4: El historial familiar es la mejor indicación del riesgo de contraer cáncer de piel.

Realidad: Un historial familiar de cáncer de piel es un importante factor de riesgo –pero el factor más importante es su propio tipo de piel. Las personas que tienen piel y ojos claros (azules o verdes) y pecas tienen el mayor riesgo de contraer todos los tipos de cáncer de piel y sufrir daños en la piel relacionados con el sol, como las arrugas.

Las personas con muchos lunares, pecas y manchas ocupan el siguiente lugar en el riesgo de contraer cáncer de piel, seguidas por las personas con un historial familiar de cáncer de piel. Si tiene cualquiera de estos factores

de riesgo, debe controlar cuidadosamente su exposición al sol.

Cuando la piel se expone a la luz del sol, aumenta la producción de *melanina,* el principal pigmento de la piel, en el cuerpo. Esto resulta en el bronceado, en el cual un color marrón aparece en la piel. Cuanto más difícil sea para usted broncearse, más vulnerable es al cáncer de piel.

Si tiene una piel oscura, se broncea fácilmente y no tiene lunares ni un historial familiar de cáncer de piel, su riesgo es bajo, pero debería igualmente protegerse del sol.

Mito N.º 5: Formar una "base" bronceada protege de las quemaduras del sol.

Realidad: No existe un bronceado "seguro". La exposición a la luz UV aumenta el riesgo de por vida de contraer cáncer de piel y otros daños en la piel. En vez de exponerse a los rayos antes de las vacaciones, protéjase siguiendo las reglas descritas en este artículo.

Mito N.º 6: Los productos "autobronceadores" ayudan a proteger contra las quemaduras del sol.

Realidad: Los productos autobronceadores ("self-tanning") son totalmente seguros y son una buena manera de parecer bronceado sin ningún tipo de exposición al sol. Sin embargo, los tintes en estos productos no ofrecen protección contra la luz UV. Algunos de estos productos sí contienen protector solar, pero generalmente proporcionan sólo dos horas de protección después de la aplicación.

Mito N.º 7: El melanoma ocurre sólo donde la piel se ha expuesto al sol.

Realidad: La exposición al sol es sólo una de las causas posibles del melanoma. Por razones desconocidas, los lunares cancerosos también pueden desarrollarse bajo el brazo, entre las nalgas o entre los dedos o en la planta del pie. Si tiene un lunar, una mancha o pecas *en cualquier lugar* del cuerpo que muestre un cambio súbito en tamaño, forma o color, hágalo revisar por un dermatólogo.

Mito N.º 8: El melanoma es siempre mortal.

Realidad: Cuando se limita a las capas externas de la piel, el melanoma tiene un índice de curación del 100%. Por eso es importante hacerse mensualmente un autoexamen de toda la superficie de la piel usando un espejo de cuerpo entero y uno de mano.

Además, debería someterse anualmente a un examen de detección efectuado por un dermatólogo (dos veces al año, si tiene factores de riesgo de cáncer de piel). Durante el examen, el médico debería usar *epiluminiscencia microscópica*. Esta técnica, que consiste en examinar lunares con un microscopio manual, detecta el melanoma con más prontitud que nunca antes.

Los casos de melanoma están aumentando

Catherine Poole, periodista y sobreviviente de melanoma que reside en Glenmoore, Pensilvania. Es coautora (con DuPont Guerry IV, MD, director del programa de melanoma del Comprehensive Cancer Center de la Universidad de Pensilvania, en Filadelfia) de *Melanoma: Prevention, Detection & Treatment* (Yale University Press).

La incidencia de la mayoría de los tipos de cáncer está disminuyendo en la actualidad, pero la de melanoma está aumentando. Los investigadores creen que el agotamiento continuo en la atmósfera de la capa de ozono –que bloquea la luz ultravioleta que causa cáncer– juega un papel en este aumento.

Yo tenía 38 años cuando me enteré que tenía melanoma. Por casualidad miré la parte de atrás de mi pierna derecha y vi lo que parecían diminutas burbujas negras saliendo de una marca que creía que era un lunar inocuo.

Consciente de que un cambio obvio en un lunar puede ser un indicio del cáncer de piel, consulté a un dermatólogo que encargó una biopsia, la cual confirmó nuestras sospechas.

Tuve suerte –mi melanoma aún no se había diseminado a los ganglios linfáticos ni a ningún órgano. Me sometí a la cirugía para extirpar las células cancerosas. Actualmente, varios años después, no tengo cáncer.

PREVENCIÓN DEL MELANOMA

El melanoma es menos común que los otros dos tipos de cáncer de piel: *carcinoma de las células basales* y *carcinoma de las células escamosas.*

Estos cánceres –caracterizados por protuberancias rosadas o áreas escamosas y elevadas– pueden usualmente erradicarse mediante la cirugía ambulatoria.

Debido a que tiende a diseminarse (metastatizar), el melanoma es mucho más mortal. Quince por ciento de quienes lo tienen al final sucumben –a pesar de avances recientes en el tratamiento.

Para disminuir su riesgo: Minimice su exposición al sol. Siempre que vaya a salir, póngase un sombrero con ala ancha y protector solar con un factor de protección solar (FPS o SPF, por sus siglas en inglés) de al menos 15… y busque la sombra cuando la luz del sol es más brillante (entre las 11 am y las 3 pm).

CÓMO CALCULAR SU RIESGO

El melanoma afecta casi exclusivamente a caucásicos. Cuantas más probabilidad tenga de tener pecas o de quemarse, mayor es su riesgo.

Otros factores de riesgo…

•**Exposición excesiva al sol,** especialmente antes de los 10 años de edad.

•**Un historial familiar o personal de cualquier tipo de cáncer de piel.**

•**Un gran número de lunares…** o la presencia de lunares grandes y planos. Muchas personas piensan que los lunares están presentes desde el nacimiento. De hecho, aparecen durante la niñez –en reacción a la exposición al sol.

Son pocas las probabilidades de que cualquier lunar se vuelva canceroso, pero todos los lunares en el cuerpo deberían ser monitorizados.

SEÑALES DE RIESGO

Consulte al médico al primer indicio de que pueda tener un melanoma. *Aquí tiene el "ABCDario" de lo que hay que buscar…*

•**Asimetría.** En el típico melanoma, la mitad del lunar parece diferente a la otra mitad.

•**Bordes irregulares.** Los melanomas tienden a tener bordes aserrados en vez de redondeados u ovalados.

•**Color variado.** Los lunares normales son usualmente de un color. Los melanomas son, con frecuencia, mezclas de color castaño (habano), marrón, marrón oscuro, rosado, negro, blanco, y hasta azul.

•**Diámetro en exceso de un cuarto de pulgada (6 mm).** Los lunares comunes difícilmente crezcan más que eso. Si el lunar tiene tres octavos de pulgada (un cm) o más, haga que lo revise un médico.

Como algunos melanomas son elevados, los especialistas en melanomas recientemente agregaron una *"E"* (por elevación) al "ABCDario" del melanoma. Cualquier lunar que desarrolle una protuberancia o se eleve debería ser revisado de inmediato.

LA DETECCIÓN PRECOZ ES LA CLAVE

Como parte de *todo* chequeo de rutina, su médico debería realizar un examen visual completo de la piel. Si el médico se saltea este examen –y muchos lo hacen– pídale que se lo haga.

Si su riesgo de tener melanoma es muy alto, tal vez debería someterse a los exámenes de la piel cuatro veces al año, preferentemente efectuados por un dermatólogo.

Para hallar un buen dermatólogo en su zona, comuníquese con la American Academy of Dermatology, 888-462-3376, *www.aad.org.*

También esencial: Los autoexámenes de la piel *entre* consultas al médico. Para la mayoría de las personas, los autoexámenes ocasionales son adecuados. Si tiene un riesgo alto, los autoexámenes deberían hacerse mensualmente.

Sométase a los exámenes en una habitación bien iluminada, usando un espejo de cuerpo entero, un espejo de mano y una linterna.

Examine cada centímetro de su cuerpo, incluyendo los hombros, las axilas, la parte de atrás del cuello y la planta de los pies.

Si tiene una pareja, pídale que lo ayude a revisar las zonas del cuerpo que son difíciles de ver.

Si en un autoexamen descubre un lunar sospechoso, consulte al médico de inmediato.

DIAGNÓSTICO Y TRATAMIENTO

La mejor manera de examinar tejidos sospechosos es mediante una biopsia *por escisión,* en la cual toda la lesión se extirpa y se examina.

Si la lesión es en la cara u otra zona sensible estéticamente, una biopsia *por incisión* menos amplia será suficiente.

Si tiene melanoma, el tratamiento depende de lo avanzado que esté…

•**El melanoma en las etapas I y II** aún no se ha diseminado. Usualmente puede curarse mediante la extirpación quirúrgica del tejido afectado.

El índice de supervivencia en cinco años para el melanoma precoz es del 95%.

•**El melanoma en la etapa III** se ha diseminado a los ganglios linfáticos cercanos. El tratamiento consiste en la extirpación quirúrgica del melanoma y los ganglios linfáticos afectados, seguido con frecuencia por la quimioterapia.

El índice de supervivencia en cinco años para el melanoma en etapa III es de alrededor del 50%.

•**El melanoma en la etapa IV** se ha extendido a los órganos distantes. El tratamiento consiste en la extirpación quirúrgica de todas las metástasis en la región, combinado con la quimioterapia que usa el medicamento llamado *interferón alfa.*

El índice de supervivencia en cinco años para el melanoma en etapa IV es de alrededor del 5%.

Para obtener información sobre la atención de última generación para el melanoma, comuníquese con el National Cancer Institute llamando al 800-422-6237 o yendo al sitio Web *www.cancer.gov/espanol.*

Detección más eficaz del melanoma

La *tomografía por emisión de positrones* (PET, por sus siglas en inglés) ayuda a identificar los cánceres agresivos, como el melanoma, que no son fáciles de detectar con los métodos convencionales de detección.

Cómo funciona: Los PET detectan sitios con tumores al identificar grandes cantidades de azúcar en la sangre (glucosa). Las células malignas usan glucosa para impulsar la división de las células.

La autodefensa: Los pacientes con melanoma deberían consultar al médico acerca de someterse a exámenes PET para detectar la reaparición de la enfermedad.

Mary S. Brady, MD, médica del centro oncológico Memorial Sloan-Kettering, en Nueva York.

Lugares más comunes donde aparecen los melanomas

No se olvide de la parte de atrás de las piernas y la espalda al aplicar filtro solar. Estos son los sitios más comunes donde aparece el melanoma, el tipo más mortal del cáncer de piel.

Otros lugares frecuentemente pasados por alto: La raya donde se parte el cabello y la parte de arriba de las orejas.

Use un filtro solar a prueba de agua y de amplio espectro ("waterproof, broad-spectrum sunscreen") –lo que significa que bloquea los rayos UVA y UVB– con un factor de protección solar (FPS o SPF, por sus siglas en inglés) de al

menos 15. Aplíquelo 20 minutos antes de salir. Vuelva a aplicarlo cada dos horas –y con más frecuencia si nada o hace ejercicios.

Andrew Kaufman, MD, profesor clínico auxiliar de medicina de la facultad de medicina de la Universidad de California en Los Ángeles (UCLA), y dermatólogo con práctica privada en Thousand Oaks, California.

La aspirina podría disminuir el riesgo del cáncer de páncreas

En el mayor estudio realizado hasta ahora que examinó el vínculo entre la aspirina y el cáncer de páncreas, se descubrió que las mujeres que tomaron aspirina sólo una vez a la semana tuvieron un 43% menos de probabilidad de desarrollar cáncer de páncreas que las mujeres que no tomaron aspirina.

Los investigadores aún tienen que identificar el mecanismo de este efecto benéfico. Otros estudios han indicado que la aspirina quizá también reduzca el riesgo de contraer cáncer de páncreas en los hombres.

Kristin E. Anderson, PhD, MPH, profesora adjunta de la división de epidemiología de la facultad de sanidad pública de la Universidad de Minnesota, en Minneapolis.

10

Las cirugías y los hospitales

Los errores médicos pueden ser muy, pero muy costosos

Los errores médicos pueden ser devastadores físicamente, así como económica y emocionalmente –y pueden suceder hasta en los mejores hospitales. ¿Cómo puede minimizar el riesgo de que algo salga mal? *Tomando un papel activo...*

•**Cuando le den un medicamento nuevo,** pregunte el nombre –y por qué tiene que tomarlo. Pídale a la enfermera que compruebe su expediente para asegurarse de que el médico lo haya encargado.

•**Sepa a qué exámenes y procedimientos será sometido...** y pregunte sobre sus motivos, riesgos y molestias. Si piensa que no estará en condiciones de vigilar la atención del hospital después de la cirugía, haga lo necesario para que un amigo o pariente actúe en su nombre.

LOS ERRORES MÁS COMUNES

Error: No investigar alternativas que no sean quirúrgicas. Toda cirugía es peligrosa, por lo que siempre deberían considerarse tratamientos *no quirúrgicos* y más seguros antes de fijar una fecha en la sala de operaciones.

Si su médico de cabecera ("primary-care physician") recomienda la cirugía, pregúntele al cirujano acerca de otras opciones.

La razón: Un cirujano especializado en cirugía de vesícula, por ejemplo, probablemente sepa más sobre enfermedades de la vesícula –incluyendo muchas opciones de tratamiento *no quirúrgicas*– que un médico general no especializado en la afección.

Error: No obtener una segunda opinión. Las encuestas realizadas por las empresas aseguradoras indican que a pesar de lo que

Edward L. Bradley III, MD, profesor y director de educación de cirugía y medicina de emergencia, de la Universidad Florida State, en Tallahassee. Es autor de *The Patient's Guide to Surgery* (University of Pennsylvania Press).

muchas personas creen, se realizan muy pocas cirugías innecesarias en este país. Por esta razón, muchas compañías de seguros de salud ya no les exigen a sus clientes que reciban una segunda opinión antes de programar una operación. Sin embargo, cada vez que una recomendación para cirugía parece salir de la nada, siempre vale la pena obtener una segunda opinión.

Error: Tener expectativas no realistas. Antes de la cirugía, averigüe exactamente lo que el cirujano piensa hacer, la razón para hacerlo y el resultado probable.

Ejemplo: Si usted supone que la cirugía cuyo propósito es sólo *disminuir* el dolor de espalda, *eliminará* el dolor de espalda, se sentirá desilusionado incluso si la operación es un éxito rotundo.

La ciencia médica ahora aprecia las relaciones biológicas entre la mente y el cuerpo. A las personas que enfrentan la cirugía con una actitud positiva y bien informada, generalmente les va mejor durante la operación. Además, se curan más rápidamente.

Error: No preguntar acerca de la laparoscopia ("laparoscopy"). Muchas operaciones pueden actualmente realizarse con un *laparoscopio,* un instrumento similar a un telescopio. La cirugía laparoscópica requiere incisiones más pequeñas que la cirugía convencional "abierta". Como resultado, se destruye menos tejido... y el tiempo de recuperación se acorta de manera espectacular.

La laparoscopia es actualmente el método preferido para la extirpación de la vesícula y la reparación de hernias esofágicas. Es una opción para otros procedimientos, incluyendo extirpación de fibroides y reparación de hernia inguinal. Pídale al cirujano que le explique las ventajas y desventajas.

Error: No preguntar acerca de las referencias del cirujano. Si le tienen que realizar la reparación de una hernia u otra operación sencilla, casi cualquier cirujano aceptable podrá hacerlo sin peligro. Pero para las cirugías complejas ortopédicas, abdominales o cerebrales –o si tiene otros problemas de salud que podrían causar complicaciones– busque un cirujano que pertenezca a la organización certificadora principal. *Estas son...*

• **American College of Surgeons.** Ser elegido por sus colegas para integrar este grupo avala la reputación ética y profesional de un cirujano.

• **American Surgical Association o una asociación de especialistas en cirugía,** como la de neurología (American Academy of Neurological Surgery) y la de cirugía torácica (American Board of Thoracic Surgery). Los cirujanos miembros tienen experiencia y conocimientos especiales.

Error: No usar un anestesiólogo competente. Aunque las habilidades del cirujano determinan el éxito de la operación, el anestesiólogo realmente tiene la vida del paciente en las manos.

Ésa es la razón por la cual también es imprescindible elegir cuidadosamente su anestesiólogo. Cuando me sometí a una operación recientemente, elegí primero el anestesiólogo, y luego el cirujano.

Estrategia: Pregúntele al cirujano el nombre del mejor anestesiólogo acreditado por la junta médica ("board certified") del personal del hospital. Pídale que haga los trámites necesarios para que esta persona le administre la anestesia.

Error: Elegir el tipo equivocado de anestesia. En muchos casos, el paciente tiene al menos alguna opción en cuanto a la anestesia. Si ese es su caso, comente con el anestesiólogo las ventajas y desventajas de cada opción.

Si tiene la opción, es más seguro elegir la anestesia regional o local, que la anestesia general, la cual lo deja completamente inconsciente.

La razón: Estar consciente durante la cirugía puede ser desagradable, pero será menos probable que sufra problemas respiratorios potencialmente mortales... y generalmente se recuperará más rápidamente.

Error: No verificar los antecedentes del hospital. Especialmente cuando se trata de una cirugía complicada, los hospitales tienden a especializarse. A usted no le conviene que le operen del corazón en un hospital que se especializa en la cirugía de los ojos. *Pregúntele a un representante del hospital…*

•¿Con qué frecuencia se realiza el procedimiento en este hospital?

•¿Cuáles son los antecedentes del hospital con respecto a este procedimiento? En algunos estados, los datos se encuentran disponibles fácilmente. En el estado de Nueva York, por ejemplo, se puede averiguar cuántos pacientes murieron y cuántos tuvieron complicaciones después de la cirugía del corazón, comunicándose con el departamento de salud del estado. Pero hay que preguntar.

Error: **Comer, beber o tomar aspirina antes de la cirugía.** Si tiene programada una cirugía por la mañana, absolutamente nada –ningún alimento sólido ni agua– debería pasar por sus labios después de la medianoche.

Además: Absténgase de tomar aspirina durante al menos cuatro días antes de la cirugía. La aspirina puede interferir con la coagulación de la sangre… y eso puede tener consecuencias desastrosas para los que se someten a una cirugía.

Error: **Programar la cirugía para un fin de semana.** Nunca programe una cirugía electiva para un sábado o un domingo. En esos días, muchos hospitales cuentan con un personal reducido… y los equipos y consultas son difíciles de obtener.

Error: **No consultar por adelantado acerca de los calmantes del dolor postoperatorios.** En la actualidad, más y más hospitales ofrecen a sus pacientes *analgesia controlada por el paciente* (PCA, por las siglas en inglés de "patient-controlled analgesia"). Este sistema le permite presionar un botón en su línea intravenosa para suministrarse tanto (o tan poco) medicamento analgésico como desee –dentro de límites seguros.

Los pacientes que usan PCA están generalmente mucho más cómodos que quienes deben esperar a que una enfermera les administre la próxima dosis.

Pregúnteles al cirujano y al anestesiólogo acerca de la PCA… y asegúrese de que se sepa lo que usted prefiere inmediatamente después de ingresar al hospital.

Cómo obtener mejor atención en el hospital

Marie Savard, MD, médica internista destacada mundialmente, experta en el bienestar y campeona de los derechos de los pacientes. Es autora de *How to Save Your Own Life* (Grand Central) y *The Savard Health Record* (Time-Life).

Los planes de atención médica dirigida ("managed-care plans") y los recortes desenfrenados de costos han dejado a muchos hospitales con escasez de personal. Los médicos están siempre apresurados. Hay menos enfermeras, pero deben atender a más pacientes.

Resultado: Los pacientes suenan el timbre en busca de ayuda y no obtienen respuesta… reciben resultados de exámenes equivocados… se les administra medicamentos sin explicación.

Aun así, usted puede recibir atención excepcional en el hospital –si se convierte en el "gerente" de su asistencia médica. *Aquí hay siete cosas que debe hacer…*

1. Pídale a un pariente o amigo que se quede con usted. Un compañero comprensivo puede conseguirle agua cuando usted la necesita… ayudarle a ir al baño… y procurar la atención de médicos y enfermeras cuando sea necesario.

Su amigo puede además cuidar de sus intereses en momentos en que usted quizá esté muy débil para encargarse de los mismos. Su defensor puede hacer preguntas, tomar notas y aclarar exactamente lo que se está haciendo –y por qué.

De ser posible, pídale ayuda a más de una persona, ya que es mejor tener compañía todo el tiempo. Las horas de visita anunciadas son sólo una guía –y están dirigidas a los visitantes, no a los defensores del paciente. De hecho, las enfermeras a menudo aprecian tener un par de manos de más cuando están muy ocupadas.

Excepción: El espacio es siempre escaso en las unidades de cuidados intensivos. Tener una persona más en la UCI (ICU, por sus siglas en inglés) puede evitar que otros pacientes reciban la atención que necesitan.

2. Identifique a una persona a quien dirigirse. En un día típico, el paciente en un hospital puede hablar con su médico de cabecera ("primary-care physician")... su cirujano y su anestesiólogo... y un grupo siempre cambiante de estudiantes de medicina y médicos residentes.

No es raro que los pacientes reciban información contradictoria de todos esos profesionales. Usted necesita una persona a quien dirigirse que pueda resolver y contestar sus preguntas.

Usualmente, éste sería el médico que lo atiende ("attending physician"), el médico que está a cargo de su caso en el hospital.

Este médico coordina la atención que usted recibe. Según su problema médico, podría ser su cirujano, su cardiólogo o su internista.

Tan pronto como usted se haya instalado en su habitación, pídale a la enfermera asignada a su caso que identifique a la persona a quien dirigirse. Anote su nombre, número de teléfono y número de buscapersonas ("pager").

3. Obtenga su agenda diaria. Cada día, las enfermeras de su piso reciben un "plan de atención" donde está la lista de exámenes que usted tiene programados... las comidas que se le han encargado... y las instrucciones especiales de su médico. También reciben una lista con todos los medicamentos que se le han encargado.

Cada mañana, pídale a la enfermera a cargo de su cuidado que le deje ver ambas listas. Anote todo lo importante. Es la mejor manera de asegurarse de que no ocurran errores, como someterse al examen erróneo o recibir el medicamento equivocado.

4. Conozca el personal. Es importante lograr que las enfermeras, los técnicos y otros miembros del personal lo vean como una verdadera persona –no simplemente otro rostro en la sala.

Hable de banalidades cuando los empleados del hospital vayan a su habitación. Pregúnteles sobre lo que hicieron el fin de semana... sus familias... sus intereses. Presénteles a sus parientes y amigos. Por encima de todo, déjeles saber que usted aprecia la atención que le brindan.

5. Duerma tanto como necesite. Dormir en un hospital no es fácil. El ambiente es ruidoso y desconocido. Peor aún, los miembros del personal de distintos equipos y servicios usualmente despiertan a los pacientes cada pocas horas para darles los medicamentos... controlarles la presión arterial... o ajustarles la línea intravenosa.

Pregúntele a la enfermera a cargo de su cuidado si todas esas tareas pudieran combinarse en una sola visita. Hacer planes por adelantado permite coordinar mejor su atención e interrumpir menos su sueño.

6. No aguante el dolor. El control adecuado del dolor posquirúrgico acelera la curación y ayuda a prevenir el estrés y la depresión. Sin embargo, los médicos con frecuencia disminuyen los medicamentos contra el dolor debido a que temen la posibilidad de que haya efectos secundarios y adicción.

La preocupación por la adicción está fuera de lugar. La medicación apropiada para el dolor durante la hospitalización no conduce al abuso posterior de analgésicos.

Si siente dolor, comuníqueselo al personal médico. De lo contrario, supondrán que los medicamentos que está recibiendo son eficaces. Si su médico o las enfermeras se niegan a ayudarlo, solicite una consulta con el especialista en dolor ("pain specialist") del hospital, si es posible.

7. Asegúrese de obtener una copia del resumen de su alta ("discharge summary"). Cuando deje el hospital, le proporcionarán un resumen de su tratamiento al médico a cargo de su caso y a cualquier otro médico que él designe. Usted también debería recibir una copia de este resumen.

El informe proporcionará información importante para cualquier médico que lo trate en el futuro. Contiene la razón de su admisión en el hospital, los resultados de exámenes importantes y hallazgos quirúrgicos, todos los medicamentos recetados y el plan recomendado de atención en el futuro.

Este resumen se envía usualmente a sus médicos entre dos y tres semanas después de su alta. Antes de irse del hospital, proporcione a su médico de cabecera un sobre con estampilla postal y su nombre y dirección. Pídale que le envíe una copia del informe cuando este llegue a su consultorio.

Mientras tanto: Antes de irse del hospital, obtenga copias de los resultados de todos los exámenes relacionados específicamente a su afección.

Si fue hospitalizado debido a un ataque al corazón, por ejemplo, incluiría una copia de su último electrocardiograma (EKG).

Cómo lograr que su estadía en el hospital sea más breve, más segura y menos costosa

Sheldon Blau, MD, médico con práctica privada en Massapequa, estado de Nueva York. Es autor de *How to Get Out of the Hospital Alive* (John Wiley & Sons).

Pasar tiempo en un hospital puede ser peligroso para su salud. Decenas de miles de estadounidenses mueren cada año debido a errores relacionados con hospitalizaciones. Uno de cada 10 pacientes que recibe tratamiento en un hospital contrae una infección transmitida en el hospital.

Problema: Los hospitales son administrados por personas que pueden tener exceso de trabajo y están estresadas.

Para que su estadía en el hospital sea más breve, y más segura…

•**Al ingresar, pregúntele a la enfermera si otro paciente en su piso tiene un apellido similar.** De ser así, pida que lo cambien de cuarto. No es raro que el personal del hospital lo confunda con otro paciente.

De ser imposible: Escriba su nombre y sus alergias claramente en un papel. Colóquelo en la pared sobre la cabecera de la cama para que sea visible. Una lista de sus alergias al menos evitará que se confundan sus medicamentos o sus tratamientos.

•**Evite compartir la habitación con un paciente que tiene una tos persistente o una infección que drena.** La mayoría de las infecciones se propagan por el aire, así que le conviene tener una habitación tan libre de gérmenes como sea posible. Si fuera necesario, pague usted mismo el costo de una habitación privada.

•**Tenga cuidado con la combinación equivocada de medicamentos y alimentos.** Ciertos medicamentos se vuelven ineficaces, menos eficaces o completamente peligrosos en combinación con los alimentos equivocados –o incluso cuando se toman en un momento que no corresponde.

Ejemplos: Ciertos tipos de penicilina no son eficaces cuando se toman inmediatamente después de comer ciertos alimentos… algunos antidepresivos pueden aumentar la presión arterial a un nivel peligroso cuando se toman con yogur, chocolate, banana o ciertos quesos.

Útil: Pídale a su médico o enfermera que revise sus medicamentos y su menú. Pida además una lista de los alimentos que nunca debería consumir con sus medicamentos.

•**Coloque cerca de su cama una lista de los medicamentos que debería recibir –y cuándo.** Las enfermeras a menudo son llamadas durante emergencias y se olvidan de llevarle a usted sus píldoras. O le pueden dar el mismo medicamento dos veces. Lleve usted mismo la cuenta de los medicamentos para evitar errores peligrosos.

•**Sepa quién está capacitado para ayudarlo.** La mujer vestida de blanco que le trae los medicamentos quizá no sea una enfermera, y el hombre con el estetoscopio que examina su expediente quizá no sea un médico.

Antes de quejarse de un dolor o dejar que alguien lo examine, pregúntele quién es, y asegúrese de que tiene la capacidad para evaluar su afección o la autoridad para realizar el procedimiento.

Los hospitales tienen normas acerca de quién puede hacer qué, pero las normas no siempre se siguen.

•**Evite las caídas.** Esto puede parecer obvio, pero cientos de personas sin problemas de coordinación que nunca se lesionan en su casa acaban con huesos rotos, debido a que se olvidan que están enfermas y en un ambiente inusual. *Útil…*

•Baje la cama antes de intentar salir de ella.

•No intente trepar sobre las barandas de las camas del hospital.

•**Siga las órdenes del médico** –pero no ciegamente. Si su médico le dice que no coma después de medianoche en preparación para un examen o procedimiento, rechace el desayuno si le traen una bandeja por la mañana. Alguien en el hospital probablemente se olvidó de interrumpir sus comidas.

Sin embargo, si alguien llega a realizar un procedimiento del que a usted no le habían informado, no se someta al mismo sin ver las órdenes y entender por qué se expidieron. Asuma la responsabilidad. Es su salud, y usted tiene la responsabilidad de protegerla.

ANTES DE SOMETERSE A UNA OPERACIÓN

•**Marque con un bolígrafo la parte del cuerpo donde el cirujano debe cortar.** Aunque este paso pueda parecer tonto, puede ayudar a evitar un error desastroso.

•**Asegúrese de que el cirujano que lo esté operando haya sido vacunado contra la hepatitis B.** La mayoría de los pacientes se preocupan por una infección con el HIV, pero la hepatitis B es más común y más fácilmente transmitida.

Se estima que unos 1.900 cirujanos están infectados con la hepatitis B, por lo tanto, no debe preocuparse por ofender al cirujano. Todos los cirujanos deberían estar vacunados.

Lo que los hospitales no quieren que usted sepa

Timothy McCall, MD, internista, editor médico de la revista *Yoga Journal* y autor de *Examining Your Doctor: A Patient's Guide to Avoiding Harmful Medical Care* (Carol Publishing) y *Yoga as Medicine* (Bantam). *www.drmccall.com.*

En la actualidad los hospitales luchan por sobrevivir. Los recortes del gobierno federal y de los planes de atención médica dirigida ("managed-care plan") han reducido sus ingresos. En todas partes de Estados Unidos, los hospitales están cerrando, fusionándose o implementando medidas severas de reducción de costos.

Pero no son sólo los hospitales los que corren riesgo. La reducción de costos también amenaza el bienestar de los pacientes. *Lo siguiente es lo que los hospitales no quieren decirle –y lo que usted puede hacer al respecto...*

•**Están dando de alta a los pacientes más rápidamente y estando aún enfermos.** Para ahorrar dinero, los hospitales están dando de alta a los pacientes mucho antes de lo que solían hacerlo. Si hay planes de enviarlo a su casa, asegúrese de que tendrá los servicios de apoyo que necesite, como enfermeras visitadoras y fisioterapeutas, y que los miembros de su familia podrán realizar cualquier tarea que ellos necesiten hacer por usted. Si piensa que su afección o las circunstancias en el hogar hacen que el alta no sea segura, alerte a su médico. De ser necesario, presente una apelación a su empresa de seguros.

•**Han reducido su personal de enfermería.** Aunque los médicos reciben la mayor parte del crédito, son las enfermeras las que mantienen los hospitales funcionando bien. Ellas controlan su afección, administran medicamentos y se aseguran que el equipo médico funcione de manera adecuada. Pero mantener un personal de enfermería calificado es costoso, por lo que los hospitales han descubierto que es más barato sustituirlas por "auxiliares" ("nurses' aides") –muchas de las cuales tienen muy poca experiencia con pacientes internados.

Usted tiene el derecho de preguntar sobre la capacitación de cualquier persona que lo trate. Idealmente, su enfermera principal será una enfermera acreditada (RN, por las siglas en inglés de "Registered Nurse"). Es mejor si cada enfermera que trabaja en una sala médica o quirúrgica no atiende a más de cinco pacientes, y no más de dos en una unidad de cuidados intensivos (UCI o ICU, por sus siglas en inglés).

Si las enfermeras trabajan con una mayor cantidad de pacientes, considere la posibilidad de que parientes suyos se queden con usted todo el tiempo que esté internado o, si el costo es asequible, contrate a una enfermera privada.

•**Vuelven a usar equipos médicos desechables.** Algunos equipos –como los catéteres de la diálisis– están diseñados para ser usados solamente una vez, pero son rutinariamente limpiados y vueltos a usar, lo que suscita algunas preocupaciones sobre infecciones y fallas del producto. Aunque volver a usar el equipo no es ilegal, yo recomiendo que solicite que sólo se use equipo nuevo.

•**No informan sobre médicos con capacidades inferiores.** Aunque la ley exige que la incompetencia y la mala conducta de los médicos deben informarse al gobierno federal, el 60% de los hospitales no han presentado un solo informe disciplinario en la última década. Parte de la razón es que los médicos son las fuentes de ingresos de los hospitales, y pueden enviar a sus pacientes a otros hospitales. Este es el incentivo para no armar escándalo.

Su mejor opción: Evite a los médicos que podrían ser peligrosos, aprendiendo todo lo que pueda acerca de su afección y sus medicamentos. Cuanto más sepa, mejor será su habilidad de detectar lo que no está bien.

•**Hacen trabajar demasiado a los estudiantes de medicina y médicos residentes.** Aunque nuevas normas limitan las horas de trabajo de los médicos en formación a 80 horas a la semana, normas similares han sido violadas de manera rutinaria en el pasado. Si usted es admitido en un hospital universitario ("teaching hospital"), pregúntele al estudiante o médico residente cuántas horas consecutivas ha estado trabajando. Los turnos de treinta y seis horas aún son comunes. Si está preocupado, es su derecho rechazar la atención de cualquier persona que parezca muy agotada.

Si cree que un hospital hace algo que pone en peligro a los pacientes, le recomiendo informarlo a la autoridad reguladora de su estado o a la organización sin fines de lucro Joint Commission on Accreditation of Healthcare Organizations, llamando al 800-994-6610 o yendo al sitio Web en inglés *www.jcaho.org.*

Más de Timothy McCall...

Cómo elegir el cirujano adecuado

Aparte de la gravedad de la afección, lo más probable es que el mayor factor que determinará el éxito de cualquier cirugía es el cirujano. Obviamente, los cirujanos buenos tienen mejores habilidades técnicas, pero también tienen más posibilidades de estar afiliados a los hospitales y otros profesionales de primera categoría –como anestesiólogos y enfermeras registradas– lo que aumentará su probabilidad de tener un resultado positivo.

A pesar de esto, muchas personas simplemente se conforman con cualquier cirujano que les asigne el hospital, su médico de cabecera ("primary-care physician") o la organización de mantenimiento de la salud (HMO).

No es necesario hallar el mejor cirujano de todos –usualmente, esto no es posible. Su reto es hacer una elección razonable en el tiempo disponible y –lo que es más importante– evitar un cirujano malo.

Esto es lo que sugiero...

•**Obtenga algunos nombres para comenzar su búsqueda.** Si tiene un médico de cabecera a quien conoce y en quien confía, pregúntele cuál cirujano elegiría para un ser querido, y por qué. Pregúntele además, cuáles cirujanos en particular son altamente estimados por sus colegas. La respuesta puede ser distinta.

Recuerde que los médicos a veces hacen remisiones basándose en amistad, relaciones de negocios comunes ("si usted me remite pacientes a mí, yo le remito pacientes a usted") o afiliaciones a instituciones, por lo que es prudente establecer una red más amplia. Si tiene amigos que trabajan en clínicas u hospitales locales o que de algún modo pueden poseer información, pregúnteles sobre lo que se dice acerca de los cirujanos más importantes.

•**Compruebe los antecedentes.** Si el cirujano es parte del profesorado de una facultad de medicina local o del personal de un hospital respetado –siendo ambos buenas señales– es probable que esté acreditado por la junta médica ("board-certified"). Eso significa que el médico ha completado una residencia en un hospital acreditado y aprobó un riguroso examen de certificación.

Para averiguar si un médico está acreditado, consulte el sitio Web en inglés de la American Board of Medical Specialties, *www.abms.org,* o llame al 866-275-2267. Compruebe además las especialidades en las que el médico está acreditado. Por ejemplo, un médico que realiza liposucciones debería estar acreditado en cirugía plástica, no simplemente en cirugía general o medicina familiar.

•Pregunte acerca de la experiencia del cirujano. ¿Cuántas veces ha realizado el médico la cirugía de la que se trata? ¿Cuántos de esos procedimientos se hicieron este año?

No hay un número mínimo mágico, pero cuantas más operaciones haya hecho el médico, mejor. Para la cirugía del corazón, elegiría un cirujano que realiza al menos 100 al año.

La experiencia es particularmente importante en los casos de operaciones complicadas, como las cirugías del cerebro o del corazón, y para los procedimientos más nuevos, incluyendo algunas operaciones laparoscópicas "mínimamente invasivas", con las cuales la mayoría de los médicos quizá tengan sólo una experiencia limitada. Pregúntele al médico qué capacitación específica ha tenido en el procedimiento a que usted deba someterse.

•Pregunte sobre los antecedentes del cirujano. Debería averiguar no sólo cuántas operaciones ha hecho un cirujano, sino también cómo les ha ido a sus pacientes. ¿Desarrollaron alguna infección en la herida? ¿Qué complicaciones han sido más comunes? ¿Fue necesario repetir el procedimiento? Si el cirujano se molesta cuando le hace estas preguntas o se niega a contestar, busque otro médico.

•Pregunte dónde se realizará la operación. Para la cirugía del corazón, debería ir a una institución que realice al menos 200 al año, según estudios recientes. Los hospitales comunitarios quizá sean adecuados para procedimientos de rutina, como la reparación de la hernia o la extirpación de la vesícula. Pero para los procedimientos complejos o poco frecuentes, le irá generalmente mejor en un hospital universitario ("teaching hospital") importante.

•Sospeche de los cirujanos que son excesivamente entusiastas. Los cirujanos que siempre quieren operar me ponen nervioso. La cirugía quizá no sea la mejor opción. Uno de los mejores cirujanos ortopédicos que he conocido rutinariamente intenta convencer a los pacientes de que no se sometan a una cirugía que él no piensa que los ayudará. Cuando él recomienda la cirugía, usted sabe que es necesaria.

Mejor atención de enfermería

Para asegurarse buena atención de enfermería en el hospital, pregúntele a su médico qué hospitales tienen el mejor personal de enfermería. Llame a la administración de enfermería y pregunte si las enfermeras son parte del personal estable o si vienen de agencias. Asegúrese de que algunos de sus familiares estén en el hospital para cerciorarse de que se conozcan sus necesidades. Conozca sus propios medicamentos –cuándo tomarlos y por qué.

Mary O'Neil Mundinger, RN, DrPH, decana y profesora Centennial de política de sanidad, en la facultad de enfermería de la Universidad Columbia, en Nueva York.

Cómo elegir un hospital

Charles B. Inlander, consultor de atención médica y defensor de los consumidores que reside en Fogelsville, Pensilvania. Fue presidente fundador de la organización People's Medical Society, un grupo de defensa de los consumidores de servicios médicos. Es autor de más de 20 libros, entre ellos, *Take This Book to the Hospital with You: A Consumer Guide to Surviving Your Hospital Stay* (St. Martin's).

Algunos sitios en Internet que clasifican los hospitales tienen una cobertura limitada… dependen de información no oficial… o no ajustan la clasificación según la gravedad de los casos tratados en cada hospital.

Algunos informes sobre la calidad de los hospitales que cubren ciertos procedimientos pueden encontrarse en el sitio Web de los Centers for Medicare & Medicaid Services, *www.cms. gov.* Fíjese en la National Voluntary Hospital Reporting Initiative, la cual publica una lista de los índices de éxito de los hospitales en el tratamiento de ataque al corazón, insuficiencia cardiaca congestiva y neumonía. Además, averigüe cuántas veces al año el hospital ha realizado el procedimiento que usted necesita. Compare tres o cuatro hospitales dentro de un radio de 100 millas (160 km) de su casa. Tanto su médico como el hospital deberían haber realizado el procedimiento con frecuencia –las cantidades altas tienden a mejorar los resultados.

Averigüe la proporción entre las enfermeras acreditadas (RN, por las siglas en inglés de "Registered Nurses") y los pacientes; idealmente, debería haber al menos una RN por cada cuatro pacientes. En las unidades de cuidados intensivos debería haber al menos una RN por cada dos pacientes.

Más de Charles B. Inlander...

La autodefensa contra los hospitales que cobran de más: Tome nota... lleve un diario... no se rinda

El noventa por ciento de las cuentas de los hospitales contienen errores, y tres cuartos de los mismos favorecen a los hospitales. Además, no son pequeños errores. Un estudio descubrió que el promedio de lo cobrado de más es de $1.400.

Lo cobrado de más afecta su bolsillo aun si su HMO o compañía de seguros paga la mayor parte de la cuenta. Sus copagos se van acumulando... y las primas futuras podrían aumentar como resultado de los costos hospitalarios que usted tiene.

Cómo evitar pagar al hospital más de lo que le debe...

•**Lleve un diario del tratamiento.** Durante su estadía en el hospital, haga una lista de todas las visitas del médico, procedimientos y medicamentos en una libreta que pueda mantener a corta distancia de su cama. Esto le dará un registro claro con el que podrá comparar su factura detallada.

Si está muy enfermo como para llevar el diario –o muy atontado por la anestesia o los medicamentos–, pídale a un familiar o un amigo que lo haga por usted.

•**Ponga en duda cualquier servicio que usted sospeche que no fue aprobado por el médico que lo atiende** ("attending physician"). Mientras esté en el hospital, el médico que lo atiende –el médico que lo internó o el especialista asignado a su caso– es la única persona autorizada a aprobar consultas, procedimientos y medicamentos.

Sin embargo, el hospital podría iniciar servicios por su cuenta para aumentar los ingresos o recompensar a los médicos afiliados.

Ejemplos: Una visita rápida e informal de un psiquiatra que forma parte del personal del hospital... un "cirujano auxiliar" empleado por el hospital... una visita de su propio médico de cabecera, quien podría remitir al hospital muchos pacientes.

Los pacientes tienen derecho por ley a rechazar el pago de cualquier servicio sin autorización. Pero es usualmente más fácil realizar una acción preventiva para evitar que sucedan.

Mientras esté internado, insista en que el médico que lo atiende le resuma su plan de tratamiento de modo que usted sepa qué esperar.

Si una enfermera u otro médico anuncia que realizará una visita o un procedimiento no esperado, pídale que le muestre el registro del hospital que indica que fue autorizado por el médico que lo atiende. Si tiene alguna duda, niéguese cortésmente a recibir el servicio e insista en hablar con el médico que lo atiende.

•**Insista en recibir una factura completamente detallada.** No se conforme con recibir facturas que incluyen una lista de categorías generales como "farmacia" o "cargos de cirugía". Los hospitales están obligados a proporcionar un informe detallado sobre todos los cargos. *La factura debería incluir una lista con cada...*

   •Procedimiento al que usted fue sometido.

   •Visita del médico a su cuarto en el hospital.

   •Dosis de medicamentos que se le dio.

   •Instalación usada, como la sala de radiografías, la sala de operaciones, etc.

   •Suministro proporcionado para su cuidado –vendas, líneas intravenosas, etc.

Si es internado por más de un día, pida una factura detallada diariamente. Eso hace más fácil llevar la cuenta de sus cargos y comenzar a cuestionar cualquier dato sospechoso de inmediato.

La telefonista del hospital puede darle el número de la oficina de facturación. Llame y solicite la actualización directamente del director del departamento.

Si esta persona pone obstáculos, hable con el defensor de los pacientes del hospital ("ombudsman"). Si esto no da resultados –o si no existe un defensor de los pacientes–, llame al administrador principal del hospital, lo que siempre da resultados inmediatos.

•Examine su factura detenidamente. Incluso con la ayuda de un diario detallado, las abreviaciones en la factura podrían ser difíciles de descifrar. Si cualquier apartado lo confunde, llame al departamento de facturación para que se lo aclaren.

Además, pregúntele al médico que lo atiende si algún cargo en la factura le parece sospechoso.

Los cargos excesivos que son más comunes se cobran por servicios o procedimientos que usted en realidad no recibió. En el segundo lugar entre los más comunes están las duplicaciones de servicios.

Ejemplos: Un cargo por el uso de la sala de radiología por una radiografía que se hizo en su propio cuarto donde está internado… un cargo por seis análisis de sangre cuando en realidad le realizaron solamente tres.

•Solicite que su factura sea auditada. Si le parece que algunos de los cargos pueden ser erróneos, pídale al departamento de facturación que compare su factura contra los registros del hospital para asegurarse de que todos los servicios enumerados fueron realmente realizados.

El departamento debería realizar esta auditoría de buena voluntad y sin costo… y corregir prontamente cualquier error.

•Alerte a su compañía de seguros. Si usted cuestiona lo que el departamento de facturación haya determinado, y el cuestionamiento no puede resolverse, comuníquese con su compañía de seguros o HMO.

Esto no significa que usted esté acusando a nadie de un delito, pero es la manera más segura de provocar una acción rápida.

Sus mejores opciones consisten en ponerse directamente en contacto con el departamento de estafas ("fraud") de la compañía de seguros, salteándose el departamento de atención al cliente.

Si tiene cobertura de Medicare, comuníquese con el Inspector general de la agencia federal Health and Human Services Department, llamando al 800-447-8477.

Para obtener mejores resultados al llamar a la compañía de seguros…

•Tenga a mano todos los documentos pertinentes.

•Esté preparado para detallar exactamente los cargos que cree que son fraudulentos, y por qué.

Si la compañía de seguros está de acuerdo con usted, generalmente se encargará a partir de ese momento y resolverá el asunto. Eso podría incluir llevar el caso a juicio.

Generalmente no hay que pagar la factura hasta que se resuelva el conflicto.

También de Charles B. Inlander…

No tema visitar a un paciente en el hospital

Los que visitan a los pacientes en el hospital no deben preocuparse de contagiarse con un virus de los pacientes. Es más probable que los visitantes introduzcan gérmenes que podrían afectar a los pacientes –cuyos sistemas inmunes están debilitados– a que los mismos se enfermen. La mayoría de los visitantes no permanecen en el hospital lo suficiente como para exponerse a algo contagioso. Y los pacientes que son altamente contagiosos a menudo no pueden tener ningún visitante.

Use el sentido común al hacer visitas de modo que evite introducir una infección menor, como un resfriado, que podría ser peligrosa para los pacientes en el hospital. Sea particularmente cuidadoso al visitar la sala de maternidad.

Un modo sencillo de evitar enfermedades contagiosas

David Gilbert, MD, ex presidente de la Infectious Diseases Society of America, en Alexandria, Virginia.

Cada año, las bacterias y virus que se propagan por los hospitales contagian a 2 millones de estadounidenses. Más de 90.000 de ellos mueren como consecuencia de las infecciones contraídas en hospitales. En una gran cantidad de estos casos, la causa es que los trabajadores de la salud no se lavan bien las manos.

Los Centros para el control y la prevención de enfermedades (CDC, por sus siglas en inglés) han emitido directrices aconsejando a los médicos y enfermeras que sustituyan el jabón y agua por un gel desinfectante con alcohol que se seca rápidamente. Los geles son mucho más prácticos –y matan más gérmenes que el jabón y agua. El uso habitual de gel desinfectante con alcohol podría reducir a la mitad el índice de infecciones adquiridas en hospitales, según indican los estudios nuevos.

Fuera del hospital, el gel desinfectante con alcohol es una manera práctica de lavarse las manos en restaurantes, picnics, baños portátiles y aviones. En el hogar, los geles podrían ser una buena idea si alguien de la familia tiene un resfriado o un sistema inmune gravemente debilitado, lo que lo hace vulnerable a las infecciones.

Si todos en el hogar están sanos, lavarse con jabón y agua será suficiente. Basta con que se asegure de lavar toda la mano, incluyendo el dorso y entre los dedos.

Tome aspirina en el hospital

La aspirina puede reducir el riesgo de infección en los pacientes internados. El *ácido salicílico* que la aspirina contiene parece inhibir la reproducción de la bacteria *estafilococo dorado* ("Staphylococcus aureus"), una de las causas más comunes de las infecciones relacionadas con los hospitales, según lo que ha descubierto un nuevo estudio con animales.

La autodefensa: Consulte a su médico acerca de tomar una o dos tabletas de 325 mg de aspirina común ("regular-strength") dos veces al día mientras esté en el hospital. Esto podría rebajar a la mitad su riesgo de contraer una infección causada por estafilococos.

Ambrose Cheung, MD, profesor de microbiología, de la facultad de medicina de la Universidad Dartmouth, en Hanover, New Hampshire.

Cómo sobrevivir una visita a la sala de emergencia

Joel Cohen, MD, médico con práctica en Mesa, Arizona. Ha ejercido medicina de emergencia y de urgencia durante muchos años y es autor de *ER: Enter at Your Own Risk* (New Horizon).

Cada año, millones de estadounidenses visitan las salas de emergencia (ER, por sus siglas en inglés) de los hospitales*. No es novedad que el personal sobrecargado de los hospitales a menudo se encuentra cansado y apresurado, y el ambiente es ruidoso y caótico. Y como los nuevos médicos a menudo reciben su capacitación en salas de emergencia, la persona que lo atienda quizá tenga poca o ninguna experiencia en el tratamiento de su afección.

Para obtener el mejor cuidado médico posible…

•**No se quede callado.** Debe defender sus intereses tan firme y enérgicamente en la sala de emergencia como en todas las demás situaciones relacionadas con el cuidado de la salud.

Pocas personas saben que tienen el derecho de solicitar un especialista o un médico más experimentado en la sala de emergencia. Si dicho médico ejerce en el hospital y está disponible, usted tiene buenas posibilidades de que él/ella lo atienda.

Buena idea: Si padece una afección crónica, como enfermedad del corazón o enfisema, lleve en su billetera una lista de especialistas recomendados por su médico para solicitar en caso de una emergencia.

Al menos, llame a su médico de cabecera desde la sala de espera o en camino al hospital. Tal vez él podrá encontrarse con usted ahí –o al menos hacer una llamada– para agilizar su tratamiento.

*En el caso de una emergencia que peligra la vida, llame al 911. Entre estas emergencias se incluyen hemorragia incontrolable, dolor de pecho, falta de aire, desmayo, una parálisis o debilidad súbita e inexplicable, caída sin razón aparente, convulsión, dolor fuerte en el abdomen, un dolor de cabeza peor que nunca o un cambio en el funcionamiento mental.

•**Cuando sea evaluado por un médico,** mantenga el enfoque en su problema principal. Limítese a uno o dos de los síntomas más importantes y preocupantes. Mencionar muchos síntomas puede hacer que el diagnóstico sea más difícil.

•**Compruebe las referencias del personal médico.** Usted también tiene el derecho a preguntar acerca de la experiencia de los médicos que lo traten en la sala de emergencia. Antes de que acepte a someterse a una cirugía, procedimiento o examen riesgoso, pregunte por cuánto tiempo ha ejercido el médico.

No hay una simple respuesta "correcta", pero si se siente incómodo con la experiencia de su médico en la sala de emergencia, pida una consulta con el médico a cargo o a un especialista para obtener una segunda opinión.

Útil: De ser posible, lleve con usted a un amigo o pariente para que sea su defensor. Esto es especialmente importante si está muy enfermo o débil como para actuar con firmeza.

•**Evite exámenes y tratamientos innecesarios.** *No* acepte cualquier examen a menos que sepa los riesgos que implica… lo que el examen demostrará… y cómo cambiará el tratamiento de acuerdo a los resultados.

Antes de aceptar un tratamiento, averigüe si es necesario o simplemente una precaución… y si el tratamiento puede esperar hasta que usted tenga la oportunidad de hablar con su médico de cabecera ("primary-care physician"). Su objetivo es participar completamente en el proceso de tomar las decisiones.

Advertencia: No abandone el hospital si no se siente mejor o si se siente peor que cuando recién llegó. Dígale a su médico que todavía se siente igual de enfermo… y que le gustaría obtener una segunda opinión.

EL DIAGNÓSTICO CORRECTO

Si está experimentando síntomas inexplicables, los siguientes son los exámenes de urgencia que necesitará para asegurar un diagnóstico adecuado…

•**Dolor de pecho o indigestión.** Un *electrocardiograma* (ECG) para descartar la enfermedad del corazón.

•**Dolor en el abdomen.** Un *conteo sanguíneo completo* (CSC, por las siglas en inglés

de "complete blood count") y un análisis de orina para detectar la existencia de infección. Un sonograma podría hacerse si se sospecha que hay un problema físico, como cálculos biliares. Consulte a su médico en las siguientes 24 horas.

•**Falta de aire (dificultad respiratoria).** Un ECG, radiografía (rayo X) de pecho y un simple examen de oxígeno en la sangre para determinar si hay suficiente oxígeno en su organismo y descartar un problema del corazón o un colapso pulmonar.

•**Adormecimiento o parálisis del rostro o de los miembros,** mareo o caída inexplicable. Cada uno de estos síntomas puede indicar un ataque cerebral ("stroke"). Una *imagen por resonancia magnética* (MRI, por sus siglas en inglés) proporciona la imagen más detallada del cerebro. Como mínimo, una *tomografía computadorizada* ("CT scan") debería realizarse para determinar si ha ocurrido un ataque cerebral. De ser así, estos exámenes identificarán el tipo de ataque cerebral, de modo que los médicos puedan recetar el tratamiento adecuado.

La autodefensa para la sala de emergencia

Ted Christopher, MD, jefe de la división de medicina de emergencia del hospital universitario Thomas Jefferson, en Filadelfia.

Las salas de emergencia de los hospitales están más ocupadas que nunca. Cada año se hacen más de 100 millones de visitas a las salas de emergencia en Estados Unidos, según un estudio realizado por los Centros para el control y la prevención de enfermedades (CDC, por sus siglas en inglés). Esto significa un aumento de unos 35.000 pacientes al día sobre los 90 millones de visitas en 1992.

Debido a los disminuidos presupuestos para el cuidado de la salud, las salas de examinación inicial y los equipos médicos escasean. Los médicos, enfermeras y técnicos están sobrecargados de trabajo. Por lo tanto, no resulta sorprendente que la espera promedio para consultar a un médico sea de 49 minutos, y muchos pacientes de las salas de emergencia esperan varias horas.

Cómo lograr la mejor atención médica de emergencia…

•Llame al 911 o a una ambulancia si sospecha un ataque al corazón o al cerebro, dos afecciones cuyo tratamiento debe ser inmediato y que pueden empeorar rápidamente. Los técnicos de la ambulancia comenzarán a atenderlo en el camino… y será revisado por un médico al llegar al hospital.

Si su afección no es realmente una emergencia, llegar en ambulancia no le dará ninguna ventaja, y tendrá que pagar la factura. Los pacientes más enfermos siempre son atendidos primero.

•Vaya al hospital más cercano si piensa que tiene una emergencia. Hoy en día, las salas de emergencia de la mayoría de los hospitales están dotadas de médicos de emergencia acreditados. Los hospitales universitarios ("teaching hospitals") están dotados de médicos que atienden en la sala de emergencia y muchos estudiantes de medicina y médicos residentes. En los hospitales no universitarios habrá sólo uno o dos médicos en el personal. Usted puede pasar mucho tiempo esperando en cualquier caso.

•No espere ser remitido por su médico. Ya no es necesario llevar una remisión u obtener aprobación previa de su médico antes de ir a la sala de emergencia.

Todos los que llegan a la sala de emergencia son evaluados por una enfermera para determinar la gravedad de su afección y establecer prioridades –o sea, quién será atendido primero por un médico.

•Conozca los nombres y números de teléfono de todos sus médicos, especialmente su médico de cabecera ("primary-care physician"), pero también cualquier especialista que haya consultado. Sus médicos privados a menudo tienen información que puede asistir al médico de emergencia en su tratamiento.

•Lleve todos sus medicamentos. El personal de la sala de emergencia aprenderá mucho sobre su historial médico simplemente leyendo las etiquetas. Si usted necesita tomar medicamentos, es vital que los médicos sepan qué otros medicamentos está tomando.

Útil: Mantenga una lista de todos sus medicamentos, junto a otros detalles de su salud (alergias graves, por ejemplo) en la puerta del refrigerador. Si usted es incapaz de hablar, el personal de la ambulancia puede llevar esta lista a la sala de emergencia.

Mejor aun: Lleve los frascos –las etiquetas son más fáciles de leer.

•Informe sobre cambios en sus síntomas de inmediato. No sufra en silencio en la sala de espera. Lo atenderá un médico más rápidamente si usted le informa al personal que sus síntomas están empeorando. De ser necesario, le deberían administrar medicamentos, incluso antes de consultar a un médico.

No se someta a una cirugía hasta leer esto

Jerome Groopman, MD, profesor Recanati de medicina de la facultad de medicina de la Universidad Harvard, jefe de medicina experimental del centro médico Beth Israel Deaconess, ambos en Boston, y un destacado investigador de cáncer y sida. Es autor de *Second Opinions: Stories of Intuition and Choice in the Changing World of Medicine* (Penguin).

Me sometí a la cirugía de fusión espinal (artrodesis vertebral) debido al dolor de espalda hace muchos años. El cirujano insistió en que era el mejor tratamiento. No busqué una segunda opinión de otro médico –y aún tengo dolor. Más adelante me enteré que sólo uno de cada seis pacientes logra un buen resultado con este procedimiento. Éstas son muy pocas posibilidades. Si hubiera obtenido una segunda opinión, quizá me hubiera enterado que la fisioterapia puede dar los mismos, o mejores, resultados que la cirugía –sin los riesgos.

Menos de uno de cada cuatro estadounidenses recibe una segunda opinión de otro médico, aunque a menudo está cubierta por el seguro de salud. Esto puede ser un error muy peligroso.

Obtener una segunda opinión es una manera de protegerse si un médico comete un error… los resultados de un examen no son concluyentes… o las opciones de tratamiento para su problema no son evidentes.

El diagnóstico inicial es *erróneo* en una cantidad significativa de casos. Un estudio de la Universidad Johns Hopkins descubrió un índice de error del 5,1% en informes de patología de cánceres en el aparato reproductor femenino… y patólogos de la Universidad Emory hallaron errores importantes en casi el 14% de los informes sobre muestras de tejido presentados para su revisión.

CUÁNDO OBTENER UNA SEGUNDA OPINIÓN

Consulte a otro médico si…

•**El diagnóstico inicial no está claro.** Su médico usa la forma condicional del idioma, como, por ejemplo: "*Parecería* que usted tuviera ('you *seem* to have') un trastorno del sistema inmune" o "*No estamos seguros* ('*we're not sure*') de que se trate de artritis".

•**Usted tiene una enfermedad poco común o que pone en riesgo la vida,** pero que no requiere atención inmediata de emergencia.

•**El tratamiento propuesto es una de varias opciones.** Pregúntele a su médico si el tratamiento que recomienda es lo normal para su afección. Algunas enfermedades, incluyendo muchos cánceres, no tienen un protocolo establecido de tratamiento. Podría haber mejores opciones que las propuestas por su médico.

LO QUE DEBE HACER

•**Sea sincero con su médico.** Déjele saber que desea postergar su decisión final hasta que haya consultado a otro médico. Esto es a menudo lo más difícil para los pacientes porque temen que el médico se ofenda. *Eso no es así.* Los médicos están acostumbrados a que los pacientes obtengan una segunda opinión. Muchos lo recomiendan para quedarse tranquilos, para descubrir errores y para asegurarse de que el paciente está satisfecho con el tratamiento propuesto.

Plantee el tema sin polemizar. Podría decir algo como: "Me gustaría averiguar sobre diferentes formas de enfrentar este problema. Creo que sería útil obtener una segunda opinión.

¿Qué le parece?" Si el médico actúa como si se sintiera insultado, considere esto una señal de advertencia –no le conviene este médico.

Puede ser tentador obtener una segunda opinión a espaldas de su médico; pero entonces su historial médico y los resultados de sus exámenes no serán enviados al otro médico. Además, se sentirá como un espía. Cuando se trata de temas de salud importantes, usted debe sentirse legitimado.

•**Busque una segunda opinión de un médico en un hospital o consultorio diferente al de su médico de cabecera.** Los médicos que trabajan juntos a menudo comparten los mismos prejuicios y estilos profesionales. Usted debe buscar a alguien que tenga una perspectiva distinta.

Pídales a sus amigos que le recomienden médicos –o que les pidan recomendaciones a sus médicos. Investigue sobre su enfermedad en Internet para averiguar si hay médicos que se especializan en su afección.

Si encuentra un especialista lejos de su casa, simplemente enviarle su historial quizá no será suficiente. Podría valer la pena visitarlo en persona. Llámelo primero, o pídale a su médico que lo llame, para asegurarse de que el especialista piense que podría ayudarlo.

•**Obtenga una tercera opinión si las dos primeras discrepan.** No consienta en someterse a ningún tratamiento hasta que haya un consenso claro de que es el mejor método para usted. Esto podría implicar consultar a tres, cuatro o hasta cinco médicos. No se sienta apresurado. La mayoría de las afecciones permiten disponer de tiempo para considerar todas las opciones.

Tengo quistes ganglionares ("ganglion cysts") en mi muñeca derecha que me causan dolor cuando tecleo. He recibido cuatro opiniones – dos médicos quieren operar, un tercero quiere explorar más el tema, y un cuarto no está seguro sobre qué hacer. Como los expertos no se ponen de acuerdo, decidí tomar el camino más seguro y trabajar con un fisioterapeuta. Mi muñeca está mejorando lentamente.

•**Verifique su plan de seguro de salud.** Medicare cubre las segundas opiniones en casos de tratamientos importantes, como por ejemplo, cirugía o quimioterapia. Si la segunda opinión no coincide con la primera, **Medicare** cubre una tercera opinión.

Las HMO usualmente pagan por las segundas opiniones, pero sólo de médicos en la red del plan. Es posible que sea necesario convencer al administrador del plan –escribiéndole una carta explicándole su caso, por ejemplo– para que apruebe una segunda opinión de un profesional que no forme parte de la red. Algunos planes cubren tres o más opiniones, mientras que otros no.

Una segunda opinión usualmente cuesta lo mismo que una visita a un consultorio –aun más si exámenes adicionales son necesarios.

●**Confíe en sus instintos al considerar las opiniones conflictivas.** Nadie conoce su cuerpo, su personalidad ni su estilo de vida mejor que usted. Un tratamiento que es adecuado para un paciente podría no serlo para otro. Las opiniones de sus médicos deberían *guiar* su decisión, no determinarla.

●**Lleve a un amigo o pariente a todas sus visitas al médico.** Es casi imposible entender completamente lo que el médico está diciendo cuando usted se encuentra con dolor o temor. Las afecciones que requieren segundas opiniones son casi siempre complejas. Usted debería estar acompañado por alguien que pueda razonar claramente.

●**Evite los servicios médicos en Internet.** Estos sitios Web proveen segundas opiniones por un costo bajo. Usted envía sus radiografías, resultados de biopsias o de otros exámenes, y especialistas los examinan y le envían una opinión por correo electrónico. Sin embargo, el médico del otro lado de la conexión no lo conoce a usted ni su estilo de vida, y sin esta información, no puede tomar buenas decisiones sobre lo que es mejor para usted.

Un examen importante para antes de la cirugía

Antes de someterse a una cirugía, pídale a su médico que verifique sus niveles de albúmina ("albumin"). La deficiencia de esta proteína en la sangre aumenta en un 50% o más sus posibilidades de sufrir hemorragias postoperatorias o una infección. Por lo general los hospitales no monitorizan los niveles bajos de albúmina en los pacientes antes de las cirugías.

La deficiencia de albúmina, que puede detectarse con un análisis de sangre barato, podría indicar desnutrición, y generalmente puede corregirse mediante una dieta más nutritiva recetada por un dietista acreditado.

James Gibbs, PhD, profesor auxiliar de investigación del Institute for Health Services Research and Policy Studies de la Universidad Northwestern, en Evanston, Illinois.

¿Debería usted rechazar la cirugía?

Sandra A. McLanahan, MD, directora médica ejecutiva del Integral Health Center, en Buckingham, Virginia. Es coautora de *Surgery and Its Alternatives: How to Make the Right Choices for Your Health* (Kensington).

Cada año se realizan 25 millones de cirugías importantes en Estados Unidos. La cirugía es a veces la única solución para un problema de salud –pero frecuentemente existen alternativas.

En algunos casos, la dieta, el tratamiento con hierbas, la acupuntura, el yoga y otros tratamientos alternativos pueden eliminar la necesidad de una cirugía.

Éstas son algunas cirugías comunes para las cuales con frecuencia es posible encontrar una alternativa*...

CATARATAS

La catarata es una opacidad en el cristalino del ojo. A los 70 años de edad, hasta el 70% de los estadounidenses sufren de disminución de la visión debido a esta afección.

Hasta hace poco, la medicina alternativa se enfocó principalmente en medidas para prevenir las cataratas o enlentecer su crecimiento. Pero en la actualidad, la evidencia demuestra que esas mismas medidas efectivamente

*Consulte a su médico antes de intentar cualquiera de estos tratamientos.

podrían revertir las cataratas, eliminando la necesidad de cirugía.

Programa no quirúrgico para las cataratas…

•**Consuma una dieta baja en grasa y rica en fibra.** Evite la harina y el azúcar refinadas. Estos alimentos suben los niveles de azúcar en la sangre, lo que aumenta el riesgo de tener cataratas y acelera su crecimiento.

•**Tome suplementos diarios de vitaminas y minerales.** Esto debería incluir 25.000 unidades internacionales (IU, por sus siglas en inglés) de betacaroteno… 400 IU de vitamina E (mezcla de tocoferoles*)… 200 microgramos (mcg) de selenio… 50 mg de zinc… y 1.000 mg, tres veces al día, de vitamina C.

•**Haga cambios en su estilo de vida.** Use anteojos (gafas) de sol cuando esté afuera (si a menudo está expuesto a luz fluorescente brillante, pruebe lentes ligeramente coloreados cuando se encuentre bajo techo)… mantenga un peso saludable… evite el humo del tabaco. La luz del sol y el humo del tabaco pueden dañar el tejido de los ojos. El exceso de peso corporal aumenta los niveles de cortisol, la hormona del estrés que acelera el crecimiento de las cataratas.

•**Haga la prueba con hierbas.** Da Wei Di Huang Wan ("Eight Flavor Rehmannia") es una combinación de ocho hierbas de China. Se ha informado en el *Journal of the Society for Oriental Medicine* en Japón que es eficaz para revertir las cataratas precoces. Todavía es necesario que los estudios de doble ciego confirmen estos hallazgos.

Este régimen debería comenzar a mejorar las cataratas en seis semanas.

CIRUGÍA DE DESVIACIÓN CORONARIA (BAIPÁS, "BYPASS")

La *enfermedad de las arterias coronarias* bloquea el flujo sanguíneo a través de las arterias que alimentan el corazón. Esto puede causar dolor de pecho (angina) que con frecuencia es grave. Pero el mayor peligro es el ataque al corazón.

Cuando la enfermedad de las arterias coronarias está suficientemente avanzada (de

*Consulte a su médico sobre la cantidad adecuada, ya que tomar más de 200 IU podría ser peligroso.

acuerdo a la ubicación y gravedad del bloqueo), la cirugía podría recomendarse para "desviar" ("bypass") el flujo de la sangre –y eludir las arterias bloqueadas– con injertos ("grafts") de vasos sanguíneos de otras partes del cuerpo. Sin embargo, los estudios pioneros realizados por el renombrado especialista en el corazón Dean Ornish, MD, han demostrado que simples cambios en el estilo de vida tienen un 90% de eficacia en revertir el bloqueo de las arterias coronarias.

Importante: Si su enfermedad del corazón es inestable o ha empeorado súbitamente –o si el riesgo de tener un ataque al corazón es alto– entonces la cirugía podría ser su única opción.

Considere este tratamiento no quirúrgico para la enfermedad de las arterias coronarias…

•**Disminuya su consumo de grasas.** Las grasas deberían constituir no más del 10% de su consumo diario de calorías. Consuma grasas monoinsaturadas, en vez de saturadas. Al comer menos grasas se reduce el riesgo de la concentración de placas de grasa en las arterias (ateroesclerosis) y se ayuda a prevenir los coágulos.

Limite el consumo de colesterol a 5 gramos al día. Evite el azúcar refinada y la sal.

•**Tome suplementos de vitaminas todos los días.** Entre los suplementos más eficaces se incluyen folato (400 mcg) y vitamina B-6 (3 mg). Estas vitaminas mejoran la circulación y disminuyen los niveles de homocisteína, un aminoácido que, al parecer, provoca la ateroesclerosis.

•**Haga ejercicios durante una hora,** al menos tres veces a la semana. Elija actividades aeróbicas, como andar en bicicleta, nadar o caminar a buen ritmo. El ejercicio disminuirá la presión arterial y mejorará la circulación.

•**Practique la meditación,** la respiración profunda o el yoga. Las técnicas para reducir el estrés bajan la presión arterial y equilibran los niveles de la hormona del estrés, lo que permite que el corazón repare el tejido dañado.

•**Reúnase con amistades con más frecuencia.** Se ha demostrado que la afiliación a grupos religiosos, grupos de apoyo y ligas de bolos ("bowling") disminuye el riesgo de sufrir un ataque al corazón.

•**Busque tratamiento para las afecciones relacionadas.** Si padece presión arterial alta o diabetes, asegúrese de que sean tratadas eficazmente. Ambas provocan la ateroesclerosis.

Este régimen debería ayudar a mejorar la enfermedad de las arterias coronarias en unas pocas semanas. Los cambios importantes usualmente pueden verse en unos pocos meses.

REEMPLAZO DE CADERA

Frecuentemente la dieta adecuada y el ejercicio pueden prevenir o mejorar los problemas de cadera.

Intente este programa no quirúrgico para la discapacidad y el dolor de cadera...

•**Evite la carne roja,** los productos lácteos, el azúcar refinada, la sal y la cafeína. Eliminar las verduras de la familia de las solanáceas (tomates, papas, berenjena –"eggplants"– y pimientos –ajíes, "peppers") también puede ser útil. Estos alimentos provocan inflamación, la cual puede contribuir a la artritis.

•**Tome suplementos diarios de vitaminas y minerales.** Como ayuda para el alivio del dolor y la inflamación, tome 1.000 mg de calcio... 500 mg de magnesio... y 400 IU de vitamina E con una mezcla de tocoferoles (consulte a su médico por la cantidad adecuada). Para estimular la reparación del cartílago, tome 1.000 mg de vitamina C.

•**Pruebe con el sulfato de glucosamina** ("glucosamine sulfate"). Este suplemento dietético ayuda a mantener y reconstruir el cartílago que recubre la articulación.

Dosis típica: 500 mg, tres veces al día.

•**Tome aceite de prímula nocturna** ("evening primrose oil"). Esta hierba reduce la inflamación y mejora la circulación.

Dosis típica: 500 mg, tres veces al día.

•**Adelgace.** La pérdida de peso reduce la carga que soportan las articulaciones.

•**Practique el yoga.** Esto mejora la circulación y estimula la curación.

•**Considere la acupuntura,** los masajes o el tratamiento quiropráctico. Estas terapias disminuyen el dolor al aumentar las endorfinas, los analgésicos naturales del cuerpo.

Este régimen debería aliviar la discapacidad y el dolor de cadera en unos tres meses.

Para hallar un médico que esté familiarizado con las alternativas a la cirugía, comuníquese con la American Association of Naturopathic Physicians, llamando al 866-538-2267 o yendo al sitio Web en inglés *www.naturopathic.org.*

Secretos de la cirugía exitosa

Peggy Huddleston, MTS (maestría en estudios teológicos), investigadora y psicoterapeuta con práctica privada en Cambridge, Massachusetts. Es autora de *Prepare for Surgery, Heal Faster* (Angel River Press).

Incluso la cirugía menor puede ser muy estresante. Y no es sorprendente, dada la ansiedad que genera la idea de ser anestesiado... el riesgo de las complicaciones... y el temor al dolor postoperatorio.

El estrés no sólo hace que las cosas sean poco placenteras. Aumenta el riesgo de infección y enlentece la curación de las incisiones.

Ya sea que usted esté enfrentándose a la extirpación de juanetes o a una cirugía de desviación coronaria ("bypass"), la cirugía en sí y su recuperación transcurrirán mejor *si sigue este programa...*

RELAJACIÓN PROFUNDA

El estrés provoca que su cuerpo produzca cortisol. Los niveles crónicamente altos de esta hormona del estrés pueden perjudicar su sistema inmune justo cuando más lo necesita.

Para bajar los niveles de cortisol: Comenzando al menos dos semanas antes de la cirugía, haga el siguiente ejercicio durante 20 minutos o más, una o dos veces todos los días.

•**Siéntese cómodamente o acuéstese.** Relájese y cierre los ojos.

•**Concéntrese en los músculos del cuello.** Si están tensos, relájelos.

•**Ahora concéntrese en otros grupos de músculos:** Hombros, brazos, pecho, abdomen, espalda, pelvis, pierna derecha y pierna izquierda. Sienta la tensión, y luego haga que cada músculo se relaje.

•**Piense en un ser querido.** Recuerde un momento en que con más intensidad sintió amor por esa persona. Imagine que usted también recibe amor de esa persona.

Domine todo esto, y será capaz de tener una relajación profunda y curativa durante todo el día –al conducir su carro, al preparar comidas, etc.

VISUALIZACIÓN POSITIVA

Durante los periodos de relajación profunda, su mente es altamente "sugestionable". Trata los *deseos* casi como si fuesen *reales*.

Use esos momentos para "sembrar" su mente con imágenes de incisiones de curación rápida, recuperaciones sin dolor y otros resultados deseados de la cirugía.

Las investigaciones realizadas en la Universidad de Texas, en Austin, demostraron que los pacientes quirúrgicos que visualizaron una incisión de curación rápida sanaron más rápidamente que los pacientes que no realizaron visualizaciones.

Qué hacer: Dos veces al día durante cinco minutos, imagine que habla alegremente con su mejor amigo/a justo después de operarse. "Me siento bien", podría decir usted. "Las cosas salieron bien."

Después, imagínese yéndose del hospital. Usted podría decir: "Mi _____ [la parte del cuerpo que ha sido operada] está muy bien. Estoy sanando tan rápidamente como esperaba".

Luego imagínese completamente curado y haciendo algo que le encanta hacer. Por ejemplo, si se sometió a un reemplazo de cadera, podría verse bailando en una boda.

APOYO DE OTROS

En los días previos a la cirugía, sus amigos y familiares podrían preguntarle: "¿Cómo puedo ser de ayuda?" Esto es estupendo. Estudios recientes indican que el apoyo emocional de los seres queridos durante y después de la cirugía logra una recuperación rápida y sin complicaciones.

Dígales a quienes quieren ayudar que usted necesita su *amor.* Pídales que piensen en usted durante los 30 minutos previos a la operación… y que le "envíen" sus mejores deseos.

¿Cómo envía alguien esos deseos? Dígale a la persona: "Recuerda un momento en que sentiste gran amor hacia mí. Cuando te sientas como si yo estuviera justo a tu lado, imagina que me envuelves en una manta de amor".

Especifique el color de esta manta imaginaria –cualquier color que a usted le parezca ser el más tranquilizador.

Esta estrategia no es tan increíble como parece. Un conjunto cada vez mayor de investigación científica confirma el poder de dicha "curación a distancia".

Para obtener un apoyo más directo, pídale a su pareja o amigo cercano que esté con usted justo antes de entrar a la sala de operaciones. El contacto directo con la piel de una persona querida –y sus palabras tranquilizantes– es increíblemente eficaz para ayudarlo a controlar el estrés.

PALABRAS QUE CURAN

Al ser sometidos a la anestesia, y durante toda la operación, muchos pacientes son poderosamente influidos por lo que oyen.

En un estudio realizado en la Royal Infirmary en Glasgow, Escocia, 30 mujeres que se sometieron a una histerectomía escucharon un mensaje grabado durante la cirugía que decía: "Usted se sentirá tranquila y cómoda. Cualquier dolor que sienta después de la operación no la preocupará".

Resultado: Después de la operación, esas mujeres necesitaron un 23% menos de morfina que un grupo de control que no escuchó palabras reconfortantes.

Para que las palabras que curan den resultados para usted, anote las siguientes afirmaciones en una tarjeta y pídale a su anestesiólogo que recite cada una cinco veces…

Al ser anestesiado: "Después de esta operación, usted se sentirá tranquilo. Se recuperará y sanará bien."

Al terminar el procedimiento: "La operación salió bien. Usted despertará con ansias de comer _____ [su comida preferida]. Tendrá sed y podrá orinar fácilmente."

Algunos pacientes se sienten muy avergonzados como para pedir que les hagan esas afirmaciones. No sienta vergüenza. En la actualidad, la mayoría de los anestesiólogos se alegran de poder cooperar, y admiten que les hablan a sus pacientes durante la operación de todos modos. De hecho, la mayoría de las investigaciones sobre la sugestionabilidad durante la operación fue realizada por anestesiólogos.

Importante: Hable con el anestesiólogo al menos la noche anterior a la operación – y preferiblemente varios días antes. Si no puede conseguir una reunión personal con el anestesiólogo, hable con él por teléfono.

Pregúntele qué tipo de anestesia utilizará... y sobre los analgésicos que usará después de la operación.

Simplemente hablar ayuda a establecer una relación compasiva entre el médico y el paciente. Un estudio de 218 pacientes quirúrgicos realizado en la Universidad Harvard, descubrió que una charla de cinco minutos con el anestesiólogo antes de la operación calmaba más que una inyección del sedante pentobarbital.

Los niños y la cirugía

Si su hijo o hija necesita una operación, visite el hospital antes de la internación. Muchos hospitales ofrecen visitas preoperatorias para niños menores de 18 años.

Objetivo: Familiarizar a los niños con el ambiente del hospital y hacerlo menos impersonal y aterrador.

Las visitas pueden incluir el área de admisión, la sección preoperatoria, las salas de espera y los lugares de la unidad de pediatría.

Algunos padres temen que sus niños se asusten durante la visita, lo que haría más difícil llevarlos a operarse.

Realidad: Las visitas usualmente relajan a los niños –y también a los padres.

Katie Crocco, especialista acreditada en temas de vida infantil, del departamento pediátrico del hospital Bridgeport, en Connecticut.

El cigarrillo y la cirugía

Los fumadores deberían intentar abandonar el hábito antes de una cirugía electiva... y evitar fumar por al menos las tres semanas siguientes.

Dejar de fumar antes de la cirugía ayuda a limpiar el cuerpo de la nicotina, la cual estrecha los vasos sanguíneos y enlentece el proceso de curación.

David Netscher, MD, profesor de cirugía plástica de la facultad de medicina de la Universidad Baylor, en Houston.

Cirugía a prueba de errores

Antes de someterse a una operación, escriba "no" –o pídale a su cirujano que lo escriba– en la pierna, la rodilla, el brazo, etc., que *no* debería operarse. Muchos pacientes se sienten más aliviados al escribir "no" en una parte sana del cuerpo que al seguir la costumbre de escribir "sí" en el área que requiere cirugía. Además, la palabra "sí" corre el riesgo de ser borrada al lavarse el sitio que se prepara para la operación.

Saul N. Schreiber, MD, cirujano ortopédico con práctica privada en Phoenix, Arizona.

Cirugía con menos riesgos

La cirugía sin sangrado ("bloodless surgery") elimina el riesgo de contraer hepatitis u otras infecciones virales a través de la sangre de otra persona. Además, muchos pacientes son dados de alta más pronto y experimentan menos fatiga. Recoger, filtrar y volver a usar la sangre del paciente durante una operación tiene sólo un leve riesgo de contaminación bacteriana.

La mayor pérdida de sangre ocurre en las cirugías ortopédicas, ginecológicas y cardio-vasculares. El paciente que considere dichos procedimientos debería preguntarle a su cirujano qué pasos se tomarán para minimizar la pérdida de sangre y reducir la necesidad de una transfusión.

Patricia A. Ford, MD, directora médica del Center for Bloodless Medicine & Surgery del hospital Pensilvania, y profesora adjunta de medicina de la Universidad de Pensilvania, ambos en Filadelfia.

Los secretos para lograr una cirugía segura y sin dolor

Michael J. Murray, MD, PhD, profesor y jefe de anestesiología de la facultad de medicina Mayo, en Jacksonville, Florida. Es coautor de *Clinical Anesthesiology* (McGraw-Hill).

La mayoría de las personas que necesitan cirugía están interesadas en hallar un buen cirujano. Pero muy pocos prestan atención a la selección del anestesiólogo.

Todos los pacientes quirúrgicos tienen el derecho de elegir el anestesiólogo, pero la realidad es que el cirujano con frecuencia lo elige.

Sea como sea, es una buena idea solicitar una cita para hablar con el anestesiólogo al menos un día antes de la operación.

Éstas son algunas buenas preguntas para hacer…

•¿**Están las instalaciones quirúrgicas equipadas para casos de urgencia?** Si su operación se realizará en un hospital o en una clínica ambulatoria en un hospital, la respuesta probablemente es "sí". Ambos deben cumplir con rígidos estándares de seguridad a nivel nacional establecidos por la Joint Commission on Accreditation of Healthcare Organizations (JCAHO).

En dichos lugares, su probabilidad de tener complicaciones relacionadas con la anestesia es sólo una en 200.000.

Las clínicas ambulatorias independientes y los consultorios privados de los médicos no son inspeccionados tan detenidamente, y algunos estados no los regulan para nada. Los contratiempos, aunque poco comunes, tienen *cuatro veces* más probabilidad de ocurrir aquí que en un hospital.

•¿**Doctor, estará usted en la sala de operaciones durante todo el procedimiento?** Su mejor oportunidad de tener una operación sin contratiempos es cuando un profesional capacitado se encuentra presente durante todo el procedimiento para administrar la anestesia y controlar su presión arterial, ritmo cardiaco, respiración, temperatura corporal y otros signos vitales.

Este puede ser un anestesiólogo (un doctor en medicina que ha completado una residencia en anestesia de tres años) o una *enfermera registrada y acreditada en anestesia* (CRNA, por sus siglas en inglés) supervisada por un cirujano, un médico o un anestesiólogo. Los hospitales exigen que un anestesiólogo o una enfermera anestesista esté presente durante todas las cirugías.

Las clínicas independientes *no son* gobernadas por las mismas reglas. Las enfermeras anestesistas a menudo trabajan sin supervisión. Otra posibilidad es que nadie, más allá de su cirujano, dentista o cirujano plástico, esté ahí para controlar sus signos vitales.

En dichos casos, usted debería asegurarse de que un oxímetro de pulso ("pulse oximeter") esté sujeto al dedo o al lóbulo de la oreja para medir los niveles de oxígeno en su torrente sanguíneo.

•¿**Puedo elegir el tipo de anestesia?** Para algunas operaciones, no tiene opción: usted debe estar dormido. En la mayoría de los otros casos, sin embargo, usualmente puede –y debería– elegir el tipo de anestesia. *Entre sus opciones se incluyen…*

•*La anestesia general* se administra en forma intravenosa o como gas inhalado. Provoca la pérdida total del conocimiento. La anestesia general es lo mejor para las cirugías importantes, como los procedimientos a corazón abierto.

•*La anestesia regional* incluye la anestesia espinal y epidural. Adormece sólo una parte del cuerpo, permitiéndole a usted estar despierto. La anestesia regional es a menudo usada para los partos, la cirugía ortopédica y la cirugía de próstata.

•*La anestesia local* se reserva con frecuencia para los procedimientos menores que requieren un bloqueo del dolor sólo en el sitio de la operación. Le permite a usted estar despierto. La anestesia local es lo mejor para las cirugías menores, como los procedimientos en las manos o los pies.

•*La anestesia controlada* (MAC, por las siglas en inglés de "monitored anesthesia care") se usa frecuentemente para suplir la anestesia local o regional. Se administran dosis bajas de sedantes en forma intravenosa para provocar un sueño ligero, pero los pacientes permanecen receptivos.

•**¿Doctor, qué necesita saber sobre mi historial médico antes de la operación?** Los problemas médicos subyacentes (como diabetes, asma, problemas del corazón o artritis), los medicamentos recetados, los calmantes de venta libre (como la aspirina) y los suplementos de hierbas pueden alterar la eficacia de la anestesia.

Dígale *todo* al anestesiólogo, sin importar lo trivial o embarazoso que le parezca. Esto incluye cualquier afección por la que haya consultado a un médico en los dos últimos años o que requiere medicación… cualquier caso familiar o personal de complicaciones con la anestesia… cualquier tendencia a sangrar al tomar anticoagulantes, como aspirina o *warfarina* (Coumadin)… y cualquier alergia (incluyendo alergias a analgésicos específicos, o incluso a la cinta quirúrgica).

Fumar, el consumo de alcohol y drogas ilegales también debería mencionarse, aun si usted no se siente cómodo hablando de esas cosas.

Recuerde que revelar esta información podría salvarle la vida. Al saber sus afecciones médicas, el anestesiólogo estará preparado para tratarlas si surgieran complicaciones durante la operación.

Es éste también el momento para considerar sus opciones de calmantes del dolor para después de la operación, entre lo que se incluye todo desde píldoras hasta bombas intravenosas controladas por el paciente ("patient-controlled IV pump"). Comente sus preferencias con su médico y su anestesiólogo.

•**¿Qué pasa si me despierto durante la operación?** Es improbable que recobre la conciencia por completo durante el procedimiento, pero ocasionalmente algunas personas tienen una vaga idea de lo que está sucediendo alrededor de ellos. Si esto sucede, no se preocupe, aún estará suficientemente anestesiado como para que no sienta dolor.

Lo más probable es que el anestesiólogo note signos de que usted está consciente, como un aumento de la presión arterial, antes de que usted lo note –y entonces ajustará su anestesia.

•**¿Puedo tomar algo antes de la operación para calmar los nervios?** Desde luego. Si usted lo solicita, el anestesiólogo puede administrarle un tranquilizante suave, como *diazepam* (Valium) o *alprazolam* (Xanax).

Hable sinceramente con su anestesiólogo acerca de sus temores. Muchas personas que están por someterse a una cirugía se preocupan acerca de no volver a despertar. Ningún temor es demasiado tonto como para no mencionarlo.

•**¿Tendré efectos secundarios causados por la anestesia?** Más allá de sentirse mareado y aturdido, los efectos secundarios deberían ser menores. Si tiene dolor después del procedimiento, pídale de inmediato a su anestesiólogo que aumente la dosis de su analgésico o que lo cambie. No se quede callado.

Con la anestesia general, la garganta podría dolerle levemente. Es así porque se le inserta un tubo durante la operación para ayudarlo a respirar. El dolor debería disminuir en 24 horas. Para evitar esta incomodidad, pida una mascarilla para respirar en vez de un tubo.

Evite el riesgo de una infección quirúrgica

Dale W. Bratzler, DO, MPH, director médico de la Oklahoma Foundation for Medical Quality, un grupo que coordina el proyecto nacional Surgical Infection Prevention Project, patrocinados en parte por los Centros para el control y la prevención de enfermedades (CDC, por sus siglas en inglés) del gobierno estadounidense.

Usted probablemente sabe que la infección es uno de los mayores riesgos quirúrgicos. Los médicos también lo saben –pero no siempre hacen lo suficiente para prevenirla. Entre el 2% y el 5% de las incisiones quirúrgicas se infectan.

Peligro: Las tasas de mortalidad para los pacientes con una infección son dos o tres veces más altas que para quienes se recuperan sin una infección.

Todas las organizaciones quirúrgicas más importantes recomiendan administrar antibióticos como prevención (profiláctico) *antes* de hacer la primera incisión. Por desgracia, los cirujanos frecuentemente los recetan en el momento equivocado.

Idealmente, los antibióticos deberían administrarse en la hora antes de que se haga la primera incisión. Los niveles adecuados del antibiótico deberían mantenerse durante toda la operación, y luego detenerse al final de la operación.

En un estudio, el 20% de los pacientes recibieron antibióticos demasiado temprano... otros los recibieron horas después de que comenzara la operación. Administrar un antibiótico tarde no es mejor que dar un placebo. Si se administra demasiado temprano, los índices de infección en las heridas también son altos. *Para protegerse...*

●**Comente el uso de los antibióticos profilácticos** con su cirujano por adelantado.

●**Insista en los antibióticos si se someterá a un procedimiento de alto riesgo,** como una cirugía cardiaca, vascular o de colon, una histerectomía o el reemplazo de cadera o rodilla.

Estos simples pasos son muy útiles para garantizar su seguridad.

Cómo reducir el riesgo oculto de cualquier cirugía –la anestesia

Frank Sweeny, MD, anestesiólogo y ex director médico de los hospitales St. Joseph y Children's Hospital of Orange County, ambos en Orange, California. Miembro ("fellow") de la American Board of Anesthesiology, también es autor de *The Anesthesia Fact Book* (Da Capo).

Cada año, millones de estadounidenses se someten a una cirugía y a otros procedimientos que requieren anestesia. Unos 2.000 morirán o sufrirán graves complicaciones, como la falla de un órgano, daño cerebral o ataque al corazón –causados no por los procedimientos en sí, sino por factores relacionados con la anestesia. *Para reducir los riesgos...*

●**Pregunte quién administrará la anestesia.** Idealmente, debería ser un médico anestesiólogo o una *enfermera registrada y acreditada en anestesia* (CRNA, por sus siglas en inglés). Ambos tienen una vasta capacitación especializada en anestesia. Un *equipo* de anestesia con una CRNA bajo la supervisión de un médico anestesiólogo tiene el mejor historial de seguridad.

Si tiene programado que le administre anestesia una persona que no sea un especialista en anestesia, averigüe sobre su capacitación en la administración de la anestesia y en el tratamiento de las complicaciones relacionadas con la misma. Si se someterá a una cirugía del corazón, o si un niño necesita anestesia, solicite un anestesiólogo que aplica anestesia a pacientes de alto riesgo ("high-risk patients") con regularidad.

●**Reúnase con su anestesiólogo o CRNA.** La mayoría de los anestesiólogos pasan menos de cinco minutos con sus pacientes –aunque un estudio demostró que más de la mitad de las muertes causadas por la anestesia se debían en parte a evaluaciones inadecuadas de los pacientes antes de la operación. Es aun más importante que se reúna con su anestesiólogo si tiene problemas médicos, o si usted o un familiar ha tenido problemas relacionados con la anestesia. Pídale a su cirujano que lo ayude a programar una reunión con el anestesiólogo o la CRNA que estará en la sala de operaciones cuando usted se someta al procedimiento.

El anestesiólogo o la CRNA que le administrará la anestesia debería repasar su historial médico, incluyendo si alguien en su familia ha tenido problemas con la anestesia. Debería además realizar un examen físico.

Asegúrese de decirle qué medicamentos está tomando, incluyendo hierbas o suplementos. Muchas hierbas pueden interactuar con la anestesia para aumentar la tendencia a sangrar (ginkgo, ginseng), causar estimulación cardiaca (ginseng) o prolongar los efectos de la anestesia (kava, valeriana). Suspenda su consumo de todas las hierbas y suplementos al menos dos semanas antes de la operación.

•**Controle sus problemas médicos.** Un estudio indicó que casi la mitad de las muertes relacionadas con la anestesia ocurrieron en pacientes que tenían afecciones subyacentes, como diabetes, presión arterial alta, angina, etc., que no fueron controladas adecuadamente antes de la anestesia y la operación.

Si tiene alguna afección, vaya al médico con bastante antelación a la operación para asegurarse de que se encuentre en la mejor salud posible. En general es mejor posponer la operación cuando no se encuentra en buena salud.

•**Asegúrese de que la instalación es acreditada por la JCAHO.** Esto significa que la Joint Commission on Accreditation of Healthcare Organizations inspecciona las instalaciones al menos cada tres años para asegurarse de que los estándares operativos, incluyendo el uso de la anestesia, cumplen con los últimos procedimientos y normas de seguridad.

Si se someterá a una operación compleja –como de corazón, próstata, reemplazo de cadera, etc.– averigüe cuántas de esas operaciones se realizan en la instalación cada año. Los estudios demuestran que los resultados son mejores en los sitios que realizan más de esos procedimientos.

Tenga cautela con los procedimientos ambulatorios ("in-office"). Ha habido cada vez más informes sobre problemas relacionados con la anestesia y las cirugías realizadas en los consultorios privados de los médicos.

Cirugía en el consultorio: ocho preguntas que podrían salvar su vida

Ervin Moss, MD, ex director médico ejecutivo de la New Jersey State Society of Anesthesiologists, en Princeton Junction, Nueva Jersey.

La cirugía se ha trasladado fuera de la sala de operaciones del hospital y dentro del consultorio del médico de su vecindario.

Este año, alrededor del 20% de todos los procedimientos quirúrgicos se realizarán en consultorios privados de médicos. Esto significa casi 10 millones de operaciones al año. Éstas incluyen cirugía de cataratas… biopsias… inserción de tubos en el oído… cirugía cosmética y plástica… y reparación de hernias.

La cirugía en el consultorio cuesta menos que los procedimientos similares realizados en los hospitales o instalaciones quirúrgicas ambulatorias ("outpatient surgical facilities"). Además, puede ser más conveniente para el paciente. Pero la cirugía en el consultorio también representa ciertos riesgos.

Incluso el consultorio médico mejor equipado carece de salas de operaciones de última tecnología y del amplio personal de apoyo que se encuentran en los hospitales. Algunos cirujanos en el consultorio carecen de la capacitación que se requiere de sus colegas en los hospitales. Y la cirugía en el consultorio generalmente no está regulada por agencias estatales o nacionales.

Esto no significa que los procedimientos quirúrgicos no puedan hacerse con seguridad en los consultorios médicos. *Pero antes de esquivar el hospital, los pacientes deberían preguntarle al cirujano del consultorio…*

•**¿Tiene usted privilegios de hospital ("hospital privileges") para realizar este procedimiento?** Los cirujanos obtienen privilegios de hospital –el derecho a operar en el hospital– al someterse a un escrutinio intenso.

Los cirujanos que trabajan en consultorios quizá no tengan estos privilegios. Y si tienen un índice alto de resultados malos, normalmente no están obligados a informarlos.

También importante: Pregúntele a su médico si está acreditado por la junta médica ("board certified") para el tipo de cirugía a realizar. La acreditación significa que el cirujano ha aprobado exámenes escritos y se mantiene al día con los desarrollos en su especialidad mediante cursos de educación médica.

•**¿Cuántos procedimientos similares ha realizado?** Los cirujanos mejoran con la práctica. Un cirujano que ha realizado sólo unas decenas de procedimientos aún está aprendiendo. Los pacientes deberían elegir cirujanos que han realizado muchas operaciones similares a la que ellos se someterán.

•**¿Quién administrará la anestesia?** La persona que administre la anestesia debería ser un anestesiólogo acreditado o una enfermera registrada y acreditada en anestesia. Se trata de una enfermera registrada ("RN") que ha tenido dos años de capacitación especializada en anestesiología.

Los estados tienen normas en cuanto a los tipos de anestesia que las enfermeras anestesistas pueden administrar en el hospital y las circunstancias bajo las cuales pueden hacerlo. Estas normas varían de un estado a otro. Pregúntele a su médico qué normas sigue el hospital al cual está afiliado. Su práctica quirúrgica en el consultorio debería cumplir con las mismas normas.

•**¿Está su consultorio preparado para una emergencia?** ¿Tienen a mano equipos para resucitación y respiración artificial y medicamentos en caso de que algo salga mal durante la operación?

Como mínimo, este equipo debería incluir un "carro de paro" ("crash cart") con un desfibrilador y equipo de resucitación para las vías respiratorias.

•**¿Tiene una relación vigente con una empresa de ambulancias?** Los conductores deberían saber exactamente dónde queda el consultorio… las mejores rutas para llegar y de ahí ir al hospital… y qué entradas y salidas son lo suficientemente grandes como para que pase una camilla.

•**¿Qué personal compone su consultorio?** Debería emplear al menos una enfermera que, igual que el cirujano y el anestesiólogo, tenga capacitación en reanimación cardiaca avanzada. Todas las enfermeras que ayuden durante la operación deberían ser especialistas en procedimientos de las salas de operaciones. Y todas las enfermeras que traten a los pacientes después de la operación deberían ser especialistas en recuperación posterior a la anestesia.

•**¿Su instalación ha sido acreditada ("accredited")?** Varias agencias inspeccionan los consultorios, protocolos y procedimientos de los médicos, para certificar que cumplen con los estándares para la cirugía en el consultorio.

La agencia más exigente es la Joint Commission on Accreditation of Healthcare Organizations (JCAHO).

No se requiere que las instalaciones que ofrecen cirugía en el consultorio sean acreditadas por la JCAHO, pero algunas siguen el proceso voluntariamente. Solicite ver el certificado de acreditación. Le asegurará que la instalación está bien administrada y actualizada.

•**¿Cuánto tiempo llevará mi procedimiento?** La cirugía en el consultorio es más segura cuando no supera las cuatro horas. Cualquier operación que dure más debería realizarse en un hospital.

Secretos de una rápida rehabilitación después de una cirugía, herida o ataque cerebral

Kristjan T. Ragnarsson, MD, profesor y jefe del departamento de medicina de la rehabilitación, de la facultad de medicina Mount Sinai, en Nueva York.

Casi el 70% de los estadounidenses necesitarán algún tipo de rehabilitación física durante el curso de su vida.

Para la mayoría de las personas recuperándose de una enfermedad o herida grave, un programa de ejercicios y otras terapias físicas son tan importantes como el tratamiento médico que reciben.

Estos son los pasos que usted puede tomar para asegurar el éxito de un programa de rehabilitación…

•**Pídale al médico que trató su enfermedad o herida que lo remita a un fisioterapeuta ("physical therapist").** La rehabilitación puede realizarse estando internado en el hospital ("inpatient") o de manera ambulatoria ("outpatient"), según su situación. Su médico debería recomendarle un tratamiento y recetarle una cantidad específica de sesiones de rehabilitación.

•**Compare las instalaciones.** Primero, averigüe cuáles programas de rehabilitación están cubiertos por su seguro de salud… compruebe la reputación de cada institución que esté considerando… y visítelas.

Útil: Pregúntele a un miembro del personal si puede hablar con algunas personas que hayan sido pacientes. Visite al menos tres instalaciones antes de elegir una.

Ya sea en el hospital o en forma ambulatoria, la instalación para la rehabilitación debería…

• Proporcionar la terapia adecuada –ya sea física, ocupacional* o del habla.

• Ofrecer un amplio rango de tratamientos para su problema específico.

Ejemplo: Las terapias para tratar la inflamación y el dolor con frecuencia incluyen masajes, ultrasonido ("ultrasound"), hidromasaje ("whirlpool baths"), dispositivos para estimulación eléctrica ("electrical stimulation devices") y fuentes de calor.

El equipo estándar para ejercicios aeróbicos y de fortalecimiento incluye máquinas de levantamiento de pesas ("weight-lifting machines") y pesas libres ("free weights"), *Thera-Bands* (bandas elásticas que se usan para el entrenamiento muscular), tablas de equilibrio ("balance boards"), cintas para caminar ("treadmills"), bicicletas estacionarias ("exercise bikes") y "cintas para caminar en agua" ("water treadmills"), las cuales le permiten caminar o correr en un tanque con agua hasta la cintura.

• Estar a una distancia cómoda como para trasladarse desde su casa u oficina.

• Estar limpia, bien mantenida y tener un ambiente vital y alegre.

Importante: Los programas de rehabilitación en el hospital deberían estar acreditados por la Commission on Accreditation of Rehabilitation Facilities (CARF). Usted puede comunicarse con CARF, llamando al 888-281-6531 o yendo al sitio Web en inglés *www.carf.org.*

• **Compruebe los antecedentes del personal.** El otorgamiento de permisos y licencias varía de un estado a otro, pero el terapeuta que lo supervisa debería ser un *fisioterapeuta registrado* (RPT, por las siglas en inglés de "registered physical therapist") o un *terapeuta*

ocupacional (OT, por las siglas en inglés de "occupational therapist") con un diploma de maestría ("master's degree").

Útil: Pregunte cuántos años de experiencia es usual para los RPT y OT de la instalación… y si los terapeutas participan en programas de educación ("continuing-education"). Averigüe además cuántos pacientes se le asignan a cada terapeuta por hora. Para obtener una atención óptima, no deberían ser más de tres.

• **Asegúrese de que tiene una buena relación con su equipo de terapeutas.** Como las terapias físicas y ocupacionales implican muchas repeticiones, el éxito depende en gran medida de estar motivado. Ésa es la razón por la que debería tener una buena relación con su equipo.

Reúnase brevemente con todos los miembros de su equipo antes de comprometerse con una instalación, y averigüe el área de responsabilidad de cada persona. Todos los miembros del equipo deberían ser amables, dar apoyo y estar disponibles.

Si le parece que la relación no es buena con uno o más de los miembros de su equipo, solicite otro terapeuta o cambie de instalación.

• **Asegúrese de que puede realizar sus ejercicios con confianza antes de volver a casa.** El terapeuta que lo supervisa debería estar disponible para contestar cualquier pregunta que usted pudiera tener más adelante. Además, debería programar una visita de seguimiento ("follow-up") con su médico dentro de un mes para controlar su progreso.

• **Consiga el apoyo de parientes y amigos.** Una vez que su rehabilitación formal haya terminado, pídale a un pariente o amigo que lo "observe" ("spot you", en inglés) durante los ejercicios para mantenerlo motivado… y seguro.

• **Atienda sus necesidades psicológicas.** Una lesión física o enfermedad prolongada pueden provocar una variedad amplia de emociones, desde frustración hasta depresión. Estos sentimientos pueden limitar su capacidad de seguir con su programa de rehabilitación.

Si los pensamientos negativos persisten, hable con su médico acerca de la psicoterapia. El tratamiento con medicamentos también podría ser necesario.

---

*La terapia ocupacional ayuda a los pacientes a volver a sus actividades en el hogar o el trabajo.

Cómo recuperarse más rápidamente de una cirugía

Stanley Fisher, PhD, ex investigador científico adjunto de la Universidad Columbia, y psicólogo y psicoanalista clínico con práctica privada, ambos en Nueva York. También es autor de *Discovering the Power of Self-Hypnosis: The Simple, Natural Mind-Body Approach to Change and Healing* (Newmarket).

Ya sea que usted se esté sometiendo a una cirugía de desviación coronaria ("bypass") o a una apendectomía de urgencia, la cirugía es la decisión racional para conservar o restaurar su salud. Usted lo sabe, *pero su cuerpo no lo sabe.*

Desde el punto de vista del cuerpo, la cirugía es un ataque con cuchillo. Como el cuerpo no puede distinguir entre un cirujano y un asaltante, responde con mecanismos primitivos diseñados para protegerse de los daños. Se liberan las hormonas del estrés, que tensan los músculos y bombean sangre para que los músculos estén alimentados y listos para la lucha. Desgraciadamente, esto es lo opuesto a como tendría que responder el cuerpo a la cirugía. Usted debería estar relajado.

Aun cuando usted esté inconsciente sobre la mesa de operaciones, su cuerpo no está inactivo. Los cirujanos dicen que sin importar lo bien anestesiado que esté un paciente, su cuerpo se tensará perceptiblemente en el momento en que el escalpelo penetre la piel.

Lo que usted necesita es un modo de comunicarse con su cuerpo para ayudarlo a cooperar con el proceso quirúrgico. La autohipnosis le permite hacer justamente esto. Las investigaciones indican que el 89% de los pacientes que usan este método se recuperan más rápidamente que quienes no lo usan.

¿QUÉ ES LA HIPNOSIS?

La palabra "hipnosis" quizá suene a misticismo o charlatanismo. De hecho, es un modo legítimo de explotar los poderes de la mente.

Normalmente, la mente está constantemente consciente del mundo externo. En el estado de trance provocado por la autohipnosis, su conciencia del mundo externo lentamente se distancia, y su atención se concentra hacia el interior. Esta concentración en el interior le permite usar su imaginación para crear cambios en la manera en que la mente y el cuerpo se comportan durante la cirugía.

La hipnosis hace posible provocar el trance a voluntad. Las funciones que normalmente son automáticas, como la frecuencia del pulso y la tensión muscular, pasan a tener un control consciente. Aunque tal vez sea más fácil lograr el estado de trance con la ayuda de un experto, es más conveniente aprender a hacerlo uno mismo.

CÓMO PRACTICAR LA AUTOHIPNOSIS

La autohipnosis consiste en dos etapas – entrar en el estado de trance… y, una vez ahí, transmitir mensajes bien elegidos a la mente y al cuerpo.

Las personas difieren enormemente en la profundidad del trance en el que entran. Una persona muy susceptible a la hipnosis podría sentirse completamente alejada del mundo externo y prácticamente inconsciente de lo que la rodea. Otras personas no sienten nada especial, más allá de una sensación intensificada de relajación, comodidad y calma.

Por fortuna, las personas que no son propensas a ser hipnotizadas pueden lograr las mismas ventajas que quienes sí lo son. Esto es posible porque la profundidad del trance es menos importante que la repetición del mensaje.

Durante la semana previa a la operación, todos los pacientes deberían practicar la autohipnosis cada dos horas cuando estén despiertos –o sea, unas ocho veces al día. El día antes de la cirugía, los pacientes deberían hacerlo una vez cada hora.

Después de la operación, asegúrese de mantener el mismo programa pero concéntrese exclusivamente en ayudar al cuerpo a curarse. Es imposible realizar este tratamiento en exceso.

CÓMO INDUCIR EL TRANCE

Aunque existen muchos modos de provocar el trance –y usted puede usar cualquier técnica que le dé resultados–, muchas personas utilizan con éxito este sencillo proceso de cuatro pasos…

1. Mientras esté sentado o acostado cómodamente, mire hacia arriba –con los ojos abiertos– como si quisiera ver sus cejas. Cierre los ojos, pero siga mirando hacia arriba.

2. Respire profundamente. Mantenga la respiración mientras cuenta uno… dos… tres.

3. Exhale y relaje los ojos.

4. Imagínese cayendo suavemente, como sobre una nube o un sofá suave y liviano, entrando a un lugar seguro y cómodo, completamente relajado.

Todo el proceso usualmente lleva alrededor de 90 segundos.

Después de aprender a lograr el trance, usted está listo para indicarle al cuerpo cómo desea que se comporte durante y después de la cirugía. Instrúyalo para estar flojo, suelto y muy relajado durante la cirugía. Imagine cómo se sentirá cuando esté acostado en la sala de operaciones.

Según el procedimiento, usted podría concentrarse en relajar la parte específica del cuerpo que será operada. Recuérdele al cuerpo que el cirujano está ahí para ayudarlo, no para herirlo. Imagine que usted trabaja con el equipo de cirugía para restaurar la salud del cuerpo.

CONTROLE SUS EMOCIONES

Es natural sentirse ansioso antes de una operación. No se puede hacer que el temor desaparezca, pero puede *ponerlo a un lado*. Imagine cómo son el aspecto y la textura del temor. Véase a usted mismo poniéndolo en una caja grande. El temor aún está ahí, pero no lo molestará tanto.

Otros mensajes se relacionan con la recuperación. Dígale al cuerpo que mantenga la herida seca, limpia y sin infección. Usted podrá imaginar al sistema inmune como un ejército de soldados luchando contra las bacterias, o un equipo de limpieza retirando escombros. Elija una imagen que sea apropiada para usted.

La motivación es clave para el éxito. Aun más importante, recuérdese *por qué* se está sometiendo a la operación. Luego concéntrese en sus objetivos postoperatorios –imagínese levantándose de la cama, sintiendo hambre, siendo más activo y volviendo a sus actividades normales.

Use todos los sentidos. Piense cómo se sienten los músculos durante una caminata a buen ritmo… saboree la satisfacción de una comida gurmé… y disfrute, sano y sin dolor, la calidez de una noche con sus seres queridos.

Protéjase de los estafilococos de los hospitales

Arjun Srinivasan, MD, epidemiólogo médico y miembro ("fellow") de enfermedades infecciosas del hospital Johns Hopkins, en Baltimore.

Las formas resistentes a los medicamentos de la bacteria *estafilococo dorado* (*Staphylococcus aureus*, "staph") son una de las causas más comunes de las infecciones que ocurren principalmente en los hospitales y otros entornos relacionados con el cuidado de la salud.

Los estafilococos están normalmente presentes en la piel o la nariz de entre el 20% y el 30% de los estadounidenses sanos. Las infecciones ocurren cuando la bacteria penetra la piel –debido a un corte o un rasguño o un procedimiento médico invasivo– y se multiplica. La mayoría de las infecciones causadas por estafilococos son menores. Si alguna vez ha tenido una espinilla, un forúnculo o una infección de un folículo piloso (*foliculitis*), probablemente fue causada por los estafilococos.

La bacteria puede causar infecciones sistémicas (del cuerpo entero) en pacientes que tienen el sistema inmune comprometido. En pacientes hospitalizados, los estafilococos son una causa común de infecciones en heridas, neumonía, infecciones en los huesos e infecciones graves en el flujo sanguíneo (*bacteriemia*) que ponen en riesgo la vida.

Los estafilococos usualmente se propagan por el contacto directo. Pueden transmitirse al compartir objetos personales, como una toalla o una hoja de afeitar, que pueden transportar la bacteria hacia las pequeñas fisuras en la piel. En entornos médicos, los estafilococos usualmente se contraen después de que un profesional de la salud limpia una herida y luego toca a alguien que quizá también tenga una herida abierta, o incluso piel visiblemente saludable que tiene fisuras microscópicas. Es poco probable que el contacto casual, como abrazar y besar, disemine una infección causada por estafilococos.

PREVENCIÓN

Lavarse las manos con jabón y agua varias veces al día es la mejor manera de prevenir los estafilococos y evitar contagiar a otros. Use productos de higiene sin necesidad de agua cuando el jabón y agua no estén disponibles.

Es especialmente importante lavarse las manos después de limpiar o vendar heridas (las suyas o las de otra persona) o visitar a alguien con una infección causada por estafilococos.

Otras estrategias de prevención…

•Use guantes de látex al limpiar infecciones en la piel. No toque otras partes del cuerpo (o de cualquier otra persona) mientras use los guantes y asegúrese de lavarse las manos después de quitárselos.

•Mantenga limpios los cortes y rasguños. Lávelos varias veces al día con jabón y agua. Un médico podría también indicarle que aplique una pomada antibiótica. Cubra las heridas con vendas hasta que estén completamente curadas.

•Lave en agua caliente todas las sábanas y toallas, especialmente las toallitas y paños. Esto es especialmente importante si alguien en su familia tiene una infección causada por estafilococos. Agregar lejía (blanqueador, cloro, lavandina, "bleach") al ciclo de lavado proporcionará protección adicional. Usar calor fuerte en las secadoras de ropa también mata los estafilococos.

•Use las toallas una sola vez. Si tiene una infección causada por estafilococos, usar la toalla repetidamente podría diseminar los gérmenes a otras partes del cuerpo, y poner en peligro a otras personas que usen la misma toalla.

•No comparta los objetos personales. Esto incluye hojas de afeitar, toallas, cepillos de dientes, ropa, etc. Cualquiera de esos objetos podría contener, y a la larga diseminar, una infección causada por estafilococos.

•No tome antibióticos si no es necesario. Esto ocurre con más frecuencia cuando las personas tienen una enfermedad viral, como un resfriado. El uso en exceso de antibióticos puede aumentar su riesgo de contraer infecciones causadas por estafilococos resistentes a los medicamentos.

11

Soluciones alternativas y naturales

Terapias importantes frecuentemente pasadas por alto

Hoy en día, hasta los médicos conservadores y tradicionales han comenzado a ofrecerles terapias alternativas a sus pacientes. A veces recomiendan acupuntura para aliviar el dolor e hipérico (corazoncillo, hierba de San Juan, "St. John's wort") para controlar la depresión leve.

Pero todavía hay muchas terapias alternativas eficaces que se utilizan menos de lo que se merecen...

CIMIFUGA NEGRA ("BLACK COHOSH")

En Alemania, un extracto de cimifuga negra llamado Remifemin es recetado frecuentemente como una alternativa para la *terapia de reemplazo hormonal* (HRT, por las siglas en inglés de "hormone replacement therapy"). La evidencia preliminar sugiere que la cimifuga negra es eficaz para el alivio del malestar premenstrual, el dolor menstrual y los trastornos causados por la menopausia.

Estas son buenas noticias considerando la evidencia que vincula la HRT a un riesgo aumentado de sufrir un ataque al corazón.

Todas las mujeres menopáusicas o posmenopáusicas deberían consultar con su médico acerca de tomar suplementos de cimifuga negra. Se venden en las tiendas de alimentos naturales ("health food stores").

Advertencia: No tome cimifuga negra durante más de seis meses, ya que ningún estudio ha determinado si el consumo prolongado es seguro.

GUGGUL

Un extracto del árbol *mirra mukul* ("mukul myrrh"), originario de la India, el guggul se utiliza en ese país para disminuir el colesterol. La evidencia acumulada comprueba que es

---

Kenneth R. Pelletier, MD, profesor clínico de medicina de la facultad de medicina de la Universidad de Arizona, en Tucson. Es autor de *The Best Alternative Medicine: What Works? What does not?* (Fireside).

eficaz –y seguro. En un estudio realizado en la India, 40 pacientes con colesterol elevado que tomaron un suplemento de 25 mg de guggul tres veces al día, durante 16 semanas, disminuyeron su colesterol total en alrededor del 21%. Los niveles del colesterol "bueno" HDL (por sus siglas en inglés) aumentaron en un 35%.

Si tiene colesterol elevado: Pregúntele a su médico si puede tomar suplementos de guggul.

VISUALIZACIÓN DE IMÁGENES

La visualización de imágenes ("mental imagery") comienza cuando el paciente entra en un estado de relajación profunda similar a aquel obtenido por medio de la hipnosis. El médico o hipnoterapeuta luego guía al paciente a visualizar los tratamientos, la recuperación y los resultados deseados.

La visualización de imágenes ha sido comprobada eficaz para el alivio del dolor crónico y la ansiedad. También ha sido empleada con éxito para disminuir la presión arterial y el ritmo cardiaco en pacientes cardiacos; y para aumentar la producción de linfocitos, neutrófilos y células T en los pacientes con cáncer.

Escribir pensamientos y sentimientos puede ser una potente forma de visualización. El boletín médico *Journal of the American Medical Association* publicó un estudio de 112 personas con asma o artritis reumatoide que recibieron asistencia médica habitual. En un grupo, los pacientes escribieron un ensayo en tres días consecutivos, contando sus reacciones a una experiencia traumática.

Resultado: Cuatro meses más tarde, aquellos en el grupo que escribieron los ensayos habían mejorado su salud significativamente.

RELAJACIÓN DEL CUERPO Y DE LA MENTE

La meditación, la hipnosis, el control del estrés y la autorregulación biológica ("biofeedback") son todas eficaces contra la ansiedad y la depresión, el asma, la presión arterial alta, el dolor crónico y el síndrome del túnel carpiano.

Las personas que padecen enfermedad del corazón que son tratadas con clases para controlar el estrés y con la autorregulación biológica de la tensión muscular, sufren menos ataques al corazón mortales y requieren menos cirugías del corazón que aquellos pacientes similares que siguen los programas habituales de ejercicios aeróbicos.

Las clases para el control del estrés enseñan mejores métodos para sobrellevar las situaciones estresantes. Entre estos métodos se incluyen las visualizaciones, la respiración meditativa y otras técnicas de relajación.

La autorregulación de la tensión muscular consiste en colocar electrodos sobre la piel para medir la tensión muscular. El paciente aprende a disminuir la tensión al monitorizar un dial u otro mecanismo de regulación.

Si desea disminuir el estrés o la ansiedad, puede considerar estas técnicas. Comuníquese con el National Center for Complementary and Alternative Medicine de los National Institutes of Health, llamando al 888-644-6226 o yendo al sitio Web *http://nccam.nih.gov/health/espanol/.*

ORACIÓN

Algunos estudios han sugerido que la oración promueve la curación –aun cuando el paciente no sabe que alguien está rezando por él. Por ejemplo, en un estudio de 393 pacientes cardiacos en el hospital San Francisco General, se oró por la mitad de los pacientes, pero no por la otra mitad. Ni los pacientes ni los médicos supieron por quiénes se oró.

Después de 10 meses, el grupo por el cual se oró había necesitado menos asistencia médica –y tuvo una menor tasa de mortalidad– que el grupo por el cual no se oró.

REIKI

En esta técnica efectuada al colocar suavemente las manos, un practicante envía "energía sanadora" al cuerpo del paciente a través de las manos. El Reiki ha resultado eficaz para controlar el dolor y curar las heridas.

En la facultad de medicina de la Universidad de Michigan, en Ann Arbor, los investigadores determinaron que el Reiki acelera la curación de las incisiones.

A las personas que padecen dolor crónico o que se están recuperando muy lentamente de una herida tal vez les convenga hacer la prueba con Reiki. Comuníquese con el International Center for Reiki Training, llamando al 800-332-8112 o yendo al sitio Web en inglés *www.reiki.org.*

ALIMENTOS DE SOJA ("SOY")

Se piensa que los alimentos de soja demoran la aparición de la menopausia y previenen la pérdida ósea en las mujeres menopáusicas. Un estudio realizado en la facultad de medicina de la Universidad Stanford sugiere que la soja es eficaz cuando se combina con suplementos diarios de la vitamina D y calcio.

La soja deriva su efectividad de los *fitoestrógenos,* compuestos similares al estrógeno. El tofu, el "tempeh", la leche de soja, edamame (brotes pequeños de soja), el queso de soja y la sopa "miso" son todos ricos en fitoestrógenos.

Las mujeres menopáusicas o posmenopáusicas deberían preguntarle al médico acerca de consumir soja junto con suplementos de la vitamina D y calcio.

Importante: Consulte a su médico antes de tomar cualquier suplemento de hierbas. Las mujeres que están embarazadas o amamantando no deben consumir hierbas.

Remedios de hierbas poco conocidos

James A. Duke, PhD, uno de los principales expertos en hierbas medicinales y ex jefe del laboratorio de plantas del Departamento de Agricultura de Estados Unidos (USDA), en Beltsville, Maryland. Es autor de *Dr. Duke's Essential Herbs: 13 Vital Herbs You Need to Disease-Proof Your Body, Boost Your Energy, and Lengthen Your Life* (Rodale).

Muchas personas que se preocupan por la salud conocen los remedios de hierbas más populares –ginkgo biloba, que mejora la memoria… el hipérico (corazoncillo, hierba de San Juan, "St. John's wort"), que combate la depresión… y la equinácea ("echinacea"), que fortalece el sistema inmune. Hay más de 10.000 hierbas medicinales disponibles, las cuales se utilizan en el tratamiento de una amplia gama de afecciones, incluyendo la fiebre, las várices (venas varicosas), la osteoporosis y las hemorroides.

Algunas hierbas dan resultados que son tan buenos como los de los medicamentos convencionales. Las hierbas generalmente tienen menos efectos secundarios, y habitualmente cuestan menos también.

ASTRÁGALO (TRAGACANTO, "ASTRAGALUS") *STRAGALUS MEMBRANACEOUS*

Esta hierba ha sido utilizada durante siglos en la medicina tradicional china en el té y en las sopas –generalmente en forma de raíz.

También conocido como *"huang qi"* (pronunciado "huang chi"), el astrágalo es utilizado típicamente para reforzar el sistema inmune para que el cuerpo pueda librarse de los resfriados, la gripe y las bacterias dañinas.

Dosis diaria típica: A la primera señal de síntomas de resfriado o de gripe, prepare un té con una cucharadita del extracto líquido o media cucharadita de tintura en una taza de agua caliente; deje remojar y escurra. También puede usar 2 gramos de la raíz.

Advertencia: Ciertas especies de astrágalo son tóxicas. No intente recoger y utilizar esta hierba por su cuenta. Cómprela de una fuente confiable.

BRUSCO (RETAMA, "BUTCHER'S BROOM") *RUSCUS ACULEATUS*

En Europa esta hierba se usa frecuentemente para aliviar las várices y las hemorroides.

Dosis diaria típica: una tableta de 300 mg… o entre 7 y 11 mg de *ruscogenina* ("*ruscogenin*") pura, el ingrediente activo.

SEMILLAS DE APIO ("CELERY SEEDS") *APIUM GRAVEOLENS*

Las propiedades antiinflamatorias de las semillas de apio ayudan a mejorar la artritis y los síntomas de la gota, y a disminuir la presión arterial.

Si puede comer apio sin problemas, es poco probable que experimente efectos secundarios.

Advertencia: Consulte a su médico antes de consumir las semillas de apio para la hipertensión. Podrían incrementar los efectos de los antihipertensivos recetados.

Dosis diaria típica: Tome dos cápsulas de 500 mg del extracto estandarizado ("standardized extract"), o media cucharadita de la tintura ("tincture"), antes de las comidas. Para las semillas, tome una cucharada de semillas en una taza de agua caliente o añádalas a las sopas como condimento.

BAYAS DEL SAÚCO ("ELDERBERRY")
SAMBUCUS NIGRA

Esta hierba combate las enfermedades virales, incluyendo la gripe, los resfriados y el herpes.

En un estudio realizado durante un brote de gripe en Israel, el 90% de las personas que tomaron un extracto estandarizado de baya del saúco ("standardized elderberry extract") mejoraron en los próximos tres días.

Dosis diaria típica: Apenas aparezcan los síntomas de una gripe, un resfriado o un herpes, tome media cucharadita de extracto líquido de flor del saúco ("liquid elder flower extract") antes de las comidas, o dos o tres tazas de té de flor de saúco (deje remojar dos cucharaditas de flores secas del saúco en una taza de agua caliente, y escurra).

FENOGRECO ("FENUGREEK")
TRIGONELLA FOENUM-GRAECUM

Esta hierba se utiliza en el tratamiento de la diabetes, la diarrea y el estreñimiento.

En estudios realizados en la India, el fenogreco demostró contener cinco compuestos que disminuyen significativamente los niveles de azúcar en la sangre de las personas que padecen diabetes de tipo 1 o tipo 2.

El fenogreco contiene *mucílago*. Esta fibra soluble absorbe el agua y proporciona alivio para la diarrea y el estreñimiento.

El mucílago también realza la capacidad de la hierba para disminuir los niveles del azúcar en la sangre y es posible que reduzca los niveles de colesterol y de triglicéridos.

Advertencia: No consuma fenogreco *en lugar de* los remedios recetados para la diabetes. Consulte a su médico si quiere hacer la prueba con esta hierba para tratar la diabetes.

Dosis típica diaria: Consuma 620 mg de extracto estandarizado ("standardized extract") antes de las comidas, o una taza de té de fenogreco (deje remojar una cucharada de semillas machacadas en una taza de agua caliente).

KUDZU
PUERARIA MONTANA

Esta hierba puede ayudarle a prevenir la osteoporosis y a disminuir las ansias de bebidas alcohólicas.

El kudzu contiene *genisteína* y *daidzeína* –fitoestrógenos que lo protegen de la pérdida ósea.

Dosis diaria típica: Tome tres cápsulas de 100 mg.

SEMILLAS DE CALABAZA "PUMPKIN"
CUCURBITA PEPO

En ciertas partes de Europa, las semillas de calabaza son el tratamiento habitual para el agrandamiento benigno de la próstata. Las semillas son ricas en zinc, selenio y otros minerales que han sido comprobados como reductores del riesgo de contraer cáncer de próstata.

Dosis diaria típica: Un cuarto de taza de las semillas.

CÓMO CONSUMIR HIERBAS SIN CORRER RIESGOS

Los remedios provenientes de las plantas a veces pueden intensificar o impedir los efectos de los medicamentos recetados. Consulte a su médico antes de consumir cualquier hierba –en especial si está embarazada, amamantando, o si toma medicamentos recetados.

Si tiene programada una cirugía, infórmele a su médico de todas las hierbas que toma… y deje de tomarlas tres semanas antes del procedimiento. Algunas hierbas disminuyen –o aumentan– la presión arterial, o disminuyen los efectos de la anestesia.

Los ingredientes activos de los medicamentos de hierbas pueden variar, dependiendo del fabricante. Elija marcas "estandarizadas" ("standardized"). Estas indican la cantidad del ingrediente activo –y ofrecen recomendaciones acerca de la dosis a tomar. Puede comprarlas en las tiendas de alimentos naturales ("health food stores").

Además, infórmele a su farmacéutico acerca de cualquier hierba que usted esté tomando, así él puede controlar las posibles interacciones con los medicamentos recetados que toma.

Para encontrar a un médico que conozca los tratamientos con hierbas, comuníquese con la American Association of Naturopathic Physicians, llamando al 866-538-2267 o yendo al sitio Web en inglés *www.naturopathic.org*.

Más de James A. Duke...

Fortalezca su sistema inmune con hierbas

Las hierbas medicinales son ricas en antioxidantes que ayudan a mantener la salud y a retrasar el proceso del envejecimiento. También pueden prevenir o aliviar los problemas de salud relacionados con la edad, tales como la artritis, la presión arterial elevada y el deterioro de la visión.

James A. Duke, un botánico renombrado a nivel mundial, sabe cuáles hierbas son las esenciales para envejecer de manera saludable. El Dr. Duke tiene un jardín medicinal de hierbas de medio acre en su granja en Fulton, Maryland. Comentó acerca de ocho hierbas poderosas que él mismo utiliza.

Advertencia: Si bien estas hierbas no tienen efectos secundarios significativos y son mucho más seguras que la mayoría de los medicamentos sintéticos, conviene siempre consultar a su médico antes de tomar suplementos o tratar un problema médico por su cuenta.

Algunas hierbas pueden interactuar con medicamentos recetados o de venta libre, ya sea exagerando o atenuando sus efectos. Además, algunas personas podrían ser alérgicas a las hierbas. Esté alerta a síntomas, como los sarpullidos, cuando consume una hierba.

Con el consentimiento de su médico, puede tomar todas estas hierbas a la vez, junto con vitaminas, si lo desea. Siga las dosis recomendadas en las etiquetas.

RÁSPANO ("BILBERRY"): PROBLEMAS DE LA VISTA

El ráspano es rico en *antocianinas,* sustancias químicas que mantienen fuertes y flexibles a las paredes capilares. También está cargado de antioxidantes que defienden a los tejidos delicados del cuerpo contra los daños causados por los radicales libres.

En particular, el ráspano protege a la retina y a su fuente de sangre, previniendo y mejorando las afecciones de la vista, tales como la degeneración macular.

El ráspano también puede evitar otros problemas de los ojos, incluyendo las cataratas, el glaucoma, y la visión nocturna empeorada.

SEMILLAS DE APIO ("CELERY SEEDS"): GOTA Y ARTRITIS

Tengo una afición especial por esta hierba, la cual me ha protegido de agonizantes ataques de gota durante siete años. Disminuye los niveles en la sangre del ácido úrico con tanta eficacia como *alopurinol,* el medicamento comúnmente recetado para la gota.

Las semillas de apio, disponibles en forma de cápsula, también contienen 25 compuestos antiinflamatorios que pueden disminuir el dolor y la hinchazón causados por la artritis. Contienen sustancias químicas que hacen que los vasos sanguíneos se relajen y se abran, ayudando a aliviar la presión arterial elevada y la angina (el dolor de pecho causado por el deficiente flujo sanguíneo al corazón).

En la medicina tradicional popular, las semillas de apio se consideran una ayuda para la digestión. Se utilizan para aliviar los gases y la acidez estomacal, aunque su eficacia aún debe comprobarse desde el punto de vista clínico.

EQUINÁCEA ("ECHINACEA"): RESFRIADOS Y GRIPE

Este remedio popular de hierbas es un poderoso aliado contra los resfriados y la gripe. La flor morada de la que proviene ha sido utilizada de forma medicinal por los indígenas norteamericanos durante siglos.

Al menos tres de las sustancias químicas que contiene –*ácido cafeico, equinacósido* y *ácido chicórico*– poseen propiedades antivirales conocidas. Además, la equinácea ayuda a estimular las habilidades del cuerpo para combatir las infecciones.

Tome equinácea a la primera señal de una infección de la vía respiratoria alta o de una gripe. Yo también la tomo cuando sé que voy a estar cerca de muchas personas o de otras posibles fuentes de infección.

Esta no es una hierba de consumo diario –el sistema inmune podría dejar de responder a ella eventualmente. Yo no la tomo por más de ocho semanas seguidas.

AJO: PRESIÓN ARTERIAL Y COLESTEROL

Este bulbo de olor fuerte fue recomendado por Hipócrates, el médico griego del quinto siglo AC, y citado como un cúralo-todo en un antiguo manuscrito sánscrito. Hoy en día, atribuimos la eficacia medicinal del ajo a su alta concentración de compuestos de azufre ("sulfur").

El ajo disminuye la presión arterial y el colesterol. También existe evidencia de que puede reducir el riesgo de cáncer, especialmente en el tracto gastrointestinal.

El ajo contiene al menos 25 compuestos que matan los gérmenes, y combaten las infecciones bacterianas, virales y fúngicas.

Consuma al menos un diente crudo o cuatro dientes cocidos todos los días… o tome cápsulas de ajo.

ESPINO BLANCO ("HAWTHORN"): POTENTE REMEDIO PARA EL CORAZÓN

Un extracto preparado con este arbusto floreciente puede ser útil para contrarrestar el ritmo cardiaco irregular, la angina y la falta de aire. El espino blanco contiene siete compuestos que se sabe que previenen coágulos de sangre peligrosos, y tres que disminuyen la presión arterial. Un estudio realizado en la Universidad de Madrás, en la India, sugiere que el espino blanco además podría ayudar a disminuir el colesterol.

CARDO MARIANO ("MILK THISTLE"): PROTECCIÓN DEL HÍGADO

El hígado, el órgano más importante para la desintoxicación de la sangre, está bajo ataque constante por la polución. El alcohol también es nocivo para el hígado. El cardo mariano (cardo lechero), un pariente de la alcachofa (alcaucil, "artichoke"), parece proteger al hígado. Contiene *silimarina,* la cual fortalece las membranas de las células y mejora la capacidad de autorreparación del hígado. El cardo mariano también ha sido utilizado en el tratamiento de la hepatitis A y C.

Yo tomo cápsulas de cardo mariano cuando viajo y estaré expuesto al "esmog" (la niebla en las ciudades industriales). Si viviera en una gran ciudad con problemas de polución, lo tomaría todos los días.

También lo tomo antes de una celebración, cuando es posible que consuma un poco más de alcohol que de costumbre.

Puede tomar cápsulas de silimarina ("silymarin") o consumir semillas de cardo mariano, ambas disponibles en las tiendas de alimentos naturales ("health food stores"), como lo haría con las semillas de girasol ("sunflower seeds").

PALMITO ASERRADO ("SAW PALMETTO"): PROBLEMAS DE LA PRÓSTATA

Al menos la mitad de los hombres mayores de 50 años tienen alguna dificultad al orinar, ya que el agrandamiento benigno de la próstata corta el flujo. Un extracto de palmito aserrado (palmera de Florida), un arbusto tropical, ha sido utilizado durante años para el tratamiento de este problema.

Un análisis en el boletín médico *Journal of the American Medical Association* concluyó que el palmito aserrado facilita la micción en aquellos hombres que sufren de problemas de próstata, tanto como la facilitan los medicamentos. Las sustancias químicas naturales de la hierba parecen obstruir una hormona similar a la testosterona que promueve el crecimiento de la próstata. Los hombres que no tienen problemas de próstata pueden consumirla como medida preventiva.

El palmito aserrado también podría retrasar la calvicie en los hombres.

CÚRCUMA ("TURMERIC"): PROBLEMAS DEL CORAZÓN Y ARTRITIS

Esta especia, elaborada con la raíz de la planta tropical *Curcuma longa*, es un ingrediente habitual de la mostaza y de la comida de la India –es lo que hace que el curry sea de color amarillo vivo. La cúrcuma está llena de antioxidantes y contiene potentes compuestos antiinflamatorios conocidos como inhibidores de las enzimas Cox-2 ("Cox-2 inhibitors").

Algunas investigaciones sugieren que la cúrcuma puede detener las inflamaciones con la mitad de la eficacia de la cortisona y otros esteroides –pero sin los efectos secundarios preocupantes. Esto la convierte en una aliada valiosa contra la artritis. Además, la cúrcuma protege el corazón. Disminuye la probabilidad de la aglutinación de las plaquetas en la sangre y la formación de coágulos peligrosos. También combate la acumulación del colesterol en las arterias.

La cúrcuma está disponible como una preparación de hierbas. También la puede agregar a su dieta cuando cocina. Me gusta usarla para preparar una sopa de apio ("celery") al curry.

LAS MARCAS QUE LE CONVIENE COMPRAR

Muchos fabricantes venden productos de hierbas, pero no existe ninguna norma del gobierno federal que asegure el control de la calidad.

Para estar seguro, seleccione una marca importante y conocida, tal como Nature's Herbs, Nature's Way o Solgar. Estas se venden en la mayoría de los supermercados, farmacias y tiendas de alimentos naturales. Compre preparaciones que indiquen en la etiqueta, de manera clara, las cantidades exactas de los ingredientes activos.

Remedios de hierbas: Secretos para la mayor eficacia y el uso seguro

Ethan Russo, MD, profesor clínico auxiliar de medicina de la facultad de medicina de la Universidad de Washington, en Seattle. Es autor de *The Handbook of Psychotropic Herbs* (Routledge).

Las personas suelen suponer que las hierbas, al ser "naturales", no representan mucho riesgo a la salud. Esto es equivocado.

Algunas hierbas son demasiado tóxicas para usos medicinales. Incluso algunas que generalmente son seguras pueden causar daño a los riñones y al hígado.

Al igual que los medicamentos, los remedios de hierbas pueden reaccionar de manera peligrosa con ciertos medicamentos o alimentos.

¿Cómo puede utilizar los remedios de hierbas para conseguir los resultados más seguros y eficaces? El médico y herbolario Ethan Russo, MD, sugirió varios consejos útiles…

●**Evite has hierbas que se sabe que son peligrosas.** Debido a sus riesgos característicos, es mejor evitar el chaparro (jarrilla, "chaparral"), consuelda ("comfrey"), "life root", camedrio (germandrina, "germander"), fárfara (tusilago, "coltsfoot"), sasafrás, ("sassafras") y efedra ("ephedra", "Ma huang").

●**No se deje engañar por afirmaciones increíbles.** La ley federal les prohíbe a los fabricantes de remedios de hierbas afirmar que sus productos ofrecen curación total.

Pero frecuentemente, los fabricantes promueven sus productos con afirmaciones de que alivian una vasta gama de afecciones.

No crea todas las declaraciones de los fabricantes. Con frecuencia, los mejores fabricantes no afirman la existencia de beneficios a la salud relacionados con sus productos.

●**Busque información confiable.** La mayoría de los médicos sabe muy poco acerca de las hierbas. Lo mismo se puede decir del farmacéutico típico.

Los empleados de las tiendas de alimentos naturales ("health food stores") pueden parecer muy bien informados, pero sus datos frecuentemente provienen de los fabricantes de remedios de hierbas –quienes no suelen ser una fuente de información imparcial.

La fuente más confiable de información sobre hierbas es *The Complete German Commission E Monographs: Therapeutic Guide to Herbal Medicines* (American Botanical Council)*.

●**Consulte a un profesional bien informado.** Para hallar un médico en su zona que conozca las hierbas, comuníquese con el American Botanical Council, llamando al 800-373-7105 o al 512-926-4900, o yendo al sitio Web en inglés *http://abc.herbalgram.org.*

Alternativa: Consulte a un médico naturopático (naturista). Los médicos naturopáticos reciben capacitación médica básica, y también instrucciones extensas en el uso seguro de las hierbas.

Para hallar un médico naturopático en su zona, comuníquese con la American Association of Naturopathic Physicians, llamando al 866-538-2267 o yendo al sitio Web en inglés *www.naturopathic.org.*

●**Compre únicamente las formulaciones estandarizadas de hierbas.** Los extractos de hierbas estandarizados han sido formulados para proporcionar los ingredientes activos en una concentración específica. De esta manera, usted puede estar seguro de que el producto es potente y se puede usar sin peligro.

*Tal vez la biblioteca de su barrio tenga este libro. Si no lo tiene, puede comprarlo de una librería en Internet. Los precios podrían variar.

Busque la palabra "estandarizado" ("standardized") o las palabras "German standards" en la etiqueta.

●**Siga exactamente las indicaciones de la etiqueta.** Igual que los medicamentos, las hierbas dan mejores resultados en dosis específicas. Tome solo la dosis recomendada, y en la forma indicada, ya sea con o entre las comidas, con o sin agua, etc.

●**No mezcle las hierbas con los medicamentos.** Las hierbas pueden incrementar la potencia de ciertos medicamentos. Si está tomando algún medicamento recetado, no tome ningún extracto de hierbas hasta que haya consultado a su médico o a un médico naturopático.

Si un médico le ha recetado un medicamento, infórmele acerca de cualquier remedio de hierbas que esté tomando. Es posible que necesite modificar la dosis.

Las interacciones entre las hierbas y los medicamentos pueden incluir...

●Hipérico (corazoncillo, hierba de San Juan, "St. John's wort") y *fluoxetina* ("Prozac"). Esta combinación puede elevar los niveles del neurotransmisor serotonina en el cerebro. El "síndrome de serotonina" puede causar delirio y otros síntomas peligrosos.

●Ginkgo biloba y anticoagulantes. Igual que la aspirina, la *warfarina* ("Coumadin") y otros anticoagulantes, el ginkgo disminuye la tendencia de la sangre a coagularse. Tomado junto con un anticoagulante, el ginkgo puede causar una hemorragia interna.

●**Tenga cuidado con las reacciones alérgicas.** Introduzca una sola hierba a la vez. No añada una segunda hierba hasta que haya tomado la primera durante una semana sin haber experimentado ningún síntoma de reacciones alérgicas –sarpullidos, indigestión, mareos o dolor de cabeza. Si experimenta cualquiera de estos síntomas, deje de tomar la hierba de inmediato. Intente tomarla de nuevo una semana después. Si los síntomas regresan, deje de tomar la hierba para siempre.

Advertencia: Si le falta el aire después de tomar una hierba, llame a una ambulancia de inmediato.

●**No tome hierbas durante el embarazo.** El jengibre ("ginger"), el ajo y otras hierbas populares son generalmente seguros. Pero algunas hierbas pueden causarles problemas graves a las mujeres embarazadas o que están amamantando.

También conviene consultar a su médico antes de darle cualquier remedio de hierbas a un niño menor de 12 años.

Riesgos poco conocidos de los remedios de hierbas populares

Joe Graedon, farmacólogo de Durham, Carolina del Norte, y Teresa Graedon, PhD, autores de varios libros, entre ellos *The People's Pharmacy Guide to Home and Herbal Remedies* (St. Martin's).

La mayoría de las personas suponen que los remedios de hierbas son más seguros que los medicamentos, ya que son "naturales"... y se han usado durante miles de años.

Efectivamente, hay *menos* probabilidad que las hierbas causen efectos secundarios peligrosos. Pero a medida que el uso de las hierbas medicinales aumenta, también sube el riesgo de sufrir perjuicios.

Estas son las siete hierbas medicinales más usadas –en orden alfabético– y las precauciones importantes a tomar si las consume...

AJO

El ajo se utiliza para disminuir el colesterol... prevenir los coágulos de sangre... disminuir la presión arterial elevada... y como fungicida para combatir los hongos.

La eficacia de las cápsulas de ajo en comparación con el ajo crudo sigue siendo un tema sin resolución.

Riesgos: El ajo puede aumentar el riesgo de hemorragias internas en los que toman medicamentos anticoagulantes, tales como *warfarina* (Coumadin).

En definitiva: Usted tendría que consumir mucho ajo antes de experimentar algún problema. Pero si toma un anticoagulante, los suplementos de ajo podrían ser peligrosos.

CÁSCARA SAGRADA ("SACRED BARK")

También conocida como *espino cerval, ladierno, tamujo* y *cambrón*, este laxante da resultados al estimular las contracciones intestinales.

Riesgos: La cáscara sagrada puede causar diarrea severa, la cual agota los minerales esenciales del cuerpo. Puede llegar a ser peligrosa cuando se combina con otros tipos de remedios que agotan los electrolitos del cuerpo, como los diuréticos.

Mejor opción: Los laxantes que aumentan el bolo intestinal ("bulk-forming") que contienen psilio ("psyllium") o metilcelulosa ("methylcellulose").

Aun mejor: Consuma más alimentos ricos en fibra, la cual aumenta el bolo intestinal – frutas, verduras y legumbres (frijoles, habas, habichuelas, judías, guisantes, etc.).

CIMIFUGA NEGRA ("BLACK COHOSH")

Se utiliza para aliviar los síntomas de la menopausia –bochornos (calores repentinos, sofocos), sudoración nocturna y cambios del ánimo. Las mujeres que están siendo tratadas con la terapia de reemplazo hormonal (HRT, por sus siglas en inglés) no deben tomar cimifuga negra –no vale la pena el esfuerzo duplicado.

GINKGO BILOBA

Esta hierba habitualmente se utiliza para mejorar la circulación… tratar de retrasar el deterioro mental relacionado con el mal de Alzheimer… y aliviar algunos de los efectos secundarios sexuales relacionados con la depresión.

Riesgos: En las personas que toman medicamentos anticoagulantes, es posible que el ginkgo aumente el riesgo de una hemorragia interna, ya que impide la coagulación de la sangre.

El ginkgo desacelera la capacidad del cuerpo de metabolizar los medicamentos. Si toma *atorvastatina* (Lipitor) para disminuir el colesterol o *nifedipina* (Procardia) para controlar la presión arterial alta, no tome ginkgo. La combinación podría resultar en una peligrosa

acumulación de los medicamentos en el torrente sanguíneo.

HIPÉRICO ("ST. JOHN'S WORT")

El hipérico (corazoncillo, hierba de San Juan) parece ser tan eficaz como los antidepresivos recetados para los casos de depresión que varían de leves a moderados.

Riesgos: La combinación del hipérico con un antidepresivo puede causar irritabilidad, contracciones musculares, ansiedad o pánico. Podría también causar sensibilidad a la luz, por lo tanto no debe pasar mucho tiempo expuesto a la luz brillante. Los anteojos (gafas) de sol no serán suficientes.

El hipérico podría también reducir la eficacia de los anticonceptivos orales. Las mujeres que toman el hipérico mientras usan píldoras anticonceptivas corren un mayor riesgo de quedar embarazadas.

Además, el hipérico puede disminuir la eficacia de ciertos medicamentos que se usan para controlar el virus del sida.

Es mejor evitar combinar el hipérico con otros medicamentos, a menos que usted haya consultado su situación específica con un médico naturopático (naturista), un herbolario o un médico bien informado acerca de las hierbas.

REGALIZ ("LICORICE")

Acelera la curación de las úlceras, la enfermedad inflamatoria intestinal y otras afecciones inflamatorias del tracto digestivo.

El regaliz impide la secreción del ácido estomacal y aumenta la producción de *prostaglandinas,* las cuales protegen los tejidos en el tracto digestivo.

Riesgos: El uso habitual de regaliz puede agotar el potasio del cuerpo, especialmente cuando se combina con diuréticos como *furosemida* (Lasix). Los niveles bajos de potasio son particularmente peligrosos si está tomando el medicamento para el corazón *digoxina* (Lanoxin), ya que esto puede resultar en peligrosas alteraciones en el ritmo cardiaco (*arritmias*).

El consumo en exceso de regaliz negro también puede subir la presión arterial… aumentar la retención de líquidos… disminuir los deseos sexuales… y causar desequilibrios hormonales.

Más seguro: El regaliz deglicirrizinado (DGL, por sus siglas en inglés), al cual se le ha eliminado un componente dañino, lo que disminuye el riesgo de los efectos secundarios.

TÉ VERDE

Contiene propiedades antioxidantes y antibacterianas que se piensa que disminuyen el riesgo de contraer cáncer y tal vez reduzcan la incidencia de la enfermedad de las encías. También es posible que las personas que lo toman habitualmente tengan niveles más bajos de colesterol.

Riesgos: En teoría, la vitamina K que contiene el té verde podría reducir la eficacia de los anticoagulantes, tales como warfarina. Pero tendría que beber mucho té para que esto ocurra.

Los ácidos tánicos en el té verde también pueden impedir la absorción del hierro –un problema para las mujeres con anemia.

Importante: Es más probable que los suplementos que contienen té verde concentrado causen problemas, que el té verde en sí. Por lo tanto, es mejor *beber* el té verde.

Estos remedios antiguos son las mejores curas

Joan y Lydia Wilen, renombradas expertas en remedios tradicionales que residen en Nueva York y son coautoras de *Remedios caseros curativos*, la edición en español de *Healing Remedies* (Bottom Line Books). www.bottomlinesecrets.com.

Cuando éramos niñas en Brooklyn, nuestra madre tenía un antiguo remedio tradicional ("folk remedy") para casi todos los problemas de salud. Y si acaso no conocía alguno, nuestra abuelita seguro que lo conocía.

Los remedios tradicionales no les dan resultados a todos, pero vale la pena ponerlos a prueba. Por lo general, no son costosos, son fáciles de seguir, de eficacia comprobada durante años; además, no abarcan riesgos (todos los cientos de remedios en nuestro libro han sido aprobados por médicos). El hecho es que únicamente los remedios eficaces han sido

pasados de generación en generación –el resto ha quedado atrás.

Todos sabemos que las ciruelas secas se usan para tratar el estreñimiento y el jugo de arándanos agrios se usa para tratar las infecciones del tracto urinario. *He aquí algunos de nuestros favoritos, pero no tan conocidos...*

ARTRITIS

Si se despierta con rigidez causada por la artritis, ponga un saco de dormir ("sleeping bag") sobre la cama y duerma dentro del saco cerrado. Su calor corporal se distribuirá uniformemente y se conservará mejor.

Esto parece ser más eficaz que utilizar una manta eléctrica o una almohadilla de calor ("heating pad") para agilizar el movimiento cuando se levanta en la mañana.

CALAMBRES EN LAS PIERNAS

Algunas personas se despiertan durante la noche con calambres en las piernas. Otras los tienen después de hacer ejercicios. En cualquier caso, coloque un cubierto –una cuchara es lo menos riesgoso– directamente sobre el calambre. La cuchara no tiene que ser de plata pura –el acero inoxidable resolverá el problema.

Otra solución para los calambres: Pellizque con los dedos pulgar e índice el filtro –el surco entre la nariz y el labio superior– hasta que el calambre desaparezca. Por lo general, esto lleva unos pocos segundos. Pruebe este remedio cuando no tenga una cuchara a mano.

DOLOR DE CABEZA

Pele una tira larga y ancha (de una o dos pulgadas, de dos a cinco cm) de cáscara de limón. Frote la parte interna de la cáscara por las sienes. Coloque la cáscara sobre la frente, fijándola con una venda o un pañuelo.

Cuando estuvimos de invitadas en un programa de televisión, el presentador nos dijo que hacía tres días que sufría de dolor de cabeza. Nada de lo que había probado le dio resultado. Pusimos la cáscara de limón sobre la frente y, después de 20 minutos, su dolor de cabeza había desaparecido.

DOLOR DE GARGANTA

Mezcle dos cucharaditas de vinagre de sidra de manzana ("apple cider vinegar") en una taza de agua tibia. Tome un sorbo y haga gárgaras, escúpalo, luego beba otro sorbo. Siga así hasta que se acabe el líquido.

Repita el proceso completo cada hora. Por lo general, el dolor de garganta se empezará a aliviar dentro de tres a cuatro horas.

Ayuda adicional: Beba jugo de piña ("pineapple juice"). Contiene enzimas sanadoras que alivian los tejidos irritados de la garganta y podría ayudarlos a sanarse más rápido.

FIEBRE DEL HENO ("HAY FEVER")

Para aliviar la congestión de la nariz, los estornudos y los ojos irritados, mastique un cuadrado de panal de abejas ("honeycomb") de una pulgada (2 cm). Ingiera la miel y continúe masticando la resina cerosa durante unos 10 minutos, luego escúpala.

Compre un panal de abejas que fue recogido en la zona en la que usted vive, de modo que contenga el mismo tipo de polen que está causando sus síntomas.

La mayoría de las tiendas de alimentos naturales venden panales de abejas. Lea la etiqueta para verificar que el panal venga de la región del país en la que usted vive.

Para aumentar su inmunidad al polen, mastique un cuadrado de panal de abejas de una pulgada todos los días, empezando un mes o dos antes de la temporada de la fiebre del heno.

Advertencia: Por supuesto, si tiene alergias a las picaduras de abejas o a la miel, no utilice este remedio.

GOTA

El remedio tradicional clásico para la gota consiste en comer cuatro onzas (115 g) diarias de cerezas ("Bing cherries") frescas. Si no es temporada de cerezas, beba el jugo de cerezas en botella o compre el concentrado de jugo de cerezas en la tienda de alimentos naturales, y tome una cucharada, tres veces al día. También puede comer cerezas congeladas o enlatadas. Otra opción son las fresas (frutillas, "strawberries"), las cuales neutralizan el ácido úrico, cuya acumulación es la causa de esta afección.

INDIGESTIÓN Y GASES

Prepare té de jengibre ("ginger"), vertiendo una taza de agua recién hervida sobre una cucharada de raíz de jengibre ("gingerroot") fresca. Deje remojar 10 minutos. Cuele y beba

después de una comida con mucha grasa. Ayuda a la digestión y a eliminar los gases.

Guarde la raíz de jengibre en el congelador para que se pueda rallar más fácilmente. Si la raíz de jengibre no está congelada, corte tres o cuatro pedazos del tamaño de una moneda de 25 centavos de dólar para preparar el té.

Si no tiene jengibre fresco, mezcle media cucharadita de jengibre en polvo ("ginger powder") en una taza de agua caliente. Es eficaz pero no tiene tan buen sabor.

INSOMNIO

Para los casos aislados de insomnio, corte una cebolla amarilla en trozos, y póngalos en un frasco de vidrio con tapa al lado de su cama.

Cuando no pueda dormir, destape el frasco e inhale profundamente el aroma de la cebolla. Tape el frasco, acuéstese y piense en cosas bonitas. Debería conciliar el sueño en unos 15 minutos

Por la mañana, descarte la cebolla. No utilice la misma cebolla noche tras noche.

ORZUELO ("STY")

Tan pronto como sienta que le está por salir un orzuelo, frote unas pocas veces la zona afectada con un anillo de oro. El oro podría evitar que se convierta en una de esas verdaderas infecciones atroces que pueden durar una semana o más.

Hace unos años, Joan se levantó con un orzuelo en cada ojo. Teníamos planeada una visita a un programa de TV ese día. Frotó los párpados con un anillo de oro. Cuando llegamos al estudio de TV, los ojos habían sanado.

RESACA ("HANGOVER")

Para aliviar los síntomas de una resaca, frote un gajo de limón ("lemon") por las axilas. Aunque parezca ridículo, esto da resultados.

RESFRIADOS

El ajo contiene el compuesto químico *alicina*, un antibiótico natural con propiedades antivirales, antifúngicas y antisépticas. También puede actuar como descongestionante y expectorante.

Así que, cuando tenga un resfriado severo, ¿sabe lo que es mejor que la sopa de pollo? La sopa de pollo con un diente de ajo crudo picado finamente.

Más de las hermanas Wilen...

Remedios para los trastornos del verano

Pruebe estos remedios caseros para los problemas de salud que aparecen con el clima cálido. Funcionan de maravillas –aun si no sabemos la razón.

MAREOS CAUSADOS POR MOVIMIENTO

•**Mezcle media cucharadita de jengibre en polvo ("ginger powder") en ocho onzas (235 ml) de agua tibia.** Beba esto 20 minutos antes de viajar. Es más eficaz que los medicamentos populares para los mareos causados por movimiento al viajar ("motion sickness"). También puede resolver el problema tomando dos píldoras de jengibre, disponible en las tiendas de alimentos naturales ("health food stores").

•**Chupe un gajo de limón** si se siente mareado mientras viaja.

•**Aspire el olor del papel de periódico.** Asegúrese de que el periódico haya sido impreso en el método tradicional. Para que sea eficaz, la tinta del periódico debe tener un olor particular y debe manchar los dedos.

OTITIS DE PISCINA ("SWIMMER'S EAR")

•**Para evitar la otitis de piscina,** infle un globo tres veces después de haber nadado. Esto elimina el agua acumulada que causa las infecciones.

PICADURAS DE MOSQUITO

Para evitar los mosquitos...

•**Consuma alimentos con vitamina B-1 (tiamina).** Entre estos se incluyen semillas de girasol ("sunflower seeds"), nueces del Brasil (castañas del Brasil, "Brazil nuts") y pescado –o tome un suplemento de la B-1 de entre 25 y 50 mg, tres veces al día, empezando dos semanas antes de su exposición a los mosquitos.

•**Plante maravillas ("marigolds") donde sea posible...** o coloque geranios ("geraniums") en macetas en los bordes de su jardín para mantener alejados a los mosquitos de su porche, patio, jardín o piscina.

•**Evite las bebidas alcohólicas y azúcar.**

•**Frote aloe vera o perejil ("parsley") fresco sobre la piel.**

Si aun lo pican: Aplique jabón húmedo o una mezcla con cantidades iguales de vinagre y limón.

QUEMADURAS DEL SOL

Siempre aplique protector solar antes de salir al aire libre. *Si se llega a quemar...*

•**Dése una ducha con agua fría lo más pronto posible.**

•**Deje remojar seis bolsitas de té común en un litro (cuarto de galón) de agua caliente.** Cuando el té esté fuerte y frío, empape toallitas con él y aplíquelas a las zonas quemadas. Repita este procedimiento hasta que obtenga alivio.

•**¿Se quemó los pies al caminar sobre la arena caliente?** Aplique rodajas de tomate en las plantas de los pies, asegurándolas con venda elástica ("elastic bandage") o con pañuelos. Descanse con los pies levantados durante 20 minutos.

Remedios caseros comprobados para afecciones comunes

Thomas Rogers, ND, médico naturopático (naturista) con práctica privada en Whidbey Island Naturopathic, en Oak Harbor, estado de Washington (*www.whidbeynaturopathic.com*), y miembro adjunto de la facultad de la Universidad Bastyr en Kenmore, Washington, donde enseña procedimientos médicos y ortopédicos.

No es necesario recurrir al médico para aliviar los dolores de cabeza, la acidez estomacal y otros problemas de salud de poca gravedad. La mayoría de las dolencias pueden ser tratadas fácilmente con remedios preparados con elementos caseros comunes, o con productos naturopáticos que se venden en las farmacias y las tiendas de alimentos naturales ("health food stores").

Advertencia: Cualquier síntoma que parezca inusual... que aparezca súbitamente... o que no desaparezca dentro de una semana debería ser examinado por un médico. Además, si usted está tomando algún medicamento, consulte a su médico antes de tomar cualquier remedio adicional.

Las afecciones que usted mismo puede tratar…

DOLOR DE CABEZA CAUSADO POR TENSIÓN

El dolor de cabeza causado por tensión ("tension headache") es con frecuencia provocado por el estrés emocional o físico. La aspirina y otros medicamentos antiinflamatorios sin esteroides pueden ayudar, pero frecuentemente causan indigestión y, si se abusan, pueden provocar dolores de cabeza de rebote.

Remedios: Vierta unas gotas de aceite de lavanda ("lavender") en ambos dedos índices, y frótelas sobre las sienes y los músculos del cuello. La lavanda penetra la piel para desacelerar la actividad en el sistema límbico, la parte del cerebro relacionada con las emociones.

También puede probar un suplemento combinado que contiene *bromelaína* ("bromelain") –una enzima de la piña– y *curcumina* (que se encuentra en la especia cúrcuma –"turmeric"). Esta combinación suprime la producción de *prostaglandinas*, las sustancias químicas que provocan dolor. Siga las indicaciones de la etiqueta.

ACIDEZ ESTOMACAL ("HEARTBURN")

Este trastorno ocurre cuando el ácido estomacal aumenta y llega al esófago.

Remedios: Añada media cucharadita de bicarbonato de soda ("baking soda") a una taza de agua tibia y bébala. Esta mezcla neutraliza el ácido. O tome cápsulas que contengan *regaliz deglicirrizinado* (DGL, por sus siglas en inglés). Siga las indicaciones de la etiqueta. El regaliz forma una barrera con consistencia de gel que protege al esófago del ácido estomacal. Otra opción es el suplemento *Robert's Formula,* el cual contiene hierbas aliviadoras tales como el malvavisco (altea, "marshmallow") y el olmo norteamericano ("slippery elm") – pero no use este remedio si está embarazada o amamantando.

FLATULENCIA

Los gases son producidos cuando las bacterias en el colon fermentan los carbohidratos que no han sido digeridos. La acumulación resultante de hidrógeno, metano y otros gases causa molestias y a veces bochorno.

Remedio: Tome una taza de té de hinojo ("fennel"), disponible en saquitos de té. O vierta ocho onzas (235 ml) de agua hirviendo sobre media cucharadita de semillas de hinojo machacadas. Cubra la taza, y deje remojar durante 15 minutos. Beba el té tan frecuentemente como sea necesario.

SINUSITIS

La sinusitis es una infección de las cavidades de los senos nasales que se encuentran detrás de los huesos faciales, alrededor de la nariz y de los ojos. Puede causar dificultad al respirar, sensibilidad facial y dolores de cabeza.

Remedios: Añada media cucharadita de sal a ocho onzas (235 ml) de agua tibia. Ahueque las manos y mantenga parte de la solución en la palma (lávese las manos previamente) mientras la aspira por cada fosa. También puede usar un espray salino ("saline spray") de preparación comercial. Haga esto tres veces al día para reducir la inflamación del recubrimiento del seno, estimular la mejoría del drenaje y detener el crecimiento de organismos perjudiciales.

Evite la leche, el queso y otros productos lácteos durante los ataques de sinusitis. Los lácteos provocan la producción de la mucosidad en exceso.

TOS

La tos aparece cuando los nervios en el tracto respiratorio se irritan debido a un resfriado, una gripe u otro tipo de enfermedad.

Remedios: Para curar la tos húmeda que produce flema –vierta agua hervida en una tetera o cacerola y añada tres gotas de aceite de eucalipto. Coloque una toalla sobre la cabeza, arrímese a la tetera y aspire el vapor. Esto ayuda a abrir los conductos nasales y bronquiales, y a expulsar la flema. Haga esto dos veces al día.

Para curar la tos seca –prepare un té con corteza del cerezo silvestre ("wild cherry bark"). Coloque una cucharadita de corteza de cerezo seca picada, en una taza de ocho onzas (235 ml), y vierta agua hirviendo sobre la corteza. Cubra la taza y deje remojar la corteza 15 minutos. Beba una taza tres veces al día.

TIRÓN MUSCULAR

Un dolor muscular generalmente indica que el músculo se ha esforzado demasiado, causando desgarros microscópicos.

Remedios: Inmediatamente después de que la lesión ocurra, envuelva hielo en una toalla o camiseta y aplíquelo a la zona inflamada durante 20 minutos por vez. Repita cada pocas horas. Si es posible, levante la zona afectada por encima del nivel del corazón.

Además, coloque bajo la lengua tres bolitas de 30C del medicamento homeopático *Árnica* cada 15 minutos, durante una o dos horas. Esto aliviará el dolor y disminuirá la inflamación.

También tome entre 500 y 750 mg de citrato de magnesio ("magnesium citrate") diariamente hasta que el dolor disminuya. Para evitar la diarrea causada por el magnesio, divida la dosis entre varias más pequeñas y tómelas durante el día.

OTITIS DE PISCINA ("SWIMMER'S EAR")

Esta infección de la parte exterior del oído suele ser causada por hongos que crecen en ambientes húmedos.

Remedios: Caliente la mitad de una cebolla en el microondas durante 10 ó 20 segundos y manténgala muy cerca de (pero sin tocar) la zona afectada durante uno o dos minutos. La cebolla caliente emite gases a base de sulfuro que inhiben a los hongos, las bacterias y los virus, y alivian el dolor. Puede recalentar y volver a usar la cebolla unas cuantas veces más. O humedezca un hisopo de algodón (bastoncillo, "cotton swab") con un extracto de semilla de fruta cítrica ("citrus-seed extract"), y aplíquelo a la parte exterior de la oreja y al canal del oído. El cítrico mata los hongos y las bacterias.

Para evitar que la infección reaparezca, simplemente limpie la parte exterior de la oreja con alcohol para frotar ("rubbing alcohol") después de nadar o bañarse. Esto dificulta la supervivencia de los hongos.

UÑA ENCARNADA

Esta inflamación donde la uña penetra la piel es dolorosa y tarda en curar, pero rara vez resulta grave.

Remedio: Para aliviar el dolor y la inflamación, mezcle media cucharadita de arcilla de bentonita ("bentonite clay") con media cucharadita de botón de oro (hidraste, "goldenseal") en polvo y suficiente hamamelis (olmo escocés, "witch hazel") para preparar una pasta. Aplique a la cutícula (el blanco de la uña) y cubra con una toallita tibia durante 15 minutos. Haga esto dos veces al día, hasta que la zona esté curada.

Remedios tradicionales y sencillos que proveen resultados maravillosos

Earl Mindell, PhD, RPh, profesor emérito de nutrición de la Universidad Pacific Western, en Los Ángeles, y experto en nutrición, medicamentos, vitaminas y remedios de hierbas. Es el autor de *Dr. Earl Mindell's Natural Remedies for 150 Ailments* (Basic Health) y *Earl Mindell's Vitamin Bible for the 21st Century* (Grand Central).

Los médicos suelen descartar los remedios tradicionales como insignificantes, ineficaces o potencialmente peligrosos. Esto es un error.

Las investigaciones han hallado que algunos remedios tradicionales actúan tan bien –o incluso mejor– que los medicamentos. Además, la mayoría de estos tratamientos tradicionales son más seguros que los medicamentos porque rara vez provocan efectos secundarios o interactúan con otros tratamientos médicos.

Las mejores curaciones tradicionales*...

RESFRIADOS

Hay una buena razón por la cual las madres han recomendado durante mucho tiempo la sopa de pollo como remedio para el resfriado. Los estudios han confirmado que la sopa de pollo caliente incrementa la actividad de las células antivirales del sistema

*Consulte a su médico antes de intentar cualquier remedio natural. Las hierbas pueden ser peligrosas para algunas personas, incluyendo las mujeres que están embarazadas o amamantando.

inmune y además disminuye la inflamación de la garganta y de los senos nasales.

Qué hacer: Consuma un tazón de sopa de pollo dos veces al día cuando aparezcan los primeros síntomas de un resfriado.

Útil: Agregue una pizca de pimienta de cayena ("cayenne pepper") a la sopa de pollo. La *capsaicina*, la sustancia química que hace que la pimienta de cayena y otras pimientas sean picantes, reduce la congestión con tanta eficacia como los medicamentos de venta libre.

DOLOR DE CABEZA

La mayoría de los dolores de cabeza son causados por la tensión muscular o el estrés emocional. Millones de estadounidenses no pueden tomar aspirina ni otros calmantes del dolor (analgésicos) debido a las alergias, las interacciones con otros medicamentos o los efectos secundarios como la irritación estomacal.

Qué hacer: Con los dedos pulgar e índice, apriete la zona entre el labio superior y la nariz durante cinco segundos. Repita tanto como sea necesario. Esta técnica bloquea las señales de los nervios y alivia significativamente el dolor de cabeza de muchas personas.

INSOMNIO

Las pastillas para dormir pueden ser adictivas y muchas veces provocan efectos secundarios, como mareos, depresión y dolor de cabeza.

Qué hacer: Beba una taza de té de valeriana ("valerian") a la hora de acostarse. La raíz de valeriana, disponible en saquitos (bolsitas) de té en las tiendas de alimentos naturales ("health food stores"), contiene *valepotriatos* y otros compuestos que ayudan a conciliar el sueño. Este remedio tradicional que alivia la ansiedad además del insomnio, es recomendado por la Comisión E, el equivalente alemán de la agencia federal estadounidense Food and Drug Administration (FDA).

Los tés de manzanilla ("chamomile"), lúpulo ("hops") y lavanda ("lavender") también lo ayudarán a descansar, pero no son tan fuertes como la raíz de valeriana.

NÁUSEAS

El jengibre ("ginger") es el mejor remedio para todos los tipos de náuseas, incluyendo los mareos causados por movimiento y las náuseas matinales causadas por el embarazo. Los ingredientes activos (*gingeroles*) que contiene el jengibre son más eficaces que los medicamentos que se compran sin receta.

Qué hacer: Todos los días que tenga náuseas, beba dos o tres tazas de gaseosa "ginger ale" que contenga jengibre natural. Esta variedad se vende en las tiendas de alimentos naturales. Los ingredientes con sabor a jengibre en las marcas comerciales de "ginger ale" no tendrán el mismo efecto.

Como alternativa, beba té de jengibre. Para prepararlo, pique una cucharada de raíz de jengibre ("gingerroot") fresca y deje remojar en agua caliente durante unos 10 minutos. Beba de una a tres tazas al día.

DOLOR DE GARGANTA

La mayoría de las personas ha escuchado que hacer gárgaras con agua salada tibia alivia el dolor de garganta. Sin embargo, son pocos los que preparan y emplean la mezcla de manera adecuada.

Qué hacer: Agregue tres cucharaditas de sal común a una taza de agua tibia y revuelva. Haga gárgaras con una taza llena de la mezcla al menos dos o tres veces al día. Los virus que provocan los resfriados no pueden sobrevivir en un ambiente muy salado.

DOLOR DE MUELAS

Los tratamientos convencionales para el dolor de muelas incluyen productos de venta libre, como Orajel, y poderosos analgésicos que requieren receta médica. Pero uno de los mejores tratamientos es un remedio tradicional muy antiguo.

Qué hacer: Sumerja un palillo de dientes (mondadientes) en aceite de clavo de olor ("oil of clove"), disponible en las tiendas de alimentos naturales y en algunas farmacias, y aplique suavemente a la zona dolorida. El dolor desaparecerá casi instantáneamente. Repita con tanta frecuencia como sea necesario. Si el dolor persiste por más de unos pocos días, programe una cita con su dentista.

Curaciones poco comunes para el asma, la depresión, el dolor de cabeza y más

Larry Altshuler, MD, fundador y director médico del Balanced Healing Medical Center en la ciudad de Oklahoma (*www.balancedhealing.com*), y autor de *Bottom Line's Balanced Healing* (Bottom Line Books).

Aunque muchos centros médicos importantes han comenzado a combinar técnicas de curación alternativas con terapias médicas convencionales, la mayoría de los médicos con práctica privada aún no recomiendan estos tratamientos a sus pacientes. Esto es debido a que no están lo suficientemente familiarizados con la medicina alternativa como para saber qué da resultados y qué no.

He aquí cuatro terapias alternativas que se utilizan menos de lo que se merecen y que usted puede poner a prueba*…

ACUPUNTURA

En Estados Unidos, la acupuntura se utiliza principalmente para el tratamiento del dolor crónico y de las adicciones. Se piensa que el procedimiento estimula los distintos tipos de nervios que activan las partes del cerebro encargadas de la curación y de la transmisión y percepción del dolor.

Cada sesión de acupuntura suele requerir la inserción de entre ocho y 12 agujas, las cuales usualmente penetran la piel por una pulgada o una pulgada y media (entre dos y cuatro cm). El procedimiento casi no causa dolor. Por lo general, los síntomas disminuyen en seis sesiones o menos.

Las afecciones que con frecuencia mejoran con los tratamientos de acupuntura…

•**Asma.** Los inhaladores ("inhalers") y los medicamentos recetados son los principales tratamientos para el asma –pero el añadir tratamientos de acupuntura usualmente ayuda a reducir la gravedad y la frecuencia de los ataques subsiguientes. En algunos casos, el uso

*Antes de tomar cualquiera de estos tratamientos, consulte a su médico para asegurarse de que no interferirán con ninguna otra terapia que esté recibiendo.

de acupuntura les permite a los pacientes disminuir sus medicamentos para el asma.

•**Depresión.** Se piensa que la acupuntura reequilibra los neurotransmisores del cerebro relacionados con la depresión.

En nuestra clínica, generalmente empezamos recomendando la acupuntura junto con la psicoterapia en curso y los antidepresivos naturales, tales como el hipérico (corazoncillo, hierba de San Juan, "St. John's wort") –300 mg por día–… ginkgo biloba –160 a 240 mg por día–… o aceite de pescado –4 gramos por día.

Si la depresión del paciente aún no mejora, recetamos medicamentos antidepresivos.

•**Fiebre del heno** ("hay fever"). La acupuntura es la manera más rápida y eficaz que he descubierto para reducir o eliminar las alergias respiratorias. La mayoría de las personas pueden dejar de tomar sus medicamentos después de haber sido tratadas con acupuntura.

•**Migrañas.** La acupuntura es uno de los mejores tratamientos para un ataque de migrañas agudo –usualmente alivia el dolor dentro de 30 minutos.

Cada sesión subsiguiente también disminuye la frecuencia y la intensidad de los ataques e incluso podría curarlos completamente.

Con el consentimiento de sus médicos, la mayoría de las personas puede dejar de tomar sus medicamentos, aunque algunas todavía los toman cuando tienen dolor de cabeza aislado o si tienen que esperar para ver al acupunturista.

•**Fumar.** Según algunos estudios, casi el 80% de las personas pueden dejar de fumar con la ayuda de la acupuntura.

Si decide intentar la acupuntura, consulte a un profesional entrenado en la acupuntura tradicional china y acreditado por la National Certification Commission for Acupuncture and Oriental Medicine (904-598-1005, *www.nccaom.org*).

MANIPULACIÓN SACROCRANEAL

Esta técnica, administrada por un doctor de osteopatía (DO), consiste en manipular los huesos de la cara y el cráneo. Ayuda a corregir las desalineaciones causadas por obstrucciones, músculos y articulaciones sobrecargados, y otros problemas estructurales en distintas partes de la espina dorsal.

Los síntomas disminuyen típicamente después de tres a seis tratamientos.

Las afecciones que con frecuencia mejoran con la manipulación sacrocraneal...

•**Problemas de los senos nasales.** La sinusitis causada por una obstrucción estructural responde bien a este tipo de tratamiento.

•**Síndrome de la articulación temporomandibular** (TMJ, por sus siglas en inglés). La manipulación puede ser útil para mejorar los dolores de cabeza relacionados con esta desalineación de la articulación temporomandibular, la cual conecta la mandíbula al cráneo –en especial cuando la desalineación es causada por un accidente.

•**Tinitus (tintineo en los oídos).** La manipulación ayuda a corregir anomalías estructurales en los huesos que rodean el oído, las cuales pueden provocar el tinitus.

Si desea intentar la manipulación sacrocraneal, consulte a un médico osteópata acreditado por la American Osteopathic Association (800-621-1773, *www.osteopathic.org*).

HIPNOSIS

En esta técnica que vincula el cuerpo y la mente, el hipnotizador lo pone a usted en un estado de relajación profunda y hace sugerencias positivas con respecto a sus emociones, hábitos y funciones fisiológicas. Los síntomas disminuyen típicamente con dos o tres sesiones.

Las afecciones que con frecuencia mejoran con la hipnosis...

•**Ansiedad y fobias.** En aquellos casos en que la psicoterapia no brinda mejora alguna, la hipnosis es frecuentemente eficaz.

•**Dolor crónico.** La hipnosis puede disminuir el dolor continuo al tratar los problemas emocionales y psicológicos que lo provocan.

•**Síndrome del intestino irritable** (IBS, por sus siglas en inglés). A menudo, este trastorno tiene causas psicológicas subyacentes, las cuales pueden aliviarse por medio de la hipnosis. Un estudio reciente descubrió que la terapia con hipnosis alivió los síntomas en el 90% de los que padecían este síndrome.

•**Comer en exceso.** Las sugerencias bajo hipnosis pueden ayudar a dominar las ansias de comer entre las comidas y disminuir el deseo de comer comidas no saludables.

Si hace la prueba con la hipnosis, consulte a un hipnotizador afiliado a la National Guild of Hypnotists (603-429-9438, *www.ngh.net)*, o a la American Society of Clinical Hypnosis (630-980-4740, *www.asch.net*).

MASAJES

Los masajes elevan los niveles de la *serotonina,* el neurotransmisor del "buen humor", y disminuyen los niveles de las hormonas del estrés.

Dos tipos de masajes utilizados habitualmente son el masaje sueco (el cual consiste en presión suave y movimientos extensos de fricción para ayudar a relajar los músculos) o el masaje de shiatsu (durante el cual se aplica presión con los dedos de la mano sobre los puntos importantes de curación del cuerpo).

Los síntomas por lo general empiezan a disminuir después del primer masaje.

Las afecciones que con frecuencia mejoran con la terapia de masajes...

•**Ansiedad.** Los masajes son un tratamiento excelente para aliviar los estados de ansiedad leve. Se ha demostrado que disminuyen o detienen los efectos de dos hormonas –el *cortisol* y la *epinefrina*– que pueden dañar los tejidos del cuerpo cuando son producidas en niveles excesivos durante situaciones estresantes o que causan ansiedad.

•**Problemas de espalda.** Los masajes proporcionan alivio al máximo cuando se aplican en conjunto con los *medicamentos antiinflamatorios sin esteroides* de venta libre, compresas calientes o frías, o los tratamientos de ultrasonido, los cuales incorporan sonido de alta frecuencia (20.000 Hz) y calor.

•**Dolor de cabeza causado por tensión.** La presión aplicada a los puntos desencadenantes en el cuello, la frente y las sienes alivia la mayoría de los dolores de cabeza causados por tensión.

Treinta y seis estados les han otorgado permisos a terapeutas en masajes. Para encontrar uno, comuníquese con la American Massage Therapy Association, llamando al 877-905-2700 o yendo al sitio Web en inglés *www.amtamassage.org*.

También puede pedirle a su médico que le dé una remisión.

Métodos naturales para aliviar la artritis, la presión arterial alta y más

Mark A. Stengler, ND, médico naturopático (naturista) con práctica privada en La Jolla, California (*www.lajollawholehealth.com*). Es también profesor clínico adjunto auxiliar del National College of Natural Medicine en Portland, Oregon, y autor de varios libros sobre las curaciones naturales, entre ellos *The Natural Physician's Healing Therapies* (Bottom Line Books).

Una ventaja importante de la mayoría de los medicamentos recetados convencionales es su capacidad de surtir efectos rápidos y predecibles, debido a que las dosis han sido estandarizadas.

Sin embargo, las hierbas, vitaminas, minerales y otros suplementos pueden ofrecer un enfoque más seguro ya que existe menos probabilidad de que causen efectos secundarios. Tenga paciencia –es posible que tarden tanto como seis u ocho semanas para dar resultado.

Importante: Nunca comience un tratamiento nuevo sin consultar primero a su médico, en especial si toma algún medicamento.

He aquí seis problemas de salud comunes y sus mejores tratamientos naturales…

HIPERTENSIÓN

Alrededor de 50 millones de estadounidenses tienen presión arterial elevada, la causa principal de los ataques cerebrales ("strokes") y de la enfermedad cardiovascular. Los medicamentos convencionales dan resultado, pero con frecuencia causan efectos secundarios como fatiga, mareos y ansiedad.

Los pacientes que sufren de hipertensión leve a moderada –un valor sistólico (máximo) de entre 140 y 179 y un valor diastólico (mínimo) de entre 90 y 109– con frecuencia pueden normalizar la presión arterial con una dieta baja en sodio, ejercicios y pérdida de peso. *Estos tratamientos naturales también pueden ayudar…*

●**Espino blanco ("hawthorn").** Recomiendo 300 mg, tres veces por día*. Esta hierba

*Las dosis recomendadas son para las personas que pesan entre 150 y 200 libras (70 y 90 kilos). Aumente o disminuya la dosis de acuerdo a su peso. Consulte a su médico para averiguar más.

dilata las arterias y mejora el flujo sanguíneo coronario, disminuyendo la presión arterial. También es un diurético leve que reduce el volumen de la sangre. La mayoría de los pacientes que toman espino blanco durante ocho semanas logran disminuir la presión arterial entre 10 y 15 puntos. Una vez que la presión arterial está baja, es posible que pueda disminuir la dosis o dejar de tomar la hierba completamente. Asegúrese de consultar a su médico.

●**Magnesio.** Recomiendo 250 mg, dos veces por día. Puede tomarlo con el espino blanco para relajar las paredes arteriales y estimular el flujo sanguíneo.

INSOMNIO

Entre los efectos secundarios de los medicamentos recetados y de venta libre para el insomnio, se incluyen somnolencia durante el día y un alto riesgo de adicción. En su lugar, ponga estos tratamientos a prueba. Tome cada uno por separado durante dos noches antes de decidir cuál le da mejor resultado.

●**Valeriana ("valerian").** Recomiendo entre 300 y 500 mg (ó 60 gotas de tintura), tomados entre 30 y 60 minutos antes de irse a dormir y/o si se despierta durante la noche.

Esta hierba aparenta aumentar los niveles de serotonina del cerebro, un neurotransmisor que relaja. También se piensa que la valeriana aumenta la cantidad del neurotransmisor *ácido gamma-aminobutírico*, (GABA, por sus siglas en inglés), el cual ejerce un efecto calmante en el cerebro. La valeriana es tan eficaz como el medicamento para dormir *oxazepam* (Serax), pero no causa el efecto de resaca.

●**5-hidroxitriptófano (5-HTP).** Recomiendo entre 100 y 200 mg, tomados entre 30 y 60 minutos antes de acostarse y/o si se despierta durante la noche. Los niveles de este aminoácido, el cual ayuda a elevar los niveles de serotonina en el cerebro, son frecuentemente más bajos en las personas que padecen de insomnio.

●**Melatonina ("melatonin").** Recomiendo 0,3 mg, tomados entre 30 y 60 minutos antes de acostarse. Los niveles de esta hormona del sueño aumentan durante las horas de la noche –pero muchos adultos (en especial los mayores de 65 años) no tienen niveles suficientes para conciliar un sueño reparador.

ALERGIAS DE ESTACIÓN

Es mejor evitar el polen cuanto más sea posible –dejando las ventanas cerradas y manteniendo un purificador de aire ("air purifier") en el dormitorio… quedándose adentro durante las horas en que el polen más circula (por lo general, en la mañana y a la noche)… y lavando la ropa de cama habitualmente. *Los siguientes tratamientos naturales pueden tomarse juntos y pueden ayudar a evitar las alergias…*

•**Hoja de ortiga ("nettle leaf").** Recomiendo 600 mg, tres veces por día. Este antihistamínico herbario es eficaz para las alergias leves y moderadas, y no causa la somnolencia de algunos de los otros antihistamínicos.

Útil: Después de haber utilizado hoja de ortiga durante dos semanas, disminuya la dosis a la mitad. La dosis más baja será eficaz una vez que las cantidades iniciales de histamina se hayan reducido.

•**Quercetina ("quercetin").** Recomiendo 1.000 mg, tres veces por día. La quercetina forma parte de los pigmentos vegetales solubles en agua llamados *flavonoides*. Fortalece al sistema inmune y detiene la emisión de histamina en las personas que padecen alergias.

AGRANDAMIENTO DE LA PRÓSTATA

Alrededor de la mitad de los hombres mayores de 50 años sufre de hipertrofia prostática benigna ("benign prostatic hypertrophy"), un agrandamiento de la glándula de la próstata que puede interferir con la micción. El medicamento recetado *finasterida* (Proscar) achica esta glándula pero podría causar impotencia. Los siguientes tratamientos naturales no causan efectos secundarios. *Con frecuencia les recomiendo a mis pacientes que tomen los tres para obtener los mejores resultados…*

•**Palmito aserrado (palmera de Florida, "saw palmetto").** Recomiendo 320 mg diarios. Esta hierba inhibe una enzima que convierte la *testosterona* en *dihidrotestosterona*, la forma de la hormona que estimula el agrandamiento de la próstata.

•**Raíz de ortiga ("nettle root") –no la hoja.** Recomiendo 240 mg diarios. Reduce el estímulo hormonal de la próstata de una manera distinta que el palmito aserrado, y es frecuentemente utilizada en conjunto con el palmito aserrado.

•**Zinc.** Recomiendo 90 mg diarios durante dos meses, luego 50 mg diarios para mantenimiento. Además, tome entre 3 y 5 mg de cobre ("copper") diarios. Los suplementos de zinc a largo plazo agotan el cobre en el cuerpo.

OSTEOARTRITIS

Esta es la causa principal del dolor y la rigidez de las articulaciones. Los tratamientos convencionales (aspirina, ibuprofeno, etc.) disminuyen los síntomas, pero con frecuencia causan sangrado en el estómago. Los siguientes tratamientos naturales no causan este efecto secundario. *Pueden tomarse juntos…*

•**Glucosamina ("glucosamine").** Recomiendo entre 1.500 y 2.500 mg diarios. La glucosamina, que se encuentra de forma natural en el cuerpo, estimula el crecimiento de cartílago nuevo y disminuye la inflamación. Un estudio alemán de cuatro semanas de pacientes con osteoartritis en la rodilla informó que el ibuprofeno proporcionó un alivio más rápido para el dolor –pero los suplementos de glucosamina brindaron un alivio comparable después de dos semanas, y hubo muchas menos probabilidades de que causen efectos secundarios.

Después de unos meses, podría disminuir la dosis a 500 mg diarios. Sin embargo, si deja de tomar la glucosamina completamente, los beneficios desaparecerán en unos pocos meses.

•**SAMe (se pronuncia "sami" en inglés).** Recomiendo entre 400 y 800 mg diarios. Este compuesto químico (*S-adenosilmetionina*) se encuentra en todas las células vivas. Promueve la flexibilidad de los cartílagos de las articulaciones y la reparación de los cartílagos.

Un estudio alemán de 20.641 pacientes halló que el 71% de las personas que tomaron suplementos de SAMe durante ocho semanas tuvieron resultados buenos o muy buenos.

MOLESTIAS DE LA MENOPAUSIA

Los bochornos (calores repentinos, sofocos) y la sudoración nocturna son causados por la disminución de la progesterona y el estrógeno. La terapia de reemplazo hormonal convencional alivia el malestar, pero puede aumentar el riesgo de padecer enfermedad del corazón, cáncer y otras afecciones.

He aquí dos tratamientos naturales sin ninguno de estos riesgos (utilice uno o ambos)...

•**Cimifuga negra ("black cohosh").** Les recomiendo a las mujeres que tomen 80 mg diarios para el malestar leve o moderado... 160 mg diarios para los síntomas severos. Esta hierba inhibe la secreción de la *hormona luteinizante* (LH, por sus siglas en inglés) por medio de la glándula pituitaria. Los niveles elevados de la LH después de la menopausia son la causa principal de los bochornos, la sudoración nocturna y otros síntomas molestos.

•**Progesterona ("progesterone") natural.** Recomiendo 20 mg de crema (alrededor de un cuarto de cucharadita), dos veces por día. La progesterona natural, derivada de los ñames silvestres ("wild yams"), es tan eficaz como los derivados sintéticos pero abarca menos probabilidad de causar efectos secundarios, tales como retención de líquido y aumento de peso. Aplique la crema a los senos, los antebrazos y las mejillas para lograr la máxima absorción.

Importante: Use progesterona únicamente bajo la supervisión de un médico. Los niveles en la sangre deben ser monitorizados con mucho cuidado, por lo general cada seis a 12 meses.

La hipnosis curativa

La hipnosis ayuda a los huesos quebrados a sanar más rápido. Un estudio de doce personas con tobillos quebrados determinó que aquellos que recibieron hipnoterapia, además del tratamiento habitual de yeso y muletas, sanaron más rápido, sintieron menos dolor y pudieron caminar con más facilidad que quienes habían recibido únicamente un tratamiento médico tradicional.

Los investigadores les recomiendan a las personas que quieren beneficiarse de la hipnosis que consulten a un psicólogo licenciado o a otro profesional con entrenamiento formal en hipnosis médica.

Carol S. Ginandes, PhD, profesora clínica de psicología del departamento de psiquiatría de la facultad de medicina de la Universidad Harvard, en Boston, e investigadora principal del estudio.

Obtenga alivio con la terapia de agua fría

Alexa Fleckenstein, MD, internista acreditada por la junta médica ("board certified") que practica medicina tradicional y complementaria en Arlington, Massachusetts. La Dra. Fleckenstein posee un título alemán de subespecialidad en medicina natural.

Para la mayoría de los estadounidenses, un baño o ducha con agua caliente es parte de la rutina diaria. Pero durante más de 150 años, muchos europeos han nadado y tomado vigorizantes duchas *con agua fría* para mantener la buena salud.

La evidencia comprobada científicamente y los numerosos historiales médicos apoyan el uso de la "terapia de agua fría" como complemento de tratamientos convencionales para los resfriados, el insomnio, la presión arterial elevada –incluso para el cáncer y otras enfermedades graves.

CÓMO COMENZÓ

La terapia de agua fría fue popularizada originariamente en Alemania por el sacerdote Sebastian Kneipp (1821-1897). En el invierno de 1849, el padre Kneipp combatió con éxito la tuberculosis (incurable, en aquel entonces) zambulléndose varias veces por semana en el frígido río Danubio. Su libro, publicado en 1886, *Mi curación con agua*, se convirtió en un *best seller* internacional.

EL MECANISMO

Cuando se lleva a cabo durante al menos cuatro semanas, la terapia de agua fría puede lograr lo siguiente...

•**Estabiliza la presión arterial.** El agua fría estimula el sistema nervioso autónomo (que controla las funciones involuntarias, tales como los latidos del corazón y la respiración) para que eleve la presión arterial, acelere el ritmo cardiaco y encoja los vasos sanguíneos.

Las respuestas autónomas son reforzadas con cada exposición. Esto estabiliza la presión arterial, mejora la circulación y equilibra las otras funciones del cuerpo, como el ciclo del sueño/despertar.

●**Fortalece el sistema inmune.** El agua fría estimula la secreción de citocinas y otras sustancias similares a las hormonas que son claves para mejorar la función del sistema inmune.

Descubrimiento reciente: Los pacientes con cáncer de mama que se sometieron a la terapia de agua fría durante cuatro semanas experimentaron importantes aumentos en los niveles de glóbulos blancos que combaten las enfermedades, según un estudio alemán.

●**Alivia el dolor.** El frío hace que el cuerpo emita *endorfinas*, hormonas con propiedades comprobadas que combaten el dolor.

●**Mejora el ánimo.** El agua fría activa los nervios sensoriales conectados al cerebro. Una ducha fría y tonificante puede levantar el ánimo y preparar a una persona para intentar nuevas experiencias.

EL RÉGIMEN

Para adquirir los beneficios de la terapia de agua fría en su hogar, comience con la ducha caliente habitual. Cuando termine, aléjese del chorro de agua y cierre el agua caliente. Deje que corra el agua fría*.

Empiece mojando primero los pies, luego las manos y la cara.

Importante: Mojarse entero de golpe puede dificultar la circulación.

Finalmente, métase bajo la ducha. Deje que el agua fría corra por la cabeza, el rostro, la parte de adelante del cuerpo y luego por la espalda. Puede empezar tomando una ducha fría que dure un par de segundos.

Después de un mes, el proceso entero no debería durar más de 40 segundos. Llegue a la cantidad de tiempo que sea conveniente para usted.

---

*La temperatura del agua debería ser de alrededor de 60°F (15°C). En todas las zonas, salvo las más cálidas, el agua fría del grifo es de la temperatura adecuada. Si el agua no es lo suficientemente fría como para darle un buen sobresalto, magnifique el efecto al dejar que el cuerpo se seque al aire, en lugar de secarlo con una toalla.

Si no puede tolerar el frío: Mantenga fría el agua pero moje solamente los pies, manos y cara. Aumente gradualmente la duración y las zonas de exposición.

Advertencia: Las personas muy delgadas o débiles podrían ser incapaces de tolerar las duchas frías al comienzo. Si no siente calor y sigue sin vigor después de la ducha, disminuya la duración de su próxima ducha fría.

Si todavía no siente calor en pocos minutos, evite las duchas frías. En su lugar, prepare al cuerpo mojando con una esponja fría los pies, manos y rostro –y luego el resto del cuerpo–, después de su ducha caliente.

No intente la terapia de agua fría si padece alguna enfermedad aguda, como dolor de espalda intenso… endurecimiento de las arterias (*ateroesclerosis*)… enfermedad de Raynaud… o si tiene presión arterial alta que no se puede controlar con medicamentos.

El agua fría aumenta rápidamente la presión arterial, lo cual puede ser peligroso para las personas con afecciones tales como la hipertensión no controlada.

Esta terapia puede utilizarse de forma segura para reducir la presión arterial ligeramente alta (150/100 y más baja) o para elevar la presión arterial baja.

Si tiene preguntas acerca de su presión arterial: Pídale a su médico que verifique su presión arterial antes de empezar la terapia de agua fría.

Tés que curan

Victoria Zak, premiada investigadora y escritora en el campo de la asistencia médica que reside en Holliston, Massachusetts. Es autora de *20,000 Secrets of Tea* (Dell). Durante la preparación de su libro, la señorita Zak hizo pruebas con todas las hierbas y consultó a herbolarios y médicos naturopáticos (naturistas) acerca de sus usos.

L os tipos adecuados de té pueden lograr maravillas para una amplia gama de enfermedades y trastornos comunes.

La norma: Beba una taza de té entre una y tres veces al día hasta que el problema se alivie… luego tome té de vez en cuando para mantener la buena salud. Haga pruebas para verificar cuáles hierbas o mezclas le dan los mejores resultados.

Importante: Consulte a su médico antes de intentar cualquier tratamiento con hierbas –en particular si está tomando medicamentos recetados o si está bajo el cuidado de un médico.

Vaya al médico si los síntomas persisten durante más de una semana.

La mejor manera de preparar el té: Deje remojar una bolsa (saquito) de té en seis onzas (175 ml) de agua hirviendo durante tres minutos. O deje remojar las hierbas secas u hojas de té sueltas en una tetera entre tres y cinco minutos. Si está preparando su propia combinación con hierbas secas o frescas, utilice cantidades iguales de las hierbas para obtener una cucharadita por cada taza de té.

Para realzar el sabor: Añada un poco de miel, limón, canela ("cinnamon"), extracto de vainilla auténtico, una rodaja de naranja o anís dulce… o mezcle con cualquier té de frutas.`

SÍNDROME PREMENSTRUAL

Busque las siguientes variedades de té o una mezcla que contenga una o más de estas hierbas –diente de león ("dandelion"), lúpulos ("hops"), dong quai (angélica), matricaria ("feverfew"), corteza del viburno ("cramp bark"). Si toma corteza del viburno por sí sola, prepare un té más diluido y bébalo lentamente.

DOLOR DE CABEZA

Mi mezcla favorita para los dolores de cabeza consiste de matricaria, perejil ("parsley") y cardo mariano (cardo lechero, "milk thistle"). Mezcle cantidades iguales de cada hierba para obtener una cucharadita por cada taza de té.

También son eficaces: lavanda ("lavender")… betónica ("wood betony")… y ginkgo.

RESFRIADO Y GRIPE

Prepare un té de *equinácea* y *saúco* ("elder"). Puede preparar la mezcla usted mismo, o comprarla previamente preparada. A mí me gustan los productos de la marca Traditional Medicinals, disponibles en la mayoría de las tiendas de alimentos naturales. Tome la mezcla por un máximo de un mes… luego deje de tomarla por un mes… y después vuelva a tomarla.

AYUDA PARA CONCILIAR EL SUEÑO

La manzanilla ("chamomile") es una ayuda popular para conciliar el sueño. Mézclala con verbena ("vervain") para un té más potente.

Yo bebo té de regaliz deglicirrizinado ("deglycyrrhizinated licorice") a la hora de dormir –alivia el tracto digestivo.

MALESTAR ESTOMACAL

Para los problemas digestivos: La papaya (lechosa, fruta bomba) puede dar resultados maravillosos… El regaliz deglicirrizinado ("deglycyrrhizinated licorice") también ayuda.

Para los mareos causados por movimiento o para las náuseas: Tome té de jengibre ("ginger") o de menta piperita ("peppermint"). Tómelo con hielo para maximizar los efectos calmantes.

Los aceites que mejoran la salud

El eucalipto ("eucalyptus") es un agente antibacteriano que mejora el acné y alivia la congestión de los senos nasales.

El geranio ("geranium") absorbe el aceite de la cara y también puede estrechar la piel temporalmente.

La lavanda ("lavender") alivia las migrañas y los dolores de cabeza causados por tensión.

La rosa hidrata y alivia la piel sensible, seca, inflamada o que pica.

El árbol del té (melaleuca, "tea tree") combate el pie de atleta, la caspa, las picaduras de insectos, el herpes labial (llagas en la boca, "cold sores"), y el acné.

Advertencia: Exceptuando la lavanda y el árbol del té, no aplique aceites muy fuertes directamente sobre la piel. Dilúyalos en un aceite portador ("carrier oil") derivado de vegetales, como el aceite de almendras ("almond oil") o el de semilla de uva ("grape seed oil").

Victoria Edwards, fundadora del Aromatherapy Institute & Research en Fair Oaks, California, citada en la revista *Self*, 4 Times Square, Nueva York, 10036.

El vinagre alivia afecciones comunes

Jamison Starbuck, ND, médica naturopática (naturista) con práctica familiar que dicta clases en la Universidad de Montana, ambas en Missoula. Fue presidenta de la American Association of Naturopathic Physicians y editora colaboradora de *The Alternative Advisor: The Complete Guide to Natural Therapies and Alternative Treatments.* (Time-Life).

El vinagre ha sido utilizado en el tratamiento de las enfermedades durante miles de años. Se afirma que Hipócrates, el científico griego del quinto siglo AC, les recomendaba una mezcla de vinagre y miel a sus pacientes para eliminar la flema y mejorar la respiración.

Durante el siglo X, se usaba vinagre al lavarse las manos para evitar propagar las infecciones. En la Primera Guerra Mundial, el vinagre era un componente básico de los botiquines medicinales –utilizado como desinfectante de heridas.

Recientemente, un colega mío de una casa editorial me pidió que escribiera una crítica de un libro que promueve los asombrosos poderes curativos del vinagre. Ya que desde hace mucho tiempo he sido un defensor de los remedios caseros eficaces –y sé que el vinagre es el remedio casero más popular en Estados Unidos– acepté la tarea con mucho gusto.

Por desgracia, el libro estaba lleno de tonterías. *Aquí están las falacias que descubrí…*

El vinagre no puede curar el cáncer, la enfermedad del corazón, la presión arterial elevada ni cualquier otra enfermedad o afección grave.

Tampoco estimula la pérdida de peso. No existe verdad alguna en la creencia de que el vinagre quema las grasas. El consumo excesivo de vinagre durante unas cuantas semanas o meses puede causar acidez estomacal.

Por último, el vinagre no previene ni cura la artritis. La artritis puede ocurrir por muchas razones, incluyendo factores hereditarios, estilo de vida y hábitos en la dieta. Si tiene síntomas, consulte a su médico.

He aquí la verdad acerca del vinagre…

•El vinagre puede ser utilizado en el tratamiento de las infecciones de la piel causadas por hongos –candidiasis, pie de atleta, prurito de la ingle (picazón en la zona genital), etc. Aplicar vinagre blanco directamente sobre la zona infectada ayuda a detener la picazón y a eliminar el hongo.

Por lo general, recomiendo comenzar con una mezcla de 25% de vinagre y 75% de agua, aplicada dos veces al día, hasta llegar gradualmente a vinagre puro sin diluir, si la piel puede tolerarlo. Debería notar resultados dentro de siete días.

•El vinagre puede ayudar a aliviar el dolor de garganta. Mezcle una o dos cucharaditas de vinagre de sidra de manzana ("apple cider vinegar") en cuatro onzas (120 ml) de agua tibia. Haga gárgaras con esta mezcla cuatro veces al día, por hasta tres días, cuando aparezca el dolor de garganta. El vinagre alivia el dolor y funciona como un antiséptico leve, ayudando a eliminar los virus y las bacterias al hacer contacto.

•El vinagre es una adición saludable –y apetitosa– para las verduras de hojas oscuras tales como la espinaca, la col rizada ("kale"), la acelga ("chard"), y las hojas de la berza ("collard greens") y de la remolacha (betabel, "beet"). Estas verduras contienen mucho potasio, calcio y hierro. Pero para que estos minerales se digieran adecuadamente, el cuerpo requiere mucho ácido estomacal. Los estudios demuestran que muchas personas mayores de 50 años simplemente no producen suficiente ácido. El vinagre es ácido, por lo tanto mejora la capacidad del cuerpo de extraer los minerales esenciales de los alimentos.

•El vinagre brinda alivio tópico para las quemaduras del sol. Si bien es mejor evitar la exposición excesiva al sol, muchas personas tienen quemaduras del sol en algunas partes de la piel por lo menos una vez al año. Si este es su caso, aplique vinagre de sidra de manzana directamente sobre la quemadura.

•El vinagre es un buen sustituto para los productos de limpieza del hogar convencionales. Las personas que son sensibles a muchas sustancias químicas o que desean disminuir su exposición a las sustancias químicas pueden sustituir por vinagre los productos de limpieza con aromas fuertes o desagradables.

Use vinagre en las ventanas, los pisos y otras superficies de su hogar.

Advertencia: No consuma vinagre si padece una úlcera, gastritis, o acidez estomacal. Puede empeorar estas afecciones.

Más de Jamison Starbuck...

Cómo fortalecer fácilmente el sistema inmune

En la actualidad, fortalecer el sistema inmune es un concepto muy popular. Pero si usted es como muchos de mis pacientes, tal vez no sepa en qué consiste el sistema inmune –ni tampoco si el suyo de veras necesita ayuda.

En términos médicos convencionales, el "sistema inmune" consiste en los glóbulos blancos, el sistema linfático, las adenoides, el timo, el bazo, las amígdalas y partes de las membranas mucosas de los tractos gastrointestinal y respiratorio.

Estos órganos y tejidos son el sistema de defensa del cuerpo contra las enfermedades, y se activan cuando usted se encuentra con microorganismos, sustancias extrañas tales como hollín o alérgenos tales como polen y residuos de la piel de los animales. La salud de su sistema inmune es afectada por los glóbulos de la sangre y el tejido linfático, y también por el estrés emocional, la actividad física, la nutrición y el funcionamiento del hígado.

Los síntomas de un sistema inmune decaído incluyen la fatiga crónica, los resfriados frecuentes, la fiebre y las infecciones de los senos nasales. Si usted ha tenido dos o más de estos síntomas durante una semana por mes durante tres meses o más, considere intentar el siguiente protocolo para fortalecer el sistema inmune: *Estrategias...*

•Consulte a su médico para descartar la posibilidad de padecer una enfermedad. Pídale que le haga un examen físico y un análisis de laboratorio, incluyendo un conteo sanguíneo completo ("complete blood count")... un análisis químico de la sangre ("blood chemistry panel"), incluyendo los niveles de colesterol y de glucosa... un perfil de las tiroides, el cual mide los niveles de la *hormona estimulante*

de las tiroides (TSH, por sus siglas en inglés) y las hormonas de las tiroides T3 y T4... y una prueba del *índice de la eritrosedimentación* (ESR, por sus siglas en inglés) –un indicio de inflamación y enfermedad.

•Consuma suficientes vitaminas. El hígado necesita provisiones abundantes de las vitaminas A, C y E para proporcionarle al sistema inmune la energía que necesita para mantenerlo a usted en buena salud. Las verduras de colores oscuros –tales como la espinaca, la col rizada ("kale") y el brócoli ("broccoli")– y las frutas de color anaranjado –como el mango, el melón chino ("cantaloupe") y los albaricoques (damascos, "apricots")– son ricas en las vitaminas A y C. Las nueces ("nuts") y la soja ("soy") son ricas en la vitamina E.

Alimente el sistema inmune al consumir cuatro verduras, tres frutas, dos porciones de cereales integrales o de legumbres y 64 onzas (dos litros) de agua por día. El azúcar atenúa el sistema inmune, por lo tanto evite las bebidas gaseosas y los cereales, postres y jugos endulzados. Trate de comer no más de una porción de alimentos endulzados por día.

•Haga ejercicios suaves. Si su sistema inmune está agotado, evite los ejercicios intensos, como correr o trotar ("jogging"), andar en bicicleta y el tenis. Estas actividades tensionan los músculos y los huesos, lo cual puede aumentar la inflamación. En su lugar, camine o nade, o haga yoga o taichí.

•Mantenga el optimismo y el buen humor. Evite las situaciones perturbadoras cuanto más sea posible. Rechace las invitaciones sociales que no son placenteras. Mire comedias o películas románticas en lugar de películas violentas o de terror. Resuelva los conflictos y los malentendidos de inmediato, en vez de dejar que se fomenten.

•Tome extractos medicinales de champiñones. En Asia, los champiñones (hongos, setas, "mushrooms") han sido utilizados desde hace mucho tiempo como un remedio para fortalecer el sistema inmune. Los estudios contemporáneos confirman este beneficio. Entre mis champiñones preferidos se incluyen cordyceps, maitake, reishi y shiitake. Están disponibles en forma líquida o en polvo.

Los extractos de hongos son seguros para tomar durante seis meses, pero consulte a su médico si padece una enfermedad crónica. Para tomar la dosis adecuada, siga las indicaciones de la etiqueta.

Mejore la capacidad de autocuración del cuerpo

Leo Galland, MD, director de la Foundation for Integrated Medicine en Nueva York. El Dr. Galland fue galardonado con el premio Linus Pauling. Su libro más reciente es *The Fat Resistance Diet* (Broadway). *www. fatresistancediet.com.*

Por más alejados de la ciencia que podrían parecer, las civilizaciones antiguas pueden enseñarnos mucho sobre la salud.

Los griegos y otros se enfocaban menos en enfermedades específicas que en la armonía entre el cuerpo y la mente. Sabían que mantener este equilibrio nos mantiene sanos. Cuando éste es afectado, nos volvemos vulnerables a las enfermedades.

Hoy en día, es posible obtener lo mejor de ambos mundos –la perspicacia de la sabiduría antigua, reafirmada por la ciencia del siglo XXI.

Cómo lograr la mejor sanación: Los cuatro aspectos principales de mi concepto del bienestar son *las relaciones, la dieta, el entorno* y *la desintoxicación.*

Fortalecer estos cuatro pilares de la sanación mantendrá el equilibrio y la armonía que protegen contra las enfermedades. Si está enfermo, estos factores se combinarán con la asistencia médica para ayudarlo a recuperarse.

RELACIONES

En décadas recientes la evidencia ha demostrado que las relaciones sólidas son una fuerza potente para mantener la buena salud.

Ejemplo: Un estudio realizado en California determinó que el matrimonio, las buenas amistades y la membresía en una iglesia o en organizaciones comunitarias disminuyeron la tasa de mortalidad, así como también el riesgo de morir de cáncer, enfermedad del corazón y ataque cerebral ("stroke").

Las buenas relaciones fortalecen la capacidad de sobrellevar el estrés. El corazón sufre menos tensión y el sistema inmune combate mejor las enfermedades y el cáncer cuando usted tiene el apoyo de sus amigos y seres queridos.

El apoyo social logra que se sienta capaz de hacer cosas positivas –tanto para usted mismo como para su salud.

El primer paso para fortalecer este pilar de la sanación es reconocer su importancia. *Esto es lo que puede hacer para lograrlo...*

•**Evalúe sus actividades.** ¿Cuánto tiempo y energía dedica a los demás? ¿Qué puede hacer para cultivar relaciones más gratificantes?

•**Haga un esfuerzo para ayudar a otros.** Un voluntariado (en una cocina comunitaria, hospital, escuela o museo) disminuye el estrés y alivia los problemas de salud. Al ayudar a otros, usted se ayuda a sí mismo.

DIETA Y ESTILO DE VIDA

No debería sorprenderlo el hecho de que lo que usted consume tiene un gran impacto en su salud, y que la dieta estadounidense habitual –alta en grasas, con pocas verduras– es una receta para contraer una enfermedad grave.

Usted puede fortalecer este pilar de la sanación de forma drástica con *un paso sencillo.* Elimine –o al menos *reduzca de forma significativa*– el consumo de la comida chatarra ("junk food"), que constituye el 30% de la ingestión de calorías del típico estadounidense.

Al evitar las comidas procesadas –cuyos nutrientes han sido reemplazados por azúcar, sal y manteca ("shortening")– usted reduce el riesgo de padecer enfermedad del corazón y presión arterial elevada.

Meriendas (refrigerios) saludables: Cuando desee un refrigerio, elija verduras crudas, nueces ("nuts") y semillas en lugar de la comida chatarra.

Dos nutrientes merecen atención especial...

•**Los ácidos grasos omega-3** tienen un impacto positivo en casi todos los aspectos del funcionamiento de las células. Su desaparición gradual de las dietas modernas ha estado vinculada a enfermedades tan diversas como la artritis y la depresión.

Entre los pescados ricos en omega-3 se incluyen el salmón, el atún albacora y las sardinas. El aceite de linaza ("flaxseed oil") y la harina de linaza son las mejores fuentes vegetales.

•**El magnesio** regula las reacciones enzimáticas que promueven la vida de casi todas las células, pero dos tercios de los estadounidenses no consumen suficiente magnesio en sus dietas. El envejecimiento agota este mineral en el cuerpo, como también lo hace el estrés. Probablemente necesite más magnesio si sufre de irritabilidad… palpitaciones… tensión o espasmos musculares.

Las verduras (el bróculi, en especial), los frijoles (habas, habichuelas, judías, "beans"), las semillas y las nueces ("nuts") son buenas fuentes de magnesio.

Entre las mejoras en el estilo de vida se deberían incluir la actividad física habitual. Pero no es necesario ir a un gimnasio. Puede incorporar la actividad física en su rutina diaria –por ejemplo, al caminar en lugar de manejar su auto.

MEDIO AMBIENTE

Los contaminantes químicos y biológicos causan estragos en el cuerpo, suprimiendo el sistema inmune, dañando los pulmones, aumentando el riesgo de contraer cáncer, y también provocando problemas de salud menos graves. La polución en el aire y los desechos tóxicos son los culpables principales, pero el riesgo de exposición es mayor en el interior de su hogar. *Esto es lo que puede hacer…*

•**No permita que nadie fume en su hogar.** El humo del tabaco de segunda mano aumenta el riesgo de contraer cáncer y enfermedad del corazón, y empeora el asma. Los alquitranes cancerígenos se aferran a las cortinas y a los muebles.

•**Deje sus zapatos en la puerta.** Los pesticidas y otros desechos tóxicos entran con usted cuando regresa de la calle, y son recolectados por las alfombras.

•**Luche contra el moho.** Puede causar drásticos síntomas de alergias, eczema y asma, además de fatiga, dolor en las articulaciones y dolor de cabeza. Algunos tipos de moho emiten toxinas que suprimen al sistema inmune. Utilice un deshumidificador para mantener la humedad por debajo del 50%… deseche los alimentos con moho… ventile su sótano y su ático (altillo, desván).

•**Ventile su cocina, calentador y secador de forma adecuada.** Estos electrodomésticos producen gases tóxicos, como el monóxido de carbono, dióxido de nitrógeno y formaldehído.

Útil: Instale un detector de monóxido de carbono.

Costo: entre $50 y $80.

DESINTOXICACIÓN

El cuerpo posee defensas naturales contra los contaminantes del medio ambiente, y también contra las sustancias tóxicas producidas por los procesos normales de las células. El hígado descompone estos contaminantes, los cuales son excretados por los intestinos y los riñones. *Para mejorar y estimular los esfuerzos de desintoxicación del cuerpo…*

•**Evite los medicamentos de venta libre cuando sea posible.** Muchos medicamentos comunes afectan la capacidad del hígado de descomponer las sustancias químicas tóxicas. Use sustitutos naturales.

Ejemplos: El *acetaminofeno* (Tylenol) elimina del cuerpo el *glutatión*, una sustancia química clave para la desintoxicación que protege contra el cáncer y estimula la función del sistema inmune. Si toma Tylenol a diario, consulte a su médico para remediar la fuente del dolor, en lugar de simplemente tratar el síntoma. Evite las bebidas alcohólicas, las cuales eliminan del hígado aun más glutatión.

La *cimetidina* (Tagamet), la *ranitidina* (Zantac) y otros medicamentos similares que habitualmente se toman para la acidez estomacal ("heartburn"), perjudican la función del hígado. En su lugar, aprenda estrategias para evitar la acidez estomacal completamente –coma porciones pequeñas y bajas en grasa, por lo menos entre tres y cuatro horas antes de acostarse… tome pastillas de calcio masticables con cada comida… evite las bebidas alcohólicas y el café.

•**Estimule la capacidad natural de desintoxicación del cuerpo** –al consumir alimentos que neutralicen los cancerígenos y otras sustancias químicas que dañan las células.

Útil: Las verduras *crucíferas* –como el bróculi, la col (repollo, "cabbage"), las coles de bruselas ("brussels sprouts") y la coliflor ("cauliflower")– y las verduras que contienen *carotenoides* –como las zanahorias, las batatas (boniatos, camotes, papas dulces, "sweet potatoes") y los tomates.

El cardo mariano (cardo lechero, "milk thistle") protege y mejora la eficacia del hígado.

El tracto digestivo es el ambiente más tóxico del cuerpo. Usted puede ayudar a los intestinos a eliminar las toxinas al consumir más fibra (proveniente de frutas, verduras y cereales integrales)… y alimentos fermentados (como yogur). Esto ayudará a mantener fuertes las bacterias benéficas de los intestinos, las cuales descomponen las toxinas.

Cómo lograr su propio milagro médico

Bernie Siegel, MD, fundador de Exceptional Cancer Patients (ECaP), *www.ecap-online.org*. Es profesor jubilado de cirugía de la facultad de medicina de la Universidad Yale, en New Haven, Connecticut, y autor de varios libros, entre ellos, *Help Me to Heal: A Practical Guidebook for Patients, Visitors and Caregivers* (Hay House).

El doctor Bernie Siegel es uno de los principales partidarios del uso de la mente para ayudar a sanar el cuerpo. Como cirujano practicante, fundó la organización Exceptional Cancer Patients (ECaP) en 1978 para promover el concepto de la autocuración. Su exitoso libro *Love, Medicine & Miracles*, publicado en 1986, también trató este tema.

El Dr. Siegel respondió algunas preguntas acerca de la evolución de sus ideas…

•¿Cómo ha cambiado su percepción de la autocuración durante los años? Mi experiencia con miles de pacientes ha reforzado mis convicciones aun más. Mi concepto de la autocuración consiste en organizar todos los recursos físicos y emocionales disponibles con el objetivo de lograr la buena salud. Trabajo principalmente con pacientes con cáncer, pero el concepto es el mismo con cualquier enfermedad.

El poder de curación de la mente siempre está a nuestra disposición –pero la mayoría de las personas no emplean esta capacidad al máximo hasta que sufren un accidente o una enfermedad casi mortal. Lo ideal es que todos deberíamos comenzar a desencadenar nuestros propios poderes de curación mucho *antes* de enfermarnos.

•¿Cómo se logra esto? Aprendiendo a amar la vida y a amarse a sí mismo –a su vez aceptando plenamente que usted es mortal y que la vida no es eterna. Desgraciadamente, muchas personas son incapaces de amarse a sí mismas al no haberse sentido amadas por otros en algún momento importante de su vida, por lo general durante la niñez.

El grado hasta el cual nos sentíamos amados y aceptados cuando éramos niños tiene un impacto inmenso en nuestra salud siendo adultos. Las personas que no se sintieron queridas tienden a llevar vidas destructivas –buscando aquellas sensaciones favorables, que no obtuvieron por parte de sus padres, en la comida, el cigarrillo, el alcohol o las drogas.

En un estudio a largo plazo, se les pidió a un grupo de estudiantes de la Universidad Harvard que describieran a sus padres. El 28% de aquellos que dijeron que sus padres les daban cariño y atención padeció una enfermedad grave en los 35 años siguientes. El 98% de los que dijeron que sus padres no eran cariñosos padecieron una enfermedad grave dentro de ese mismo periodo de tiempo.

En otro estudio, los monos que fueron separados de sus padres durante siete meses en su infancia y fueron expuestos al alcohol más adelante se convirtieron en alcohólicos. Los monos con una crianza normal no se convirtieron en alcohólicos cuando fueron expuestos al alcohol.

•¿Cómo puede alguien sobrellevar esta falta de amor durante la niñez? Al criarse o educarse nuevamente ("reparenting", en inglés), es decir, asumir el rol de sus padres, o logrando que alguien asuma ese rol. Esa persona podría ser un maestro, un abuelo o un médico –cualquier tipo de "entrenador" que se preocupe por usted, pero que también pueda ofrecer criterios constructivos.

Criarse o educarse nuevamente significa rechazar aquellos mensajes negativos antiguos que usted aprendió de sus padres y maestros, y enfocarse en sus propias cualidades positivas.

También significa darse permiso a vivir la vida que *usted* desee vivir. Con frecuencia, abandonamos nuestro estilo de vida para conformar a otros. Desde un punto de vista práctico, esto puede significar cambiar de empleo, mudarse a otra ciudad, o arreglar o terminar una relación amorosa.

•¿Requiere alguna técnica especial el concepto de criarse nuevamente? No. Puede consistir en lo que usted desee, ya sea la psicoterapia, la visualización, la meditación, llevar un diario privado –cualquier método que lo ayude a escuchar su voz interna, la cual le comunica lo que usted realmente desea y necesita. Pero tiene que estar dispuesto a hacer el esfuerzo.

Criarse nuevamente es también una parte esencial de la relación entre el médico y el paciente. Si su médico no lo apoya, no lo escucha o no lo trata como un ser humano sino como una enfermedad, debería consultar a otro médico.

•¿Cómo influye al proceso médico el aprender a amarse a uno mismo? Las personas que se aman a sí mismas suelen ser lo que yo llamo pacientes "excepcionales". El paciente excepcional es un sobreviviente – alguien que se niega a participar en la derrota y que elige hacerse cargo del proceso de curación. Todos tenemos la posibilidad de ser un paciente excepcional, pero la mayoría no aprovechamos esta capacidad. Algunas personas tienen una autoestima baja y le tienen miedo al fracaso. En lugar de hacerse cargo de su salud, dejan que su médico se haga responsable de ella.

He descubierto que alrededor del 15% al 20% de los pacientes tienen un deseo inconsciente de morir –incluso a veces se manifiesta de manera consciente. En cierta medida, acogen las enfermedades graves como si fueran la solución a sus problemas.

Entre el 60% y el 70% de los pacientes están "actuando" para el médico en cierta manera. Hacen lo que les dicen, con la esperanza de que el médico haga todo el trabajo.

Finalmente, entre el 15% y el 20% de los pacientes son los "excepcionales". Se niegan a jugar el papel de víctima. Se instruyen a sí mismos acerca de su enfermedad, le hacen preguntas a su médico y exigen dignidad y control.

De hecho, debido a sus deseos de saber todo –por qué es necesario un examen en particular, qué es lo que significan ciertos resultados– estos pacientes son considerados como "difíciles" por los médicos. Pero los estudios han demostrado que muchos de los pacientes con cáncer que se consideran "difíciles" tienen mejores índices de supervivencia que los pacientes pasivos que nunca cuestionan al médico.

•¿Existe alguna explicación científica de por qué a los pacientes excepcionales les va mejor? La personalidad y la psicología afectan significativamente el aspecto químico del cuerpo y la capacidad de curación. Los investigadores han descubierto que los pacientes "difíciles" y agresivos tienden a tener más células T luchadoras (los glóbulos blancos que buscan y destruyen las células cancerosas) que los pacientes "buenos" y sumisos.

La validez del efecto placebo es aceptada hoy en día por la comunidad médica en general. Entre un cuarto y un tercio de todos los pacientes demostrarán mejoras si *piensan* que están tomando medicamentos eficaces.

Esta es la razón por la cual yo apoyo y estimulo a todos mis pacientes que quieren intentar terapias alternativas, siempre y cuando hayan elegido dicha terapia partiendo de la creencia de que mejorará su calidad de vida, y no en base al miedo de lo que podría pasar si no la prueban.

La terapia magnética puede controlar el dolor crónico

Ronald M. Lawrence, MD, neurólogo con práctica privada en Agoura Hills, California. Es ex presidente de la North American Academy of Magnetic Therapy y coautor de *Magnet Therapy* (Prima Health).

Es posible que los imanes tengan poderes curativos. Los practicantes de la medicina alternativa han estado convencidos de esto desde hace mucho tiempo, y los estudios recientes sugieren que podrían tener razón.

En un estudio publicado en el boletín médico *Archives of Physical Medicine and Rehabilitation,* los investigadores de la facultad de medicina de la Universidad Baylor, en Houston, descubrieron que los imanes son más eficaces que los imanes falsos para detener el dolor causado por el síndrome "postpolio"*.

Durante el estudio controlado, el 76% de los pacientes que fueron tratados con un imán obtuvieron algún alivio del dolor. Únicamente el 18% de los que fueron tratados con un imán falso obtuvieron algún alivio.

EVIDENCIA CADA VEZ MAYOR

En otros estudios, se comprobó que los imanes fueron eficaces contra…

•**Fibromialgia.** Los investigadores de la facultad de medicina de la Universidad Tufts, en Boston, demostraron que los imanes ayudan a aliviar los dolores musculares causados por esta afección misteriosa.

En el estudio, los pacientes que durmieron sobre colchones magnéticos experimentaron un alivio mayor del dolor que los pacientes que durmieron sobre colchones comunes.

•**Neuropatía diabética.** En una investigación realizada en el New York Medical College en Valhalla, estado de Nueva York, las almohadillas magnéticas para los pies ("foot pads") fueron más eficaces que las no magnéticas para el alivio del entumecimiento (adormecimiento), hormigueo y dolor relacionados con este problema vinculado a la diabetes.

La evidencia sugiere que alrededor del 80% de los que sufren de dolor crónico podrían beneficiarse con la terapia magnética. Esto se aplica a casi todo tipo de dolor.

CÓMO ALIVIAN EL DOLOR LOS IMANES

Cuando se los mantiene sobre la piel, los imanes relajan las paredes capilares, estimulando así el flujo sanguíneo hacia la zona dolorida.

También ayudan a prevenir los espasmos musculares que provocan muchos tipos de dolor –aparentemente al interferir con contracciones musculares. Además, interfieren con las

---

*Este síntoma, caracterizado por el dolor en las piernas, afecta hasta al 20% de los pacientes que habían padecido polio anteriormente.

reacciones electroquímicas que se llevan a cabo dentro de las células nerviosas, dificultando así su capacidad de transmitir mensajes de dolor al cerebro.

Por supuesto, el dolor crónico *se puede* controlar con la aspirina y otros analgésicos (calmantes) recetados y de venta libre. Pero a diferencia de estos medicamentos, los imanes no presentan riesgos de efectos secundarios.

CÓMO ELEGIR IMANES MEDICINALES

Los imanes medicinales ("medical magnets") están disponibles en una vasta gama de formas, tamaños y potencias. Varían en precio, desde $5 hasta $900.

Por lo general, es mejor comenzar con uno o unos pocos imanes con forma de moneda, hechos con el metal de tierra rara llamado *neodimio-boro.* Aptos para todo tipo de aplicaciones, estos imanes "neo" dan tan buenos resultados como otros imanes –y cuestan menos.

Costo: alrededor de $10 cada uno.

El magnetismo se mide en *gauss.* Un imán típico para la puerta del refrigerador tiene unos 10 gauss. Es demasiado débil como para penetrar la piel –y probablemente no sea útil en el tratamiento de algo más grave que un moretón leve.

Los imanes medicinales varían en potencia, desde los 450 hasta los 10.000 gauss. Cuanto más elevado el gauss, mejor será el alivio del dolor.

Ya que los imanes no siempre dan resultado, se recomienda comprarlos de una compañía que ofrezca una garantía de devolución de dinero de al menos 30 días.

CÓMO UTILIZAR LOS IMANES

El imán debe ser sujetado a la piel, directamente sobre la zona dolorida. Algunas personas utilizan vendas adhesivas ("adhesive bandages") comunes para sujetar los imanes. Pero *Transpore* –una cinta de papel fabricada por la empresa 3M– da mejores resultados. Se adhiere bien, y no arranca los pelos de la piel cuando se desprende.

Si el imán no le da alivio en unos pocos días, coloque el imán sobre el punto de acupuntura más próximo. Para localizar estos puntos en el cuerpo, consulte un libro sobre la acupuntura.

Si esta reposición del imán no le da alivio después de 30 días, probablemente no le ayudará más adelante. Obtenga otro tipo de imán… o hable con su médico acerca de tomar medicamentos analgésicos o algún otro método convencional.

•**Pies doloridos.** Las plantillas ("insoles") magnéticas pueden aliviar el dolor de los pies y de las piernas que se siente después de estar de pie todo el día.

•**Artritis.** Si el dolor se limita a los dedos, un "neo" imán adherido a la articulación afectada debería solucionar el problema. O, sino, puede llevar una pulsera magnética.

Para las molestias causadas por la fibromialgia, o para el dolor de la artritis por todo el cuerpo, lo mejor es un colchón ("mattress") magnético. Si el costo de $900 es demasiado para usted, elija una colchoneta magnética ("mattress pad").

Costo: entre $250 y $500.

•**Dolor de espalda.** Coloque cuatro imanes en cada costado de la espina dorsal, a una distancia de aproximadamente una pulgada y media (cuatro cm), dos de cada lado. Si le resulta problemático colocar y sacar unos cuantos imanes, use un imán con una tira de cerámica ("ceramic strip") de unas tres a cuatro pulgadas (7 a 10 cm)… o una faja magnética de apoyo lumbar ("back brace").

•**Dolor de cabeza.** Fije imanes a las sienes con cinta adhesiva ("tape")… o a la parte de atrás de la cabeza, justo por encima del cuello. O si no, use una vincha (cinta del pelo, "headband") magnética.

•**Codo de tenista** (sinovitis del codo, "tennis elbow"). Use una banda ("band") magnética alrededor del codo. La misma banda también alivia el dolor de la mano y del brazo causado por lesiones debidas a los movimientos repetitivos.

Los riesgos de los imanes

Los imanes utilizados en el tratamiento de la artritis y otros problemas de las articulaciones pueden causar fallas en los marcapasos ("pacemakers") y los desfibriladores implantados.

Un imán colocado dentro de la colchoneta por los artríticos puede cambiar los ajustes de un marcapasos y proporcionar una sacudida que provoca un paro cardiaco. Un imán incluso puede apagar un desfibrilador –con resultados potencialmente mortales.

Si usted tiene un marcapasos o un desfibrilador: Consulte a su médico antes de usar imanes para cualquier afección. También tenga cuidado cuando esté cerca del altavoz (parlante, bocina) de un equipo estereofónico –algunos contienen imanes muy potentes.

Las buenas noticias: Los imanes que se llevan en la parte inferior del brazo, de las piernas o la cintura –que estén al menos seis pulgadas (15 cm) lejos del desfibrilador o del marcapasos– no están lo suficientemente cerca de los aparatos médicos como para causar problemas cardiacos.

Thomas A. Mattioni, MD, director del laboratorio clínico de electrofisiología cardiaca del hospital Arizona Heart, en Phoenix.

Reflexología de la mano

Bill Flocco, fundador y director de la American Academy of Reflexology, con sede en Burbank, California (*www.americanacademyofreflexology.com*). Es ex presidente del International Council of Reflexologists (*www.icr-reflexology.org*) y autor de varios textos de instrucción de la reflexología.

Los aficionados a la reflexología de la mano afirman que existe un "mapa" del cuerpo humano en la mano. Cada parte del cuerpo corresponde a un "punto reflejo" en los dedos, la palma, el dorso y los bordes de la mano.

Aplicar presión en estos puntos reflejos estimula los impulsos de los nervios que viajan indirectamente a las zonas correspondientes del cuerpo. Estos impulsos ayudan a relajar los músculos, abrir los vasos sanguíneos, mejorar la circulación y permitir la entrada de más oxígeno y nutrientes –componentes clave de la curación.

El doctor William Fitzgerald introdujo esta terapia en su libro *"Zone Therapy"*, publicado en 1917. La técnica pronto fue expandida para incluir la reflexología del pie, y hoy en día es empleada por miles de "reflexólogos".

Para obtener un alivio rápido y eficaz del dolor y la tensión muscular, las manos siguen siendo la zona principal para la reflexología.

Advertencia: No intente la reflexología de la mano si tiene alguna herida o lesión de la mano. Si tiene algún problema médico, consulte primero a un médico.

LO BÁSICO

Aplique una presión suave en los puntos reflejos en la mano, utilizando la técnica del *rodado del pulgar.*

Para activar los puntos reflejos en la palma izquierda, ponga los dedos de la mano derecha sobre el dorso de la mano izquierda. Coloque la parte gorda del pulgar derecho sobre la palma izquierda. Apriete ligeramente, presionando con el pulgar. Mientras presiona, doble el pulgar de manera que la punta ruede lentamente hacia delante y hacia abajo. Mientras mantiene el contacto entre el pulgar derecho y la palma izquierda, enderece el pulgar de manera que se mueva hacia delante, un octavo de una pulgada (tres cm), sobre la zona del reflejo. Repita este movimiento del pulgar, gradualmente aplicándolo a la zona entera de los reflejos.

Utilice la misma técnica para "masajear" la palma o los dedos. Para masajear los puntos reflejos en la mano derecha, realice el rodado del pulgar con la mano izquierda. Si tiene las uñas largas, use los costados del pulgar en lugar de la punta.

Las zonas de los puntos reflejos deberían ser masajeadas durante al menos cinco minutos. Masajee una zona amplia alrededor de los puntos reflejos indicados. Los beneficios deberían notarse en una o dos sesiones.

VISTA CANSADA

Los puntos reflejos de los ojos están en la base de los dedos índice, medio y del anillo –las articulaciones metatarsofalángicas o "nudillos grandes". Realice el rodado del pulgar directamente sobre estos nudillos –y también por arriba y por abajo de los nudillos– en ambos costados de ambas manos.

HOMBROS DOLORIDOS

Los puntos reflejos de los hombros están en el dorso de la mano, en las ranuras entre medio de los huesos largos. Para masajearlos, use las puntas de los dedos.

Si tiene problemas con el hombro izquierdo, masajee los puntos reflejos en la mano izquierda. Coloque el pulgar derecho sobre la palma izquierda, de forma horizontal.

En el dorso de la mano izquierda, coloque las puntas de los dedos índice, medio y del anillo de la mano derecha en las ranuras. Aplique y mantenga presión pareja, lenta y repetidamente moviendo las puntas de los dedos en la dirección de la muñeca.

Si tiene problemas con el hombro derecho, masajee los puntos reflejos en la mano derecha.

MALESTAR ESTOMACAL

La parte suave de las palmas –debajo de los nudillos grandes– contiene muchos puntos reflejos del sistema digestivo. La mayoría de los puntos reflejos del estómago están en la palma izquierda. Para la acidez y el malestar estomacal, use el rodado del pulgar para masajear la palma justo debajo de los nudillos grandes en la base de los dedos índice, medio y anular.

Comience aplicando presión leve y gradualmente aumente la presión.

DOLOR DE CUELLO

Los principales puntos reflejos del cuello están en la mitad inferior de los pulgares. Aplique el rodado del pulgar a la zona entre los nudillos de ambos pulgares. El pulgar debería rodar desde la parte gorda hasta la punta, de manera que usted aplique suficiente presión sobre la zona en su totalidad.

SÍNDROME DEL TÚNEL CARPIANO

Esta afección dolorosa que a veces inmoviliza la mano y la muñeca, con frecuencia es el resultado de la tensión repetitiva en el nervio mediano que pasa por la muñeca. El masaje de los puntos reflejos del antebrazo puede aliviar el dolor. Estos puntos se encuentran en los bordes externos de las manos, a mitad de la distancia entre la base del dedo meñique y la muñeca.

Aplique el rodado del pulgar a esta zona en el brazo que tenga el problema.

Advertencia: Aunque la reflexología puede ayudar a aliviar el dolor del síndrome del túnel carpiano, la afección es potencialmente grave. Si tiene síntomas, consulte a un médico.

DOLOR DE ESPALDA

Los puntos reflejos de la columna vertebral están en el borde interno de la mano, desde la base del pulgar hasta la muñeca. Aplique el rodado del pulgar a esta zona en ambas manos. Los puntos reflejos de la parte inferior de la espalda están cerca de la muñeca.

CÓMO UBICAR UN REFLEXÓLOGO

El autotratamiento con la reflexología de la mano proporciona muchos beneficios, pero para obtener resultados a largo plazo, los profesionales acreditados son la mejor opción.

Busque por Internet, usando la palabra clave "reflexology" y el nombre del estado donde reside… o busque en las páginas amarillas bajo "reflexology". También puede pedir el nombre de un reflexólogo acreditado en su zona a la American Reflexology Certification Board (ARCB) en Gulfport, Florida, llamando al 303-933-6921 o yendo al sitio Web en inglés *www.arcb.net.*

Lo ideal sería que el practicante esté acreditado por la ARCB, la cual proporciona exámenes independientes y servicios de acreditación.

Estrategias sin fármacos para el síndrome del intestino irritable

Geoffrey Turnbull, MD, profesor adjunto de medicina de la Universidad Dalhousie y del Queen Elizabeth II Health Sciences Center, ambos en Halifax, Nueva Escocia. Es coautor de *IBS Relief–A Complete Approach to Managing Irritable Bowel Syndrome* (John Wiley & Sons).

Si con frecuencia sufre estreñimiento, dolor abdominal, hinchazón y otros problemas digestivos, quizá sea uno de los 30 millones de estadounidenses que padecen el *síndrome del intestino irritable.*

El síndrome del intestino irritable (IBS, por sus siglas en inglés) no presenta riesgos graves. Aun así, sus síntomas pueden dificultar la vida.

Si bien no existe una curación para esta afección, nueve de cada 10 casos pueden controlarse con simples estrategias para cambiar su estilo de vida. Desgraciadamente, solo la mitad de los afligidos por este síndrome alguna vez consultan a un médico.

SÍNTOMAS INDICADORES

Habitualmente, el síndrome del intestino irritable aparece entre los veinte y los cuarenta años de edad. El síntoma más común es dolor en la parte inferior del vientre.

El dolor frecuentemente se intensifica durante la deposición, disminuyendo luego… y retornando unos minutos después.

Advertencia: El dolor abdominal que perdura después de una deposición puede ser un síntoma de colitis, cáncer de colon u otra enfermedad grave.

Otros síntomas del síndrome del intestino irritable incluyen…

•**Estreñimiento…** o episodios de deposición floja. Estos episodios ocurren típicamente cada varias semanas y duran unos pocos días.

Los cambios en los hábitos de la deposición que persisten durante varias semanas pueden ser síntomas de colitis, enfermedad de Crohn, o alguna otra afección grave.

•**Hinchazón o inflamación abdominal.** Ésta típicamente empeora durante el día y desaparece a la noche.

•**Sensación de evacuación incompleta** después de la deposición.

•**Mucosidad ("mucus") en la deposición.** Al contrario de lo que la mayoría de las personas piensan, la mucosidad en la deposición no es necesariamente un signo de una enfermedad grave. La mucosidad mezclada con sangre, por otro lado, es con frecuencia un síntoma de la colitis.

Si padece de síntomas abdominales molestos, consulte a un médico de inmediato. Él/ella debería evaluar su historial médico y llevar a cabo exámenes para descartar problemas más graves.

Para realzar la eficacia de cualquier tratamiento del síndrome del intestino irritable recomendado por su médico, considere intentar estas estrategias de autoayuda…

MODIFIQUE LA DIETA

El primer paso para controlar el síndrome del intestino irritable es tomar mucha agua –al menos ocho vasos de ocho onzas (235 ml) por día. *También es imprescindible adoptar una dieta saludable que incluya…*

•**Entre seis y 11 porciones diarias de pan integral,** cereal integral o de salvado ("bran"), arroz moreno ("brown rice") o pasta elaborada con trigo integral ("whole wheat").

•**Entre tres y cinco porciones diarias de verduras** (crudas o cocidas).

•**Entre dos y cuatro porciones diarias de fruta.**

•**Dos o tres porciones diarias de leche,** yogur o queso sin grasa ("non-fat").

•**Dos o tres porciones diarias de carne,** aves, pescado, huevos, frijoles (habas, habichuelas, judías, "beans") o nueces ("nuts").

Estas pautas alimentarias ayudan a asegurar que usted obtendrá todos los nutrientes necesarios y suficiente fibra en la dieta.

El cuerpo necesita al menos 20 gramos de fibra cada día para regular la función de los intestinos. El estadounidense típico obtiene únicamente entre ocho y 10 gramos.

CAMBIE LOS HÁBITOS ALIMENTARIOS

Frecuentemente, el síndrome del intestino irritable acompaña los malos hábitos alimentarios.

Ejemplos: Evitar comidas… comer demasiado rápido o en exceso… sustituir alimentos saludables con hamburguesas, papas fritas ("fries"), papitas fritas ("potato chips") y otros alimentos grasosos.

Para disminuir los síntomas del intestino irritable, programe suficiente tiempo para comer con calma… consuma comida chatarra ("junk food") no más de una vez a la semana… coma tres comidas al día… y coma únicamente hasta que se sienta satisfecho.

Preste atención a cuánto consume durante las fiestas y en las reuniones familiares. Muchas veces estos eventos estimulan comer en exceso.

Meriendas (refrigerios) saludables: galletas integrales, "muffins" de salvado de trigo, cereal, fruta fresca o enlatada, "pretzels", papas horneadas, arroz o budín ("pudding").

EVITE LOS ALIMENTOS PROVOCADORES

Los síntomas del intestino irritable frecuentemente aparecen después de haber consumido ciertos alimentos. Por lo general, estos alimentos desencadenantes varían de persona a persona. *Entre los más comunes se incluyen…*

•**Verduras crudas.**

•**Verduras cocidas** –coles de bruselas ("brussels sprouts"), maíz, bróculi, coliflor ("cauliflower"), col (repollo, "cabbage"), cebollas y "sauerkraut". (Por lo general son seguros las papas cocidas, remolachas –betabel, "beets"–, espárragos, judías verdes –chauchas, ejotes, "green beans"–, guisantes –arvejas, chícharos, "peas"–, espinaca, calabacín –"squash"– y calabacines "zucchini").

•**Frijoles (alubias, habas, habichuelas, judías, "beans") y lentejas.**

•**Melón** ("cantaloupe" o "honeydew") y manzanas sin pelar. (Por lo general son seguros las manzanas peladas, naranjas, nectarinas, melocotones –duraznos, "peaches"–, peras, bananas –plátanos– maduras, toronjas –pomelos, "grapefruits"– y kiwis).

•**Cerveza**

•**Café,** té y otras bebidas que contienen cafeína.

Para determinar con exactitud los alimentos que lo afectan, mantenga durante dos semanas un diario de lo que consume y los síntomas que padece. Después de cada comida, utilice tinta azul para registrar todos los alimentos y bebidas que acaba de consumir. Incluya las cantidades y el método de preparación de cada alimento. Utilice tinta roja para registrar los síntomas que ocurren durante este tiempo.

Después de las dos semanas, revise su diario. Tome nota de cualquier alimento que podría estar causando sus síntomas.

Las buenas noticias: En muchos casos, es posible continuar comiendo un alimento desencadenante *sin* experimentar síntomas del intestino irritable –si consume cantidades más pequeñas… toma más agua… consume más fibra… o evita otros alimentos desencadenantes.

DISMINUYA EL ESTRÉS

El estrés psicológico causa el entumecimiento de los músculos, y eleva el ritmo cardiaco y el ritmo respiratorio. También provoca la emisión de hormonas del estrés.

En conjunto, estos cambios fisiológicos pueden perturbar el delicado ritmo del sistema digestivo del cuerpo.

La disminución del estrés es frecuentemente muy eficaz para el control del intestino irritable. En algunos casos, todo lo que se necesita es hacer ejercicios con regularidad –tal vez una caminata diaria de 20 minutos sería suficiente.

Otras estrategias eficaces para la disminución del estrés...

●**Haga una "lista de los causantes del estrés".** Anote todas las fuentes de estrés en su vida. Adjudíquele un puntaje a cada una, yendo de 1 (no inquietante) a 10 (muy, pero muy inquietante).

Escriba la letra "A" al lado de eventos específicos vinculados al estrés *agudo*. Escriba la letra "C" al lado de situaciones que causan estrés *crónico* y que no tienen un fin previsible.

Las fuentes de estrés crónico de su vida que tengan puntajes altos son las que usted debería intentar aliviar lo más posible.

●**Lleve un "diario del estrés".** Durante dos semanas, registre cualquier síntoma relacionado al vientre, y las situaciones estresantes del día y las maneras en las que lo pueden haber afectado.

●**Intente la respiración profunda.** Siéntese recto. Coloque una mano sobre el estómago, y la otra sobre el pecho. Inhale a través de la nariz mientras presiona para que el estómago sobresalga. Luego exhale por la boca, presionando el estómago hacia adentro.

●**Sea más asertivo.** Una de las fuentes más comunes del estrés es la falta de firmeza. Alguien le pide a usted que haga algo y usted lo hace –aunque no tenga suficiente tiempo o no tenga ganas de hacerlo.

La próxima vez que alguien intente convencerlo de que haga algo que no quiere hacer, conviértase en un "disco rayado". Reafirme sus deseos, palabra por palabra, una y otra vez, en respuesta a cada uno de los intentos para persuadirlo.

Alivio natural para la enfermedad de Crohn y el síndrome del intestino irritable

El aceite de menta piperita ("peppermint oil") alivia los dolorosos retortijones causados por la enfermedad de Crohn y el *síndrome del intestino irritable.*

Útil: Vierta una gota del aceite en una taza de agua tibia, agregue un poco de azúcar, si lo desea, y beba la mezcla entre 15 y 30 minutos antes de comer –o cuando los síntomas aparezcan.

Advertencia: No tome aceite de menta piperita sin agua, y deje de tomarlo si le causa acidez estomacal. El aceite de menta piperita se puede obtener en la mayoría de las tiendas de alimentos naturales ("health food stores").

Timothy Koch, MD, jefe de la sección de gastroenterología de la facultad de medicina de la Universidad de West Virginia, en Morgantown.

La manera natural de tratar el estreñimiento

El almíbar de maíz ("corn syrup"), el cual ha sido utilizado desde hace mucho tiempo como un remedio tradicional, atrae el agua a los intestinos para ablandar las heces, facilitando su deposición.

Receta: Agregue, revolviendo, una cucharada de almíbar de maíz en un vaso de agua tibia, dos veces al día durante uno o dos días.

Advertencia: No use este remedio si es diabético, si está deshidratado o si toma diuréticos tales como *furosemida* (Lasix), *triamtereno* o *triamtereno hidroclorotiazido* (Maxzide, Dyazide).

Victor S. Sierpina, MD, profesor adjunto de medicina familiar de la sucursal de medicina de la Universidad de Texas, en Galveston.

La raíz que combate la diarrea

Annemarie Colbin, PhD, especialista acreditada en educación para la salud y fundadora del Natural Gourmet Institute for Health and Culinary Arts, en Nueva York. La Dra. Colbin es autora de varios libros, entre ellos *Food and Our Bones: The Natural Way to Prevent Osteoporosis* (Plume). *www.foodandhealing.com*

Muchos residentes del sur de Estados Unidos están bien familiarizados con kudzu. Esta enredadera resistente –que fue importada de Japón hace un siglo para controlar la erosión de la tierra– ha crecido bien en el clima cálido del sur, diseminándose implacablemente sobre jardines, céspedes, y casas.

Resulta que la raíz de esta planta posee valor medicinal. Al cocinarla en un caldo denso, alivia y relaja el tracto gastrointestinal, aliviando la indigestión, la acidez estomacal y la diarrea.

El kudzu también puede ayudar a aliviar el estrés psicológico. Además, existe evidencia de que alivia las ansias de beber alcohol.

A diferencia de los medicamentos convencionales, el kudzu proporciona alivio sin causar efectos secundarios desagradables. Por ejemplo, los medicamentos de venta libre para la diarrea a veces causan estreñimiento.

El almidón de kudzu se vende en las tiendas de alimentos naturales bajo el nombre de *"kuzu"*, su nombre en japonés. El kuzu puro es un polvo blanco grumoso. Si tiene aspecto de polvo fino, es posible que haya sido adulterado.

Por lo general, cuesta entre $4 y $5 por tres onzas y media (100 gramos).

Para preparar el caldo de kuzu: Mezcle una cucharada de kuzu en una taza de agua fría hasta que se disuelva completamente.

Cocine a fuego mediano, revolviendo constantemente. La mezcla se pondrá espesa y se aclarará al llegar al punto de hervor.

Retire del fuego y añada salsa de soja natural ("soy sauce", shoyu o tamari) para saborear a gusto –alrededor de una cucharada. Shoyu y tamari están disponibles en las tiendas de alimentos naturales y en algunos supermercados.

Consuma hasta una taza de caldo de kuzu por día hasta que los síntomas mejoren.

Importante: Si el malestar es severo –o dura más de dos días– consulte a su médico.

Cómo curar los trastornos del estómago de manera natural

Rob Pyke, MD, PhD, internista y farmacólogo clínico con base en Fairfield, Connecticut. Es autor de *Dr. Pyke's Natural Way to Complete Stomach Relief–Great Foods and Holistic Methods to Cure Your Upper Digestive Tract Forever* (Prentice Hall).

Ya sea la acidez estomacal, una úlcera o el reflujo gastroesofágico ("acid reflux"), los malestares del estómago son tan comunes que muchos simplemente nos acostumbramos a vivir con ellos. O si no, tomamos un remedio de venta libre y nos llenamos de esperanza. Solamente el 10% de las personas que sufren de problemas de estómago consultan al médico.

Siendo un internista y farmacólogo clínico, tengo un amplio conocimiento del tratamiento convencional de todas las afecciones gastrointestinales. Los medicamentos recetados son la primera protección. Algunos médicos pueden también aconsejarles a sus pacientes que reduzcan el estrés, hagan ejercicios con regularidad y bajen de peso para aliviar los problemas estomacales.

Pero en 1994 mi punto de vista acerca de las enfermedades gastrointestinales cambió drásticamente –cuando pasé a ser el paciente.

Padecía gastritis, una inflamación del revestimiento del estómago. También tenía acidez estomacal y la *enfermedad del reflujo gastroesofágico* (GERD, por sus siglas en inglés). Esta es una afección causada cuando los contenidos del estómago ascienden al esófago y causan irritación.

El gastroenterólogo que consulté me recetó el medicamento *omeprazole* (Prilosec). Dos semanas más tarde, mi afección aún seguía sin mejoras.

Un estudio del tracto gastrointestinal descubrió cientos de agujeritos en mi estómago. Eso fue el colmo. Decidí dejar de ser un "paciente pasivo", dependiendo de lo que mi médico me decía. Investigué tratamientos convencionales y alternativos y establecí un programa de autoayuda para tratar las causas –en lugar de los síntomas– de los problemas del estómago.

Advertencia: Antes de empezar un autotratamiento, consulte a un médico acerca de su problema de estómago. *Esto es muy importante si tiene síntomas tales como...*

•**Dolor de estómago** que dura más de una hora, dos veces a la semana.

•**Pérdida del apetito** o pérdida de peso no deseada.

•**Sangre en sus heces** u oscurecimiento del color de las mismas.

•**Vómito** que produce materia oscura con sangre.

•**Dificultad al ingerir.**

•**Dolor** que aparece al utilizar *medicamentos antiinflamatorios no esteroideos* (AINE o NSAID, por sus siglas en inglés) o al beber alcohol o comer comida picante.

ESTRATEGIAS DE AUTOTRATAMIENTO

Además de seguir las indicaciones de su médico, he aquí lo que debe hacer para aliviar sus problemas de estómago...

•**Evite las comidas que causan molestias.** La mayoría de las personas conocen los peores culpables de las molestias de estómago –pimientos picantes, menta piperita, chocolate, bebidas gaseosas, cebollas y nueces. Pero también existen causantes menos obvios, tales como mantequilla, leche, helado, café y té. Estos alimentos culpables agregan o promueven el ácido estomacal o abren la válvula del estómago al esófago, lo que puede provocar el reflujo.

•**Consuma los alimentos adecuados.** Las alcachofas (alcauciles, "artichokes") –agregue los corazones de alcachofas enlatados a las ensaladas– y el "sauerkraut" (chucrut, col agria) nutren a las bacterias benignas del tracto digestivo. La leche de soja ("soy milk") y el yogur bajos en grasa atenúan el ácido estomacal. La papaya (lechosa, fruta bomba) y la piña (ananá, "pineapple") contienen enzimas que ayudan a la digestión.

•**Consuma seis comidas pequeñas todos los días en lugar de tres abundantes.** Usted producirá menos ácido estomacal. Reducir el tamaño de las comidas también ayuda a evitar el reflujo, la sensación de eructar que ocurre cuando la comida y el ácido estomacal retroceden hacia el esófago.

•**No beba más de una taza de una bebida durante cada comida.** Cuanto más beba, más probabilidad habrá de que su comida retrocederá hacia el esófago. Los fluidos también diluyen las enzimas digestivas, las cuales convierten a la comida en moléculas que los intestinos pueden absorber fácilmente.

Importante: Beba al menos ocho vasos de ocho onzas (235 ml) de agua por día. Asegúrese de beberlos entre las comidas. Esto ayuda a diluir el ácido estomacal residual.

•**Dedique 15 minutos o más a comer cada comida.** La mayoría de nosotros no masticamos los alimentos lo suficiente. Esto significa que pedazos grandes de alimentos ingresan al estómago, lo cual puede estimular la indigestión y causar que el estómago se vacíe lentamente. Como resultado, cantidades excesivas de ácido son producidas y existen más oportunidades para que el reflujo se desarrolle. Masticar sus alimentos completamente logra una mejor digestión.

•**Preste atención a la posición del cuerpo.** Para evitar la indigestión y el reflujo, manténgase recto durante al menos dos horas después de comer.

Para ayudar a los pacientes a evitar el reflujo durante la noche, muchos médicos recomiendan colocar bloques de madera por debajo de los pies de la cama, en la cabecera. Esto puede dar resultados –pero si da vueltas durante la noche corre el riesgo de mover la cama de encima de los bloques.

Solución mejor: Compre una cuña de goma espuma ("foam wedge") en una tienda de artículos médicos. La goma espuma tendría que ser de entre cinco y seis pies (entre 1½ y dos metros) de largo y tener un grosor de cuatro pulgadas (10 cm) en la cabecera y gradualmente estrecharse. Envuélvala en un protector de colchón ("mattress cover") pequeño.

Bono: La cuña le permite ajustar únicamente su costado de la cama, sin molestar a su pareja.

• **Consulte a su médico acerca de usar suplementos de vitaminas y de hierbas.** Tomar ciertas vitaminas y hierbas ayuda a prevenir y a tratar los malestares del estómago.

Para disminuir el ácido estomacal, considere tomar, todos los días, 400 unidades internacionales (IU, por sus siglas en inglés) de la vitamina E. La vitamina C (250 mg diarios en forma amortiguadora "buffer" o de éster) ayuda a sanar las úlceras de estómago.

Importante: Consulte a su médico acerca de tomar estas vitaminas en conjunto con un multivitamínico común, ya que tomar más de 200 IU de la vitamina E podría ser peligroso.

El regaliz deglicirrizinado ("deglycyrrhizinated licorice"), el áloe vera y la manzanilla ("chamomile") con nébeda (hierba gatera, "catnip") también pueden aliviar las molestias estomacales. Están disponibles en las tiendas de alimentos naturales, en forma de cápsula, gel, líquido o saquitos (bolsitas) de té. Siga las indicaciones de la etiqueta.

Alivio rápido con hierbas para la indigestión

El romero ("rosemary") es frecuentemente eficaz en el tratamiento de la indigestión, los gases y la hinchazón.

Para obtener los mejores resultados: Consúmalo en forma de té o de tintura 15 minutos *antes* de las comidas. Esto ayuda a maximizar el efecto de los compuestos amargos de la hierba, lo cual promueve el flujo de los jugos digestivos.

Para preparar el té: Añada una cucharadita de romero seco a una taza de agua hirviendo. Deje remojar durante 10 minutos, luego cuele. O añada entre 10 y 20 gotas de tintura a una taza de agua.

Chanchal Cabrera, herbolaria con práctica privada en Vancouver, Columbia Británica, y miembro de la American Herbalist Guild, en Canton, Georgia.

Tratamiento natural para la indigestión

Más del 60% de las personas que tomaron un vaso de agua con gas a diario sintieron una reducción de la hinchazón, las náuseas, los eructos, el dolor y otros síntomas de la indigestión y el estreñimiento, según un estudio de dos semanas.

Teoría: El agua con gas estimula la parte superior del estómago, la cual promueve una digestión más eficaz. El agua con gas podría también aumentar la eficacia de la evacuación de la vesícula biliar.

Si padece indigestión y estreñimiento: Pregúntele a su médico si beber agua mineral con gas –en conjunto con otras estrategias de tratamiento, tales como una dieta rica en fibra– podría ser beneficioso.

Rosario Cuomo, MD, profesora de medicina clínica y experimental de la Universidad de Nápoles "Federico II", en Italia.

Cómo respirar para mejorar la salud

Robert Fried, PhD, director del Stress and Biofeedback Clinic, del Albert Ellis Institute, en Nueva York. Es autor de muchos libros, entre ellos *Breathe Well, Be Well* (John Wiley & Sons).

Todo el mundo sabe que respirar profundo es una estupenda manera de calmarse y relajarse cuando se sienta enojado.

Las mujeres que han utilizado el método de respiración Lamaze durante el parto saben que enfocarse en la respiración proporciona una bienvenida distracción del dolor agudo.

Pero pocas personas se dan cuenta de que la forma como respiran día tras día juega un papel importante en provocar –o prevenir– las afecciones crónicas.

Entre las afecciones que son afectadas por la respiración se incluyen la presión arterial elevada... la enfermedad del corazón... las migrañas… y el síndrome de Raynaud, un trastorno crónico de la circulación que se caracteriza por el incómodo enfriamiento de las manos y los pies.

LA CONEXIÓN ENTRE EL CUERPO Y LA RESPIRACIÓN

El mundo está dividido en dos tipos de "respiradores"…

•**Los que utilizan el vientre para respirar** respiran de manera lenta y profunda, dejando que el abdomen se eleve con cada inhalación y se hunda con cada exhalación.

Este tipo de respiración es ideal, pero relativamente pocos adultos respiran de esta manera.

•**Los que respiran con el pecho** dan respiros rápidos y poco profundos. Este tipo de respiración hace que el cuerpo suelte demasiado dióxido de carbono, afectando desfavorablemente al proceso a través del cual la sangre lleva el oxígeno a los órganos y tejidos.

Para averiguar qué clase de "respirador" es usted, siéntese cómodamente y coloque la mano izquierda sobre el pecho, y la mano derecha sobre el ombligo. Respire normalmente por un minuto. Tome nota del movimiento de cada mano mientras inhala y exhala.

Si la mano izquierda casi no se mueve, mientras que la mano derecha se mueve hacia afuera cuando inhala y hacia adentro cuando exhala, usted respira por el vientre.

Si la mano izquierda se eleva notablemente –o si ambas manos se mueven más o menos de forma simultánea y con movimientos superficiales– usted respira por el pecho.

Respirar por el pecho *no* significa que usted se desplomará en cualquier momento. Pero eventualmente, su salud sufrirá.

La razón: Respirar por el pecho es menos eficaz que respirar por el vientre, en lo que respecta la introducción de aire fresco y oxigenado en la parte inferior de los pulmones. Es ahí donde más se concentran los diminutos sacos de aire (*alvéolos*) que absorben el oxígeno.

Cuando menos aire alcanza los alvéolos, menos oxígeno llega al torrente sanguíneo con cada respiro. Para obtener suficiente oxígeno con el fin de satisfacer las necesidades del cuerpo, estas personas deben respirar más rápidamente.

La respiración rápida perturba el equilibrio normal de ácido-base en la sangre (pH), el cual se mide en una escala que va de cero a 14.

Por lo general, la sangre tiene un nivel pH de 7,38 (levemente alcalino). Cuando el pH de la sangre se eleva por encima de ese nivel, las arterias se encogen, perjudicando el flujo de la sangre hacia muchas partes del cuerpo.

Resultados: Más susceptibilidad a la presión arterial elevada… insomnio… ansiedad… fobias… síndrome de Raynaud… migrañas… y angina, en el caso de los pacientes con enfermedad del corazón.

CÓMO RESPIRAR ADECUADAMENTE

Aunque sus hábitos de respiración actuales no sean adecuados, vale recordar que todos nacimos sabiendo cómo respirar correctamente. Es sorprendentemente fácil volver a aprender a respirar correctamente. *Las claves…*

•**Deje de contraer el vientre.** Un estómago liso puede parecer atractivo, pero al apretar los músculos abdominales, se inhibe el movimiento del diafragma, el músculo delgado que separa el abdomen de la cavidad torácica.

Dado que es el movimiento del diafragma el que hace que los pulmones se llenen y se vacíen, la respiración adecuada es posible solamente si el diafragma puede moverse sin restricciones.

•**Evite la ropa apretada.** Igual que al contraer los músculos abdominales, llevar ropa muy apretada puede restringir los movimientos del diafragma.

•**Respire por la nariz.** Hacer esto hace que la hiperventilación sea casi imposible. Respire por la boca únicamente cuando haga ejercicios vigorosos.

•**Practique la respiración por el vientre.** Al menos dos veces al día –durante unos cuatro minutos cada vez– siéntese en una silla cómoda con la mano izquierda sobre el pecho y la mano derecha sobre el abdomen.

Mientras inhala, presione levemente con la mano izquierda sobre el pecho para evitar que el pecho se eleve. Permita que la mano derecha se mueva hacia fuera mientras el aire llena el vientre.

Con cada exhalación, lentamente contraiga el abdomen tanto como pueda sin elevar el pecho. Con la práctica, el cuerpo encontrará su propio ritmo natural.

Buena idea: Practique la respiración por el vientre cuando esté estancado en un embotellamiento de tráfico, esperando en una cola, etc. –donde pueda y donde quiera. Es una buena manera de aprovechar el tiempo "perdido". Cuando se acostumbre, practique la respiración por el vientre sin usar las manos.

Quizás le convenga aumentar los efectos de estas prácticas combinando la respiración por el vientre con…

•Música clásica. Elija composiciones lentas, tales como *Canon* de Pachelbel o *Jesús, alegría de los hombres* de Bach. Mientras respira, imagine que inhala la música… y que está llenando cada espacio en el cuerpo.

•Relajación de los músculos. Imagine que la tensión en los músculos de la frente fluye fuera del cuerpo con cada exhalación. Haga lo mismo, respiro por respiro, con la mandíbula, cuello, hombros, brazos, manos, piernas y pies.

•Visualización. Cierre los ojos e imagínese parado en una playa soleada. Sienta el calor del sol. Mientras inhala, imagine las olas moviéndose hacia los pies. Mientras exhala, imagine las olas regresando al mar.

•**Practique la terapia de respiración en cualquier lugar que esté.** Una vez que haya dominado la respiración por el vientre, estará listo para utilizar la respiración como un método instantáneo para sentirse mejor.

Unos pocos respiros profundos con el vientre pueden disipar la ansiedad… prevenir un ataque de pánico o una migraña inminentes… restablecer la circulación a los dedos entumecidos y fríos de las manos y de los pies… y ayudarlo a conciliar el sueño si padece insomnio.

Si se esmera en la práctica de la respiración por el vientre, podrá lograrla instintivamente. Para la mayoría de las personas, el cambio lleva unas seis semanas.

Advertencia: Los ejercicios de respiración no presentan riesgos para la mayoría de las personas. Pero si recientemente ha sufrido una herida o lesión, o se ha sometido a una cirugía, consulte a un médico.

Ciertas afecciones como la enfermedad del corazón o del riñón y la diabetes hacen que la respiración se acelere para compensar por los cambios químicos del cuerpo. Si padece una de estas enfermedades, la respiración lenta puede presentar riesgos.

Descongestionante rápido y natural

Para descongestionar la nariz rápidamente, huela rábano picante ("horseradish"). Contiene *isotiocianato de alilo*, un compuesto similar al ingrediente activo en los descongestionantes. Aspire el aroma dos o tres veces al día. Mantenga la nariz a unas seis pulgadas (15 cm) del frasco, y no respire directamente sobre el frasco para evitar la difusión de sus gérmenes. Mejor aun, tenga a mano otro frasco para usos descongestionantes.

Advertencia: Si la congestión de los senos nasales dura más de una semana, o es acompañada por mucosidad verde, goteo posnasal, dolor o dolor de muelas, consulte al médico.

Sanford M. Archer, MD, profesor adjunto de otolaringología del centro médico de la Universidad de Kentucky, en Lexington

Aromaterapia… para mucho más que aromas placenteros

Jane Buckle, RN, PhD, directora de RJ Buckle Associates LLC, en Hunter, estado de Nueva York, una empresa que enseña la aromaterapia y otras técnicas complementarias a profesionales de la salud (*www.rjbuckle.com*). Es autora de *Clinical Aromatherapy in Nursing* (Arnold).

Cuando escucha el término "aromaterapia", probablemente piensa en un baño aromático o en una vela perfumada.

Pero los profesionales médicos en Estados Unidos y en otros países están utilizando los aceites destilados provenientes de plantas aromáticas con fines medicinales. Las esencias de aceites activan el sistema nervioso parasimpático, causando la relajación y así acelerando la curación.

CÓMO FUNCIONA LA AROMATERAPIA

Los aceites de las plantas pueden utilizarse en un baño caliente… como un "aceite portador" –como el aceite de almendras ("almonds") o el de ajonjolí ("sesame oil")– para dar masajes… o como loción.

Los aromas de los aceites también pueden aspirarse de una botella… de una mota de algodón (bolita de algodón, "cotton ball")… o de un *difusor* ("diffuser") –un aparato que emite el aroma y lo dispersa por el aire.

Los estudios científicos y clínicos apoyan el uso de la aromaterapia como un complemento de la atención médica para tratar…

•**Ansiedad.** Las esencias que fueron inhaladas durante tres minutos aliviaron la ansiedad en los hombres y las mujeres, según las investigaciones reportadas en el boletín *International Journal of Neuroscience*. Use romero ("rosemary"), manzanilla romana ("Roman chamomile") o pachulí ("patchouli").

Tratamiento típico: Huela entre una y tres gotas cuando esté ansioso.

Advertencia: Evite el romero si tiene presión arterial alta.

•**Bronquitis.** Use espliego (lavanda, "spike lavender").

Tratamiento típico: Vierta una gota de espliego en un bol con tres tazas de agua hirviendo. Envuelva la cabeza con una toalla, cierre los ojos y aspire el vapor. Haga esto durante cinco minutos, cuatro veces al día.

•**Pérdida de cabello.** Las esencias ayudaron a restaurar el crecimiento del cabello en las personas con *alopecia areata*, según un estudio reportado en el boletín *Archives of Dermatology*. Se empleó un aceite portador con una mezcla de tomillo ("thyme") –dos gotas–, romero –tres gotas–, espliego –tres gotas– y cedro ("cedarwood") –dos gotas.

Tratamiento típico: Aplique la mezcla al cuero cabelludo masajeando durante dos minutos todos los días.

•**Dolor de cabeza.** Use menta piperita ("peppermint"). Si el dolor no desaparece en cinco minutos, pruebe con la manzanilla romana o con lavanda ("lavender") pura.

Tratamiento típico: Cinco gotas en una cucharadita de un aceite portador. Aplique a las sienes o aspírelo.

•**Bochornos** (calores repentinos, sofocos, "hot flashes"). Use salvia esclarea ("clary sage"), hinojo ("fennel"), geranio ("geranium") o rosa.

Tratamiento típico: Diez gotas mezcladas con dos tazas de agua en una botella con rociador. Rocíe en la cara cuando tenga bochornos.

•**Insomnio.** Use "ylang ylang", neroli o rosa.

Tratamiento típico: Cinco gotas en un difusor que tenga a mano en su dormitorio.

•**Dolor en la parte inferior de la espalda.** Use limoncillo ("lemongrass"). Si no obtiene alivio en 20 minutos, pruebe con romero o con espliego.

Tratamiento típico: Cinco gotas en una cucharadita de un aceite portador. Aplique a la zona dolorida cada tres horas.

•**Dolores menstruales.** Use geranio.

Tratamiento típico: Cinco gotas en una cucharadita de un aceite portador. Frótelo por la parte inferior del abdomen y la parte inferior de la espalda cada tres horas.

•**Espasmos musculares.** Use salvia esclarea ("clary sage"), salvia ("sage") o lavanda.

Tratamiento típico: Cinco gotas en una cucharadita de un aceite portador. Aplique a los músculos afectados por lo menos cada tres horas.

•**Osteoartritis.** Use incienso ("frankincense"), romero o lavanda ("lavender") pura.

Tratamiento típico: Cinco gotas en una cucharadita de un aceite portador. Aplique a la zona dolorida cada tres horas.

LO QUE DEBE COMPRAR

La aromaterapia es más eficaz cuando las esencias están preparadas sin ingredientes superfluos.

Una marca buena es Scents & Scentsibility (*www.scentsibility.com*). También se encuentra en las tiendas de alimentos naturales.

CÓMO EMPLEAR LA AROMATERAPIA SIN CORRER RIESGOS

Algunos aceites esenciales pueden irritar o quemar la piel si se aplican sin diluir. Dilúyalos siempre antes de emplearlos por vía tópica. Si la piel arde o se pone roja, dilúyalo con un aceite portador y enjuague con jabón sin perfumes.

Advertencia: Los aceites son inflamables. Guárdelos lejos de las velas, fuegos, cigarrillos, hornillas y cocinas. No vierta los aceites sobre bombillas para perfumar una habitación.

Los aceites esenciales pueden ser mortales si se ingieren –incluso en dosis diminutas. Manténgalos lejos de los niños y las mascotas. Las mujeres embarazadas y las personas que padecen asma o epilepsia deben consultar a su médico antes de emplear la aromaterapia.

Aromas para mejorar la energía, el humor, la memoria y más

Alan Hirsch, MD, fundador y director de neurología de la Smell & Taste Treatment and Research Foundation (*www.scienceofsmell.com*). Es neurólogo, psiquiatra y autor de *Life's a Smelling Success* (Authors of Unity) y *What Flavor Is Your Personality?* (Sourcebooks).

Los aromas estimulan importantes funciones mentales y físicas. Provocan la emisión de los neurotransmisores, las sustancias químicas que envían señales al cerebro. *Esto es lo que los aromas pueden lograr por usted...*

CONTROLAR EL APETITO

En un estudio de 105 personas, determinamos que aquellos que inhalaron un aroma similar al del chocolate cuando tuvieron ansias de comer, perdieron casi tres libras (1⅓ kilo) en dos semanas. Otro estudio de 3.193 voluntarios descubrió que aspirar los aromas de bananas, manzanas verdes o menta piperita ("peppermint") resultó en una pérdida de peso promedio de 30 libras (13½ kilos) en seis meses.

Aspire estos aromas con frecuencia, y no se olvide de olfatear cada comida antes de consumirla. El cerebro pensará que usted está comiendo más, así suprimiendo su apetito.

AUMENTAR LA ENERGÍA

Estos aromas estimulan la parte del cerebro que promueve el estado de alerta...

•**El jazmín ("jasmine")** causa un aumento de las ondas beta en el cerebro, una señal de alerta. El té de jazmín es muy eficaz para ayudarlo a mantenerse despierto.

•**Las fresas (frutillas, "strawberries") y las palomitas de maíz ("popcorn") enmantequilladas** lograrán que las personas que hacen ejercicios quemen más calorías.

•**La menta piperita ("peppermint")** beneficia a los nervios sensoriales y mejora el estado de alerta. Pruebe con los caramelos o los chicles de menta piperita.

•**El café recién preparado** es muy estimulante, probablemente porque relacionamos el aroma con los efectos energizantes de la cafeína.

ESTIMULAR EL ROMANCE

Los hombres y las mujeres se sienten estimulados sexualmente por los aromas, pero los olores que los excitan no son los mismos.

Para los hombres: El aroma de la lavanda ("lavender") o del pastel de calabaza "pumpkin" aumenta el flujo de la sangre al pene en alrededor del 40%. El aroma de las rosquillas ("doughnuts"), el regaliz negro ("black licorice"), la vainilla o los perfumes para mujer (con cualquier aroma) también son excitantes para los hombres.

Para las mujeres: Los aromas del regaliz y del pepino son estimulantes. A las mujeres les disgustan los olores de las cerezas, la carne a la parrilla y las colonias para hombre.

DISMINUIR LA ANSIEDAD

Por lo general, los aromas naturales y frescos inducen la calma. En un estudio que realizamos, los voluntarios se pusieron extremadamente ansiosos cuando fueron confinados en tubos con forma de ataúd, pero luego lograron calmarse cuando los tubos se llenaron con los aromas de la manzana verde y del pepino. Estos aromas parecen afectar el sistema límbico, el centro emocional del cerebro.

Si anticipa una situación en la cual sentirá ansiedad, lávese el cabello con un champú con aroma a manzana verde ("green-apple-scented shampoo") esa mañana, o ponga un toque del champú en un pedazo de tela para llevarlo con usted.

MEJORAR LA MEMORIA

Las personas que aspiran aromas florales incrementan la retención de información nueva en un 17%.

Aspire un aroma floral cuando esté aprendiendo algún material nuevo, luego vuelva a olerlo cuando quiera recordar lo que aprendió. A este método se lo conoce como *aprendizaje dependiente del estado ("state-dependent learning")*.

El material que usted aprenda en una determinada situación –mientras huele rosas, por ejemplo– será más accesible cuando replique esa situación en el futuro.

12

Envejecimiento y longevidad

Los secretos para una vida mejor y más larga

Para la generación anterior, llegar a la edad avanzada extrema era raro, pero en la actualidad, más de 75.000 personas en Estados Unidos han llegado a los 100 años o más. Los investigadores del antienvejecimiento predicen que los seres humanos pronto podrían vivir hasta los 120 años... o incluso hasta los 150.

¿Qué determina la longevidad humana? La suerte juega un papel. También lo hace la herencia. Pero la investigación reciente demuestra la importancia crítica de otros dos factores –los cuales podemos controlar por completo. *Ellos son...*

•**Un estilo de vida saludable.** Al mantener una buena dieta y hacer ejercicios con regularidad, alguien que tenga "genes de la longevidad" típicos puede esperar vivir hasta los 75 años.

•**Suplementos nutricionales.** Las personas que consumen niveles óptimos de varios minerales y vitaminas clave pueden generalmente esperar vivir unos 10 ó 15 años más.

ALIMENTOS QUE AUMENTAN LA LONGEVIDAD

Ya hace mucho tiempo que los nutricionistas recomiendan minimizar el consumo de cafeína, azúcar, grasa y sal... y comer al menos cinco porciones al día de verduras y frutas frescas.

Esto es un buen consejo –pero se puede hacer mucho más. *Algunos alimentos son especialmente benéficos para la longevidad...*

•**Alimentos de soja.** Los frijoles de soja ("soybeans") son ricos en antioxidantes. Estos compuestos neutralizan los radicales libres, las sustancias que aceleran el envejecimiento al causar daño en las células.

Ronald Klatz, MD, DO, presidente de la American Academy of Anti-Aging Medicine, 1510 W. Montana St., Chicago 60614. Es coautor de *Stopping the Clock: Dramatic Breakthroughs in Anti-Aging and Age Reversal Techniques* (Bantam).

Un antioxidante en la soja, la *genisteína*, ha demostrado que previene el cáncer. Además, bloquea la formación de depósitos de grasa a lo largo de las paredes de las arterias.

Este proceso, conocido como *ateroesclerosis,* es la causa principal de ataques al corazón y al cerebro ("stroke").

Consumo óptimo: entre 50 y 75 mg de proteína de soja al día. Esto equivale a una taza de leche de soja o tres porciones de tofu.

•**Ajo.** Además de mejorar la función del sistema inmune y bajar los niveles del colesterol "malo" LDL, el ajo ayuda a prevenir el cáncer y actúa como antibiótico.

Es incluso un ligero anticoagulante que ayuda a disminuir el riesgo de sufrir ataques al corazón y al cerebro.

Consumo óptimo: dos o tres dientes de ajo... una cucharadita de ajo en polvo... o cuatro cápsulas de ajo de 300 mg, tres veces al día.

•**Cebollas.** Las variedades roja y amarilla contienen *quercetina*, un antioxidante que desactiva los carcinógenos y previene la coagulación. Además, aumenta los niveles del colesterol "bueno" HDL y baja los niveles de los triglicéridos y del colesterol "malo" LDL.

Consumo óptimo: una cebolla mediana roja o amarilla, al día.

Es también imprescindible beber mucha agua –idealmente ocho vasos de ocho onzas (235 ml) al día.

EL ESTILO DE VIDA PARA LA LONGEVIDAD

Un estudio de nueve años finalizado recientemente en la Universidad Stanford descubrió que la mayoría de las personas que viven más allá de los 100 años...

•**Duermen entre siete y ocho horas por noche.**

•**Desayunan siempre.**

•**No fuman.**

•**Hacen ejercicios con regularidad.**

•**Consumen poco o nada de alcohol.** Beber alcohol de manera moderada –no más de dos tragos al día con las comidas– ayuda a prevenir la enfermedad del corazón en las personas mayores. Pero si tiene menos de 45 años, el riesgo de padecer problemas del hígado u otras enfermedades causadas por el alcohol es mayor que los beneficios para el corazón.

Cualquier persona que tenga un historial de daños al hígado debería evitar el alcohol.

•**Evitan ganar o perder peso de manera excesiva.** Los hombres deberían pesar no más del 20% por encima de su peso ideal, y las mujeres no más del 10% por encima de su peso ideal.

•**Consumen meriendas (refrigerios) dulces con poca frecuencia,** o jamás lo hacen. Estas pueden causar que los niveles de azúcar en la sangre fluctúen, lo que puede contribuir a padecer anormalidades de azúcar en la sangre.

ANTIOXIDANTES VITALES

Muchos médicos afirman que los suplementos de vitaminas y minerales son innecesarios, siempre y cuando se siga una dieta saludable. Sin embargo, las investigaciones recientes sugieren algo diferente.

Descubrimiento N.º 1: En un estudio de 14.000 médicos realizado en la facultad de medicina de la Universidad Harvard, se relacionó el consumo de dosis altas de las vitaminas C y E y del betacaroteno con una disminución de casi el 50% en la incidencia de la enfermedad del corazón.

Descubrimiento N.º 2: En un estudio realizado en Australia, la tasa de supervivencia fue 12 veces mayor entre los pacientes con cáncer de mama que consumieron niveles altos de betacaroteno que entre los pacientes con cáncer de mama que consumieron niveles bajos de betacaroteno.

¿Qué cantidad de los suplementos es la mejor? *Los estudios recientes apuntan hacia las siguientes dosis diarias...*

•**Vitamina C...** entre 500 y 1.500 mg de *ascorbato de calcio* ("calcium ascorbate").

•**Vitamina E...** entre 100 y 400 unidades internacionales (IU, por sus siglas en inglés) de tocoferoles mixtos. Consulte a su médico acerca de la cantidad adecuada para usted.

•**Betacaroteno...** 10.000 IU.

•**Selenio...** Entre 100 y 200 microgramos (mcg).

Las personas que consumen muy pocos cereales o nueces ("nuts") deberían además tomar un suplemento de magnesio de entre 200 y 300 mg al día.

Las personas mayores de 50 años deberían agregar 30 mg de la *coenzima Q-10* al día. Este nutriente clave ayuda a prevenir los ataques al corazón.

TERAPIA CON HORMONAS

El lento deterioro físico relacionado con el envejecimiento es causado en parte por la disminución en los niveles de estrógeno, testosterona y otras hormonas clave.

Mediante la hormonoterapia es posible subir los niveles de estas hormonas a los niveles de la juventud.

•**La terapia de reemplazo de testosterona (TRT)** estimula el apetito sexual y fortalece los huesos tanto en los hombres como en las mujeres.

Pero se sospecha que la TRT aumenta el riesgo de agrandamiento de la próstata y de cáncer de próstata.

•**La terapia con melatonina** ha demostrado que extiende la esperanza de vida en los ratones en hasta el 25%.

La melatonina baja los niveles del colesterol "malo" LDL y es prometedora como tratamiento para la diabetes, las cataratas y el mal de Alzheimer.

•**La terapia con DHEA** realza la función del sistema inmune y parece combatir el cáncer, la enfermedad del corazón, el mal de Alzheimer, la diabetes y la osteoporosis.

Advertencia: La hormonoterapia debería ser supervisada rigurosamente por un médico. Para obtener ayuda para localizar a un profesional calificado, visite el sitio Web en inglés de la American Academy of Anti-Aging Medicine, *www.worldhealth.net,* o envíe su solicitud por fax al 773-528-5390.

¿Está envejeciendo demasiado rápido?

El difunto Roy L. Walford, MD, ex profesor de patología de la facultad de medicina de la Universidad de California en Los Ángeles, fue destacado mundialmente como uno de los mayores expertos en el campo de la gerontología. Escribió más de 350 artículos científicos y seis libros, entre ellos *Beyond the 120-Year Diet* (Da Capo).

Los autoexámenes son una manera sencilla de determinar su *edad funcional* – una medida de cómo realmente funciona su cuerpo, en vez de los años que ha vivido.

•**Ensayo de elasticidad.** Mide el grado de deterioro del tejido conjuntivo bajo la piel, una señal de envejecimiento.

Pellizque la piel en el dorso de la mano entre el pulgar y el índice por cinco segundos, y controle cuánto tiempo toma para que se alise por completo. Hasta los 50 años, llevará unos cinco segundos… a los 60 años, el tiempo promedio es entre 10 y 15 segundos… a los 70 años, el tiempo usual será entre 35 y 55 segundos.

•**Prueba de equilibrio estático.** ¿Por cuánto tiempo puede mantenerse sobre una pierna con los ojos cerrados antes de caerse?

Haga esta prueba descalzo o calzado con zapatos de tacones bajos. Póngase de pie sobre una superficie dura (no sobre una alfombra) con los pies juntos; cierre los ojos. Levante un pie seis pulgadas (15 cm) por arriba del suelo, doblando la rodilla en un ángulo de unos 45 grados. (Si es diestro, párese sobre la pierna izquierda; si es zurdo párese sobre la pierna derecha). Pídale a alguien que se pare cerca para agarrarlo en caso de que se caiga. Haga la prueba tres veces, y calcule el promedio.

En general, ocurre un deterioro del 100% de los 20 a los 80 años. La mayoría de las personas jóvenes son capaces de estar paradas durante 30 segundos o más. Pocas personas de mayor edad serán capaces de mantener la posición por más de unos pocos segundos.

Si los resultados de sus autoexámenes no están dentro del rango normal para su edad, consulte a su médico para obtener consejos específicos acerca de cómo minimizar los efectos del envejecimiento.

Estrategias contra el envejecimiento para el cuerpo y la mente

David W. Johnson, PhD, profesor adjunto y jefe del departamento de fisiología de la facultad de medicina osteopática de la Universidad New England, en Biddeford, Maine. Es autor de *Feel 30 for the Next 50 Years* (Harper Perennial).

El proceso de envejecimiento comienza más temprano de lo que muchas personas advierten. Aun si tiene sólo 35 años y no tiene síntomas de ninguna enfermedad, daños microscópicos ya están ocurriendo en las células de sus órganos más importantes.

Pero el daño progresivo del cuerpo puede retrasarse. Un programa polifacético ayuda a disminuir el riesgo de enfermedad del corazón, cáncer y otras afecciones importantes.

También podría enlentecer el ritmo con el cual contraemos problemas "normales" del envejecimiento, como la pérdida de la audición y de la visión, problemas de memoria, etc.

ANTIOXIDANTES A LA AYUDA

Quizá ya sepa que los antioxidantes son sustancias que desactivan los *radicales libres*, las moléculas altamente reactivas que atacan a las proteínas, las membranas de las células e incluso el ADN (DNA, en inglés).

Los radicales libres han sido relacionados con enfermedad del corazón, cáncer y demencia.

La evidencia reciente sugiere que los radicales libres son además responsables del deterioro gradual del sistema inmune, lo que deja a las personas de mayor edad cada vez más vulnerables a las infecciones. Hasta ahora, cuatro antioxidantes parecen ser especialmente benéficos…

●**Carotenoides.** Estos antioxidantes solubles en grasa ayudan a proteger las membranas de las células.

Para aumentar los niveles de los carotenoides en el cuerpo, consuma más batatas (boniatos, camotes, papas dulces, "sweet potatoes") y otras hortalizas rojas y amarillas… y tome un suplemento que contenga 50 mg de una mezcla de carotenoides cada dos días.

●**Vitamina E.** Este antioxidante soluble en grasa ha demostrado que protege el corazón y el cerebro… y que realza el sistema inmune.

Es difícil obtener suficiente vitamina E de cereales y otras fuentes alimentarias sin recibir demasiada grasa. Por esta razón, es mejor contar con un suplemento. La dosis usual es de 200 unidades internacionales (IU, por sus siglas en inglés) al día. Consulte a su médico acerca de la cantidad adecuada para usted.

●**Vitamina C.** Este antioxidante soluble en agua –que se encuentra principalmente en las frutas cítricas– protege las partes de las células donde la vitamina E y los carotenoides no llegan. La dosis usual es de 500 mg cada dos días.

●**Selenio.** Este mineral, que se encuentra principalmente en el pescado y el hígado, juega un papel fundamental en la neutralización de los radicales libres. Sin embargo, muchos estadounidenses tienen deficiencia de selenio. La dosis usual es de 200 microgramos (mcg) cada dos días.

Además de estos antioxidantes, es a menudo una buena idea tomar suplementos de ácido fólico (1 mg al día)… coenzima Q-10 (50 mg al día)… y zinc (20 mg al día). Comente este tema con su médico.

CÓMO MANTENER EL CUERPO FUERTE Y RESISTENTE

¿Por qué las personas tienden a debilitarse y a fatigarse con más facilidad al envejecer? Para la mayoría, la razón es que la masa muscular se ha reducido.

El encogimiento de los músculos relacionado con el envejecimiento se conoce como *sarcopenia*. La causa de la mayoría de los casos de sarcopenia no es la edad avanzada, sino el desuso –en otras palabras, la falta de ejercicios.

Además de mantener la fortaleza y el vigor, la actividad física disminuye el riesgo de la enfermedad del corazón, la diabetes, la osteoporosis, la depresión y ciertos tipos de cáncer.

El ejercicio ayuda también a prevenir la fractura de la cadera, la cual puede ser debilitante para las personas de mayor edad.

Ya hace décadas que los médicos han instado a sus pacientes a que hagan ejercicios aeróbicos con regularidad. Estos incluyen correr, trotar (hacer "jogging") caminar rápidamente, andar en bicicleta, nadar y otras actividades que aumentan el pulso por un periodo extenso*.

Y, si bien el ejercicio aeróbico es esencial, ahora sabemos que los ejercicios de fortalecimiento (como el levantamiento de pesas) son igualmente importantes.

Use pesas libres (mancuernas –"dumbbells"–, barras con pesas –"barbells"–, etc.) o máquinas de ejercicios para fortalecer los músculos de los brazos, piernas y torso.

Comience con un peso que pueda levantar ocho veces con un movimiento controlado. Las dos últimas repeticiones deberían causar una sensación de ardor en los músculos. Descanse durante tres minutos, y luego haga otra serie. Gradualmente vaya aumentando hasta llegar a tres series de 15 repeticiones.

CÓMO MANTENER LA MENTE SANA

Los mismos antioxidantes que ayudan a prevenir la enfermedad del corazón y el cáncer –en particular, la vitamina E– también podrían prevenir los cambios en el cerebro relacionados con el envejecimiento.

Nada indica que los antioxidantes mejoren la capacidad mental, pero la investigación sobre una familia de sustancias que mejoran el entendimiento, conocidas como *nootrópicos* (del griego, "que transforma la mente"), ha demostrado que estas sustancias pueden mejorar la memoria de algunas personas.

Dos nootrópicos –ambos de venta libre– parecen ser especialmente benéficos…

•**Ginkgo biloba.** Este extracto de hierbas ha demostrado que mejora la memoria y acorta los tiempos de respuesta. También ha demostrado ser eficaz para las personas diagnosticadas con el mal de Alzheimer en su etapa temprana, pero este resultado no es definitivo.

Dosis usual: 100 mg, dos veces al día.

•**Fosfatidilserina.** Esta sustancia, derivada de plantas, ayuda a estabilizar las membranas de las células en el cerebro y facilita la comunicación entre las neuronas (las células del cerebro).

*Su objetivo al hacer ejercicios aeróbicos debería consistir en aumentar su ritmo cardiaco a entre el 50% y el 80% de su ritmo cardiaco máximo durante al menos 20 minutos al día, al menos tres días a la semana. Para estimar su ritmo cardiaco máximo, reste su edad en años a 220.

Los investigadores han notado mejoras en la atención, la memoria y la concentración en las personas que toman fosfatidilserina diariamente.

Dosis usual: 100 mg, dos veces al día.

La idea de "usarlo o desperdiciarlo" ("use it or lose it", en inglés) se aplica al cerebro así como a los músculos. Resolver problemas complejos, memorizar cosas y ejercitar el cerebro de algún modo parecen estimular las neuronas para que formen nuevas conexiones. Este proceso ayuda a compensar por las neuronas que mueren o cesen de funcionar todos los días.

Si su vida diaria implica pocas destrezas de la memoria a corto plazo, agregue algunos "juegos para la memoria" a su rutina.

Ejemplo: Después de mirar un programa de noticias en la televisión, cuente las noticias que pueda recordar. Pídale a un familiar que verifique su memoria.

EL PAPEL DE LAS HORMONAS

A medida que disminuyen los niveles de estrógeno y testosterona, también disminuye el apetito sexual.

El descenso de los niveles de la hormona del crecimiento humano (hGH, por sus siglas en inglés) causa desgaste muscular.

La disminución de la hormona DHEA ha sido relacionada con los descensos en el nivel de energía, la pérdida de la memoria y la debilitación del sistema inmune.

La terapia de reemplazo hormonal puede restaurar la vitalidad en algunas personas –en particular, las de mayor edad cuyos niveles han caído de manera significativa. Pero se requiere supervisión médica rigurosa. Si las hormonas se usan imprudentemente, algunos tipos de reemplazo hormonal pueden provocar la aparición de cáncer de próstata y cáncer de mama.

AYUDA CONTRA EL ENVEJECIMIENTO

Si desea hallar un médico que pueda planear especialmente para usted un programa agresivo contra el envejecimiento, comuníquese con la American Academy of Anti-Aging Medicine, llamando al 773-528-1000.

Los estimulantes de la longevidad según las personas que han vivido más tiempo

Bradley J. Willcox, MD, investigador principal de geriatría del Pacific Health Research Institute, en Honolulu, Hawái, y profesor clínico auxiliar de geriatría de la Universidad de Hawái. También es coautor de *The Okinawa Program: How the World's Longest-Lived People Achieve Everlasting Health-and How You Can Too* (Three Rivers Press).

Los residentes de Okinawa, una cadena de islas de Japón, se encuentran entre las personas más saludables y que viven más tiempo en el mundo. Okinawa tiene más personas mayores de 100 años de edad que ningún otro lugar: 33,6 por cada 100.000 personas, en comparación con alrededor del 10 por cada 100.000 en Estados Unidos.

El estudio de 25 años llamado Okinawa Centenarian Study descubrió que, en comparación con los estadounidenses, los habitantes de Okinawa tienen…

•**80% menos riesgo de contraer cáncer de mama y de próstata.**

•**50% menos riesgo de contraer cáncer de colon y de ovario.**

•**40% menos fracturas de cadera.**

•**Un riesgo mínimo de contraer enfermedad del corazón.**

¿Cuál es el secreto de la longevidad de los habitantes de Okinawa, y qué podemos hacer para lograr el mismo vigor saludable? *Estos factores son especialmente importantes…*

ACTITUD DE ACEPTACIÓN

Mientras que muchos estadounidenses tienen personalidades del Tipo A, los habitantes de Okinawa piensan que los sufrimientos de la vida se resolverán por sí solos. Podría decirse que el estadounidense típico sufre de la *enfermedad de la prisa*. Los habitantes de Okinawa prefieren trabajar a su propio ritmo, lo que localmente se refiere como el *ritmo de Okinawa*. Ellos no ignoran el estrés… pero raramente lo incorporan a su forma de ser.

El estrés provoca que el cuerpo segregue grandes cantidades de *cortisol* y otras hormonas del estrés. Esto daña el corazón y los vasos sanguíneos, y acelera la pérdida ósea.

Para disminuir el estrés: No se haga cargo de más de lo que pueda hacer… aproveche el horario flexible en el trabajo… no se ponga nervioso por cosas que usted no pueda cambiar, como los embotellamientos de tránsito o los comportamientos groseros… practique respiración profunda y meditación.

CONSUMO BAJO EN CALORÍAS

Los habitantes de Okinawa consumen un promedio de 1.900 calorías al día, en comparación con 2.500 para los estadounidenses. Los estudios han demostrado que los animales a los que se les dio una dieta con un 40% menos de calorías que las dietas de los animales que se alimentan libremente, viven aproximadamente un 50% más.

La razón: Moléculas dañinas de oxígeno (radicales libres) se producen cada vez que el cuerpo metaboliza los alimentos en energía. Como los habitantes de Okinawa consumen menos calorías, tienen una menor exposición durante el transcurso de la vida a los radicales libres –que dañan las células en las arterias, el cerebro y otras partes del cuerpo.

DIETA A BASE DE PLANTAS

Alrededor del 98% de la dieta *tradicional* de los habitantes de Okinawa consiste en batatas (boniatos, camotes, papas dulces, "sweet potatoes"), alimentos a base de soja ("soy"), cereales, frutas y verduras. Esta dieta se suplementa con una pequeña cantidad de pescado (y cerdo magro en ocasiones especiales). Estos alimentos a base de plantas contienen *fitonutrientes* –sustancias químicas que disminuyen el daño producido por los radicales libres. Una dieta a base de plantas también contiene mucha fibra, lo que baja el colesterol y disminuye el riesgo de contraer diabetes, cáncer de mama y enfermedad del corazón. La dieta *actual* de los habitantes de Okinawa consiste en alrededor del 80% de alimentos a base de plantas.

Ventajas del "wok" (la cazuela china con base redonda): El estilo de cocinar de los habitantes de Okinawa consiste en saltear a fuego alto en un "wok", lo que requiere poco aceite. Usualmente saltean con aceite de canola, que es rico en grasa monoinsaturada, la cual es saludable para el corazón, y ácidos grasos omega-3, los cuales bajan los niveles del colesterol "malo" LDL y aumentan los niveles del colesterol "bueno" HDL.

ALIMENTOS DE SOJA ("SOY")

Los ancianos de Okinawa consumen, en promedio, dos porciones de alimentos de soja al día –como tofu, sopa "miso" y brotes de soja ("soybean sprouts"). La soja es rica en flavonoides, compuestos químicos que disminuyen la tendencia del colesterol "malo" LDL a pegarse a las arterias, lo que disminuye el riesgo de enfermedad del corazón y ataque cerebral ("stroke"). Los alimentos de soja podrían además proteger contra el cáncer… los bochornos (calores repentinos, sofocos) de la menopausia… y la osteoporosis. No es necesario consumir una gran cantidad de alimentos de soja para recibir beneficios similares. Una porción al día de tofu de tres onzas (85 g) o de leche de soja ("soy milk") de ocho onzas (235 ml) podría protegerlo.

PESCADO

El pescado que se pesca de las aguas que rodean Okinawa es una parte integral de la dieta diaria. Los ácidos grasos omega-3 del pescado disminuyen el riesgo de que se formen coágulos en la sangre, la causa principal de ataques al corazón.

Los ácidos grasos omega-3 además inhiben la producción por el cuerpo de las sustancias inflamatorias llamadas *prostaglandinas*. Esto podría reducir el riesgo de contraer afecciones inflamatorias, como la artritis y el trastorno intestinal llamado enfermedad de Crohn.

En Estados Unidos se puede recibir beneficios similares al comer pescado al menos tres veces a la semana. Los pescados de agua fría –como el salmón, la caballa ("mackerel") y el atún– contienen las mayores cantidades de ácidos grasos omega-3. Los suplementos de aceite de pescado ("fish oil") son una alternativa para las personas que no les gusta el pescado.

PESO SALUDABLE

La dieta tradicional de los habitantes de Okinawa es baja en grasas y alimentos procesados, y también en calorías –por lo que la obesidad es rara en las personas de mayor edad. Esto significa que su riesgo de padecer problemas de salud relacionados con el peso –como diabetes, enfermedad del corazón y cáncer– es mucho menor que el de los estadounidenses. Esto contrasta por completo con los jóvenes de Okinawa, quienes consumen una dieta más occidentalizada y tienen los niveles más altos de obesidad en Japón.

Bono para las posmenopáusicas: Después de la menopausia, la fuente principal de estrógeno de una mujer ya no son los ovarios, sino el tejido extraglandular, principalmente la grasa corporal. Las mujeres que mantienen un peso saludable producen menos estrógeno, lo cual disminuye el riesgo de contraer cáncer de mama.

TÉ DE JAZMÍN ("JASMINE")

Los habitantes de Okinawa beben unas tres tazas de té de jazmín diariamente. Contiene más flavonoides antioxidantes que el té negro. Es posible que estos antioxidantes disminuyan el riesgo de contraer la enfermedad del corazón y algunos cánceres.

NO FUMAR

En Estados Unidos, cientos de miles de personas mueren cada año debido a las enfermedades relacionadas con el cigarrillo. Pocos ancianos de Okinawa han fumado alguna vez… aunque un hombre que fue entrevistado para el estudio comenzó a fumar a los 100 años. Pero se aburrió de hacerlo y abandonó el hábito el año siguiente. Hoy en día, alrededor del 60% de los hombres más jóvenes de Okinawa fuman.

EJERCICIOS

Las personas son más saludables cuando combinan ejercicios aeróbicos, de fortalecimiento y de flexibilidad. Los habitantes de Okinawa frecuentemente realizan los tres tipos de ejercicios al practicar las artes marciales o un estilo tradicional de danza que se asemeja al taichí. *Un régimen saludable sería…*

•**Nadar, andar en bicicleta, trotar (hacer "jogging"), etc.,** por al menos 30 minutos, tres veces a la semana.

•**Levantar pesas** por al menos 20 minutos, dos veces a la semana.

●**Ejercicios de flexibilidad** –yoga o estiramiento– siempre que pueda y ciertamente después de cada sesión de ejercicios aeróbicos o de fortalecimiento.

VÍNCULOS SOCIALES

Moai es la palabra en Okinawa que significa "reunirse por un objetivo común". Grupos de amigos, colegas o parientes se reúnen al menos una vez al mes para hablar… intercambiar chismes… y proporcionar apoyo emocional e incluso financiero.

Las personas que mantienen redes sociales activas viven más tiempo y son menos propensas a enfermarse. Además, cuando se enferman, se recuperan más rápidamente si tienen el apoyo de amigos.

ESPIRITUALIDAD Y RELIGIÓN

Las personas que tienen creencias espirituales o religiosas viven más que quienes no las tienen. La espiritualidad y la religión forman parte de la vida diaria en Okinawa. La gente ora diariamente por la salud y la paz. Se cuidan entre sí siguiendo una ética de "ayuda al prójimo" llamada *Yuimaru*. La moderación es un valor cultural clave.

Las mujeres son los líderes religiosos en Okinawa. Además, tienden a tener niveles muy altos de respeto y satisfacción con la vida al envejecer.

Los ejercicios son benéficos a cualquier edad

En un estudio, las mujeres sedentarias mayores de 65 años de edad que comenzaron a hacer ejercicios, tuvieron un índice de muerte un 48% menor en los 12 años siguientes, en comparación con las que permanecieron sedentarias.

Los mejores ejercicios para las mujeres mayores son los de baja intensidad, como caminar.

Edward W. Gregg, PhD, epidemiólogo de los Centros de Estados Unidos para el control y la prevención de enfermedades (CDC, por sus siglas en inglés) en Atlanta.

Estrategias de autodefensa para los pacientes mayores

Robert N. Butler, MD, presidente del International Longevity Center, en Nueva York. Fue presidente del departamento de geriatría y desarrollo de los adultos del centro médico Mount Sinai, en Nueva York, el primer departamento de geriatría en una facultad de medicina en Estados Unidos. Fue galardonado con el premio Pulitzer por su libro *Why Survive? Being Old in America* (Johns Hopkins University Press) y es coautor de *The New Love and Sex After 60* (Ballantine).

Al envejecer, existen más probabilidades de padecer problemas de salud que requieran atención médica. Por desgracia, como muchas personas mayores han descubierto, puede ser difícil hallar un médico adecuado para atender sus necesidades especiales.

¿Cómo pueden las personas mayores asegurarse de que reciban buena atención médica? El Dr. Robert Butler, un renombrado luchador por los derechos de los ancianos, explicó cuán importante es estar atento a los errores que los médicos a veces cometen al tratar a los pacientes de mayor edad. *He aquí los errores más frecuentes…*

Error: No apreciar los cambios físicos que ocurren con el envejecimiento. Una enfermedad que causa un grupo de síntomas en una persona joven podría manifestarse en forma muy diferente en una persona mayor. No todos los médicos se dan cuenta de esto. Y un médico desprevenido puede fácilmente equivocarse con el diagnóstico.

Ejemplo N.º 1: Si un hombre de 30 años sufre un ataque al corazón, es probable que experimente dolor fuerte de pecho. Pero el dolor de pecho afecta a menos del 20% de las víctimas mayores de ataque al corazón. En cambio, las víctimas mayores simplemente pueden parecer debilitadas o confundidas.

Ejemplo N.º 2: Una persona mayor que padece una tiroides hiperactiva podría demostrar apatía en vez de hiperactividad, el síntoma clásico.

Error: Urgir a las personas mayores a "tomárselo con calma". Aun si está incapacitado por un ataque cerebral ("stroke") u otro problema médico, llevar un estilo de vida activo lo ayuda a mantenerse sano –y feliz.

Aun las personas de 80 y 90 años pueden desarrollar músculos poderosos con un programa de levantamiento de pesas. Dicho programa puede literalmente poner nuevamente de pie a un paciente postrado en la cama.

Error: Simplemente culpar a la vejez por los problemas de salud. Los médicos frecuentemente suponen que los problemas de salud son inevitables en las personas mayores, y demuestran una actitud derrotista del tipo: "¿qué más se puede esperar a su edad avanzada?".

Estos médicos encargan menos exámenes diagnósticos y generalmente tratan las enfermedades con menos agresividad en las personas mayores que en las jóvenes.

Ejemplo: Una anciana parece confundida y desorientada. Suponiendo que padece el mal de Alzheimer, su médico no receta exámenes que podrían demostrar que el verdadero culpable es la reacción a un medicamento fácilmente corregible.

Error: No darle suficiente tiempo al paciente. Un buen médico dedica el tiempo a preguntar acerca de su situación laboral y estilo de vida, además de los problemas médicos… y, en general, logra que el paciente *sienta* que lo están atendiendo con cuidado.

En cada visita al consultorio, el médico debería preguntar acerca de cualquier síntoma que usted haya informado en el pasado. Debería además examinar su reacción a los medicamentos… y preguntar sobre nuevos problemas.

Su primera visita a un nuevo médico debería dedicarse a dar un historial médico minucioso y a someterse a un chequeo físico y a los análisis de laboratorio ("lab tests"). Esto puede tomar más de una hora. Una vez que este examen completo se haya hecho, usted probablemente no necesitará otro chequeo por un año, a menos que exista una crisis en su salud.

Error: No recomendar medidas preventivas. Algunos médicos suelen pensar: "¿Por qué tratar de bajar el nivel de colesterol de un anciano? Pronto su salud va a deteriorarse, de todos modos."

Ahora sabemos que los pacientes con problemas del corazón de *cualquier* edad pueden beneficiarse con un programa de modificación de la dieta, cambios en el estilo de vida y –de ser necesario– medicamentos o cirugía.

Error: Dar recetas inadecuadas. Los médicos recetan demasiado rápidamente los tranquilizantes y antidepresivos a sus pacientes mayores, pensando –de manera equivocada– que la psicoterapia no es útil. Y con frecuencia no se dan cuenta que los cuerpos mayores responden de forma diferente a los medicamentos.

Ejemplo: Puede tomarle a una persona mayor el doble de tiempo "eliminar" *diazepam* (Valium) del cuerpo que a una persona joven. Una dosis que podría ser adecuada para una persona joven podría causar adormecimiento en una persona mayor.

Si no está seguro de que su médico esté enterado de todos los medicamentos que usted toma, ponga sus medicamentos (incluyendo los de venta libre, suplementos nutricionales y remedios de hierbas) en una bolsa y llévelos a su próxima visita al consultorio.

Para obtener una remisión a un geriatra ("geriatrician") acreditado en su zona, llame a la American Geriatrics Society al 800-247-4779.

Más del Dr. Robert N. Butler…

Qué puede hacer usted –ahora– para mantenerse sano y evitar las residencias de ancianos

Las personas de cierta edad reciben muchísimas ofertas para comprar un seguro para las residencias de ancianos ("nursing home insurance"). Las aseguradoras suponen que casi todas las personas pasarán tiempo en ese tipo de institución. Es una idea inquietante, pero, por fortuna, es un destino que usted puede evitar.

Clave: No espere. Cuanto más pronto comience un plan que excluya las residencias de ancianos, mayores serán sus posibilidades de tener éxito.

BUENAS NOTICIAS SOBRE LA DEMENCIA

La demencia es común entre las personas en las residencias de ancianos. No hace mucho tiempo, se suponía que el deterioro cognitivo era simplemente parte del envejecimiento. Sin embargo, nuevas investigaciones demuestran que no es así. *Hay tres factores específicos que ayudan a mantener la salud cognitiva...*

•**Actividad física diaria.** Esto frecuentemente sorprende a las personas, pero la investigación es clara –se puede medir y confirmar que las personas que están activas físicamente son más fuertes cognitivamente. Cuando Juvenal, el poeta satírico romano, dijo: "Una mente sana en un cuerpo sano", sabía sobre lo que hablaba.

Recomendamos que la mayoría de las personas caminen 10.000 pasos al día para asegurarse de hacer suficiente ejercicio. La persona típica camina sólo 4.000 pasos, por lo que probablemente necesitará establecer nuevos hábitos (y comprar un podómetro) para lograr que los 10.000 pasos sean parte de su vida diaria.

•**Interacción social.** Participar en actividades sociales no significa que usted deba mantener una agenda social completa. Lo que significa es que interactúe con otras personas, ya sea en el empleo o haciendo trabajos de voluntario.

Para los jubilados, existen muchas oportunidades para hacer trabajos de voluntario, ya sea en su comunidad o en los Cuerpos de Paz ("Peace Corps"). Y no se olvide de la importancia de ser un abuelo activo. Eso beneficia a las tres generaciones.

•**Estímulos intelectuales.** Estos afectan directamente el cerebro. Muchas personas mayores disfrutan estudiando temas académicos, desde historia hasta astronomía, pero hemos descubierto que aprender otro idioma es particularmente bueno para mantener habilidades cognitivas firmes. El trabajo que implica dominar palabras extranjeras y cualquier estructura idiomática desconocida mantiene las neuronas del cerebro encendidas y ocupadas.

DATOS SOBRE LA APTITUD FÍSICA

La siguiente parte crucial de un plan que excluya las residencias de ancianos es crear y mantener muy buenos hábitos de salud. *Para comenzar, usted debe practicar todos los tipos de acondicionamiento físico, como...*

•**Ejercicios aeróbicos.** El ejercicio aeróbico –el tipo que acelera su ritmo cardiaco y lo mantiene acelerado– es imprescindible. Para mantener el vigor y la resistencia del corazón y los pulmones, realice ejercicios aeróbicos durante al menos 20 minutos, tres o más veces a la semana.

Ejemplos: Caminar rápidamente, trotar (hacer "jogging"), nadar.

•**Ejercicios de fortalecimiento.** Este tipo de acondicionamiento es con frecuencia pasado por alto por muchas personas mayores, pero es increíblemente importante al envejecer.

Ser fuerte le permite realizar más fácilmente las *actividades normales de la vida*. Sin fuertes cuádriceps –los músculos en la parte anterior de los muslos– se pierde la habilidad de levantarse de una silla, ir al baño, sentarse fácilmente. Sin fuertes músculos en los brazos, se tiene problemas para levantar bolsas o abrir y cerrar ventanas. Los ejercicios de fortalecimiento son imprescindibles, y se deben continuar durante toda la vida.

Ejemplos: Sentadillas ("squats"), levantarse de una silla sin usar las manos, cierres pectorales ("chest presses").

•**Ejercicios de equilibrio.** Cada año ocurren unas 250.000 fracturas entre las personas mayores, y muchas de éstas conducen a las personas a las residencias de ancianos. Esto es especialmente triste porque muchas de las caídas que causan los huesos rotos pueden prevenirse al mejorar el equilibrio. El sentido del equilibrio es como un músculo –debe ejercitarse regularmente o se debilitará y perderá su utilidad.

La manera más fácil de practicar el equilibrio es pararse sobre una pierna y mover la otra, doblada en la rodilla, por el espacio. Hágalo varias veces al día. O pruebe pararse sobre una pierna mientras se cepilla los dientes.

Recordatorio de seguridad: Asegúrese de tener algo sólido a mano para tener de dónde agarrarse en caso de que necesite apoyo adicional.

•**Ejercicios de estiramiento.** Finalmente, usted debe practicar flexibilidad, lo que se refiere al rango de movimiento ("range of motion") de las articulaciones.

El rango de movimiento se vuelve cada vez más importante al envejecer. Si se ve comprometido, entonces éste también importunará su capacidad de funcionar en su vida diaria. Por ejemplo, los hombros necesitan un rango de movimiento para permitirle alcanzar y agarrar cosas… las caderas y rodillas necesitan un rango de movimiento para poder doblarse de manera adecuada.

Mantenga las articulaciones flexibles mediante los ejercicios normales de estiramiento. Intente estirar los brazos a través del pecho. O estire la parte posterior de las piernas parándose con las palmas de las manos apoyadas contra una pared mientras estira una pierna por vez detrás suyo.

OTRAS SUGERENCIAS SOBRE LA SALUD

•**Consuma una dieta nutritiva.** Además de incluir suficientes frutas y verduras, su dieta debería ser baja en grasa y no tener nada de ácidos grasos transaturados ("trans fatty acids"). Los alimentos horneados procesados casi siempre contienen los insaludables ácidos grasos trans, pero es más probable que usted vea en la etiqueta "grasas parcialmente hidrogenadas". Se trata de lo mismo, y no debe consumirlos. Las grasas trans se crean durante el proceso químico del hidrogenamiento de los aceites, y aumentan el nivel del colesterol "malo" LDL, lo que aumenta el riesgo de ataque cerebral ("stroke") y enfermedad del corazón.

•**Mantenga un peso saludable.** Esto ayudará a evitar muchas enfermedades que con frecuencia llevan a los pacientes a las residencias de ancianos, como la diabetes tipo 2 y algunas enfermedades cardiovasculares, especialmente la presión arterial alta que lleva al ataque cerebral.

•**Deje de fumar.** Desearía no tener la necesidad de decir *no fume más*, pero aún quedan personas que no han abandonado el hábito, aunque las estadísticas demuestran que acorta la esperanza de vida en siete años.

HÁGASE AMIGO DE SU MÉDICO

Si bien es importante permanecer tan libre de enfermedades como sea posible, hay actualmente algo de controversia sobre las ventajas de someterse a un chequeo físico anual. Las estadísticas no los apoyan como motivos de vidas más largas, pero igual usted debería hallar una manera de conocer a su médico de modo que esté familiarizado con su historial médico por si algo sucediera.

Sugerimos tener chequeos abreviados. Sométase a exámenes de rutina para los problemas a los que las personas mayores son propensas, como glaucoma, presión arterial alta y afecciones propias de cada sexo. Y si padece algún tipo de afección médica, crónica o no, tome sus medicamentos como se los ha recetado el médico. Llame siempre al médico para comentarle cualquier preocupación que pueda tener acerca de un medicamento en vez de tomar una decisión por su cuenta.

La esperanza de vida ("life expectancy") es más alta que nunca –un promedio de unos 78 años, en comparación con unos 48 años en 1900. Al adherirse a estas pocas medidas sencillas, usted aumentará mucho sus posibilidades de disfrutar los años venideros.

También del Dr. Robert N. Butler…

Cómo resolver los problemas sexuales de las personas mayores

Hasta las personas sanas que se encuentran en buenas relaciones pueden hacer ciertas cosas para mejorar su vida sexual.

Primer paso: Aprenda a ignorar las señales que envía nuestra sociedad –que el sexo es sólo para los jóvenes. No hay razón por la cual hombres y mujeres no puedan tener una vida sexual activa y satisfactoria hasta en sus 90 años. De hecho, algunas mujeres se vuelven *más* capaces de llegar al orgasmo en sus años de la tercera edad. Mientras que a los hombres usualmente les lleva más tiempo tener una erección al envejecer, sus erecciones también tienden a durar más, lo que puede aumentar la satisfacción para ambos.

Por supuesto, envejecer trae ciertos cambios físicos que pueden causar problemas. Por fortuna, esos problemas pueden casi siempre tratarse.

CAMBIOS QUE LAS MUJERES PUEDEN ESPERAR

Cuando las mujeres entran en la menopausia, una de las quejas más frecuentes es la sequedad vaginal durante las relaciones sexuales, lo que puede hacer que el coito sea irritante o incluso doloroso. La *terapia de reemplazo hormonal* (HRT, por sus siglas en inglés) con un medicamento de estrógeno y progestina es con frecuencia eficaz para restaurar la lubricación.

En vista de las advertencias acerca del uso a largo plazo de la HRT, usted debe hablar con su médico acerca de otros tratamientos. Una crema vaginal de estrógeno, aplicada directamente a la vagina una hora antes del coito… un anillo vaginal (insertado cada tres meses)… y Vagifem (sólo disponible con receta), una tableta de estrógeno que se inserta en la vagina dos veces a la semana, son todos eficaces para contrarrestar la sequedad vaginal, exponiendo al mismo tiempo al usuario a dosis mucho más bajas de estrógeno que la HRT.

Otra solución eficaz, ya practicada por una de cada tres mujeres en Estados Unidos, es simplemente aplicar un lubricante antes de las relaciones sexuales. Asegúrese de usar un lubricante que no sea a base de aceite, como el gel K-Y Jelly, Astroglide, Slip Lubricant Gel o HR Lubricating Jelly. Los lubricantes a base de aceite, como la vaselina ("petroleum jelly") o el aceite para bebé ("baby oil"), pueden causar infección vaginal.

Otra opción es un gel humectante en forma de tampón, como Replens o Lubrin. A diferencia de los lubricantes, estos geles simplemente se insertan tres veces a la semana y, por lo tanto, no interfieren con la espontaneidad sexual.

CAMBIOS QUE LOS HOMBRES PUEDEN ESPERAR

Como mencioné antes, al envejecer, a los hombres les toma más tiempo tener una erección. Además, usualmente requieren estimulación física para lograrlo. Es importante que la pareja se dé cuenta de que el hecho de que un hombre deba ser *tocado* para tener una erección no significa que no sienta atracción por su pareja. Es simplemente una parte natural del envejecimiento.

Pero si un hombre tiene un problema constante para tener o mantener una erección durante el coito, podría necesitar tratarse por *disfunción eréctil* (ED, por sus siglas en inglés). La gran mayoría de los casos de ED tiene una causa fisiológica. Si está experimentando ED, sométase a un chequeo médico, pues la ED podría ser un síntoma de un problema subyacente.

Entre los tratamientos preferidos para la ED se encuentran *sildenafilo* (Viagra), *tadalafilo* (Cialis) y *vardenafilo* (Levitra). Cialis y Levitra son medicamentos más nuevos, pero han sido usados sin problemas en Europa durante años. Decenas de millones de recetas de Viagra se han extendido en Estados Unidos, y los datos demuestran que es un medicamento seguro.

El Viagra actúa dilatando los vasos sanguíneos en el pene. No es un afrodisíaco –pero si se siente excitado eróticamente, Viagra le permitirá lograr una erección por varias horas después de surtir efecto.

El Viagra es seguro y eficaz para los hombres con diabetes, enfermedad del corazón, hipertensión, ansiedad y depresión, y para los hombres que han sido tratados por cáncer de próstata.

Advertencia: Si está tomando nitroglicerina o cualquier otro medicamento para el corazón a base de nitratos, no debería tomar Viagra bajo ninguna circunstancia.

Tome el Viagra alrededor de una hora antes del momento planeado para el coito. El Viagra actúa mejor con un estómago relativamente vacío, y debería evitar fumar o beber mucho alcohol mientras lo esté tomando. Una vez que lo haya tomado con éxito durante varios meses, pruebe tener relaciones sexuales *sin* Viagra – podría descubrir que ya no lo necesita.

Problema: El Viagra ocasionalmente puede causar dolores de cabeza o darle un matiz azulado a su visión.

SUPLEMENTOS DE TESTOSTERONA

La testosterona es la hormona responsable por el deseo físico en hombres y mujeres. En Europa, se ha usado ampliamente para tratar la libido baja, y ha habido un aumento en las ventas de testosterona en Estados Unidos en los últimos años. Pero los beneficios y riesgos a largo plazo de los suplementos de testosterona aún no son claros.

Si un hombre (o una mujer) tiene deficiencia de testosterona, podría ser útil una crema o un parche de testosterona para restaurar la función y el apetito sexuales. Pero menos del 4% de los casos de ED están relacionados con la deficiencia de testosterona. Si padece cáncer de próstata o agrandamiento benigno de la próstata (hiperplasia prostática benigna, "benign prostate enlargement"), los suplementos de testosterona pueden exacerbar su afección.

Lo que realmente es necesario es un estudio a largo plazo de la terapia con testosterona para establecer exactamente cuáles son las ventajas y desventajas.

También del Dr. Robert N. Butler sobre el reemplazo hormonal...

¿Puede rejuvenecerse usando la testosterona?

Todos deseamos ser jóvenes y atractivos, pero a medida que los hombres envejecen y sus cuerpos producen menos testosterona, a menudo comienzan a sentirse débiles, tienen problemas con la memoria y se interesan menos por el sexo. ¿No sería maravilloso si se pudiera revertir el proceso del envejecimiento?

Millones de estadounidenses están tratando de hacer exactamente eso al reemplazar la testosterona que el cuerpo ya no les suministra. Casi 2 millones de recetas para la testosterona se expidieron en los últimos cinco años. Las ventas aumentaron por la disponibilidad de AndroGel, un tipo de testosterona tópica disponible con receta que se absorbe a través de la piel. Antes, la testosterona sólo podía ser inyectada.

EXPERIMENTO PELIGROSO

Los hombres que se someten a una terapia de reemplazo de testosterona por su cuenta están efectivamente participando en un experimento incontrolado y posiblemente arriesgando su vida. En primer lugar, nadie sabe con certeza si la terapia de reemplazo hormonal masculina da resultados para los hombres. El hecho de que los niveles de testosterona no sean tan altos como eran a los 30 años de edad no significa que aumentarlos a aquellos niveles restaure la virilidad.

Varios estudios han informado que los hombres mayores (de una edad promedio de 52 años) que tomaron testosterona, desarrollaron grandes músculos pero no obtuvieron la fortaleza que usualmente acompaña el agrandamiento de los músculos. Esos hombres quizá lucían más fuertes, pero no eran más robustos que antes de comenzar a tomar la hormona –y nadie sabe exactamente por qué.

Más problemático es que los médicos no saben cómo responde el sistema bioquímico de una persona a la introducción artificial de hormonas que el cuerpo ha dejado de producir naturalmente. No se sabe si el reemplazo de testosterona causa cáncer de próstata o tiene otros efectos perjudiciales para la salud.

Hubo señales de advertencia cuando el estudio de la Women's Health Initiative divulgó sus inquietantes descubrimientos. Las mujeres que habían recibido terapia de reemplazo hormonal tenían un mayor índice de cáncer de mama, ataques al corazón y al cerebro ("stroke"). Otro estudio informó que las mujeres que comenzaron con la terapia de reemplazo hormonal después de los 65 años tenían el doble de probabilidad de contraer demencia, incluyendo el mal de Alzheimer.

QUÉ HACER

Se necesita realizar estudios a largo plazo que examinen qué ocurre con el tiempo a los hombres que reciben la terapia de reemplazo de testosterona.

Hasta que haya respuestas, el mejor consejo para un hombre que crea que sufre de niveles bajos de testosterona es consultar a un endocrinólogo –un médico que se especializa en el tratamiento del desequilibrio hormonal. Éste puede medir los niveles de testosterona. Si un hombre tiene un nivel de testosterona muy bajo (200 nanogramos por decilitro o menos), puede considerarse una prueba de reemplazo de testosterona.

El médico además le preguntará cuáles medicamentos está tomando. Algunos medicamentos, incluyendo *espironolactona* (Aldactone) para la presión arterial y *cimetidina* (Tagamet) para la acidez estomacal ("heartburn"), pueden causar que los niveles de testosterona bajen.

En muchos casos, se recomendarán cambios en el estilo de vida. A los hombres que estén experimentando disfunción sexual usualmente se les recomienda que restrinjan su consumo de alcohol, ya que hasta las pequeñas cantidades de alcohol han sido vinculadas a una menor capacidad para lograr o mantener una erección.

A los hombres que están preocupados acerca de su función mental con frecuencia se les dice que hagan más ejercicios. Hacer ejercicios tres veces a la semana durante 30 minutos por vez promueve la agudeza mental. Un estudio reportado en *The New England Journal of Medicine* demostró que el baile social realizado cuatro o cinco días a la semana es bueno para los cerebros y para los cuerpos más viejos. Beneficios similares se obtienen de una variedad de actividades, incluyendo el trotar (hacer "jogging"), el senderismo ("hiking"), los deportes de raqueta, nadar, andar en bicicleta y el uso de máquinas de ejercicios.

Para combatir la debilidad, consuma una dieta bien equilibrada. Elija de una variedad de grupos de alimentos, incluyendo productos vegetales ricos en proteína –frijoles (habas, habichuelas, judías, "beans") y nueces ("nuts")– y alimentos de origen animal –aves, carne magra, pescado y huevos–… alimentos de cereales integrales… verduras… frutas… y productos lácteos.

Aunque podemos fantasear sobre una píldora mágica, los cambios sensatos en el estilo de vida son la mejor respuesta hoy en día, y pueden ser extraordinariamente eficaces.

No crea las exageraciones acerca de la hGH

A pesar de la gran promoción que recibe, la *hormona del crecimiento humano* (hGH, por sus siglas en inglés) *no* enlentece el envejecimiento. Esto es así aunque la hGH se tome oralmente o se inyecte. Si se toma oralmente, la hGH es desactivada por el ácido estomacal, lo que la vuelve inútil. Y lo mismo ocurre con el *factor de liberación de hormona del crecimiento* ("growth hormone releasing factor"), que también se está publicitando mucho.

Mediante inyección, la hGH es sólo para pacientes con deficiencia de hGH causada por una enfermedad de la glándula pituitaria, la cual produce la hGH.

Advertencia: Tomar hGH podría provocar el crecimiento de tumores. Entre los efectos secundarios se incluyen la diabetes y la artritis.

Paul S. Jellinger, MD, profesor clínico de medicina de la Universidad de Miami, en Florida, y ex presidente de la American Association of Clinical Endocrinologists.

Cómo fortalecer el cuerpo contra el envejecimiento… de manera natural

Norman D. Ford, escritor, entusiasta del acondicionamiento físico y experto en el antienvejecimiento. Es un fanático del ciclismo de larga distancia, y autor de muchos libros acerca de la salud, entre ellos *18 Natural Ways to Look & Feel Half Your Age* (Keats Publishing).

El cuerpo humano está diseñado por la naturaleza para envejecer a un ritmo muy lento. Deberíamos ser capaces de permanecer fuertes y saludables hasta más allá de los 80 años. *Pero tres aspectos de nuestro estilo de vida moderno aceleran el envejecimiento…*

- **La vida sedentaria.**
- **La dieta rica en grasa y baja en fibra.**
- **Las preocupaciones, la ansiedad y el estrés.**

Si usted puede controlar estas tres áreas principales, podrá mantener una edad biológica que será muchos años más joven que su edad cronológica.

De hecho, los investigadores en el centro de investigación de la nutrición (HNRC, por sus siglas en inglés) en la Universidad Tufts, en Boston, establecieron un número de "marcadores biológicos" ("biomarkers") para medir el envejecimiento, y llegaron a la conclusión de que las disminuciones en todos los marcadores biológicos eran causadas en primer lugar por una dieta rica en grasa y la falta de ejercicios aeróbicos y de fortalecimiento.

Por fortuna, también descubrieron que esas disminuciones podían fácilmente revertirse en un tiempo relativamente corto, simplemente cambiando la dieta y el estilo de vida.

HAGA EJERCICIOS AERÓBICOS

Muchas personas piensan que es "natural" perder la fortaleza y el buen estado físico al envejecer. Pero este deterioro no tiene nada que ver con el envejecimiento… comienza en el momento en que nos damos por vencidos, decidimos descansar y comenzamos a tomar la vida con calma.

Sólo alrededor del 10% de los estadounidenses hacen ejercicios suficientes como para mejorar su salud. El resto ha abandonado todos los ejercicios intensos, lo que resulta en un deterioro lento e inexorable.

Pero este deterioro no es inevitable. A cualquier edad, un programa habitual de ejercicios disminuirá su edad biológica en unos pocos meses –aun si no ha hecho ejercicios durante años.

Ejemplo: El sistema cardiovascular humano ha evolucionado hasta el punto en que puede funcionar en condiciones óptimas por al menos 100 años. Los estudios han demostrado que un corazón saludable de 90 años puede bombear sangre con tanta eficacia como uno de 20 años. Pero si no hace ejercicios, la persona típica de 65 años ha perdido entre el 30% y el 40% de su capacidad aeróbica.

Para comenzar a restaurar y mantener la salud del corazón, los pulmones y las arterias, recomiendo hacer ejercicios aeróbicos cada dos días. Esto podría ser caminar, nadar, andar en bicicleta u otro movimiento a buen ritmo.

Comience haciendo 20 minutos, y aumente hasta hacer entre cuatro y cinco millas (entre seis y ocho kilómetros) de caminata, o una hora de natación o ciclismo. Esto lo podrá lograr después de unas pocas semanas o meses.

Cuando haga ejercicios, muévase enérgicamente, pero no se exija tanto como para fatigarse.

Usted puede comenzar con esta técnica para fortalecer su cuerpo contra el envejecimiento de inmediato –y comenzar a cosechar los beneficios.

Cientos de estudios han demostrado que el ejercicio aeróbico habitual disminuye el riesgo de contraer diabetes tipo 2, aumenta el nivel del colesterol "bueno" HDL y baja el nivel del colesterol "malo" LDL, disminuye la pérdida de neuronas del cerebro, aumenta la densidad de los huesos y disminuye el riesgo de contraer cáncer de mama y de próstata. Además, produce aumentos tremendos de energía, vigor y resistencia. Y cuanto más fuera de forma se encuentre, más rápidamente progresará.

NO IGNORE LOS EJERCICIOS DE FORTALECIMIENTO

Hasta comienzos de la década de 1990, la mayoría de los fisiólogos especializados en ejercicios se enfocaban en los ejercicios aeróbicos como el principal ejercicio contra el envejecimiento. Pero actualmente creen que los ejercicios de fortalecimiento podrían ser incluso más importantes que los aeróbicos, pues crean más masa muscular de una manera que los aeróbicos no pueden.

Por encima de todo, la masa muscular es la clave para sentirse joven. Después de muchos exámenes y estudios, el HNRC llegó a la conclusión de que la pérdida de masa muscular y fortaleza es la causa subyacente de casi todas las señales de envejecimiento. La masa muscular es además la clave para eliminar grasa, ya que los músculos grandes y fuertes queman más calorías, las 24 horas del día, incluso cuando usted no está haciendo ejercicio.

Un programa de ejercicios de fortalecimiento tres veces a la semana –realizado en los días entre su entrenamiento aeróbico– debería ser la parte principal de su programa contra el envejecimiento.

Hágase miembro de un gimnasio que tenga máquinas de pesas e instructores que puedan mostrarle los ejercicios adecuados.

Yo recomiendo hacer nueve ejercicios, para enfocarse específicamente en estos grupos de músculos: pectorales, tríceps, región superior e inferior de la espalda, bíceps, hombros, abdominales, cuádriceps y los músculos en la parte posterior del muslo ("hamstrings").

Para cada ejercicio, determine la cantidad máxima que pueda levantar una vez, y luego use 80% de ese peso y levántelo suavemente, ocho o nueve veces seguidas. Está bien si sólo puede hacer tres o cuatro repeticiones al principio. Una vez que pueda levantar un peso 10 veces o más, aumente el peso.

Comience con un ejercicio por cada grupo de músculos, y luego gradualmente agregue una o dos series más a medida que aumente su fortaleza y su resistencia.

ADOPTE LA DIETA BAJA EN GRASA

En la actualidad, los científicos creen que la mayoría del envejecimiento precoz es causado por las enfermedades, en parte debido a los radicales libres –las partículas cargadas de electricidad que causan estragos en nuestras células al provocar reacciones tóxicas en cadena. La piel arrugada, las arterias obstruidas y la respuesta débil del sistema inmune han sido todos vinculados al daño de los radicales libres.

Una de las causas principales de la acumulación de radicales libres es la dieta rica en grasas. Las moléculas de la grasa producen radicales libres al oxidarse. Si usted consume demasiadas moléculas de grasa, estos radicales libres pueden causar la acumulación de placa en las arterias, lo que lleva a la enfermedad del corazón, cáncer y otras enfermedades.

Por fortuna, existe un antídoto natural. Las frutas y verduras contienen cientos de compuestos *fitoquímicos*, los cuales previenen la formación de radicales libres (por lo que con frecuencia se llaman *antioxidantes*).

El Framingham Heart Study descubrió que el aumento del consumo de frutas y verduras disminuye, de manera significativa, el riesgo de sufrir un ataque al corazón.

Estos alimentos además tienden a ser ricos en fibra, lo que acelera la digestión y podría tener beneficios contra el cáncer.

Por otro lado, los productos de origen animal –como la carne de res, los huevos, el pescado, las aves, los productos lácteos, etc.– no contienen fibra y contienen pocos antioxidantes y pocas sustancias químicas que previenen el cáncer. Para fortalecer su cuerpo contra el envejecimiento y las enfermedades, disminuya el consumo de esos alimentos y aumente el consumo de frutas y verduras.

LIBERE LA MENTE

Cualquier cosa que pueda hacer para eliminar el estrés también ayudará a detener el proceso de envejecimiento. Una manera es practicar el perdón. Ser incapaz de perdonar es una causa importante de estrés. *Otros eliminadores del estrés…*

•**Relajación progresiva de los músculos.** Acuéstese sobre una alfombra en la semioscuridad con una almohada bajo la cabeza. Tense cada grupo de músculos turnándolos por unos seis segundos, y luego relájelos. En alrededor de 90 segundos puede ejercitar todo el cuerpo. Entonces, concéntrese en calentar las manos mentalmente. Con la práctica, podrá aumentar el flujo de sangre al cuerpo en tan sólo unos pocos minutos.

•**Mire tan poca televisión como le sea posible.** La televisión es la actividad más pasiva e inútil en la que pueda participar –pero, sin embargo, la mitad de la población de Estados Unidos se sienta hipnotizada frente al televisor por hasta cuatro horas al día.

•**Use su mente activa y creativamente.** Cuanto más ejercite su mente, más saludable y alerta estará usted. ¡La actividad mental incluso puede acelerar sus reflejos físicos!

Las nuevas normas para la longevidad

Edward L. Schneider, MD, decano emérito de la facultad de gerontología Leonard Davis de la Universidad de Southern California, en Los Ángeles. Es autor de *AgeLess: Take Control of Your Age and Stay Youthful for Life* (Rodale).

Durante años, muchas personas han creído que se puede extender la esperanza de vida practicando estrategias comunes de salud, como mantenerse delgado y disminuir el estrés. Pero las investigaciones han demostrado que muchas de las viejas recomendaciones son *incorrectas*.

¿Es difícil de creer? Los consejos previos para disfrutar una vida saludable se basaban mayormente en estudios de observación. Los investigadores examinaban grandes poblaciones e intentaban vincular hábitos en el estilo de vida a enfermedades específicas. Pero cuando algunos de los supuestos "avances" fueron puestos a prueba en ensayos aleatorios ("randomized") controlados con placebos –el patrón oro de la investigación científica–, fracasaron.

El ejercicio y la nutrición adecuada son el eje de cualquier sistema contra el envejecimiento. *Pero las nuevas normas para la longevidad disipan algunos errores comunes acerca de cómo vivir más...*

Mito N.º 1: **Las personas delgadas son más sanas.** La obesidad es mortal– nadie debería tener exceso de peso, pero esto no significa que las personas delgadas vivan más o permanezcan más sanas durante la vida.

La verdad: Las personas que tienen entre cinco y 10 libras (entre dos y cuatro kilos y medio) por encima de su supuesto peso "ideal" después de los 55 años, tienden a vivir más y padecen menos enfermedades crónicas que quienes son delgadas. Después de los 70 años, las personas que tienen entre un 5% y un 10% de sobrepeso tienen más posibilidades de vivir más.

Lo primordial: La dieta yoyó –el ciclo de perder peso, ganarlo de nuevo, luego volverlo a perder– es peor para su salud que tener unas libras de más. Las personas que tienen un leve sobrepeso suelen tener un menor riesgo de sufrir una fractura de cadera, la que puede ser mortal.

Importante: Si su *índice de masa corporal* (BMI, por sus siglas en inglés) es de 25 o más, tal vez necesite perder peso. Si es de 27 o más, tiene un mayor riesgo de contraer enfermedad del corazón, presión arterial alta y diabetes.

Para determinar su BMI: Divida su peso en kilos por el cuadrado de su estatura en metros; o sea, divida su peso por su estatura dos veces. Por ejemplo, si pesa 70 kilos y mide 1,70 metros, divida 70 por 1,70 dos veces, con el resultado de 24,2. (En el sistema inglés de medidas, multiplique su peso en libras por 703, y divida el resultado por su estatura en pulgadas dos veces).

Mito N.º 2: **El estrés es malo para la salud.** Los médicos siempre recomiendan evitar el estrés, y por buenas razones. Las personas que se sienten abrumadas por el estrés tienen un mayor riesgo de tener un ataque cerebral ("stroke"), enfermedad del corazón, presión arterial alta y otras enfermedades crónicas. Pero el estrés no es realmente el problema.

La verdad: Una cierta cantidad de estrés es inevitable si usted espera tener una vida satisfactoria y feliz. Lo que importa es *cómo* lo maneje. Controlar su reacción ante los sucesos estresantes es mucho más importante que intentar evitarlos.

Ejemplo: Mi hijo adolescente hace cosas que me enojan. Como no lo puedo evitar, intento reaccionar de manera que no se liberen demasiadas hormonas del estrés. Puedo ignorar las pequeñas discusiones y darme tiempo para calmarme.

Lo primordial: En vez de eludir el estrés, desarrolle métodos eficaces para tratar con el mismo –como hacer ejercicios diariamente, practicar la meditación o el yoga, etc.

Mito N.º 3: **Las personas mayores necesitan dormir menos.** Los estadounidenses duermen en promedio menos de siete horas por noche. Las personas mayores tienden a dormir menos, debido a los cambios naturales en su *ritmo circadiano*, su reloj biológico. Tienen problemas para conciliar el sueño o se despiertan temprano, posiblemente debido a un cambio en la regulación de la melatonina, una hormona que es clave para el ciclo de sueño-vigilia. Pero esto no significa que *necesitan* dormir menos.

La verdad: Todos deberíamos dormir entre siete y nueve horas, a cualquier edad. Dormir menos debilita el sistema inmune y aumenta el riesgo de tener depresión, caídas y accidentes.

Lo primordial: Si necesita un reloj despertador para levantarse, probablemente le falte dormir. Mejore lo que duerme por la noche haciendo ejercicios... teniendo horas habituales para acostarse... y disminuyendo la luz en el dormitorio. No beba nada con cafeína ni alcohol durante las dos horas anteriores a acostarse.

Advertencia: La mayoría de las personas no deberían dormir una siesta de más de 20 minutos. Hacerlo perturbará el reloj biológico del cuerpo y hará más difícil que tenga un sueño refrescante por la noche.

Piense en forma positiva y viva más tiempo

Las personas que aprecian el envejecimiento como una experiencia positiva viven un promedio de siete años y medio más que quienes lo ven de manera negativa, según un estudio.

Otros estudios indican que, en cualquier año dado, los pesimistas tienen un riesgo de muerte el 19% mayor que el promedio. El poder del optimismo es incluso mayor que el de la presión arterial baja o el nivel reducido de colesterol –cada uno de los cuales aumenta la vida en unos cuatro años, según algunos estudios.

Becca R. Levy, PhD, profesora adjunta de epidemiología de la facultad de sanidad pública de la Universidad Yale, en New Haven, Connecticut, y líder de un estudio de 660 personas mayores de 50 años que fue publicado en el *Journal of Personality and Social Psychology.*

Fortalezca su cerebro contra el envejecimiento

El difunto Lawrence C. Katz, PhD, profesor de neurobiología del centro médico de la Universidad Duke, e investigador del Howard Hughes Medical Institute, ambos en Durham, Carolina del norte. Fue coautor de *Keep Your Brain Alive: 83 Neurobic Exercises* (Workman) y publicó más de 50 artículos científicos sobre el desarrollo y la función del cerebro.

Los médicos solían pensar que el desarrollo del cerebro ocurría sólo durante la juventud, y que, al envejecer, las células de nuestro cerebro (*neuronas*) inevitablemente mueren.

Pero estudios recientes confirman que los seres humanos agregamos nuevas neuronas durante toda la vida. Esto significa que podemos continuar aprendiendo nuevas ideas y dominando nuevas destrezas.

Cada neurona tiene apéndices similares a ramas llamados *dendritas* que se extienden en diferentes direcciones. Siempre que el cerebro es estimulado por una experiencia –aun en la edad avanzada– se crean nuevas dendritas.

Las neuronas se comunican entre sí mediante impulsos electroquímicos enviados a través de las dendritas. Más dendritas implican mayor poder mental. A medida que envejecemos, algunas dendritas naturalmente se atrofian y mueren. Cuantas más nos queden, mejor permanecerán nuestras capacidades cognitivas.

Clave: Crear tantas dendritas como sea posible.

Las siguientes son ocho maneras de estimular la creación de dendritas y seguir vigorizando el cerebro...

•**Cambie de manos.** La mayoría de nosotros contamos con una mano dominante para las actividades diarias. Cambie a la mano no dominante. Las investigaciones han demostrado que este tipo de ejercicio puede aumentar de manera significativa la cantidad de circuitos en la corteza cerebral.

Si se cepilla los dientes con la mano derecha, use la izquierda durante unas semanas.

Cambie a la mano no dominante con tanta frecuencia como sea posible –al comer... al peinarse... al escribir... al pintar.

•**"Pierda" un sentido.** Abundantes circuitos nerviosos nuevos se forman cuando ejercita sus sentidos de maneras que normalmente no lo hace. Se sabe, por ejemplo, que las personas ciegas desarrollan otros sentidos a un nivel mucho mayor que quienes conservan la vista.

Los experimentos con imágenes del cerebro que involucran a lectores ciegos de braille demuestran que la práctica amplia con el uso de los dedos para hacer distinciones sutiles entre objetos o texturas provoca la "reconexión" del cerebro.

La mayoría de nosotros contamos con la vista sobre todo. Use el sentido del tacto para las tareas y actividades diarias, como deben hacerlo las personas ciegas.

•Aprenda a distinguir diferentes llaves (casa, automóvil, etc.) mediante el tacto.

•Vístase sin mirar... y luego inténtelo con una sola mano.

•Cierre los ojos y explore una habitación familiar, como el dormitorio, con las manos.

Luego, "pierda" otros sentidos...

•Apague el sonido del televisor, e intente seguir el argumento.

•Trate de adivinar qué hay para comer de acuerdo a los aromas que huele.

•Pruebe alimentos mientras se sujeta la nariz. Esto lo obliga a usar diferentes circuitos nerviosos para experimentar la comida.

•Use *todos* los sentidos. Algo tan simple como hacer las compras de comestibles puede estimular el cerebro si usted conscientemente usa todos los sentidos.

Huela los tomates… golpee suavemente los melones… sienta las ciruelas… pruebe muestras de comida que le ofrezcan. Compre alimentos para una comida temática –por ejemplo, una comida compuesta solamente con alimentos rojos.

También puede hacer lo mismo a mayor escala al aire libre. *Ya sea que esté pescando, haciendo senderismo ("hiking") o simplemente dando un paseo…*

•Sienta los cambios en la dirección del viento en la cara y los brazos.

•Huela el aire… e intente identificar los aromas naturales. Amplias investigaciones demuestran que vincular lugares o cosas al sentido del olfato (oler) mejora la memoria.

•Escuche atentamente los chapoteos en el agua o los cantos de las aves.

•Sea aventurero. Cuanto menos familiar sea una actividad para usted, más estimulará el cerebro. Pruebe cosas que ha querido hacer, aun si inicialmente siente molestia.

Los estudios con imágenes del cerebro demuestran que las nuevas experiencias activan grandes zonas de la corteza cerebral, lo que indica estimulación del cerebro.

•Regístrese en un campamento de teatro de verano.

•Viaje en tren a través de Estados Unidos o por barco a través del océano.

•Vaya de vacaciones a un rancho para turistas.

•Haga pequeños cambios. Hasta los cambios más pequeños en su rutina activan la corteza y el hipocampo (una parte del cerebro crucial para la formación de recuerdos). Esta estimulación creará nuevos circuitos nerviosos.

•Si siempre mira televisión sentado en la misma silla, siéntese en otra.

•Cene en un cuarto distinto.

•Reorganice su escritorio.

•Cambie de lugar los muebles.

•Tome una ruta distinta para ir al trabajo o al gimnasio.

O simplemente haga las mismas cosas, pero *en un orden distinto.* Coma el desayuno a la hora de la cena y la cena a la hora del desayuno… o dése una ducha después de beber el café en vez de hacerlo antes. Recorra los pasillos del supermercado en la dirección opuesta a la habitual.

•Adopte un "hobby" exigente. Dedíquese a un nuevo pasatiempo que exija habilidades complejas. Las actividades artísticas, por ejemplo, activan centros no verbales y emocionales en la corteza.

•Aprenda a tocar un instrumento musical.

•Estudie un idioma nuevo.

•Practique un deporte nuevo, como tenis o golf, que requiera dominar varias técnicas.

•Saque fotografías.

•Use baja tecnología. Aunque la tecnología ha facilitado nuestras vidas, también nos ha alejado de muchas experiencias.

Ejemplo: La televisión, el cine y el Internet pueden ser entretenidos, pero con frecuencia tranquilizan en vez de ocupar la mente de manera activa.

Tómese descansos de la tecnología. Haga cosas del modo que la gente las hacía hace décadas.

•Hornee pan casero o prepare salsa para espaguetis casera.

•Corra o camine al aire libre, en vez de hacerlo adentro en una cinta para caminar ("treadmill").

•Vaya de campamento. Lleve un saco de dormir ("sleeping bag"), una carpa, comida sencilla y una pequeña cocina a gas. Deje la radio y el teléfono móvil en casa.

•Vuélvase más sociable. Interactuar con otras personas es el mejor ejercicio individual para el cerebro. Pone en funcionamiento todos los sentidos, lo obliga a pensar rápidamente y afina sus destrezas del habla.

El contacto social también es importante para la salud psicológica. Las personas con buenas redes sociales tienen menos problemas físicos y psicológicos a medida que envejecen que quienes son carentes socialmente. Busque interacciones sociales de todo tipo.

- •Diríjase al cajero en el banco en vez de usar un cajero automático.
- •Hable de banalidades con el cajero del supermercado.
- •Llame por teléfono a sus amigos todos los días.

Además, esfuércese por lograr interacciones más ambiciosas. Organice reuniones sociales que incluyan una variedad de estrategias para estimular el cerebro.

- •Hágase socio de un club de lectores.
- •Organice una fiesta para probar vinos y aprender acerca de sabores y buqués de diferentes cosechas.
- •Organice un "picnic" en un parque en el que cada uno lleve algo para consumir.
- •Organice una sesión musical improvisada o un grupo coral informal.
- •Organice una noche por semana de juego de póker, canasta, dominó o Monopolio (cualquier juego que implique pensamientos complejos y contacto social).

Las píldoras que estimulan el cerebro: Las que dan resultados… y las que no sirven

Jay Schneider, PhD, profesor de neurología, patología, anatomía y biología celular de la Universidad Thomas Jefferson, en Filadelfia. Es coautor de *Brain Candy: Boost Your Brain Power with Vitamins, Supplements, Drugs and Other Substances* (Fireside).

Tal vez usted se olvide de dónde estacionó el automóvil. O necesita un poco de tiempo adicional para hacer una llamada por el teléfono móvil.

Al envejecer, éstos y otros deterioros pueden hacernos sentir como que estamos perdiendo nuestra agudeza mental.

Ésta es la razón por la que son tan populares los medicamentos, las hierbas y los suplementos que estimulan el cerebro. ¿Pero *realmente* dan resultados los productos más vendidos? ¿Y acaso son seguros*?

Ésta es la opinión de un destacado experto…

•**Acetil-L-carnitina.** Se cree que este aminoácido de venta libre activa el cerebro ayudándolo a producir sustancias químicas que promueven la actividad de las células del cerebro. Los estudios iniciales sugieren que tomar este suplemento podría mejorar la memoria y la atención, incluso en los adultos jóvenes saludables.

La acetil-L-carnitina además podría evitar los depósitos de proteína que se producen en el cerebro de los pacientes con el mal de Alzheimer en su etapa temprana.

Dosis diaria típica: entre 1 y 3 gramos.

Advertencia: No confunda la acetil-L-carnitina con la DL-carnitina, la cual puede producir graves pérdidas de fortaleza muscular.

•**Vitaminas del complejo B.** Los estudios clínicos demuestran que la tiamina (B-1), la niacina (B-3) y la piridoxina (B-6) podrían mejorar la memoria y la agudeza mental. ¿Cómo actúan? La tiamina ayuda al organismo a metabolizar los carbohidratos, la fuente principal de energía de las células del cerebro. La niacina parece mejorar la comprensión y la memoria a corto plazo. La piridoxina juega un papel en la formación de varios de los neurotransmisores del cerebro. Se ha descubierto que tomar entre 20 y 50 mg diariamente de vitamina B-6 mejora el ánimo y la memoria.

Dosis diaria típica: Siga las recomendaciones para las dosis, en las etiquetas de las vitaminas del complejo B y de las vitaminas B individuales.

Advertencia: Además de ser potencialmente tóxica para el hígado, más de 2 gramos diarios de niacina pueden causar úlceras pépticas y podrían exacerbar la arritmia cardiaca. Más de 200 mg diarios de B-6 pueden ser tóxicos para las células nerviosas y podrían interferir con los medicamentos para la enfermedad de Parkinson.

*La agencia federal Food and Drug Administration (FDA) no analiza ni aprueba las hierbas y los suplementos. Consulte siempre a su médico antes de tomar cualquiera de esos productos.

Si consume suficientes alimentos ricos en vitaminas B –como carne de órganos, cerdo, legumbres (frijoles, habas, habichuelas, judías, lentejas, guisantes, chícharos) y nueces ("nuts")– quizá no necesite tomar suplementos.

•Fipexide. Se dice que este estimulante de venta libre mejora la agudeza mental y el aprendizaje, al aumentar los niveles del neurotransmisor dopamina en el cerebro. En un solo ensayo clínico, el Fipexide mejoró el funcionamiento mental en un grupo de pacientes mayores con enfermedad del cerebro. Sin embargo, se sabe que este estimulante ha causado graves daños al hígado.

•Gerovital. Este suplemento de venta libre –que se comercializa como una fórmula contra el envejecimiento para el cuerpo y el cerebro– no es más que la anestesia local *procaína* combinada con un antioxidante y un conservante. No existe evidencia científica de que Gerovital rejuvenezca la mente.

Pero el uso excesivo puede causar temblores, pérdida del conocimiento, convulsiones, presión arterial alta o baja, y paro respiratorio o cardiaco.

•Ginkgo biloba. Esta hierba china se ha transformado en un remedio alternativo popular para combatir el deterioro de la memoria.

El ginkgo ha demostrado que mejora la memoria en los pacientes con mal de Alzheimer, pero la evidencia no es tan firme en las personas sanas. Los investigadores atribuyen el beneficio a las propiedades antioxidantes y antiinflamatorias de la hierba.

Dosis diaria típica: entre 120 y 240 mg.

Advertencia: El ginkgo inhibe la coagulación de la sangre, por lo que no lo deben tomar las personas que toman aspirina o anticoagulantes, como la *warfarina* (Coumadin). Tampoco deben tomar el ginkgo los pacientes que estén por someterse a una cirugía, o cualquier persona con un trastorno de coagulación, como la hemofilia o la deficiencia de la vitamina K.

•Hormona del crecimiento ("growth hormone"). Esta proteína, segregada por la glándula pituitaria, estimula el crecimiento de las células. La hormona del crecimiento se vende con receta y se dice que previene el deterioro físico *y* mental en adultos con deficiencia de la hormona del crecimiento.

Sin embargo, su eficacia como medicamento "antienvejecimiento" no está comprobada y los riesgos son considerables. La hormona del crecimiento puede causar retención de líquidos, hipertensión e hiperglucemia, lo que puede llevar a la diabetes, presión arterial alta y enfermedad del corazón. También puede estimular el crecimiento de tumores existentes, como los tumores malignos de colon.

•Fenitoína ("Phenytoin", Dilantin). Este anticonvulsivo, que comúnmente se receta para el tratamiento de la epilepsia, a veces se promueve falsamente como un estimulante del coeficiente intelectual IQ (por sus siglas en inglés). Sin embargo, no hay estudios convincentes que apoyen esta afirmación.

Pero sí existen abundantes datos detallando los posibles efectos secundarios del medicamento –desde problemas al hablar e insomnio hasta afecciones potencialmente mortales del hígado, la sangre y la tiroides.

•Fosfatidilserina ("Phosphatidylserine"). Esta sustancia similar a la grasa es uno de los varios suplementos alimenticios de venta libre analizados clínicamente en adultos saludables y con discapacidad del conocimiento. Ha demostrado de manera consistente que mejora la memoria y la concentración, sin causar graves efectos secundarios.

Parece que la fosfatidilserina mejora la comunicación entre los mensajeros químicos (neurotransmisores) en el cerebro. También parece que inhibe la síntesis de *cortisol*, una hormona del estrés que podría interferir con el pensamiento y la memoria.

Dosis diaria típica: 100 mg tomados tres veces al día.

Advertencia: La fosfatidilserina podría enlentecer la coagulación. Por esta razón, debería ser evitada por las mismas personas que no deberían tomar el ginkgo.

•Piracetam. Este suplemento de venta libre fue el primer "nootrópico" (un medicamento diseñado específicamente para mejorar el funcionamiento del cerebro) que se comercializó en Europa.

En Estados Unidos, el piracetam puede comprarse sólo por catálogo o por Internet.

El piracetam ha sido ampliamente analizado en adultos sanos y en adultos con discapacidad del conocimiento.

Cuando se combina con ejercicios de la memoria, se ha demostrado que disminuye significativamente la pérdida de memoria relacionada con la edad. Hasta la fecha no se ha informado sobre efectos secundarios graves.

Dosis diaria típica: entre 2.400 y 4.800 mg, divididos en tres dosis.

•**Vincamina.** Se afirma que este suplemento de hierbas, un derivado de la pervinca (vincapervinca, doncella, "periwinkle"), mejora la concentración en los adultos saludables, y estimula la memoria y la atención en los pacientes con circulación cerebral dañada por una enfermedad cerebrovascular.

La vincamina sí aumenta el flujo de sangre en el cerebro, por lo que podría tener ciertos beneficios si se administra prontamente después de un ataque cerebral ("stroke"). Pero el uso a largo plazo puede causar arritmias cardiacas que peligran la vida, así como graves alteraciones del sueño.

Estrategias sencillas para mejorar la memoria

Betty Fielding, conferencista de la psicología del envejecimiento que reside en Lafayette, California, y autora de *The Memory Manual: 10 Simple Things You Can Do to Improve Your Memory After 50* (Quill Driver).

Los lapsus ocasionales de la memoria a veces se hacen más frecuentes a medida que envejecemos, haciendo que muchos nos preocupemos acerca de lo que significan para el futuro. Pero un poco de esfuerzo mental –en combinación con pequeñas modificaciones en el estilo de vida– puede prevenir la mayoría de los lapsus de la memoria.

RASTROS DE LA MEMORIA

Cada uno de los sentidos deja un rastro distinto en la memoria, de un suceso específico. Así pueden hacerlo nuestros pensamientos, sentimientos y acciones al experimentar un suceso. Cualquiera de estos rastros puede provocar nuestro recuerdo de ese suceso.

Al emplear más sentidos, pensamientos, sentimientos y acciones para experimentar algo, más posibilidades tenemos de recordarlo más adelante…

•**Esté al tanto de sus sentidos.** Cuanto más consciente esté de lo que sus sentidos estén detectando, más rastros de la memoria registrará.

Ejemplo: Cuando le presenten a un desconocido, *observe* el color de los ojos, las características faciales, etcétera… *escuche* su nombre… *olfatee* su loción para afeitar… y *sienta* su apretón de manos.

•**Desarrolle imágenes mentales.** Las imágenes mentales de los sucesos son más fáciles de recordar que las abstracciones.

Ejemplo N.º 1: Si a usted le dan instrucciones para llegar a un destino desconocido, úselas para crear un mapa mental de la ruta.

Ejemplo N.º 2: Si se le ha perdido algún objeto, vuelva a recorrer sus acciones desde el momento en que recuerda tenerlo por última vez.

•**Use palabras para crear rastros de la memoria adicionales.** Por ejemplo, para asegurarse de que será capaz de hallar papeles importantes, exprese con palabras su acción mientras los guarda.

•**Aumente su concentración.** Usted no recordará algo si no le presta atención en primer lugar.

Útil: Tome nota de lo que necesita recordar. Pregúntese: "¿Qué estoy haciendo ahora?… ¿Por qué estoy aquí?… ¿Qué sigue en mi lista?" Sea consciente de sus sentimientos de modo que pueda conscientemente responder de una manera que lo ayude a mantenerse concentrado.

•**Organice su aprendizaje y su vida.** El cerebro está organizado de modo que los pensamientos efímeros y la información no examinada nunca ingresan en su memoria a largo plazo. *Un paso fundamental para mejorar su memoria es poner su mente en orden…*

•Desarrolle una perspectiva curiosa y entusiasta por la investigación. Para prepararse a recordar una conferencia, por ejemplo, pregúntese: "¿Quién está hablando?... ¿Cuál es su mensaje?... ¿Por qué me interesa?... ¿Dónde y cuándo se realiza la conferencia?... ¿Cómo presentó su material el conferencista?"

•Utilice su calendario. Manténgalo en el mismo lugar... consulte su horario dos veces al día... anote todos los cumpleaños, compromisos anuales y vacaciones de la familia antes de que comience el nuevo año... anote todas las citas y fechas de vencimiento de inmediato.

•Organice su entorno de modo que pueda encontrar lo que necesite con el mínimo de esfuerzo. Tenga un lugar para todo, y póngalo ahí tan pronto como termine de usarlo.

•**Cuide su salud.** Consuma siempre una dieta nutritiva y equilibrada que siga las pautas de la pirámide de alimentos ("food pyramid") del departamento de agricultura de Estados Unidos (*http://www.mypyramid.gov/sp-index.html*).

Particularmente importante para la memoria: Cantidades adecuadas de las vitaminas B-6, B-12 y ácido fólico, y los antioxidantes –las vitaminas C y E, y el betacaroteno.

Además: Hágase chequeos médicos de manera regular. Los problemas de memoria pueden ser causados por afecciones cardiovasculares, pulmonares, hepáticas o renales, disfunción de la tiroides, diabetes o los efectos secundarios de los medicamentos.

•**Haga ejercicios.** Las personas septuagenarias sanas que realizan actividades físicas habituales demuestran mejores habilidades de memoria y pensamiento que las personas igualmente sanas, pero sedentarias.

El ejercicio expande la capacidad respiratoria y aumenta el suministro de oxígeno al cerebro. Además, baja la presión arterial, lo que podría disminuir la probabilidad de tener problemas de memoria... y ayuda al crecimiento de las células del cerebro.

•**Desafíe la mente.** Los retos mentales ejercitan y expanden las habilidades del pensamiento y de la memoria. Estudie un idioma nuevo, juegue a la canasta o al ajedrez, haga crucigramas, etc.

•**Reconozca los cambios sensoriales relacionados con la edad.** Los cambios en la visión pueden contribuir a los problemas de memoria.

Ejemplo: David N. se inscribió en una clase de memoria, diciendo que había perdido la memoria 40 años antes. Pero durante la clase su memoria parecía estar bien. Al final del curso, David confesó: "Aprendí que no perdí la memoria hace 40 años. En esa época contraje un problema de audición, y sentía vergüenza de pedirle a las personas que repitieran lo que habían dicho. No olvidaba las cosas... simplemente nunca las aprendía."

El sistema nervioso central se enlentece gradualmente con la edad. Usted pensará y actuará un poco más lentamente. Por lo tanto, tómese el tiempo que necesite para concentrarse en lo que sea importante para usted, como el nombre de una persona o una idea creativa.

Esfuércese por prestar atención. Tenga cuidado con los pensamientos que lo distraigan. Vuelva a concentrarse en lo que lo ocupa en ese momento.

Cómo mantener el cerebro sano y la memoria en buena forma

Cynthia R. Green, PhD, presidenta de Memory Arts, LLC, en Upper Montclair, Nueva Jersey, una empresa que provee servicios de entrenamiento de la memoria a corporaciones y a organizaciones sin fines de lucro. Es profesora clínica auxiliar de la facultad de medicina Mount Sinai, en Nueva York, y autora de *Total Memory Workout: Eight Easy Steps to Maximum Memory Fitness* (Bantam).

Es innegable que el envejecimiento produce cambios en la memoria. Entre éstos se incluyen el fenómeno de tener algo "en la punta de la lengua", la palabra que es muy familiar pero que no aparece en su conciencia. Esto podría ocurrir debido a la demora, relacionada con la edad, en la manera que el cerebro procesa información, lo que causa que no pueda recuperar información con la misma rapidez como podía hacerlo cuando era joven.

Pero no tiene que rendirse. Aunque no se pueda revertir ningún cambio fisiológico en el cerebro, se pueden encontrar soluciones. Al crear hábitos saludables de memoria –y mantener la memoria en forma–, usted recordará nombres y listas de cosas para hacer, rápidamente. *He aquí cómo lograrlo…*

LO BÁSICO

El fundamento de todas las técnicas para la memoria es el principio "A-M". Poner en práctica este principio lo ayudará a aguzar su memoria de inmediato.

• **La "A" es de atención.** Con frecuencia la razón por la que las personas no pueden extraer de su memoria una palabra o un nombre es que simplemente no le prestaron suficiente atención en primer lugar. Si quiere recordar algo, debe prestar atención detenidamente de modo que realmente lo asimile. Necesitará desarrollar dos hábitos básicos para lograrlo…

• Sea consciente. Cuando estaciona su automóvil en el centro comercial o conoce a un nuevo vecino, recuérdese que debe prestar atención.

• Haga el esfuerzo. Ahora que ha recordado que debe prestar atención, concéntrese y hágalo. Absorba la información que necesitará recordar en ese mismo momento.

Ejemplo cotidiano: Usted tiene que buscar algo en otro cuarto. En vez de pasearse y olvidar lo que quería, dígase lo que es antes de ir a buscarlo.

• **La "M" es por memorable.** Darle significado a la información le ayudará a hacerla memorable. Además, le ayudará a almacenar la información, lo que facilitará encontrarla cuando la necesite. *Tres modos de ayudar a darle significado a la información…*

• Organícela. El mejor ejemplo correspondiente es la manera de aprender una serie de números. En vez de intentar recordar nueve números, uno tras otro –lo que sería intimidante para cualquiera–, divídalos en grupos. ¿Le suena familiar? Esto es lo que hace cada vez que aprende el número de teléfono con el código de área de alguien –lo divide en tres partes.

• Visualícela. Usted puede lograr que muchas cosas sean memorables simplemente visualizándolas, como al visualizar los recados que debe hacer, una dirección de correo electrónico o incluso ciertos nombres. Para cierta información, la memoria visual es más poderosa que el recuerdo verbal.

• Haga una conexión. Conecte algo que desea recordar con algo que ya sabe.

Ejemplo: Si conoce a alguien llamado Sánchez, piense en Sancho Panza, el fiel escudero de Don Quijote. O piense en Hugo Sánchez, el astro del fútbol mexicano.

TÉCNICAS

A continuación encontrará seis técnicas para codificar información en la memoria. Lo que tienen en común es que logran que preste atención y haga memorable lo que quiere aprender. No se supone que todas les den resultados a todos –lo que algunas personas hallan útil, otras lo verán como engorroso. Elija sólo las que lo atraigan y póngalas en práctica.

• **La técnica de la repetición.** Esto es exactamente lo que dice: si necesita recordar algo, concéntrese en ello por completo y luego repítalo varias veces.

• **La técnica del vínculo.** Esta técnica es ideal para recordar cualquier lista. Imagine la lista como un juego de dominó –una palabra une la siguiente con la próxima. Una buena manera de practicar la técnica del vínculo es con la lista de compras en el supermercado. Por ejemplo, comience con papas (para hacer puré) –que se vincula a la mantequilla, a la leche, a la carne de res, a las verduras para la ensalada. Una vez que usted se acostumbre, esta técnica es útil para prácticamente cualquier lista.

• **La técnica de contar un cuento.** Inventar una historia conecta piezas de información y les da significado.

Supongamos que recién conoció a alguien llamada Rosa Carranza. Podría inventar rápidamente un cuento acerca de una rosa que crece en el carro que la lleva a la danza. Aunque esta técnica es más compleja que la mayoría de las otras, muchas personas la prefieren, en parte porque es divertida.

• **La técnica de la conexión.** Relacione lo que desea aprender con una palabra que ya sabe. Supongamos que conoce a alguien con el inusual apellido "Induráin". Puede relacionar el nombre con una palabra que conoce y suena similar –"endurar", pero con "i" al principio e "in" al final.

●**La técnica de las letras iniciales.** Esta técnica consiste en el truco infalible de crear acrónimos para recordar un grupo de palabras. Por ejemplo, "TGIF" (por las siglas en inglés de "gracias a Dios que hoy es viernes") significa algo para todo el mundo que habla inglés.

Use esta misma idea para recordar el orden de nacimiento de los cinco hijos de su prima. Este método no da resultado para todos, en particular si las palabras que debe recordar comienzan todas con consonantes. Pero para ciertas necesidades, puede ser muy divertido además de eficaz.

●**La técnica de la cámara fotográfica.** Aunque la memoria visual es una herramienta poderosa para recordar información, la gente suele pasarla por alto. Para esta técnica, invente una imagen mental de lo que trata de aprender.

Ejemplo: Para recordar una receta que alguien le esté dando, invente una imagen de cada detalle a medida que la persona se lo dice. Es una técnica fácil de aprender. Y, además, es una buena manera de estimular su capacidad intelectual.

LA PRÁCTICA PERFECCIONA

Tenga en cuenta que así como necesita hacer ejercicios con regularidad para mantener el cuerpo saludable y los músculos fuertes, también debe practicar habitualmente las técnicas para la memoria.

Aproveche sus minutos libres practicando estas técnicas con lo que tenga a mano –como números de matrícula de vehículos, números de teléfono, listas de cosas para hacer y direcciones de correo electrónico. Muy pronto notará una gran mejora en su habilidad para recordar.

Estimulador maravilloso de la memoria

Dharma Singh Khalsa, MD, director médico fundador de la Alzheimer's Prevention Foundation, en Tucson, Arizona. Es autor de Brain Longevity: The Breakthrough Medical Program That Improves Mood and Memory *(Grand Central).*

Si ha comenzado a tener problemas con su memoria, consulte a su médico acerca de tomar *fosfatidilserina* ("*phosphatidyl-serine*"). Este compuesto ocurre naturalmente en las membranas externas de las células del cerebro… y en ciertas plantas también.

En estudios patrocinados por los Institutos de Salud de Estados Unidos (NIH, por las siglas en inglés de National Institutes of Health), la fosfatidilserina mejoró la memoria y la concentración en las personas que sufrían de pérdida de la memoria relacionada con el envejecimiento e incluso con el mal de Alzheimer en su etapa temprana.

Se cree que la fosfatidilserina actúa tan bien como dos medicamentos recetados para el tratamiento del mal de Alzheimer –*tacrina* (Cognex) y *donepezilo* (Aricept). La tacrina puede causar daño al hígado. La fosfatidilserina no tiene efectos secundarios perjudiciales.

Para las personas sanas que simplemente quieren afinar sus habilidades mentales, con frecuencia recomiendo una cápsula de 100 mg de fosfatidilserina al día.

Para el deterioro de la memoria de leve a grave, dos o tres cápsulas al día frecuentemente dan mejor resultado. No existen beneficios adicionales al tomar más de 300 mg al día.

La fosfatidilserina puede además tomarse conjuntamente con el ginkgo biloba, una hierba que se cree que mejora la memoria. Es usualmente mejor tomar 40 mg de ginkgo biloba por cada 100 mg de fosfatidilserina.

La fosfatidilserina y el ginkgo biloba se venden en las tiendas de alimentos naturales.

Advertencia: Consulte a su médico antes de tomar ginkgo si toma aspirina, *warfarina* (Coumadin) u otro medicamento anticoagulante. Las mujeres embarazadas o amamantando deberían evitar la fosfatidilserina y el ginkgo.

Cómo protegerse de la demencia

Jeff Victoroff, MD, profesor adjunto de neurología clínica y psiquiatría en la facultad de medicina Keck de la Universidad Southern California, en Los Ángeles. También es autor de *Saving Your Brain: The Revolutionary Plan to Boost Brain Power, Improve Memory, and Protect Yourself Against Aging and Alzheimer's* (Bantam).

De todas las enfermedades que nos amenazan a medida que envejecemos, muy pocas son más temibles que la demencia. La ciencia aún no ha concebido una protección infalible contra los estragos de la demencia, pero usted puede tomar medidas para que las probabilidades estén a su favor.

EL ENVEJECIMIENTO Y EL CEREBRO

La evidencia científica sugiere que el daño cerebral de la demencia es en gran parte una forma exagerada de lo que ocurre con los cerebros normales con el tiempo. *Por ejemplo...*

•**Neurodegeneración.** Las células del cerebro son dañadas por las moléculas inestables llamadas radicales libres. Durante el envejecimiento, las células del cerebro tienen menos capacidad para reparar su propio ADN (DNA, en inglés). Además, los depósitos de una proteína conocida como *amiloide* forman placas que impiden el funcionamiento de las neuronas. Un creciente número de células del cerebro muere. Este proceso puede llevar a la demencia y al mal de Alzheimer.

•**Factores vasculares.** Un estrechamiento y endurecimiento de las pequeñas arterias podría disminuir el suministro de sangre a ciertas áreas del cerebro, provocando ataques cerebrales transitorios ("ministrokes") –obstrucciones que matan pequeños grupos de células en el cerebro. Este proceso podría deteriorar el funcionamiento del cerebro.

¿Qué determina la rapidez con que ocurren esos cambios? Algunos cerebros están genéticamente programados para degradarse más rápidamente que otros. Pero hasta el 50% de los cambios pueden atribuirse a factores ambientales, como el estilo de vida.

FORTALÉZCASE CON PESCADO

En un estudio en el que participaron 5.500 hombres y mujeres, comer pescado al menos una vez a la semana logró una disminución del 70% en el riesgo de contraer el mal de Alzheimer.

¿Por qué? Los ácidos grasos omega-3, que se encuentran en ciertos pescados, facilitan la transmisión de mensajes entre las células del cerebro –el fundamento de toda actividad mental. Estos mismos ácidos grasos ayudan a mantener la salud cardiovascular y enlentecer la disminución de la circulación, lo que juega un papel importante en el daño al cerebro.

Novedad: Los hallazgos de un estudio realizado en Holanda indican que algo en el pescado distinto a los omega-3 podría jugar un papel en su beneficio. Esto significa que los suplementos de aceite de pescado quizás *no* sean tan eficaces como el pescado entero.

Útil: Consuma cuatro onzas (115 g) de pescado al menos cuatro veces a la semana, en particular pescado graso, como salmón, sardinas, arenque ("herring"), trucha ("trout") y caballa ("mackerel"). El atún en lata también es bueno. Para evitar los niveles potencialmente peligrosos de mercurio, las mujeres embarazadas deberían consultar a su médico antes de consumir pescado.

AUMENTE EL PODER DE LOS ANTIOXIDANTES

El cuerpo produce sus propios antioxidantes para neutralizar los radicales libres que dañan el cerebro. Funcionan con mucha más eficacia con la ayuda de nutrientes antioxidantes –las vitaminas C y E, y el betacaroteno.

Novedad: Dos estudios, realizados por Martha C. Morris, ScD, en el centro médico Rush-Presbyterian-St. Luke's en Chicago, sugieren que la vitamina E –ya sea proveniente de los alimentos o suplementos– podría disminuir el riesgo de contraer el mal de Alzheimer.

Útil: Consulte a su médico acerca de tomar 400 unidades internacionales (IU, por sus siglas en inglés) de vitamina E *natural* (d-alfatocoferol) todos los días. La forma natural pasa hacia el cerebro más fácilmente que la vitamina sintética. Además, consuma alimentos ricos en la vitamina E, como aceites vegetales, germen de trigo ("wheat germ"), almendras ("almonds") y otras nueces y semillas.

BEBA POR LA SALUD DEL CEREBRO

El beber moderadamente –una o dos copas de vino, cerveza o licor al día, por ejemplo– ha demostrado que protege el corazón, incluyendo la disminución del riesgo de sufrir un ataque cerebral ("stroke").

Novedad: El consumo de alcohol también parece ser benéfico para el funcionamiento del cerebro. Los investigadores en la Universidad de Burdeos, en Francia, le hicieron un seguimiento a 3.777 personas mayores de 65 años y descubrieron que quienes bebían uno o dos vasos de vino al día tenían un 45% menos de probabilidad de contraer el mal de Alzheimer que quienes no bebían.

Útil: Beba un vaso de vino blanco al día. Otros tipos de alcohol también podrían dar resultado, pero tienen más probabilidad de causar dolor de cabeza, aumento de peso y otros efectos secundarios desagradables. Al beber más de dos tragos al día, los efectos perjudiciales del alcohol en las células del cerebro podrían ser mayores que los beneficios. Las mujeres no deberían beber más de un trago al día, ya que podría aumentar su riesgo de contraer cáncer de mama, según algunos estudios.

Importante: Si ha tenido problemas para controlar su consumo de alcohol, *no* comience a beber para proteger el cerebro.

HAGA EJERCICIOS PARA LA SALUD CEREBRAL

El ejercicio aeróbico ayuda a mantener una circulación saludable de la sangre y protege el cerebro de un deterioro lento.

Novedad: Un estudio canadiense de 4.615 hombres y mujeres mayores de 65 años halló que la caminata a buen ritmo, al menos *tres veces* a la semana, disminuye en un tercio la incidencia del mal de Alzheimer. Trotar (hacer "jogging") disminuye el riesgo en un 52%.

Útil: Haga suficientes ejercicios para que su ritmo cardiaco aumente y usted empiece a sudar –trotar (hacer "jogging"), andar en bicicleta, caminar a más velocidad de tres millas (cinco kilómetros) por hora– durante 30 minutos, al menos cinco veces a la semana.

MANTÉNGASE EN BUENA FORMA MENTAL

Algunos estudios han indicado que la educación de posgraduado y el trabajo mentalmente exigente pueden disminuir el riesgo de padecer el mal de Alzheimer y enlentecer la pérdida de la memoria.

Novedad: Las investigaciones realizadas en la Universidad Columbia, en Nueva York, sugieren que incluso las personas con niveles bajos de educación tendrán un menor riesgo de contraer el mal de Alzheimer si trabajan en empleos mentalmente exigentes.

Ejemplos: Los trabajos de escritor, maestro, investigador, diseñador o cualquier otro que requiera creatividad y nuevas destrezas.

Útil: Haga del aprendizaje una actividad de toda la vida. Empiece a jugar al ajedrez… aprenda nuevos idiomas… desarrolle destrezas con la computadora.

Signos precoces de la demencia

Caminar en forma anormal podría ser un indicio precoz de la demencia. En un estudio de 21 años con personas mayores de 75 años, el 43% de los participantes que tenían un modo de andar anormal, como pasos cortos arrastrando los pies o tambalearse al caminar, contrajeron demencia diferente al mal de Alzheimer, en un periodo promedio de siete años. Sólo el 26% de quienes tenían un modo de andar normal contrajeron demencia.

Teoría: Las lesiones vasculares, la pérdida de células nerviosas y otros cambios en el cerebro que alteran los patrones de movimiento también pueden causar daños que podrían llevar a la demencia.

Si comienza a caminar de manera anormal: Consulte a su médico para someterse a un chequeo médico completo. Él/ella podrá sugerirle estrategias que lo ayudarán a disminuir su riesgo de contraer demencia.

Joe Verghese, MD, profesor adjunto de neurología de la facultad de medicina Albert Einstein, en El Bronx, ciudad de Nueva York.

El aceite de oliva ayuda a mantener sano al cerebro

Para luchar contra el deterioro cognitivo, consuma grasas monoinsaturadas, como el aceite de oliva –en vez de grasas saturadas, como la mantequilla y otras grasas de origen animal.

Estudio reciente: Los ancianos del sur de Italia que consumían una dieta típica mediterránea tenían menos probabilidades de contraer problemas cognitivos relacionados con la edad si consumían grandes cantidades de aceite de oliva, el aceite con más grasa monoinsaturada por onza (y por ml).

Además: Las grasas insaturadas ayudan a bajar los niveles del colesterol "malo" LDL en la sangre, y a subir el colesterol "bueno" HDL. Esto es importante para las personas con riesgo de tener enfermedad del corazón y ataque cerebral ("stroke").

Vincenzo Solfrizzi, MD, PhD, especialista en medicina geriátrica del departamento de geriatría, del centro para el cerebro envejecido del Policlínico de la Universidad de Bari, en Italia.

Lo que usted puede hacer para la salud del cerebro

Gary Small, MD, director del centro clínico para la memoria y el envejecimiento, de la Universidad de California en Los Ángeles (UCLA). Es autor de *The Memory Bible: An Innovative Strategy for Keeping Your Brain Young* (Hyperion).

Al llegar a la mediana edad, la mayoría de nosotros ocasionalmente olvidamos los nombres y fechas importantes. Dejaremos de concurrir a una cita o perderemos las llaves de casa de vez en cuando. Al pasar los años, la falta de memoria empeora.

Aparte de la simple molestia, persiste la preocupación –¿serán éstos los primeros indicios del mal de Alzheimer? ¿Se puede hacer algo al respecto?

Efectivamente hay mucho que usted puede hacer para mejorar su memoria *y* disminuir el riesgo de caer víctima de la demencia.

CÓMO ENVEJECE EL CEREBRO

Al envejecer el cerebro, las sinapsis (las conexiones entre las células del cerebro) funcionan con menos eficacia. Las células del cerebro mueren, dejando atrás trozos de proteína anormal –placas y ovillos neurofibrilares– que se acumulan en las células dañadas. El cerebro en realidad se encoge.

La pérdida del funcionamiento de las células del cerebro es más marcada en las zonas responsables de la memoria –cerca de la frente (lóbulo frontal) y cerca y arriba de las sienes (lóbulos temporal y parietal). Pero mientras que algunas personas tienen pérdidas importantes de memoria ya a los 60 años, otras permanecen con memoria aguda hasta los 90 años y más.

¿Cuál es la causa de esta diferencia? *No podemos* controlar algunos factores, como nuestros genes, pero *sí* podemos influir en los factores relacionados con nuestro estilo de vida, incluyendo el ejercicio, la dieta y los niveles de estrés.

ESTILO DE VIDA QUE BENEFICIA EL CEREBRO

La pérdida de la memoria puede ser provocada por la enfermedad del corazón, anemia, trastornos de la tiroides o deshidratación. La presión arterial alta y la diabetes también pueden acelerar el envejecimiento del cerebro, pero el tratamiento adecuado de estas afecciones ayudará a revertir buena parte de los problemas con la memoria.

Muchos medicamentos también pueden afectar la memoria. Entre éstos se incluyen los medicamentos contra la presión arterial alta, las píldoras para dormir, los tranquilizantes, los reductores del ácido del estómago y los corticosteroides.

Si su memoria ha empeorado desde que comenzó a tomar un nuevo medicamento, pregúntele a su médico si le podría estar afectando la memoria.

Además de comprobar si tiene alguna afección médica que podría provocar la pérdida de la memoria, usted debería adoptar un estilo de vida que estimule la salud cardiovascular. Esto mejorará la circulación de la sangre al cerebro y disminuirá el riesgo de "miniataques cerebrales" (*ataques isquémicos transitorios*, AIT o TIA, por sus siglas en inglés) que aceleran su deterioro.

Para mejorar y mantener la salud del cerebro, preste atención a…

•**Los ejercicios.** El ejercicio aeróbico habitual ha demostrado que protege contra los ataques al corazón y al cerebro. Algunos estudios sugieren que incluso disminuye la probabilidad de contraer el mal de Alzheimer. Caminar durante 30 minutos, tres veces a la semana, podría ser suficiente para obtener este beneficio.

El esfuerzo físico también tiene beneficios *inmediatos* para el cerebro. Inmediatamente después de cualquier ejercicio, las personas son mejores en la resolución de problemas y los razonamientos complejos.

•**La dieta.** Consuma una dieta con pocas calorías y grasas, pero con una gran cantidad de los ácidos grasos omega-3 que se encuentran en el pescado, el aceite de oliva y el aceite de linaza ("flaxseed oil"). Un estudio italiano descubrió que una dieta que incluyó tres cucharadas de aceite de oliva diariamente disminuyo la pérdida de la memoria.

Los antioxidantes, en particular las vitaminas E y C, protegen al cerebro contra el daño de los radicales libres. Obtenga estos nutrientes por medio de los alimentos –almendras ("almonds") y verduras de hojas verdes para la vitamina E… cítricos para la vitamina C. Además, tome suplementos diarios –400 unidades internacionales (IU, por sus siglas en inglés) de la vitamina E natural (consulte primero a su médico acerca de la cantidad adecuada para usted)… y 500 mg de vitamina C.

•**El estrés.** Las investigaciones han demostrado que la hormona del estrés *cortisol* disminuye la capacidad de recuperar información y los recuerdos. Peor aun, esta misma hormona del estrés se vincula al encogimiento progresivo del *hipocampo* –un importante centro de la memoria en el lóbulo temporal. Los niveles altos de estrés además provocan depresión, que afecta gravemente la memoria y aumenta el riesgo de contraer la demencia.

Para disminuir el estrés, haga ejercicios de relajación. Siéntese quieto, y respire honda

y lentamente. Relaje cada parte del cuerpo, comenzando con la parte de arriba de la cabeza y terminando con los dedos de los pies. Además, busque humor en las situaciones tensas… y hable sobre sus sentimientos con familiares, amigos o un terapeuta, de ser necesario.

Más de Gary Small…

Medicamentos comunes que combaten el mal de Alzheimer

Parece que los medicamentos antiinflamatorios no esteroideos (AINE), como el *ibuprofeno* y *naproxeno*, ayudan a sanar las lesiones del cerebro causadas por la acumulación de placa en los pacientes con el mal de Alzheimer. Esos medicamentos se adhieren a la placa y ayudan a descomponerla, lo que además impide la formación de nuevas lesiones. Todo esto sugiere que los antiinflamatorios podrían ser útiles para disminuir la probabilidad de una persona de contraer el mal de Alzheimer, pero se necesita investigar más.

Una posible causa del mal de Alzheimer

El mal de Alzheimer podría estar vinculado al exceso de cobre. Un defecto en el mecanismo que mantiene en equilibrio el cobre en el organismo podría subir los niveles del mineral en la sangre, creando cantidades tóxicas en el cerebro.

La autodefensa: Limite su consumo de cobre a entre 1,5 y 3 mg al día.

Ejemplos: Dos onzas (55 g) de hígado o cuatro ostras medianas contienen alrededor de 2,5 mg de cobre. Y tres onzas (85 g) de langosta ("lobster") contienen 1,6 mg de cobre.

El defecto que permite que se acumule el exceso de cobre en el cerebro puede detectarse con un análisis de sangre.

Rosanna Squitti, PhD, investigadora del departamento de neurociencias del hospital AFaR-Fatebenefratelli, en Roma.

Ayudante natural contra el mal de Alzheimer

La aromaterapia podría disminuir la agitación producida por el mal de Alzheimer. En un estudio, aplicar bálsamo de melisa (toronjil, "lemon balm") en la cara y los brazos ayudó a aliviar la agitación en hasta el 60% de los pacientes tratados, en comparación con sólo el 14% de quienes recibieron la crema de placebo. El grupo del bálsamo de melisa era además más sociable con los demás y más capaz de realizar actividades constructivas.

Elaine K. Perry, PhD, científica sénior del hospital Newcastle General, en Newcastle upon Tyne, Inglaterra. Su estudio fue publicado en el boletín *The Journal of Clinical Psychiatry*.

La sorprendente causa de las caídas

David M. Buchner, MD, MPH, jefe del departamento de actividad y salud física de los Centros de Estados Unidos para el control y la prevención de enfermedades (CDC, por sus siglas en inglés), en Atlanta. Es un experto reconocido mundialmente en el tema de la prevención de caídas y lesiones, y jefe del comité directivo de los ensayos a gran escala Frailty and Injuries: Cooperative Studies of Intervention Techniques (FICSIT).

En 2004, dos destacados estadounidenses –el gurú de la dieta, el doctor Robert Atkins, MD, de 72 años, y el veterano presentador de noticias David Brinkley, de 82 años– murieron por complicaciones como resultado de caídas. Estos *no* son casos aislados. Cada año, 12 millones de estadounidenses mayores se caen, lo que resulta en unas 10.000 muertes. En las personas mayores de 65 años, las caídas son la causa principal de muerte accidental.

La mayoría de las personas piensan que saben cómo impedir una caída, *pero la verdad es que muchas creencias comunes sobre las caídas están equivocadas...*

Mito N.º 1: **La mayoría de las caídas son simplemente por mala suerte.**

Realidad: Las caídas no suceden al azar. Ocurren con mucha más frecuencia en las personas que tienen debilidad muscular, mala visión, problemas del oído interno, artritis y/o poca sensación en las piernas. Ciertos medicamentos, en particular los que causan sedación, también aumentan el riesgo de sufrir caídas.

Algunas personas mayores se caen debido a un descenso de la presión arterial que les provoca la pérdida de la conciencia. Estas caídas pueden ser provocadas por un ritmo cardiaco irregular o un descenso en la presión arterial que ocurre al ponerse de pie (*hipotensión ortostática*).

Útil: Cualquier persona que se caiga más de una vez al año o que sufra una herida o que pierda temporalmente el conocimiento debido a una caída, debería consultar a un profesional de la salud. Incluso si se ha caído sólo una vez, consulte al médico para someterse a una evaluación completa si le preocupa tener problemas de equilibrio o con su modo de andar.

Mito N.º 2: **La actividad física aumenta el riesgo de las caídas.**

Realidad: Casi el 75% de los mayores de edad son sedentarios o insuficientemente activos –y pierden hasta el 2% de su fortaleza muscular cada año entre los 65 y los 85 años de edad.

Una pérdida de fortaleza en combinación con otros problemas, como cambios en el centro de equilibrio del cuerpo (sistema vestibular), aumenta en gran forma el riesgo de caídas.

Las personas mayores que se caen frecuentemente pierden confianza en sus habilidades físicas. Para evitar los accidentes, se vuelven aun más sedentarias. Pero esto disminuye la fortaleza muscular, haciéndolas más propensas a caerse.

Útil: Haga ejercicios por 30 minutos al menos tres días a la semana. Esto puede disminuir su riesgo de caerse en hasta el 50%. Caminar a un ritmo moderado por 30 minutos, al menos cuatro días de la semana, proporciona muchos de los mismos beneficios de salud que algunos ejercicios vigorosos, como trotar –y es menos probable que cause lesiones.

Mito N.º 3: Las personas mayores no obtienen mucho beneficio del entrenamiento con pesas.

Realidad: Las investigaciones demuestran un aumento de entre el 20% y el 100% en la fortaleza muscular cuando las personas mayores adoptan un programa habitual de ejercicios de fortalecimiento usando máquinas para hacer ejercicios.

Útil: El levantamiento de pesas y otros tipos de ejercicios de fortalecimiento deberían hacerse dos o tres días a la semana.

Mito N.º 4: Los ejercicios de equilibrio no son muy eficaces para evitar las caídas.

Realidad: Las investigaciones existentes sugieren que los ejercicios de equilibrio son el tipo de ejercicio más eficaz en un programa de prevención de caídas.

Existen varios tipos de ejercicios y programas. *Considere uno o más de los siguientes para mejorar su equilibrio…*

• **Taichí.** Este antiguo método chino consiste en una serie de movimientos lentos y fluidos autodirigidos, originalmente usados en las artes marciales. Se enseña en la mayoría de los gimnasios ("health clubs") y se usa en muchos centros de rehabilitación.

• **Fisioterapia.** Los fisioterapeutas pueden proporcionar información y entrenamiento acerca de los ejercicios de equilibrio. Ellos pueden evaluar su capacidad de equilibrio y recomendar ejercicios adecuados.

Ejemplos: Caminar lentamente hacia atrás, tocando los dedos en el talón, y aferrándose de una mesa para apoyarse… caminar con los brazos extendidos o doblados frente al pecho.

Para ubicar a un fisioterapeuta ("physical therapist") en su zona, consulte el sitio Web de la American Physical Therapy Association, *www.apta.org*, o pídale a su profesional de la salud que le recomiende uno.

• **Clases de ejercicios para evitar caídas.** Algunas clases comunitarias incluyen ejercicios de fortalecimiento y equilibrio y son apropiadas para las personas mayores que podrían tener un mayor riesgo de caídas. Para hallar dichas clases, pregúntele a su profesional de la salud o consulte una guía telefónica para ubicar centros comunitarios para acondicionamiento físico ("fitness centers") en su zona.

Mito N.º 5: Los medicamentos para bajar la presión arterial tienen más probabilidad de provocar caídas que otros fármacos.

Realidad: Los medicamentos para bajar la presión arterial aumentan el riesgo de caídas cuando la presión arterial es baja o si se padece hipotensión ortostática. Pero el riesgo de caídas en realidad es mayor en las personas que toman cuatro o más medicamentos diferentes.

El uso de múltiples medicamentos comúnmente causa mareos, inhibe la acción de los músculos y nervios, y provoca hipotensión ortostática.

Medicamentos problemáticos: En general, muchos antidepresivos, antihistamínicos, sedantes, además de los antihipertensivos para bajar la presión arterial.

Útil: Haga una lista de los medicamentos que toma, y compártala con todos sus médicos. No suponga que ellos saben lo que usted toma porque examinan su historial médico –pues las omisiones son comunes. Casi siempre es posible disminuir el riesgo de caídas relacionadas con medicamentos cambiando o eliminando medicamentos o bajando las dosis.

Advertencia: Nunca deje de tomar un medicamento sin consultar a su médico.

Mito N.º 6: Se puede impedir la mayoría de las caídas simplemente teniendo cuidado al caminar.

Realidad: Muchas caídas ocurren cuando las personas mayores intentan hacer las mismas actividades que realizaban sin esfuerzo cuando eran más jóvenes –como subir y bajar escaleras rápidamente, por ejemplo. No tener en cuenta los cambios en el equilibrio relacionados con la edad es un comportamiento arriesgado.

Útil: Evalúe sus fortalezas y debilidades. Sea sincero consigo mismo acerca de sus limitaciones físicas. Considere maneras más seguras de hacer las cosas –y tenga más cuidado.

Ejemplos: Agárrese bien al pasamanos cuando use escaleras… y use una escalera con un "agarrador", en vez de treparse a un taburete para llegar a estantes altos.

Mito N.º 7: **Los tropiezos son el mayor riesgo en el hogar*.**

Realidad: Las personas no se tropiezan en obstáculos obvios, como pequeñas alfombras y cables eléctricos. Pero el baño es probablemente el cuarto más peligroso de la casa –porque tiene pisos resbalosos, y porque salir de la bañera (bañadera) o levantarse del inodoro puede provocar peligrosos descensos de la presión arterial.

Útil: Instale tiras antideslizantes ("no-slip strips") en la bañera y barras para agarrarse ("grab bars") al lado del inodoro y de la bañera. La mayoría de las personas mayores necesita una luz brillante para ver con claridad y disminuir el riesgo de las caídas, así que asegúrese de que todas las áreas de su hogar estén bien iluminadas.

Más de David M. Buchner...

Ponga a prueba su movilidad

Para evaluar su movilidad –y para aprender más acerca de su riesgo de caerse–, *haga esta prueba sencilla...*

Siéntese en un sillón y fíjese en el segundero de su reloj de pulsera. Póngase de pie y camine 10 pasos a su ritmo normal. Regrese al sillón y siéntese. ¿Cuánto tiempo le llevó?

Use la siguiente guía para determinar su nivel de equilibrio. Si su clasificación está por debajo de "buena", consulte a su médico para que le haga una evaluación y le dé consejos para mejorar su movilidad.

Movilidad buena: menos de 10 segundos.

Movilidad aceptable: entre 10 y 20 segundos.

Movilidad mala: entre 21 y 30 segundos.

Movilidad deficiente: más de 30 segundos.

---

*Si le preocupa el riesgo de caídas, programe una visita a su hogar por parte de un terapeuta ocupacional ("occupational therapist"), quien puede inspeccionar su casa en busca de lugares potencialmente problemáticos. Para hallar un terapeuta ocupacional en su zona, comuníquese con la American Occupational Therapy Association, llamando al 301-652-2682 o yendo al sitio Web en inglés *www.aota.org*.

Cómo proteger los huesos de las fracturas

Felicia Cosman, MD, directora clínica de la National Osteoporosis Foundation, en Washington, DC (*www.nof.org*), y directora médica del centro de investigación clínica del hospital Helen Hayes, en West Haverstraw, estado de Nueva York.

Al contrario de la creencia popular, la osteoporosis *no* es sólo un problema de las mujeres. Más de la mitad de todos los estadounidenses mayores de 50 años han perdido suficiente masa ósea como para tener riesgo de contraer osteoporosis.

En total, 8 millones de mujeres y 2 millones de hombres estadounidenses padecen osteoporosis. Esto significa que los huesos se han vuelto suficientemente frágiles y porosos como para que sean propensos a fracturarse, particularmente en la cadera, la columna vertebral y la muñeca.

HUESOS: LA DURA REALIDAD

Los huesos pueden parecer sólidos como rocas, pero en realidad son tejido vivo en el cual el hueso viejo está siendo constantemente eliminado (un proceso llamado *resorción*) y reemplazado por hueso nuevo. Mientras se es joven, se agrega más hueso del que se pierde, por lo que los huesos se hacen más gruesos, alcanzando el máximo a los veinte y pocos años.

Más adelante, el equilibrio cambia y los huesos comienzan a hacerse más delgados. El cambio es apenas perceptible hasta alrededor de los 45 años... y luego se acelera.

Para las mujeres, la caída de la densidad de los huesos es más espectacular alrededor de la época de la menopausia. Ahí es cuando la producción del estrógeno, la hormona que mantiene un freno sobre el proceso de la resorción, se detiene. Para los hombres, el deterioro es más gradual, con la disminución de las hormonas, testosterona y estrógeno, que los hombres también producen.

FACTORES DE RIESGO

Los factores del estilo de vida también juegan un papel en la osteoporosis. Muchas personas consumen menos calcio a medida que

433

envejecen, y la mayoría son menos activos físicamente. *Otros factores de riesgo...*

•**Historial familiar.** Si un padre o un hermano ha sufrido de osteoporosis o una fractura, usted tiene mayor riesgo.

•**Tipo de cuerpo.** Los hombres y mujeres delgados y de constitución pequeña son especialmente vulnerables.

•**Historial médico.** El aumento del riesgo de tener osteoporosis está relacionado con la artritis reumatoide, el lupus y otras afecciones autoinmunes... enfermedad pulmonar crónica... tiroides hiperactiva... y síndromes de malabsorción, como la enfermedad celíaca.

•**Medicamentos.** Los corticosteroides, los medicamentos para la epilepsia y las hormonas tiroideas pueden debilitar los huesos.

CÓMO ENLENTECER LA PÉRDIDA ÓSEA

El calcio es vital para la fortaleza de los huesos. Pero *todas* las células del cuerpo necesitan minerales para funcionar de manera adecuada. Si no está recibiendo suficiente calcio, su cuerpo lo filtrará de los huesos.

El consumo diario recomendado de calcio es 1.000 mg al día. Pero para el beneficio máximo, los huesos necesitan al menos 1.200 mg diarios después de los 49 años. Es difícil obtener esta cantidad de calcio sólo con la dieta. Muchos estadounidenses reciben menos de la *mitad* del calcio que necesitan.

Si no consume al menos tres porciones diarias de alimentos ricos en calcio, como yogur, queso o jugos fortificados con calcio, considere tomar un suplemento que contenga al menos 600 mg de calcio para alcanzar su objetivo diario total.

El *carbonato de calcio* ("calcium carbonate") es el más económico, ya que contiene 40% de calcio por suplemento. El *citrato de calcio* ("calcium citrate") contiene 25% de calcio por píldora. Para asegurarse de que el carbonato de calcio se absorba bien, tómelo con comidas. El citrato de calcio puede tomarse sin comida.

Advertencia: Los medicamentos que bloquean la producción de ácido del estómago (Prilosec y Prevacid, por ejemplo) interfieren con la absorción del carbonato de calcio. Si los está usando, tome un suplemento de citrato de calcio, pues éste no requiere ácido para la absorción.

La vitamina D permite que los huesos absorban y utilicen el calcio. La leche se fortifica con vitamina D, y el cuerpo lo produce naturalmente cuando es expuesto a la luz del sol. Para asegurarse de que está obteniendo suficiente vitamina D, tome 400 unidades internacionales (IU, por sus siglas en inglés) diariamente... 800 IU diariamente, si es mayor de 65 años.

Advertencia: El alto consumo de proteína y sal aumenta el ritmo al cual se pierde calcio a través de la orina. Para compensarlo, obtenga al menos 1.200 mg de calcio diariamente.

El ejercicio estimula los huesos a reconstituirse a sí mismos. Para beneficiar a *todos* los huesos, un programa completo de ejercicio debería incluir actividad aeróbica de pie y ejercicios de resistencia.

Haga 30 minutos de ejercicios –como trotar (hacer "jogging"), subir escaleras, bailar, calistenia aeróbica, deportes de raqueta o caminata a un buen ritmo– al menos tres veces a la semana. Use pesas o máquinas de ejercicios que hagan funcionar los principales grupos de músculos por 30 minutos, dos o tres veces a la semana.

MEDICAMENTOS QUE PROTEGEN LOS HUESOS

Los medicamentos para disminuir el ritmo de la pérdida ósea se recetan *sólo* si tiene un riesgo alto de fracturas debido a la osteoporosis o la baja masa ósea, o si tiene uno o más factores adicionales (como el uso de corticosteroides, una fractura previa o un historial familiar de fracturas).

Los moduladores selectivos de los receptores de estrógeno, como *raloxifeno* (Evista), actúan como el estrógeno, pero sólo en algunas partes del cuerpo, incluyendo los huesos. El raloxifeno, que sólo las mujeres deben usar, disminuye la pérdida ósea y podría además reducir el riesgo de cáncer de mama.

Los bifosfonatos se adhieren al hueso y desaceleran la pérdida ósea. Estos medicamentos, *alendronato* (Fosamax) y *risedronato* (Actonel), pueden ser usados por hombres y mujeres, y son altamente eficaces para disminuir las fracturas. *Teriparatide* (Forteo) es otro medicamento que reconstituye los huesos en las personas con osteoporosis grave. Se administra diariamente mediante inyección por hasta dos años.

¿DEBERÍA USTED SOMETERSE A EXÁMENES?

La prueba de densidad mineral ósea, una radiografía indolora que dura 10 minutos y usa radiación mínima, debería considerarse si su historial familiar, fracturas con causas desconocidas o pérdida de estatura sugieren la pérdida ósea. Se recomienda la prueba también a todas las mujeres mayores de 65 años y todos los hombres mayores de 75 años.

Remedios caseros para afecciones comunes

Doug Dollemore ha escrito sobre el tema del envejecimiento por muchos años y es autor de varios libros, entre ellos *The Doctor's Book of Home Remedies for Seniors* (Rodale Press).

Hay mucho que podemos hacer por cuenta nuestra para mantener la buena salud y controlar nuestro cuidado médico a medida que envejecemos. *Por ejemplo, estos son algunos remedios caseros para afecciones comunes...*

TORPEZA

Si está constantemente tropezándose o no puede lavar la vajilla sin quebrar algo, debería tratar de cambiar la manera como hace las cosas. *Estrategias...*

•**Manténgase en buen estado físico.** La aptitud física lo ayudará a mantener el equilibrio, especialmente al tratar de alcanzar algo.

•**Sométase a exámenes oculares con regularidad** para mantener su visión con lentes lo mejor posible.

•**No se apure.** Es mejor tomarse un poco más de tiempo en una tarea que tener un accidente –y posiblemente sufrir una lesión.

•**Siéntese mientras haga tareas que puede realizar sentado con la misma facilidad.** Así podrá concentrarse en la tarea sin preocuparse por su equilibrio.

•**Agarre las cosas con más facilidad.** Compre objetos para asir con la mano, como tazas de café, con asas gruesas. Envuelva corcho en tiras ("cork tape" usado en los manillares de las bicicletas y disponible en las tiendas de bicicletas) alrededor de las asas de cucharas, cuchillos, herramientas, etc., para poder agarrarlos mejor.

•**Use guantes de goma al lavar la vajilla.** Será más capaz de manipular platos y vidrios resbaladizos.

PÉRDIDA DE LA MEMORIA

A medida que envejece, quizá descubra que su memoria no es tan buena como solía serlo. Pero hay varias estrategias sencillas que podrían ayudarlo a mantener la mente y la memoria funcionando al máximo. *Por ejemplo...*

•**Las listas de cosas que tiene que hacer** ("to-do lists") son una manera valiosa de recordar las cosas que usted suele olvidar. Pero no dependa sólo de las listas escritas. Al menos una vez a la semana, ejercite su capacidad de recordar una lista mental.

•**El ejercicio aeróbico** –como caminar a un buen ritmo, andar en bicicleta y nadar– puede mejorar la memoria en entre el 20% y el 30%.

•**Duerma lo suficiente** para mantener el cerebro en su mejor forma.

•**Mantenga sus cosas organizadas.** Si siempre pone todo en su lugar, sabrá dónde encontrarlo.

•**Háblese a usted mismo** mientras hace una tarea para enfocar su atención en lo que está haciendo y facilitar recordarlo después.

DESEO SEXUAL

El sexo debería disfrutarse toda la vida. (Si tiene problemas físicos, consulte a un médico. Generalmente se pueden corregir). *Para ayudar a reavivar su deseo...*

•**Trate el sexo como un juego.** Use abrazos, besos y caricias tiernas para mostrar ternura –las recompensas emocionales son tan satisfactorias como las físicas.

•**Sea romántico.** Una caminata a la luz de la luna... una flor puesta sobre la almohada de su cónyuge... bañarse juntos a la luz de las velas.

•**Sea creativo.** Sembrar un jardín, hornear pan, construir un mueble –o cualquier actividad creativa– puede animar su impulso sexual.

DOLOR EN EL PIE

Para el alivio rápido y temporario de la mayoría de los tipos de dolor de pie, tome ibuprofeno u otro medicamento antiinflamatorio no esteroideo (AINE)... pero no por más de unas semanas cada vez.

Para un alivio más duradero, use zapatos deportivos o para correr, o coloque taloneras ("heel cups") u otras plantillas acolchadas ("cushioned inserts") en sus zapatos. Y baje de peso para disminuir la presión sobre los pies.

Hay además dos maneras de aliviar el dolor de pie al estirar el tendón de Aquiles. Haga estos estiramientos antes de acostarse y antes de levantarse por la mañana.

•**Siéntese o acuéstese,** doble la pierna hasta que pueda alcanzar los dedos del pie y use ambas manos para tirar de los dedos hacia la espinilla. Mantenga esta posición 20 segundos.

•**Coloque las manos sobre la pared e inclínese hacia delante** con los pies planos sobre el piso, manteniendo la espalda y las rodillas rectas. Repita 10 veces, manteniendo cada estiramiento por unos 30 segundos.

También puede aliviar el dolor de pie frotando los pies con crema de capsaicina... y reducir la hinchazón sumergiéndolos en agua tibia con sales de Higuera ("Epsom salts") –una cucharada por litro.

Consumir media cucharadita de jengibre ("ginger") fresco en polvo diariamente también disminuye la hinchazón.

OSTEOPOROSIS

Una dieta y un estilo de vida saludables son la clave para evitar la pérdida ósea que puede conducir a la fragilidad. *Muy importante...*

•**Obtenga suficiente calcio.** 1.000 mg al día para las personas menores de 65 años, y 1.200 mg al día para los mayores de 65 años y todas las mujeres posmenopáusicas que no estén tomando la hormona estrógeno.

Fuentes: entre dos y medio y tres vasos de leche sin grasa (descremada/desnatada, "fat-free") diariamente... o dos y media tazas de yogur sin grasa... o cinco onzas (140 g) de queso sin grasa.

Fuentes no lácteas: jugo de naranja fortificado con calcio ("calcium-fortified")... sardinas con huesos... tofu... berza ("collard greens").

El calcio se absorbe más eficazmente cuando se toma con la vitamina D.

Fuentes de la vitamina D: leche, ciertos cereales para el desayuno y la exposición a la luz del sol.

•**La proteína** debería componer entre el 30% y el 40% de su dieta.

•**Fortalezca los huesos** mediante ejercicios que provocan que los huesos soporten peso ("weight-bearing", en inglés), pero evite los que requieran movimientos que impliquen doblar y girar, y los que ejerzan presión sobre las articulaciones y produzcan riesgos de fracturas de los huesos. Los 20 a 30 minutos al día recomendados de ejercicio aeróbico –como caminar y levantar pesas– tres veces a la semana, pueden hacerse sumando periodos más cortos.

Ejercicio útil: Póngase de pie contra una pared con la columna tan recta como sea posible... comprima los omóplatos.

Además: No fume tabaco... ni consuma más de una onza y media (45 ml) de licor fuerte... ni más de 12 onzas (350 ml) de cerveza... ni más de cinco onzas (150 ml) de vino... ni más de tres bebidas con cafeína... ni más de 2.400 mg de sodio al día.

PRESIÓN ARTERIAL ALTA

Para minimizar su riesgo de enfermedad del corazón o ataque cerebral ("stroke"), propóngase mantener los valores de su presión arterial por debajo de 115/75. Podría ser posible para usted lograrlo sin medicamentos haciendo dos cambios sencillos –bajar de peso (incluso unas pocas libras serán de ayuda) y mantener el consumo de sodio por debajo de 2.400 mg al día.

Disminuya el consumo de sodio comiendo alimentos bajos en sodio... agregando especias en vez de sal.

Además, consuma suficientes frutas y verduras para llevar su consumo diario de potasio a 3.500 mg (por ejemplo, una banana mediana contiene 467 mg de potasio y una papa al horno de cuatro onzas –115 g– sin cáscara contiene 607 mg)... haga una caminata a un buen ritmo de 30 minutos todos los días... obtenga 1.200 mg de calcio y 400 unidades internacionales (IU, por sus siglas en inglés) de vitamina D al día. Y si no tiene problemas del corazón ni del riñón, obtenga 400 mg de magnesio diariamente.

RONQUIDOS

Los ronquidos ocurren cuando se inhala al dormir. Los tejidos suaves de la garganta vibran contra la lengua o la parte de atrás de la garganta. *Para tratar de silenciar los ronquidos…*

•**Duerma sobre un costado o sobre el estómago,** no sobre la espalda.

Útil: Cosa una pelota de tenis a la parte de atrás de su pijama.

•**Rocíe la nariz con Nasalcrom en espray antes de irse a dormir.** Esto lo ayudará a despejar las vías nasales y mejorar la respiración si tiene alergias.

•**Si las ventanas de la nariz son succionadas al respirar,** adhiera una tira nasal Breathe Right a la nariz antes de irse a dormir.

•**Evite el alcohol y las píldoras para dormir.** Y no fume.

•**Humidifique el dormitorio.**

Los ronquidos graves podrían ser causados por *apnea del sueño.* Ocurre si el pasaje del aire está completamente bloqueado muchas veces cada noche al dormir. Esta afección causa un aumento peligroso de la presión arterial y podría resultar en insuficiencia cardiaca, depresión y confusión mental.

Si los ronquidos fuertes persisten a pesar de todas las técnicas preventivas, consulte a un médico especializado en trastornos del sueño ("sleep disorders").

Amenaza oculta para las personas mayores

Carol Colleran, consejera sobre el alcohol y las drogas acreditada mundialmente (ICADC, por sus siglas en inglés), y directora nacional de servicios para las personas mayores del Hanley Center, en West Palm Beach, Florida, el cual provee servicios de recuperación basados en la abstinencia para los que padecen problemas de abuso de drogas. Es coautora de *Aging & Addiction* (Hazelden).

La mayoría de las personas no piensa que un jubilado con el pelo canoso podría ser un drogadicto, pero esto sucede con mucha frecuencia. Y, por desgracia, muchos signos de advertencia quizá sean pasados por alto como parte del envejecimiento normal.

Según un informe reciente de la agencia federal Substance Abuse and Mental Health Services Administration, se estima que uno de cada seis estadounidenses mayores de 60 años usa alcohol o medicamentos recetados de manera destructiva e incontrolada.

Cuando la adicción echa raíces, considerables peligros para la salud la acompañan, como hipertensión, daños al cerebro, trastornos del hígado, diabetes secundaria, pérdida de la memoria y ataque cerebral ("stroke").

POR QUÉ SUCEDE

Aunque muchas personas mayores adictas al alcohol y las drogas han tenido problemas de drogadicción toda su vida, para una proporción cada vez mayor –alrededor de un tercio– las dificultades comienzan *después* de los 50 años.

Quizás el factor más común que contribuye a la "aparición tardía" de la drogadicción es una pérdida del sentido del propósito, que frecuentemente ocurre cuando una persona mayor entra en el periodo de jubilación, termina de criar una familia, etc.

Esto es un verdadero peligro para las personas que quizá hayan pensado mucho en la planificación financiera, pero poco en la "jubilación emocional" que ocurre cuando la vida de trabajo queda detrás.

En la vida personal, la muerte de un cónyuge no sólo trae el dolor del duelo, sino también una sensación terrible de que el sobreviviente ya no es necesario.

ADICCIÓN ACCIDENTAL

Los problemas con el alcohol o las drogas pueden aparecer sin anunciarse a las personas que no tienen idea de que se están comportando de manera peligrosa. *He aquí cómo…*

•**Alcohol.** A medida que envejecemos, los cambios que ocurren en el cuerpo afectan de forma drástica nuestra reacción a las sustancias como el alcohol.

Por ejemplo, el contenido de agua del cuerpo disminuye y el contenido de grasa aumenta, lo que enlentece el ritmo en el cual el cuerpo metaboliza algunas sustancias. Esto puede resultar en una intoxicación más rápida y mayor daño al hígado, a los riñones y a otros órganos.

Un enlentecimiento de la función del hígado, estómago y riñones disminuye además el ritmo mediante el cual el alcohol se descompone y se procesa.

Resultado: Aun cuando usted consume pequeñas cantidades, éstas se acumulan y los efectos duran más.

Las mujeres se intoxican más rápidamente que los hombres con pequeñas cantidades de alcohol. En general, las mujeres tienen menos agua en el cuerpo que los hombres de peso corporal similar, por lo que las mujeres llegan a concentraciones más altas de alcohol en la sangre después de beber cantidades equivalentes.

Resultado: Muchas personas que siguen bebiendo las mismas cantidades modestas que han consumido durante años –o incluso menos de lo que solían beber– comienzan a enfrentarse a dificultades.

Para protegerse: Limite su consumo de alcohol a no más de dos tragos al día para los hombres mayores, y un trago al día para las mujeres. (Un trago equivale a un vaso de vino de cinco onzas –150 ml–, un vaso de sangría de 12 onzas –350 ml–, 1,5 onza –45 ml– de licor fuerte o un vaso de cerveza de 12 onzas).

•**Drogas.** La mayoría de las personas mayores no tienen intención de drogarse. Se hacen dependientes de medicamentos que les fueron recetados por motivos médicos.

Los culpables más comunes: Analgésicos opiáceos, incluyendo *codeína, oxicodona* (OxyContin), *acetaminofeno* y *oxicodona* (Percocet)… y benzodiazepinas que controlan la ansiedad, como *diazepam* (Valium) y *alprazolam* (Xanax).

Advertencia: No deje de tomar ningún medicamento sin consultar a su médico.

Problema: La mayoría de los medicamentos son evaluados sólo en personas más jóvenes, y los médicos no ajustan la dosis para tener en cuenta el metabolismo enlentecido de las personas mayores.

La mayoría de estos medicamentos se almacenan en la grasa del cuerpo. Como el cuerpo envejecido tiene una proporción mayor de tejido grasoso, más del medicamento permanece en la grasa, disminuyendo el efecto en el cuerpo. Esto frecuentemente causa que la persona tome más del medicamento.

Además: Los médicos con frecuencia no siguen las pautas que indican que estos medicamentos se deben usar sólo por periodos limitados. No es inusual, por ejemplo, ver a personas mayores que han tomado Valium de manera habitual durante 20 años.

Para protegerse: Cada vez que le receten un medicamento, pregúntele a su médico por qué lo está tomando… por cuánto tiempo deberá tomarlo… y si se sabe si comúnmente causa adicción.

TRATAMIENTO DE UNA EPIDEMIA OCULTA

La drogadicción en las personas mayores con frecuencia no se detecta. Es así en parte porque muchas señales de advertencia que llamarían la atención en una persona más joven se descartan como los efectos del envejecimiento. Las señales de advertencia a menudo ignoradas incluyen manos temblorosas… problemas de equilibrio… conducir un automóvil erráticamente… y pérdida de la memoria.

Si se identifica un problema, el tratamiento usualmente incluye una evaluación médica, un plan de nutrición y orientación psicológica. Los estudios han hallado que, siempre que sea posible, las personas mayores deberían someterse a un tratamiento con personas de su misma edad.

Los programas de doce pasos, como los de Alcohólicos Anónimos o Narcóticos Anónimos, son recursos excelentes para las personas de mayor edad.

Para hallar ayuda adicional, comuníquese con el servicio de remisión (Referral Routing Service) de la agencia federal Substance Abuse and Mental Health Services Administration, llamando al 800-662-4357 o yendo al sitio Web en inglés *www.findtreatment.samhsa.gov.*

Más de Carol Colleran…

¿Tiene un problema con el alcohol o las drogas?

Si su respuesta es "sí" a cualquiera de las siguientes preguntas, pídale a su médico que lo remita a un consejero profesional sobre drogadicción ("substance abuse counselor")…

•**En el último año,** ¿ha bebido alcohol o usado una droga más de lo que se proponía?

•**¿Ha querido disminuir la cantidad de bebidas alcohólicas o drogas que toma?**

•**¿Ha sido criticado por alguien debido a lo que bebe o a su uso de drogas?**

•**¿Se ha sentido mal o culpable por el alcohol o las drogas?**

•**¿Alguna vez ha bebido apenas se levanta por la mañana** para calmar los nervios?

•**Si toma uno o dos tragos,** ¿se alivian sus temblores?

•**¿Le resulta difícil recordar partes del día** o de la noche después de beber?

Además: Esté alerta a síntomas de drogadicción en los amigos y parientes mayores. Entre éstos se incluyen problemas para conciliar el sueño… confusión mental… mala nutrición o pérdida del apetito… incontinencia… caídas reiteradas… quemaduras y moretones con causas desconocidas… aislamiento… y depresión. Si está preocupado, consulte a un médico.

La fuente de la juventud está en los alimentos

Laurie Deutsch Mozian, MS, RD, autora de *Foods That Fight Disease* (Avery) que reside en Woodstock, estado de Nueva York. Es asesora de nutrición y conferencista sobre las sustancias fitoquímicas en los alimentos.

La investigación es contundente. Usted podría disminuir de manera drástica su riesgo de contraer enfermedades crónicas –desde cataratas y cáncer hasta enfermedad del corazón y ataque cerebral ("stroke")– consumiendo más frutas, verduras, legumbres y otros alimentos a base de plantas.

Esos alimentos están llenos de compuestos protectores llamados *sustancias fitoquímicas.* A diferencia de las vitaminas y los minerales que son esenciales para mantener la salud, las sustancias fitoquímicas en realidad detienen los cambios en el cuerpo que pueden llevar a padecer enfermedades.

Casi todos los alimentos a base de plantas contienen sustancias fitoquímicas, pero los siguientes realmente se destacan…

VERDURAS CRUCÍFERAS

El bróculi ("broccoli"), col (repollo, "cabbage"), coliflor ("cauliflower") y otras verduras crucíferas –como la arúcula ("arugula"), col china ("bok choy"), berza ("collard greens") y berro ("watercress")– contienen una variedad de compuestos que combaten el cáncer.

Ejemplo: El bróculi contiene *sulforafano,* el cual estimula la capacidad del cuerpo de producir enzimas que detienen el cáncer. También contiene *indol-3-carbinol,* el cual reduce los niveles de estrógenos dañinos en el cuerpo y podría disminuir el riesgo de contraer cáncer de mama.

HORTALIZAS DE COLORES VIVOS

Los mismos pigmentos de las plantas que otorgan a las verduras su color vivo también proporcionan impresionantes beneficios para la salud.

Ejemplos: La pulpa anaranjada o amarilla del calabacín de invierno ("winter squash") proviene del *betacaroteno,* la sustancia fitoquímica que es un precursor de la vitamina A. Bloquea los efectos en el cuerpo de las moléculas dañinas de oxígeno llamadas radicales libres. Se cree que el daño causado por los radicales libres contribuye a muchas afecciones relacionadas con el envejecimiento –pérdida de la memoria, enfermedad del corazón, cáncer, cataratas, etc.

Otras opciones excelentes: batatas (boniatos, camotes, papas dulces, "sweet potatoes"), espinacas, col rizada ("kale") y zanahorias.

TOMATES

Los tomates se merecen una mención especial porque contienen *licopeno,* una sustancia fitoquímica excepcionalmente poderosa. El licopeno podría disminuir el riesgo de contraer cáncer y proteger contra los cánceres de mama, pulmón y endometrio.

Para obtener los mayores beneficios: Cocine levemente los tomates en un poco de aceite, lo que mejora la absorción de licopeno por parte del cuerpo. Si no come muchos tomates enteros, aproveche la salsa de tomate ("tomato sauce"). Al contrario de algunas sustancias fitoquímicas, el licopeno no es dañado por el calor fuerte que se usa en el procesamiento de los alimentos.

LEGUMBRES

Las legumbres (alubias, frijoles, garbanzos, habas, habichuelas, judías, lentejas y guisantes, entre otras) contienen una vasta gama de sustancias fitoquímicas, además de ser excelentes fuentes de proteína y fibra alimentaria.

Ejemplos: Los frijoles de soja ("soy beans") y casi todos los frijoles contienen *genisteína*, la cual podría reducir el riesgo de cáncer de mama y disminuir los bochornos (calores repentinos, sofocos) y otras molestias de la menopausia. Las legumbres también contienen *saponinas*, compuestos que ayudan a bajar el colesterol y podrían prevenir que el ADN (DNA, en inglés) de las células sufra cambios cancerosos.

Aproveche la conveniencia de los frijoles enlatados. Contienen casi la misma cantidad de sustancias fitoquímicas que los frijoles secos, sin requerir el largo tiempo de cocción. Enjuáguelos para quitar la sal antes de usarlos.

FRUTAS

Permita que el color sea su guía. Las frutas rosadas, como la sandía ("watermelon") y la guaba, contienen licopeno, que es dos veces más eficaz que el betacaroteno para bloquear los radicales libres.

Las frutas azuladas, como las uvas rojas, moradas y negras, y los arándanos azules ("blueberries"), contienen *antocianinas*, las cuales disminuyen la cantidad de colesterol producida por el hígado.

Pocos alimentos son más benéficos para la salud que las manzanas. Como muchas frutas, las manzanas contienen quercetina, la cual ayuda a prevenir la acumulación de colesterol en las arterias. La mayor parte de la quercetina se encuentra en la cáscara de la manzana.

AJO Y CEBOLLAS

Estos alimentos son miembros del género *allium*, que también incluye el puerro ("leek"), el cebollín ("chives") y los chalotes ("shallots"). Estas hortalizas son increíblemente ricas en sustancias fitoquímicas.

Ejemplos: El ajo está lleno de alicina, que se ha demostrado que baja el nivel de colesterol y la presión arterial alta. El ingrediente activo en el ajo no se libera hasta que los dientes de ajo se desmenuzan o trituran.

Si el ajo crudo es demasiado abrumador para su gusto, saltee u hornee los dientes hasta que estén blandos. Esto endulza el sabor y reduce el "picor", pero también podría disminuir la eficacia de las sustancias fitoquímicas. El ajo crudo además contiene *ajoene*, una sustancia fitoquímica que hace que las plaquetas de la sangre sean menos viscosas. Las cápsulas de ajo no contienen ajoene.

Las cebollas contienen *sulfuro de dialilo*, el cual podría proteger contra el cáncer. En Vidalia, Georgia, la "capital mundial de las cebollas", el índice de cáncer de estómago es alrededor de la mitad del promedio estadounidense.

JENGIBRE ("GINGER")

Las sustancias fitoquímicas que se encuentran en el jengibre pueden ayudar a prevenir las náuseas mejor que los medicamentos de venta libre. Además, algunos compuestos en esta hierba tienen efectos antiinflamatorios, lo que podría ayudar contra la hinchazón de las articulaciones causada por la artritis.

SEMILLAS DE LINO ("FLAXSEED")

Los cereales son ricos en sustancias fitoquímicas, pero las semillas de lino (linaza) son únicas porque son una fuente excelente de *lignanos*. Estos compuestos ayudan a prevenir que los radicales libres dañen las células sanas y aumenten el riesgo de contraer cáncer. Los lignanos también ayudan a bajar el colesterol.

Importante: Machaque las semillas o tritúrelas en una pequeña moledora de café. Las semillas de lino enteras tienen un revestimiento duro que no se descompone en el tubo digestivo. Las semillas de lino molidas tienen un sabor a nueces que es bueno para espolvorear por encima de cereales o para agregar a sopas o ensaladas. O use alrededor de una cucharada en ocho onzas (235 ml) de yogur.

Ya que las semillas de lino son ricas en fibra, comience con una dosis más pequeña y gradualmente vaya aumentando.

TÉ

El té, ya sea caliente o frío, es rico en *polifenoles,* los cuales ayudan a prevenir que los radicales libres oxiden el colesterol en la sangre. El colesterol que se oxida tiene más probabilidad de adherirse a las paredes de las arterias, aumentando el riesgo de contraer enfermedad del corazón o sufrir un ataque cerebral ("stroke"). El té contiene además la sustancia fitoquímica *EGCG,* la cual parece que interfiere con todas las fases del cáncer. Tan sólo cuatro tazas de té al día proveen beneficios protectores.

Tanto el té negro común como el té verde contienen polifenoles. El té verde es menos procesado que el té negro, por lo que es una mejor fuente de polifenoles.

El chocolate aumenta la longevidad

Los hombres que consumen unos pocos trozos de chocolate cada mes viven casi un año más que los hombres que no lo hacen.

Los compuestos antioxidantes del chocolate –similares a los que se encuentran en el vino tinto– son la razón, según los investigadores.

Boletín médico *British Medical Journal.*

La dieta que combate el envejecimiento

Elizabeth Somer, MA, RD, dietista registrada que es una invitada frecuente del *Today Show* de la cadena NBC. Reside en Salem, Oregon, y es autora de varios libros, entre ellos *Age-Proof Your Body: Your Complete Guide to Lifelong Vitality* (McGraw-Hill).

Los estadounidenses gastan miles de millones de dólares cada año tratando de eliminar las arrugas, canas y otros indicios del envejecimiento. Pero el *verdadero* envejecimiento sucede *dentro* del cuerpo.

La mejor manera de combatirlo es consumir una dieta saludable –una que proporcione nutrientes sin exponer las células a sustancias perjudiciales que estimulan el envejecimiento. *Los siguientes son los ocho elementos decisivos de una dieta antienvejecimiento…*

•**Consuma entre ocho y 10 porciones de frutas y verduras diariamente.** Una porción equivale a una fruta… una taza de bayas ("berries"), fruta cortada o verduras cocidas… o una taza de verduras crudas o de hoja.

La mayoría de las frutas y verduras no contienen grasa, contienen mucha fibra y son la mejor fuente de antioxidantes, los cuales ayudan a prevenir enfermedades y podrían enlentecer el proceso del envejecimiento.

Cuantas más frutas y verduras consuma, menor será su riesgo de sobrepeso, enfermedad del corazón, cáncer, diabetes y presión arterial alta… y mejor será su probabilidad de vivir una larga vida.

Consuma frutas y verduras durante todo el día. Trate de incluir dos porciones de frutas o verduras en cada comida o merienda (refrigerio).

Ejemplos: Agregue una banana (plátano) y un vaso de jugo de naranja al desayuno… consuma meriendas (refrigerios) de frutas o zanahorias… para el almuerzo, beba un jugo de verduras como "V-8", y consuma una sopa de verduras, una ensalada o una fruta… y propóngase comer dos porciones de verduras cocidas al vapor con la cena.

Las verduras congeladas o empaquetadas están bien, con tal que no contengan queso, mantequilla o salsas agregadas.

Siempre que sea posible, agregue verduras a las comidas que habitualmente prepara sin las mismas.

Ejemplos: Ralle zanahorias o calabacines "zucchini" y agregue al "chili" texano o a la salsa para espaguetis ("spaghetti sauce")… añada maíz o chiles verdes (ajíes, "chili peppers") a los "muffins"… agregue verduras congeladas a la sopa enlatada.

•**Coma legumbres (alubias, frijoles, habas, habichuelas, judías, lentejas, guisantes, chícharos) cinco veces a la semana.** Una porción equivale a tres cuartos de taza.

Todas las legumbres son una buena fuente de *saponinas*, una familia de compuestos que bajan los niveles de colesterol, y así disminuyen el riesgo de sufrir un ataque al corazón.

Las legumbres en lata están bien, con tal que escurra el líquido, el cual contiene mucho sodio.

Los frijoles de soja ("soybeans") están llenos de *fitoestrógenos*, compuestos similares al estrógeno que podrían disminuir el riesgo de contraer cáncer de mama y de próstata.

Muchas personas descubren que les gustan los productos a base de soja –como la leche de soja, las hamburguesas de soja y otros productos con "carne falsa" ("fake meat").

•**Concéntrese en alimentos mínimamente procesados.** Seleccione alimentos que estén tan cerca como sea posible de su estado original. Estos alimentos suelen tener bajo contenido de grasa, calorías y azúcar… y alto contenido de vitaminas, minerales y fibra.

Ejemplos: Elija una papa al horno en vez de papitas fritas ("potato chips")… cereal de avena ("oatmeal") en vez de una barra de "granola"… pan integral en vez del pan blanco. Para las verduras, las mejores son las frescas –seguidas por las congeladas y, por último, las enlatadas.

•**Beba todos los días ocho vasos de ocho onzas (235 ml) de agua.** Se necesita al menos esta cantidad para que nuestros cuerpos funcionen de manera adecuada.

Como tenemos la tendencia a descuidar el consumo de agua, es una buena idea establecer un sistema que nos lo recuerde.

En el hogar: Cada mañana, alinee ocho vasos de agua sobre la encimera de la cocina. Bébalos durante todo el día hasta que se hayan acabado.

En la oficina: Mantenga un recipiente con agua en su escritorio… o beba 10 tragos de agua cada vez que pase por una fuente de agua.

Al viajar: Mantenga una botella de agua en su automóvil y vuelva a llenarla con frecuencia.

El agua y el té verde son las únicas bebidas que valen en cuanto a la cuota diaria. No cuentan los jugos, ni la leche ni tampoco los refrescos gaseosos, el café ni el té negro.

•**Evite el exceso de calorías.** En estudios con animales de laboratorio, reducciones drásticas en el consumo de calorías aumentaron la longevidad. Si este descubrimiento se confirma para los seres humanos, la esperanza de vida humana típica podría subir hasta los 180 años.

La mejor manera de disminuir las calorías es limitar la grasa, el azúcar y el alcohol –calorías vacías que no proporcionan ningún nutriente.

También útil: Al cocinar substituya las grasas con puré de ciruelas secas ("prune purée") o puré de manzanas ("applesauce")… reduzca la cantidad de azúcar especificada en las recetas en entre el 25% y el 50%… en vez de comer una barra de dulce, rocíe salsa de chocolate sin grasa sobre tajadas de fruta fresca.

•**Consuma pequeñas comidas y meriendas (refrigerios).** Las personas que comen minicomidas y refrigerios durante todo el día suelen tener niveles bajos de colesterol y presión arterial baja. Además, es poco probable que sufran de resistencia a la insulina, la cual puede llevar a la diabetes tipo 2.

El truco consiste en distribuir su consumo de calorías de manera pareja durante todo el día. No deje pasar más de cuatro horas entre comidas o refrigerios.

•**Disfrute la comida.** No se obsesione con gramos de grasa ni la cantidad de calorías. La comida es algo disfrutable y debería seguir siéndolo. No debería simplemente ser buena para usted. Debería además tener buen aspecto, saber bien y hacerlo sentirse bien a usted.

•**Tome suplementos con prudencia.** Muchas personas podrían beneficiarse con los suplementos nutricionales. Pero no es necesario tomar megadosis ni puñados de píldoras –el objetivo es el equilibrio. Consulte a su médico acerca de tomar diariamente una "dosis moderada" de un suplemento multivitamínico.

Ya que ninguna píldora por sí sola puede contener el suministro diario de calcio y magnesio, es frecuentemente una buena idea tomar una combinación de suplementos que contenga 500 mg de calcio y 250 mg de magnesio.

ADHIÉRASE A UN PLAN

Cuando las personas modifican su dieta demasiado rápidamente, los cambios se transforman en una tarea desagradable. Además, la química del cerebro puede funcionar en contra de usted. Sus papilas gustativas aún están "esperando" huevos con tocino ("bacon") o chorizo, pero usted las está alimentando con cereal "shredded wheat".

Útil: Fíjese objetivos a largo plazo. ¿Dónde quiere estar al final del año? ¿Y en un par de años? Haga un esbozo de las medidas que tomará para llegar. Planifique cada cambio y lentamente progrese hacia su objetivo.

Comer pescado podría disminuir el riesgo de ceguera

La degeneración macular relacionada con el envejecimiento (AMD, por sus siglas en inglés) es una causa principal de la ceguera. La forma *neovascular* –o húmeda– representa el 10% de los casos de AMD pero causa el 90% de las graves pérdidas de la visión relacionadas con la AMD.

Las personas ancianas que consumen más de una porción a la semana de pescado a la parrilla o al horno tienen un 36% menos de probabilidad de contraer degeneración macular neovascular que las personas que no lo hacen... las personas que consumen más de dos porciones a la semana tienen la mitad de la probabilidad de contraer degeneración macular neovascular.

La razón probable: los ácidos grasos omega-3 de cadena larga –el pescado es la única fuente alimentaria significativa.

John Paul SanGiovanni, ScD, investigador del National Eye Institute, de los Institutos de Salud de Estados Unidos (NIH, por sus siglas en inglés), en Bethesda, Maryland, y líder de un estudio de 4.513 personas, entre 60 y 80 años de edad, que fue presentado en una conferencia de la Association for Research in Vision and Ophthalmology.

Los alimentos que minimizan las arrugas

Nicholas Perricone, MD, dermatólogo y profesor adjunto de medicina de la facultad de medicina humana de la Universidad Michigan State, en East Lansing. Es autor de *The Perricone Prescription* (Collins) y *The Wrinkle Cure* (Grand Central).

La mayoría de las personas piensa que las arrugas son una parte inevitable del envejecimiento. *Eso no es necesariamente así.*

Las arrugas aparecen cuando la inflamación celular de grado bajo –causada por contaminación, demasiado sol, mala nutrición y subproductos del metabolismo del cuerpo– provoca la liberación de la *proteína activadora 1* (AP-1, por sus siglas en inglés) y otras sustancias químicas que destruyen el colágeno, el tejido conjuntivo que hace que la piel sea suave y elástica.

Mejorar su dieta puede prevenir la formación de arrugas y minimizar las que ya tenga. La clave consiste en evitar los alimentos que inflaman y consumir los que bloquean el proceso inflamatorio. La mayoría de estos buenos alimentos estimula además la salud en general y ayudan a prevenir el cáncer, la enfermedad del corazón y otras afecciones.

PROTEÍNA

La proteína es un componente esencial para la reparación de las células, incluyendo las células de colágeno. Si no tienen suficiente proteína, las personas pierden rápidamente la tonalidad de la piel. La cantidad óptima es de 65 gramos cada día para las mujeres y 80 gramos para los hombres. Yo recomiendo que las personas coman tres comidas y dos meriendas (refrigerios) todos los días –cada uno de los cuales debería incluir una porción de proteína.

Ejemplos: Cuatro onzas (115 g) de pechuga de pollo asada proporcionan unos 31 gramos de proteína... media taza de habas blancas ("navy beans") contiene 7 gramos de proteína... cuatro onzas (115 g) de salmón al horno contienen 22 g de proteína.

La proteína de origen animal –de pollo, huevos, cerdo, carne magra de res, pescado, etc.– proporciona más aminoácidos, un componente de la proteína esencial para la reparación de las células, y es absorbida más fácilmente que la proteína de plantas. Los vegetarianos deberían suplementar su dieta con proteína en polvo y alimentos de soja ("soy"), como "tempeh" y tofu.

SALMÓN

El pescado contiene proteínas de alta calidad que colaboran en la reparación de la piel, y también contiene *ácidos grasos esenciales* (EFA, por sus siglas en inglés) que bloquean la inflamación. El pescado es además la mejor fuente alimentaria de *dimetilaminoetanol* (DMAE), una sustancia que previene que los subproductos del metabolismo (los radicales libres) dañen las células de la piel.

Se recomienda: Consuma pescado al menos tres veces a la semana. El salmón –ya sea en lata o fresco– contiene los componentes más protectores. Consumir salmón dos veces al día puede hacer que la piel sea más radiante en sólo tres días.

Si no le gusta el pescado: Tome cápsulas de aceite de pescado ("fish oil") o aceite de linaza ("flaxseed oil"), dos o tres veces al día. O tome cuatro cucharaditas de aceite de linaza diariamente. También puede moler una cucharada de semillas de lino ("flaxseed"), y espolvorearla por encima de los alimentos. Después del pescado, es la mejor fuente alimentaria de los ácidos grasos esenciales.

VERDURAS DE COLOR VERDE OSCURO

Las verduras de hojas verdes oscuras –como la arúcula ("arugula"), la lechuga romana ("romaine lettuce") y la espinaca– y el brócoli ("broccoli") contienen ácidos grasos esenciales, carotenoides y otros antioxidantes que bloquean la inflamación.

Se recomienda: Consuma verduras al menos dos veces al día.

ACEITE DE OLIVA

El aceite de oliva es rico en *polifenoles*, otro tipo de antioxidante que bloquea la inflamación. También contiene una grasa monoinsaturada llamada ácido oleico, que facilita que los ácidos grasos del pescado y otros alimentos penetren las membranas de las células. Puede cocinar con aceite de oliva o usarlo para preparar aderezo para ensalada.

Se recomienda: Dos cucharadas de aceite de oliva diariamente. El aceite de oliva español extra virgen contiene la mayor cantidad de polifenoles que protegen la piel. No se sabe por qué el aceite español es el más protector –podría ser por el suelo o el tipo particular de olivo.

ALIMENTOS DE BAJO ÍNDICE GLUCÉMICO

Una consideración importante en una dieta saludable para la piel debe ser el índice glucémico (GI, por las siglas en inglés de "glycemic index") de un alimento. El índice glucémico evalúa una variedad de alimentos en una escala del 1 al 100, según su efecto en los niveles del azúcar en la sangre (glucosa). El control del azúcar en la sangre es importante porque incrementos súbitos provocan una respuesta inflamatoria en la piel.

El pan blanco, por ejemplo, tiene un índice glucémico muy alto de 95, lo que significa que es rápidamente absorbido e inunda el torrente sanguíneo con glucosa, la forma de azúcar usada por las células para producir energía.

Otros alimentos de alto índice glucémico: Arroz blanco, pasta, "pretzels", golosinas y caramelos, tortas y pasteles, y otros tipos de almidón con bajo contenido de fibra.

Opciones de bajo índice glucémico: Lentejas, cereal de avena ("oatmeal") instantáneo o regular, maní (cacahuates, "peanuts"), nueces ("nuts") y la mayoría de las frutas y verduras.

BAYAS ("BERRIES")

Las fresas (frutillas, "strawberries"), frambuesas ("raspberries"), moras ("blackberries") y arándanos azules ("blueberries"), ya sean frescos o congelados, están entre las mejores fuentes de *antocianinas*, los compuestos que bloquean las enzimas que degradan el colágeno y otros tipos de tejido conjuntivo.

Se recomienda: Consuma un cuarto de taza de bayas todos los días.

SUPLEMENTOS ANTIOXIDANTES

Yo recomiendo a la mayoría de las personas que suplementen sus dietas con 1.000 mg de la vitamina C en dosis divididas y 400 unidades internacionales (IU, por sus siglas en inglés) de la vitamina E diariamente (consulte a su médico –ya que tomar más de 200 IU de la vitamina E podría ser peligroso para algunas personas).

La vitamina C en cápsulas y en polvo se absorbe mejor que en tabletas duras. Para la vitamina E, tome una combinación de suplementos en cápsula que incluya *tocotrienoles* y *tocoferoles*. Tome vitamina E con las comidas para obtener la mejor absorción.

MUCHA AGUA

El agua suaviza las células de la piel… reduce la concentración de sustancias químicas inflamatorias… y mejora la absorción por parte del cuerpo de vitaminas y minerales.

Yo evito el agua del grifo, pues usualmente es clorada y podría contener compuestos nocivos como metales pesados. Dése el gusto de beber agua de manantial.

Se recomienda: Beba al menos ocho vasos de ocho onzas (235 ml) de agua, todos los días.

Las vitaminas especiales para los ancianos no valen la pena

Las fórmulas especiales de vitaminas para las personas mayores ofrecen poco más que los suplementos normales de los multivitamínicos y multiminerales, aun para los mayores de 65 años.

Estas fórmulas, incluyendo las marcas *Centrum Silver* y *Geritol Extend*, pueden proporcionar más de las vitaminas del complejo B, pero casi nada de los minerales y vitaminas importantes, como la vitamina E y el calcio.

Los ancianos requieren más suplementos nutricionales debido a su menor capacidad de absorber nutrientes y sus dietas generalmente menos nutritivas. Sin embargo, la mayoría de los multivitamínicos multiuso ("all-purpose") de un fabricante confiable deberían ser suficientes. Además, deberían ser menos costosas.

Michael Hirt, MD, fundador y director médico del Center for Integrative Medicine, en Tarzana, California.

Medicamentos contra el acné para las arrugas de la cara

Cuando las personas con daños causados por el sol usaron diariamente por 24 semanas *tazarotene* (Tazorac), un medicamento recetado para el acné y la psoriasis, se disminuyó la apariencia de arrugas delgadas en un 22% y se mejoró la pigmentación irregular en un 45%. La apariencia de otros tipos de daños producidos por el sol, incluyendo las manchas cutáneas ("liver spots"), agrandamiento de los poros y aspereza, también mejoró.

Advertencia: El tazarotene puede causar enrojecimiento y exfoliación. Las mujeres embarazadas o que estén amamantando no deberían tomar este medicamento.

Tania J. Phillips, MD, profesora de dermatología de la facultad de medicina de la Universidad de Boston.

Cómo mantener la vejiga sana

Jerry G. Blaivas, MD, profesor clínico de urología de la facultad de medicina de la Universidad Cornell y urólogo con práctica privada, ambas en Nueva York. Es autor de *Conquering Bladder and Prostate Problems* (Da Capo) y varios libros sobre temas de la urología.

Los problemas de vejiga afectan a una persona de cada tres mayores de 50 años. Aunque no podemos detener el proceso de envejecimiento, existen maneras de disminuir el riesgo de padecer dolor al orinar, cáncer de vejiga, infecciones, etc.

CONSUMO DE LÍQUIDO

Muchas personas conscientes de su salud se preocupan por beber al menos ocho vasos de ocho onzas (235 ml) de agua cada día. Ése es el nivel recomendado por muchos médicos.

Realidad: Si consume una dieta saludable y no tiene ningún problema obvio de vejiga,

445

beber esa cantidad no le proporciona ningún beneficio verdadero. Y ese nivel de consumo de agua puede llevar a la inconveniencia de tener que ir al baño doce o más veces al día.

Lo primordial: La mayoría de las personas pueden sin problema dejar que su sed les determine cuánto beber. *Sin embargo, aumentar el consumo de líquidos es frecuentemente benéfico para las personas que sufren cualquiera de estas tres afecciones...*

1. Orina oscura o descolorida. La orina oscura y concentrada puede ser un síntoma de la deshidratación o una infección en el riñón. Si al aumentar su consumo de líquido no se aclara su orina, consulte a un médico.

Signos de advertencia: Orina roja o con sangre. A menos que haya comido recientemente remolachas (betabel, "beets"), que podrían teñir su orina de rojo, consulte a un médico de inmediato. Podría tener una infección... o tal vez cáncer.

Algunos suplementos de vitaminas y ciertos medicamentos de vía oral pueden darle a la orina un tinte anaranjado o azulado.

2. Infecciones de las vías urinarias (UTI, por sus siglas en inglés). Aunque usualmente se las considera problemas de mujeres, las UTI son también un problema para los hombres. Son causadas por *E. coli* y otras bacterias infecciosas.

3. Piedras (cálculos) en los riñones. Los líquidos ayudan a prevenir la reaparición de cálculos en los riñones al bajar la concentración de los minerales calcio y oxalatos, los cuales forman cálculos en la orina.

En cada uno de esos tres casos, es prudente aumentar su consumo diario de líquidos a ocho vasos de ocho onzas (235 ml) de agua, jugo u otra bebida no alcohólica. Eso suma 64 onzas (1.900 ml o casi dos litros) diarias.

Aumentar su consumo de líquidos lo ayudará a prevenir las UTI al eliminar las bacterias que causan infecciones de la vejiga. Hacerlo además disminuirá el riesgo de la reaparición de piedras en los riñones.

ESTRATEGIAS DEL ESTILO DE VIDA

Ciertos hábitos del estilo de vida también pueden jugar un papel en la prevención y el tratamiento de problemas de la vejiga. *Por ejemplo...*

•**Cáncer de vejiga.** Hoy en día, se cree que el cigarrillo causa la mitad de todos los casos de cáncer de vejiga. La mejor manera de evitar el cáncer de vejiga es no fumar.

La sangre en su orina o una sensación de ardor al orinar pueden ser los primeros síntomas de cáncer de vejiga. Consulte a un médico de inmediato.

•**Infecciones de las vías urinarias.** Igual que algunos casos de cáncer de vejiga, las UTI se caracterizan por una sensación de ardor al orinar... y una necesidad casi constante de orinar. A veces la orina se vuelve sanguinolenta.

Incluso sin tratamiento, las UTI generalmente desaparecen en un par de semanas. Sin embargo, los síntomas que causan pueden ser extremadamente desagradables.

Para disminuir su riesgo: Beba un vaso grande de agua, jugo de arándanos agrios ("cranberry juice") u otra bebida *antes y después* del sexo. Eso estimula la micción, lo que ayuda a eliminar las bacterias de las vías urinarias.

La alta acidez del jugo de arándanos agrios inhibe el crecimiento de las bacterias que causan las UTI.

El jugo de arándanos agrios además provoca la formación de una barrera similar a una mucosidad a lo largo de las paredes de la vejiga. Esta superficie resbaladiza evita que las bacterias se adhieran.

Como el agua caliente es un perfecto caldo de cultivo para las bacterias, use la ducha en vez de la bañera siempre que sea posible.

Los tampones y los diafragmas también pueden ponerla en riesgo. Cualquier mujer que tenga tendencia a las infecciones debería considerar usar toallas sanitarias ("feminine napkins") y usar otro tipo de control de la natalidad.

Algunas personas piensan que los suplementos de la vitamina C parecen disminuir la frecuencia de las UTI. Demasiada vitamina C, sin embargo, puede causar cálculos en los riñones. Si toma vitamina C, no exceda los 1.000 miligramos al día.

Advertencia: Aunque las UTI son raramente graves para las mujeres, en los hombres con frecuencia indican una obstrucción urinaria, daños a los nervios o una enfermedad de transmisión sexual. Todas esas posibilidades requieren la atención de un médico.

•Incontinencia. La mayor parte del escape de orina es causado por contracciones espasmódicas de la vejiga o problemas con el esfínter urinario. Éste es el anillo muscular que rodea la base de la vejiga, donde se conecta con la uretra (el tubo que lleva la orina fuera del cuerpo).

En muchos casos, es posible prevenir la incontinencia mediante la práctica habitual de los ejercicios especializados del músculo de la pelvis llamados ejercicios *Kegel*. Los ejercicios Kegel funcionan tanto para los hombres como para las mujeres.

Qué hacer: Varias veces al día, apriete los músculos pélvicos como si estuviera tratando de detener una evacuación de las heces... y luego apriete los músculos que necesita para detener la orina a mitad de camino.

Un urólogo puede recomendar medicamentos y muchos otros métodos no quirúrgicos para la incontinencia. Si los mismos no dan resultados, la cirugía es usualmente eficaz.

LA CONEXIÓN CON EL ESTRÉS

Casi todos los hombres que están envejeciendo se quejan de una cosa –un chorro urinario débil. ¿Qué causa el problema? En los hombres, dos de cada tres casos tienen origen en la tensión muscular en la próstata, lo que estrecha la uretra e inhibe el flujo de la orina.

Para fortalecer el chorro urinario: Use el yoga u otra técnica para disminuir el estrés y ayudar a disminuir la tensión muscular.

Disminuir el estrés psicológico podría ayudar a relajar los músculos de la próstata y la uretra que pueden causar los bloqueos que debilitan el chorro urinario. Si estas medidas no dan resultados, un urólogo puede ofrecer otras maneras de corregir problemas con la próstata.

13

Muy, pero muy personal

Por qué amamos... la ciencia de la atracción sexual

Si alguna vez ha estado "loco de amor", échele la culpa a la evolución. El fenómeno del amor, la lujuria y el deseo de apego no son simplemente emociones. Son impulsos básicos –tan poderosos como el hambre– y esenciales para nuestra supervivencia como especie.

La doctora Helen Fisher, una de las expertas más renombradas de Estados Unidos en el tema del amor, administró una serie de experimentos para observar el interior de los cerebros de personas que estaban profundamente enamoradas y que habían sido rechazadas recientemente. *Esto es lo que descubrió...*

•¿Ocurren cambios físicos en el cerebro cuando nos enamoramos? Hay una compleja interacción de sustancias químicas. Mis colegas y yo realizamos rastreos cerebrales

(imágenes funcionales por resonancia magnética; "functional MRI", en inglés) en 20 hombres y mujeres enamorados. Los participantes tenían mayor actividad en el *núcleo caudado*, la parte del sistema de recompensa del cerebro que produce la concentración y la motivación para lograr objetivos. Demostraron también actividad en la zona del *tegmento ventral*, que es responsable por la concentración y la energía intensas que experimentan los enamorados. El aumento del flujo sanguíneo en esas zonas explica las charlas que duran toda la noche y las cartas y los mensajes electrónicos interminables entre los enamorados, así como la efusión de arte y poesía relacionados con el amor.

•¿Qué diferencia hay entre la lujuria (el deseo) y el amor? Los seres humanos tenemos tres impulsos básicos de apareamiento –la

Helen Fisher, PhD, profesora investigadora de antropología de la Universidad Rutgers, en New Brunswick, Nueva Jersey, y ex investigadora adjunta del American Museum of Natural History, en Nueva York. Es autora de muchos libros sobre la sexualidad humana y el comportamiento social, entre ellos *Why We Love* (Holt). Su sitio Web es *www.helenfisher.com*.

lujuria, el amor romántico y el apego. Suceden en diferentes regiones del cerebro e involucran a distintas hormonas y sustancias químicas neuronales –pero funcionan en armonía para asegurar la reproducción y la supervivencia de la especie.

• La lujuria se relaciona fundamentalmente con la *testosterona*, la hormona que motiva a los hombres y mujeres a tener relaciones sexuales. Las personas con niveles más altos de testosterona suelen tener relaciones sexuales con más frecuencia que aquellas con niveles más bajos.

• El amor romántico está vinculado a la *dopamina* y, muy probablemente, a la *serotonina* y la *norepinefrina*, sustancias químicas del cerebro que pueden producir sentimientos de éxtasis. En combinaciones específicas, esas sustancias motivan a una persona a centrar su atención en una persona preferida y pensar en esa persona de manera obsesiva.

• El apego, el deseo de las parejas de permanecer juntas, se vincula a las mayores actividades de *vasopresina* y *oxitocina*, neurohormonas que provocan la necesidad de establecer un vínculo afectivo y abrazarse, así como cuidar de los hijos.

El amor romántico resulta costoso para el metabolismo porque las personas le dedican mucha energía y atención a la persona amada. Pero vale la pena en términos evolutivos porque el amor romántico conduce al apego y al deseo de formar y criar una familia.

• **¿Puede la lujuria llevar al amor?** El amor tiene muchas más posibilidades de llevar a la lujuria que la lujuria al amor. Hallamos a nuestras nuevas parejas sexualmente atractivas en parte porque los aumentos en la dopamina mejoran la actividad de la testosterona.

• **¿Es posible el "amor a primera vista"?** Creo que el amor a primera vista proviene de la naturaleza. Con los animales, el sistema de circuitos del cerebro debe activarse rápidamente porque no tienen mucho tiempo para aparearse. Heredamos esta capacidad de preferir ciertas parejas de manera casi instantánea.

• **¿Experimentan los hombres y las mujeres el amor de manera diferente?** Ambos manifiestan similares euforia y comportamiento obsesivo –pero los hombres demuestran más actividad en una región del cerebro relacionada con la integración de los estímulos visuales. Las mujeres tienen más actividad en regiones del cerebro relacionadas con la evocación de recuerdos.

¿Por qué existe esta diferencia? Los hombres son más visuales que las mujeres, probablemente debido a que durante millones de años evaluaban a las mujeres buscando indicios de juventud y fertilidad, como un buen cutis, ojos vivaces, gran sonrisa, etc. Éstas y otras pistas visuales provocaban que los hombres se excitaran e iniciaran el proceso de apareamiento.

Por otro lado, una mujer no puede saber simplemente mirando a un hombre si la protegerá y la mantendrá a ella y a su futuro hijo. A medida que evolucionábamos, las mujeres probablemente dependían más de la memoria –recordando si un hombre mantuvo sus promesas, si fue veraz, etc.

• **¿Por qué es tan difícil el rechazo?** Hay dos etapas, y cada una está relacionada con diferentes cambios químicos…

• La etapa de *protesta* es muy dolorosa. Se ama aun más profundamente después de ser abandonado. Es el momento en que se llama constantemente, se escriben mensajes electrónicos implorando, se aparece sin anunciarse y generalmente uno se pone en ridículo.

La actividad de la dopamina muy probablemente alcanza su máximo durante esta etapa de protesta, debido a que el sistema de recompensa del cerebro continúa emitiéndola en un intento por volver a conquistar a la persona amada.

El comportamiento de alguien que ha sido abandonado con frecuencia aleja a la persona que él/ella ama. Esto parece contraproducente desde el punto de vista evolutivo, pero podría ser una manera de conservar energía a largo plazo. La persona rechazada se comporta de modos que rompen el vínculo y permiten que ambos integrantes de la pareja sigan adelante con sus vidas y encuentren nuevos compañeros.

• La etapa de *resignación* viene acompañada por un descenso en la dopamina. Las personas experimentan letargo, depresión y una falta de motivación. Esta etapa podría permitir al cuerpo que descanse y se recupere. Envía además señales a otras personas de la comunidad indicando su necesidad de apoyo, lo que puede atraer a potenciales pretendientes.

•¿Cómo se puede disminuir el dolor?

Puede tomar varios meses, o incluso años, recuperarse de un rechazo. Trátelo como si fuera una adicción. Deshágase de tarjetas, cartas y fotos de la persona amada. No la llame ni le escriba. Manténgase ocupado y haga más ejercicio –la actividad física aumenta la actividad de la dopamina. La luz del sol también mejora el ánimo.

Las personas gravemente deprimidas usualmente se benefician con la psicoterapia o los antidepresivos.

•¿Es el enamorarse simplemente una cuestión de la química del cerebro?

No cabe duda que los factores químicos están involucrados, pero muchos elementos ambientales también influyen. Por ejemplo, se debe estar interesado en conocer a alguien. Si la oportunidad no es la apropiada, no se desencadenará la reacción química del cerebro relacionada con el amor romántico.

•¿Cómo pueden las parejas casadas por mucho tiempo mantener su amor vivo?

La novedad aumenta la actividad de la dopamina. Las parejas que son espontáneas e intentan nuevas cosas se excitan mentalmente y también físicamente. Simplemente ir de vacaciones puede animar su vida sexual y rejuvenecer una relación que se ha vuelto rutinaria.

El sexo lo hace lucir más joven

Las personas que tienen relaciones sexuales amorosas al menos tres veces a la semana lucen más de 10 años más jóvenes que los adultos promedio.

Las posibles razones: El sexo es placentero y produce sustancias químicas que nos hacen sentir bien… y las parejas que se aman quieren lucir de la mejor manera posible para la otra persona.

David J. Weeks, PhD, neuropsicólogo clínico del hospital Royal Edinburgh, en Escocia, y líder de un estudio de 10 años de 3.500 personas entre las edades de 18 y 102, publicado en *Sexual and Relationship Therapy*.

Cómo mejorar su aptitud sexual

Robert N. Butler, MD, presidente y jefe ejecutivo (CEO) del International Longevity Center, en Nueva York. Fue jefe del departamento de geriatría y desarrollo adulto en el centro médico Mount Sinai, en Nueva York, el primer departamento de geriatría en una facultad de medicina en Estados Unidos. Fue galardonado con el premio Pulitzer por su libro *Why Survive? Being Old in America* (Johns Hopkins University Press) y es coautor de *The New Love and Sex After 60* (Ballantine).

No permita que el avance de la edad interfiera con su vida sexual. Muchos problemas sexuales pueden eliminarse con un sencillo programa que haga hincapié en una dieta saludable y el buen estado físico.

Todos sabemos que algunas afecciones médicas, incluyendo la diabetes y la deficiencia hormonal, pueden causar dificultades sexuales, desde la impotencia hasta la falta del deseo. También se sabe que muchos medicamentos, incluyendo los antidepresivos y los antihipertensivos, con frecuencia producen efectos secundarios no deseados a nivel sexual.

Si experimenta dificultades sexuales, pídale a su médico que le haga un chequeo completo para descartar una afección que pueda responder a algún tratamiento. Pero también debería tener en cuenta que muchas dificultades sexuales no están vinculadas a ninguna afección médica ni a ningún medicamento. Para estos casos, la mejor solución es mantener el cuerpo en buen estado físico –con una dieta adecuada, ejercicio y descanso. *He aquí lo qué puede hacer…*

ALIMÉNTESE CON PRUDENCIA

El exceso de colesterol y grasa en la dieta produce placa que bloquea las arterias, lo que aumenta su riesgo de sufrir ataques al corazón y al cerebro ("stroke"), y además reduce el flujo de sangre a los genitales. Esto puede dificultar la capacidad del hombre de lograr o mantener una erección y podría también reducir la sensibilidad en la vagina y el clítoris en las mujeres.

La autodefensa: Menos del 30% de sus calorías diarias deberían provenir de la grasa. Evite las grasas saturadas y las transaturadas ("trans-fats"), las cuales se encuentran en grandes cantidades en los alimentos fritos y los productos horneados comercialmente. Elija grasas insaturadas, que se encuentran en los aceites de oliva y de linaza ("flaxseed oil"), las nueces ("nuts") y el pescado.

Evite las meriendas (refrigerios) azucaradas y las comidas rápidas con alto contenido de grasa. En cambio, elija las pastas y los panes integrales, las frutas y verduras frescas y las proteínas, incluyendo los frijoles (habas, habichuelas, judías, "beans"), carne **magra** de res, pescado, leche descremada/desnatada y queso con bajo contenido de grasa.

Un suplemento multivitamínico puede ayudar a compensar por las deficiencias nutricionales. La mayoría de las personas mayores deberían elegir uno sin hierro, ya que una dieta razonablemente equilibrada proporciona cantidades adecuadas de hierro. Se ha demostrado que el exceso de hierro contribuye a la enfermedad del corazón.

Importante: El exceso de alcohol puede disminuir el deseo sexual y empeorar el desempeño sexual. Aunque el alcohol reduce las inhibiciones, se sabe que también disminuye la excitación física.

Comer hasta estar más que cómodamente satisfecho, puede dejarlo sintiéndose demasiado hinchado y perezoso como para tener relaciones sexuales. Para evitar el esfuerzo innecesario del corazón, es recomendable posponer las relaciones sexuales hasta algunas horas después de una comida pesada.

Un ataque al corazón durante las relaciones sexuales es extremadamente raro. Según un estudio realizado en la Universidad Harvard, el riesgo de un ataque al corazón durante las relaciones sexuales entre las personas que padecen enfermedad coronaria es de 20 en 1 millón.

Un estudio japonés halló que cuando los ataques al corazón ocurren, las víctimas son usualmente hombres que están teniendo relaciones sexuales ilícitas después de comer o beber en exceso.

HAGA MÁS EJERCICIOS

Para lograr la resistencia y la flexibilidad requeridas para disfrutar de las relaciones sexuales, se debe hacer ejercicios. Caminar a un buen ritmo es usualmente el mejor ejercicio general para las personas mayores de 60 años. Propóngase caminar 10.000 pasos cada día, cinco o seis días a la semana (2.000 pasos equivalen a más o menos una milla (1.600 metros), 500 pasos equivalen a unos 400 metros, o sea, una vuelta a la pista de atletismo).

Si eso le parece intimidante, considere que incluso los adultos relativamente inactivos caminan en promedio 3.500 pasos al día. Cambios sencillos –como subir por las escaleras en vez de usar un ascensor o caminar en vez de ir en auto hasta una tienda, por ejemplo– pueden agregar una cantidad significativa. Por lo tanto, una caminata de dos a tres millas (tres a cinco kilómetros) podría ser todo lo que necesita para alcanzar el objetivo total diario.

Para mantenerse motivado: Reclute a un socio para caminar o anótese en un club de caminadores... y lleve la cuenta de sus millas con un podómetro electrónico.

Suplemente sus caminatas diarias con ejercicios de fortalecimiento y estiramiento. Si el dolor de espalda le impide disfrutar de las relaciones sexuales, intente tonificar los músculos de la espalda y el estómago. Pruebe hacer ejercicios abdominales ("stomach crunches") para fortalecer los músculos de la parte superior del abdomen... levantamiento de piernas ("leg lifts") para trabajar la parte inferior del abdomen... y nadar para fortalecer la espalda y los hombros.

DUERMA MÁS

Al menos la mitad de todas las personas mayores de 50 años padecen trastornos del sueño. El insomnio, las enfermedades, el dolor o los viajes frecuentes al baño por la noche pueden interferir con los ciclos del sueño, privándolo de suficiente sueño de la fase de los *movimientos oculares rápidos* (REM, por sus siglas en inglés), el tipo relacionado con el sueño. La privación crónica del sueño puede dejarlo demasiado exhausto como para tener relaciones sexuales y podría llevar a una deficiencia de importantes hormonas, incluyendo la hormona del crecimiento humano, la cual ayuda a mantener el cuerpo delgado, en buen estado y con energía.

La autodefensa: Reduzca o elimine las siestas y la cafeína, en especial después de las cuatro de la tarde. Si hace ejercicios por la noche, hágalos al menos dos horas antes de acostarse. Retírese a una habitación oscura y tranquila a la misma hora todas las noches.

Facilite el sueño con una técnica comprobada de relajación, como la respiración profunda, la meditación o un masaje realizado por su pareja. Si la artritis o los dolores musculares lo mantienen despierto, consulte a su médico acerca de tomar *acetaminofeno* o aspirina antes de acostarse.

Advertencia: El uso en exceso de acetaminofeno puede causar daño al hígado. La aspirina puede causar irritación en el estómago. Para minimizar esos riesgos, tome siempre estos medicamentos con un vaso de agua.

Evite los sedantes hipnóticos, como *zolpidem* (Ambien) y *zaleplon* (Sonata), excepto para el tratamiento de insomnio a corto plazo causado por el desfase horario ("jet lag"), por ejemplo, o el duelo por la muerte de un ser querido. Si se usan por más de cuatro noches consecutivas, esos inductores del sueño pueden provocar "insomnio de rebote". En vez de lograr el sueño, aumentan el desasosiego, dejándolo más despierto que nunca.

Importante: Después de los 60 años, es común experimentar un patrón de sueño que ocurre cuando se duerme al anochecer y se despierta antes del amanecer. Esto puede perturbar su vida sexual, en particular si su pareja mantiene un horario tradicional para dormir.

Por fortuna, este problema usualmente se puede revertir mediante la exposición habitual a los rayos del sol al atardecer. Propóngase recibir unos 30 minutos de sol *sin protector solar* entre las 4 pm y las 6 pm. Esto no sólo corregirá los patrones de sueño, sino que además ayudará a prevenir la osteoporosis, al provocar la producción de la vitamina D en el cuerpo.

Advertencia: Evite la exposición a los rayos del sol sin protección entre las 10 am y las 2 pm, cuando los peligrosos rayos ultravioletas son más intensos.

ESTRATEGIAS ADICIONALES

La mejor nutrición, el ejercicio y el descanso usualmente logran relaciones sexuales más satisfactorias en unas pocas semanas. *Para obtener resultados más inmediatos...*

•**Use estimulación visual y táctil.** Los hombres, especialmente, se excitan con imágenes sexuales y al tacto. Atenúe las luces y mire una película erótica. Las mujeres podrían ponerse ropa interior sexi. Compartan un masaje suave o estimúlense mutuamente.

•**Fantasee.** Imaginar escenarios eróticos puede aumentar la excitación para ambos. Sin embargo, un estudio demostró que la capacidad de los hombres para fantasear suele disminuir con la edad. Esto podría explicar por qué muchos hombres dependen de videos, imágenes y otras ayudas visuales sensuales.

•**Use lubricantes.** La sequedad vaginal puede impedir que las mujeres posmenopáusicas disfruten del sexo. Los lubricantes a base de agua, como Astroglide, pueden ser de ayuda. Los lubricantes a base de aceite podrían provocar infecciones vaginales.

•**Programe sus actividades teniendo en cuenta el dolor de la artritis.** Darse una ducha caliente antes de las relaciones sexuales puede ayudar a reducir la rigidez y el dolor en las articulaciones. Tomar un calmante 30 minutos antes de las relaciones sexuales también puede ayudar. Si padece osteoartritis, intente tener relaciones sexuales por la mañana, antes de que las articulaciones se pongan rígidas o se inflamen. Si padece artritis reumatoide, el sexo al atardecer o por la noche podría ser preferible, ya que los síntomas frecuentemente disminuyen con la actividad física.

•**Varíe las horas y las posiciones.** No se limite a la rutina de siempre tener relaciones sexuales por la noche, en la posición del misionero. Si usted o su pareja están muy cansados para tener relaciones sexuales por la noche, planifiquen una cita sexual para la mañana o la tarde. Si uno tiene una afección del corazón, dolor en la cadera o en la espalda, permita que esa persona esté en la posición de abajo, la cual requiere movimientos menos vigorosos.

•**Practique la seducción.** El buen sexo comienza en el cerebro, lo que significa que debería comenzar horas antes de llegar al dormitorio. Durante el día, hágale caricias, déle a su pareja besos y otros signos externos de cariño. La intimidad genuina es el afrodisíaco más eficaz.

¿Cuándo fue la última vez que tuvo relaciones sexuales?

Michele Weiner-Davis, MSW, líder de seminarios renombrada mundialmente y terapeuta matrimonial ("marriage therapist") que reside en Woodstock, Illinois. Es autora de varios libros sobre el tema de relaciones personales, entre ellos *The Sex-Starved Marriage: A Couple's Guide to Boosting Their Marriage Libido* (Simon & Schuster). Su sitio Web es *www.sexstarvedmarriage.com*.

Una de cada cinco parejas tiene relaciones sexuales menos de 10 veces al año. La falta de relaciones sexuales frecuentes no es un problema si ambos están contentos con su relación sexual. Los conflictos aparecen cuando los integrantes de la pareja tienen apetitos sexuales muy diferentes. Una de cada tres parejas casadas lucha contra una brecha en el deseo sexual. De hecho, el deseo sexual desigual en las parejas es el principal problema que se discute en los consultorios de los sexólogos.

Cuando las parejas tienen deseos desiguales, uno de ellos desea mayor acercamiento físico y que se toquen más, mientras que el otro no entiende por qué el sexo es tan importante.

Para el cónyuge con mayor deseo sexual, el sexo es importante porque se trata de sentirse deseado, atractivo, amado y conectado emocionalmente. Los rechazos frecuentes llevan a los rencores y sentimientos heridos, causando un distanciamiento en el matrimonio. Esto podría causar infidelidad y divorcio.

CAUSAS

Las razones por las que un cónyuge podría perder interés en el sexo varían mucho. Podría haber una explicación médica, como un desequilibrio hormonal… un problema con el hígado, los riñones o la glándula pituitaria… diabetes no diagnosticada… o el efecto secundario de un medicamento.

El estrés, la fatiga, la depresión, el duelo, una imagen negativa del cuerpo o temas sin resolverse de la niñez, como abuso sexual, también pueden socavar el deseo sexual. Otros importantes destructores de la libido son las discusiones continuas entre los cónyuges y los sentimientos de ira.

SI USTED ES EL CÓNYUGE CON EL MENOR DESEO SEXUAL

En la mayoría de los matrimonios, los cónyuges con menor deseo controlan la relación sexual. Ellos determinan la frecuencia de las relaciones sexuales. Muchas veces, el cónyuge con menor deseo tiene la expectativa, aunque no la exprese de que *"yo no tengo que satisfacer tus necesidades sexuales, pero espero que tú sigas siendo fiel a nuestro matrimonio"*. Este es un arreglo injusto. *En cambio…*

• **Simplemente hágalo.** Innumerables personas me han dicho en mi consultorio que con frecuencia no tenían ganas antes de empezar a hacer el amor, pero una vez que lo estaban haciendo, realmente comenzaban a disfrutarlo.

Las investigaciones sugieren que para más de la mitad de la población, el deseo sexual no aparece de repente, sin esfuerzo. La mayoría de las personas tienen que ser estimuladas físicamente para sentir deseo por su pareja. Irónicamente, esto significa que la persona que piensa que necesita tener ganas para tener relaciones sexuales de hecho quizá necesite tener relaciones sexuales para que le dé ganas.

Ejemplo: Una esposa con poco deseo sexual reconoció que aunque con frecuencia se resistía a las insinuaciones de su esposo, usualmente disfrutaba de las relaciones sexuales cuando permitía que su esposo la convenciera. Su esposo bromeaba que ella debería escribir *"me gusta el sexo"* en su mano, para que lo recordara la próxima vez que él le propusiera tener relaciones sexuales.

• **Prescinda de la lista de condiciones.** Algunas esposas con menor deseo se convencen de que no pueden disfrutar del sexo a menos que una lista de condiciones se cumpla.

Ejemplo: Un hombre siente que no puede hacer el amor a menos que las cuentas se hayan pagado, las llamadas de negocios después del trabajo se hayan hecho y las citas para el próximo día se hayan revisado.

A menos que ocuparse de una obligación sea absolutamente esencial, su matrimonio debiera ser su prioridad.

•**Déle a su cónyuge un regalo.** Aunque el sexo quizá no sea muy importante para usted, probablemente lo sea para su cónyuge. En los buenos matrimonios, las personas dan a sus cónyuges lo que desean, aun si no siempre desean lo mismo.

•**Encuentre soluciones para los problemas que no se han resuelto.** Si los problemas de la relación, como la ira o los sentimientos heridos, o los problemas personales, como la depresión o una imagen negativa del cuerpo, están interfiriendo con su deseo de tener intimidad sexual, podría necesitar ayuda profesional.

Si usted es un hombre cuyo interés en el sexo ha disminuido, podría sentirse un poco avergonzado como para pedir ayuda. No se sienta así. El bajo deseo en los hombres es el secreto mejor guardado de Estados Unidos. Millones de hombres simplemente no tienen ganas.

•**Programe un chequeo físico completo** para descartar cualquier afección subyacente.

SI USTED ES EL CÓNYUGE CON EL MAYOR DESEO SEXUAL

El cónyuge con el mayor impulso sexual con frecuencia responde al rechazo sexual retrayéndose emocionalmente o enojándose fácilmente. Ambas reacciones tienden a alejar aun más al cónyuge con el menor deseo. *En cambio...*

•**Busque estimulantes no sexuales para excitar a su cónyuge.** Muchos cónyuges con mayor impulso sexual tratan de estimular la libido de su pareja con juguetes sexuales, videos para adultos o ropa interior. Las personas con menor deseo con frecuencia se sienten más excitadas con gestos de amor fuera del dormitorio.

Ejemplo: Una mujer con poco deseo sexual me contó que lo que más la excitaba era cuando su esposo salía en los días fríos a calentarle el automóvil para ella. Un hombre con deseo sexual bajo sentía más pasión por su esposa cuando ella reconocía lo duro que él trabajaba y cuánto contribuía a las finanzas de la familia.

Pregúntese: *¿Qué me ha estado pidiendo mi cónyuge o de qué se ha estado quejando?* Haga un esfuerzo en conjunto con su cónyuge

para satisfacer ese pedido. Ser sensible a las necesidades emocionales de su cónyuge es una excelente técnica de preparación para las relaciones sexuales.

•**Hable sobre sus sentimientos.** Compartir los sentimientos puede ser difícil, especialmente para los hombres. Es bueno discutir los sentimientos de rechazo de manera abierta y franca. Cuando usted realmente se permita ser vulnerable, habrá más posibilidades de que su cónyuge comprenda su punto de vista.

Ejemplo: Un cónyuge le dijo a su esposa de 15 años que cuando ella decía "no", una y otra vez, a las relaciones sexuales, él se sentía increíblemente herido y solo en su matrimonio. Él se preguntaba por qué ella no lo quería. Por primera vez, ella entendió que los rechazos habían herido emocionalmente a su esposo, no simplemente privándolo del placer físico. Ella prometió que sería más sensible a sus necesidades.

•**Evite lo que comúnmente apaga la pasión.** Culpar a su cónyuge por los problemas entre ustedes es una manera segura de mantenerlo a distancia. El deseo sexual desigual es el problema *de la pareja*, no sólo el problema de uno de los cónyuges.

Otra cosa que apaga la pasión en el cónyuge con deseo bajo es cuando cada caricia, abrazo o beso lleva al sexo. Déle a su pareja caricias íntimas que no lleven al sexo. Es también desagradable cuando un cónyuge es brusco todo el día y de pronto se vuelve cariñoso en el dormitorio.

•**No confunda la denegación de sexo con la intención de castigar.** Cuando un cónyuge continuamente rechaza las insinuaciones sexuales de su pareja, es fácil percibirlo como un castigo o un rechazo personal. Usualmente ése no es el caso.

•**Entienda los altibajos de la testosterona.** Tanto el hombre como la mujer se excitan más cuando sus niveles de testosterona son altos. Sus insinuaciones sexuales tienen más probabilidad de ser bien recibidas en esos momentos.

Los niveles de testosterona en los hombres usualmente son más altos temprano por la mañana. La testosterona en las mujeres es más probable que llegue a su máximo por la noche y en la mitad o al final del ciclo menstrual. Los niveles en las mujeres posmenopáusicas tienden a ser relativamente constantes durante todo el día.

•**Pasen más tiempo juntos.** Programen un día relajado como pareja. Tomen tiempo libre del trabajo. Apaguen sus celulares. Contraten a una niñera. El tiempo juntos que no sea dedicado al sexo y sin los hijos puede llegar a excitar al cónyuge con menor impulso sexual.

•**Tenga cuidado con los sustitutos del sexo que profundizan el problema.** Los cónyuges con mayor deseo a veces tratan de satisfacer sus necesidades sexuales insatisfechas con comportamientos que hacen que sus parejas se interesen aun menos en hacer el amor, como flirtear, beber alcohol o visitar sitios pornográficos en Internet.

La buena noticia: Una relación sexual amorosa y placentera puede ser un lazo que mantenga unido el matrimonio.

No hay razón por la cual alguien que desee una vida amorosa más vigorosa no pueda tenerla.

Programe tiempo para el sexo

Dagmar O'Connor, PhD, terapeuta sexual con práctica privada en Nueva York. Es autora de *The Do It Yourself Sex Therapy Video Packet* (Dag Media Corp.) y *How to Put the Love Back into Making Love* (Bantam Books).

La vida de muchas parejas está tan ocupada por el trabajo, los hijos, el ejercicio, la televisión, los amigos y las actividades comunitarias, que no les queda tiempo para las relaciones sexuales.

Sin embargo, si desea una vida sexual satisfactoria, debe reservar "momentos de sensualidad" para usted y su pareja…

•**Reduzca el tiempo que mira televisión…** levántese más temprano… y limite los compromisos sociales.

•**Planifique una noche por semana solos en casa** –y no permita que esta cita se postergue. Apague el celular. Pasen tres horas

hablando… dándose masajes en la espalda… disfrutando estar juntos. No tienen que tener relaciones sexuales, pero la sensualidad privada y relajada con frecuencia conduce al sexo. No se apuren.

•**Déjese llevar por los estímulos sexuales.** Permita que las fantasías fugaces lo exciten. A muchas parejas les gusta compartir fantasías. Vista ropa interior provocativa en el trabajo… y llame a su pareja y hable en privado sobre hacer el amor más tarde ese día.

Una vez que comiencen a relajarse, descubrirán que los sentimientos eróticos espontáneos aparecen más fácilmente.

Más de Dagmar O'Connor…

Cómo lograr que el sexo sea apasionado… nuevamente

La pasión es una fuerza poderosa en las primeras etapas de la mayoría de las relaciones íntimas. Por desgracia, nuestros frenéticos horarios de trabajo, responsabilidades como padres –y el tiempo dedicado a navegar en Internet– pueden impedir a las parejas que realmente cultiven su relación sexual.

Las buenas noticias: Usted *puede* restablecer el entusiasmo por el sexo en su relación. La clave está en dedicar tiempo al contacto sensual. Recuerde que la excitación es tan importante como el orgasmo.

En mis 30 años como terapeuta, he descubierto que la mejor manera de transformarse en un amante apasionado es dejar de culpar al otro integrante de la pareja… y comenzar a identificar –y comunicar– sus propias necesidades de un modo constructivo. *He aquí cómo…*

•**Exprese sus emociones y aclare cualquier resentimiento que tenga.** Los sentimientos sexuales están íntimamente ligados a la expresión de las emociones. Muchos de nosotros fuimos criados para reprimir las emociones básicas, en particular la ira o la tristeza. Esto puede inhibir nuestra respuesta sexual.

Las personas que tienen dificultades sexuales a menudo crecieron en familias con padres que nunca levantaron sus voces. Quienes no discuten usualmente consideran la ira "inaceptable".

Si tiene dificultades para expresar la ira de manera constructiva, practique descargar esa emoción cuando esté solo. Por ejemplo, cuando conduzca solo su automóvil o al ducharse, grite tan fuerte como pueda. Después de que la vergüenza inicial pase, quizá se sienta mejor. Pero podría sentirse triste más tarde. La ira con frecuencia oculta dolor o tristeza.

•**Dígale a su pareja *exactamente* lo que usted desea –y necesita.** Muchas personas pueden expresar decepción e ira mucho más fácilmente que comunicar sus deseos.

Practique el hacer valer sus necesidades en todas los aspectos de su vida. Ser "bueno" todo el tiempo le impide saber lo que realmente está sintiendo.

La autodefensa: Si usualmente dice que "sí" a todos los pedidos, intente decir "no" 10 veces cada semana. Practique además hacerles pedidos a otros. Aprenda a ser más "egoísta".

•**Siéntase cómodo con su cuerpo.** Si se siente avergonzado de su apariencia física, probablemente no disfrutará mucho del sexo.

Útil: Relájese en una bañera varias veces por semana. Aproveche la oportunidad para mirar y tocar su cuerpo de un modo no sexual.

Párese desnudo frente a un espejo por unos minutos todos los días. No critique su cuerpo. Véalo como lo vería un artista. Aprecie lo que tiene –no piense demasiado en las imperfecciones que perciba.

Cuando la privacidad lo permita: Ande desnudo con su pareja. Si tienen ganas, tóquense uno a otro de modos no sexuales. Una vez que hayan establecido este tipo de intimidad física, tomar el siguiente paso hacia el sexo se convierte en algo mucho más fácil.

•**Prepárese para la sensualidad.** La fantasía es una de las mejores maneras de hacerlo.

Útil: Para las mujeres que se sienten inhibidas acerca de ser atractivas, considere ir a una tienda a probarse ropa interior o vestidos provocativos. No tiene que comprar las prendas –simplemente úselas para verse de un modo distinto.

Comparta sus fantasías sexuales con su pareja. No es necesario que usted realice esas fantasías –aunque podría elegir hacerlo. Su objetivo es imaginar sus propias películas sensuales.

•**Concéntrese en *su* placer sexual.** El sexo no es sólo una expresión de amor, sino también la oportunidad de experimentar placer. Hacer bien el amor implica que dos personas "se usen" mutuamente para su propio placer.

No espere que su pareja se ocupe de todo. Y no tema decirle a su pareja exactamente lo que le gusta y lo que quiere del sexo. Ambos se beneficiarán si están dispuestos a comportarse con un poco de egoísmo.

•**Desarrolle un idioma no verbal con su pareja.** Mostrar es intrínsicamente menos censurador que decir. Haga un pacto para comunicarse sin palabras –moviendo la mano de su pareja, por ejemplo– si encuentra algo desagradable o placentero durante las relaciones sexuales.

Útil: Reserve 45 minutos para permitirle a su pareja que explore su cuerpo. Luego, inviertan los papeles por 45 minutos.

•**Tóquense mutuamente con frecuencia cuando no estén en la cama** para crear la sensación continua de intimidad.

•**Túrnense para iniciar las relaciones sexuales.** Cuándo tener relaciones sexuales es un tema importante para la mayoría de las parejas. Una persona quizá prefiera tener relaciones sexuales por la mañana… la otra por la noche.

Si usted las inició la última vez, su pareja debería iniciarlas la siguiente.

Importante: Para que esto funcione, la pareja que no inicia las relaciones sexuales no debería decir "no."

•**Programe una "cita" semanal con su pareja.** Reserve una noche a la semana para estar solos. Hagan lo que quieran –tóquense sensualmente, hablen o lean el periódico.

Si tienen hijos: Contrate a una niñera para que se lleve a los niños mientras ustedes se quedan en casa. Desconecte el teléfono y pasen unas horas en la cama.

Para cultivar su vida sexual en el hogar, convierta su dormitorio en un lugar de descanso y sensualidad. Cierre con llave la puerta del dormitorio, aparte el televisor de la habitación y evite pelear o discutir problemas mientras estén en la cama –debería ser un lugar para el descanso y el placer.

Diez alimentos que estimulan el deseo sexual

Los alimentos ricos en la vitamina E, magnesio, niacina, potasio, zinc y el aminoácido L-arginina aumentan la libido y el vigor sexual, y mejoran el desempeño.

Los 10 principales alimentos "sensuales"...

1. Apio ("celery")

2. Espárragos ("asparagus") y alcachofa (alcaucil, "artichoke")

3. Aguacates (paltas, "avocados")

4. Cebollas y tomates

5. Almendras ("almonds")

6. Semillas de calabaza "pumpkin" y de girasol ("sunflower seeds")

7. Lechuga romana ("romaine lettuce")

8. Panes integrales

9. Frutas y nueces ("nuts")

10. Hierbas y especias, como la mostaza, el hinojo ("fennel"), el azafrán ("saffron") y la vainilla.

Barnet Meltzer, MD, médico con práctica privada en Del Mar, California, y autor de *Food Swings* (Marlowe and Company).

Estimuladores del sexo provenientes de la soja

La soja puede ser sensual para las mujeres que están pasando por la menopausia. Los alimentos de soja están llenos de estrógenos naturales de origen vegetal. Consumir entre tres y cuatro onzas (85 a 115 g) de tofu diariamente –o beber una taza de leche de soja– puede proporcionar un aumento del estrógeno que hace que el sexo sea más placentero.

Julian Whitaker, MD, director del Whitaker Wellness Institute, en Newport Beach, California (*www.whitakerwellness.com*) y autor de *Shed Ten Years in Ten Weeks* (Fireside).

Afrodisíacos naturales

Chris D. Meletis, ND, director ejecutivo del Institute for Healthy Aging (*www.theiha.org*). Es autor de varios libros, entre ellos *Better Sex Naturally* (HarperResource), *Complete Guide to Safe Herbs* (DK Publishing) y *Instant Guide to Drug-Herb Interactions* (DK Publishing).

Los hombres con problemas de disfunción eréctil (impotencia, ED, por sus siglas en inglés) frecuentemente suponen que los medicamentos, como *sildenafilo* (Viagra), *tadalafilo* (Cialis) y *vardenafilo* (Levitra), son la respuesta. Una mujer que sufra de baja libido podría pensar que una crema de testosterona es la manera más eficaz de estimular su deseo.

Aunque ambos métodos podrían ofrecer una solución temporaria, no remediarán las causas subyacentes de estos problemas. Descubrir y curar la causa de un problema sexual puede ser la clave para disfrutar del sexo a largo plazo.

Para identificar la causa, yo preparo un historial médico detallado y luego encargo exámenes diagnósticos, incluyendo un examen de *antígeno específico de la próstata* (PSA, por sus siglas en inglés) para los hombres y un examen de Papanicolaou ("Pap test") para las mujeres.

Además de los niveles bajos de testosterona, la hormona que alimenta el impulso sexual tanto en los hombres como en las mujeres, hay una cantidad de posibles situaciones. Entre éstas se incluyen problemas de circulación que inhiben el flujo de sangre a los genitales... estrés psicológico, el cual disminuye el interés en el sexo... y el insomnio, que usurpa la vitalidad necesaria para buscar la actividad sexual.

Después de aclarar las pistas, sugiero medicamentos naturales y seguros, como las hierbas*, para provocar el proceso de la curación.

DISFUNCIÓN ERÉCTIL

La mayoría de los hombres mayores de 40 años tienen cierto grado de insuficiencia eréctil,

*La agencia federal Food and Drug Administration (FDA) no regula los suplementos de hierbas. Consulte a su médico antes de tomar uno de estos productos. Algunos podrían interactuar con los medicamentos recetados.

según un estudio reciente. La afección puede ser causada por una variedad de problemas de salud, como la mala circulación o el daño neurológico. Por eso, es importante consultar a su médico de atención primaria para un diagnóstico. *El tratamiento con hierbas más eficaz para una función eréctil óptima...*

●**Ginkgo biloba.** La erección depende del flujo saludable de sangre al pene. Las arterias obstruidas reducen la circulación, lo cual compromete la capacidad de un hombre para lograr una erección. La hierba *ginkgo biloba* dilata los vasos sanguíneos, mejorando la circulación y ayudando a restablecer las erecciones.

En un estudio reciente, el 78% de los hombres con disfunción eréctil que tomó la hierba recuperaron su capacidad de lograr erecciones.

Las buenas noticias para las mujeres: Las mujeres que toman ginkgo biloba podrían experimentar orgasmos más prolongados y más intensos.

Las personas con más posibilidades de beneficiarse del ginkgo biloba tienen síntomas circulatorios, como mareos, várices (venas varicosas), manos o pies fríos o presión arterial alta.

Uso típico: 40 mg, tres veces al día. Busque una fórmula que contenga un 24% de *flavoglicósidos* ("flavon-glycosides"), el ingrediente activo.

Advertencia: No debería tomar ginkgo si está tomando medicamentos anticoagulantes, como la aspirina, o los antidepresivos conocidos como inhibidores de monoamina oxidasa ("MAO inhibitors"), o si ha sufrido un ataque cerebral ("stroke") o tiene una tendencia a sangrar o magullarse fácilmente.

DESEO SEXUAL INHIBIDO

Una libido baja puede ocurrir tanto en los hombres como en las mujeres. *Por fortuna, ambos sexos pueden beneficiarse de lo siguiente...*

●**Ginseng.** Esta hierba vigoriza el cuerpo, ayudándolo a responder mejor a casi cualquier problema de salud. También aumenta la producción de hormonas sexuales, como la testosterona, en hombres y mujeres, para mejorar la respuesta sexual.

Las personas que pueden recibir el mayor beneficio del ginseng tienen ansiedad, problemas con el azúcar en la sangre, fatiga, niveles altos de estrés, síntomas de la menopausia o infecciones frecuentes como resfriados.

Uso típico: Busque un producto que contenga *ginsenoside Rg1,* el ingrediente activo. Tome 10 mg, dos veces al día.

Advertencia: El ginseng es un estimulante, y no se recomienda para las personas con presión arterial alta o que toman medicamentos para la diabetes, el trastorno bipolar o la enfermedad del corazón.

SOLAMENTE PARA LAS MUJERES

Los niveles de las hormonas juegan un papel importante en la salud sexual de la mujer y en su nivel de participación emocional durante el sexo. Muy poco estrógeno puede adelgazar las paredes de la vagina, causando que el coito sea doloroso. Muy poca testosterona disminuye el deseo sexual. Muy poca progesterona o demasiada prolactina pueden provocar ansiedad y depresión.

Las siguientes hierbas* pueden ayudar a regular las hormonas de la mujer...

●**Cimifuga negra** ("black cohosh"). Esta hierba ayuda a regular las hormonas al controlar las secreciones de la glándula pituitaria, la cual ayuda a equilibrar la producción de estrógeno y progesterona. Esto puede aumentar el interés de una mujer en el sexo y ayudar en la lubricación de la vagina.

Uso típico: 500 mg, dos veces al día. O, si usa una tableta estandarizada, tome 2 mg de *27-deoxyactein,* el ingrediente activo.

●**Dong quai.** La hierba *angélica china* (*angelica sinensis*) se conoce más comúnmente en Estados Unidos por su nombre chino, *dong quai.* Equilibra los niveles de estrógeno y puede aumentar el placer sexual.

Uso típico: 500 mg, dos veces al día.

Útil: Considere tomar una fórmula que combine cimifuga negra y dong quai, en particular si tiene síntomas de síndrome premenstrual o es menopáusica. El dong quai puede aumentar la energía y mejorar el ánimo, mientras que la cimifuga negra ayuda a aliviar los síntomas del PMS, como la hinchazón, y los problemas de la menopausia, como los bochornos (calores repentinos, sofocos).

*Las mujeres embarazadas o que estén amamantando no deberían usar estos suplementos.

REMEDIOS NATURALES PELIGROSOS

Evite…

•**Damiana.** Esta hierba, derivada de las hojas de un arbusto que se encuentra en México y en el sudoeste de Estados Unidos, tiene muchos posibles efectos secundarios, entre ellos diarrea, vómitos, palpitaciones cardiacas y ansiedad. Úsela *sólo* bajo la supervisión de un médico o un médico naturista (naturopático)**.

•**Mosca española** (cantárida, "Spanish fly"). Este escarabajo se pulveriza y se come. Contiene *cantaridina*, una sustancia química que puede dañar al corazón, los riñones, el estómago y los intestinos –e incluso causar la muerte.

**Para localizar a un médico naturista en su zona, comuníquese con la American Association of Naturopathic Physicians, llamando al 866-538-2267 o yendo al sitio Web en inglés *www.naturopathic.org.*

Nutrientes que estimulan la libido

Hay algunas vitaminas que pueden aumentar su deseo sexual…

•**La vitamina A** es importante para la producción de estrógeno y testosterona. Obténgala por medio de productos lácteos, huevos, verduras de hojas verdes y carne.

•**Las vitaminas del complejo B** producen energía –sexual y de todo tipo. Las buenas fuentes de las vitaminas B son los cereales integrales, la carne, el pescado, los productos lácteos, las frutas, las nueces ("nuts") y las verduras.

•**La vitamina C** puede aumentar el deseo sexual y fortalecer los órganos sexuales. Las bayas ("berries"), los cítricos, las papas, los pimientos (ajíes, "peppers") verdes y el bróculi ("broccoli") contienen vitamina C.

•**La vitamina E** es necesaria para la creación de hormonas sexuales, las cuales aumentan el impulso sexual. Se encuentra en el germen de trigo ("wheat germ"), el hígado y los huevos.

Ian Marber y Vicki Edgson, ambos nutricionistas clínicos en Londres, con el sitio Web *www.thefooddoctor.com*, y autores de *In Bed with the Food Doctor* (Collins & Brown).

El sexo demasiado pronto después de dar a luz puede ser mortífero

Se informó recientemente que dos inglesas murieron después de tener relaciones sexuales unos pocos días después de dar a luz.

El problema, dicen los médicos, es que los cambios relacionados con el embarazo hacen que los vasos sanguíneos de la pelvis sean vulnerables a embolias gaseosas mortales.

The Medical Post.

Los remedios naturales para los problemas de salud de las mujeres

Jamison Starbuck, ND, médica naturista (naturopática) con práctica familiar que dicta clases en la Universidad de Montana, ambas en Missoula. Fue presidenta de la American Association of Naturopathic Physicians y editora colaboradora de *The Alternative Advisor: The Complete Guide to Natural Therapies and Alternative Treatments* (Time-Life).

Las mujeres frecuentemente recurren a un remedio rápido en la farmacia cuando experimentan "dolencias femeninas". Yo les recomiendo que consideren otras alternativas. Muchos de los problemas de salud femeninos mejoran con medicamentos naturales y moderados… y con cambios en el estilo de vida que ayudan a mejorar la salud en general. *Mis recomendaciones…*

•**La vaginosis bacteriana (vaginitis)** causa una secreción entre gris y blanca, ardor leve y comezón en la vagina. Los ginecólogos con frecuencia recetan antibióticos para tratar esta afección.

Pero los antibióticos pueden causar problemas. Igual que el tubo digestivo, la vagina está llena de bacterias que mantienen las membranas mucosas en buen estado de salud. Los antibióticos afectan el "ecosistema" de la vagina al eliminar no sólo las bacterias que causan problemas, sino también las bacterias benéficas, como los *lactobacilos*.

Esto puede provocar otro tipo de infección en la vagina –*vaginitis causada por Cándida*. También conocida como candidiasis vaginal, esta infección causada por hongos provoca comezón y ardor en la vagina, y una secreción blanca y espesa.

Para tratar esta afección, los médicos generalmente recetan antifúngicos –los cuales afectan el ecosistema de la vagina y aumentan la posibilidad de contraer vaginosis bacteriana. *Muchas mujeres no pueden superar este ciclo vicioso. Yo les digo a mis pacientes con estas afecciones que…*

•Eviten los alimentos refinados, las golosinas y las bebidas alcohólicas. Todos pueden debilitar el sistema inmune. Adhiérase a estas restricciones por al menos un mes después de que la infección se cure.

•Usen cápsulas para fomentar el crecimiento de bacterias benéficas. Durante la infección aguda, inserte en la vagina cada noche una cápsula de la raíz de la uva de Oregon ("Oregon grape root", *Berberis aquifolium*) en polvo. Cada mañana, inserte en la vagina una cápsula de lactobacilos acidófilos ("lactobacillus acidophilus"). Las cápsulas se encuentran disponibles en la mayoría de las tiendas de alimentos naturales ("health food stores").

•Absténganse de tener relaciones sexuales durante este tratamiento. Pueden irritar el tejido de la vagina.

Una infección aguda debería sanarse en una semana. Para los casos persistentes, repita el protocolo de las cápsulas cada dos semanas hasta llegar a un total de cuatro tratamientos.

•**Las infecciones de las vías urinarias (UTI, por sus siglas en inglés)** frecuentemente ocurren cuando las bacterias migran de la vagina por la uretra hacia la vejiga. El coito, una infección de la vagina y la sequedad vaginal crónica aumentan el riesgo.

Si padece infecciones de las vías urinarias recurrentes, consulte a su médico de cabecera acerca de un tratamiento con antibióticos para la infección aguda. *Luego siga estos pasos para prevenir recurrencias…*

•Beba 64 onzas (casi 2 litros) de agua diariamente para eliminar de su vejiga las fastidiosas bacterias.

•Todas las noches al acostarse tome un suplemento de acidófilos/bífidos ("acidophilus/bifidis") que contenga tres mil millones ("three billion") de estos organismos vivos.

•Beba 12 onzas (350 ml) de jugo de arándanos agrios no endulzado ("unsweetened cranberry juice") todos los días. Este jugo acidifica su orina, impidiendo que las bacterias se adhieran a las paredes de la vejiga. Si no le gusta el jugo de arándanos agrios –o no desea las calorías de más– tome una cápsula diaria que contenga 900 mg de extracto de arándanos agrios ("cranberry extract").

•**Las mamas fibroquísticas ("fibrocystic breasts") y el síndrome premenstrual (PMS, por sus siglas en inglés)** pueden ser causados por malos hábitos en la dieta. Si tiene mamas fibroquísticas, evite la cafeína y el azúcar… y reduzca la grasa y los alimentos refinados. Consuma más cereales integrales, frijoles (alubia, habas, habichuelas, judías, "beans"), guisantes (arvejas, chícharos, "peas"), frutas y verduras.

Además, tome 50 mg de la vitamina B-6, 400 unidades internacionales (IU, por sus siglas en inglés) de la vitamina E, y 3.000 mg de aceite de linaza ("flaxseed oil") o 1.500 mg de aceite de prímula nocturna ("evening primrose oil") diariamente para reducir la inflamación.

Los niveles bajos de progesterona pueden contribuir al síndrome premenstrual. Para combatir esta afección, siga el protocolo de las mamas fibroquísticas y pruebe el fruto del cáñamo ("chaste tree berry", *Vitex agnuscastus*) para aumentar la producción de la hormona progesterona. Dos semanas antes de que comience su periodo menstrual, tome 60 gotas de tintura ("tincture") de Vitex diariamente. Interrumpa el tratamiento por dos semanas después de la menstruación, y luego repita el tratamiento.

Nota: Las mujeres embarazadas o que estén amamantando deberían consultar al médico antes de tomar cualquier hierba.

La histerectomía rara vez es la única solución

Brian W. Walsh, MD, profesor auxiliar de obstetricia y ginecología de la facultad de medicina de la Universidad Harvard, y jefe de ginecología quirúrgica del hospital Brigham and Women's, ambos en Boston.

Cada año, 500 mil mujeres estadounidenses se someten a una *histerectomía* –la extirpación quirúrgica del útero. Este procedimiento drástico requiere entre tres y cinco días en el hospital, seguidos por hasta seis semanas de recuperación en casa.

La histerectomía puede salvar la vida en casos de cáncer de los ovarios, útero o cérvix. Pero nueve de cada 10 histerectomías se hacen simplemente para controlar el sangrado menstrual excesivo u otros problemas ginecológicos menos graves.

Estos problemas casi siempre pueden controlarse con tratamientos que son más seguros y menos perjudiciales para la autoestima de la mujer que la histerectomía –los cuales conservan la capacidad de la mujer de concebir hijos.

He aquí cinco afecciones que con frecuencia llevan a la histerectomía… y otras maneras para controlarlas y así evitar la histerectomía…

ENDOMETRIOSIS

Ocurre cuando células del revestimiento uterino comienzan a crecer *fuera* del útero –usualmente en los ovarios o detrás del útero. Con cada periodo menstrual, una mujer con endometriosis experimenta sangrado interno leve. Esto causa inflamación e irrita las terminales nerviosas, lo que provoca un dolor fuerte.

Alternativa a la histerectomía: Cirugía laparascópica. El médico inserta un telescopio flexible iluminado (*laparoscopio*) en el abdomen a través de una pequeña incisión en el ombligo. Luego usa el laparoscopio para extraer depósitos endometriales.

Debido a que la endometriosis usualmente aparece nuevamente con el tiempo, la cirugía podría tener que repetirse. Pero la histerectomía sólo es necesaria en casos graves de endometriosis.

La histerectomía –y la extirpación de ambos ovarios (*ooforectomía u ovariectomía bilateral*)–

interrumpe el crecimiento de los depósitos endometriales y reduce los depósitos actuales.

ADENOMIOSIS

Esta afección, similar a la endometriosis, es común en las mujeres que han tenido varios hijos. Ocurre cuando los cambios relacionados con el embarazo en el revestimiento uterino provocan que éste "invada" las paredes del útero, debilitándolo.

Las paredes del útero finalmente pierden su capacidad de contraerse. Es esta capacidad la que permite que un útero saludable contenga el flujo de sangre al final de cada periodo menstrual.

Alternativa a la histerectomía: Ablación endometrial. En este procedimiento ambulatorio de 30 minutos, un globo que se inserta por la vagina en el útero se llena con agua y luego se calienta. Los vasos sanguíneos colapsan y se fusionan entre sí, sellándose y deteniendo el sangrado.

FIBROIDES UTERINOS

Estos miomas (tumores) uterinos benignos pueden ser microscópicos –o tan grandes como un melón. Muchos miomas –incluso algunos que son grandes– no provocan síntomas. Pero si se hace presión contra el revestimiento uterino, el sangrado menstrual puede ser abundante.

Alternativa a la histerectomía: Cirugía histeroscópica. Los miomas que miden menos de cinco centímetros (dos pulgadas) de diámetro pueden usualmente extirparse sin hacer ninguna incisión.

En este procedimiento, el cirujano inserta un dispositivo similar a un laparoscopio (*histeroscopio*) por la vagina y usa un aro de alambre adjunto al dispositivo para quitar el mioma poco a poco.

La cirugía histeroscópica usualmente puede realizarse con anestesia local o espinal.

Para los miomas más grandes, frecuentemente es necesario un procedimiento más invasivo conocido como *miomectomía*. Éste consiste en extraer los miomas a través de una incisión abdominal similar a la que se hace en una cesárea.

Alrededor del 30% de las mujeres que se someten a la cirugía histeroscópica o a la miomectomía eventualmente necesitan una segunda operación, ya que los miomas pueden volver a aparecer.

Los miomas tienden a reducirse después de la menopausia –pero nunca desaparecen por completo.

Advertencia: La histerectomía podría ser necesaria para un mioma que se desarrolla o se agranda después de la menopausia. Estos miomas podrían ser un indicio de un tumor maligno.

FALTA DE OVULACIÓN

Normalmente, los ovarios segregan hormonas que provocan la ovulación. Si los ovarios no segregan las hormonas necesarias, el revestimiento del útero se vuelve más espeso cuando se acumulan ahí las células.

Este proceso continúa hasta que el revestimiento desestabilizado comienza a liberar un torrente de sangre.

Alternativa a la histerectomía: Terapia hormonal. Las hormonas que contienen las píldoras anticonceptivas con frecuencia son suficientes para detener el sangrado.

Advertencia: Si tiene presión arterial alta o es propensa a los coágulos, la terapia de progesterona sola podría ser más segura que la píldora anticonceptiva.

PROLAPSO UTERINO

El prolapso uterino ("uterine prolapse") ocurre cuando el útero se desliza de su posición normal. En la mayoría de los casos –pero no en todos– la histerectomía es necesaria.

El tejido conjuntivo y los ligamentos que mantienen el útero en su lugar se estiran y se debilitan con el embarazo.

Con el tiempo, la gravedad estira más los ligamentos, lo que causa que el útero descienda aun más. En casos extremos, el útero sobresale de la vagina.

Alternativa a la histerectomía: Usar un pesario ("pessary"). Este dispositivo con forma de donut (rosquilla) –que es más o menos del tamaño de un diafragma– se inserta en la vagina y se ajusta contra el hueso púbico para mantener el útero en su lugar.

Los pesarios pueden ser una idea especialmente buena para las mujeres débiles que quieren evitar la cirugía.

La mayoría de los miomas uterinos no requieren intervención

Nada puede hacerse para impedir los miomas, pero como no están vinculados al cáncer, raramente es necesario extirparlos.

Sin embargo, el lugar exacto donde aparecen es importante –un pequeño mioma en la cavidad uterina central puede causar sangrado y requerir cirugía; mientras que uno más grande en otro lugar quizá no produzca ningún síntoma ni necesite la intervención, ya que se reducirá por su cuenta después de la menopausia.

De ser necesaria la cirugía, conocida como miomectomía, a veces puede hacerse con laparoscopio.

Steven R. Goldstein, MD, profesor de obstetricia y ginecología de la facultad de medicina de la Universidad de Nueva York (NYU).

Tenga cuidado con diagnosticar su propia candidiasis vaginal

En un descubrimiento reciente, sólo alrededor de la mitad de las mujeres que se trataban por su cuenta con medicamentos de venta libre realmente tenían una infección vaginal. Las otras mujeres tenían otro tipo de infección o ninguna infección.

Problema: Sin tratamiento, ciertos tipos de infecciones vaginales, como *vaginosis bacteriana* y la *vaginitis por tricomonas*, pueden provocar infertilidad y hacer que las mujeres sean más susceptibles al sida.

Las mujeres que experimenten comezón, ardor o irritación vaginal deberían consultar al médico.

Daron Ferris, MD, profesor de obstetricia y ginecología y de medicina familiar de la facultad de medicina de Georgia, en Augusta. Su estudio de 95 mujeres fue publicado en *Obstetrics & Gynecology*.

La trampa del sexo oral

Las investigaciones demuestran que la candidiasis vaginal (una infección causada por hongos) es mucho más común en las mujeres que reciben cunnilingus.

Teoría: En la boca de hasta la mitad de los adultos se encuentran hongos que causan infecciones... por lo que el sexo oral podría ser una manera eficaz de transmitirlos a la vagina.

Cepillarse los dientes y limpiarse con hilo dental puede ayudar a reducir los niveles de hongos en la boca... además puede ayudar hacer gárgaras con un enjuague bucal antiséptico ("antiseptic mouthwash").

Judith Seifer, PhD, RN, ex presidenta de la American Association of Sex Educators, Counselors and Therapists, Box 1960, Ashland, Virginia 23005. Es cocreadora de la serie de videos *Better Sex*.

Nuevo tratamiento para la incontinencia

La incontinencia urinaria de urgencia, una afección que causa la pérdida de orina antes de llegar al baño, puede aliviarse en gran medida al tomar un medicamento que normalmente se utiliza para los malestares estomacales, como la leche de magnesia.

Descubrimiento reciente: Las mujeres que tomaron una cucharadita de *hidróxido de magnesio* –el ingrediente activo en la leche de magnesia, Mylanta y Maalox– dos veces al día, tuvieron considerablemente menos incidentes que las que tomaron un placebo.

Teoría: El hidróxido de magnesio ("magnesium hydroxide") minimiza las contracciones del músculo de la vejiga responsable por una vejiga hiperactiva.

Farnaz Alams Ganj, MD, profesor auxiliar de obstetricia y ginecología del hospital Akbarabadi, de la Universidad de ciencias médicas de Irán, en Teherán.

Intente los ejercicios Kegel para la incontinencia

La incontinencia urinaria afecta al 38% de las mujeres y el 19% de los hombres mayores de 60 años. Un estudio de casi 200 mujeres mayores descubrió que practicar los sencillos *ejercicios Kegel*, junto a algunas estrategias del comportamiento, fue mucho mejor para disminuir los "accidentes" que el tratamiento con medicamentos.

Los ejercicios Kegel consisten en apretar y relajar de manera repetida los músculos del piso pélvico que mantienen la vejiga en su lugar –los cuales son los músculos que se usan para enlentecer o detener el flujo de orina.

Usualmente se necesita entre ocho y 10 semanas de ejercicios para que se produzcan resultados. Luego los ejercicios deberían continuarse como parte de la rutina diaria.

Nota: Los ejercicios Kegel también ayudan a los hombres.

Kathryn Burgio, PhD, profesora de medicina de la Universidad de Alabama, en Birmingham.

Cómo controlar la menopausia sin medicamentos

Toni M. Cutson, MD, profesora adjunta de medicina comunitaria y familiar, y profesora adjunta de medicina, ambos en el centro médico de la Universidad Duke, en Durham, Carolina del Norte. Es coautora de "Managing Menopause", un informe publicado en *American Family Physician*.

Los bochornos (calores repentinos, sofocos), los cambios de ánimo, la sequedad vaginal, los trastornos del sueño y otros síntomas fastidiosos afectan a alrededor del 75% de las mujeres menopáusicas.

Aun más problemático es el aumento del riesgo, relacionado con la menopausia, de enfermedad del corazón y osteoporosis.

Para ayudar a controlar estos problemas comunes, los médicos con frecuencia recetan la *terapia de reemplazo hormonal* (HRT, por sus siglas en inglés), la cual podría proteger contra los ataques cerebrales ("stroke") y el mal de Alzheimer.

La terapia con hormonas puede causar efectos secundarios, incluyendo sensibilidad en los senos, hinchazón y dolor de cabeza. También ha sido vinculada a un riesgo levemente mayor de contraer cáncer de mama, especialmente en las mujeres con un historial familiar de esta enfermedad.

Para evitar los posibles inconvenientes de la HRT, muchas mujeres tratan sus síntomas con una variedad de alternativas a los medicamentos –como consumir una dieta de poca grasa y mucha fibra... hacer ejercicios con regularidad... y dejar de fumar.

Eso es un buen comienzo, pero también existen otras maneras adicionales de aliviar los síntomas. Ya sea que una mujer tome hormonas o no, *puede beneficiarse con ocho estrategias comúnmente ignoradas...*

• **Consuma al menos ocho porciones de frutas y verduras todos los días.** Estos alimentos con mucha fibra y poca grasa son usualmente ricos en ácido fólico y otras vitaminas del complejo B, las cuales disminuyen el riesgo de enfermedad del corazón al ayudar a impedir los coágulos en las arterias.

Una porción equivale a una fruta, media taza de verduras cocidas o una taza de verduras crudas.

Otros alimentos que combaten la osteoporosis: Los productos que contienen mucho calcio, como los lácteos (leche y yogur) y el jugo de naranja fortificado ("fortified").

• **Consuma alimentos de soja integral.** Contienen *isoflavonas*, compuestos similares al estrógeno que reducen los bochornos de la menopausia, la pérdida ósea y el colesterol "malo" LDL. Entre las buenas fuentes se incluyen nueces de soja ("soy nuts"), leche de soja y tofu.

Advertencia: Evite los polvos y los suplementos nutricionales que afirman que tienen los mismos ingredientes activos que los alimentos de soja. Es posible que esos productos contengan sustancias químicas desconocidas que podrían ser perjudiciales.

Peor aun, podrían contener niveles excesivos de isoflavonas, que aumentan el riesgo de cáncer de mama. Limite su consumo de soja a unos 60 gramos de isoflavonas al día.

• **Tome un multivitamínico diariamente.** Elija una marca conocida, como One-a-Day o Centrum, para obtener la dosis recomendada de la mayoría de las vitaminas y los minerales. Pero *no* tome megadosis de vitaminas individuales –podrían ser perjudiciales.

Por ejemplo, demasiada vitamina A puede hacer daño a los ojos y la piel. Las megadosis de la vitamina D pueden causar exceso de calcio en el torrente sanguíneo.

Para prevenir el daño al hígado, evite las píldoras que proporcionan más de 18 mg de hierro. Debido a que las mujeres menopáusicas ya no pierden hierro en la menstruación, los suplementos de hierro sólo son apropiados si se le ha diagnosticado una deficiencia de hierro.

• **Tome un suplemento de calcio.** Una dosis diaria de 1.500 mg ayuda a prevenir la osteoporosis.

El carbonato de calcio ("calcium carbonate") que se encuentra en Tums es barato y se absorbe rápidamente. Cada tableta de Tums proporciona 200 mg de calcio. Si desea una dosis mayor, pruebe Tums E-X con 300 mg de calcio o Tums 500 con 500 mg.

• **Pruebe los remedios de hierbas comprobados eficaces.** Algunas mujeres menopáusicas toman el fruto del cáñamo ("chasteberry") para prevenir los bochornos. Pero existe poca investigación que apoye su eficacia.

Asimismo, evite la angélica (dong quai, "angelica sinensis") y la raíz de regaliz ("licorice root"). La angélica puede causar un efecto anticoagulante excesivo. La raíz de regaliz podría precipitar dolor de cabeza o presión arterial alta.

Mejor: cimifuga negra ("black cohosh"). Esta hierba inhibe la *hormona luteinizante* (LH, por sus siglas en inglés), la cual provoca los bochornos de la menopausia. Algunas mujeres afirman que además aumenta el impulso sexual y alivia los sudores nocturnos y los trastornos del sueño.

La cimifuga negra se vende con la marca Remifemin en las tiendas de alimentos naturales ("health food stores").

•**Limite el consumo de alcohol.** No beba más de tres vasos de vino –o tres onzas (90 ml) de licor fuerte– por semana. Beber vino con moderación podría ser beneficioso para el corazón, pero demasiado alcohol exacerba los bochornos de la menopausia.

•**Relájese.** Muchas mujeres menopáusicas atribuyen sus problemas de memoria y de ánimo a las fluctuaciones hormonales. Pero el estrés psicológico es frecuentemente la verdadera causa. Al mismo tiempo que experimentan la menopausia podrían también tener que cuidar a los padres ancianos, mandar los hijos a la universidad o lidiar con el estrés laboral.

Para combatir el estrés: Busque ayuda para sobrellevar las situaciones difíciles. Rechace proyectos adicionales en el trabajo… pídale a sus hermanos que la ayuden a cuidar al padre o a la madre ancianos… o busque un programa diurno que atienda las necesidades sociales de los ancianos.

Duerma lo suficiente y reserve 30 minutos de tranquilidad todos los días. Si su horario no se lo permite, tan sólo cinco minutos es mejor que nada.

•**Reconsidere su vida sexual.** Los aspectos físicos y psicológicos de la menopausia con frecuencia dificultan la vida sexual de una mujer. Pero la abstinencia no es la respuesta.

La actividad sexual frecuente disminuye la sequedad vaginal, mejora el sueño, disminuye el estrés y ayuda a aliviar el mal humor.

Bono: Tener relaciones sexuales habituales ayuda además a aumentar la libido.

Alternativas al reemplazo hormonal

Las mujeres menopáusicas que estén preocupadas acerca de la *terapia de reemplazo*

hormonal (HRT, por sus siglas en inglés) deberían considerar estas alternativas…

•**Remedios tradicionales** para los bochornos y los sudores nocturnos, como la cimifuga negra ("black cohosh"), el regaliz ("licorice"), el trébol rojo ("red clover") y el fruto del cáñamo ("chasteberry").

•**Estradiol y progesterona** (mejor administrados en una base de crema) –dos medicamentos recetados que son idénticos a las hormonas de la mujer producidas en el cuerpo.

•**Alimentos con alto contenido de soja o semillas de lino ("flaxseed") en polvo** –espolvoreados sobre cereales, mezclados en un licuado, etc.

También útil: Evite el alcohol y los alimentos picantes, los cuales pueden provocar los bochornos… vístase en capas que pueda sacarse durante un episodio de bochornos.

Andrew L. Rubman, ND, director de la Southbury Clinic for Traditional Medicines, en Southbury, Connecticut.

Una alternativa natural a la terapia de reemplazo hormonal HRT

Las mujeres posmenopáusicas podrían disminuir su riesgo de contraer enfermedad del corazón sin recurrir a la *terapia de reemplazo hormonal* (HRT, por sus siglas en inglés).

Un estudio reciente halló que un extracto del trébol rojo ("red clover") de venta libre (Promensil) aumenta la elasticidad de las paredes de las arterias con tanta eficacia como la HRT. Los investigadores creen que los compuestos llamados *isoflavonas* que se encuentran en el trébol rojo son la causa de este efecto. La pérdida de elasticidad arterial –que con frecuencia ocurre en la menopausia– aumenta el riesgo de una mujer de padecer enfermedad del corazón.

Paul J. Nestel, MD, jefe de nutrición cardiovascular del Baker IDI Heart and Diabetes Institute, en Melbourne, Australia.

Cómo aliviar los bochornos en las mujeres ...y en los hombres

Los bochornos (calores repentinos, sofocos, "hot flashes") en las mujeres menopáusicas –y en los hombres que están siendo tratados para cáncer de próstata con hormonas– pueden ser eficazmente eliminados con los antidepresivos.

En un estudio, las pacientes menopáusicas con cáncer de mama que tomaron alrededor de la mitad de la dosis estándar de *venlafaxina* (Effexor) tuvieron una disminución del 61% de los bochornos.

Los resultados preliminares sugieren un efecto similar con otros antidepresivos, como *fluoxetina* (Prozac) y *paroxetina* (Paxil).

Esta es una gran noticia porque la quimioterapia para el cáncer de mama frecuentemente causa menopausia precoz, provocando bochornos, sudores nocturnos, trastornos del sueño y cambios de ánimo.

Los tratamientos con hormonas para las mujeres menopáusicas ayudan –pero pueden estimular el crecimiento de tumores. Por esta razón, los antidepresivos son una opción más segura.

Charles L. Loprinzi, MD, profesor y jefe de oncología médica de la Clínica Mayo, en Rochester, Minnesota. Su estudio fue presentado en una reunión de la American Society of Clinical Oncology.

Los últimos métodos para prevenir y tratar la impotencia

Irwin Goldstein, MD, director fundador del Institute for Sexual Medicine de la Universidad de Boston. En la actualidad es el director de medicina sexual del hospital Alvarado, en San Diego, California, y profesor clínico de cirugía de la Universidad de California en San Diego. También es editor jefe del *Journal of Sexual Medicine*.

La mayoría de los hombres que tienen dificultades para iniciar o mantener erecciones tienen problemas físicos subyacentes. Muchas de las mismas afecciones que aumentan el riesgo de enfermedad del corazón y ataque cerebral ("stroke") también aumentan el riesgo de disfunción eréctil al inhibir el flujo de sangre al pene.

Cuando un hombre se excita sexualmente, la sangre fluye hacia las estructuras del pene, similares a una esponja, y produce una erección. La arteria principal del pene tiene sólo medio milímetro de diámetro. Incluso las pequeñas acumulaciones de depósitos de grasa (placas) pueden inhibir el flujo de sangre.

Entre otras causas comunes de problemas con la erección se incluyen el bajo nivel de testosterona... el daño neurológico causado por la diabetes... y el uso de medicamentos que interfieren con las señales nerviosas o el flujo sanguíneo.

Advertencia: Debido a que la disfunción eréctil podría ser un síntoma precoz de una enfermedad cardiovascular, los hombres que experimentan impotencia deberían someterse a un chequeo cardiovascular completo. Esto es particularmente importante si existen factores de riesgo de enfermedad del corazón, como fumar, hipertensión, diabetes o historial familiar.

CAMBIOS EN EL ESTILO DE VIDA

Para la mayoría de los hombres, la impotencia puede prevenirse –y en algunos casos revertirse– efectuando los mismos cambios en el estilo de vida que promueven la salud cardiovascular. *Las mejores estrategias...*

•**Controle el colesterol.** Los hombres con un nivel de colesterol total mayor a 200 tienen más probabilidad de sufrir de impotencia que los hombres con niveles más bajos.

Según las nuevas directrices del gobierno estadounidense, el nivel óptimo de colesterol "malo" LDL es de entre 100 y 129. El colesterol "bueno" HDL debería ser mayor a 60. Algunos pacientes pueden alcanzar estos niveles mediante los cambios en la dieta, como consumir menos grasa saturada y más fibra.

Muchos pacientes, sin embargo, podrían necesitar los medicamentos para bajar el colesterol llamados estatinas. Una dosis inicial de 10 mg de *atorvastatina* (Lipitor) o *pravastatina* (Pravachol) puede bajar el colesterol "malo" LDL en hasta el 40%. Si un hombre ya está experimentando disfunción eréctil, tomar una estatina podría restablecer su capacidad de lograr erecciones.

●**Sométase a exámenes para saber si padece diabetes o hipertensión.** Se cree que la diabetes, que puede dañar los nervios y los vasos sanguíneos, contribuye en casi la mitad de los casos de impotencia. Más del 40% de los hombres con hipertensión (presión arterial alta) sufren de impotencia.

●**Pregunte sobre los efectos secundarios de los medicamentos.** Casi todos los medicamentos para bajar la presión y muchos medicamentos usados para tratar la diabetes pueden causar impotencia como un efecto secundario. También lo pueden hacer algunos antihistamínicos (como Benadryl y Banophen) y potencialmente cientos de medicamentos recetados, incluyendo sedantes (como Valium), antipsicóticos, antidepresivos y analgésicos (en particular analgésicos narcóticos, como la codeína).

Los efectos secundarios de los medicamentos son sumamente individuales. Cambiar a un medicamento distinto, incluso uno del mismo tipo, podría revertir el problema. Pídale a su médico que examine todos los medicamentos que usted esté tomando.

●**Evite las lesiones al andar en bicicleta.** Los hombres que andan habitualmente en bicicleta podrían experimentar trauma de las arterias que afecte el flujo de sangre y cause disfunción eréctil. Considere reemplazar un asiento de bicicleta angosto con uno más ancho que tenga una parte delantera más prominente. Esto distribuye el peso sobre un área más amplia y puede reducir el daño a los vasos sanguíneos.

●**Analice su testosterona.** Los niveles de esta hormona disminuyen naturalmente con la edad. Los hombres que tienen niveles muy bajos podrían experimentar descensos en la libido y dificultad para tener erecciones. Todos los hombres que sufren de disfunción eréctil deberían someterse a un análisis de sangre que mida los niveles de testosterona. Restablecer los niveles normales de testosterona con parches cutáneos u otros tratamientos puede ser eficaz.

●**Deje de fumar.** Fumar daña el revestimiento interno de los vasos sanguíneos en el pene y otros lugares, y aumenta el riesgo de acumulación de placa. Los estudios demuestran que los hombres que fuman un paquete de cigarrillos o más al día tienen un 60% más de riesgos de tener disfunción eréctil que quienes nunca han fumado.

TRATAMIENTOS

Los hombres tienen muchas opciones para tratar la disfunción eréctil. Si está causada por una afección médica, el costo del tratamiento podría estar cubierto por el seguro médico. Consulte a su compañía de seguros.

●**Los medicamentos orales** relajan los vasos sanguíneos del pene y promueven una circulación mejor. Casi el 70% de los pacientes son capaces de tener erecciones con medicamentos orales. Los siguientes tres medicamentos son similares, pero también existen diferencias entre ellos. Consulte a su médico acerca de la mejor opción para usted. Entre los efectos secundarios se podrían incluir dolor de cabeza, enrojecimiento de la cara o congestión nasal.

●**Viagra** (*sildenafilo*) demora alrededor de una hora en surtir efecto. La capacidad de tener una erección dura unas cuatro horas. Las comidas con mucha grasa interfieren con la eficacia del Viagra (a diferencia de los otros dos medicamentos).

●**Levitra** (*vardenafilo*) es el medicamento oral de acción más rápida. Una erección puede ocurrir en 10 minutos en entre el 30% y el 40% de los hombres o en 30 minutos en el 60% de los hombres. La capacidad de tener una erección dura entre 10 y 14 horas.

●**Cialis** (*tadalafilo*) es el medicamento cuyo efecto dura más. Los hombres que toman este medicamento tienen la capacidad de tener erecciones hasta 36 horas después. La erección puede ocurrir entre 30 y 60 minutos después de tomarlo.

●**Los dispositivos de vacío ("vacuum devices")** pueden ser una buena opción cuando los medicamentos orales no son eficaces. Un tubo hueco de plástico se coloca sobre el pene. El hombre usa una bomba para crear un vacío en el tubo, con lo que atrae sangre hacia el pene. La sangre se mantiene en su lugar al hacer pasar un aro de goma que crea tensión alrededor de la base del pene. Después del orgasmo, el aro se quita y la erección decrece.

Costo: entre $300 y $500.

Advertencia: Los dispositivos que se venden en Internet podrían dañar el pene.

•**Inyecciones.** El medicamento *alprostadil* (Caverject, Edex) se inyecta en el pene con una aguja muy delgada y usualmente causa una erección en cinco a 20 minutos. Los médicos frecuentemente recomiendan inyecciones cuando los medicamentos orales o los dispositivos de vacío no son eficaces.

Alternativa: Una combinación de medicamentos –*prostaglandina E, papaverina* y *fentolamina*– puede ser preparada por un farmacéutico. Puede usarse en lugar de la inyección de un solo medicamento. La combinación aún no está aprobada por la agencia federal Food and Drug Administration (FDA), pero es mucho más eficaz –y puede prevenir la cirugía en los hombres que padecen impotencia grave. Consulte a su médico.

•**Implantes de pene.** En un procedimiento ambulatorio, el cirujano implanta tubos inflables o varillas semirígidas en el pene (los implantes no interfieren con la eyaculación). Los tubos inflables son más caros que las varillas, pero son la mejor opción para la mayoría de los hombres porque pueden inflarse o desinflarse según sea necesario. La recuperación toma de dos a cuatro semanas, y los tubos o varillas pueden durar más de diez años.

Más de Irwin Goldstein, MD...

Respuestas médicas a preguntas difíciles acerca del Viagra

El *sildenafilo* (Viagra) ha ayudado a millones de hombres a mejorar su vida sexual. También existen otros dos medicamentos, *vardenafilo* (Levitra) y *tadalafilo* (Cialis), que pueden ayudar. *He aquí respuestas claras a las preguntas más comunes sobre estos medicamentos...*

•**Algunas personas creen que el Viagra proporciona a los hombres una erección que dura por horas. ¿Es verdad?** No. El Viagra no causa una erección, sino que la *facilita*. Mejora los procesos psicológicos que permiten que el pene se llene de sangre y permanezca rígido en respuesta a una señal del cerebro. Esa señal es provocada por el deseo. Sin el deseo, lo más probable es que nada suceda. Después del orgasmo, un hombre pierde la erección, como sucedería si no estuviera tomando el medicamento.

El Viagra no surte efecto por al menos una hora. Puede facilitar la erección por hasta 12 horas.

•**¿Significa esto que los hombres pueden hacer el amor varias veces en una noche?** Sí, aunque las encuestas indican que sólo el 10% de los hombres eligen tener una segunda interacción.

•**Existen avisos publicitarios de Viagra en Internet. ¿Realmente necesitan los hombres consultar a un médico antes de tomarlo?** Sí, no cabe duda alguna. La disfunción eréctil es un problema médico y merece una evaluación médica –y psicológica. Podría ser un síntoma de una enfermedad que peligra la vida, como cáncer de próstata, enfermedad del corazón o diabetes.

•**Si un hombre tomó el Viagra una vez, y no le dio resultado, ¿ayudaría una dosis más fuerte?** Yo sugiero tomar el Viagra al menos en cinco oportunidades. Si el medicamento aún no da resultados, quizá necesite una dosis más fuerte, o podría tomar uno de los otros medicamentos, Levitra o Cialis. Consulte a su médico. Si sus niveles de testosterona son bajos, normalizarlos podría lograr que el Viagra sea aun más eficaz. Reducir los niveles altos de colesterol mediante la dieta o la medicación también podría ayudar.

•**Si un hombre está tomando un antidepresivo que causa problemas de erección, ¿puede el Viagra ser de ayuda?** El Viagra es muy eficaz cuando el problema es un efecto secundario de los medicamentos, como podría ser el caso con ciertos antidepresivos, antihipertensivos, medicamentos para la diabetes y el corazón, etc.

De hecho, el Viagra es muy eficaz para una amplia variedad de causas físicas y psicológicas de disfunción eréctil. Cuando los problemas de erección son la consecuencia de prostatectomía radical, daño neurológico o cicatrización grave del pene, sin embargo, el Viagra podría no dar un buen, o ningún, resultado.

•Algunos hombres han muerto después de tomar Viagra. ¿Es peligroso? En realidad, el Viagra es un medicamento increíblemente seguro –pero el sexo en sí puede ser bastante agotador. Al acercarse el orgasmo, la presión arterial y el ritmo cardiaco aumentan. Algunos corazones no lo pueden soportar. No es inusual encontrar hombres en la unidad de cuidado coronario que han tenido ataques al corazón durante el coito.

Importante: Aunque el Viagra es seguro para tomar con la mayoría de los medicamentos, no debería usarse si se está tomando nitratos, como *nitroglicerina*, para la enfermedad del corazón. Esta combinación puede causar una disminución mortal en la presión arterial.

•¿Tiene el Viagra efectos secundarios? El Viagra puede causar dolor de cabeza, dolor estomacal o enrojecimiento intenso de la cara. Un pequeño porcentaje de los hombres –quizá el 2%– deja de usarlo por estas razones.

•¿Está bien beber algunos tragos antes de tomar el Viagra? El alcohol podría desinhibir, pero sabotea la capacidad de tener una erección, ya sea que se tome o no el Viagra. Sólo beba alcohol moderadamente.

•¿Por qué es una mala idea tomar el Viagra enseguida después de cenar? La comida interfiere con la absorción del Viagra, por lo que debe tomarlo al menos 30 minutos antes de comer. Yo les recomiendo a los pacientes que tomen el medicamento al terminar la tarde si tienen pensado tener relaciones sexuales por la noche.

•¿Puede el Viagra ayudar a las mujeres que tienen problemas sexuales? Sí, beneficia a las mujeres con problemas sexuales causados por insuficiente flujo de sangre a sus genitales. Sin embargo, la mayoría de los problemas sexuales de las mujeres están relacionados con la disminución de la libido o la diminución o la ausencia del orgasmo, los cuales no están relacionados con el flujo de sangre.

•¿Ayudará el Viagra en la relación de una persona? No necesariamente. Algunas mujeres creen que hace que los hombres se enfoquen demasiado en un objetivo: piensan más en sus erecciones y menos en la intimidad emocional. Algunas parejas descubren que incluso cuando los problemas sexuales se resuelven, los problemas de la relación persisten. Podrían necesitar también orientación psicológica.

•¿Puede tomar Viagra ahora prevenir la disfunción eréctil en el futuro? Posiblemente. Nada es mejor para la salud del pene que una erección. Un estudio alemán de 100 hombres halló que quienes tomaban el Viagra por la noche durante un año tenían mejores erecciones que quienes lo tomaban sólo ocasionalmente.

Si está en riesgo de tener problemas de erección –quizá tenga diabetes o presión arterial alta o fume– consulte a su médico acerca de tomar dosis bajas de Viagra todas las noches para prevenir dificultades más adelante, de la misma manera en que podría tomar dosis bajas de aspirina para prevenir un ataque al corazón.

•¿Son mejores los otros medicamentos para la disfunción eréctil, Levitra y Cialis? Levitra es más fuerte –actúa más rápidamente, dura más y la dosis es más pequeña, por lo que podría ser más beneficioso para algunos hombres. Cialis es eficaz por tres días.

•¿Deberían ser cautelosos los hombres con Levitra y Cialis, ya que son más nuevos que el Viagra? No. Estos medicamentos han sido usados en Europa por muchos años. Además, todos han sido sometidos a pruebas rigurosas por la agencia federal Food and Drug Administration (FDA).

Tratamiento natural para la impotencia

Entre las alternativas naturales al Viagra, Cialis y Levitra, para el tratamiento de la impotencia se incluyen extractos de hojas de ginkgo y raíz de ginseng. Ambos se encuentran disponibles en farmacias y tiendas de alimentos naturales ("health food stores").

Consulte a su médico antes de usar uno de estos remedios. *Éstas son las dosis que yo consideraría…*

Ginkgo biloba: 40 mg del extracto, tomado tres veces al día. No lo use si toma aspirina o anticoagulantes.

Ginseng: entre 100 y 200 mg del extracto diariamente. Los hombres que usen ginseng deberían controlarse la presión arterial de manera habitual. No lo use si bebe bebidas con cafeína con regularidad o si toma otros estimulantes. Y sea paciente –pues podrían pasar varios meses antes de que vea resultados.

Adriane Fugh-Berman, MD, profesora clínica adjunta del departamento de fisiología y biofísica de la facultad de medicina de la Universidad Georgetown, en Washington, DC, y autora de *Alternative Medicine: What Works* (Williams & Wilkins).

Ayuda para la eyaculación precoz

La eyaculación precoz –o rápida (es decir, la que ocurre después de menos de un minuto de coito)– no es usualmente un problema psicológico, sino biológico.

Las investigaciones recientes indican que la eyaculación precoz podría ser genética y causada por una hiperactividad del sistema nervioso simpático, el cual controla las actividades involuntarias de las glándulas, los órganos y otras partes del cuerpo.

El tratamiento con los antidepresivos *inhibidores selectivos de la recaptación de serotonina* (SSRI, por sus siglas en inglés), como *paroxetina* (Paxil), podría ayudar a aliviar el problema al aumentar los niveles de serotonina en el cerebro. Se cree que este neurotransmisor prolonga la duración de la eyaculación. Consulte a su médico para obtener más información.

Pierre Assalian, MD, director de la unidad de sexualidad humana del centro de salud de la Universidad McGill, en Montreal.

La vasectomía no afecta las relaciones sexuales

El semen contiene menos de un 5% de espermas –y el resto está formado por líquido de las vesículas seminales y la próstata. La vasectomía detiene sólo el flujo de espermas. No debería afectar el deseo sexual ni el rendimiento.

Advertencia: Algunas espermas pueden quedar en el semen por hasta 30 eyaculaciones después de una vasectomía. Es aconsejable continuar usando un control de la natalidad, hasta que se confirme, con un sencillo examen de laboratorio, que no hay ninguna esperma en la eyaculación.

La reversión de la vasectomía es posible, con un índice de éxito de hasta el 90%.

Jonathan Jarow, MD, profesor de urología, patología, radiología y biología de la reproducción en los institutos médicos de la Universidad Johns Hopkins, en Baltimore.

Tratamiento natural para el agrandamiento de la próstata

El agrandamiento de la próstata puede tratarse sin peligro y eficazmente con *Pygeum africanum.*

El pígeum, un remedio de hierbas derivado de una especie de ciruelo originario de África, ha sido usado por 30 años en Europa. Pero como la cosecha de pígeum amenaza los árboles, es prudente tomar pígeum sólo si los tratamientos usuales para el agrandamiento de la próstata –el medicamento *finasterida* (Proscar), los agentes bloqueadores de los alfa-1, como *terazosina* (Hytrin), y el remedio herbario palmito aserrado (palmera de Florida, "saw palmetto")– no dan resultados. El pígeum se vende en las tiendas de alimentos naturales ("health food stores").

Russell H. Greenfield, MD, director médico y médico integrador del Carolinas HealthCare System, en Charlotte, Carolina del Norte.

Cómo obtener ayuda para problemas médicos embarazosos

Margaret Stearn, MD, practicante de medicina general en Oxford, Inglaterra, con interés especial en la diabetes y la medicina urológica. La Dra. Stearn es miembro del Royal College of Physicians, y autora de *Embarrassing Medical Problems: Everything You Always Wanted to Know But Were Afraid to Ask Your Doctor* (Hatherleigh Press).

Si padece un dolor de espalda o mareos, es fácil decírselo a su médico. ¿Pero qué pasa cuando está avergonzado de hablar con su médico acerca de algunos síntomas persistentes?

Por desgracia, muchos pacientes se privan de tratamiento eficaz y, en algunos casos, ponen en peligro su salud al no revelar ciertos problemas médicos. *Cómo obtener ayuda para…*

MAL ALIENTO

La producción de saliva disminuye al dormir, lo que permite que los restos de comida se queden en la boca. Las bacterias descomponen estos residuos, produciendo un olor desagradable. Ésa es la razón por la que casi todos tenemos mal aliento (*halitosis*) al despertar. Usualmente desaparece después de cepillarse los dientes.

Para determinar si tiene mal aliento: Pase la lengua por la parte interna de la muñeca, espere cuatro segundos, y luego huela.

La halitosis persistente es generalmente causada por la enfermedad de las encías (*gingivitis*). Si las encías sangran cuando se cepilla los dientes, es muy probable que padezca enfermedad de las encías y, como consecuencia, mal aliento. *Qué hacer…*

•**Vaya al dentista** para someterse a un chequeo y una limpieza completa.

•**Cepíllese los dientes al menos dos veces al día.**

El mejor método: Límpiese los dientes, dos a la vez durante seis segundos, moviendo el cepillo en un movimiento circular pequeño al mismo tiempo que lo inclina hacia las encías.

O considere comprar un cepillo de dientes a pila (batería) –con frecuencia controla la enfermedad de las encías mejor que el cepillado manual.

Costo: entre $20 y $120.

•**Limpie la parte de atrás de la lengua** donde las bacterias se acumulan. Use el cepillo de dientes o un raspador de lengua ("tongue scraper").

•**Use un enjuague bucal antibacteriano,** como Biotene Antibacterial, Cepacol Antiseptic o Listerine Antiseptic.

•**Límpiese con hilo dental todas las noches,** especialmente las muelas.

Si la halitosis persiste: Consulte al médico.

TRANSPIRACIÓN EXCESIVA

La transpiración de por sí no huele mal, pero es un terreno fértil para las bacterias que rápidamente se descompondrán en ácidos grasos malolientes.

La transpiración excesiva (*hiperhidrosis*) podría afectar las axilas, los pies o las palmas de la mano. *Qué hacer…*

•**Axilas.** Las mujeres y los hombres deberían afeitarse las axilas para reducir la acumulación de bacterias.

Además, cambie a un antitranspirante ("antiperspirant") con un ingrediente activo que sea diferente al que actualmente usa.

•**Pies.** Use calcetines limpios y sueltos hechos de lana o algodón y con al menos un 30% de fibras sintéticas, como nailon (nilón, "nylon") o poliéster. Lave los calcetines en agua caliente para matar las bacterias.

Evite los zapatos hechos con materiales sintéticos, pues atrapan la humedad, lo que permite que las bacterias se multipliquen. Esto también sucede con las zapatillas deportivas, así que no las use por más de cuatro horas al día.

Lávese los pies diariamente en agua caliente que contenga unas 10 gotas de aceite del árbol del té (melaleuca, "tea tree oil") por pinta (½ litro) de agua. Posee propiedades antibacterianas. Use una piedra pómez ("pumice stone") para quitar la piel muerta y endurecida de los talones y las plantas de los pies.

•**Palmas de las manos.** Frótese las palmas de las manos cada pocas horas con un aceite astringente, como de ciprés ("cypress") o geranio ("geranium"). Estos aceites esenciales, que se venden en las tiendas de alimentos naturales ("health food stores"), pueden agregarse al aceite de almendras ("almonds") o a una loción para facilitar la aplicación.

Si el autotratamiento no le da resultado: Consulte a su médico, quien le podrá recetar una solución de *cloruro de aluminio* al 20% o un medicamento anticolinérgico, como *propantelina* (Pro-Banthine), para disminuir la transpiración.

Las inyecciones de la *toxina Botulinum* (Botox) también son una opción de tratamiento para la hiperhidrosis grave.

Como último recurso, la división quirúrgica de los nervios simpáticos que causan la transpiración es eficaz en casi el 100% para los pies y las palmas de la mano, y en alrededor del 40% eficaz para las axilas.

COMEZÓN FEMENINA

La comezón fuerte de la vulva (*prurito vaginal*) es usualmente causada por una infección vaginal causada por hongos. *Qué hacer…*

•**Intente con una crema de venta libre,** como *clotrimazol* (Gyne-Lotrimin) o *miconazol* (Monistat 3). Si no le da resultados en unos pocos días, su médico podría recetarle un medicamento como *fluconazol* (Diflucan).

Entre otras causas posibles de la comezón se incluyen eczema, psoriasis o alergias.

Para aliviar la comezón: Dése un baño en agua caliente que contenga dos puñados de sal de Higuera ("Epsom salt") o sal común de mesa… o empape una toallita en una solución de sal y agua y aplíquela a la zona afectada.

•**Lávese sólo con productos de limpieza sin perfumes,** como Dove Unscented Beauty Bar o Neutrogena Transparent Dry Skin Formula Fragrance Free. Cuando aplique champú a su cabello, no deje que la espuma toque su vulva… y lave la ropa interior con un detergente sin enzimas ("enzyme-free") y sin perfumes ("perfume-free") elaborado para pieles sensibles ("sensitive skin").

•**No use desodorantes femeninos,** ni aplique desodorante o perfume a las almohadillas sanitarias ("sanitary pads")… no use suavizante de tejidos ("fabric softener")… y no nade en agua tratada con cloro.

FLATULENCIA

Es normal tener un poco de gas (flatulencia). El aire que se ingiere al comer usualmente se acumula en el estómago y sale al eructar.

Las bacterias también provocan que ciertos alimentos, especialmente las legumbres (frijoles), se descompongan en hidrógeno, metano y anhídrido carbónico ("carbon dioxide").

La mayoría de las personas tienen gas más de 10 veces al día. *Qué hacer…*

•**Evite consumir a una misma vez grandes cantidades de alimentos que provocan gases,** como frijoles (alubias, habas, habichuelas, judías, "beans"), guisantes (arvejas, chícharos, "peas"), bróculi ("broccoli"), coliflor ("cauliflower"), alcachofa (alcaucil, "artichoke"), col (repollo, "cabbage"), pasas de uva ("raisins"), ciruelas secas ("prunes") y manzanas. Éstos contienen carbohidratos difíciles de digerir que se fermentan en los intestinos.

Alimentos que no causan flatulencia: Papas, arroz, maíz y trigo.

•**Evite las bebidas gaseosas** y las calientes.

•**Tómese su tiempo al comer.** No se apure cuando come… baje su tenedor entre bocados… y mastique bien los alimentos.

•**No masque chicle.**

Existen remedios de venta libre que también pueden aliviar la flatulencia –Beano, tabletas de carbón ("charcoal"), Gas-X o Phazyme.

PICAZÓN EN LA ZONA GENITAL ("JOCK ITCH")

La *tiña crural o inguinal* causa un sarpullido rojo que pica en la zona de la ingle. El sarpullido es provocado por el mismo hongo que causa el pie de atleta. De hecho, es con frecuencia "contagiado" de los pies. *Qué hacer…*

•**Intente con una pomada antifúngica de venta libre,** como *tolnaftato* (Tinactin). Si esto no ayuda, consulte a su médico.

•**Use ropa interior suelta y de puro algodón.**

•**Lávese con jabón sin perfumes ("unscented"),** y seque el área de la ingle cuidadosamente después de bañarse.

•**Lave la ropa interior con un detergente sin enzimas ni perfumes.**

Alivio para problemas persistentes y fastidiosos

Dean Edell, MD, presentador del programa radial sindicado a nivel nacional "The Dr. Dean Edell Show". Era profesor clínico auxiliar de cirugía de la Universidad de California en San Diego, y es autor de *Eat, Drink & Be Merry* (Harper).

Millones de estadounidenses sufren innecesariamente de varios problemas de salud fastidiosos que ellos suponen que no son demasiado importantes como para buscar ayuda profesional.

En el mejor de los casos, estos problemas son simplemente una molestia. Pero, en el peor de los casos, las dolencias menores son una señal de una afección subyacente más grave, como una infección. *Los problemas de salud más comunes que quedan sin tratarse...*

PRURITO ANAL ("ANAL ITCHING")

La piel alrededor del ano siempre está húmeda –por lo que es un terreno fértil perfecto para los hongos. Los alimentos picantes o las sustancias químicas irritantes del papel higiénico pueden causar el prurito anal. También pueden causarlo las hemorroides o la diarrea persistente, la cual es un efecto secundario de algunos antibióticos.

Lo que usted quizás no sepa: El prurito anal no es causado por la falta de higiene. Es usualmente lo opuesto –el restregar vigorosamente aumenta el daño al tejido y la irritación.

Qué hacer: Pruebe aplicaciones diarias de crema de hidrocortisona al 0,5% de venta libre.

También útil...

• **Evalúe su dieta.** Algunas personas son sensibles a los alimentos ácidos, como los tomates y los cítricos. Evitar estos alimentos puede reducir la comezón.

• **Lávese muy suavemente después de defecar.** Humedezca el papel higiénico con agua para reducir la irritación. No restriegue la zona, simplemente dése palmaditas suaves. Seque la zona bien cuando haya terminado. Las toallitas de venta libre, como Tucks o las toallitas húmedas descartables para bebé ("disposable baby wipes"), también pueden usarse. Asegúrese de que no contengan alcohol, el cual puede irritar la piel.

• **Evite el papel higiénico con perfumes o tintes.**

• **Use ropa interior de algodón.** "Respira" y reduce el exceso de humedad.

• **No se rasque.** Esto irrita la piel y empeora la comezón.

Si el prurito anal persiste por más de unos días, pídale a su médico que lo examine para detectar oxiuros ("pinworms"), hongos u otros tipos de infecciones que podrían causar comezón.

CASPA ("DANDRUFF")

Es natural que las células muertas de la piel se descamen y caigan –pero las personas con caspa pueden perder las células de la piel hasta tres veces más rápido que lo normal.

La caspa está vinculada a *Pityrosporum ovale,* un hongo diminuto que vive en la piel. No se sabe si el hongo estimula la rotación rápida de piel o si lo que sucede es que abunda en personas con demasiada piel escamosa.

Lo que usted quizás no sepa: El uso diario de champú común seca la piel y empeora la descamación.

Qué hacer: Use un champú para la caspa que contenga *sulfuro de selenio* ("selenium sulfide"), como Selsun Blue, o *ketoconazol,* como Nizoral, todos los días por alrededor de una semana. Luego úselo cada pocos días, alternándolo con su champú usual, para mantener la caspa bajo control. Al lavarse, deje la espuma del champú en el cabello por unos cinco minutos antes de enjuagarlo.

CERA EN LOS OÍDOS ("EARWAX")

La sustancia pegajosa y similar a la cera (*cerumen*) es producida por glándulas en el conducto auditivo. Atrapa polvo y otras partículas extrañas e impide que éstas dañen las estructuras más adentro en el oído. La cera de los oídos tiene aspecto desagradable y también puede bloquear la abertura del conducto auditivo.

Lo que usted quizás no sepa: La cantidad y el tipo de cera de los oídos (seca o grasa) que usted produce es genética.

Qué hacer: Use un producto para extraer la cera que contenga *peróxido de carbamida* ("carbamide peroxide") cada pocos meses.

Marcas recomendadas: Murine Ear Drops y Debrox. Ponga unas pocas gotas en el oído, espere unos minutos y luego enjuáguelo con una perilla de succión ("bulb syringe") que contenga agua caliente.

La cera en los oídos que interfiere con la audición normal siempre debería ser tratada por un especialista en oído, nariz y garganta, quien usará un instrumento curvo, llamado cureta ("curette"), para extraerla. El procedimiento es generalmente indoloro y rápido.

PIES QUE HUELEN MAL

La exposición al aire seca rápidamente la transpiración en otras partes del cuerpo, pero los zapatos y los calcetines atrapan la humedad. Las bacterias que proliferan en el ambiente húmedo producen olores muy fuertes.

Lo que usted quizás no sepa: Usar los mismos zapatos todos los días puede causar que los pies huelan aun más.

Qué hacer: Lávese los pies varias veces al día con jabón y agua para eliminar las bacterias. Algunas personas aplican alcohol para frotar ("rubbing alcohol") a los pies para eliminar los gérmenes. Funciona temporalmente pero seca la piel.

Camine descalzo por unas horas diariamente para ayudar a mantener los pies secos y sin olor. Use solamente calcetines de algodón, los cuales absorben la humedad y evitan que prosperen los gérmenes que causan olores.

INCONTINENCIA URINARIA

Unos 13 millones de estadounidenses sufren de una pérdida accidental de orina de la vejiga.

En las mujeres, la causa más común de incontinencia urinaria es un debilitamiento del esfínter urinario o de los músculos del piso pélvico como resultado del embarazo. Además, la incontinencia urinaria en los hombres es con mucha frecuencia el resultado de la cirugía para el tratamiento del agrandamiento de la próstata o cáncer. La obesidad también podría causar incontinencia ya que produce una presión constante sobre la vejiga y los músculos que la rodean.

Lo que usted quizás no sepa: La mayoría de los hombres y las mujeres que sufren de incontinencia urinaria se sienten demasiado avergonzados como para decirles a sus médicos acerca del problema.

Qué hacer: Tanto las mujeres como los hombres frecuentemente pueden recuperar el control de la vejiga con ejercicios Kegel que fortalecen los músculos del piso pélvico. Ésos son los mismos músculos que usted aprieta al detener el flujo de la orina.

Varias veces todos los días, apriete los músculos, manténgalos así por unos segundos, y luego reléjelos. Repita la secuencia al menos 10 veces.

También útil para las mujeres y los hombres...

•**Durante unas semanas, vaya al baño a la misma hora** –cada media hora, por ejemplo–, sin importar si necesita o no ir. Luego lentamente alargue el tiempo entre las visitas al baño a medida que logra más control. Con la práctica, debería ser capaz de orinar cada tres o cuatro horas, sin "accidentes" entre medio.

•**Los medicamentos antiespasmódicos,** como *tolterodina* (Detrol) y *diciclomina* (Bentyl), actúan calmando una vejiga hiperactiva.

Índice

C

Cacao para combatir enfermedades, 203
Cafeína
 alivio de las migrañas, 225
 beneficios de, 201-203
 densidad ósea y, 81
 durante el embarazo, 201
 eliminación del calcio y, 81, 84
 en el té, 207
 fatiga y, 17, 193
 ibuprofeno, eficacia mejorada con, 220
 insomnio y, 22, 211
 manchas de la piel y, 36
 mitos acerca de, 117
 para ataques de asma, 190
 para prevenir la diabetes, 76
 píldoras de, 202
 tinitus y, 50
Caídas, causas de, 431-433
Calambres de pierna, por la noche, 28
 agua tónica para, 28
 remedios tradicionales para, 369
Calcio. *Ver también* Osteoporosis
 absorción, y vitamina D, 180
 cafeína y eliminación de calcio, 84
 fuentes no lácteas de, 205
 necesidad de los hombres de, 188
Cálculos biliares
 alimentos para, 191
 ejercicios previenen, 31
Cálculos renales, 92-95
Calvice Callos, causas y tratamiento, 29-30
Camas de bronceado, como tratamiento
 de la psoriasis, 42
Cambios mentales, 62
Caminar. *Ver* Ejercicios
Cáncer. *Ver también* cánceres específicos
 aspirina para reducir el riesgo de, 164
 cancerígenos ocultos, 302-303, 304
 cocinar y riesgo de cáncer por el fuego
 alto, 302
 cómo reducir el riesgo de, 298-301,
 304-306, 306-307
 diagnosis y tratamiento de, 307-309
 ensayos clínicos, como opción de
 tratamiento, 308
 estadificación (etapas), 308, 317, 320-322
 estrategias para superar, 310-312
 exámenes de detección para, 63, 107-108,
 130-132, 304
 exámenes de historial genético para, 138
 factores de riesgo de, 306-307
 hierbas para, 365
 historial familiar, importancia del, 114
 puntaje de Gleason, 317
 quimioterapia, cómo sobrellevar, 310,
 313-315
 secretos de supervivencia, 309-310
 suplementos para prevenir, 95
 té para reducir el riesgo de, 206, 304
 terapia de radiación, 313, 317, 318
 terapia hormonal (hormonoterapia),
 318-319, 321
 vacunas para, 312
 visualización de imágenes para, 361
 vitamina D y, 179

Cáncer cervical, cómo reducir el riesgo
 de, 301
Cáncer de colon y recto, 68-69. *Ver
 también* Colonoscopia
 alimentos para reducir el riesgo de, 69
 brócoli y, 312
 cómo reducir el riesgo de, 299-300
 examen de sangre oculta en las heces,
 136, 326
 exámenes de detección para, 325-327
 hierro dietario y, 327
 sigmoidoscopia, 69, 127, 131, 304, 326
Cáncer de endometrio, cómo reducir el
 riesgo de, 300
Cáncer de estómago, cómo reducir el
 riesgo de, 301
Cáncer de mama
 alimentos que reducen el riesgo de,
 312, 324
 examen de Papanicolaou, 63, 127, 132,
 301, 302, 304, 325
 factores de riesgo, 323
 frijoles de soja y riesgo del cáncer de
 mama, 213
 mamografías, 63, 114, 127, 129-130, 131,
 299, 324
 peso corporal y, 408
 reducir el riesgo de, 299
 terapia hormonal (hormonoterapia) y,
 322-324
Cáncer de ovario
 alimentos que reducen el riesgo de, 324
 cómo reducir el riesgo, 301
 cuándo someterse al examen de ADN,
 138
 examen de detección para, 108
Cáncer de páncreas, 95
 aspirina y el riesgo reducido de, 331
 cómo reducir el riesgo de, 301
Cáncer de piel, 67-68. *Ver también* Sol,
 exposición al
 cómo reducir los riesgos de, 300
 en los hombres, 67-68
 factores de riesgo de, 328
 luz ultravioleta y, 303
 mitos, 327-329
Cáncer de próstata
 cirugía para, 318
 cómo reducir el riesgo de, 298-299
 examen de tacto rectal, 106, 131, 132,
 304, 317, 320
 lecturas de las biopsias, 319
 niveles del examen del antígeno
 específico de la próstata (PSA), 63, 106,
 127, 132, 133, 140, 304, 317-319, 320
 suplementos, para enlentecer el
 crecimiento de, 322
 terapia de reemplazo de la testosterona
 y, 404
 tratamientos para, 317-319, 320-322
 zinc y, 186
Cáncer de pulmón
 examen de detección para, 107-108
 para reducir el riesgo de, 299
 riesgos para las mujeres de, 306
Cáncer de riñón, cómo reducir el riesgo
 de, 301

Cáncer de útero, cómo reducir el riesgo
 de, 300
Cáncer de vejiga
 cómo reducir el riesgo de, 300
 fumar y, 446
Candidiasis, vinagre para tratar, 382
Cantar, y roncar, 12
Carbohidratos. *Ver también* Alimentos
 Dieta baja en carbohidratos para
 reducir la resistencia a la insulina, 77
 Liberación de triglicéridos y, 273
Cardo mariano, 365, 381, 386
Carencia de micronutrientes, 1
Caries. *Ver también* Enfermedad de las
 encías
 agua fluorada (con fluoruro), 55, 57
 pasta dental con fluoruro, 57
Cáscara sagrada, riesgos de, 368
Caspa, control de, 33, 37, 473
Cataratas,
 alimentos para, 45, 46, 184, 364
 alternativas a la cirugía, 346-347
 aspirina para reducir el riesgo de, 164
 cirugía para, 46
 cómo prevenir, 44-45, 46, 190
 obesidad y, 45
 suplementos para, 45-46, 184
Celulitis, 36
Cenar en restaurantes, 211, 216
Cera en los oídos, 49, 50, 473-474
Cerebro, salud del
 aceite de oliva para, 429
 alimentos para mejorar la capacidad
 mental, 193-194, 430
 ejercicios para, 411-412, 430
 importancia de, en el envejecimiento,
 419-421
 suplementos para, 421-423, 430
Chequeo médico, 104-106
Chocolate
 beneficios para el corazón, 291
 efecto en el acné, 117-118
 longevidad y, 441
Cigarrillos, *Ver* Fumar
Cimifuga negra, 360, 458
 riesgo de, 368
Cinta adhesiva, como cura para verrugas,
 31
Ciruelas secas, para prevenir la pérdida
 ósea, 83
Cirugía. *Ver también* Estadías en el
 hospital; afecciones específicas
 alternativas a, 346-348
 anestesia, 351-352, 353-354
 antibióticos antes de, 353
 autohipnosis, antes de la cirugía, 357-358
 despertar durante, 352
 elegir un cirujano adecuado, 338-339
 en el consultorio, 354
 examen de los niveles de albúmina, 346
 fumar y, 350
 hipnosis, 357-358
 infección por, 353
 laparoscópica, 333
 marcando las partes del cuerpo, 350
 niños y, 350
 para despejar (limpiar) las arterias, 297